La première épître aux Corinthiens

Le « Commentaire biblique : Nouveau Testament » est une collection de commentaires scientifiques. L'objectif principal du Commentaire est de faire apparaître la dynamique du texte pris comme un ensemble.

Après une traduction de travail la plus littéral possible, où sont abordées aussi les questions de critique textuelle, puis la bibliographie propre du texte étudié, la partie « Interprétation » donne une explication de l'ensemble de chaque péricope en tenant compte de l'articulation du texte. Elle se veut accessible à un large public (enseignants et étudiants en théologie, prêtres, pasteurs, laïcs qui ont une formation théologique, spécialistes de littérature de l'Antiquité). Les mots grecs y sont systématiquement translittérés.

La partie « Notes » est plus technique ; elle est destinée à éclairer des points relevant de la philologie ou de l'histoire. Elle apporte aussi des états de la question non repris dans la partie « Interprétation ».

Chaque volume du CbNT comporte une introduction substantielle à l'écrit commenté, une bibliographie d'ensemble et divers index (auteurs modernes, littérature ancienne, thématique).

Le « Commentaire biblique : Nouveau Testament » est publié sous la direction de : Hugues Cousin (président du comité), Camille Focant, Jean-Pierre Lémonon, Chantal Reynier, Jacques Schlosser, Nathalie Siffer.

Volumes disponibles

2. *L'évangile selon Marc*, par Camille Focant
10. *L'épître aux Éphésiens*, par Chantal Reynier
19. *Les épîtres de Jean*, par Michèle Morgen
9. *L'épître aux Galates*, par Jean-Pierre Lémonon
14. *Les deux lettres à Timothée. La lettre à Tite*, par Michel Gourgues
21. *La première épître de Pierre*, par Jacques Schlosser
6. *L'épître aux Romains*, par Alain Gignac
11. *Les lettres aux Philippiens et à Philémon*, par Camille Focant
15. *L'épître aux Hébreux*, par Jean Massonnet

COMMENTAIRE BIBLIQUE : NOUVEAU TESTAMENT

MICHEL QUESNEL

La première épître aux Corinthiens

LES ÉDITIONS DU CERF

© *Les Éditions du Cerf*, 2018
www.editionsducerf.fr
24, rue des Tanneries
75013 Paris

ISBN 978-2-204-12411-9

AVANT-PROPOS

Écrire un commentaire complet d'une épître majeure de Paul, un auteur que j'ai beaucoup travaillé, est une chance. Lorsque cela m'a été demandé à la fin de l'année 2011 pour la collection « Commentaire biblique : Nouveau Testament », j'ai longuement hésité avant de répondre par l'affirmative. J'avais déjà presque soixante-dix ans, je ne savais pas combien de temps il me faudrait pour aboutir, ce d'autant plus que j'avais aussi des engagements pastoraux ; et je savais moins encore si je jouirais jusqu'au bout de la santé physique et mentale qui me permettrait d'achever l'entreprise. Des essais sur une ou deux péricopes m'ont conduit à estimer que, si j'acceptais, j'aurais besoin de cinq années pleines pour mener le travail à bonne fin. De soixante-dix à soixante-quinze ans, cela m'a paru viable. J'acceptai.

Le résultat est l'ouvrage que le lecteur a entre les mains. Il ne m'appartient pas de dire s'il est bon, médiocre ou mauvais. Je peux cependant avouer le plaisir que j'ai eu à l'écrire, au prix de milliers d'heures de recherche, de moments de découragement et de périodes d'enthousiasme. Commenter un texte de façon à la fois synthétique et détaillée permet d'en percevoir tous les aspects. Le risque serait d'être tellement passionné qu'on deviendrait complice de son auteur ou de ses destinataires. Mais un texte, dès qu'il existe, n'appartient plus ni à son auteur ni à ses destinataires. C'est un objet à analyser, marqué par la (ou les) culture(s) d'une époque, qui vaut d'être interprété pour parler aux lecteurs d'une autre époque, très différente de celle qui l'a vu naître. J'ai conscience que mon travail est une œuvre du monde dit « occidental » et du début du XXIe siècle, et que dans quelques décennies ou sous d'autres cieux, d'autres commentaires de la première épître aux Corinthiens mériteront d'être écrits, qui proposeront d'autres analyses et aboutiront à d'autres résultats.

Pour la présente édition, mes remerciements s'adressent d'abord aux responsables de la collection qui ont osé me confier une telle œuvre, principalement Hugues Cousin et Jean-Pierre Lémonon, et qui m'ont prodigué leurs conseils. Je nomme également Daniel Gerber, professeur à la Faculté de Théologie protestante de Strasbourg, qui prépare un commentaire de la même épître pour une autre collection francophone, avec lequel j'ai beaucoup échangé pendant les cinq années de ma recherche et de mon écriture. Ils vont encore à la personne qui a relu tout mon manuscrit pour le mettre aux normes éditoriales ; j'ai nommé Camille-Paul Cartucci. Bien plus qu'un simple correcteur, il a été un lecteur attentif des contenus de mon travail, et m'a plusieurs fois proposé des aménagements dont j'ai tenu compte. Dans un tout autre domaine, j'ai une grande gratitude envers le Professeur Guy D.R. Sanders et à son équipe de l'American School of Classical Studies at Athens, qui dirigent les fouilles de la Corinthe antique et qui m'ont chaleureusement accueilli pendant une semaine sur le site, en mars 2016. Il me faudrait aussi nommer toutes les personnes que j'ai tenues au courant de mon entreprise et qui, n'étant spécialistes ni de saint Paul ni de la première épître aux Corinthiens, sont suffisamment informées des contenus de cette épître pour se rendre compte qu'un travail quasi-exhaustif sur une telle œuvre peut être d'un grand apport pour la vie ecclésiale.

Puissent l'Église et la communauté scientifique estimer que ces lignes, dont les années à venir confirmeront ou invalideront la solidité, apportent des éléments non négligeables à la compréhension de la première épître aux Corinthiens et à l'œuvre épistolaire de Paul dans son ensemble.

MICHEL QUESNEL
Lyon, le 15 juillet 2017

ABRÉVIATIONS

Les livres bibliques sont désignés par les abréviations de la TOB (sauf Is pour Isaïe). Les écrits rabbiniques sont cités selon les abréviations usuelles. Les pseudé-pigraphes et apocryphes sont abrégés en suivant les règles données dans *Écrits apocryphes chrétiens*, I (La Pléiade), Paris 1997. Les œuvres des auteurs grecs et latins sont abrégées, pour le latin, en suivant le *Dictionnaire latin-français* de F. Gaffiot; pour le grec, en suivant le *Dictionnaire grec-français* de A. Bailly. Une référence biblique sans indication de livre renvoie à la première épître aux Corin-thiens (sauf parfois dans les parenthèses, lorsque la référence du livre en question précède immédiatement la parenthèse).

ABR	Australian Biblical Review
ActaTheol	Acta Theologica
AJTh	Asia Journal of Theology
AnalCracov	Analecta Cracoviensa
AncB	Anchor Bible
AnglTheolRevSuppt	Anglican Theological Review Supplement
AnnJapanBibInst	Annual of the Japanese Biblical Institute
ANRW	*Aufstieg und Niedergang der römischen Welt*, H. TEMPORINI, W. HAASE (eds), Berlin 1972-1996
AshTheolJourn	Ashland Theological Journal
AT	Ancien Testament
BangalTheolFor	Bangalore Theological Forum
BBR	Bulletin for Biblical Research
BDR	BLASS, F., DEBRUNNER, A., REHKOFF, F., *Grammatik des neutestamentlichen Griechisch*, Göttingen 1976, 14ᵉ éd.
Bib.	Biblica
BibBhash	Bible Bhashyam
BibInt	Biblical Interpretation
BibKirch	Bibel und Kirche
BibRev	Bible Review
BibTrans	Bible Translator

BiLi	Bibel und Liturgie
BiTod	Bible Today
BLE	Bulletin de Littérature Ecclésiastique
BN	Biblische Notizen
BR	Biblical Research
BS	Bibliotheca Sacra
BTB	Biblical Theology Bulletin
BZ	Biblische Zeitschrift
CBQ	Catholic Biblical Quarterly
CEv	Cahiers Évangile
ChristCent	Christian Century
CommViat	Communio Viatorum
ConcJourn	Concordia Journal
CriswellTheolRev	Criswell Theological Review
CrossCurr	Cross Currents
CurrBibRes	Currents in Biblical research
CurrTheolMiss	Currents in Theology and Mission
DBS	*Dictionnaire de la Bible, Supplément*, Paris 1928-2008
DeltBibMel	Deltion Biblikon Meleton
DownRev	Downside Review
EarlyChrist	Early Christianity
EE	Estudios Eclesiásticos
EpworthRev	Epworth review
EstB	Estudios Bíblicos
ET	Expository Times
EThL	Ephemerides Theologicae Lovanienses
ETR	Études Théologiques et Religieuses
EuntDoc	Euntes Docete
EvangRevTheol	Evangelical Review of Theology
EvQ	Evangelical Quarterly
EvTh	Evangelische Theologie
FiloNT	Filología Neotestamentaria
FoiVie	Foi et Vie
FourthR	The Fourth R

GB	ZERWICK, M., *Graecitas biblica Novi Testamenti exemplis illustratur*, Rome 1966.
GkOrthTheolRev	Greek Orthodox Theological Review
HervTeolStud	Hervormde Teologiese Studies
HeythJourn	Heythrop Journal
HomPastRev	Homiletic and Pastoral Review
HorBibTheol	Horizons in Biblical Theology
HThR	Harvard Theological Review
HTSTeolStud	HTS Teologiese Studies
IBSt	Irish Biblical Studies
ITS	Indian Theological Studies
Interp.	Interpretation
JAAR	Journal of the American Academy of Religion
JahrbAntChrist	Jahrbuch für Antike und Christentum
JBL	Journal of Biblical Literature
JETS	Journal of the Evangelical Theological Society
JournEarlyChristHist	Journal of Early Christian Studies
JournGrecoRomChristJud	Journal of Greco-Roman Christinaity and Judaism
JournHighCrit	Journal of Higher Criticism
JournInterdenomTheolCent	Journal of the Interdenominational Theological Center
JournJewishStud	Journal of Jewish Studies
JournPentTheol	Journal of Pentecostal Theology
JournRomArch	Journal of Roman Archaeology
JournStudPaulLett	Journal for the Studies of Paul and His Letters
JSNT	Journal for the Study of the New Testament
JTS	Journal of Theological Studies
LeDiv	Lectio Divina
LexTheolQuart	Lexington Theological Quarterly
LingBibl	Linguistica Biblica
LouvSt	Louvain Studies
LuthTheolJourn	Lutheran Theological Journal
LV(L)	Lumière et Vie. Lyon
LXX	Septante
MasterSemJourn	Master's Seminary Journal

MonBi	Le Monde de la Bible (Bayard)
ms.	manuscrit (pluriel mss : manuscrits)
N-A^{27}	*Novum Testamentum Graece*, B. & K. ALAND, J. KARAVIDOPOULOS, C.M. MARTINI, B.M. METZGER (eds), Stuttgart 27e éd. rev. 2006
NedTheolTijd	Nederlands Theologisch Tijdschrift
Neotest	Neotestamentica
NewBlackfr	New Blackfriars
NorskTheolTids	Norsk Teologisk Tidsskrift
NotesTrans	Notes on Translation
NRTh	Nouvelle Revue Théologique
NT	Nouveau Testament
NT	Novum Testamentum
NTS	New Testament Studies
OneChrist	One in Christ
PRSt	Perspectives in Religious Studies
PrincetonSemBull	Princeton Seminary Bulletin
RassTeol	Rassegna di Teologia
RB	Revue Biblique
RestQ	Restoration Quarterly
RevBib	Revista Bíblica
RevSciRel	Revue des Sciences Religieuses
RExp	Review and Expositor
RHPhR	Revue d'Histoire et de Philosophie Religieuses
RivBib	Rivista Biblica
RoczTeol	Roczniki Teologiczne
SBFLA	Studii Biblici Franciscani Liber Annuus
ScandJournOT	Scandinavian Journal of the Old Testament
ScEs	Science et Esprit
SémBib	Sémiotique et Bible
SJTh	Scottish Journal of Theology
StudNTUmwelt	Studien zum Neuen Testament und seiner Umwelt
StudRel/SciRel	Studies in Religion / Sciences Religieuses
StudTheol	Studia Theologica
StVladTheolQuart	St. Vladimir's Theological Quarterly

SVÅrs	Svensk Exgetisk Årsbok
SWJournTheol	Southwestern Journal of Theology
TCGNT	METZGER, B.M., *A Textual Commentary of the Greek New Testament*, Stuttgart 1975
ThBeitr	Theologische Beiträge
ThGl	Theologie und Glaube
ThLZ	Theologische Literaturzeitung
ThQ	Theologische Quartalschrift
ThZ	Theologische Zeitschrift
TidsTeolKirk	Tidsskrift for Teologi og Kirke
TijdTheol	Tijdschrift voor Theologie
TOB	Traduction Œcuménique de la Bible
TorontoJournTheol	Toronto Journal of Theology
TrinJourn	Trinity Journal
TThZ	Trier Theologische Zeitschrift
TynB	Tyndale Bulletin
USQR	Union Seminary Quarterly Review
VerbEccl	Verbum et Ecclesia
VigChrist	Vigiliae Christianae
VoxEvang	Vox Evangelica
vs	*versus*
WestTheolJourn	Westminster Theological Journal
WiWei	Wissenschaft und Weisheit
WordWorld	Word & World
WortDienst	Wort und Dienst
ZeitNT	Zeitschrift für Neues Testament
ZNW	Zeitschrift für die Neutestamentliche Wissenschaft
ZThK	Zeitschrift für Theologie und Kirche

BIBLIOGRAPHIE GÉNÉRALE

Dans l'interprétation et les notes, les commentaires sont cités par le nom de leur auteur suivi d'un astérisque. Les renvois aux études sur la première épître aux Corinthiens et sur les autres études mentionnées dans la bibliographie générale sont simplement faits à l'aide du nom de l'auteur, suivi d'un ou plusieurs mots du titre s'il y a risque de confusion. Chaque ensemble et chaque péricope comportent une bibliographie propre en plus des titres cités dans la Bibliographie générale ; là encore, les renvois utilisent le seul nom de l'auteur, augmenté de mots du titre s'il y a risque de confusion.

Une bibliographie complète sur la première épître aux Corinthiens, très étudiée en raison des sujets liés à la vie ecclésiale qu'elle aborde, est impossible à donner dans le cadre de ce commentaire. On la trouvera dans les commentaires récents, notamment ceux de W. Schrage (1991-2001), J.A. Fitzmyer (2008) et D. Zeller (2010).

Pour les monographies et les articles, on s'est limité volontairement aux trente dernières années (depuis 1987), sauf pour les publications ayant occupé une place marquante dans la recherche exégétique.

Commentaires

ALLO, E.B., *Saint Paul, Première épître aux Corinthiens* (Études bibliques), Paris 1956, 2ᵉ éd.

BACHMANN, P., *Der erste Brief des Paulus an di Korinther*, Leipzig 1936, 4ᵉ éd. rev. E. STAUFFER.

BARBAGLIO, G., *La Prima Lettera ai Corinzi. Introduzione, versione, commento*, Bologne 1995.

BARRETT, C.K., *A Commentary on the First Epistle to the Corinthians* (BNTC), Londres 1971, 2ᵉ éd.

BROOKINS, T.A., LONGENECKER, B.W., *1 Corinthians 1-9. A Handbook on the Greek Text*, Waco, TX 2016.

ID., *1 Corinthians 10-16. A Handbook on the Greek Text*, Waco, TX 2016.

CIAMPA, R.E., ROSNER, B.S., *The First Letter to the Corinthians* (Pillar NT Comm.), Grand Rapids 2010.

COLLINS, R.F., *First Corinthians* (Sacra Pagina Series 7), Collegeville 2006, 2ᵉ éd.

CONZELMANN, H., *Des erste Brief an die Korinther* (KEK), Göttingen 1981, 12ᵉ éd.

FASCHER, E., *Der erste Brief des Paulus an die Korinther, I* (ThHK 7/1), Berlin 1975.

FEE, G.D., *The First Epistle to the Corinthians* (NIC), Grand Rapids 1987.

FITZMYER, J.A., *First Corinthians. A New Translation with Introduction and Commentary* (AnBib 32), New Haven/Londres 2008.

GARLAND, D.E., *1 Corinthians* (Baker Exeg. Comm. NT), Grand Rapids 2003.

GODET, F., *Commentaire sur la première épître aux Corinthiens*, 2 vol., Neuchâtel 1886-1887, rééd. P. BONNARD 1965.

HARRISVILLE, R.A., *1 Corinthians*, Augsburg 1987.

HAYS, R.B., *First Corinthians*, Louisville 1997.

HEINRICI, C.F.G., *Der erste Brief an die Korinther*, Göttingen 1896, 8ᵉ éd.

HÉRING, J., *La première épître de saint Paul aux Corinthiens*, Neuchâtel 1959, 2ᵉ éd.

HORSLEY, R.A., *1 Corinthians* (Abingdon NT Comm.), Nashville 1998.

JOHNSON, A.F., *1 Corinthians*, Downers Grove, IL 2004.

KLAUCK, H.-J., *1. Korintherbrief* (NEB.NT 7), Würzburg 1984.

KREMER, J., *Der Erste Brief an die Korinther* (RNT), Regensburg 1997.

LIETZMANN, H., *An die Korinther*, 2 vol., Tübingen 1969, 5ᵉ éd. rev. W.G. KÜMMEL.

LINDEMANN, A., *Der Erste Korintherbrief* (HNT 9/1), Tübingen 2000.

LOCKWOOD, G.J., *1 Corinthians* (Concordia Comm.), St Louis 2000.

MERKLEIN, H., *Der erste Brief an die Korinther*, 3 vol. (3ᵉ vol. avec M. GIELEN), Gütersloh 1992-2005.

MONTAGUE, G.T., *First Corinthians* (Catholic Comm. on Sacred Scripture), Grand Rapids 2011.

MURPHY-O'CONNOR, J., *1 Corinthians*, New York 1998.

ORR, W.F., WALTHER, J.A., *1 Corinthians* (AnBib 32), New York 1976.

ORTKEMPER, F.J., *1. Korintherbrief*, Stuttgart 1993.

POWERS, B.W., *First Corinthians. An Exegetical and Explanatory Commentary*, Eugene, OR 2008.

ROBERTSON, A., PLUMMER, A., *A Critical and Exegetical Commentary on the First Epistle of St Paul to the Corinthians*, New York 1914, 2ᵉ éd. repr. 1975.

SCHNABEL, E., *Der erste Brief des Paulus an die Korinther*, Wuppertal 2006.

SCHOTTROFF, L.N., *Der erste Brief an die Gemeinde in Korinth*, Stuttgart 2013.

SCHRAGE, W., *Der erste Brief an die Korinther*, 4 vol., Düsseldorf 1991-2001.

SENFT, Ch., *La première épître de saint Paul aux Corinthiens*, Neuchâtel 1990, 2ᵉ éd.

SOARDS, M.L., *1 Corinthians*, Peabody, MA 1999.

SOMERVILLE, R., *La première épître de Paul aux Corinthiens* (Commentaire évangélique de la Bible), 2 vol., Vaux-sur-Seine 2001-2005.

STROBEL, A., *Der erste Brief an die Korinther*, Zürich 1989.

THISELTON, A.C., *The First Epistle to the Corinthians* (NIGTC), Grand Rapids 2000.

WATSON, N., *The First Epistle to the Corinthians* (Epworth Comm.), Londres 1992.

WEISS, J., *Der erste Korintherbrief* (KEK 5), Göttingen 1925, 10ᵉ éd.

WENDLAND, H.D., *Die Briefe an die Korinther übersetzt und erklärt* (NTD 7), Tübingen 1972, 13ᵉ éd.

WOLFF, C., *Der erste Brief des Paulus an die Korinther*, Leipzig 2000, 2ᵉ éd.

ZELLER, D., *Der erste Brief an die Korinther* (KEK 5), Göttingen 2010.

Études sur Corinthe et 1 Corinthiens

A.C.F.E.B., *Le corps et le corps du Christ dans la Première épître aux Corinthiens* (LeDiv 114), Paris 1983.

ACKERMANN, D.A., *Lo, I Tell You a Mystery. Cross, Resurrection, and Paraenesis in the Rhetoric of 1 Corinthians*, Eugene, OR 2006.

ADAMS, E., HORRELL, D.G. (eds), *Christianity at Corinth. The Quest for the Pauline Church*, Westminster 2004.

AMANDRY, M., *Le monnayage des duovirs corinthiens*, Athènes 1988.

BALJON, J.M.S., *De tekst der brieven van Paulus aan de Romeinen, de Corinthiërs en de Galatiërs als voorwerp van de conjucturaalkritiek beschouwd*, Utrecht 1884, 49-51.

BIERINGER, R. (ed.), *The Corinthian Correspondence*, Leuven 1996.

BOOKIDIS, N., « Religion in Corinth : 146 B.C.E. to 100 C.E. », in *Urban Religion in Roman Corinth. Interdisciplinary Approaches*, D.N. SCHOWALTER, S.J. FRIESEN (eds), Cambridge, MA 2005, 141-164.

BÜNKER, M., *Briefformular und rhetorische Disposition in 1 Korintherbrief*, Göttingen 1984.

CARREZ, M., « La Première épître aux Corinthiens », *CEv* 66, décembre 1988.

CARTER, C.L., *The Great Sermon Tradition as a Fiscal Framework in 1 Corinthians. Towards a Pauline Theology of Material Possessions*, Londres 2010.

CHESTER, S.J., *Conversion at Corinth. Perspectives on Conversion in Paul's Theology and the Corinthian Church*, Londres 2003.

CHOW, J.K., *Patronage and Power. A Study of Social Networks in Corinth*, Sheffield 1992.

CIAMPA, R.E., ROSNER, B.S., « The Structure and Argument of 1 Corinthians : A Biblical Jewish Approach », *NTS* 52, 2006, 205-218.

CLARKE, A.D., *Secular and Christian Leadership in Corinth. A Socio-Historical and Exegetical Study of 1 Corinthians 1-6*, Leiden 1993.

CRADDOCK, F.B., « Preaching to Corinthians », *Interp.* 44, 1990, 158-168.

CROCKER, C.C., *Reading 1 Corinthians in the Twenty-First Century ?* Londres 2004.

DAUTZENBERG, G., *Urchristliche Prophetie. Ihre Erforschung, ihre Voraussetzungen im Judentum und ihre Struktur im ersten Korintherbrief*, Stuttgart 1975.

DE BOER, M.C., « The Composition of 1 Corinthians », *NTS* 40, 1994, 229-245.

DUMORTIER, F., *Croyants en terres païennes. Première Épître aux Corinthiens*, Paris 1982.

DUNGAN, D.L., *The Sayings of Jesus in the Churches of Paul. The Use of Tradition in the Regulation of Early Church Life*, Philadelphie 1971.

DUTCH, R.S., *The Educated Elite in 1 Corinthians. Education and Community Conflict in Greco-Roman Context*, Londres 2005.

ELLIS, E.E., « Traditions in 1 Corinthians », *NTS* 32, 1986, 481-502.

ENGBERG-PEDERSEN, T., « The Gospel and Social Practice According to 1 Corinthians », *NTS* 33, 1987, 557-584.

ENGELS, D., *Roman Corinth. An Alternative Model for the Classical City*, Chicago 1990.

ERIKSSON, A., *Traditions as Rhetorical Proof. Pauline Argumentation in 1 Corinthians*, Stockholm 1998.

FINNEY, M.T., *Honour and Conflict in the Ancient World. 1 Corinthians in its Greco-Roman Social Setting*, Londres 2012.

FITZGERALD, J.T. *Cracks in an Earthen Vessel. An Examination of the Catalogues of Hardships in the Corinthian Correspondence*, Atlanta 1988.

FJÄRSTEDT, B., *Synoptic Tradition in 1 Corinthians. Themes and Clusters of Theme Words in 1 Corinthians 1-4 and 9*, Uppsala 1974.

FRIESEN, S.J., SCHOWALTER, D.N., WALTERS, J.C. (eds), *Corinth in Context. Comparative Studies on Religion and Society*, Leiden 2010.

FRIESEN, S.J., JAMES, S.A., SCHOWALTER, D.N. (eds), *Corinth in Contrast. Studies in Inequality*, Leiden 2014.

FURNISH, V.P., *The Theology of the First Letter to the Corinthians*, Cambridge 1999.

GENEST, O., « L'interprétation de la mort de Jésus en situation discursive, un cas type : l'articulation des figures de cette mort en 1-2 Corinthiens », *NTS* 34, 1988, 506-535.

GERBER, D., « 1 Corinthiens et l'archéologie : douze dossiers-test », *Théologiques* 21, 2013, 213-245.

GILCHRIST, J.M., « Paul and the Corinthians. The Sequence of Letters and Visits », *JSNT* 34, 1988, 47-69.

GOODRICH, J.K., *Paul as an Administrator of God in 1 Corinthians*, Cambridge 2012.

GOULDER, M., « Σοφία in 1 Corinthians », *NTS* 37, 1991, 516-534.

GOULDER, M., *Paul and the Competing Mission in Corinth*, Peabody, MA 2001.

GRANT, R.M., *Paul in the Roman World. The Conflict at Corinth*, Louisville 2001.

GROMACKI, R., *Called to Be Saints. An Exposition of 1 Corinthians*, The Woodlands, TX 1977, réimp. 2003.

GRUDEM, W.A., *The Gift of Prophecy in 1 Corinthians*, Boston 1982.

HAGGE, H., « Die beiden überlieferten Sendschreiben des Apostels Paulus an die Gemeinde zu Korinth », *Jahrbücher für protestantische Theologie* 2, 1876, 481-531.

HALL, D.R., *The Unity of the Corinthian Correspondence*, Londres 2003.

HARRISON, J.R., WELBORN, L.L. (eds), *The First Urban Churches, II, Roman Corinth*, Atlanta 2016.

HAYS, R.B., « The Conversion of the Imagination : Scripture and Eschatology in 1 Corinthians », *NTS* 45, 1999, 391-412.

HEIL, J.P., *The Rhetorical Role of Scripture in 1 Corinthians*, Atlanta 2005.

HIIGEL, J.L., *Leadership in 1 Corinthians. A Case Study in Paul's Eschatology*, Lewiston 2003.

HOGETERP, A.L.A., *Paul and God's Temple. A Historical Interpretation of Cultic Imagery in the Corinthian Correspondence*, Leuven 2006.

HORRELL, D.G., *The Social Ethos of the Corinthian Correspondence. Interests and Ideology from 1 Corinthians to 1 Clement*, Edimbourg 1996.

JACON, C., *La sagesse du discours. Analyse rhétorique et épistolaire de 1 Corinthiens*, Genève 2006.

JOHNSON, L.A., « Satan Talk in Corinth : The Rhetoric of Conflict », *BTB* 29, 1999, 145-155.

JONKIND, D., « Corinth in the First Century AD : The Search for Another Class », *TynB* 52, 2001, 139-148.

KAMMLER, H.-C., *Kreuz und Weisheit. Eine exegetische Untersuchung zu 1 Kor 1, 10 – 3, 4*, Tübingen 2003.

KIM, Y.S., *Christ's Body. The Politics of a Metaphor*, Minneapolis 2008.

KISTEMAKER, S.J., *Exposition of the First Epistle to the Corinthians*, Grand Rapids 1993.

KLUTZ, T.E., « Re-Reading 1 Corinthians after *Rethinking "Gnosticism"* », *JSNT* 26, 2003, 193-216.

KOVACS, L., *1 Corinthians : Interpreted by Early Christian Commentators*, Grand Rapids 2005.

LANCI, J.R., « The Stones Don't Speak and the Texts Tell Lies : Sacred Sex at Corinth », in *Urban Religion in Roman Corinth. Interdisciplinary Approaches*, D.N. SCHOWALTER, S.J. FRIESEN (eds), Cambridge, MA 2005, 205-220.

LANG, M., *Cure and Cult in Ancient Corinth. A Guide to the Asklepeion*, Princeton 1970.

LEE, M.V., *Paul, the Stoics, and the Body of Christ*, Cambridge 2006.

LÉMONON, J.P., *Pour lire la première lettre aux Corinthians*, Paris 2017.

LIGHTFOOT, J.B., *Notes on the Epistles of St Paul from Unpublished Commentaries*, Londres 1904, réimp. Grand Rapids 1957.

LINDEMANN, A., « Die Funktion der Herrenworte in der ethischen Argumentation des Paulus im ersten Korintherbrief », in F. VAN SEGBROECK et al. (eds), *The Four Gospels 1992, Fest. Frans Neirynck, I*, Leuven 1992, 677-688.

LINDEMANN, A., « Paulus und die korintische Eschatologie. Zur These von einer ,Entwicklung' im paulinischen Denken », *NTS* 37, 1991, 373-399.

LONG, A., *Paul and Human Rights. A Dialogue with the Father of the Corinthians Community*, Sheffield 2009.

MARSHALL, P., *Enmity in Corinth. Social Conventions in Paul's Relations with the Corinthians*, Tübingen 1987.

MARTIN, D.B., *The Corinthian Body*, New Haven 1995.

MEGGITT, J.J., *Paul, Poverty and Survival*, Edimbourg 1998.

MILLER, A.C., *Corinthian Democracy : Democratic Discourse in 1 Corinthians*, Eugene, OR 2015.

MILLS, W.E., *1 Corinthians. Bibliographies for Biblical Research*, Lewiston, NY 1996.

MITCHELL, M.M., *Paul and the Rhetoric of Reconciliation. An Exegetical Investigation of the Language and Composition of 1 Corinthians*, Tübingen 1993, 2ᵉ éd.

MITCHELL, M.M., « Paul's Letters to Corinth : The Interpretative Intertwining of Literary and Historical Reconstruction », in *Urban Religion in Roman Corinth. Interdisciplinary Approaches*, D.N. SCHOWALTER, S.J. FRIESEN (eds), Cambridge, MA 2005, 307-338.

MITCHELL, M.M., *Paul, the Corinthians and the Birth of Christian Hermeneutics*, Cambridge 2010.

MURPHY-O'CONNOR, J., « Co-authorship in the Corinthian Correspondance », *RB* 100, 1993, 562-579.

MURPHY-O'CONNOR, J., « Interpolations in 1 Corinthians », *CBQ* 48, 1986, 81-84.

MURPHY-O'CONNOR, J., *Corinthe au temps de saint Paul. L'archéologie éclaire les textes*, Paris, 1986, 2ᵉ ed. 2004.

MURPHY-O'CONNOR, J., *Keys to First Corinthians. Revisiting the Major Issue*, Oxford 2009.

ØKLAND, J., *Women in their Place. Paul and the Corinthian Discourse of Gender and Sanctuary Space*, Londres 2004.

OROPEZA, B.J., *Paul and Apostasy. Eschatology, Perseverance, and Falling Away in the Corinthian Congregation*, Tübingen 2000.

PEARSON, B.A., *The Pneumatikos-Psychikos Terminology in 1 Corinthians. A Study of the Theology of the Corinthian Opponents of Paul and its Relation to Gnosticism*, Cambridge 1973.

PESCH, R., *Paulus ringt um Lebensform der Kirche*, Freiburg 1986.

PETERSON, B.K., *Eloquence and the Proclamation of the Gospel in Corinth*, Atlanta 1998.

PICKETT, R., *The Cross in Corinth. The Social Significance of the Death of Jesus*, Sheffield 1997.

PLANK, K.A., *Paul and the Irony of Affliction*, Atlanta 1987.

RAKOTOHARINTSIFA, A., *Conflits à Corinthe. Église et société selon I Corinthiens. Analyse socio-historique*, Genève 1997.

ROBERTSON, C.K., *Conflict in Corinth. Redefining the System*, New York 2002.

SAFREY, H.D., « Aphrodite à Corinthe, Réflexions sur une idée reçue », *RB* 92, 1985, 359-374.

SANDERS, J.T., « Paul between Jews and Gentiles in Corinth », *JSNT* 42, 1998, 67-83.

SCHLATTER, A., *Paulus der Bote Jesu : eine Deutung seiner Briefe an die Korinther*, Stuttgart 1934.

SCHMITHALS, W., *Die Gnosis in Korinth*, Göttingen 1969, 3ᵉ éd.

SCHOWALTER, D.N., FRIESEN, S.J. (eds), *Urban Religion in Roman Corinth. Interdisciplinary Approaches*, Cambridge, MA 2005.

SCHRAGE, W., *Studien zur Theologie im 1. Korintherbrief*, Neukirchen-Vluyn 2007.

SCHÜSSLER-FIORENZA, E., « Rhetorical Situation and Historical Reconstruction in 1 Corinthians », *NTS* 33, 1987, 386-403.

SELLIN, G., *Die Streit um die Auferstehung der Töten. Eine religionsgeschichtliche und exegetische Untersuchung von 1. Kor 15*, Göttingen 1986.

SELLIN, G., « Hauptproblem des Ersten Korintherbriefes », *ANRW* II, 25, 4, 1987, 2940-3044.

DE LA SERNA, E., « Los orígenes de 1 Corintios », *Bib.* 72, 1991, 192-216.

STANLEY, C.D., *Paul and the Language of Scripture*, Cambridge 1992.

STEWART-SYKES, A., « Ancient Editors and Copyists and Modern Partition Theories : The Case of Corinthian Correspondence », *JSNT* 61, 1996, 53-64.

THIELMAN, F., « The Coherence of Paul's View of the Law : The Evidence of First Corinthians », *NTS* 38, 1992, 235-253.

THISELTON, A.C., « The Significance of Recent Research on 1 Corinthians for Hermeneutical Appropriation of This Epistle Today », *Neotest.* 40, 2006, 320-352.

THOMAS, C.M., « Placing the Dead : Funerary Practice and Social Stratification in the Early Roman Period at Corinth and Ephesos », in *Urban Religion in Roman Corinth. Interdisciplinary Approaches*, D.N. SCHOWALTER, S.J. FRIESEN (eds), Cambridge, MA 2005, 281-304.

TOMLIN, G., « Christians and Epicurians in 1 Corinthians », *JSNT* 68, 1997, 51-72.

TUCKER, J.B., *Remain in Your Calling. Paul and the Construction of Social Identities in 1 Corinthians*, Eugene, OR 2011.

WALBANK, M.E.H., « The Foundation and Planning of Early Roman Corinth », *JournRomArch* 10, 1997, 95-130.

WALBANK, M.E.H., « Unquiet Graves : Burial Practices of the Roman Corinthians », in *Urban Religion in Roman Corinth. Interdisciplinary Approaches*, D.N. SCHOWALTER, S.J. FRIESEN (eds), Cambridge, MA 2005, 249-280.

WALTERS, J., « Civic Identity in Roman Corinth and its Impact on Early Christians », in *Urban Religion in Roman Corinth. Interdisciplinary Approaches*, D.N. SCHOWALTER, S.J. FRIESEN (eds), Cambridge, MA 2005, 397-417.

WELBORN, L.L., *Politics and Rhetoric in the Corinthian Epistles*, Macon, GA 1997.

WILLIAMS II, C.K., « Roman Corinth : The Final Years of Pagan Cult Facilities along East Theater Street », in *Urban Religion in Roman Corinth. Interdisciplinary Approaches*, D.N. SCHOWALTER, S.J. FRIESEN (eds), Cambridge, MA 2005, 221-247.

WINTER, B.W., *After Paul Left Corinth. The Influence of Secular Ethics and Social Change*, Grand Rapids, MI 2001.

WINTER, B.W., « The Achaean Federal Imperial Cult : The Corinthian Church », *TynB* 46, 1995, 169-178.

WINTER, B.W., *Philo and Paul among the Sophists. Alexandrian and Corinthian Responses to a Julio-Claudian Movement*, Grand Rapids 2002, 2ᵉ éd.

WIRE, A.C., *The Corinthian Women Prophets. A Reconstruction through Paul's Rhetoric*, Minneapolis 1990.

WISEMAN, J., *The Land of the Ancient Corinthians*, Göteborg 1978.

WITHERINGTON III, B., *Conflict and Community in Corinth. A Socio-Rhetorical Commentary on 1 and 2 Corinthians*, Grand Rapids 1995.

ZIMMERMANN, R., « Jenseits von Indikativ und Imperativ. Entwurf einer ,impliziten Ethik' des Paulus am Beispiel des 1. Korintherbriefes », *ThLZ* 132, 2007, 259-284.

Autres études

AGAMBEN, G., *Le temps qui reste, Un commentaire de l'*Épître aux Romains, Paris 2000.

BACCHIOCCHI, S., *Du Sabbat au Dimanche*, Paris 1984.

BADIOU, A., *Saint Paul, La fondation de l'universalisme*, Paris 1997.

BASLEZ, M.-F., *Saint Paul*, Paris 1991.

BAUMGARTEN, J., *Paulus und die Apokalyptik*, Neukirchen-Vluyn 1975.

BAUR, F.C., *Paulus, der Apostel Jesu Christi. Sein Leben und Wirken, seine Briefe und seine Lehre. Ein Beitrag zu einer kritischen Geschichte des Urchristenthums*, Stuttgart 1845.

BEAUDE, P.-M., *Saint Paul, L'œuvre de métamorphose*, Paris 2011

BLACK, M., *The Scrolls and Christian Origins. Studies in the Jewish Background of the New Testament*, NewYork 1961.

BLANCHETIÈRE, F., *Enquête sur les racines juives du mouvement chrétien (30-135)*, Paris 2001.

BONNARD, P.-E., *La sagesse en personne annoncée et venue : Jésus Christ*, Paris 1966.

BORNKAMM, G., *Gesammelte Aufsätze*, 2 vol, Munich 1956.

BORNKAMM, G., *Das Ende des Gesetzes*, Munich 1952.

BURKERT, W., *La religion grecque à l'époque archaïque et classique*, Paris 2011.

CAILLOT, J., *L'Évangile de la communication*, Paris 1989.

CHEVALLIER, M.-A., *Souffle de Dieu. Le Saint-Esprit dans le Nouveau Testament*, 3 vol., Paris 1998-1991.

CERFAUX, L., *Le Christ dans la théologie de saint Paul*, Paris 1954, 2ᵉ éd.

COTHENET, É., *Exégèse et liturgie, II*, Paris 1999.

CROSSAN, J.D., REED, J., *In Search of Paul. How Jesus's Apostle Opposed Rome's Empire with God's Kingdom. A New Vision on Paul's Words and World*, San Francisco 2004.

DALE, H.M., *The Use of Analogy in the Letters of Paul*, Philadelphie 1964.

DAVIES, W.D., *Paul and Rabbinic Judaism : Some Rabbinic Elements in Pauline Theology*, Londres 1948.

DENZINGER, H., *Symboles et définitions de la foi catholique*, P. HÜNERMANN, J. HOFFMANN (eds), Paris 1996.

DUNGAN, D.L., *The Sayings of Jesus in the Churches of Paul. The Use of Tradition in the Regulation of Early Church Life*, Philadelphie 1971.

DUNN, J.D.G., *Baptism in the Holy Spirit*, Londres 1970.

DUNN, J.D.G., *Jesus and the Spirit. A Study of the Religious Experience of Jesus and the First Christians as Reflected in the New Testament*, Londres 1975.

DUNN, J.D.G., *The Theology of Paul the Apostle*, Edimbourg 1998.

DUPLACY, J., *Études de critique textuelle du Nouveau Testament*, Leuven 1987.

DUPONT, J., *Gnosis. La connaissance religieuse dans les épîtres de saint Paul*, Louvain 1949.

DUPONT, J., « La question du plan des Actes des Apôtres à la lumière d'un texte de Lucien de Samosate », in ID, *Nouvelles études sur les Actes des Apôtres*, Paris 1984, 24-36.

ECKSTEIN, H.-J., *Der Begriff Syneidesis bei Paulus*, Tübingen 1983.

FEE, G.D., *Paul, the Spirit and the people of God*, Peabody, MA 1996.

FEUILLET, A., *Le Christ Sagesse de Dieu d'après les épîtres pauliniennes*, Paris 1966.

FRANCO, E., *Communione e partecipazione. La Koinônia nell'epistolario paolino*, Brescia 1986.

FREED, E.D., *The Apostle Paul, Christian and Jew, Faithfulness and Law*, Lanham 1994.

HANGES, J.C., *Paul, Founder of Churches : A Study in Light of the Evidence for the Role of « Founder-Figures » in the Hellenistic-Roman Period*, Tübingen 2012.

HORSLEY, R.A., *Paul and Empire. Religion and Power in Roman Imperial Society*, Harrisburg, PA 1997.

JACQUEMIN, A., MULLIEZ, D., ROUGEMONT, G., *Choix d'inscriptions de Delphes*, Ecole Française d'Athènes 2012.

JEWETT, R., *Paul's Anthropological Terms : A Study of their Use in Conflict Settings*, Leiden 1971.

KENNEDY, G.A., *New Testament Interpretation through Rhetorical Criticism*, Chapel Hill 1984.

KITTEL, G., *Rabbinica*, Leipzig 1920.

KLAUCK, H.-J., *L'environnement gréco-romain du christianisme primitif*, Paris 2012.

LEE, Y., *Paul, Scribe of Old and New : Intertextual Insights for the Jesus-Paul Debate*, Londres 2015.

LÉMONON, J.P., *L'épître aux Galates*, Paris 2008.

LIGHTFOOT, J.B., *Notes on Epistles of St Paul from Unpublished Commentaries*, Londres 1904.

MANNS, F., *Le symbolisme eau-esprit dans le judaïsme ancien*, Jérusalem 1983.

MANNS, F., *Une approche juive du Nouveau Testament*, Paris 1998.

MARTIN, D., *Slavery and Salvation. The Metaphor of Slavery in Pauline Christianity*, New Haven 1990.

MEEKS, W.A., *The First Urban Christians. The Social World of the Apostle Paul*, New Haven 1983.

MILLER, C., « The Imperial Cult in the Pauline Cities of Asia Minor and Greece », *CBQ* 72, 2010, 314-331.

MILLER, J., « The Literary Structure of Mark. An Interpolation Based on 1 Corinthians 2 : 1-8 », *ET* 106, 1995, 296-299.

MIMOUNI, S., *Le judaïsme ancien du VIe siècle avant notre ère au IIIe siècle de notre ère : Des prêtres aux rabbins*, Paris 2012.

MOULE, C.F.D., *An Idiom Book of New Testament Greek*, Cambridge 1953.

MUNCK, J., *Paul and the Salvation of Mankind*, Londres 1959.

MURPHY-O'CONNOR, J., *Paul, A Critical Life*, Oxford 1996.

MURPHY-O'CONNOR, J., *Paul et l'art épistolaire*, Paris 1994.

NELLIGAN, T.P., *The Quest for Mark's Sources : An Exploration of the Case for Mark's Use of First Corinthians*, Eugene, OR 2015.

NEUGEBAUER, F., *In Christus, En Christō. Eine Untersuchung zum paulinischen Glaubenverständnis*, Göttingen 1961.

NGAYIHEMBAKO, S., *Les temps de la fin*, Genève 1994.

NODET, É., TAYLOR, J., *Essais sur les origines du christianisme. Une secte éclatée*, Paris 1998.

PANIKULAM, G., *Koinōnia in the New Testament. A Dynamic Expression of Christian Life*, Rome 1979.

PAYNE, P.B., *Man and Woman, One in Christ. An Exegetical and Theological Study of Paul's Letters*, Grand Rapids 2009.

PERROT, C., *Marie de Nazareth au regard des chrétiens du Ier siècle*, Paris 2012.

PFITZNER, V.C., *Paul and the Agon Motiv. Traditional Athletic Imagery in the Pauline Literature*, Leiden 1967.

PLEVNIK, J., *Paul and the Parousia. An Exegetical and Theological Investigation*, Peabody, MA 1997.

POULET, F., *Célébrer l'eucharistie après Auschwitz. Penser la théodicée sur un mode sacramentel*, Paris 2015.

PRICE, S.R.F., *Rituals and Power. The Roman Imperial Cult in Asia Minor*, Cambridge 1984.

QUESNEL, M., *Baptisés dans l'Esprit. Baptême et Esprit Saint dans les Actes des Apôtres* (LeDiv 120), Paris 1985.

QUESNEL, M., « Circonstances de composition de la seconde épître aux Corinthiens », *NTS* 43, 1997, 256-267.

QUESNEL, M., *Saint Paul et les commencements du christianisme*, Paris 2008.

RÄISÄNEN, H., *Paul and the Law*, Tübingen 1983, 2e éd. 1987.

REITZENSTEIN, R., *Die hellenistischen Mysterienreligionen*, Darmstadt 1920, 3e éd. 1927.

SANDERS, E.P., *Paul and Palestinian Judaism. A Comparison of Patterns of Religion*, Londres 1977.

SCHAPDICK, S., *Eschatisches Heil mit eschatischen Anerkennung. Exegetische Untersuchungen zu Funktion und Sachgehalt der paulinischen Verkündigung vom eigenen Endgeschick im Rahmen seiner Korrespondenz an die Thessalonischer, Korinther, und Philipper*, Göttingen 2011.

SCHERER, H., *Gestreiche Argument. Das Pneuma-Konzept des Paulus im Kontext seiner Briefe*, Münster 2011.

SCHILLEBEECKX, E., *Le mariage, réalité terrestre et mystère du salut, I*, Paris 1966.

SCHMELLER, T., *Paulus und die "Diatribe" : Eine vergleichende Stilinterpretation*, Munster 1987.

SCHMIDT, C.F., *Annotationes in epistolam Pauli ad Romanos, philologicae, theologicae et criticae*, Leipzig 1777.

SCHNACKENBURG, R., *Des Heilsgeschehen bei der Taufe nach dem Apostel Paulus*, Munich 1950.

SPRAGUE, W.D., *Paul's Servant-Lord Analogy for the Relationship of a Believer to Christ*, Lanham 2000.

STOWERS, S.K., *The Diatribe and Paul's Letter to the Romans*, Chico, CA 1981.

THEISSEN, G., *Histoire sociale du christianisme primitif*, Genève 1996.

THEISSEN, G., *La religion des premiers chrétiens*, Paris 2002.

THERRIEN, G., *Le discernement dans les écrits pauliniens*, Paris 1973.

TOMSON, P.J., *Paul and th Jewish Law. Halakha in the Letters of the Apostle of the Gentiles*, Assen 1990.

VEYNE, P., *L'Empire gréco-romain*, Paris 2005.

WALKER, O., *Interpolations in the Pauline Letters*, Sheffield 2001.

VON WILAMOWITZ-MOELLENDORFF, U., *Inscriptiones Graecae*, IV, Berlin 1929.

WEST, A.B., *Latin Inscriptions 1896-1927*, VIII/2, Cambridge 1931.

WILCKE, H.A., *Das problem eines missianischen Zwischenreichs bei Paulus*, Zurich 1967.

WILCKENS, U., *Grundzüge und Chrestomathie der Papyruskunde*, Hildesheim 1912.

WILLIAMS, D.J., *Paul's Metaphors: Their Context and Character*, Peabody, MA 1999.

WINTER, B.W, *Roman Wives, Roman Widows. The Appearance of New Women and the Pauline Communities*, Grand Rapids 2003.

INTRODUCTION

Parmi les vingt-sept écrits du Nouveau Testament (NT), la première épître aux Corinthiens (1 Co) occupe la septième position ; elle occupe la seconde dans les épîtres de Paul, juste après l'épître aux Romains. Chronologiquement parlant, elle est vraisemblablement le deuxième écrit de ce recueil, juste après la première épître aux Thessaloniciens que l'on date environ de l'année 50. Les évangiles ont été rédigés plus tardivement. La deuxième épître aux Thessaloniciens, qui se présente comme faisant suite à peu de distance chronologique à la première, est sans doute un écrit pseudépigraphe dont Paul n'est pas lui-même l'auteur. L'épître aux Galates, si elle a été adressée aux Églises de Galatie du Sud, est peut-être contemporaine de 1 Co, mais il n'existe pas d'indice d'antériorité ou de postériorité d'une de ces deux épîtres par rapport à l'autre (J.-P. Lémonon, *Galates* 33-34). Cela ne veut pas dire que Paul n'a rien écrit entre la première épître aux Thessaloniciens et 1 Co. Dans 1 Co elle-même, l'Apôtre mentionne une lettre antérieure qu'il a écrite à l'Église de Corinthe (1 Co 5, 9). On a essayé de la reconstituer à partir de l'ensemble des écrits de Paul qui nous sont parvenus. La conclusion retenue par le présent commentaire est que cette tentative pour retrouver dans le NT tout ou partie de cette épître antérieure (ou pré-canonique) à 1 Co est désespérée. La correspondance entre Paul et l'Église de Corinthe antérieure à 1 Co doit être considérée comme perdue. L'exégèse biblique doit assumer cette perte. Elle n'enlève rien à l'intérêt que représente 1 Co dans la réflexion sur les messages que Paul adressa aux Églises qu'il avait fondées.

Brève histoire de Corinthe

Le site géographique de la ville de Corinthe est exceptionnel. Le voyageur qui, venant de la Grèce continentale, s'aventure dans le Péloponnèse en franchissant l'isthme large de 6km qui est le seul lien entre le reste de l'Europe et cette sorte de mini-continent, voit se dresser devant lui une colline rocheuse haute de 575m, l'Acrocorinthe. Le sommet de cette colline est un refuge naturel en cas de danger venant de la mer, en même temps qu'un lieu de culte spontané ; les dénivelés de la plateforme supérieure sont suffisamment importants pour que des sources y jaillissent et permettent aux populations réfugiées de s'alimenter en eau. C'est sur la pente nord de cette colline que la ville ancienne s'est établie, profitant de deux terrasses dont l'altitude moyenne est de 90m pour la plus élevée, de 60m pour la plus basse. De là, on voit la mer, plus précisément les eaux du golfe Saronique (ou golfe de Corinthe) dont les rives sont à environ 3 km de distance en direction du nord. Mais la ville moderne de Corinthe n'est plus là. Le site ancien fut définitivement abandonné après le séisme de 1859, qui détruisit la ville pour la nième fois. Une nouvelle ville s'est établie sur la côte, plus proche de l'isthme lui-même, la Corinthe moderne dont la population atteint à peine 40 000 habitants. Un modeste village demeure près du site archéologique fouillé depuis 1896 par l'American School of Classical Studies at Athens (ASCSA) ; si l'on pouvait fouiller sous les maisons qui le composent, nul doute que l'on retrouverait d'autres traces d'occupation remontant à l'Antiquité, les espaces dégagés ne couvrant pas toute la surface de ce que fut la ville à l'époque romaine, au cours de laquelle elle connut sans doute sa plus vaste extension.

Des traces d'habitats préhistoriques remontant à l'époque néolithique (6 500 av. J.-C.) et témoignant d'une occupation assez dense de l'espace ont été découvertes sur le site de l'ancienne Corinthe mais aussi sur plusieurs autres sites proches, notamment entre la ville et la côte. De cette époque ont été retrouvées des traces de maisons néolithiques et des fragments de céramiques, quelques outils en pierre et des statuettes. Le passage du Néolithique au Bronze ancien (vers 2 800 av. J.-C.) s'est fait de façon pacifique. Au début du 2e millénaire, la bourgade est détruite, comme beaucoup d'autres habitats préhistoriques de la même époque, sans qu'on en connaisse la raison. Il semble que la ville resta en somnolence pendant presque un millénaire, même si la région resta habitée.

Les premières traces de l'occupation à l'époque historique remontent au début du 1er millénaire av. J.-C. ; elles se trouvent au pied de l'Acrocorinthe. À cette époque, Corinthe est sous la dépendance d'Argos, ce dont l'Iliade porte le souvenir. À partir du VIIIe siècle avant notre ère, elle devint prospère, acquit son indépendance économique et politique, et se lança dans des campagnes de colonisation qui aboutirent : l'île de Corfou (Corcyre à l'époque) fut colonisée en 734, et la ville de Syracuse, en Sicile, le fut un an plus tard, en 733. La ville put alors développer son commerce, inventa une forme de bateau particulièrement adaptée, la trière, et exporta des poteries qu'elle fabriquait, réputées pour la qualité de leur décoration. Elle atteignit son apogée sous deux tyrans qui régnèrent au VIIe siècle, Kypsélos qui prit le pouvoir en 657, et son fils Périandre qui lui succéda. Aux céramiques s'ajoutèrent les bronzes, dont la qualité fut également très réputée, l'eau de la source Pirène, qui alimente la ville, étant particulièrement adaptée à la trempe de ce métal. De nouvelles colonies furent fondées, notamment sur la côte ionienne.

En 582, les Jeux isthmiques sont fondés à Isthmia, à quelques kilomètres en direction d'Athènes. Créés en l'honneur de Poséidon, dieu de la mer, ils sont l'une des manifestations culturelles et sportives les plus fréquentées de la Grèce antique, et ont lieu tous les deux ans, au cours de la première et de la troisième année de chaque olympiade. Le régime des successeurs de Kypsé-los est renversé en 480 et le pouvoir passe alors aux mains de l'aristocratie locale. La prospérité se poursuit jusqu'aux Guerres médiques (commencées en 492), où Athènes prend de l'importance aux dépens de Corinthe. Quelques décennies plus tard, au cours de la Guerre du Péloponnèse (431-404), Corinthe s'allie à Sparte. Elle est d'abord victorieuse, mais cela n'améliore pas sa situation ; elle continue de décliner au profit de Thèbes. Il faut attendre l'époque macédonienne (mort d'Alexandre en 323) pour que la ville redevienne un grand centre commercial.

Corinthe devint membre de la Ligue achéenne (à partir de 243), dont elle fut le siège, peu après (en 200), et retrouva une importance politique jusqu'à la conquête romaine. En 146 av. J.-C., elle fut conquise par les troupes du général Mummius, qui la détruisirent, tuèrent ou vendirent ses habitants comme esclaves. Pendant cent deux ans, le site resta quasi désert, encore que les archéologues soient de plus en plus convaincus que des populations pauvres s'installèrent tant bien que mal au milieu des ruines, quelques dizaines d'années après sa destruction. Pendant toute cette période, l'Achaïe, qui correspond au sud de la Grèce géographique, dépendit de la province romaine de Macédoine.

C'est Jules César qui, en 44 avant notre, décida de relever la ville en lui accordant un édit de réconciliation et en fondant une colonie destinée à accueillir des vétérans et des affranchis. La ville devint romaine et prit le nom de *Colonia Laus Iulia Corinthiensis*. Des prêtres furent envoyés de Rome, un calendrier sacré fut établi, progressivement complété par d'autres cultes. On estime à entre 12 000 et 16 000 personnes le nombre de colons qui s'y installèrent au moment de la refondation. Le plan fut redessiné par des arpenteurs romains qui réutilisèrent les structures architecturales de la ville ancienne qui n'avaient pas été détruites. Pendant la deuxième moitié du Ier siècle av. J.-C., Corinthe est donc une ville romaine, en lien plus fort avec la capitale de l'Empire qu'avec les villes grecques voisines ; sa culture, ses mœurs, sa morale sont inspirées par Rome (Walters, « Civic »). En 27 avant notre ère, Auguste réorganise les provinces de l'Empire et fait de Corinthe la capitale de la province d'Achaïe, une province sénatoriale avec à sa tête un proconsul de rang sénatorial résidant dans la ville. Elle perdit pourtant ce statut entre 15 et 44 de notre ère car, par décision de Tibère (14-37), Achaïe et Macédoine passèrent en 15 sous le contrôle du *Legatus Augusti Propraetore* de Mésie, une province située au nord de la Macédoine. C'est Claude

(41-54) qui, en 44 de notre ère, rendit à l'Achaïe le statut autonome qu'elle avait acquis sous Auguste, et à Corinthe son rôle de capitale de province.

Au fil des années, la colonie romaine attire à elle de nouvelles populations : des étrangers, notamment des Juifs et, parmi eux, ceux qui durent quitter Rome en 49 suite à un édit de Claude. Progressivement la culture hellénistique se superpose à la culture romaine. On estime qu'au milieu du Ier siècle de notre ère, au moment où Paul arriva dans la ville, elle était biculturelle : romaine administrativement parlant, toutes les inscriptions officielles sont en latin ; mais on y parlait grec, et c'est sous leur nom grec que les dieux étaient vénérés. L'importance de la population est difficile à estimer. Les chiffres les plus souvent donnés sont 90 000 habitants au moment de la destruction de la ville en 146 av. J.-C., et autour de 120 000 au milieu du Ier siècle de notre ère.

Délocalisés à Sicyone après la destruction de Corinthe en 146, les Jeux isthmiques furent rétablis à Isthmia quelques années avant le début de l'ère chrétienne. Certains étaient l'occasion de frappes de monnaies dont des exemplaires ont été retrouvés à Corinthe ; ces monnaies ont permis de dater des édifices publics et des maisons particulières mis au jour au cours des fouilles archéologiques (Amandry, *Monnayage*).

Corinthe au temps de saint Paul

Actuellement, l'isthme de Corinthe est traversé par un canal creusé à la fin du XIXe siècle, permettant aux bateaux de passer du golfe Saronique à la mer Égée en évitant de contourner le Péloponnèse, dont la côte est rocheuse et ventée. Cette difficulté de navigation se posait d'autant plus dans l'Antiquité. Dès le VIe siècle avant notre ère, avait été aménagé un chemin creux dallé avec des rails de guidage, le Diolkos, permettant de faire passer les bateaux d'une mer à l'autre sur des véhicules de bois équipés de roues, pour éviter la route du sud. La pente moyenne est de 1,5 %. Les embarcations étaient déchargées d'un côté et rechargées de l'autre. En conséquence, Corinthe possédait quatre ports : Léchaion, le plus proche de la ville, sur le golfe Saronique, où avait été creusé un port entièrement artificiel ; Cenchrées, sur la mer Égée, qui possédait une crique naturelle ; et deux ports plus modestes aux endroits où le Diolkos rejoignait la mer, Schoenus et Poseidona. La grande ville était en lien constant avec cette activité. Elle était très habituellement fréquentée par des marins et des commerçants qui y faisaient escale ; on y trouvait les services et activités courantes dans un grand port. On peut lire dans un fragment d'Aristophane le verbe *korinthiazomai*, qui signifie « vivre à la Corinthienne », c'est-à-dire dans la débauche (*Fragments* 133).

Le voyageur grec Pausanias, qui visita la Corinthe au IIe siècle de notre ère, en fournit une description (livre 2) qui concorde avec les fouilles entreprises par l'ASCSA. Le centre vital était un forum presque rectangulaire aménagé sur la terrasse supérieure, légèrement incliné vers le sud-ouest par rapport à l'axe est-ouest. Il mesurait environ 100 m. du nord au sud et 200 m. de l'est à l'ouest, mais était légèrement moins large dans sa partie orientale. Il était bordé de temples, d'édifices civils dont le bouleutérion où siégeait le Sénat, et de portiques abritant des commerces. Proche du portique sud, une estrade en pierre, le *bèma*, était le lieu où les autorités romaines siégeaient lorsqu'elles voulaient s'adresser au peuple. Au centre, des autels et des statues monumentales – dont une statue de l'empereur régnant – rappelaient d'ailleurs l'appartenance de la cité à l'Empire. Deux fontaines en étaient très proches, la fontaine Pirène au nord-est, et la fontaine Glaukè au nord-ouest, venant de la Corinthe grecque et restaurées à la période romaine. Du côté nord, un propylée monumental ouvrait sur le *cardo*, autrement dit la rue droite, orientée parfaitement nord-sud, qui traversait le nord de la ville et permettait d'atteindre Lechaion, l'avant-port le plus proche.

Au nord-ouest du forum, un théâtre et un odéon accueillaient des manifestations artistiques et musicales : spectacles tragiques et comiques, célébrations officielles et, plus tard, jeux de gladiateurs, chasse aux animaux, sports aquatiques.

Le panthéon de Corinthe était extrêmement varié. Pausanias (2, 4, 6 – 2, 5, 4) mentionne sept sanctuaires importants, dont plusieurs ont été retrouvés et identifiés. La ville comportait cependant plus d'une dizaine de temples, sans compter les autels domestiques dans les maisons particulières. Au sommet de l'Acrocorinthe se dressait le temple d'Aphrodite dont il ne reste aujourd'hui que le socle ; Strabon atteste l'avoir visité en 29 av. J.-C. (8, 6, 21). Sur la pente nord de l'Acrocorinthe se trouvait un sanctuaire de Déméter (identifiée avec Cérès par les Romains) et Korè, auprès duquel des salles à manger avaient permis de prendre des repas sacrés à l'époque grecque ; elles n'étaient sans doute plus en fonctionnement à l'époque romaine ; l'une d'entre elles a servi plus tard d'entrepôt pour des tablettes de malédiction. La ville basse était dominée par le temple d'Apollon construit sur une éminence naturelle, dont sept colonnes en partie reliées par une architrave se dressent encore vers le ciel. Un autre temple important a été identifié, proche de l'enceinte nord de la ville, celui d'Asclépios (Esculape), le dieu guérisseur, construit sur une plateforme et précédé à l'ouest d'une cour en partie creusée dans le roc, la Lerna, sur laquelle donnait une source et ouvraient trois salles à manger ; on ignore si elles étaient encore utilisées au Ier siècle pour y prendre des repas sacrés. À ces cultes il faut encore ajouter ceux des dieux appartenant au panthéon grec officiel : Zeus, Héra, Hermès, Héraclès, Arès, Artémis, Athéna (Williams II, « Roman »), certains cultes grecs ou romains marginaux, des pratiques astrologiques, plus des cultes de provenance orientale dont la date d'arrivée dans la ville est difficile à préciser : Isis et Sérapis, Bès, Attis, Cybèle (Bookidis, « Religion »).

Une question débattue concerne l'importance du culte impérial à Corinthe et dans l'ensemble des villes visitées par saint Paul. Plusieurs historiens ont eu tendance à lui accorder un grand rôle dans la vie des cités au cours du Ier siècle de notre ère (Price, *Rituals* ; Horsley* ; Crossan, Reed, *In Search*). Un examen plus détaillé de la littérature antique et des sites archéologiques conduit à nuancer cette opinion et à conclure que la situation pouvait être très différente d'une ville à l'autre. Corinthe, refondée par César en 44, a sans doute été l'une des grandes cités de l'Empire à honorer les empereurs : on a trouvé plus de soixante inscriptions en leur honneur (Bookidis, « Religion ») ; plusieurs statues julio-claudiennes ont été découvertes par les archéologues, notamment dans la Basilique julienne bordant le forum à l'est (bien qu'elle soit plus vraisemblablement un marché qu'un temple) ; et il est incontestable que, sur le forum, existait un monument dédié au « divin Auguste ». Toutes ces traces n'impliquent cependant pas forcément un culte, et encore moins un culte plus célébré que d'autres. L'offre cultuelle était extrêmement variée dans la Corinthe du Ier siècle ; si culte impérial il y avait, il faisait certainement nombre avec beaucoup d'autres (Miller, *Democracy*).

Une autre question débattue est celle de savoir s'il existait à Corinthe de la prostitution sacrée. Strabon l'affirme (8, 6, 20). Le phénomène exista sans doute, associé au culte d'Aphrodite, sur l'Acrocorinthe, mais rien ne garantit qu'elle fût rétablie après la reconstruction de la colonie en 44 av. J.-C. (Williams II, « Roman »). Il n'en existe aucune trace archéologique (Lanci, « Stones ») ; et la littérature de l'époque n'atteste pas non plus que des cultes de la fertilité étaient pratiqués dans la ville. C'est peut-être un fantasme de Strabon influencé par le passé de la ville, et repris par des chercheurs de l'époque moderne.

Les textes renseignent peu sur les pratiques funéraires. C'est par les fouilles archéologiques que l'on peut en avoir une idée. Il semble que l'on inhumait autant que l'on incinérait, l'incinération étant, au Ier siècle, davantage pratiquée par les élites romaines : les cendres étaient alors conservées dans des urnes (Thomas, « Placing »). On inhumait à l'extérieur de l'enceinte, souvent à proximité des murailles de la ville. De riches tombeaux ont été retrouvés, avec des chambres funéraires contenant plusieurs tombes recouvertes de dalles comportant un trou servant aux libations ; au milieu de la chambre, pouvait se trouver un autel de pierre servant à des banquets funéraires. Dix-huit sarcophages grecs ont également été inventoriés. Les gens de milieu social plus simple étaient inhumés dans des tombes regroupées en cimetières et recouvertes de tuiles. On n'y trouve pas trace de vêtements, le cadavre était sans doute inhumé nu après avoir été transporté dans un cercueil de bois. La plupart des tombes fouillées contenaient des objets en plus du squelette : bijoux simples, vases à onguents souvent disposés de part et d'autre de la tête, lampes, quelques disques d'or correspondant à l'obole destinée à Caron (Walbank, « Unquiet »).

Points de repère pour le séjour de Paul à Corinthe

Le premier séjour de Paul à Corinthe est raconté dans les Actes des Apôtres (Ac 18, 1-18). Si l'on en croit ce récit, le Tarsiote y arriva après son séjour à Athènes. Il commença à travailler et sans doute à loger chez Aquilas et Priscille, un couple qui tenait un atelier de tissage à partir de poils de chèvre, où l'on fabriquait des tentes et des tissus résistants. Tous deux avaient sans doute été convertis au Christ à Rome, d'où ils étaient arrivés depuis peu (Ac 18, 2-3). Lors des offices du sabbat, Paul rejoignait une des synagogues de la ville et, au cours de l'homélie, annonçait la résurrection de Jésus. Puis Paul et Timothée le rejoignirent depuis la Macédoine. À un certain moment, l'Apôtre cessa de travailler et ouvrit une école. C'est dix-huit mois après son arrivée à Corinthe que Paul fut pris à partie par des Juifs hostiles à son enseignement et comparut devant Gallion, proconsul de la province d'Achaïe et frère du philosophe stoïcien Sénèque (Ac 18, 11-12). Gallion laissa les Juifs se débrouiller entre eux, il y eut quelques violences que sa police réprima peut-être. Puis Paul resta encore « assez longtemps » (*hèmeras hikanas* ; v. 18) à Corinthe, sans doute quelques mois, et finit par quitter la ville pour retourner à Antioche après une brève escale à Ephèse.

Cette présentation est influencée par les perspectives historiques et théologiques de Luc. Elle semble pourtant chronologiquement fiable, et fournit deux renseignements concernant les dates. Le premier concerne Aquilas et Priscille. Leur arrivée à Corinthe est consécutive à un édit de l'empereur Claude (41-54), expulsant les Juifs de Rome. Cet édit est connu des historiens Suétone, Dion Cassius et Orose, mais sa date est fortement débattue : 41, année de l'avènement de Claude ; ou 49, neuvième année de son règne (indication fournie par Orose). Malgré les imprécisions et les ambiguïtés des textes, estimer que Paul est arrivé à Corinthe en 49 est vraisemblable (Murphy-O'Connor, *Corinthe* 205-218). L'autre renseignement concernant la chronologie est la mention de Gallion comme proconsul d'Achaïe. Une inscription sur pierre retrouvée à Delphes et recomposée à partir de plusieurs fragments fait mention de Gallion dans cette fonction. L'auteur de cette inscription est l'empereur Claude ; ce dernier est dans sa « douzième année de puissance triburnicienne, acclamé empereur pour la vingt-sixième fois ». La puissance triburnicienne était accordée à l'empereur au moment de son couronnement ; la douzième année du règne de Claude s'étend entre janvier 52 et janvier 53 ; nous n'avons pas d'élément précis pour dater la vingt-sixième acclamation ; mais ce que nous savons des campagnes et des victoires de Claude conduit à situer cette acclamation au printemps de l'an 52.

Nous savons par ailleurs que les proconsuls étaient nommés pour un an à partir d'un 1er juillet, et que Gallion n'exerça pas sa charge jusqu'au bout. Celui-ci dut prendre sa charge le 1er juillet 51 ; ce qui conduit à situer la comparution de Paul devant le proconsul entre juillet et octobre 51 (Murphy-O'Connor, *Corinthe* 219-231. 263-267). Paul quitta Corinthe par la mer, donc au plus tôt au printemps 52, lorsque la mer était ouverte (elle était fermée d'octobre à mars). Les repères les meilleurs pour situer le premier séjour de Paul à Corinthe sont donc son arrivée en 49 (sans précision, car il y arriva par voie de terre) et son départ au printemps 52.

L'Église de Corinthe confrontée aux recherches historiques et archéologiques

La recherche des raisons pour lesquelles Paul entreprit d'écrire 1 Co doit entrecroiser des informations provenant de sources différentes : l'archéologie, les témoignages littéraires antiques sur la ville, et ce que l'on peut induire du texte même de 1 Co et d'autres épîtres de l'Apôtre (Mitchell, « Interpretative »). Les recherches récentes dans ces différents domaines conduisent à penser que, dans une ville aussi grande et aussi variée, les lieux de réunion et les courants de pensée étaient nécessairement divers. La ville était très vaste. Elle contenait sans doute plusieurs synagogues lorsque Paul y arriva. Il est vraisemblable qu'il a prêché dans plusieurs, et que l'Église a progressivement été composée de personnes appartenant à des milieux sociaux très variés : du patricien disposant d'une maison assez vaste pour que l'Église s'y réunisse, à de modestes artisans, employés, et même esclaves. Comme on l'a vu, l'Apôtre est resté plus de deux années sur place lors de son premier séjour dans la ville ; lui-même et ses collaborateurs ne ménagèrent pas leurs forces pour faire connaître la Bonne Nouvelle de la résurrection de Jésus ; des Juifs adhérèrent à son message et se firent baptiser, des païens également ; il est vraisemblable que, lorsqu'il quitta la ville après ce premier séjour, des communautés chrétiennes se réunissaient en plusieurs lieux pour prier, dispenser des formations et célébrer le Dîner du Seigneur, se regroupant par quartiers ou par affinité de pensée. Après Paul, Apollos vint aussi dans la ville et y prêcha à son tour, délivrant un message aux accents sensiblement différents de ceux de Paul, si l'on en croit 1 Co 1-4.

Cela conduit prendre des distances par rapport à plusieurs tentatives pour cerner la pensée des opposants à Paul, tentatives qui appartiennent maintenant à l'histoire de l'interprétation. Dans les années 1960-1970, deux chercheurs allemands, U. Wilckens (*Weisheit*) et W. Schmithals (*Gnosticism*) émirent l'un après l'autre l'hypothèse que l'Église de Corinthe était marquée par un courant gnostique, tenant d'une christologie

docète, et estimant que le salut ne pouvait s'acquérir que par la connaissance (*gnôsis*). Cette hypothèse s'autorisait du fait que Paul oppose sagesse
et croix en 1, 18-25 ; et également du fait que, au chapitre 8, il critique
fortement ceux qui, s'appuyant sur leur connaissance, sont prêts à consommer des victuailles offertes aux divinités païennes, sans égard pour le frère
faible que ce mauvais exemple pourrait faire tomber. Des études plus
récentes ont montré que la gnose, originaire d'orient, ne s'était répandue
dans le bassin méditerranéen qu'au IIe siècle de notre ère. En conséquence,
imaginer qu'un courant gnostique existait à Corinthe au milieu du Ier siècle
est anachronique. C'est sans doute plutôt du côté d'enthousiastes, ou de
personnes majorant les effets de la présence de l'Esprit sur l'Église, qu'il
faudrait chercher les opposants à la théologie paulinienne de la croix. Plus
récemment a été émise l'hypothèse que l'Église de Corinthe comportait un
groupe de fidèles estimant que la résurrection des fidèles avait déjà eu lieu,
perspective que l'on appelle « eschatologie réalisée » (Wire, *Women*). On
en trouve une attestation en 2 Tm 2, 17-18 ; l'auteur de cette épître attribue
cette conception à Hyménée et Philetos, lesquels « se sont écartés de la
vérité ». Autre hypothèse, celle que tout tournerait autour d'une anthropologie juive alexandrine développée par Philon, ayant de profondes réserves
concernant la résurrection, et dont Apollos aurait été l'importateur à Corinthe (Sellin, *Streit*). Deux choses semblent clairement se dégager de cette
enquête. La première est que les opposants à Paul au moment où il écrit
1 Co ne sont pas encore des prédicateurs, appelés « judaïsants », estimant
qu'on ne peut être valablement disciple de Jésus sans une observance
minutieuse des observances de la Tora ; Paul combattra contre de tels
adversaires en 2 Co, mais pas encore en 1 Co. La seconde est que les
courants contre lesquels Paul se bat en 1 Co sont pluriels et que l'Apôtre
essaie de les corriger à mesure de son écriture. En voici un premier inventaire : surévaluation de la sagesse et critique de la théologie de la croix
(1, 11 – 4, 21) ; licence morale résultant de la conviction que le salut
apporté par Christ est plus fort que tout, dont le principe « tout est
permis » est comme le fondement (5-6) ; mépris du frère faible et peu
cultivé par des chrétiens jouissant d'une plus grande aisance intellectuelle
et sociale (8, 1 – 11, 1) ; célébration indigne du Dîner du Seigneur (11, 17-
34) ; goût démesuré pour les manifestations de l'Esprit dans les réunions de
prière, notamment le parler en langues (12-14) ; négation de la résurrection
des humains pour des raisons diverses (15).

Authenticité, unité, date de 1 Corinthiens

L'authenticité de 1 Co n'a pas été sérieusement contestée. Le style et la
forme de pensée sont nettement pauliniens, si on les compare à la façon dont

Paul s'exprime dans les autres grandes épîtres de l'Apôtre, notamment Romains et Galates. Elle fait partie des *homologoumena*[1]. Son unité, en revanche, a été souvent contestée, du fait que Paul n'hésite pas à utiliser, à quelques lignes de distance, des formulations peu conciliables, voire contradictoires, dues à sa stratégie rhétorique... ou à ses maladresses. À l'époque moderne, le premier exégète à contester l'unité de 1 Co est l'exégète H. Hagge, en 1876, qui y distingua deux lettres différentes réunies plus tard en une seule (Hagge, « Beiden »). L'idée était lancée. De nombreux commentateurs estiment que 1 Co est une lettre composite, et certains acrochent même à des morceaux de 1 Co des morceaux de 2 Co. Les commentateurs les plus modérés dans la partition distinguent deux lettres différentes (Héring*) ; plusieurs en distinguent trois (Sellin, « Hauptproblem » ; Weiss*) ; d'autres vont jusqu'à quatre (Senft*) voire six ou neuf (voir inventaire complet dans Fitzmyer*, 48-53). Chacun peut alors y aller de son hypothèse, et l'on n'aboutit dans ce domaine à aucun consensus. Pour notre part, nous nous rallions au principe partagé par beaucoup, qu'il ne faut se résoudre au caractère composite d'une œuvre littéraire, que lorsque toutes les tentatives pour accepter son unité ont échoué. Nous estimons que la principale raison de contester l'unité de 1 Co tient à la difficulté de concilier les projets de voyage que Paul énonce au début et à la fin de la lettre : se rendre bientôt à Corinthe (4, 19) *vs* rester à Éphèse jusqu'à la Pentecôte (16, 8). Une autre difficulté, moindre, est rarement soulevée par les commentateurs. Si Paul avait déjà reçu une lettre des Corinthiens au moment où il se met à écrire, pourquoi n'en parle-t-il pas dès le début de sa lettre ? Dans les six premiers chapitres, ses propos sont construits à partir de rumeurs qui sont parvenues jusqu'à lui, émanant soit des gens de Chloé (1, 11) soit d'autres canaux (5, 1) ; et c'est en 1 Co 7, 1 qu'il fait allusion à une lettre reçue. Tenant compte de tout cela, voici la reconstitution des événements que nous proposons, en nous fondant à la fois sur 1 Corinthiens et sur d'autres écrits du NT, notamment 2 Co et les Actes.

Paul est arrivé à Ephèse par voie de terre au cours de son troisième voyage (Ac 19, 1), après avoir parcouru la région Galate et la Phrygie (Ac 18, 23). Il s'y trouve déjà depuis un certain temps. Depuis Ephèse ou depuis une ville où il séjournait antérieurement, il a déjà écrit une première lettre à l'Église de Corinthe, demandant en particulier aux fidèles de ne pas voir de relations avec les débauchés (1 Co 5, 9). On ne possède pas cette lettre (lettre A) ; certains exégètes estiment qu'elle se trouve insérée dans l'actuelle 2 Corinthiens en 2 Co 6, 14 – 7, 1, mais ce n'est qu'une hypothèse. Du temps a

---

1. On désigne sous ce vocable les sept épîtres du corpus paulinien dont l'authenticité est reconnue par la très grande majorité des chercheurs : Rm, 1 et 2 Co, Ga, Ph, 1 Th et Phm. L'authenticité de Col, 2 Th et 2 Tm est débattue. Les quatre autres épîtres du corpus (Ep, 1 Tm, Tt et He), sont très généralement considérées comme deutéro-pauliniennes (œuvres de disciples de Paul).

passé, les relations par mer entre Ephèse et Corinthe, plus précisément Cenchrées, l'avant-port de Corinthe sur la mer Égée, sont courantes. Des rumeurs circulent entre les deux capitales de province. Paul apprend que la conduite morale des Corinthiens est loin d'être exemplaire. Il envoie alors Timothée, avec Éraste, trésorier de la ville de Corinthe (Rm 16, 23) et quelques autres frères, essayer de rétablir la situation. Rien ne semble cependant urgent : entre Ephèse et Corinthe, ce groupe fera le tour de la mer Égée par le nord, pour visiter les Églises que Paul a fondées en Macédoine au cours de son deuxième voyage (1 Co 4, 17 ; Ac 19, 22). Entre-temps, il apprend par les gens de Chloé (1, 11) qu'il existe de fortes divisions entre les fidèles. Il se met alors en devoir d'écrire une assez longue lettre pour remettre les choses en place, tant en ce qui concerne l'unité de l'Église (chapitres 1 à 4) qu'en ce qui concerne les questions de conduite morale (chapitres 5 et 6). Son projet est alors de se rendre lui-même à Corinthe par voie maritime pour calmer le jeu, sans même attendre que Timothée arrive en Achaïe, et, de là aller lui-même revisiter les Églises de Macédoine (1 Co 4, 18-21 ; 2 Co 1, 15-16). Sur ces entrefaites, avant que parte la lettre composée de six chapitres que Paul a rédigés, arrive une lettre adressée à Paul par l'Église de Corinthe (1 Co 7, 1) ; les chrétiens de Corinthe y posent à l'Apôtre des questions sur le mariage (chapitre 7), sur les viandes immolées aux idoles (1 Co 8, 1 à 11, 1), peut-être sur d'autres questions dont nous ne connaissons pas la liste. Paul se met alors en devoir d'y répondre, et rédige la seconde partie de 1 Corinthiens. Les questions qu'il soulève, surtout à partir du passage sur le Dîner du Seigneur (1 Co 11, 17-34) sont graves, et le conduisent à durcir le ton ; c'est le cas à propos du Dîner du Seigneur, des charismes (1 Co 12-14), et surtout de la résurrection (1 Co 15). La lettre ainsi complétée étant prête à partir, l'Apôtre se rend compte qu'il doit modifier ses projets de voyage. Plutôt que de se rendre directement à Corinthe et de visiter ensuite les Églises de Macédoine, mieux vaut qu'il laisse sa lettre produire ses effets. Il annonce alors qu'il fera le tour de la mer Égée par le nord et n'arrivera à Corinthe qu'ensuite (1 Co 16, 5-8). Il se peut que Timothée arrive à Corinthe avant lui (1 Co 16, 10-11).

Quant à la date d'expédition, elle dépend de la date que l'on attribue au séjour à Ephèse, et de chronologie paulinienne que l'on retient, en particulier du moment où l'on situe l'Assemblée de Jérusalem rapportée en Ac 15, 4-35 et Ga 2, 1-10 : ou bien après le premier voyage missionnaire de Paul (présentation des Actes, soit en 48 ou 49) ; ou bien après le deuxième voyage missionnaire, ce qui correspond mieux aux indications fournies par les Galates. Selon Galates, en effet, trois ans s'écoulent entre la vocation de Paul et sa première montée à Jérusalem (Ga 1, 18) ; quatorze nouvelles années s'écoulent entre cette première montée et l'Assemblée de Jérusalem (Ga 2, 1), ce qui situe cette dernière aux alentours de 52 ; c'est l'hypothèse que nous retenons comme date probable de cette Assemblée (Quesnel, *Commencements* 15-29). Ensuite, Paul gagna Ephèse après avoir traversé l'Asie mineure. Selon les indications des Actes il y resta au moins deux ans (Ac 19, 10), ce qui situe vraisemblablement la rédaction de 1 Co quelques semaines avant la Pentecôte 54 (mais 53 et 55 ne sont pas impossibles).

Rappelons qu'avant de rédiger 1 Co, Paul avait déjà écrit aux Corinthiens une première lettre (lettre A, évoquée en 1 Co 5, 9). Celle que nous appelons la Première est donc la deuxième (lettre B). La suite est sans doute celle-ci : 1 Corinthiens fut mal acceptée par ses destinataires ; Paul fut informé de cet échec, et, au lieu de se rendre rapidement à Corinthe peu après la Pentecôte 54, comme il l'avait projeté (1 Co 16, 5-8 ; repris en 2 Co 1, 5.23), il préféra écrire une troisième lettre, « écrite parmi bien des larmes » (lettre C, évoquée en 2 Co 2, 4), peut-être encore expédiée d'Ephèse, qu'il fit sans doute porter par Tite. Après quoi il se mit en route vers Corinthe par voie de terre, en passant par Troas (2 Co 2, 12) puis par la Macédoine (Ac 20, 1). Là, Tite le rejoignit, lui apportant de meilleures nouvelles (2 Co 7, 6-7). Paul se décida alors à écrire les chapitres 1-9 de 2 Co, qui se terminent par des appels à la collecte en faveur de l'Église de Jérusalem, lancés aux Corinthiens et aux autres Églises d'Achaïe (2 Co 8-9) ; cette lettre (lettre D) est la quatrième qu'il envoya aux Corinthiens. Elle aussi annonçait sa prochaine arrivée à Corinthe ; il arriva sans doute peu après, espérant que tout allait, cette fois-ci, bien se passer (Ac 20, 2). C'est pendant ce second séjour à Corinthe qu'il écrivit Romains et peut-être aussi Galates (ce dernier point est controversé). Mais les choses tournèrent moins bien que prévu ; en attendant que l'orage se calme, Paul prit ses distances et repartit en Macédoine (Ac 20, 3), d'où il écrivit une dernière lettre qui a le ton d'un plaidoyer sévère, constituée des chapitres 10 à 13 de 2 Co (lettre E). Il espérait pouvoir retourner à Corinthe pour une troisième visite (évoquée en 2 Co 12, 14 et 13, 1), une fois que le climat serait apaisé (Quesnel, « Circonstances »). On n'est pas renseigné sur la suite. Vraisemblablement cette troisième visite n'eut jamais lieu, et Paul repartit vers la Syrie en passant par Milet, à proximité d'Ephèse (Ac 20, 17-38). Son troisième voyage se termina à Tyr, sur la côte syrienne (Ac 21, 1-3), d'où il gagna Jérusalem (Ac 21, 17).

Compositon de la lettre

Ce qui a été dit plus haut des circonstances de composition conduit à marquer une césure importante entre 6, 20 et 7, 1. Après l'adresse (1, 1-3) et l'action de grâce (1, 4-9), ce qui est écrit dans les six premiers chapitres est une réaction de Paul à des informations reçues. Jusqu'à la fin du chapitre 4, ce sont des informations reçues par les gens de Chloé (1, 11) ; les chapitres 5 et 6 sont plutôt des réactions à une rumeur dont l'origine n'est pas précisée mais largement répandue (5, 1). À partir du chapitre 7, les raisons de l'écriture changent. Paul répond à des questions que les Corinthiens lui ont posées par écrit. Le chapitre 7 fait à lui seul un premier ensemble, consacré à des questions conjugales et familiales. De 8, 1 à 11, 1, les chapitres sur les idolothytes semblent bien, eux aussi, être des réponses à des questions écrites. Mais c'est beaucoup moins assuré pour la suite. De 11, 2 à 11, 34, Paul aborde deux questions concernant l'assemblée chrétienne sans grand lien l'une avec l'autre, sans qu'on en connaisse les raisons, surtout pour la première. Il est vraisemblable que, vu la façon dont sont rédigés les premiers versets de la péricope concernant la coiffure (11, 2-16), on ait encore là un point de vue de Paul sur un sujet abordé par les Corinthiens dans leur correspondance. Le ton change nettement en 11, 17 : c'est celui du reproche ; il semble bien qu'ici, comme aux chapitres 5-6, la situation à Corinthe soit connue de Paul par la rumeur ; et comme elle n'est pas supportable aux yeux de l'Apôtre, le propos est vif. Quant aux deux sujets suivants, à savoir les trois chapitres sur les charismes (12-14) et celui sur la résurrection (15), les raisons que Paul a de les aborder ne sont pas connaissables. 1 Co 12, 1 est formulé de la même façon que 8, 1 (*peri de*), mais c'est une formule trop passe-partout pour qu'on puisse en déduire que les raisons d'écrire sur les idolothytes (8, 1 – 11, 1) et sur les charismes (12-14) sont du même ordre. Et pour le chapitre 15, il est clair que Paul veut reprendre ceux des fidèles qui ne croient pas en la résurrection future des humains, mais on ne sait d'où il tient cette information. La lettre s'achève par des questions diverses (collecte, projets, salutations) égrenées au long du chapitre 16, comme Paul le fait dans Rm à partir de Rm 15, 14.

Transmission du texte

Le texte de 1 Co est bien attesté par plusieurs témoins manuscrits, dont les plus vénérables remontent aux alentours de l'année 200. Il y a d'abord sept papyrus, dont le plus ancien, le p^{46}, contient presque tout le texte de 1 Co, mis à part trois versets lacunaires : 9, 3 ; 14, 15 ; 15, 16. C'est un des témoins les plus précieux pour l'établissement du texte. Un autre papyrus, le p^{15}, remonte au IIIe siècle, mais il ne contient qu'un court fragment de 1 Co : 7, 18 – 8, 14. Cinq autres papyrus grecs contiennent des sections plus ou moins longues de l'épître, mais ils ne remontent qu'au VIe ou au VIIe siècle : p^{11}, p^{14}, p^{34}, p^{61}, p^{68}.

Le texte grec de 1 Co est reproduit in extenso dans les deux grands onciaux sur parchemin que l'on date du IVe siècle : le Sinaïticus (א) et le Vaticanus (B). On le trouve aussi in extenso dans l'Alexandrinus (A), du Ve siècle ; un codex du VIIIe ou IXe siècle (Ψ) ; et un du IXe siècle (L). Parmi les autres codices qui le contiennent de façon incomplète, citons ceux-ci par ordre d'ancienneté : au IVe siècle, 0185 et sans doute 0270 ; au Ve siècle, 016. 048. 088. 0201 ; au VIe siècle, D 015. 0199. 0222. 0285 ; plus tard, F G K P

0278. 0289. Parmi les minuscules, les deux plus importants sont le ms. 33 et le ms. 1739, respectivement des IXe et Xe siècles (liste complète dans *NA*^{27}, 18* ; commentaires dans Poulet, *Célébrer* 185-192).

Perspectives de ce commentaire

Le présent commentaire en français se situe dans les perspectives actuelles de l'exégèse paulinienne. Cette dernière s'est en effet assez largement renouvelée depuis que les biblistes ont pris quelque distance par rapport à l'exégèse classique qui s'était développée principalement en milieu protestant, selon laquelle tout saint Paul ou presque était à interpréter à partir de la justification par la foi, qui est l'un des thèmes centraux de Rm. Certes, la théologie est centrale chez Paul, mais d'autres disciplines et d'autres aspects sont à prendre en compte lorsqu'on lit les œuvres de l'Apôtre. Tout d'abord les questions historiques, sociales et culturelles : les destinataires de 1 Co vivaient dans des lieux précis, marqués par des habitudes sociales, une histoire, une culture. La vie ecclésiale à Corinthe a inévitablement dû se situer par rapport à son environnement sociétal. Des citoyens se regroupaient dans des sortes de confréries appelées thiases (mot masculin), attachées à une divinité du panthéon grec ; cela se fit d'abord autour du culte de Dionysos, puis s'étendit à d'autres dieux. La ville comportait aussi des écoles philosophiques. Des notables recevaient dans leur maison une clientèle qui constituait autour d'eux une sorte de cour chargée de soigner leur notoriété, dont l'importance était fonction du rang social de leur « patron ». Tous ces aspects de la vie sociale, bien mis en valeur par les recherches sur le NT de W.A. Meeks (*First Urban*) et G. Theissen (*Histoire ; Religion*), sont à prendre en compte, sous peine de faire des lectures anachroniques ou idéologiques ; ils ont été analysés de façon pertinente et documentée dans le cas de Corinthe par A. Rakotoharintsifa (*Conflits*). Il est également important de prendre en compte la culture de Paul lui-même, un Juif de la diaspora, homme frontière entre le monde grec et le judaïsme ancien, qui lit la Bible dans la traduction des Septante (LXX). Toutes les questions à ce propos ne sont d'ailleurs pas résolues. L'Apôtre connaît bien la pensée stoïcienne. Mais connaissait-il Philon ? Et si oui, était-il véritablement familier de la pensée du maître alexandrin ? La nécessité d'honorer ce qui touche à la formation et à la culture de l'Apôtre a été fortement soulignée par E.P. Sanders dès 1977 (*Palestinian*). Les deux exigences que l'on vient d'évoquer, celle de tenir compte du milieu des destinataires et celle de ne pas négliger la culture de l'auteur, constituent ce que l'on a coutume d'appeler la « nouvelle perspective » de l'exégèse paulinienne, un courant qui a maintenant une quarantaine d'années et qu'ignorent les grands commentaires existant en langue française, en raison de leur ancienneté.

Un autre domaine dans lequel l'exégèse paulinienne s'est considérablement renouvelée depuis quelques décennies est, dans le domaine littéraire, celui de l'analyse rhétorique. Non seulement Paul compose ses lettres selon les catégories de l'art oratoire gréco-romain répertoriées par Quintilien dans son *Institution oratoire*, procédé mis en valeur par G.A. Kennedy (*Interpretation*) et de nombreux autres exégètes à sa suite, mais il utilise également des procédés littéraires habituels à son époque, comme l'ironie, la diatribe (Schmeller, *Diatribe;* Stowers, *Diatribe*), la métaphore (Williams, *Metaphors*). Notre commentaire prend résolument ces données en charge, attitude nécessaire si l'on veut respecter un texte du NT en tant que document littéraire et pas seulement comme source d'une théologie.

Les données archéologiques sont également une de nos références. Les premiers paragraphes de cette introduction le montrent suffisamment. Reste qu'elles sont souvent difficiles à exploiter. Certes, les fouilles pratiquées à Corinthe et dans d'autres villes gréco-romaines fournissent des informations. Mais ce qu'elles découvrent est aussi à interpréter, et il faut se garder de les utiliser trop rapidement pour expliquer le texte ; en particulier, les fouilles pratiquées à Corinthe ne permettent pas de connaître tout le site ; elles ne livrent pas tous les secrets de la ville antique.

Ces éléments récents, tant ceux que fournit l'archéologie que ceux mis en valeur par les nouvelles méthodes de lecture, n'en font pas pour autant négliger les méthodes plus classiques, qui restent nécessaires : notamment la critique textuelle, qui vise à l'établissement du texte (l'apparat critique, d'utilisation très technique, occupe une place importante après la traduction de chaque péricope) ; et l'exégèse historico-critique (rapport à l'histoire, relation avec le texte des Actes, etc.), qui reste nécessaire dans toute exégèse, sous peine de tomber dans le fondamentalisme.

Présence de la tradition en 1 Corinthiens

Paul est un véritable écrivain. Son écriture est en général soignée. Il est vrai que certains passages le sont moins que d'autres, comme on peut le remarquer, par exemple, en plusieurs endroits de 1 Co 14. Sa façon de composer est évidemment dépendante des cultures auxquelles il appartient, celle du judaïsme ancien et celle du monde grec hellénistique où, dans l'une comme dans l'autre, on aimait s'appuyer sur des auteurs antérieurs pour donner force à son propos. Ainsi le phénomène d'intertextualité est-il présent en 1 Co : l'Écriture juive y est citée une vingtaine de fois, ces citations étant le plus souvent précédées par une formule qui les introduit. Voici les références de ces passages : 1, 19.31 ; 2, 9.16 ; 3, 19.20 ; 5, 13 ; 6, 16 ; 9, 9 ; 10, 7.26 ; 14, 21.25 ; 15, 25.27.32.45.54-55. On peut y ajouter 11, 7-12, où l'AT n'est pas cité en tant que tel, mais où chaque phrase ou presque s'appuie sur le texte de la Genèse. Le rôle rhétorique de ces citations a été étudié dans la monographie de J.P. Heil publiée en 2005 (*Rhetorical*). Lorsqu'il cite l'Écriture, Paul le fait en général à partir de la traduction grecque des LXX, mais il y a quelques exceptions (ainsi en 1, 31 ; 3, 19 ; 14, 21 ; 15, 54-55). Dans le présent commentaire, lorsqu'une citation est clairement identifiable, sa traduction est imprimée en italiques.

En dehors de l'Écriture juive, le texte de 1 Co fait également appel à la tradition chrétienne telle que Paul l'a reçue. Deux fois, il s'y réfère explicitement : en 11, 23-25 et en 15, 3-5. Il lui arrive aussi de citer des paroles de Jésus dont d'autres livres du NT ont gardé trace : ainsi en 7, 10-11 ; 9, 14 ; Jésus est alors appelé « le Seigneur ». En dehors de ces quatre passages, il en existe d'autres où les formulations employées en 1 Co sont vraisemblablement inspirées de celles qui avaient cours dans les Églises, par exemple en 8, 6.11 ; 10, 16 ; 12, 3.13 ; 16, 22. Si, à l'origine, Paul a reçu son Évangile directement de Jésus Christ, comme il le revendique en Ga 1, 11-12, il a aussi fréquenté des communautés chrétiennes dont la vie et la pensée ont pu l'influencer et auxquelles il a emprunté des confessions de foi, des résumés catéchétiques, des formules rituelles, etc. On sait d'après le témoignage des Actes qu'il a appartenu pendant plusieurs années à la communauté chrétienne d'Antioche de Syrie (cf. Ac 13, 1-3) ; ses formulations en gardent la trace.

Réception de 1 Corinthiens dans la tradition de l'Église

Ayant lui-même fait des emprunts à la tradition, l'Apôtre est devenu à son tour source de tradition dans l'Église, notamment 1 Co qui aborde plusieurs sujets concrets de la vie ecclésiale. On a, depuis longtemps, fait le rapprochement entre la pensée paulinienne et la théologie de Marc, par exemple à propos du baptême (Rm 6, 3-4 et Mc 10, 38-39). Des études plus précises ont travaillé la parenté entre Paul et Marc à partir de 1 Co. La théologie de la croix sous-jacente à plusieurs récits marciens est proche de celle que l'on trouve 1 Co 1, 18-25 (Miller, « Literary »). La même proximité existe entre 1 Co 1-2 et Mc 1, 1-28 ; entre 1 Co 5 et Mc 6, 14-29 ; entre 1 Co 11, 2-34 et Mc 14, 1-25 (Nelligan, *Quest*). Bien évidemment, un récit comme celui de Marc ne peut faire explicitement référence à Paul. En revanche, des parallèles précis avec 1 Co existent chez Clément de Rome dans son *Épître aux Corinthiens*, rédigée dans une période comprise entre 95 et 98 de notre ère (1 Co 1, 10-12 et *1 Clément* 47, 3 ; 1 Co 1, 31 et *1 Clément* 13, 1 ; 1 Co 12, 12-27 et *1 Clément* 37, 5 ; 1 Co 15, 20-23 et *1 Clément* 24, 1). Le même phénomène se produit dans les lettres d'Ignace d'Antioche, martyrisé en 107 (ou 113), qui se réfère à 1 Co cinq ou six fois. L'*Épître aux Philippiens*, de Polycarpe de Smyrne, y fait deux références explicites (1 Co 6, 2 et

6, 9-10, respectivement en *Philippiens* 11, 2 et 5, 3). Les limites du présent commentaire ne permettent pas de poursuivre l'inventaire, mais il vaut la peine de remarquer que, dès la fin du Iᵉʳ siècle, alors que l'écriture du NT n'est pas encore achevée, 1 Co fait partie du patrimoine des Églises, et que celles-ci n'hésitent pas à s'y référer.

Index des mots grecs recevant des traductions différentes

Notre traduction est très littérale. Nous nous sommes efforcés de rendre chaque terme grec par le même mot français, mais ce n'est pas toujours possible. Nous listons ci-dessous les principales exceptions à cette règle.

ἀνακρίνω : juger (2, 14.15 ; 9, 3 ; 14, 24) ; évaluer (4, 3-4) ; poser une question (10, 25-27)

διακρίνω : accorder une distinction (4, 13) ; décider (6, 5) ; discerner (11, 29 ; 14, 29) ; examiner (11, 31)

διώκω : persécuter (4, 12 ; 15, 9) ; rechercher (14, 1)

δόξα : gloire (2, 7. 8 ; 10, 31 ; 11, 7.15) ; clarté (15, 40.41.43)

ἐγείρω : éveiller (6, 14) ; réveiller (*autres occurrences*)

ἔθνη : nations (1, 23 ; 5, 1) ; païens (12, 2)

ἐξέρχομαι : sortir (5, 10) ; provenir (14, 36)

ἐξουσία : autorité (7, 37 ; 8, 9 ; 11, 10 ; 15, 24) ; droit (9, 4.5.6.12.18)

ἐπιγινώσκω : connaître pleinement (13, 12) ; reconnaître (14, 37 ; 16, 18)

ζηλόω : aspirer à (12, 31 ; 14, 1) ; jalouser (13, 4)

ἡμέρα : cour (de justice) (4, 3) ; jour (*autres occurrences*)

θέλω : je veux (4, 19 ; 10, 1. 20 ; 11, 3 ; 12, 1 ; 14, 5 ; 16, 7) ; je voudrais (7, 7. 32) ; je désire (4, 21) ; je préfère (14, 19)

λογίζομαι : imputer (13, 5) ; raisonner (13, 11)

λόγος : parole (1, 5 ; 2, 1.4.13 ; 12, 8 ; 14, 9.19.36 ; 15, 43) ; langage (1, 17.18) ; teneur (15, 2)

μέρος / ἐκ μέρους : pour (votre) part (12, 27) ; partiellement (13, 9.10.12)

στέγω : supporter (9, 12) ; couvrir (13, 7)

φανερός : manifeste (3, 13) ; visible (11, 19 ; 14, 25)

COMMENTAIRE

Adresse
(1, 1-3)

TRADUCTION

1, 1 Paul, appelé[a] (à être) apôtre du Christ Jésus[b] par volonté de Dieu, et Sosthène le frère, 2 à l'Église de Dieu qui est à Corinthe, aux sanctifiés en Christ Jésus[c], appelés (à être) saints avec tous ceux qui invoquent le nom de notre Seigneur Jésus Christ en tout lieu, leur (Seigneur) et le nôtre, 3 grâce pour vous et paix de la part de Dieu notre Père et du Seigneur Jésus Christ.

[a] L'adjectif verbal κλητός ne figure pas dans p[61vid] A D 81. La grande majorité des mss l'atteste.

[b] L'ordre des termes « Christ Jésus » (attesté en p[46] B D F G 33 *pc* vl vg[cl] ; Ambrosiaster) est remplacé par l'ordre « Jésus Christ » en ℵ A Ψ 1739. 1881 *Byz* c vg[st] syr. Ce second ordre, plus fréquent, est sans doute secondaire.

[c] Les termes « à l'Église de Dieu qui est à Corinthe, aux sanctifiés en Christ Jésus » figurent dans cet ordre en p[61vid] ℵ A D[1] Ψ 33. 1739. 1881 *Byz* lat syr co. L'ordre des membres de phrase est inversé, « aux sanctifiés en Christ Jésus, à l'Église de Dieu qui est à Corinthe », en p[46] B D*[2] F G b m ; Ambrosiaster. La première variante est une formulation paulinienne plus courante ; la seconde s'explique par une omission accidentelle des termes concernant l'Église de Dieu et leur réintroduction postérieure.

BIBLIOGRAPHIE

H. BOERS, « Ἀγάπη and Χάρις in Paul's Thought », *CBQ* 59, 1997, 693-718. – R. BURNET, « Les adresses pauliniennes : simple adaptation ou véritable "christianisation" ? », *SémBib* 102, 2001, 29-42. – R.G. FELLOWS, « Renaming in Paul's Churches : The Case of Crispus-Sosthenes Revisited », *TynB* 56, 2005, 111-130. – J. MURPHY-O'CONNOR, « Co-authorship in the Corinthian Correspondence », *RB* 100, 1993, 562-579. – J. MURPHY-O'CONNOR, *Paul et l'art épistolaire*, Paris 1994, 74-87. – A. MYROU, « Sosthenes : The Former Crispus (?) », *GkOrthTheolRev* 44, 1999, 207-212. – R. RICHARDS, *The Secretary in the Letters of Paul*, Tübingen 1991. – G.H. VAN KOOTEN, « Ἐκκλησία τοῦ θεοῦ : The "Church of God" and the Civic Assemblies (ἐκκλησίαι) of the Greek Cities in the Roman Empire : A Response to Paul Trebilco and Richard A. Horsley », *NTS* 58, 2012, 522-548.

INTERPRÉTATION

L'adresse de la première épître aux Corinthiens ne prend toute sa signification que si on la compare aux règles en vigueur dans le monde gréco-romain. Toute correspondance commençait en effet par une adresse qui comportait trois éléments : le nom de l'expéditeur, celui du destinataire, une salutation qui tenait en un verbe. Paul utilise le même schéma, mais en développant considérablement chacun des éléments (Burnet). Dans l'histoire de la correspondance antique, il a été le premier à le faire. Il développe considérablement son nom en se référant à sa vocation, ce qu'il reprendra plus loin en 9, 1 : il est apôtre du Christ Jésus à la suite d'un appel spécial, celui qu'il a reçu lorsqu'il a vu le Seigneur ressuscité en se rendant à Damas (Ga 1, 13-17) ; et ce n'était pas un hasard, c'est une volonté divine qui l'a fait être ce qu'il est devenu. En Ga 1, 1 il précise même que les humains n'y sont pour rien. L'insistance de Paul sur sa qualité apostolique et sur l'appel reçu d'en haut est une légitimation, signe qu'il entretient avec la communauté destinataire des relations difficiles. La mention d'un second ou même d'un troisième expéditeur, ici Sosthène, est courante chez Paul et dans les lettres pseudépigraphes du corpus (voir 2 Co, Ph, Col, 1 Th, 2 Th, Phm). Or, elle est exceptionnelle dans l'art épistolaire gréco-romain : 6 cas sur 645 papyrus de correspondance étudiés (Richards, 47 n. 138). Elle a donc une fonction dans la communication, celle de montrer que, tout en étant apôtre de façon toute particulière, Paul n'agit pas seul dans le groupe des croyants ; en outre, si Sosthène est la même personne que celle mentionnée en Ac 18, 17, il est bien connu des Corinthiens – ce que confirme le titre de « frère » précédé de l'article qui lui est donné – et a souffert pour l'Évangile, ce qui peut contribuer à la légitimité de Paul. Son rôle dans la rédaction de la lettre, ne semble pas se limiter à celui d'un simple secrétaire, mais on ne saurait préciser davantage car son nom n'est pas repris ensuite. Il arrive que, dans le corps de la lettre, Paul écrive « nous » au lieu de « je » (1, 18-31 ; 2, 6-16), mais ce n'est pas un indice suffisant de pluralité d'auteurs (Murphy-O'Connor, « Co-authorship »).

La façon dont Paul nomme ses destinataires est également ici extrêmement développée, plus, même, que dans aucune autre lettre de Paul. Cette réalité collective est d'abord désignée par un datif singulier, expression d'une unité qui fait défaut à Corinthe (1, 10-17), puis est reprise par deux datifs pluriels évoquant la vocation des destinataires à la sainteté : « les sanctifiés » héritent de la sainteté de Jésus pour lequel le substantif « le Saint » est peut-être un titre archaïque lié à sa résurrection (Ac 3, 14) ; ils sont aussi appelés à être saints. Écrire « les saints » au pluriel est une façon courante de désigner les croyants en Jésus ressuscité dans tout le NT, très souvent chez saint Paul (plus de 20 fois), aussi dans les Actes (9, 13.32.41 ; 26, 10), mais aussi dans l'épître aux Hébreux (6, 10 ; 13, 24) et chez Jude (3), sans compter l'Apocalypse où saints du ciel et saints de cette terre sont parfois difficiles à distinguer. Dans la tradition biblique, Dieu est le Saint par excellence, mais la terre peut l'être aussi (Ex 3, 5), ainsi que Jérusalem (Is 48, 2), le temple (Is 64, 10), les prêtres (1 M 2, 54), les prophètes (Sg 11, 1) et tout le peuple d'Israël (Ex 19, 5-6.14). C'est sans doute par une reprise de la sainteté du peuple juif que le pluriel « les saints » est appliqué aux chrétiens. La catégorie des personnes évoquées à la fin du v. 2 ouvre la vocation à la sainteté à tous ceux qui, de par le monde, invoquent le nom du Seigneur Jésus Christ, Seigneur de tous, pas seulement de Paul et des Corinthiens. L'Église de Dieu qui est à Corinthe se trouve alors faire partie d'un peuple beaucoup plus vaste, déjà Église universelle alors que le terme « Église » ne s'applique encore qu'à des communautés locales. Quant à la salutation du v. 3, elle christianise le salut grec en parlant de « grâce » et non de simple « joie », elle souhaite la paix qui est dans toute la tradition biblique un bien messianique, et elle proclame que tout cela vient de Dieu et du Seigneur Jésus Christ.

Les trois ou quatre mots qui constituent une adresse épistolaire classique sont remplacés en 1 Co par un texte de trois versets où Paul trouve le moyen d'employer trois fois le mot « Dieu », et quatre fois le nom composé « Jésus Christ » ou « Christ Jésus ». Il ne se contente pas d'une adaptation des règles en usage, il opère une véritable christianisation d'une formule au départ utilitaire. Par la façon dont il se situe lui-même, comme apôtre patenté, à la fois objet d'une vocation unique et membre d'une communauté dont fait partie Sosthène, et par la façon dont il situe l'Église qui est à Corinthe, on perçoit les divisions de la communauté à laquelle il va falloir remédier, on perçoit aussi les tensions existant entre les fidèles et l'apôtre qui les a conduits à la foi. L'adresse est déjà un discours-programme où le lecteur peut percevoir, comme en concentré, ce qui constitue le corps de la lettre.

NOTES

1

Παῦλος : Paul se nomme toujours ainsi dans ses lettres. C'est la transcription grecque du *cognomen* latin *Paulus* qui signifie « petit, faible, chétif », usité par ailleurs dans plusieurs familles romaines ; ce *cognomen* est cohérent avec ce que Paul écrit lui-même de son aspect physique (2 Co 10, 10) ; le fait qu'il porte un *cognomen* d'origine latine est également cohérent avec la qualité de citoyen romain que lui prête le livre des Actes (16, 37 ; 22, 25-29 ; 23, 27) mais à laquelle lui-même ne fait jamais allusion dans ses lettres ; la citoyenneté romaine pour un natif de Tarse était possible depuis la conquête de la Cilicie par Pompée en 64 av. J.C. Dans les Actes, le nom qui lui est donné habituellement est Σαῦλος (7, 58 ; 8, 1 etc.), forme hellénisée de Σαούλ (Ac 9, 4.17 etc.), un nom hébreu qui signifie « demandé », porté jadis par le roi éphémère Saul qui, comme Paul, appartenait à la tribu de Benjamin. Σαῦλος est aussi un adjectif grec ; il désigne une personne qui marche en se balançant ou de façon efféminée, ce qui renvoie peut-être à un défaut physique du Tarsiote. L'auteur des Actes ne le nomme Παῦλος qu'à partir de Ac 13, 9, alors que l'Apôtre vient de rencontrer à Chypre le proconsul Sergius Paulus qui devint croyant (Ac 13, 12). L'hypothèse a alors été émise que son *cognomen* lui a été donné par le proconsul (Baslez, *Saint Paul*, 122-124) ; elle est cependant douteuse, Paul ayant déjà une quarantaine d'années lors de ces événements. L'adjectif verbal κλητός, traduit par « appelé (à être) », évoque véritablement un appel, une vocation ; il est repris au v. 2 à propos de l'appel des croyants à la sainteté. L'appel reçu par Paul est un appel à être ἀπόστολος, terme qui signifie « envoyé » (cf. le verbe ἀποστέλλω), qui est la fonction première dans l'organisation des Églises (12, 28), et n'a cependant aucune connotation religieuse avant l'écriture du NT ; il n'est employé qu'une fois dans la LXX avec un sens pleinement profane (3 R 14, 6). On considère généralement que Jésus aurait utilisé son équivalent araméen (racine *šlḥ*) au moment où il envoya les Douze en mission (Mc 3, 14), et que le terme se serait étendu à d'autres témoins de l'Évangile après Pâques ; Luc est le seul auteur du NT qui le réserve aux Douze (sauf en Ac 14, 4.14 où il l'emploie pour Paul et Barnabas). Sosthène est un nom grec qui signifie « celui dont la force est intacte ». Un personnage portant le même nom est connu comme chef de synagogue à Corinthe (ἀρχισυνάγωγος) en Ac 18,17. S'agit-il de la même personne ? Bien que le nom soit très courant, la réponse est en général positive. On a aussi posé la question de savoir s'il fallait l'identifier avec Crispus, ἀρχισυνάγωγος de Corinthe nommé en Ac 18, 8 et portant un nom latin (Fellows ; Myrou) ; Crispus est en effet un *cognomen* mais dont la signification, « frisé, bouclé », n'a pas de rapport évident avec le *nomen* Σωσθένης. Pourtant, une synagogue pouvait avoir plusieurs chefs, comme les Actes en témoignent pour Antioche de Pisidie (13, 15) où ἀρχισυνάγωγος est employé au pluriel ; l'hypothèse d'identifier Crispus et Sosthène n'est alors pas fondée. Au IVᵉ siècle, Eusèbe de Césarée estimera que Sosthène est corédacteur de 1 Co avec Paul (*Hist.Eccl.* I, 12, 1).

2

Le groupe destinataire est d'abord désigné comme « l'Église de Dieu », avant d'être localisée comme se trouvant à Corinthe. Dans l'expression ἡ ἐκκλησία τοῦ θεοῦ, le génitif est un génitif d'origine ou d'appartenance. Paul l'utilise peut-être pour corriger une tournure plus floue théologiquement parlant utilisée en 1 Th 1, 1, « l'Église des Thessaloniciens », et il se garde bien d'écrire « l'Église de Corinthe ». Il applique d'abord l'expression « Église de Dieu » aux Églises de Judée (1 Th 2, 14 ; Ga 1, 13) ; mais il l'étend aussi aux autres Églises (ainsi en 11, 16, où Paul emploie αἱ ἐκκλησίαι τοῦ θεοῦ au pluriel). Le terme ἐκκλησία est utilisé en grec non biblique pour désigner le corps des citoyens d'une ville assemblé pour débattre ou délibérer en vue d'une décision (van Kooten). Il est utilisé dans la LXX où il traduit l'hébreu *qehal Iśrā'el* pour désigner l'assemblée du peuple (Lv 16, 17 et multiples références) ; c'est par là qu'il a pris un sens religieux. Paul l'emploie de préférence au terme συναγωγή, tout aussi profane à l'origine mais qui en est venu à désigner le lieu de rassemblement des Juifs. Tout comme Paul a été appelé à l'apostolat, les fidèles de Corinthe l'ont été à la sainteté : le texte l'affirme de façon pléonastique ; ils ont été sanctifiés (participe parfait passif de ἁγιάζω), et ils sont appelés à être saints (κλητοί). Le membre de phrase commençant par σὺν πᾶσιν, dont la fonction grammaticale est débattue, ne peut guère être qu'un complément de κλητοί : beaucoup d'autres ont été appelés en dehors des Corinthiens.

3

La salutation épistolaire classique en grec se limite à un mot, le verbe « se réjouir » (χαίρω) diversement conjugué : le simple infinitif (χαίρειν), plus rarement l'impératif singulier (χαῖρε) ou pluriel (χαίρετε) lorsqu'il y a plusieurs destinataires. Paul ne l'utilise jamais dans ce cadre. Le premier substantif qu'il emploie, « grâce » (χάρις), est pourtant de la même racine très polysémique (Boers). Il le complète par le vœu de « paix » (εἰρήνη, équivalent du *šālōm* hébreu), dont la connotation est très clairement biblique.

Action de grâce
(1, 4-9)

TRADUCTION

1, 4 Je rends grâce à mon Dieu[a] toujours à votre sujet pour la grâce de Dieu qui vous a été donnée en Christ Jésus, 5 parce qu'en tout vous avez été enrichis en lui, en toute parole et en toute connaissance, 6 tandis que le témoignage du Christ[b] s'est affermi en vous, 7 en sorte que vous ne manquiez d'aucun charisme, vous qui attendez la révélation de notre Seigneur Jésus Christ ; 8 c'est lui qui vous affermira aussi jusqu'à la fin, (et vous rendra) inattaquables au jour de notre Seigneur Jésus Christ[c]. 9 Fidèle (est) le Dieu par lequel[d] vous avez été appelés à la communion de son Fils Jésus Christ notre Seigneur.

[a] Deux leçons principales : 1° avec le possessif μου, attesté en ℵ² A C D G P Ψ 33. 1739. 1881 *Byz* latt sy co – 2° sans le possessif μου chez ℵ* B eth ; Ephrem. La première pourrait avoir été influencée par Rm 1, 8 et Ph 1, 3 ; la seconde est *lectio brevior*. On retient la première, nettement mieux attestée. Une troisième leçon, portant ἡμῶν au lieu de μου est très peu attestée (491).

[b] Au lieu de « le témoignage du Christ » (p⁴⁶ ℵ A B² C D Ψ 33. 1739. 1881 *Byz* lat sy co ; Ambrosiaster), certains mss écrivent « le témoignage de Dieu » (B* F G 81. 1175 *al* sa^mss ; Eusèbe), leçon moins bien attestée.

[c] On trouve Ἰησοῦ seul en p⁴⁶ B ; et la titulature plus complète Ἰησοῦ Χριστοῦ en ℵ A C D G P Ψ 33. 1739. 1881 *Byz* lat sy co ; Ambrosiaster. La *lectio brevior* peut s'expliquer par haplographie sur les abréviations IY XY.

[d] Au lieu de δι' οὗ, retenu par la majorité des mss, on trouve ὑφ' οὗ en D* F G. La préposition ὑπό vient plus naturellement sous le stylet après le passif ἐκλήθητε. La préposition διά, meilleure textuellement, exprime que Dieu n'est pas seulement l'auteur de l'appel ; il en agence aussi les voies (Héring*).

BIBLIOGRAPHIE

P. ARZT, « The "Epistolary Introductory Thanksgiving" in the Papyri and in Paul », *NT* 36, 1994, 29-46. – L.L. BELLEVILLE, « Continuity or Discontinuity : A Fresh Look at 1 Corinthians in the Light of First-Century Epistolary Forms and Conventions », *EvQ* 59, 1987, 15-37. – F.S. MALAN, « Die funksie en boodskap van die "voorwoord" in 1 Korintiers », *HervTeolStud* 49, 1993, 561-575. – J. MURPHY-O'CONNOR, *Paul et l'art épistolaire*, Paris 1994, 87-99. – M. QUESNEL, « La

pédagogie de saint Paul auprès des Corinthiens, une éducation à la liberté »,
in *Autorità e libertà, tra coscienza personale, vita civile et promessi educativi,
Fest. L. Pazzaglia*, L. CAIMI (dir.), Milan 2011, 471-480. – J.H. ROBERTS, « The
Eschatological Transitions to the Pauline Letter Body », *Neotest.* 20, 1986, 29-35.
– A.H. SNYMAN, « Persuasion in 1 Corinthiens 1 : 1-9 », *VerbEccl* 30, 2009,
Art. # 57.

INTERPRÉTATION

Une seule phrase introduite par un verbe principal à la 1re personne couvre
les versets 4-8. Le v. 9, en forme grammaticale impersonnelle, forme transition avec le corps de la lettre qui commence au v. 10. La péricope formée par
les vv. 4-9, placée à la suite immédiate de l'adresse, occupe la place classique, dans l'épistolographie gréco-romaine, de l'éloge que l'auteur de la
lettre faisait du destinataire, et des souhaits de politesse qu'il lui adressait.
On donne à cet éloge des noms rhétoriques divers : le terme *exordium* évoque
le commencement d'un discours ; *proemium*, formé sur le grec *prooimion*, se
traduirait plutôt par « préface, prélude, introduction, préambule » ; *formula
valetudinis* convient pour des formules comprenant des vœux de bonne
santé ; dans un monde où les risques de maladie et de mort étaient constants,
de tels vœux dépassent la simple formule de politesse (Arzt ; Burnet, *Épîtres*,
58-60). Dans les lettres profanes classiques, pourtant, l'auteur se limite en
général à quelques mots de *captatio benevolentiae*. À partir de l'époque
hellénistique, ce passage comporte souvent des remerciements aux dieux.
Un exemple intéressant se trouve dans la littérature juive hellénistique :
une lettre envoyée par des Juifs de Jérusalem à Aristobule, conseiller du
roi d'Égypte Ptolémée VI Philométor, commence par une action de grâce
(2 M 1, 11-12).

La plupart des épîtres écrites par Paul lui-même comportent une action de
grâce (Rm, 1 Co, Ph, 1 Th, Phm), à l'exception de Ga dont le ton est
d'emblée très sévère, et de 2 Co où l'action de grâce est remplacée par une
bénédiction. Les éléments qui la composent sont presque toujours les
mêmes, et présentés dans le même ordre : 1) Je rends grâce 2) à Dieu 3)
toujours 4) pour vous 5) parce que... Il arrive que Paul ajoute une prière pour
les destinataires (exemple : 1 Th 2, 3) ; tel n'est pas le cas ici. Les particula-
rités de l'action de grâce de 1 Co sont l'insistance de l'Apôtre sur les dons
reçus (vv. 5-7a) et l'évocation de l'eschatologie (vv. 7b-8). Une autre particularité est que le terme « amour » n'y figure pas (à la différence de Ph 1, 9 ;
1 Th 1, 3 ; Phm 5), pas plus qu'une mention de la communion qui pourrait
exister entre l'auteur et ses destinataires (à la différence de Ph 1, 5 ; Phm 6).
Enfin, lorsqu'on remarque à quel point des mots employés dans l'action de
grâce de 1 Co sont repris dans les chapitres suivants (voir les notes sur les
vv. 5. 6. 7. 9), on se rend compte que l'action de grâce introduit la plupart des
principaux thèmes de l'épître. Certains auteurs ont même estimé qu'elle en

annonçait le plan, ayant alors fonction rhétorique de *partitio* (Belleville) ; il ne faut sans doute pas aller jusque-là.

Au-delà de sa fonction formelle et des points que l'on peut repérer dans les passages parallèles des autres épîtres, les vv. 4-8 sont porteurs d'un double message. Un premier message apparaît en observant les temps des verbes autres que le verbe principal. Ils sont d'abord au passé (vv. 4b-6), puis au présent (v. 7) et enfin au futur (v. 8). Les raisons de l'action de grâce (vv. 4-6) se réfèrent principalement au moment où l'Évangile a atteint Corinthe et où ses habitants ont été incorporés au Christ. L'expression « en Christ Jésus » est très employée par Paul ; elle peut avoir une dimension spatiale, mystique, dynamique, instrumental, eschatologique... Son sens est souvent très global, avec des connotations particulières selon les emplois (Neugebauer, *In Christus*). Ici, la connotation dominante est sans doute instrumentale. Après avoir rappelé ce que Dieu a réalisé dans les Corinthiens au moment de leur évangélisation, Paul fait ensuite le constat de la situation présente – il ne leur manque aucun don –, et il termine en affirmant que l'affermissement passé se prolongera ensuite ; autrement dit, le passé et le présent sont gages de l'avenir. Même si la façon dont vit l'Église locale est loin d'être exemplaire, le redressement se produira certainement et permettra aux Corinthiens d'être en bonne position aux jours ultimes. Les vv. 7-8 constituent un véritable climax eschatologique (Roberts). Cet happy end n'est pas dû aux destinataires mais à la fidélité de Dieu que le texte rappelle au v. 9 (Malan). Paul y invite ses destinataires à la repérer, en portant sur leur courte histoire de disciples du Christ un regard rétrospectif, un regard qui peut les enraciner, les faire tenir debout et les aider à affronter l'avenir. La rétrospection rend possible la prospection ; l'espérance n'est pas nommée, mais elle est sous-jacente au passage. Un second message résulte du contraste entre le caractère positif des vv. 4-9 et les reproches que Paul va adresser ensuite à ses destinataires, et cela dès les vv. 10-11. Ce contraste permet d'identifier des éléments remarquables de la pédagogie de l'Apôtre : l'action de grâce est rendue à Dieu ; elle comporte pourtant une admiration de la situation corinthienne, une valorisation des destinataires dont le résultat est que les reproches qu'il leur adressera seront entendus, non comme ceux que prononcerait un censeur, mais comme ceux d'un père désirant le bien de ses enfants. Et Paul insistera en 4, 14-15 sur le rôle de père qu'il a joué en engendrant ses destinataires dans la foi. Avant d'admonester les gens pour les corriger de façon efficace, il faut d'abord apprécier le bien qui est en eux et le leur exprimer sans réserve (Quesnel ; Snyman).

NOTES

4

L'action de grâce est exprimée par le verbe εὐχαριστῶ que l'on retrouve dans les actions de grâce de Rm, Ph, 1 Th, Phm. Il est à la 1ʳᵉ personne du singulier, ce qui laisse entendre que Sosthène, nommé en 1, 1, n'est pas véritablement auteur de la lettre. La grâce, χάρις, fait mot crochet avec le souhait du v. 3 ; elle annonce le charisme ou don spirituel (χάρισμα) du v. 7.

5

Ce verset explicite les raisons de l'action de grâce déjà évoquées au v. 4b, une action de grâce pour des événements passés, rappelés par l'aoriste du verbe πλουτίζω (v. 5), lui-même annoncé par le participe aoriste du verbe δίδωμι au v. 4. Le premier emploi de ἐν πάντι est ensuite explicité : ἐν πάντι λογῳ καὶ πάσῃ γνώσει. Le couple parole-connaissance est repris au cours d'une énumération plus vaste en 2 Co 8, 7 ; il se trouve déjà en Pr^{LXX} 22, 21, où Paul pourrait l'avoir emprunté. Chacun des deux termes est largement repris en 1 Co : le λόγος comme support de la sagesse (1, 11 – 4, 21) ; la γνῶσις comme motif d'individualisme ou d'orgueil (au chapitre 8). Les nombreux emplois du substantif γνῶσις en 1 Co sont à l'origine de la thèse de W. Schmithals (*Gnosis*) qu'une pré-gnose existait à Corinthe dès l'époque apostolique.

6

Le sens de la conjonction καθώς, au début du verset, est débattu. Le plus souvent, elle introduit une comparaison ; ainsi ses emplois en 10, 6-9. Elle peut aussi avoir un sens causal, moins courant. Le sens temporel n'est pas attesté en grec classique, mais il existe dans la LXX (2 M 1, 31 ; 2 Esd 15, 6) et dans les Actes des Apôtres (Ac 7, 17) ; le français « comme » peut avoir également une dimension temporelle. Ici, le sens comparatif et le sens causal se comprendraient mal. Les aoristes signalés à propos du v. 5 montrent que l'Apôtre se réfère au moment de l'évangélisation de Corinthe. C'est à cette occasion que le témoignage porté sur le Christ Jésus – le génitif τοῦ Χριστοῦ après τὸ μαρτύριον est un génitif objectif – a été affermi en ses habitants qui ont adhéré à la foi en Christ. Terme assez rare chez Paul, μαρτύριον est repris en 2, 1.

7

Le v. 7a reprend le v. 5a en forme négative ; et il se réfère maintenant à une situation présente : après tout ce qu'ils ont reçu, les destinataires bénéficient de l'abondance des charismes ou dons spirituels (sur les emplois et le sens du terme χάρισμα en 1 Co, voir note sur 12, 4). On peut y voir une gentille exagération, classique dans une *captatio benevolentiae*. L'attente exprimée au v. 7b ouvre sur un futur développé au v. 8. La révélation (ἀποκάλυψις) de notre Seigneur Jésus Christ (terme que l'on retrouve en 14, 6.26) est synonyme du terme que Paul a employé en 1 Th 3, 13, à savoir la parousie (παρουσία) de notre Seigneur Jésus. Rien ne permet de dire quand se produiront ces événements eschatologiques.

8

Le v. 8 clôt la phrase commencée au v. 4 et développe la perspective eschatologique ébauchée au v. 7. L'antécédent du relatif ὅς, qui ouvre le verset, n'est pas Jésus Christ qui vient d'être nommé au verset précédent (autrement, il n'aurait pas de raison de l'être à nouveau à la fin du v. 8), mais Dieu, nommé deux fois au v. 1 et à nouveau au v. 9. Le verbe βεβαιόω, maintenant au futur, était employé à l'aoriste au v. 6. Ce qui s'est produit au moment de l'évangélisation de Corinthe est le gage de ce qui se produira pour les destinataires dans les années à venir. Le jour de notre Seigneur Jésus Christ (ἡ ἡμέρα τοῦ κυρίου ἡμῶν Ἰησοῦ Χριστοῦ) est un développement de l'expression plus brève employée en 5, 5 (ἡ ἡμέρα τοῦ κυρίου) et encore plus elliptique en 3, 13 (ἡ ἡμέρα). C'est une reprise christianisée du « Jour du Seigneur » des LXX, elle-même traduisant l'hébreu *yōm YHWH* que l'on trouve chez de nombreux prophètes (*e.g.* Am 5, 18.20 ; Jl 3, 21 ; Is 2, 12 ; 13, 6.9 ; So 1, 17-18) : jour où Dieu manifestera sa colère aux peuples qui ont injustement opprimé Israël, devenu progressivement jour d'un jugement assurant le triomphe des justes et la ruine des pécheurs (Ml 3, 19-23).

9

Ce verset de transition clôt à la fois l'action de grâce ainsi que l'ensemble des vv. 1-9. « Vous avez été appelés » forme inclusion avec l'appel de Paul et des destinataires aux vv. 1-2. La courte proposition « Dieu est fidèle » est une formule plusieurs fois reprise dans les épîtres aux Corinthiens (1 Co 10, 13 ; 2 Co 1, 18) ; elle fait le lien entre un passé et un avenir. La κοινωνία à laquelle les destinataires sont appelés est ici une communion globale avec le Fils ; plus loin dans l'épître, elle a une dimension sacramentelle (2x en 10, 16).

SECTION I

Folie de la croix et des apôtres
1 Co 1, 10 – 4, 21

Monographies complètes

B.J. BITNER, *Paul's Political Strategy in 1 Corinthians 1-4. Constitution and Covenant*, Cambridge, UK 2015.

T.A. BROOKINS, *Corinthian Wisdom, Stoic Philosophy, and the Ancient Economy*, Cambridge, UK 2014.

F. FRAIZY, *Paul inséparablement pasteur et théologien, Le mode d'argumentation de l'Apôtre en 1 Co 1,10 – 4,21*, Francfort *pro manuscripto* 2006.

P.J. HARTIN, *Apollos. Paul's Partner or Rival? Paul's Social Network: Brothers and Sisters in Faith*, Collegeville 2009.

H.-J. INKELAAR, *Conflict over Wisdom. The Theme of 1 Corinthians 1-4 Rooted in Scripture*, Leuven 2011.

J.S. LAMP, *First Corinthians 1-4 in Light of Jewish Wisdom Traditions. Christ, Wisdom and Spirituality*, Lewiston, NY 2000.

D. LITFIN, *St Paul's Theology of Proclamation, 1 Co 1-4 and Greco-Roman Rhetoric*, Cambridge 1994.

C. MIHAILA, *The Paul-Apollos Relationship and Paul's Stance Toward Greco-Roman Rhetoric. An Exegetical and Socio-Historical Study of 1 Corinthians 1-4*, Londres 2009.

S.M. POGOLOFF, *Logos and Sophia. The Rhetorical Situation of 1 Corinthians*, Atlanta 1992.

C.W. STRÜDER, *Paulus und die Gesinnung Christi. Identität und Entscheidungsfindung aus der Mitte von 1 Kor 1-4*, Leuven 2005.

J. THEIS, *Paulus als Weisheitslehrer. Der Gekreuzigte und die Weisheit Gottes in 1 Kor 1-4*, Ratisbonne 1991.

L. L. WELBORN, *Paul, the Fool of Christ. A Study of 1 Corinthians 1-4 in the Comic-Philosophic Tradition*, Londres 2005.

A.G. WHITE, *Where Is the Wiseman? Graeco-Roman Education as a Background to the Divisions in 1 Corinthians 1-4*, Londres 2015.

H.H.D. WILLIAMS, *The Wisdom of the Wise. The Presence and Function of Scripture within 1 Cor 1 : 18 – 3 : 23*, Leiden 2001.

Articles et autres contributions

H.D. BETZ, « The Gospel and the Wisdom of the Barbarians. The Corinthians' Question behind their Questions », *Bib.* 85, 2004, 585-594.

T.A. BROOKINS, « Rhetoric and Philosophy in the First Century : Their Relation with Respect to 1 Corinthians 1-4 », *Neotest.* 44, 2010, 233-252.

N.A. DAHL, « Paul and the Church of Corinth according to 1 Corinthians 1:10 – 4:21 », in *Christian History and Interpretation*, Cambridge 1967, 313-335.

M.C. DE BOER, « The Composition of 1 Corinthians », *NTS* 40, 1994, 229-245.

M.T. FINNEY, « Honor, Rhetoric and Factionalism in the Ancient World : 1 Corinthians 1-4 in Its Social Context », *BTB* 40, 2010, 27-36.

M. GOULDER, « Σοφία in 1 Corinthians », *NTS* 37, 1991, 516-534.

C. JACON, « Puissance, Folie et sagesse (1 Corinthiens 1-4) », *FoiVie* 115, 2015, 24-36.

D.P. KER, « Paul and Apollos – Colleagues or Rivals ? » *JSNT* 77, 2000, 75-97.

H. KOESTER, « The Silence of the Apostle », in *Urban Religion in Roman Corinth*, DN. SCHOWALTER, S.J. FRIESEN (eds), Harvard 2005, 339-349.

M. KONRADT, « Die korintische Weisheit und das Wort vom Kreuz. Erwägungen zur korintischen Problemkonstellation und paulinischen Intention in 1 Kor 1-4 », *ZNTW* 94, 2003, 181-214.

P. LAMPE, « Theological Wisdom and the "Word about the Cross". The Rhetorical Scheme in 1 Corinthians 1-4 », *Interpretation* 44, 1990, 117-131.

C. MELGAR, « Paul's Use of Jewish Exegetical/Rhetorical Techniques in 1 Corinthians 1 : 10 – 3 : 23 », *RExp* 110, 2013, 609-620.

A.C. MILLER, « *Not with Eloquent Wisdom* : Democratic Ekklēsia Discourse in 1 Corinthians 1-4 », *JSNT* 35, 2013, 323-354.

R. PICKETT, *The Cross in Corinth. The Social Significance of the Death of Jesus*, Sheffield 1997, 37-84.

M. RODRIGUEZ RUIZ, « Recursos retóricos en 1 Co 1-4, con especial atención al *status*, los *topoi* y los entimemas », *EstB* 61, 2003, 231-275.

S. SALVATORI, « Paolo servo di Dio e padre dei Corinzi in 1 Cor 1-4 », *SBFLA* 65, 2015, 193-229.

J.-M. SEVRIN, « La gnose à Corinthe. Questions de méthode et observations sur 1 Co 1, 17 – 3, 3 », in *The Corinthian Correspondance*, R. BIERINGER (ed.), Leuven 1996, 121-139.

J.F.M. Smit, « Epideictic Rhetoric in Paul's First Letter to the Corinthians 1-4 », *Bib.* 84, 2003, 184-201.

J.F.M. Smit, « 'What Is Apollos ? What Is Paul ?' In Search for Coherence of First Corinthians 1 : 10 – 4 : 21 », *NT* 44, 2002, 231-251.

J.S. Vos, « Die Argumentation des Paulus in 1 Kor 1, 10 – 3, 4 », in *The Corinthian Correspondence*, R. Bieringer (ed.), Leuven 1996, 87-119.

A. Wilson, « Apostle Apollos ? », *JETS* 56, 2013, 325-335.

Après l'action de grâce, on entre dans le corps de la lettre. Le v. 10 du chapitre 1 a le ton d'une exhortation par laquelle Paul réagit à une situation concrète dont il a été informé. L'Église connaît des divisions ; elle doit se corriger pour parvenir à une même pensée et à une même opinion. Une première partie de la lettre s'ouvre, qui couvre 1, 10 – 4, 21. Elle forme un ensemble bien délimité, au point qu'on a pu penser que 1 Co avait été composée en deux étapes : les chapitres 1-4 dans un premier temps, les chapitres 5-16 ensuite (De Boer). Comme plusieurs sections de 1 Co témoignent des manques d'unité qui se manifestaient dans l'Église locale, on a parfois fait du v. 10 la *propositio* rhétorique qui commanderait toute l'épître (Mitchell, *Rhetoric*) ; les vv. 11-17 en constitueraient ensuite la *narratio ;* puis commencerait la *probatio* qui se prolongerait jusqu'à la reprise de l'enveloppe épistolaire au début du chapitre 16. Faire porter jusqu'aussi loin les effets de l'exhortation formulée au v. 10 semble pourtant exagéré, cela d'autant plus que les défauts d'unité ne sont pas sous-jacents aux contenus de toute l'épître. En outre, les divisions annoncées dès le v. 10 et le tableau des divisions dressé aux vv. 11-17 débouchent, au v. 18, sur une affirmation qui a, elle aussi, l'allure d'une *propositio*, et qui centre l'attention sur le contraste entre sagesse et folie (Vos), un thème qui couvre tout le développement jusqu'à la fin du chapitre 4 (dernier emploi du vocabulaire de la « folie » en 4, 10). Il semble alors que les divisions évoquées au v. 10 soient plus le prétexte à un discours paulinien particulièrement fort sur la nature de l'Évangile et la mission des apôtres qui en découle, que l'annonce d'une thématique qui couvrirait toute la section 1, 10 – 4, 21.

Sur ces quatre chapitres, le discours est construit autour de plusieurs oppositions. L'opposition entre sagesse et folie sert à décrire des conceptions différentes de l'Évangile, et du type de discours que doivent en conséquence tenir les prédicateurs. Il est vraisemblable que Paul n'a pas introduit lui-même la catégorie de sagesse dans le débat, mais qu'elle l'a été par les Corinthiens lui reprochant de ne pas assez la connaître ni l'enseigner. La recherche sur le contenu de cette sagesse a été beaucoup développée. On a d'abord pensé à de la sagesse juive, dans le cadre de l'opposition classique entre chrétiens judaïsants (Pierre) et chrétiens paganisants (Paul), et à redonner une nouvelle jeunesse à la thèse émise dès 1797 par C.F. Schmidt, reprise et systématisée en 1845 par F.C. Baur, que toute l'histoire de l'Église au

Ier siècle était explicable par cette antinomie (Goulder). Un peu plus tard, toujours en Allemagne – un peu moins dans le monde anglophone – entre la fin du XIXe siècle et le milieu du XXe, on a pensé à différentes formes de pré-gnose : un goût pour une spiritualité enthousiaste (Betz ; Schmithals, *Gnosis*), une contamination des religions à mystères, un syncrétisme (Dahl) ; faute d'arguments suffisamment convaincants, elles n'ont pas abouti à un accord entre exégètes, et la recherche ne s'est guère poursuivie dans cette direction (Sevrin). Plus récemment, tenant compte de la richesse culturelle d'une ville comme Corinthe, on a également fait l'hypothèse que Paul se heurtait à différentes images du sage, telle celle portée par la philo-sophie stoïcienne ; chacun faisait école, les débats étaient vifs, chacun tradui-sait le message de Paul dans ses catégories, et l'Évangile s'en trouvait faussé (Brookins, *Wisdom*) ; certains courants privilégiaient la forme (Litfin ; Pickett), d'autres le contenu, Paul doit se battre sur les deux fronts (Brookins, « Rhetoric »).

Une autre opposition existe entre les apôtres nommés, à savoir entre l'apôtre Paul et l'apôtre Apollos, à qui Paul reconnaissait sans doute ce titre (Wilson). Ce dernier est très souvent nommé (1, 12 ; 3, 4.5.6.22 ; 4, 6 ; plus loin en 16, 12), le nom de Céphas est beaucoup moins présent (1, 12 et 3, 22) (Ker). Malgré le fait que Paul se situe parfois du même côté qu'Apol-los, ainsi par l'emploi de l'expression « nous les apôtres » (4, 9) (Hartin, Mihaila), une certaine forme de rivalité existait sans doute entre eux, car l'Alexandrin était meilleur orateur que Paul et sans doute plus en mesure que lui de philosopher (Smit, « Epideictic » ; Id., « Apollos »), ou plus démago-gue (Pogoloff). Cela conduit souvent le discours paulinien à prendre la forme d'une apologie ou même d'une autodéfense : le Tarsiote doit restaurer son autorité apostolique vis-à-vis de Corinthiens qu'il considère comme char-nels, jeunes enfants en Christ, tout humains, incapables d'avaler de la nour-riture consistante dans le domaine de la foi (3, 1-4). Paul exprime son autorité à l'aide d'un « nous » qui fonctionne comme un « je » : « Nous, nous possédons la pensée du Christ » (2, 16) (Strüder).

Cela produit une forme de discours à la fois très riche et très complexe. Les quatre chapitres se prêtent à des analyses sociopolitiques ; Paul lui-même fait allusion au milieu social peu élevé de la plupart des membres de l'Église (1, 26-31) (Konradt), ce qui mérite pourtant d'être nuancé lorsqu'on lit 11, 17-34. La sensibilité sociale du monde gréco-romain était très vive, les orateurs devaient en tenir compte sous peine d'être disqualifiés ; dans une société où les personnes étaient interdépendantes, les gens avaient une hantise considérable de la honte et du déshonneur. Paul doit à la fois sauver l'honneur de ses destinataires, y compris lorsqu'il les tance, et sauver le sien propre (Finney). Paul doit aussi tenir compte de l'organisation sociétale d'une métropole comme Corinthe qui, de plus, est une colonie romaine avec ses institutions propres (Bitner) et qui se piquait de démocratie (Miller).

Cela le conduit à déployer des trésors de finesse rhétorique – une rhétorique de type délibératif plutôt que judiciaire (malgré Rodríguez Ruiz) –, où l'excès et l'exagération tiennent une bonne place, ce qui rend difficile l'identification des courants qu'il vise (Koester) et fait émettre quelques doutes sur la véracité de l'histoire telle qu'il la décrit. Quelle est cette folie qu'il revendique pour le langage de la croix et pour lui-même? Est-ce une simple absurdité rationnelle? Est-ce plutôt une sorte de bouffonnerie que Paul s'autorisait, comme souvent les philosophes populaires, jouant au «plouc» et au miséreux de façon théâtrale pour figurer l'humilité que la kénose du Crucifié rend nécessaire (Welborn)? Une véritable rhétorique de l'exagération est perceptible, notamment dans certains passages (4, 8-13), où ironie et propos excessifs se conjuguent pour produire un discours paradoxal.

Cette habileté rhétorique s'articule néanmoins avec une réflexion théologique de haut niveau. Au cours des chapitres 1-3, Paul argumente à six reprises à partir de l'Écriture, montrant par là une grande habileté dans le maniement des méthodes juives d'exégèse: 1, 19.31; 2, 9.16; 3, 19.20) (Inkelaar; Melgar; Williams). Au chapitre 4 principalement, il se réfère à la tradition remontant à Jésus, en utilisant l'image de l'intendant pour caractériser le rôle des apôtres: les rapprochements de vocabulaire entre Lc 16, 1-15 et 1 Co 4 sont nombreux (Fjärstedt, *Synoptic Tradition*). Surtout, il considère que l'événement Christ fait pièce à toute forme de sagesse (Jacon), et il construit une théologie très élaborée de la croix, objet paradoxal par excellence: en Christ, Dieu s'abaisse jusqu'à subir ce supplice infamant (Lampe; Pickett, *Cross*). Il en résulte un abaissement nécessaire pour les apôtres, à commencer par celui de Paul qui accepte d'être un fou du Christ (Welborn; White), qui ont à vivre en imitation du Christ et de Dieu; et les fidèles, s'ils étaient cohérents avec le contenu de leur foi, feraient bien de les imiter (4, 16) (Salvatori).

Tenant compte de toutes ces réflexions, nous proposons le plan suivant pour la section 1, 10 – 4, 21:

1, 10-17 – Introduction du propos: exhortation initiale (1, 10) suivie de la description, en forme de *narratio*, de divisions néfastes pour la vie de l'Église de Corinthe.

1, 18 – 2, 5 – Présentation du langage de la croix, introduite par une affirmation en forme de *propositio* (1, 18).

2, 6-16 – Reprise de la demande de sagesse énoncée par certains Corinthiens pour bien situer la sagesse de Dieu.

3, 1-23 – En cohérence avec le langage de la croix, place des prédicateurs et des fidèles devant Dieu.

4, 1-13 – L'apôtre, comme le Christ crucifié, à la dernière place.

4, 14-21 – Conclusion en forme de *peroratio* et de projets annoncés.

Une Église divisée
(1, 10-17)

TRADUCTION

1, 10 Pourtant je vous exhorte, frères, par le nom de notre Seigneur Jésus Christ, à dire tous la même chose et à ne pas avoir de divisions parmi vous, à être totalement unis dans la même pensée et dans la même opinion. 11 En effet il m'a été déclaré à votre sujet, mes frères, par les gens de Chloé, qu'il y a des discordes parmi vous. 12 Voici ce dont il s'agit. Chacun de vous dit : « Moi, je suis de Paul ; moi d'Apollos ; moi, de Céphas ; moi, de Christ. » 13 [a]Le Christ est-il divisé ? [a]Est-ce Paul qui a été crucifié pour[b] vous ? Ou bien est-ce au nom de Paul que vous avez été baptisés ? 14 Je rends grâce à Dieu[c] de n'avoir baptisé personne d'entre vous, sinon Crispus et Gaïus, 15 en sorte que quelqu'un ne dise pas que vous avez été baptisés[d] en mon nom. 16 Ah si ! J'ai baptisé également la maison de Stéphanas. Pour le reste, je ne sache pas avoir baptisé quelqu'un d'autre. 17 En effet Christ ne m'a pas envoyé baptiser mais évangéliser[e], sans recourir à la sagesse du langage, afin que ne soit pas réduite à rien la croix du Christ.

[a] La première phrase est introduite par la conjonction μή dans quelques mss : p[46vid] 326. 2464* *pc* sy[p] sa. Elle prend alors clairement une forme interrogative, la réponse attendue étant « non ». Sans cette conjonction, l'ambiguïté entre forme interrogative et forme affirmative existe. La levée de l'ambiguïté est sans doute secondaire. Corrélativement, certains mss qui ont la conjonction μή au début du verset, remplacent μή par ἤ au début de la seconde phrase (p[46] sy[p]).

[b] La préposition ὑπέρ (pour) est remplacée par περί (à cause de) dans qqs mss (p[46] C* 104 *pc* ar b d ; Ambrosiaster). L'attestation est faible.

[c] Le datif τῷ θεῷ est retenu par de nombreux mss (ℵ[2] C D F G Ψ 1881 *Byz* lat bo[ms] ; Tertullien Ambrosiaster). Il est omis par ℵ* B 6. 1739 sa[ms] bo[pt]. Certains mss complètent ce datif par un possessif : τῷ θεῷ μου (A 33. 81. 326 *pc* ar vg[mss] sy[p.h**] sa[ms] bo[mss]). La leçon avec le possessif μου est sans doute inspirée de 1, 4, donc secondaire. La suppression de τῷ θεῷ après le verbe εὐχαριστῶ peut être le résultat d'une haplographie. Pour cette raison, on conservera l'expression complète εὐχαριστῶ τῷ θεῷ, conforme aux usages pauliniens.

[d] Au lieu de ἐβαπτίσθητε (p[46] ℵ A B C* 6. 33. 81. 365. 630. 1175. 1506. 1739 *pc* f* vg sy[hmg] co) on trouve ἐβαπτίσθη (104 *pc*) et parfois ἐβάπτισα (C[3] D F G Ψ 1881 *Byz* it sy ; Tertullien). La troisième personne du singulier améliore l'accord avec τις, sujet de εἴπῃ. L'aoriste actif est influencé par le premier mot du v. 16. Ces deux variantes sont secondaires.

[e] Au lieu de l'infinitif présent εὐαγγελίζεσθαι, qqs mss ont l'infinitif aoriste εὐαγγελίσασθαι (B 365 *pc*). L'aoriste supprime l'idée de durée et fait de l'évangélisation un geste ponctuel initial de l'Apôtre ; très peu attesté, il résulte sans doute d'une correction volontaire.

BIBLIOGRAPHIE

M.R. ANDERSON, « In a Mirror Very Darkly : Pauline Argument and the Problem of History », *LexTheolQuart* 39, 2004, 225-242. – F.C. BAUR, « Die Christus-Partei in der korintischen Gemeinde », *Tübingen Zeitschrift für Theologie* 4, 1831, 61-206. – W. COTTER, « Women's Authority Roles in Paul's Churches : Counter-cultural or Conventional ? », *NT* 36, 1994, 350-372. – B.D. EHRMAN, « Cephas and Peter », *JBL* 109, 1990, 463-474. – W. HEITMÜLLER, *« Im Namen Jesu », Eine sprach- und religionsgeschichtliche Untersuchung zum N.T., speziell zur altchristlichen Taufe,* Göttingen, 1903. – M. PASCUZZI, « Baptism-based Allegiance and the Divisions in Corinth : A Reexamination of 1 Corinthians 1 : 13-17 », *CBQ* 71, 2009, 813-829. – R. REITZENSTEIN, *Die hellenistischen Mysterionreligionen : Ihre Grundgedanken und Wirkungen,* Leipzig 1920. – C.W. STRÜDER, « Preferences Not Parties : The Background of 1 Cor 1, 12 », *EThL* 79, 2003, 431-455.

INTERPRÉTATION

Avec cette péricope on aborde la première grande section de l'épître. Paul réagit à une situation qu'il a apprise. Le long développement qui s'ouvre s'étend jusqu'à la fin du chapitre 4. Après une exhortation initiale à l'unité (v. 10), l'Apôtre nomme les sources par lesquelles il a été informé de divisions existant dans l'Église (v. 11) : les gens de Chloé sont sans doute les employés d'une commerçante ou d'une armatrice dont les navires faisaient la navette entre Corinthe et Ephèse, de part et d'autre de la mer Égée. Puis il alterne le mode narratif et le questionnement : il décrit d'abord les revendications de certains Corinthiens, qui illustrent le défaut d'unité (v. 12) ; trois questions rhétoriques montrent ensuite l'absurdité de ces dires (v. 13) ; un verbe d'action de grâce lui permet encore d'aborder à nouveau une narration qui ne porte plus sur ce qui se dit à Corinthe, mais sur ce qu'il y a lui-même réalisé lorsqu'il était sur place (vv. 14-16) ; il se réfère, en terminant, à sa vocation initiale (v. 17), ce qui lui permet d'introduire le contraste entre sagesse du langage (*logos*) et folie de la croix, contraste qu'il va ensuite développer longuement.

Une certaine solennité marque l'exhortation du v. 10, l'appel au nom de Jésus avec une titulature très développée en exprime l'importance. Paul exprime alternativement à ses destinataires ce qu'il faut qu'ils fassent, à savoir dire la même chose ; puis ce qu'il faut qu'ils ne fassent pas, à savoir être un groupe déchiré ; puis à nouveau ce qu'il faut qu'ils fassent, à savoir être totalement unis. Comme plusieurs passages de 1 Co révèlent des divisions internes à l'Église, M.M. Mitchell a fait de ce verset la *propositio* de tout le corps de l'épître (*Rhetoric* 68-80. 198-200). On n'est pas forcé de la suivre jusque là, mais ledit v. 10 peut être considéré comme la *propositio* de 1, 10 – 4, 21. Le v. 11 a un caractère de brève *narratio* : Paul raconte comment il a été informé de la situation à Corinthe, situation regrettable, qui l'a conduit à entreprendre l'écriture de 1 Co, au moins des premiers chapitres

de l'épître. Avec le v. 12, on entre dans le corps du délit. Le ton est polémique. Paul déploie une rhétorique de dénonciation, présentant la réalité
pour servir ses objectifs oratoires, ce qui a pour conséquence qu'il ne faut
sans doute pas prendre à la lettre la façon dont il décrit la situation (Anderson). La logique du passage pourrait faire penser que les différents partis
nommés s'étaient constitués autour d'allégeances liées au baptême. Mais ce
point était sans doute marginal si l'on essaie de reconstituer la situation à
Corinthe telle qu'elle se dégage de l'ensemble 1, 10 – 4, 21. Combien y a-t-il
de partis en présence : deux, trois ou quatre ? Les deux premiers nommés
sont les plus faciles à identifier. Paul est l'évangélisateur de Corinthe, il
prétend même être le père de l'Église locale (4, 15-16) ; qu'un groupe se
soit constitué autour de lui et des accents principaux de sa prédication,
notamment son insistance sur la théologie de la croix et sa volonté de ne
pas imposer les rites provenant de la Tora aux fidèles d'origine païenne, n'a
rien d'étonnant ; mais l'Apôtre se garde bien d'apporter quelque soutien que
ce soit à ses partisans. Apollos aussi a été un acteur important de l'Église
corinthienne. Une notice lui est consacrée en Ac 18, 24 – 19, 1 ; et il est
plusieurs fois nommé dans la suite de l'épître (3, 4.5.6.22 ; 4, 6 ; 16, 12). Le
témoignage des Actes et la façon dont Paul en parle permettent de savoir que
c'était un Juif alexandrin gagné au Christ, influencé par les milieux intellectuels de sa ville d'origine, éloquent, maniant sans doute avec habileté la
« sagesse du langage » que Paul dénonce en 1, 17. Il n'est pas impossible
que l'art du beau parler pratiqué par Apollos ait plu aux Corinthiens, qui
survalorisaient le don des langues dont il est question en 1 Co 12-14
(Barrett*). Le groupe prétendant appartenir à Apollos est sans doute celui
qui s'opposait le plus aux perspectives pauliniennes. En dehors des pauliniens et des apolloniens, on a du mal à donner du contenu aux autres
revendications. Nommer un groupe se réclamant de Céphas peut n'être
qu'un artifice rhétorique de Paul ne voulant pas durcir l'opposition entre
Apollos et lui (Strüder) ; Céphas et Pierre sont dans les textes pauliniens
une seule et même personne (malgré Ehrmann). Peut-être certains Corinthiens se référaient-ils au premier des apôtres surtout pour dépasser le clivage
Paul-Apollos ; ou pour favoriser une pratique de la Tora que Paul et Apollos
désapprouvaient. Céphas est plusieurs fois nommé dans la suite de l'épître
(3, 22 ; 9, 5 ; 15, 5) ; la question de savoir s'il était venu à Corinthe avant la
rédaction de 1 Co est posée ; Eusèbe de Césarée semble répondre par l'affirmative (*Hist. Eccl.* II, 25, 8) ; on n'a cependant aucune certitude. Quant à un
éventuel parti de Christ, son existence même est peu assurée (voir la note sur
le v. 12). Il est alors possible que Paul mette en avant les ministres du
baptême parce que, parmi les éléments polémiques dirigés contre lui par
ceux qui se réclamaient d'Apollos, les suiveurs de ce dernier tentaient de
disqualifier Paul en réduisant son rôle à celui d'un simple baptiseur : venu le
premier, il avait historiquement accompli les rites d'initiation marquant
l'appartenance des croyants au Christ ; après son départ, le groupe chrétien

avait pris un nouvel essor grâce à la personnalité brillante d'Apollos, qui faisait un chef d'Église beaucoup plus digne (Pascuzzi). Trois phrases expriment au v. 13 la réaction de Paul aux revendications exprimées dans le verset précédent. La première, qui n'est pas introduite par une particule interrogative, pourrait être une affirmation : « Christ n'est pas divisé. » Mais la logique du texte conduit à la considérer comme une question introduisant d'une part la seconde, qui comporte la conjonction grecque *mè* (laissant entendre une réponse négative), et d'autre part la troisième reliée à la seconde par la conjonction « ou bien », qui suggère une équivalence entre les deux formulations : « Ce n'est pas Paul qui a été crucifié pour vous, c'est Christ » ; « Ce n'est pas au nom de Paul que vous avez été baptisés, c'est au nom de Christ ». Ainsi, celui au nom duquel on est baptisé est le même que celui qui a été crucifié, ce qui est cohérent avec les affirmations de Rm 6, 3 : « Nous tous, baptisés en Christ Jésus, c'est dans sa mort que nous avons été baptisés. » On remarque que le vocabulaire baptismal disparaît du propos après le v. 17a, dès que Paul a marqué ses distances par rapport à la sagesse du langage. Il doit cependant concéder qu'il a lui-même administré des baptêmes à des gens occupant sans doute une place importante dans l'Église : aux vv. 14-15, Crispus, un chef de synagogue (Ac 18, 8), et Gaïus chez qui Paul résida plus tard lors de son deuxième séjour à Corinthe, séjour au cours duquel il écrivit Rm. La mention de Stéphanas au v. 16 est un repentir d'écrivain, peut-être même un ajout au moment de l'expédition de la lettre si Stéphanas est l'un des porteurs de la missive auprès des Corinthiens. Si trois noms propres seulement sont donnés, cela fait un nombre beaucoup plus important de personnes baptisées car, lorsqu'on baptisait un chef de famille, toute sa maisonnée recevait également le baptême. Mais, bien qu'ayant administré quelques dizaines de baptêmes, Paul précise au v. 17 que là n'est pas le cœur de sa mission. En écrivant au v. 17a que Christ ne l'a pas envoyé baptiser, il ne minimise pas le rite. C'est son rôle de baptiste qu'il met au second plan : quel que soit le ministre du sacrement, son identité n'a pas d'importance. Lorsque l'on dit ou écrit « je baptise », l'article est second par rapport au contenu du verbe « baptiser » lui-même. En effet, le verbe « baptiser », toujours employé au passif lorsqu'il est couplé avec la locution « au nom de » est un passif théologique. « Lorsque Pierre baptise, c'est Christ qui baptise – écrivait Augustin – ; lorsque Paul baptise, c'est Christ qui baptise, et même lorsque Judas baptise, c'est Christ qui baptise » (*Hom. év. Jean*, 6, 7). À la place de « Christ », Paul aurait sans doute écrit « Dieu », mais Augustin est fidèle à Paul en minorant le rôle du ministre. Le v. 17b fait la transition avec la péricope suivante, par laquelle on entre vraiment dans le débat par lequel Paul s'oppose à ceux qui se réclament d'Apollos. La rhétorique de la parole rend vaine la croix du Christ pour au moins deux raisons : elle est associée à des milieux sociaux élevés auxquels les fidèles de Corinthe dans leur majorité n'appartiennent pas (1, 26) ; et elle favorise les émotions, les conversions psychologiques, ainsi qu'un goût démesuré pour le don des langues (1 Co 12-14). Au contraire, la parole de la croix ne se limite pas à son contenu : elle est perlocutoire, c'est-à-dire qu'elle produit en disant ; ses effets ne concernant pas seulement la pensée, ils se traduisent en actes d'amour et de charité (1 Co 13) (Thiselton*).

NOTES

10

Le premier mot de la péricope, παρακαλῶ, est à nouveau employé en 4, 16, avec lequel il fait inclusion. Les divisions dans l'Église sont appelées σχίσματα, terme que l'on retrouve en 11, 18 et 12, 25, et qui évoque l'image de la déchirure ; Clément de Rome reprendra plusieurs fois le terme paulinien (*1 Clement* 2, 6 ; 46, 5.9 ; 49, 5 ; 54, 2), témoignant que des divisions continuaient d'exister dans l'Église corinthienne à la fin du Ier siècle. 1 Co utilise aussi deux autres termes pour nommer ces divisions : ἔρις (au v. 11 et en 3, 3), qui signifie plutôt « dispute » ou « querelle » ; et αἵρεσις (11, 19), qui porte sur le résultat de la séparation : la « scission » ou la « secte ». Les deux premiers, σχίσμα et ἔρις, ont toujours une connotation négative. Le verbe invitant à l'unité, καταρτίζω, n'est employé qu'ici en 1Co, mais il est repris dans l'exhortation finale de 2 Co (13, 11) ; il porte en lui une connotation de totalité.

11

L'information sur la situation à Corinthe est venue jusqu'à Paul grâce aux gens de Chloé, dont le nom signifie « la Verdure » ou « la Verdoyante » (une épithète de la déesse Déméter), inconnue par ailleurs dans le NT ; des femmes exerçaient des responsabilités dans les Églises pauliniennes (Cotter), ainsi Phoebé (Rm 16, 1-2), Prisca (1 Co 16, 19 ; Rm 16, 3-4), Evodie et Syntychè (Ph 4, 2), Apphia (Phm 2) ; mais, pour Chloé, on n'en sait rien. Elle était sans doute chrétienne, ce qui permet d'ajouter foi aux dires des personnes lui appartenant, et, tout en étant connue des Corinthiens, vivait plus vraisemblablement à Ephèse qu'à Corinthe ; la nommer si elle avait été corinthienne aurait pu aggraver les scissions dans l'Église locale.

12

Les termes dans lesquels sont décrites les revendications des Corinthiens, ἐγὼ εἰμι + génitif, implique une véritable relation d'appartenance. Céphas est le nom araméen de Pierre ; c'est toujours comme cela que Paul le nomme, sauf en Ga 2, 7.8 ; penser qu'il s'agit de deux personnes différentes (Ehrman) n'a pas de fondement. L'interprétation du passage a une longue histoire, que l'on peut résumer brièvement comme ceci. Dès 1831, F.C. Baur distinguait deux partis derrière les quatre slogans : une tendance paulinienne ouverte représentée par Paul et Apollos, une tendance judaïsante se réclamant de Pierre et même de Christ. Au début du XXe siècle, la découverte de l'importance des religions à mystères dans le monde antique a fait penser à R. Reitzenstein que les partis dans l'Église de Corinthe s'inspiraient des thiases (θίασοι), ou confréries se réclamant d'un maître vénéré comme initiateur au mystère ; mais l'influence des religions à mystères en Achaïe est sans doute postérieure à la rédaction de 1 Co. L'interprétation de la phrase non verbale « moi, de Christ » s'inscrit elle-même dans cette histoire. On peut identifier cinq positions différentes. 1° Elle pourrait désigner un groupe réel, à tendance judaïsante (Bauer *et al.*), ou encore un groupe s'opposant à Paul en s'appuyant sur des logia de Jésus. – 2° L'hypothèse a été émise par W. Schmithals (*Gnosis*, 188-194) que la diffusion de la gnose à Corinthe avait favorisé l'existence d'un groupe de pneumatiques ultraspirituels se réclamant d'un lien direct au Christ ; elle a toujours ses partisans. – 3° La phrase ἐγὼ δὲ Χριστοῦ pourrait être la glose d'un copiste agacé par toutes ces revendications ; mais il n'existe aucun ms. duquel cette phrase est absente. – 4° Le mot Χριστοῦ pourrait être une erreur de copiste à la place de Κρίσπου (nommé au v. 14) qui se serait trouvé dans le ms. original. – 5° La phrase pourrait relever de la rhétorique paulinienne, l'Apôtre voulant soit dépasser lui-même toutes les factions, soit ironiser sur les revendications corinthiennes. La suite de l'épître conduit à préférer cette dernière opinion, avec quelques hésitations sur les motifs qu'a eus Paul de nommer ainsi un parti de Christ qui n'existerait pas. Plus loin, en effet, dans le texte de 1 Co, Paul ne nomme plus que lui-même, Apollos et Céphas dans l'énumération de personnalités ayant marqué Corinthe (3, 22-23). Au verset 13, c'est sur le terme Χριστός qu'il s'appuie pour dépasser toutes les revendications. Dans le même sens va le témoignage de Clément de Rome qui ne nomme que Céphas et Apollos parmi les têtes que se donnaient les groupes opposés à Paul (*1 Clem.* 47, 1-3). On a voulu parfois s'appuyer sur 2 Co 10, 7 et 11, 23, pour prétendre qu'être « de Christ » était une revendication réelle de certains Corinthiens ; mais la situation dont témoigne 2 Co 10-13 est sans doute postérieure de plusieurs mois à celle dont Paul a été informé lorsqu'il rédige 1 Co.

13

L'expression « crucifié pour (ὑπέρ) » est la base d'une théologie de la rédemption s'inspirant du rachat d'un esclave. La préposition ὑπέρ signifie ici « au bénéfice de ». On pourrait paraphraser : « La crucifixion est le prix que Christ a payé pour libérer les esclaves que vous étiez. » « Vous avez été achetés contre paiement », écrit Paul en 6, 20 (cf. aussi 7, 23). Alors que la référence au nom de Jésus était formulée au v. 10 par l'expression διὰ τοῦ ὀνόματος que nous avons traduite « par le nom de », elle l'est ici en utilisant l'expression εἰς τὸ ὄνομα, que l'on retrouve au v. 15 ct, ailleurs dans le NT à la suite du verbe βαπτίζω en Mt 28, 19 ; Ac 8, 16 ; 19, 5. Chez Paul, c'est toujours par la préposition εἰς (avec ou sans la référence explicite au nom) que le verbe βαπτίζω est lié à la personne du Christ (Rm 6, 3 ; 1 Co 12, 13 ; Ga 3, 27) ; une fois, la même préposition le relie à Moïse (1 Co 10, 2). L'expression εἰς τὸ ὄνομα équivalent grec de l'hébreu *lešem*, n'a pas au départ une portée religieuse. Elle fait partie du vocabulaire commercial pour désigner l'acheteur d'une marchandise que son fournisseur lui envoie (Heitmüller ; Quesnel, *Baptisés* 79-119) ; on la lui livre à son nom (εἰς τὸ ὄνομα). L'utilisation par Paul dans ses formulations baptismales confirme sa théologie de la rédemption ou du rachat. Par la croix, le Christ a racheté les pécheurs ; par le baptême, le croyant signe son acte d'appartenance au Christ.

14-15

Crispus (v. 14) est mentionné une autre fois dans le NT : en Ac 18, 8, comme chef de synagogue à Corinthe, et appartenant à un groupe qui reçut le baptême en devenant croyant suite à la prédication de Paul ; il s'agit très vraisemblablement de la même personne qu'ici. Gaïus (v. 14) est un nom très répandu dans l'Antiquité, cinq fois présent dans le NT (ici et en Ac 19, 29 ; 20, 4 ; Rm 16, 23 ; 3 Jn 1) ; celui de 1 Co est sans doute le même que celui de Rm 16, 23, présenté comme Paul comme son hôte au moment où il rédige l'épître aux Rm, précisément composée à Corinthe.

16

Stéphanas est encore nommé en 16, 15.17, où lui-même et sa maison sont présentés comme prémices de l'Achaïe. Avec Fortunatus et Achaïcus, il est peut-être le porteur de 1 Co. Le terme employé pour « maison » est ici ὁ οἶκος. Un autre terme existe, ἡ οἰκία. La distinction entre les deux n'est pas toujours claire, le grec classique préfé-rant en général οἰκία pour désigner la maison au sens métaphorique, la maisonnée, tandis que οἶκος est davantage limité au bâtiment. Mais la langue populaire, attestée par les papyri, respecte peu cette distinction, et l'usage paulinien est lui-même assez flou (Winter, *After* 206-211).

17

L'annonce de l'Évangile pour laquelle Paul se sent missionné est définie négative-ment : οὐκ ἐν σοφίᾳ λόγου. Le terme σοφία, employé ici pour la première fois dans l'épître, va l'être encore une quinzaine de fois jusqu'à la fin du chapitre 3. Trois types de sens sont à distinguer : 1° La sagesse attribut de Dieu et communiquée aux humains, qui a nourri la littérature juive sapientielle depuis quelques siècles (ainsi en 1, 21). – 2° La sagesse recherchée pour elle-même par les Grecs, liée à la brillance du langage, que Paul dénonce le plus souvent, lui dont l'éloquence était nulle (2 Co 10, 10) ; c'est avec cette connotation négative que Paul emploie l'adjectif substantivé σόφος dans les chapitres 1-3. – 3° La voie de sagesse qu'a choisie Dieu pour ne rien concéder à la vaine sagesse, c'est-à-dire la voie de la croix qui, aux yeux des hommes, peut passer pour une folie (1, 24 ; 2, 7). La σοφία λόγου appartient évidemment à la deuxième catégorie.

Excursus : Note théologique sur la rédemption chez Paul

A.J. HULTGREN, *Christ and His Benefits : Christology and Redemption in the New Testament*, Philadelphia 1987. – X. LÉON-DUFOUR, *Face à la mort : Jésus et Paul*, Paris 1979. – H. SCHÜRMANN, *Comment Jésus a-t-il vécu sa mort ?*, Paris 1977. – P. TERNANT, *Le Christ est mort « pour tous ». Du serviteur Israël au serviteur Jésus*, Paris 1993. – P. WELLS, « Que s'est-il passé à la croix ? », *RevRéf* 200, 1998, 45-58.

Le terme « rédemption », formé sur le latin *redimere* qui signifie « racheter », renvoie aux effets de la mort de Jésus en croix sur les humains ; on utilise parfois le terme plus profane de « rachat ». Paul emploie pour exprimer cette idée le sub-stantif *apolutrôsis* (Rm 3, 24 ; 8, 23 ; 1 Co 1, 30), ainsi que le verbe « acheter », *agorazô* (1 Co 6, 20 ; 7, 23), et son composé *exagorazô* (Ga 3, 13 ; 4, 5). À ces formulations il faut ajouter tout ce qu'il écrit à propos de Christ « mort pour » (Rm 5, 6.8 ; 1 Co 15, 3 ; 2 Co 5, 15 ; 1 Th 5, 10) « crucifié pour » (1 Co 1, 13), « livré pour » (Rm 8, 32 ; Ga 2, 20), « donné pour » (Ga 1, 4), avec la préposition *huper* + génitif. Il se trouve que cette préposition grecque possède à peu près toutes les familles de sens de la préposition « pour » française, notamment : 1° Un sens final : « au bénéfice de ». – 2° Un sens substitutif : « à la place de ». – 3° Un sens causal : « à cause de ». Le sens causal convient bien lorsque la préposition « pour » est suivi d'un substantif abstrait ou inanimé, par exemple lorsque Paul écrit que « Christ mourut ou se donna pour nos péchés » (1 Co 15, 3 ; Ga 1, 4). Ce sens causal pourrait également convenir lorsqu'il s'agit des humains : Christ mourut à cause de nous. Il est cependant un peu pauvre, et la recherche théologique s'est également intéressée aux deux autres possibilités. Le sens substitutif a donné naissance à des théologies de la substitution pénale, Christ étant, en quelque sorte, mort à notre place : le péché des humains leur aurait mérité la peine capitale ; par pitié à leur égard, Dieu a envoyé son Fils qui a subi le châtiment à leur place. Malgré des tentatives intéressantes, pour en renouveler le contenu (Wells), une telle perspective donne cependant de Dieu une image vindicative, comme s'il avait fallu que quelqu'un paie, et elle n'est plus guère retenue. Plus conforme à la perspective biblique et à la théologie paulinienne dans son ensemble est le sens final de la préposition « pour » lorsqu'elle se rapporte à des humains : « Christ mourut pour des impies » (Rm 5, 6) ; « Christ mourut pour nous » (Rm 5, 8) ; « Christ mourut pour tous » (2 Co 5, 15). Chaque fois, la préposition « pour » peut être rendue par « au bénéfice de ». Nous étions esclaves de la mort et du péché, et nous avons changé de maître en devenant, grâce à la mort du Christ en croix, esclaves du Christ. Il faut se rappeler que, dans l'Antiquité, toute personne, même un homme libre, est dépendante d'un supérieur, quel qu'il soit. La liberté intégrale que revendiquent nos contemporains n'existe pas.

Dans les dernières décennies, la perspective de la « mort-pour », par laquelle Christ est passé, a été complétée par celle de la « vie-pour », qui qualifie toute l'existence de Christ. Le premier, le théologien H. Schürmann a utilisé le terme de *Proexistenz*, parfois rendu en français par pro-existence. Car ce n'est pas seulement par sa mort que Jésus s'est donné pour le bénéfice de tous les humains. Son incarnation, sa kénose et toute sa vie publique témoignent, avec sa mort et sa résurrection, qu'il a eu fondamentalement une vie donnée. La mort de Christ est le pivot de la théologie de la rédemption, mais elle est à situer dans un itinéraire plus global, qui va de l'incarnation à l'exaltation du Fils de Dieu.

Le langage de la croix
(1, 18 – 2, 5)

TRADUCTION

1,18 En effet le langage de la croix pour ceux qui se perdent est folie, mais pour nous qui sommes sauvés, il est puissance de Dieu. 19 Il est écrit en effet : *Je détruirai la sagesse des sages, et l'intelligence des intelligents je la rejetterai.* 20 Où y a-t-il un sage ? Où y a-t-il un scribe ? Où y a-t-il un chercheur de ce siècle ? Dieu n'a-t-il pas rendue folle la sagesse du monde[a] ? 21 Puisque, en effet, dans la sagesse de Dieu le monde n'a pas connu Dieu à travers la sagesse, Dieu a trouvé bon, à travers la folie de la prédication, de sauver les croyants. 22 Puisque aussi les Juifs demandent des signes et les Grecs cherchent une sagesse, 23 nous proclamons, nous, un Messie crucifié, pour les Juifs un scandale et pour les nations[b] une folie, 24 mais pour ceux qui sont appelés, Juifs et Grecs, un Messie puissance de Dieu et sagesse de Dieu. 25 Car ce qui est fou pour Dieu est plus sage que les hommes, et ce qui est faible pour Dieu est plus fort que les hommes. 26 Regardez, en effet, votre vocation, frères : il n'y a pas beaucoup de sages selon la chair, pas beaucoup de puissants, pas beaucoup de gens bien nés. 27 Mais les choses qui sont folles aux yeux du monde, Dieu les a choisies pour confondre les sages ; et les choses qui sont faibles aux yeux du monde, Dieu les a choisies pour confondre les forts. 28 Et les choses qui sont sans naissance aux yeux du monde, et les choses méprisées, Dieu les a choisies ; celles[c] qui ne sont pas, afin de faire disparaître celles qui sont, 29 en sorte qu'aucune chair ne se vante en présence de Dieu. 30 C'est grâce à lui que vous êtes dans le Christ Jésus, qui est devenu sagesse pour nous de la part de Dieu, justice et sanctification et rédemption, 31 afin que, selon qu'il a été écrit : *Celui qui se vante, qu'il se vante dans le Seigneur.* **2,**1 Et moi, quand je suis venu vers vous, frères, je ne suis pas venu avec l'excellence de la parole ou de la sagesse, quand j'annonçais le mystère[d] de Dieu. 2 En effet, je n'ai pas décidé savoir quoi que ce soit parmi vous, sinon Jésus Christ, et celui-ci ayant été crucifié. 3 Et moi, c'est avec faiblesse et avec crainte et avec grand tremblement que j'ai été vers vous. 4 Et ma parole et ma prédication n'ont pas consisté en paroles de sagesse persuasives[e], mais en démonstration d'Esprit et de puissance, 5 afin que votre foi ne soit pas faite de sagesse des hommes, mais de puissance de Dieu.

[a] Certains mss ajoutent le démonstratif τουτου après τὴν σοφίαν τοῦ κόσμου : p[11] ℵ[2] C[3] D[2] F G Ψ 1739[c]. 1881 *Byz* sy sa[ms] bo[pt] ; Clément[pt] Épiphane. L'absence de démonstratif est attestée par p[46] ℵ* A B C* D* P 33. 81. 630. 1175. 1506. 1739*. 2464 *al* sa[ms] bo[pt] ; Clément[pt] Speculum. La leçon sans démonstratif est meilleure, le démonstratif τουτου ayant sans doute été ajouté sous l'influence de l'expression τοῦ αἰῶνος τουτου un peu plus haut dans le même verset.

[b] Au lieu de ἔθνεσιν, présent dans la plupart des mss, certains mss portent ἕλλησι (C[3] D[2] 6. 1739. 1881 *Byz* ; Clément). Ce changement, secondaire, est sans doute influencé par le couple verbal ἕλληνες-ἰουδαῖοι présent aux vv. 22 et 24.

[c] Avant τὰ μὴ ὄντα (attesté par p[46] ℵ* A C* D* G 33. 1175. 1506. 1739 *l*1575 *pc* b ; Tertullien Origène[pt] Ambrosiaster), certains mss ajoutent la conjonction καί (ℵ[2] B C[3] D[2] Ψ 1881 *Byz* f r vg sy ; Origène[pt]). La *lectio brevior* est sans doute préférable, l'ajout de la conjonction pouvant provenir du fait qu'elle figure dans les énumérations précédentes : καὶ τὰ ἀγενῆ τοῦ κόσμου καὶ τὰ ἐξουθενημένα.

[d] Au lieu de τὸ μυστήριον, « le mystère » (p[46vid] ℵ* A C *pc* ar r sy[p] bo ; Hippolyte Basile d'Ancyre Ambrosiaster), on trouve dans de nombreux mss τὸ μαρτύριον, « le témoignage » (ℵ[2] B D G P Ψ 33. 1739. 1881 *Byz* b vg sy[h] sa). Deux autres leçons sont très faiblement attestées : τὸ εὐαγγέλιον (Théodoret) et τὸ σωτήριον (489). Le changement de μαρτύριον (peu fréquent dans le NT pour parler d'une annonce) en μυστήριον s'expliquerait mieux que l'inverse ; mais μυστήριον annonce bien l'expression ἐν μυστηρίῳ en 2, 7. Avec la majorité des auteurs, on conserve la leçon τὸ μυστήριον (à l'inverse Allo* ; Barrett* ; Conzelmann* ; Fee*).

[e] La situation textuelle de ce passage est extrêmement complexe. La leçon οὐκ ἐν πειθοῖς σοφίας λόγοις est donnée par plusieurs mss : (ℵ*) B D 33. 1175. 1506. 1739. 1881 *pc* vg[st] (sy[p]). Mais elle suppose l'existence d'un adjectif πειθός, épithète du substantif λόγος, nulle part attesté dans la littérature grecque ni dans les inscriptions ; en revanche, on connaît le substantif ἡ πειθώ, « la persuasion », qui fait au datif πειθοῖ. Cette situation explique les autres leçons : οὐκ ἐν πειθοῖς ἀνθρωπίνης σοφίας λόγοις (ℵ[2] A X Ψ (630) *Byz* vg[cl]) ; οὐκ ἐν πειθοῖ ἀνθρωπίνης σοφίας λόγοις (1. 42.

440 *al*); οὐκ ἐν πειθοῖ ἀνθτρωπίνης σοφίας καὶ λόγοις (131); οὐκ ἐν πειθοῖς σοφίας (p⁴⁶ F G *pc*); sans compter quelques inversions de termes à l'intérieur de ces groupes. E.B. Ebojo propose οὐκ ἐν πειθοῖ σοφίας, bien que non attesté. Il apparaît clairement que les leçons comportant ἀνθρωπίνης sont secondaires. La leçon construisant πειθοῖς comme un adjectif est sans doute la meilleure, elle est nettement *lectio difficilior*; de nombreux copistes, bons connaisseurs du grec, ont apporté des corrections pour rendre la phrase plus compréhensible.

BIBLIOGRAPHIE

En plus de la bibliographie fournie pour 1, 10-4, 21

M.E. BORING, « The Language of Universal Salvation in Paul », *JBL* 105, 1986, 269-292. – A.R. BROWN, *The Cross and Human Transformation. Paul's Apocalyptic World in 1 Corinthians*, Minneapolis 1995. – A.R. BROWN, « Apocalyptic Transformation in Paul's Discourse in the Cross », *WordWorld* 16, 1996, 427-439. – P. BÜHLER, « Sagesse des hommes et folie de la croix », *LV(L)* 42, 1993, 67-76. – M.A. BULLMORE, *St Paul's Theology of Rhetorical Style: An Examination of 1 Cor 2. 1-5 in Light of First Century Greco-Roman Rhetorical Culture*, San Francisco 1995. – D.L. CRAGG, « Discourse Analysis of 1 Corinthians 1 : 10 – 2 : 5 », *LingBibl* 65, 1991, 37-57. – E.B. EBOJO, « How Persuasive Is "Persuasive Words of Human Wisdom"? The Shortest Reading of 1 Corinthians 2. 4 », *BibTrans* 60, 2009, 10-21. – D. GERBER, « La construction de l'identité en Christ dans une ville gréco-romaine d'après la première lettre de Paul aux Corinthiens », *RHPhR* 93, 2013, 105-120. – C. JANSSEN, « "Ich komme in Schwäche mit Kraft" (1 Kor 2, 1-5) : Die Selbstinszenierung des Paulus und des Menschen in den messianischen Gemeinden im Gegenüber zur Propaganda des Imperium Romanum », *BibKirch* 70, 2015, 136-141. – H.-C. KAMMLER, « Die Torheit des Kreuzes als die wahre und höchste Weisheit Gottes. Paulus in der Auseinandersetzung mit der Korintischen Weisheitstheologie (1. Korinther 1, 18 – 2, 16) », *ThBeitr* 44, 2013, 290-305. – P.G. KIRCHSCHLÄGER, « Das Verstandnis von σοφία und μωρία in Paulus' griechisch-römischen Kontext und seine Konsequenzen für 1 Kor 1, 18-25 », in *Paul's Greco-Roman Context*, C. BREYTENBACH (ed.), Leuven 2015, 375-386. – H.-J. KLAUCK, « ,Christus, Gottes Kraft und Gottes Weisheit'. Jüdische Weisheitsüberlieferungen in NT », *WiWei* 55, 1992, 3-22. – M. LAUTENSCHLAGER, « Abschied von Disputierer. Zum Bedeutung von συζητητής in 1 Kor 1, 20 », *ZNTW* 83, 1992, 276-285. – F. MONTAGNINI, « 'Videte vocationem vestram' (1 Cor 1, 26) », *RivBib* 39, 1991, 217-221. – R.J. MORALES, « The Spirit, the Righteous Sufferer, and the Mysteries of God. Echoes of Wisdom in 1 Corinthians », *BZ* 54, 2010, 54-72. – G.R. O'DAY, « Jeremiah 9 : 22-23 and 1 Corinthians 1 : 26-31 : A Study in Intertextuality », *JBL* 109, 1970, 259-267. – J. POGGEMEYER, *The Dialectic of Knowing God in the Cross and the Creation. An Exegetico-Theological Study of 1 Corinthians 1, 18-25 and Romans 1, 18-23*, Rome 2005. – W. POPKES, « 1 Kor 2, 2 und die Anfänge der Christologie », *ZNTW* 95, 2004, 64-83. – W. SHI, *Paul's Message of the Cross as Body Language*, Tübingen 2008. – T. SÖDING, « ,Was schwach ist in der Welt, hat Gott erwählt' (1 Kor 1, 27), Kreutzes-Theologie und Gemeinde-Praxis nach dem Ersten Korintherbrief », *BiLi* 60, 1987, 58-65. – T.D. STILL, « Why Did Paul Preach "Christ

Crucified" in Corinth ? A New Answer to an Old Question from an Unexpected Place », *PRSt* 39, 2012, 5-13. – J. TOLENTINO MENDONÇA, « A fragilidade de Deus : Notas sobre un paradoxo paulino (1 Cor 1, 25) », *Didaskalia* 45, 2015, 131-138. – C.M. TUCKETT, « Paul, Scripture and Ethics. Some Reflections », *NTS* 46, 2000, 403-24. – A. WHITE, « Not in Lofty Speech or Media : A Reflection on Pentecostal Preaching in Light of 1 Cor 2 : 1-5 », *JournPentTheol* 24, 2015, 117-135. – U. WILCKENS, *Weisheit und Torheit. Eine exegetisch-religionsgeschichtliche Untersuchung zu 1. Kor 1 und 2*, Tübingen 1959.

INTERPRÉTATION

Cette longue péricope situe l'Évangile dans son originalité par rapport à d'autres messages qui pourraient être l'objet de prédications ou de discours. On pourrait s'attendre à ce que le kérygme complet y figure, à savoir la mort et la résurrection du Christ, mais la résurrection n'est pas mentionnée, sans doute parce qu'elle est un événement heureux à rapprocher de la sagesse, et que la rappeler ferait perdre de la force au discours qui insiste sur la croix. Prêcher la croix est une folie. Les auteurs latins du début du IIᵉ siècle qui font allusion à la religion chrétienne parleront de *superstitio*, assortie d'adjectifs méprisants (Pline le Jeune, *Épîtres* 10, 96, 8 ; Tacite, *Annales* 15, 44, 3 ; Suétone, *Vie de Néron* 16, 2). Le texte laisse entendre que certains au moins des Corinthiens étaient tentés, sinon de passer la crucifixion sous silence, au moins d'en adoucir la rudesse. Sagesse de la pensée et éloquence du discours vont de pair ; Paul se méfie donc de l'une et de l'autre. Il répond en trois temps à des Corinthiens qui seraient tentés, sans doute à la suite d'Apollos, de considérer l'Évangile comme une sagesse méritant d'être portée par une éloquence verbale : 1° « Regardez le message » (1, 18-25) ; 2° « Regardez-vous, vous-mêmes » (1, 26-31) ; 3° « Rappelez-vous ma prédication » (2, 1-5). Rien de tout cela n'évoque puissance ni sagesse. Si puissance il y a, elle ne peut être que celle de Dieu (1, 18).

VV. 18-25 – Le message de la croix est d'emblée présenté comme une folie, mise en contraste avec ce que les destinataires pourraient attendre d'une prédication de type philosophique ou religieux, à savoir une sagesse. Les mots « sage » et « sagesse » sont employés 9 fois dans le passage avec, par un effet de paronomase, une connotation négative dès qu'il s'agit de sagesse humaine, avec une connotation positive lorsqu'il s'agit de sagesse divine (vv. 21, 24). Dès le v. 18, le discours est binaire : « ceux qui se perdent » (à la 3ᵉ personne) sont opposés à « nous qui sommes sauvés » (1ʳᵉ personne) ; la folie est opposée à la puissance. La sagesse humaine est introduite au v. 19 grâce à une citation du prophète Isaïe (29, 14), suivie au v. 20 d'une suite de questions portant sur des termes à connotation négative : « le sage » (v. 20), « ce siècle » (v. 20), « le monde » (vv. 20 et 21), et plus loin « les hommes » (v. 25). La négativité des propos pauliniens sur la sagesse (*sophia*) peut étonner, ce d'autant plus que, en 2, 6-16, il va en quelque sorte la réhabiliter ; sa présentation est aussi à grande distance de l'éloge que pouvaient en faire les philosophies grecs de l'époque classique pour lesquels vertu et sagesse étaient liés (*e.g.* Platon, *Politique* 441c-d), et pour lesquels la *sophia* permettait un accès à la vérité, y compris religieuse (*e.g.* Aristote, *Éthique à Nicomaque* 6, 7) (Kirchschläger). Peut-être certains Corinthiens se réclamaient-ils d'une sagesse pour refuser la croix du Christ ou pour au moins la reléguer au second plan. Peut-être aussi Paul a-t-il besoin d'un bouc émissaire pour l'opposer à l'action salvifique de la croix du Christ qui, humainement parlant, est une aberration (Kammler). Après cette introduction très rhétorique qui couvre les vv. 18-20, Paul s'attache à justifier le contenu de la prédication apostolique centrée sur la croix, en deux temps. Il fait d'abord, au v. 21a, un bref rappel de l'histoire du salut en utilisant des verbes à l'aoriste : la Sagesse de Dieu avait participé à la création du monde. Sous-jacente au discours paulinien se trouve la pensée juive sur la Sagesse créatrice (*e.g.* Pr 8, 22-31), qui habite le monde en permanence et veille sur les humains. À travers elle, les humains auraient dû parvenir à connaître Dieu, mais cela ne s'est pas produit. Paul ne s'attarde pas ici sur cet échec, qu'il développe de façon beaucoup plus complète en Rm 1, 18-32. Ensuite, au v. 21b, l'Apôtre présente le choix que Dieu a fait d'un nouveau moyen de salut, qui offense la sagesse du monde (Brown, *Cross*) et subvertit les structures dominantes de la pensée conventionnelle (Brown, « Apocalyptic »). Les raisons de son insistance ne sont pas parfaitement claires ; il n'est cependant pas impossible que, marqué par l'attente anxieuse de la parousie chez les Thessaloniciens, l'Apôtre ait cherché à trouver une argumentation forte pour ramener ses destinataires aux réalités présentes (Still). C'est d'ailleurs aux réalités présentes qu'il revient aux vv. 22-24, centrés sur une prédication apostolique qui s'oppose aux attentes des Juifs comme des Grecs, les premiers demandant des signes, et les seconds recherchant la sagesse. Si l'on se réfère aux textes bibliques, il ne semble pourtant pas, quoi qu'en écrive Paul, que le peuple juif ait demandé ou même désiré ces signes ; ils étaient un don gratuit de Dieu. Les choses avaient apparemment changé au Ier siècle de notre ère, l'attente messianique se faisant plus vive en raison de l'occupation romaine : « Génération mauvaise et adultère, qui réclame un signe ! » – s'était plaint Jésus (Mt 12, 38-39 ; Mc 8, 11 ; Lc 11, 16 ; Jn 6, 30 ; 12, 38). Quant aux Grecs, leur revendication d'une sagesse dont ils tiraient un certain orgueil est soulignée par leurs historiens et philosophes : Hérodote (*Histoires* 4, 77, 1) ; Aristote (*Eth. Nic.* 6, 7, 2) ; au IIe siècle ap. J.-C., Aelius Aristide en fera encore une caractéristique des Athéniens (1, 330). Alors que Paul distingue souvent Juifs et Grecs pour les opposer, nommer les deux peuples a ici un effet cumulatif. Aux uns comme aux autres, Dieu a opposé une nouvelle voie de salut : le Messie d'Israël a été mis à mort sur un instrument de supplice ignominieux. C'est spontanément un scandale pour les Juifs et une folie pour les païens. Seuls ceux qui sont appelés, qu'ils soient Juifs ou Grecs, peuvent

y lire l'œuvre salvifique de Dieu et en éprouver les effets. Certes, le crucifiement lui-même est un événement accompli du passé, mais l'emploi au
v. 23 du parfait pour le participe passif du verbe « crucifier » indique une
durabilité : tout au long de l'histoire future, Christ restera celui qui aura été
crucifié ; c'est une donnée permanente de la foi nouvelle. Il en résulte une
perte de repères pour tous. Pour les Grecs, appelés ici « païens », c'est une
folie ; Paul reprend au v. 24 les termes déjà employés aux vv. 20 et 21. Pour
les Juifs, c'est un *scandalon*, une pierre d'achoppement, un contresigne,
pourrait-on dire. Dans la tradition juive, la crucifixion était en effet une
malédiction. On en trouve une expression dans le Deutéronome : « Il est
maudit de Dieu, tout homme pendu au bois » (Dt^{LXX} 21, 23a). Cette
phrase au contenu assez vague était interprétée par les Juifs de l'époque
romaine comme se référant explicitement au supplice du crucifiement
(4QpNa 3-4, i ; 11QRT 64, 6-13 ; Josèphe, *AJ* 13, 14, 2 § 380 ; Josèphe,
BJ 1, 4, 5 § 93-98). Les affirmations sur le Christ crucifié qui concluent le
v. 24 reprennent les notions de « puissance de Dieu », syntagme qui était
attribué au langage de la croix au v. 18, et de « sagesse de Dieu », syntagme
qui désignait au v. 21 une réalité abstraite mais non pas une personne ; tout le
discours aboutit au Christ (Klauck). La conclusion de l'unité, au v. 25, est
très rhétorique. Alors que Paul a déclaré se méfier de l'éloquence qui a partie
liée avec la voie de la sagesse humaine, il en fait largement usage. Le binôme
folie-sagesse est maintenant complété par le binôme faiblesse-force : l'accumulation des deux dessine de Dieu une figure paradoxale incitant à une
véritable conversion de l'imagination (Tolentino Mendonça). Si le v. 18
fonctionne comme une *propositio* introductive, on peut considérer le v. 25
comme une *peroratio* qui reprend le renversement des valeurs courantes : à la
folie des humains (cf. Rm 1, 22) Dieu a opposé une folie divine qui est
l'expression la plus haute de sa propre sagesse. Avec ce v. 25, on passe du
plan des choix historiques de Dieu (v. 21) et de la prédication apostolique
(vv. 22-24), à celui d'une disposition permanente qui montre que la logique
humaine et la logique divine ne se correspondent pas : sagesse et force de
Dieu peuvent produire ce qui est faible et fou aux yeux des humains, à savoir
un Messie crucifié.

VV. 26-31 – Au v. 26 commence un argument ad hominem, Paul
renvoyant les Corinthiens à la modestie de leur condition. Il est possible
que le propos soit exagéré, car l'Église de Corinthe comportait au moins
quelques notables, ainsi Eraste nommé en Rm 16, 23. Cela a conduit certains
commentateurs à interpréter les trois membres de phrases concernant les
sages, les puissants et les gens bien nés du v. 26 comme des questions et
non comme des affirmations ; mais une telle lecture n'a pas de fondement. Le
passage est très construit : le v. 26 est à la 2e personne du pluriel ; il est suivi
par les vv. 27-29 qui sont à la 3e personne du singulier et sont articulés autour
de trois parallélismes (v. 27a, v. 27b, et v. 28) suivis par une conséquence
(v. 29). Dans ces vv. 27-29 sur les choix constants de Dieu depuis les

origines, à savoir se faire connaître par la voie de la faiblesse, aucun passage de l'Écriture n'est cité, mais de très nombreux exemples peuvent venir à l'esprit du lecteur, tant au Iᵉʳ siècle qu'actuellement : le peuple juif n'était ni considérable ni fort à côté de ses voisins (Dt 7, 6-7 ; 26, 5-10) ; David était le petit dernier d'une famille nombreuse (1 S 16, 1-13) ; la prière de Judith aligne plusieurs adjectifs à connotation dépréciative pour nommer les personnes à qui Dieu s'intéresse en premier (Jdt 9, 11). Au v. 30, on revient à la 2ᵉ personne du pluriel, avant de conclure par une citation au v. 31 : l'allusion à l'Écriture est alors explicite, mais le texte LXX de Jérémie affleure déjà par allusions du v. 26 au v. 31, en sorte que l'on peut considérer tout le passage comme un midrash de Jr^LXX 9, 22-23 (O'Day) : la critique que faisait le prophète de la façon dont les puissants tiraient parti de leur sagesse, de leur vaillance et de leur richesse est reprise par Paul ; elles empêchent de donner toute sa mesure à l'acte sauveur de Dieu accompli en Jésus Christ. Car, comme l'exprime le v. 30, c'est Christ qui est devenu sagesse de la part de Dieu ; et c'est par là qu'il est justice, sanctification et rédemption. Paul associe alors à la parole prophétique de Jérémie les réflexions des textes sapientiels sur la Sagesse personnifiée, principalement dans les Proverbes (Pr 1, 20-33 ; 8, 1 – 9, 6) ; Christ est l'incarnation de cette fille de Dieu chantée par les sages d'Israël (Bonnard, *Sagesse* ; Feuillet, *Christ Sagesse*). On voit par là que le propos, à mesure qu'il se déploie, dépasse de loin le simple argument ad hominem annoncé au v. 26. Le passage donne accès aux préoccupations centrales de la lettre (Söding) et ouvre des aspects importants de la théologie paulinienne : l'antinomie entre le point de vue du monde et le point de vue divin, la croix comme événement majeur du salut, le Christ Sagesse de Dieu, et la position du croyant en Christ.

2, 1-5 – Ce paragraphe constitue le troisième argument pour dissuader les Corinthiens de rechercher la sagesse du discours et l'éloquence verbale. Paul avoue les dispositions qui étaient les siennes lorsqu'il a évangélisé leur ville. Aux vv. 1-2, il rappelle ce qu'a été dès le départ le centre de sa prédication lorsqu'il est arrivé à Corinthe : un Messie juif qui était mort crucifié. Tel est le « mystère de Dieu », une réalité cachée depuis toujours que sa prédication a charge de révéler. Des commentateurs anciens ont supposé que Paul avait sans doute adopté cette attitude suite à l'échec qu'il avait connu à Athènes, rapporté par Luc en Ac 17, 16-34. Cette hypothèse n'a pas à être retenue, et ne l'est plus guère : dans ses épîtres Paul ne fait jamais allusion à son passage par Athènes et aux conséquences qu'il aurait eu à en tirer ; le discours qu'il y tient dans les Actes est une construction lucanienne ; et c'est à tort qu'on interprète Ac 17, 32-34 comme le récit d'un échec. La façon dont Paul a présenté le message évangélique en le centrant sur la croix est plutôt un choix kérygmatique conscient de l'Apôtre, choix qu'il n'a pas forcément limité à Corinthe et qui correspond à sa volonté que l'Évangile ne fasse pas nombre avec des doctrines philosophiques enseignées par des maîtres éloquents (Popkes ; White). C'est une façon implicite de critiquer le système gréco-romain de domination, élitiste et essentiellement masculin (Bühler ; Janssen). Porteur d'un tel message, l'Apôtre avoue aux vv. 3-5 sa crainte et son tremblement lorsqu'il est arrivé à Corinthe. Il est vraisemblable que l'Église locale comportait des membres qui s'accordaient le droit de juger Paul selon les deux critères principaux que l'on utilisait dans la société pour évaluer les orateurs populaires et les professeurs, à savoir la qualité du raisonnement et l'éloquence. Cela pouvait le mettre en difficulté avec tel ou tel – Apollos entre autres – mais il assumait ces oppositions. Sa crainte dut être d'autant plus grande que Paul connaissait les limites de son éloquence. Dans ce domaine comme dans d'autres, il savait que les choix de Dieu sont depuis toujours à l'opposé de ceux que feraient les humains (cf. les vv. 27-29) : Moïse manquait d'éloquence (Ex 4, 10), Isaïe avait les lèvres impures (Is 6, 5), Jérémie ne savait pas parler (Jr 1, 6)... Paul peut donc mettre en avant sa faiblesse. Il s'étendra à nouveau beaucoup sur ses propres faiblesses dans d'autres passages de ses épîtres : la maladie qui le conduisit à s'arrêter chez les Galates (Ga 4, 13-14), une faiblesse pouvant conduire à la mort (2 Co 4, 10), et surtout les chapitres 10-13 de 2 Co où il rappelle l'énigmatique écharde dont sa chair était marquée (2 Co 12, 7), sans compter le défaut d'éloquence et de prestance qui fut sans doute pour lui une épreuve (2 Co 10, 9-10 ; 11, 6). La faiblesse n'était pas seulement chez lui un choix ! L'essentiel pour Paul, comme pour les philosophes grecs classiques, est d'être au service de la vérité. Contre les sophistes du Iᵉʳ siècle, il refuse tout langage manipulateur. Si l'Apôtre peut être faible, c'est parce que, d'une certaine façon, Dieu prend le relais en se manifestant par la puissance de son Esprit. Puissance et Esprit sont deux termes souvent associés dans l'AT ainsi que dans plusieurs passages du NT (Ac 1, 8 ; Rm 15, 9 ; 1 Th 1, 5). Il se peut que Paul fasse ici allusion aux manifestations charismatiques sur lesquelles il reviendra aux chapitres 12-14. Mais il peut aussi s'agir de la simple réussite de la prédication de Paul à Corinthe qui a débouché sur de nombreuses conversions et sur l'existence d'une Église d'une certaine importance, quelle qu'en soit la docilité. Le dernier verset de la péricope, le v. 5, oppose l'humain au divin. La foi des Corinthiens relève évidemment du second domaine. Sans l'intervention de Dieu, elle n'aurait pas été possible.

NOTES

18

Ce verset est relié au v. 17 par deux mots-crochets : ὁ λόγος et ὁ σταυρός. L'expression ὁ λόγος τοῦ σταυροῦ combine les deux. Elle annonce ce dont va traiter la péricope. Le terme λόγος change légèrement de sens entre les deux versets : au v. 17 il désignait un mode d'expression ; au v. 18, il renvoie au contenu même du message (Fee* ; Fitzmyer*). Le sens premier de σταυρός est « pieu, poteau » ; dès Hérodote il désigne l'instrument de supplice d'origine perse auquel on suspendait des condamnés en utilisant en plus une barre de bois transversale, le *patibulum* latin (*Histoires* 1, 12, 2 ; 3, 125, 3 ; 3, 132, 3). Cicéron trouve ce supplice « particulièrement cruel et répugnant » (*Contra Verrem* 2, 5, 65) et indigne d'un citoyen romain (*Pro Rabirio* 5, 16). Paul oppose par deux participes présents d'une part ceux qui sont en train de se perdre (οἱ ἀπολλύμενοι) en ne s'attachant qu'à la sagesse du langage, d'autre part ceux qui sont en train d'être sauvés (οἱ σῳζόμενοι) et qui voient dans la folie (μωρία) de la croix un signe de la puissance de Dieu (δύναμις θεοῦ). L'allusion à la perte possible d'une partie de l'humanité semble peu conciliable avec ce que Paul écrit en Rm 5, 18, où il affirme les effets positifs pour tous du salut réalisé en Jésus Christ. Cette perte s'inscrit dans la crainte présente marquée par l'image d'un Dieu juge. Le salut futur pour tous n'en est pas moins possible ; il est garanti par le règne eschatologique d'un Christ et d'un Dieu, rois universels (1 Co 15, 24-25) (Boring). Le substantif δύναμις est repris au v. 24 où il forme inclusion avec son emploi au v. 18, et plus loin en 2, 5.

19

Paul se réfère au livre d'Isaïe pour montrer que la négativité de la sagesse s'enracine dans l'Écriture juive. Au v. 19 il cite la fin de Is^{LXX} 29, 14, en conservant la formulation en chiasme du texte prophétique. Il remplace simplement κρύψω (je cacherai) par ἀθετήσω (j'anéantirai). Il est également intéressant de noter que le couple σοφοί-συνετοί existe dans un logion de Jésus appartenant à la Source Q (Mt 11, 25 ; Lc 10, 21), ce qui pose la question de savoir si des Corinthiens connaissaient cette Source et s'en réclamaient pour revendiquer un niveau de compétence que la foi en Christ leur aurait fait acquérir (Koester, 343).

20

Il est difficile de dire si Paul arrête de citer l'Écriture au v. 19, ou si, dans l'esprit de l'auteur, le v. 20 fait encore partie de la citation, au moins au sens large. En effet, le v. 20a semble s'inspirer de Is^{LXX} 33, 18 pour le triple questionnement qu'il pose, et de Is^{LXX} 19, 12 pour la mise en accusation des différentes espèces de sage. Dans la Corinthe du Ier siècle, ὁ σοφός évoque le sage grec, et ὁ γραμματεύς renvoie plutôt au maître juif de Tora. Le troisième substantif du v. 20a, ὁ συζητητής (« le débatteur », hapax NT), semble une reprise des deux catégories précédentes assortie d'une nuance péjorative : il concerne tous ceux qui n'acceptent pas la folie de l'Évangile (Lautenschlager). Ignace d'Antioche utilisera le même terme pour accuser l'homme que scandalisent la virginité de Marie, l'enfantement de Jésus et sa mort, trois mystères accomplis dans le silence de Dieu et ignorés du Prince de ce monde (*Ephésiens* 18, 1). Quant au v. 20b, il mérite d'être rapproché d'un autre verset de Is 19 : « Les sages (σοφοί) conseillers du roi, leur conseil deviendra folie (μωρανθήσεται) » (Is^{LXX} 19, 11). C'est une thématique chère à Paul, car il la reprendra en Rm 1, 22 dans son réquisitoire contre l'injustice des idolâtres.

21

Le v. 21 et le v. 22 sont introduits par la même conjonction ἐπειδή (puisque), le v. 21 présentant les raisons du choix de Dieu, et le v. 22, les raisons du type de prédication des apôtres. Le 2e emploi du terme σοφία dans ce verset, introduit par διά, indique le moyen ou l'intermédiaire que les humains auraient dû utiliser pour connaître Dieu. Le 1er emploi du terme σοφία dans l'expression ἐν τῇ σοφίᾳ τοῦ θεοῦ a une fonction circonstancielle moins claire. La préposition ἐν est-elle causale, ou modale, ou temporelle, ou locale ? Le parallèle avec Rm 1, 18-32 favoriserait une interprétation temporelle («au temps de la sagesse de Dieu», ainsi Lietzmann*), mais cette lecture est sans doute trop limitée. En même temps qu'une ère de l'histoire humaine, la sagesse est aussi une attitude divine, un plan divin d'autorévélation qui, malheureusement, ne rencontra pas d'écho chez ses créatures; Dieu n'a pas été connu (γινώσκω à l'aoriste, v. 21; le verbe est repris avec le même sens en 2, 8.11.14.16; noter la différence avec Rm 1, 21, où Dieu est considéré comme connu par les humains, mais non glorifié). Le κήρυγμα n'est pas ici l'acte d'annonce, mais le contenu du message.

22-23

Le pourquoi du message prêché par les apôtres est à nouveau introduit par ἐπειδή (puisque). L'histoire du peuple juif est peuplée de signes (σημεῖον a les deux sens de «signe» et «miracle»), notamment au moment de la sortie d'Égypte et de l'Exode (Ex 7, 3; Nb 14, 11; Dt 4, 34; 34, 11; Ps 135, 9). Le verbe principal de la phrase qui couvre les vv. 22-24, κηρύσσομεν, est à la 1re personne du pluriel; Paul prétend prêcher la même chose, le même kérygme (le verbe reprend le substantif κήρυγμα du v. 21) que les autres apôtres, et ce kérygme se résume à deux mots, un nom et un participe: Χριστὸς ἐσταυρωμένος. Le participe est au parfait passif, et non plus à l'aoriste comme au v. 13 à propos d'une crucifixion de Paul pointée comme irréelle.

24

Les «appelés» (κλητοί; reprise du terme déjà employé en 1, 1.2) sont opposés aux Juifs et aux païens ordinaires du verset précédent, mais ils sont également composés de Juifs et de Grecs. Sans doute sont-ils à identifier aux σῳζομένοι du v. 18, *i.e.* à ceux qui adhèrent à la foi en Christ. Le Messie nommé est toujours celui qui a été crucifié mais, dans ce verset, c'est le point de vue divin qui est présenté. Il est alors δύναμις (voir v. 18) et σοφία au lieu de σκάνδαλον et μωρία.

25

Le passage se clôt sur la différence entre le point de vue humain et le point de vue divin, ramassée en une formule de type proverbial constituée de deux propositions comparatives. La première est construite sur des adjectifs appartenant à des racines déjà utilisées: «fou» et «sage». La seconde introduit deux adjectifs nouveaux qui appartiennent au même champ de signification que la δύναμις employée au v. 24: ἰσχυρός (fort), et son contraire ἀσθενής (faible).

26

Le rappel de la vocation des Corinthiens (ἡ κλῆσις ὑμῶν) porte non pas sur l'appel en lui-même mais sur les conditions concrètes de la constitution de l'Église à Corinthe (Montagnini). L'énumération «sages (σοφοί), puissants (δυνατοί), gens bien nés (εὐγενεῖς)» peut-être rapprochée d'énumérations analogues dans la LXX, lorsque sont dénoncées les prétentions des personnes en situation humainement favorable; ainsi en 1 R^{LXX} 2, 10 dans les additions LXX au Cantique d'Anne (φρόνιμος, δυνατός, πλούσιος), et en Jr^{LXX} 9, 22 (σοφός, ἰσχυρός, πλούσιος). L'expression «selon la chair» (κατὰ σάρκα) marque le premier emploi du substantif σάρξ en 1 Co; très courante chez Paul (autre emploi en 1 Co 10, 18), elle renvoie à l'aspect purement humain des choses, avec une opposition plus ou moins marquée à la vocation spirituelle des personnes. Ici, cette opposition n'entre pas en jeu.

27-28

L'énumération du v. 26, qui utilisait des adjectifs substantivés au masculin pluriel, est reprise ici en utilisant les adjectifs substantivés contraires, mais au neutre pluriel : « les choses folles » (τὰ μωρά), « les choses faibles » (τὰ ἀσθενῆ), « les choses sans naissance » (τὰ ἀγενῆ) ; et Paul ajoute deux participes neutres pluriels : « les choses méprisées » (τὰ ἐξουθενημένα) et « les choses qui ne sont pas » (τὰ μὴ ὄντα) *vs* « les choses qui sont » (τὰ ὄντα). La confusion des favorisés aux yeux du monde est exprimée à deux reprises par le verbe καταισχύνω qui évoque la honte et le déshonneur, des situations très infâmantes dans le monde gréco-romain.

29

Cette proposition consécutive conclut la phrase commencée au v. 27 ; la construction ferait presque attendre une citation scripturaire. Tel n'est pas le cas, encore que l'expression « toute chair » (hébreu *kol bāśār* ; grec πᾶσα σάρξ) soit fréquente dans la Bible juive (*e.g.* Is 40, 5 ; Jl 3, 1). C'est peut-être cette fréquence de l'expression biblique qui commande la construction μὴ... πᾶσα σάρξ alors qu'on attendrait plutôt en grec μὴ... μηδεμῖα σάρξ, ou encore μήποτε... τις σάρξ. Le verbe καυχάομαι (se glorifier, se vanter) et les substantifs dérivés (καύχημα, καύκησις) sont très fréquents chez Paul. Lui-même n'hésite pas à se glorifier, mais toujours dans le Seigneur (*e.g.* 2 Co 10, 8-17).

30

Les premiers mots, ἐξ αὐτοῦ, renvoient à Dieu nommé à la fin du v. 29. Pour le reste, ce verset peut être lu de deux façons différentes : 1° δικαιοσύνη et les deux substantifs qui suivent peuvent être compris comme des attributs de ὑμεῖς commandés par le verbe ἐστε. – 2° δικαιοσύνη et les deux substantifs qui suivent peuvent être compris comme des attributs du relatif ὅς qui renvoie au Christ Jésus, commandés par le verbe ἐγενήθη. La première hypothèse se fonde sur le parallèle avec 2 Co 5, 21 et sur le fait que ἐν Χριστῷ Ἰησοῦ a généralement un sens instrumental chez Paul. La seconde se fonde sur le fait que « être en Christ Jésus » est courant chez Paul (ainsi Rm 8, 1.39 ; 12, 5 ; 16, 7 ; 1 Co 3, 1 ; 2 Co 5, 17 ; Ga 2, 4 ; 3, 28 ; 5, 6 ; Ph 1, 1), et que, si le terme δικαιοσύνη peut s'appliquer aux chrétiens, c'est plus difficile pour le terme ἁγιασμός, et encore plus pour le terme ἀπολύτρωσις ; c'est elle que nous retenons, avec la plupart des exégètes. « Etre en Christ Jésus » exprime que le croyant possède objectivement une sorte de nouvelle nature, de nouvelle identité personnelle et sociale, née de son expérience chrétienne (Gerber). Le substantif ἀπολύτρωσις, employé trois fois dans les *homologoumena* (ici et en Rm 3, 24 ; 8, 23 ; également NT en Lc 21, 28 ; Ep 1, 7.14 ; 4, 30 ; Col 1, 14 ; He 9, 15 ; 11, 35), est formé sur le verbe ἀπολυτρόω, employé deux fois dans la LXX (Ex 21, 8 et So 3, 1) mais absent du NT. Les racines hébraïques correspondante sont *g'l* et *pdh*, qui, l'une et l'autre, renvoient à la libération de l'esclavage d'Égypte. Dans le NT, ἀπολύτρωσις exprime la libération du péché obtenue par le sang du Christ.

31

La courte période rhétorique formée par les vv. 26-31 se conclut par une citation que Paul utilise également en 2 Co 10, 17 et, de façon plus lâche, en 1 Co 15, 31 ; Rm 15, 17 ; Ph 3, 3. Elle reprend par deux fois le verbe καυχάομαι utilisé plus haut au v. 29. Le Seigneur ici nommé est sans doute Christ dont on vient de décliner les attributs au v. 30. Plus qu'une citation, c'est un adage inspiré de différents textes AT (1 R[LXX] 2, 10 ; Jr[LXX] 9, 22-23) (Tuckett) ainsi que d'autres textes de la tradition juive (Philon,

De specialibus legibus 1, 57), le Seigneur auquel on se réfère étant alors le Dieu biblique. On trouve également cet adage, dans sa forme chrétienne comme chez Paul, chez Clément de Rome (*1 Clement* 13, 1a).

2, 1

L'emploi du pronom personnel κἀγώ (répété au v. 3) et les verbes conjugués à l'aoriste montrent que l'on entre dans une nouvelle phase du discours : un bref récit de l'évangélisation de Corinthe par Paul. L'apostrophe ἀδελφοί a été employée précédemment en 1, 26 ; elle le sera à nouveau en 3, 1. Le couple λόγος-σοφία était déjà employé en 1, 17, mais avec la construction σοφία λόγου. Ici, les deux substantifs sont mis en parallèle, l'un renvoyant sans doute à l'éloquence et l'autre à l'habileté du raisonnement. Le terme retenu par la critique textuelle, τὸ μυστήριον (autre leçon, non retenue : τὸ μαρτύριον), ne figure que dans des livres deutérocanoniques et dans le livre de Daniel (LXX et Théodotion). Chez Daniel, il traduit l'araméen *rāz*, mot d'origine perse renvoyant aux secrets célestes. Dans la Sagesse de Salomon, il est lié au sort du juste persécuté qui sera vengé, ce qui consonne avec le devenir du Christ (Sg 2, 10-22) (Morales). Seules 1 Co et Rm parmi les *homologoumena* emploient le substantif μυστήριον, parfois au singulier (Rm 11, 25 ; 16, 25 ; 1 Co 2, 1.7 ; 15, 51), parfois au pluriel (1 Co 4, 1 ; 13, 2 ; 14, 2). Le pluriel est communément employé pour les « cultes à mystères », qui se sont développés dans le monde gréco-romain au cours du Ier siècle (mystères d'Eleusis, de Dionysos, de Mithra).

2

Le rappel du Christ ayant été crucifié (ἐσταυρωμένον) renvoie à 1, 23. Prêcher cette réalité était alors présenté comme une œuvre collective. C'est ici plutôt l'œuvre de Paul ; elle correspond à un choix kérygmatique qu'il a fait à Corinthe et même peut-être ailleurs : ἐν ὑμῖν peut renvoyer aux Corinthiens mais aussi à un public plus large.

3-5

Au v. 3, pour désigner les conditions qu'il a connues lors de sa prédication, Paul utilise les termes de « crainte et tremblement » (φόβος καὶ τρόμος), qui se réfèrent à ses sentiments : faire naître une Église dans une métropole comme Corinthe lui semblait certainement aussi rude que devoir soulever une montagne (le même couple est présent en 2 Co 7, 15 ; Ph 2, 12). Il se réfère aussi à sa faiblesse (ἀσθενεία), qui rappelle l'adjectif employé en 1, 25. 27 : Dieu a choisi du matériau faible pour témoigner de l'Évangile, et lui-même en est l'illustration. Au v. 4, le couple λόγος-κήρυγμα a pris la place du couple λόγος-σοφία du v. 1 : la parole et la prédication pouvant être perverties par la sagesse. Toujours au v. 4, le génitif « démonstration d'Esprit et de puissance » peut être compris d'une double façon : 1° Un génitif objectif, une démonstration faite d'Esprit et de puissance. – 2° Un génitif subjectif, « Esprit » et « puissance » étant un hendiadys pour dire « Esprit puissant », une démonstration venant de l'Esprit puissant. Noter que le terme « Esprit » (πνεῦμα) est employé pour la première fois ici en 1 Co.

Excursus : Note théologique sur le Christ Sagesse de Dieu chez Paul

A.C.F.E.B., *La Sagesse biblique de l'Ancien au Nouveau Testament*, Paris 1995. – M.D. GOULDER, « Σοφία in 1 Corinthians », *NTS* 37, 1991, 516-534. – M. HENGEL, « Jesus als messianischer Lehrer der Weisheit und die Anfänge der Christologie », in *Sagesse et religion*, Strasbourg 1976, 147-188. – R.A. HORSLEY, « Wisdom of Word and Words of Wisdom in Corinth », *CBQ* 39, 1977, 224-239. – J.S. LAMP, *First Corinthians 1-4 in Light of Jewish Wisdom traditions. Christ, Wisdom and Spirituality*, Lewiston, NY 2000. – J.M. REESE, « Christ as Wisdom Incarnate : Wiser than Salomon, Loftier than Lady Wisdom », *BTB* 11, 1981, 44-47. – J. THEIS, *Paulus als Weisheitslehrer. Der Gekreuzigte und die Weisheit Gottes in 1 Kor 1-4*, Ratisbonne 1991.

À mesure que se déroula l'histoire juive antique, la sagesse divine prit de plus en plus d'importance, jusqu'à devenir un attribut divin essentiel. Dans les derniers siècles de l'ère préchrétienne, elle a pris le relais des écrits prophétiques et, chez les maîtres juifs, elle est souvent associée à la Tora. Personnifiée dans les *Ketūbīm* de la Bible hébraïque, elle prend des initiatives. Elle appelle (Pr 8, 1-12), décrit les dispositions qui sont les siennes en disant « je » (Pr 8, 12-21), se bâtit une maison (Pr 9, 1 ; 14, 1), s'affirme comme étant aux côtés de Dieu dans son œuvre créatrice (Pr 8, 22-31). Cette personnification est très largement attestée dans les écrits sapientiels de la LXX (Si 14, 20-27 ; Sg 9, 17) ; elle a préparé la voie à l'affirmation que l'on trouve chronologiquement pour la première fois dans le NT en 1 Co 1, 23, à savoir que le Christ crucifié est puissance de Dieu et sagesse de Dieu.

Dans la logique du texte de 1 Co, il apparaît que l'idée paulinienne d'identifier la personne du Christ à la sagesse divine de l'Ancien Testament lui a été soufflée par les Corinthiens qui accordaient à Apollos plus d'autorité qu'au Tarsiote. L'Alexandrin, au moins, était un sage, maniant avec aisance les concepts philosophiques dans la pensée, et l'éloquence dans le discours ! C'était d'autant plus tentant que la prédication de Jésus lui-même, dont les Corinthiens avaient une certaine connaissance, avait comporté des sentences sapientielles, et avait mêmes excellé dans une forme de discours sapientiel particulière, les paraboles. Ces Corinthiens-là s'y retrouvaient, nourris qu'ils étaient de culture grecque et de philosophie stoïcienne pour laquelle la sagesse est la science des actions divines et humaines (Goulder), et ceux qui étaient nourris de culture philonienne également. La réaction de Paul en 1 Co est très vive. Il ne retient de la sagesse ni le beau parler ni la finesse de la pensée. À ceux qui sont sensibles à la brillance, il oppose ce qui est le plus méprisable : la croix sur laquelle agonisaient les esclaves condamnés à mort. Jésus en a été relevé, c'est l'œuvre de la puissance de Dieu ; et elle se continue par la « démonstration d'Esprit et de puissance » nommée en 1 Co 2, 4-5 (Horsley ; Lamp ; Theis).

On peut tenter de synthétiser comme suit la pensée paulinienne sur la sagesse, telle qu'elle s'exprime dans les grandes épîtres. Dieu avait manifesté sa sagesse aux humains depuis les origines, mais ils n'ont pas su la voir et, au lieu d'adorer le créateur, ils ont adoré les créatures (Rm 1, 18-32). Devant l'échec de ce premier projet, Dieu a pris une tout autre voie : la crucifixion du Messie d'Israël. C'est lui dont Paul s'est fait le héraut auprès des Corinthiens charnels et tout humains, au moment de la première prédication qu'il leur a adressée. Alors qu'ils recherchaient une sagesse du monde (1 Co 1, 20), il leur annoncé Celui qui, crucifié, est scandale pour les Juifs et folie pour les païens. La sagesse a alors changé de nature : elle est devenue une personne humaine, le Christ, en qui s'est réalisé le nouveau projet divin (1 Co 1, 23) (Bonnard, *Sagesse* ; Feuillet, *Christ Sagesse*). Le Christ crucifié est comme le successeur de la sagesse juive personnifiée ; les apôtres (noter le pluriel en 1 Co 2, 6) peuvent le prêcher comme tel aux spirituels (1 Co 2, 13) et aux parfaits (1 Co 2, 6). Après les grandes épîtres, la tradition paulinienne reprendra pour le Christ un attribut de la sagesse juive personnifiée, à savoir sa présence dans l'œuvre créatrice de Dieu : « En lui tout a été créé » (Col 1, 16).

La sagesse de Dieu
(2, 6-16)

TRADUCTION

2, 6 Pourtant c'est une sagesse que nous enseignons parmi les parfaits, mais une sagesse qui n'est pas de ce siècle ni des archontes de ce siècle qui sont voués à disparaître. 7 Mais nous parlons en mystère une sagesse de Dieu qui a été cachée, que Dieu avait avant les siècles destinée à notre gloire, 8 qu'aucun des archontes de ce siècle n'a connue – en effet, s'ils l'avaient connue, ils n'auraient pas crucifié le Seigneur de la gloire – 9 mais, comme il est écrit, (nous enseignons) *des choses que l'œil n'a pas vues et que l'oreille n'a pas entendues et (qui) au cœur de l'homme ne sont pas montées, des choses que Dieu a préparées pour ceux qui l'aiment.* 10 C'est à nous[a] que Dieu a fait des révélations par l'Esprit[b]. En effet, l'Esprit sonde toute chose, y compris les profondeurs de Dieu. 11 Qui, en effet, parmi les hommes connaît ce qui concerne l'homme, sinon l'esprit de l'homme qui est en lui ? Et de la même façon, ce qui concerne Dieu, personne ne l'a connu, sinon l'Esprit de Dieu. 12 Quant à nous, ce n'est pas l'esprit du monde[c] que nous avons reçu, mais l'Esprit qui vient de Dieu, afin que nous connaissions ce qui nous a été gracieusement donné par Dieu. 13 Et ce que nous enseignons, ce n'est pas en paroles apprises de la sagesse humaine, mais en (paroles) apprises de l'Esprit[d], exprimant aux spirituels des (réalités) spirituelles. 14 Un homme animal n'accueille pas les choses de l'Esprit de Dieu, car pour lui elles sont folie, et il n'en peut connaître parce que c'est spirituellement qu'on en juge. 15 L'homme spirituel juge de tout[e], et lui n'est jugé par personne. 16 *Qui, en effet, a connu la pensée du Seigneur qui l'instruira ?* Or, nous, nous possédons la pensée du Christ[f].

[a] Au lieu de ἡμῖν δέ (א A C D F G Ψ 33. 1881 *Byz* latt sy ; Épiphane), quelques mss portent ἡμῖν γάρ (p⁴⁶ B 8. 365. 1175. 1739 *al* ; Clément Speculum). La seconde leçon est sans doute une correction de scribe, car ἡμῖν δέ est bien dans la manière de Paul.

ᵇ Au lieu de διὰ τοῦ πνεύματος (p⁴⁶ᵛⁱᵈ ℵ* A B C 630. 1739. 1881 *pc* sa bo ; Clément), plusieurs témoins portent διὰ τοῦ πνεύματος αὐτοῦ (ℵ² D F G Y *Byz* latt sy saᵐˢ boᵐˢ : Épiphane Speculum). La *lectio brevior* est sans doute préférable.

ᶜ Quelques mss ajoutent τούτου (D F G bo) après τοῦ κόσμου. La leçon avec ce démonstratif est moins bien attestée. Elle est sans doute influencée par l'expression τοῦ αἰῶνος τούτου du v. 6.

ᵈ Quelques mss ajoutent ἁγίου (D¹ *Byz* vgᵐˢˢ syʰ) après πνεύματος. C'est sans doute un ajout de scribe, avec intention d'expliciter une formulation très concise.

ᵉ La situation textuelle est confuse. On trouve : ἀνακρίνει τὰ πάντα (p⁴⁶ ℵ* A C D* ; Ptoléméeᴵʳ) ; ἀνακρίνει πάντα (F G ; Clément) ; ἀνακρίνει μὲν πάντα (ℵ¹ B D² Ψ 0298ᵛⁱᵈ. 1881 *Byz*) ; ἀνακρίνει μὲν τὰ πάντα (P 6. 33. 81. 365. 630. 1739 *pc*). Les leçons contenant μέν viennent sans doute de la volonté de balancer avec δέ, quelques mots plus loin. L'absence de l'article devant πάντα change le sens ; on passe de « juger de tout (toutes choses, neutre pluriel) » à « juger toute personne (masc. singulier) » ; le pluriel, plus universel, correspond sans doute mieux à la pensée de Paul.

ᶠ La leçon avec κυρίου (B D* F G 81 *pc* it ; Ambrosiaster Pélage) est moins bien attestée que celle portant Χριστοῦ.

BIBLIOGRAPHIE

M.E. ADEYEMI, « The Rulers of this Age in First Corinthians 2 : 6-8 », *DeltBibMel* 28, 1999, 38-45. – C. CLIVAZ, S. SCHULTHESS, « On the Source and Rewriting of 1 Corinthians 2. 9 in Christian, Jewish and Islamic Traditions (*1Clem* 34. 8 ; *GosJud* 47. 10-13 ; a *ḥadīth qudsī*) », *NTS* 61, 2015, 183-200) – L.B. DINGELDEIN, « Ὅτι πνευματικῶς ἀνακρίνεται. Examining Translations of 1 Corinthians 2 :14 », *NT* 55, 2013, 31-44. – S. GRINDHEIM, « Wisdom for the Perfect : Paul's Challenge to the Corinthian Church (1 Corinthians 2 : 6-16) », *JBL* 121, 2002, 689-709. – A.R. HUNT, *The Inspired Body. Paul, the Corinthians, and Divine Inspiration*, Macon, GA 1996. – H.-C. KAMMLER, *Kreuz und Weisheit. Eine exegetische Untersuchung zu 1 Kor 1, 10-3, 4*, Tübingen 2003. – H.-C. KAMMLER, « Die Torheit des Kreuzes als die wahre und höchste Weisheit Gottes. Paulus und die Auseinandersetzung mit der Korinthischen Weisheitstheologie », *ThBeitr* 44, 2013, 290-305. – J. LAMBRECHT, « 1 Corinthians 2 : 14. A Response to Laura B. Dingeldein », *NT* 55, 2013, 367-370. – T. LANG, « We Speak in a Mystery : Neglected Greek Evidence for the Syntax and Sense of 1 Corinthians 2 : 7 », *CBQ* 78, 2016, 68-89. – Á. PEREIRA-DELGADO, « 'Las profundidades de Dios' en 1 Corintios 2, 10 y Romanos 11, 33 », *Bib.* 94, 2013, 237-256. – J.-M. SEVRIN, « 'Ce que l'œil n'a pas vu...' 1 Co 2, 9 comme parole de Jésus », in *Lectures et relectures de la Bible, Mél. P.-M. Bogaert*, J.-M. AUWERS, A. WÉNIN (eds), Leuven 1999, 305-326. – D.G. VAN DER MERWE, « Pauline Rhetoric and the Discernment of the Wisdom of God according to 1 Corinthians 2 », *JournEarlyChristHist* 3, 2013, 108-132. – J.S. VOS, « Zur Auslegung von 1 Kor 2, 15 in der Reformationszeit », *EvTh* 70, 2010, 358-368. – W.O. WALKER, « 1 Corinthians 2 : 6-16 : A Non-Pauline Interpolation ? », *JSNT* 47, 1992, 75-94. – W. WILLIS, « The "Mind of Christ" in 1 Corinthians 2, 16 », *Bib.* 33, 1989, 110-122.

INTERPRÉTATION

Ce passage est formulé à la 1re personne du pluriel ; cela tranche avec ce qui précède (2, 1-5) et ce qui suit (3, 1-4), où l'auteur s'exprime à la 1re personne du singulier. Un tel emploi de la 1re personne du pluriel dans les verbes principaux (vv. 6. 7. 13) fait se poser la question de l'identité du locuteur : qui est ce « nous » ? Paul seul ? Paul et ses collaborateurs ? L'ensemble des fidèles ? S'il s'agissait de Paul seul, le passage du singulier au pluriel s'expliquerait mal. Il semble également difficile de penser que l'auteur se réfère à tous les disciples de Christ, dans la mesure où il fait front à certains Corinthiens. La référence à un groupe apostolique assez large est sans doute la meilleure (voir déjà 1, 23). Le changement de personne verbale par rapport aux textes environnants a fait poser l'hypothèse qu'il s'agissait d'une interpolation, soit composée par un autre que Paul (Walker), soit insérée tardivement par Paul lui-même. Il y a effectivement un changement de ton, mais les différences de vocabulaire par rapport au passage précédent ne sont pas suffisantes pour justifier une telle hypothèse (Murphy-O'Connor, « Interpolations »). Paul admet maintenant tenir, dans certaines circonstances et avec certains collaborateurs, un discours de sagesse. La sagesse autour de laquelle il accepte de structurer alors son discours n'est pas de type rhétorique ou philosophique ; il s'agit d'une sagesse telle qu'elle existe en Christ, celui-ci étant Sagesse de Dieu (Bonnard, *Sagesse* ; Feuillet, *Christ Sagesse*). L'Apôtre veut montrer par là qu'il n'est en rien inférieur aux rhéteurs ni aux philosophes, mais que, pour ne pas tomber dans le travers de l'orgueil comme certains Corinthiens, il alimente son propos sapientiel à une source qui ne vient pas de lui, à savoir le Christ crucifié. Le « nous » utilisé dans la péricope opère une distinction entre différents membres de l'Église. Les apôtres, qui sont des « spirituels » (v. 15) et alimentent leur propos à « l'Esprit qui vient de Dieu » (v. 12), peuvent tenir un discours de sagesse à des disciples qui sont aussi des « spirituels » (v. 13) ou des « parfaits » (v. 6), autrement dit des gens matures dans l'ordre de la foi, qui croient dans le Christ crucifié et trouvent en lui la plénitude de leur satisfaction (Kammler, « Torheit »). Un tel discours serait contre-productif auprès d'un homme « animal » (*psychikos*) qui n'a pas accès à l'Esprit de Dieu (v. 14) ; chez un tel homme, moins armé contre lui-même, il ne produirait que des fruits d'orgueil (Grindheim ; Willis).

La culture ambiante, gréco-romaine et juive, est sous-jacente à l'ensemble du propos (Hunt) : Paul fait allusion à la pratique rhétorique des orateurs, à la quête de l'esprit divin par les philosophes, aux développements juifs sur la théologie du *logos*, au goût des intellectuels de l'époque pour l'ésotérisme, aux religions initiatiques et à la gnose. Il en reprend abondamment les termes, car son texte est très travaillé. On y trouve de nombreuses répétitions de mots ou de racines, ainsi, au v. 13, la succession des trois termes *pneumatikôs pneumatikois pneumatika*, dont l'effet sonore est intraduisible mais qui produit un effet rhétorique certain. Le discours joue également beaucoup sur les contrastes, par exemple entre les trois champs d'application du mot « esprit » (*pneuma*) : « esprit de l'homme », « Esprit de Dieu » (v. 11), « esprit du monde » (v. 12). Le raisonnement est également très dialectique : une proposition étant avancée, la phrase suivante s'y oppose, reliée à la précédente par la conjonction « mais » (*alla;* vv. 7. 9. 13) (van der Merwe). Malgré cette habileté, Paul tient à marquer la différence entre les habiles discoureurs dont il prétend ne pas faire partie, et l'authentique prédicateur chrétien qui trouve essentiellement ses sources dans la révélation (v. 10). Non seulement lui-même et les apôtres se distinguent d'autres orateurs par la prédication de la croix (1, 18 – 2, 5) ; mais, même lorsqu'ils utilisent un discours plus conceptuel auprès de personnes capables de l'entendre sans orgueil, ils se distinguent encore d'autres orateurs par la source à laquelle ils s'alimentent, à savoir l'esprit du Christ crucifié, véritable Sagesse de Dieu.

Trois moments de l'argumentation peuvent être discernés dans la péricope : les deux extrêmes (vv. 6-9 et vv. 13-16), sont introduits par la thématique de l'enseignement et sont conclus par une citation scripturaire ; l'auteur y décrit la pratique des groupes apostoliques enseignant la sagesse (vv. 6 et 13) à ceux qui peuvent en profiter. Les versets centraux (vv. 10-12) décrivent la compétence de ces enseignants. L'opposition entre les enfants et les parfaits, développée dans les vv. 6-9, se trouve aussi chez Philon (*De agricultura* 2, 9 ; *Legum allegoriae* 1, 30, 94). Paul évoque alors sans doute une catégorie de fidèles, peu nombreuse à Corinthe mais répandue ailleurs, qui peut entendre sans s'enorgueillir un discours de sagesse qui reformule celui de la croix (Kammler, *Kreuz*). A-t-il une raison autre que celle d'utiliser un savoir-faire que certains Corinthiens ne reconnaissent pas ? Il semble que oui, car le propos se réfère à des réalités cachées avant les siècles qu'il énonce mystérieusement (v. 7), et il indique que Dieu destine ultimement ces richesses « pour ceux qu'il aime » (v. 9). Les hommes sont privés de la gloire de Dieu du fait de leur péché (cf. Rm 3, 23), mais le projet de salut de Dieu précède les âges présents, et il se déploiera dans l'avenir. Peu courante, l'expression « le Seigneur de la gloire » (v. 8) pour désigner le Christ se trouve aussi chez Jacques (2, 1) ; elle existe également en 1 Hénoch, mais désigne alors Dieu (22, 14 ; 25, 3 ; 27, 3 ; 36, 4 ; 40, 3) ; elle a une tonalité apocalyptique. Une espérance s'enracine alors dans l'évocation de ce dessein divin mystérieux ; quelle que soit leur médiocrité, les Corinthiens n'en sont pas exclus et pourront en bénéficier aux temps ultimes. Les vv. 10-12, en revanche, n'ont guère d'autre ambition que de souligner la compétence des apôtres : la révélation qu'ils ont reçue par l'Esprit leur permet de prononcer un discours autorisé, parce que l'Esprit sonde « les profondeurs de Dieu » (v. 10). Cette expression, dont c'est l'unique emploi chez Paul, est peut-être reprise d'une formulation de Corinthiens prétendant les atteindre par leur propre sagesse (Pereira-Delgado). La notion de profondeur dans le mystère du monde et de Dieu existe cependant dans la littérature sapientielle (*e.g.* Jb

12, 22 ; Qo 7, 24). Le v. 11 raisonne par parallélisme : il propose un détour par l'esprit de l'homme auquel les animaux n'ont pas accès (v. 11a), et en déduit par analogie que seul l'Esprit de Dieu permet d'accéder à une certaine connaissance de Dieu et de ses desseins (v. 11b). Autrement dit, n'est pas apôtre ou prophète qui veut ; cela relève d'un charisme gracieux (v. 12b), comme Paul le rappellera plus loin en 12, 28-31. La suite reprend les questions précédentes en passant à des normes générales. Les vv. 14-15 sont formulés comme des maximes de type proverbial. Au v. 16, le propos est à nouveau centré sur les apôtres. La citation qui s'y trouve (Is 40, 13) n'est pas annoncée par une formule d'introduction. Elle fait appel à un terme nouveau, « la pensée » (*nous*), déjà employé en 1, 10 à propos de groupes humains, mais qui peut étonner dans des expressions telles que « la pensée du Seigneur » ou « la pensée du Christ ». Il a l'intérêt d'être moins théologique que d'autres, et de pouvoir toucher les Corinthiens avides d'une sagesse de type philosophique. Possédant la pensée du Christ, les apôtres méritent d'être perçus comme des penseurs, et de voir leur enseignement moins contesté.

NOTES

6

Parmi les multiples références de la σοφία enseignée par Paul, la plus vraisemblable ici est celle dont il a été question en 1, 24, à savoir que la σοφία est Christ lui-même, incompris des ἄρχοντες (archontes). Ce dernier terme, lorsqu'il est décliné au masculin pluriel, se réfère toujours dans le NT à des puissants terrestres, particulièrement à ceux qui ont décidé la mort de Jésus (cf. Lc 23, 13.35 ; 24, 20 ; Ac 3, 17 ; 4, 8.26) ; il n'y a ici aucune raison de mêler les puissances cosmiques ou surnaturelles à l'événement (malgré Adeyemi ; Héring* ; Senft*). L'emploi du terme τέλειοι (parfaits) pose également question. Le terme est utilisé dans les religions à mystères ; il pourrait aussi se référer à des groupes gnostiques où se trouvaient des croyants de catégories supérieures. Pourtant, 1 Co 14, 20 est construit sur l'opposition « enfant » (νήπιος ; voir 3, 1) *vs* « adulte » (τέλειος) ainsi que, de façon proche, Ph 3, 15.

7-8

L'expression grecque ἐν μυστηρίῳ appartient surtout au vocabulaire grec chrétien. Elle a sans doute ici un sens adverbial. La question se pose de savoir si elle modifie le verbe λαλοῦμεν (nous parlons) ou le participe ἀποκεκρυμμένην (cachée). Sa place dans la phrase pourrait faire préférer la seconde solution : la sagesse aurait été mystérieusement cachée avant qu'elle ne soit révélée en Jésus Christ. Mais les emplois de μυστήριον en 1 Co sont en général liés à des phénomènes de communication et de langage (2, 2 ; 14, 2 ; 15, 51). La première solution semble alors meilleure (Lang). Employé deux fois, le terme δόξα renvoie à la gloire provenant du Christ (v. 8) qui atteint les croyants (v. 7).

9

La citation, introduite par une formule classique, pose un double problème : son origine ; sa fonction littéraire dans le passage. 1° Origine. Le texte biblique le plus proche est Is^{LXX} 64, 3 peut-être combiné avec Is^{LXX} 65, 16, mais les rapprochements se réduisent à quelques termes de vocabulaire. Paul citerait-il de mémoire et avec inexactitude ? D'après Origène, il citerait l'*Apocalypse d'Elie*, dont le texte est actuellement perdu (*Comm. in Matth.* 27, 9) ; d'après Jérôme, ce verset aurait été contenu dans un fragment également perdu de l'*Ascension d'Isaïe* (*Comm. in Isaiam* 64, 4) ; ces informations sont invérifiables. L'hypothèse a également été émise qu'il citerait un *agraphon* de Jésus, ce qui est d'autant plus possible que l'*Évangile selon Thomas* (17) met dans la bouche de Jésus des paroles très proches (Sevrin), que l'on retrouve également dans l'*Évangile de Judas* (47) et dans la tradition musulmane (Clivaz, Schulthess). Par ailleurs, lorsque Clément de Rome cite ce passage (*1 Clément* 34, 8), il remplace τοῖς ἀγαπῶσιν αὐτόν (ceux qui l'aiment) par τοῖς ὑπομένουσιν αὐτόν (ceux qui l'attendent) ; Clément prétend-il citer Paul ou une autre source scripturaire ? Au terme, force est d'admettre que l'origine de cette citation reste problématique ; Paul l'introduit comme une citation scripturaire, mais les attestations les meilleures se trouvent du côté de l'oralité. – 2⁰ Fonction littéraire. La citation proprement dite ne comporte pas de verbe principal. Deux possibilités de construction existent : a) On suppose que les deux relatifs ἅ n'ont pas le même statut, le premier étant sujet et le second attribut, et l'on sous-entend le verbe « être » entre les deux : « Ce que l'œil n'a pas vu... (c'est) ce que Dieu a préparé... » b) On fait de l'ensemble de la citation un complément d'objet de λαλοῦμεν développant le contenu de σοφίαν θεοῦ (v. 7), la conjonction ἀλλά qui l'introduit étant corrélative de οὐδεῖς (v. 8) : « Nous enseignons une sagesse de Dieu... qu'aucun des archontes de ce siècle n'a connue... mais – comme il est écrit – des choses que l'œil n'a pas vu... ». La deuxième construction est grammaticalement meilleure, c'est celle que nous retenons.

10-11

Les emplois de πνεῦμα au v. 10 et dans les versets qui suivent prolongent le premier emploi du terme en 2, 4. L'Esprit, dont il sera par la suite écrit que tous les Corinthiens le possèdent (3, 16 ; 12-14), est jusqu'ici principalement un intermédiaire de la révélation faite aux apôtres et à leurs collaborateurs ; ils sont spirituels (πνευματικοί) alors que la plupart des Corinthiens sont charnels (σαρκινοί) (3, 1).

12

À l'Esprit de Dieu (πνεῦμα τοῦ θεοῦ) mentionné au v. 11, Paul oppose l'esprit du monde (πνεῦμα τοῦ κόσμου) ; pour renforcer l'opposition, il appelle ici le premier « l'Esprit qui vient de Dieu » (πνεῦμα ἐκ τοῦ θεοῦ). La formulation, unique chez Paul, est cohérente avec la fin du verset : ce que les apôtres connaissent leur a été gracieusement donné par Dieu. Elle peut être rapprochée de ce que Jean écrit du Paraclet en Jn 15, 26-27 et 16, 27.

13

Le sens des termes διδακτοῖς (13a) et πνευματικοῖς (13b) est débattu, ainsi que le sens de la préposition ἐν qui précède διδακτοῖς. Le terme διδακτοῖς peut être un adjectif se rapportant à λόγοις ; ἐν a alors un sens instrumental (notre traduction). Ce peut aussi, au prix d'une construction assez contournée, être un adjectif substantivé désignant des personnes instruites de la sagesse humaine, ἐν signifiant alors « parmi » (Héring*). La question rebondit à propos de πνευματικοῖς (13b) ; le terme peut être neutre (les réalités spirituelles) ou masculin (les spirituels). Les sens possibles du verbe συγκρίνω (exprimer, relier, comparer) aident peu à choisir. Trois arguments jouent cependant en faveur du masculin pour πνευματικοῖς : le fait que, dès le début de la péricope, Paul nomme des personnes à qui il tient un discours particulier, les τέλειοι ; le fait que, au v. 14, l'homme animal (ψυχικός) est introduit avec la particule adversative δέ ; également le fait que, au v. 15, πνευματικός est un masculin. Ces spirituels sont alors les mêmes personnes que les τέλειοι nommés après le même verbe λαλέω au v. 6.

14

L'adjectif ψυχικός n'est pas employé ailleurs en 1 Co 1-4. En revanche il l'est en 15, 44 et 46, où le σῶμα πνευματικόν est opposé au σῶμα ψυχικόν. Ce qui est ψυχικός est purement terrestre ; cela relève de la ψυχή qui est le principe biologique des animaux et des humains. L'homme ψυχικός est alors la personne limitée à sa dimension terrestre, il n'est pas capable, sans l'Esprit qui vient de Dieu, d'accéder aux réalités spirituelles. La conjonction ὅτι est interprétée par toute la tradition comme causale. En faire une conjonction complétive dépendant de γνῶναι serait cependant possible, et la traduction serait : « L'homme animal... ne peut savoir qu'il est spirituellement jugé » (Dingeldein ; contesté par Lambrecht).

15

La description de l'homme spirituel rappelle les revendications des initiés gnostiques (cf. *Corpus Hermeticum* XI, 20) ; cependant, la connaissance qu'a le spirituel chrétien ne lui vient pas de Dieu présent en lui, elle a sa source dans le Messie crucifié. Dans l'histoire de l'interprétation, catholiques et protestants se sont opposés sur le sens de ce verset, certains catholiques ayant naguère réservé cette liberté spirituelle aux dignitaires ecclésiaux (Vos).

16

La citation d'Is[LXX] 40, 13 contient le terme νοῦς qui n'est pas spécifique du vocabulaire théologique. Le texte d'Isaïe utilise l'expression νοῦς κυρίου, que Paul reprend à la fin du verset par le syntagme νοῦς Χριστοῦ, pour se l'attribuer à lui-même et au groupe apostolique, passant alors du πνεῦμα au νοῦς. Le même texte d'Isaïe est utilisé en Rm 11, 34, mais le νοῦς y reste alors attribué à Dieu. Le verbe συμβιβάζω (instruire) est emprunté à la citation d'Isaïe ; employé une dizaine de fois dans la LXX, il n'apparaît jamais ailleurs dans les *homologoumena*.

Prédicateurs et fidèles devant Dieu
(3, 1-23)

TRADUCTION

3, 1 Et moi, frères, je n'ai pas pu vous parler comme à des spirituels, mais comme à des êtres de chair[a], comme à de jeunes enfants en Christ. 2 C'est du lait que je vous ai donné à boire, non pas de la nourriture solide ; en effet vous ne pouviez pas encore. Mais maintenant encore vous ne pouvez même pas, 3 car vous êtes encore charnels. En effet, du moment qu'il y a parmi vous jalousie et discorde[b], n'êtes-vous pas charnels et ne vous conduisez-vous pas de façon tout humaine ? 4 Car lorsque l'un dit : « Moi, je suis de

Paul » ; un autre : « Moi, d'Apollos » ; n'êtes-vous pas tout humains[c] ?
5 Qu'est donc Apollos ? Qu'est donc Paul[d] ? Des serviteurs par qui vous
avez cru, et à chacun comme le Seigneur a donné. 6 Moi, je plantai, Apollos
donna à boire, mais Dieu faisait croître. 7 De la sorte, ni celui qui plante n'est
quelque chose, ni celui qui donne à boire, mais celui qui fait croître : Dieu.
8 Celui qui plante et celui qui donne à boire sont un, chacun recevra son
propre salaire selon son propre labeur. 9 Car nous sommes collaborateurs
de Dieu, vous êtes un champ de Dieu, une construction de Dieu. 10 Selon la
grâce de Dieu[e] qui m'a été donnée, comme un sage architecte, j'ai
posé[f] l'assise, un autre construit dessus. Que chacun prenne garde à la
façon dont il construit. 11 Car une autre assise personne ne peut en poser à
côté de celle qui se trouve là, à savoir Jésus Christ. 12 Si quelqu'un construit
sur l'assise[g] avec de l'or, de l'argent, des pierres précieuses, du bois, du foin,
de la paille, 13 l'œuvre de chacun deviendra manifeste[h] ; en effet le jour la
montrera, parce que par le feu elle se révèle. Et l'œuvre de chacun, le feu
l'éprouvera pour ce qu'elle est[i]. 14 Si l'œuvre que quelqu'un a construite au-
dessus demeure, il recevra un salaire. 15 Si l'œuvre de quelqu'un est consumée, il subira un dommage ; pourtant lui-même sera sauvé, mais (ce sera)
comme à travers un feu. 16 Ne savez-vous pas que vous êtes un sanctuaire de
Dieu et que l'Esprit de Dieu demeure parmi vous ? 17 Si quelqu'un détruit le
sanctuaire de Dieu, Dieu le détruira[j]. En effet, le sanctuaire de Dieu est saint,
c'est cela que vous êtes. 18 Que personne ne s'illusionne soi-même[k] :
si quelqu'un pense être sage parmi vous en ce siècle, qu'il devienne fou
afin qu'il devienne sage. 19 En effet la sagesse de ce monde est folie auprès
de Dieu. Il est écrit en effet : *Celui qui piège les sages dans leur ruse.* 20 Et à
nouveau : *Le Seigneur connaît les raisonnements des sages : ils sont vains.*
21 De la sorte, que personne ne mette sa fierté dans des (êtres) humains. Car
tout est vôtre, 22 soit Paul, soit Apollos, soit Céphas, soit la vie, soit la mort,
soit le présent, soit l'avenir, tout (est) vôtre, 23 mais vous, (vous êtes) à
Christ, et Christ (est) à Dieu.

   [a] Au lieu de ὡς σαρκίνοις (p⁴⁶ ℵ A B C* D* 0289. 6. 33. 945. 1175. 1739 *pc* ;
Clément^pt), plusieurs mss portent ὡς σαρκίκοις (C³ D² F G Ψ 1881 Byz ; Clément^pt) ;
cette variante, moins bien attestée, est sans doute influencée par l'adjectif employé
deux fois au v. 3.
   [b] « Jalousie et discorde (ἔρις) » est attesté par p¹¹ ℵ A B C P Ψ 0289. 81. 630.
1175. 1881 *pc* r vg co ; Clément Origène Didyme Ambrosiaster. Après ἔρις certains
mss ajoutent « et dissensions (καὶ διχοστασίαι) » : p⁴⁶ D F G 33 *Byz* ar b syr ; Irénée
Cyprien. Il s'agit sans doute d'une glose dans les mss de la famille occidentale
influencée par la liste de vices de Ga 5, 20. Mieux vaut retenir la *lectio brevior*.
   [c] Plusieurs leçons manuscrites : 1) οὐκ ἄνθρωποι ἐστε (p⁴⁶ ℵ* A B C 048. 0289.
33. 81. 1175. 1506. 1739. 1881 *pc*) ; 2) οὐχὶ ἄνθρωποι ἐστε (D F G 629 *pc*) ; 3) οὐχὶ
σαρκικοί ἐστε (ℵ² Ψ *Byz* sy) ; 4) οὐκ ἄνθρωποι ἐστε καὶ ἄνθρωπον περιπατεῖτε
(P vg^mss). L'ajout de la leçon 4, secondaire, est influencé par la même formulation
qui clôt le v. 3. La leçon 1, la mieux attestée, est la meilleure.

ᵈ Deux questions textuelles. 1) Dans la majorité des mss, les deux questions sont posées par le relatif neutre τί (ℵ* A B 0289. 33. 81. 1175. 1506. 1739 *pc* lat ; Ambrosiaster Pelage). Quelques mss portent le relatif masc. τίς (p⁴⁶ᵛⁱᵈ ℵ² C D F G Y 1881 *Byz* sy). Le neutre est moins correct ; la leçon avec τί est à la fois mieux attestée et *lectio difficilior ;* elle est retenue. 2) L'ordre Apollos-Paul, très bien attesté, est inversé en Paul-Apollos par D¹ Ψ Byz sy. Le premier, mieux attesté, est retenu.

ᵉ Le génitif τοῦ θεοῦ ne figure pas en p⁴⁶ 81. 1505 *pc* b f vgᵐˢˢ ; Clément. Il s'agit sans doute d'une suppression secondaire, pour éviter une trop grande répétition de θεοῦ, employé trois fois au v. 9.

ᶠ L'aoriste ἔθηκα (p⁴⁶ ℵ* A B C* 0289ᵛⁱᵈ. 33. 1175. 1739 *l*249 *pc* ; Didyme) est parfois remplacé par le parfait τεθείκα (ℵ² C³ D Ψ 1881(*) *Byz* ; Clément). On retient l'aoriste, attesté par les grands onciaux avant correction.

ᵍ Le démonstratif τοῦτον est ajouté à τὸν θεμέλιον en ℵ² C³ D Ψ 33. 1739. 1881 *Byz* lat sy saᵐˢˢ bo ; Épiphane. La leçon sans démonstratif est attestée en p⁴⁶ ℵ* A B C* 0289. 81 *pc* vgᵐˢˢ saᵐˢˢ boᵐˢˢ. L'ajout du démonstratif, secondaire, vient sans doute d'un désir de clarification.

ʰ La phrase ἑκάστου τὸ ἔργον φανερὸς γενήται est remplacée par ὁ ποιήσας τοῦτο τὸ ἔργον φανερὸς γενήσεται en D* ar b ; Ambrosiaster. Selon cette variante, c'est l'homme qui deviendra manifeste, non pas l'œuvre. La variante, secondaire, explicite une formule paulinienne très ramassée.

ⁱ De nombreux mss portent τὸ πῦρ αὐτὸ δοκιμάσει (A B C P 6. 33. 81. 1175. 1739 *l* 249 *pc* ; Origène). Le neutre αὐτό est omis par p⁴⁶ ℵ D Ψ 0289. 1881 *Byz* latt ; Clément. Le personnel, qui renvoie à τὸ ἔργον, est pléonastique. On le conserve, au vu de la qualité de ses attestations.

ʲ Le second emploi du verbe φθείρω dans le verset est au futur dans de nombreux mss : φθερεῖ (p⁴⁶ ℵ A B C Ψ 1739. 1881 *Byz* lat co ; Irénéeˡᵃᵗ Tertullien Ambrosiaster). Plusieurs mss portent le présent φθείρει (D F G L P 0289. 6. 33. 81. 614. 1175. 1241ˢ. 2464 *l* 249 *pc* vgᵐˢˢ ; Irénée) ; le présent est sans doute influencé par l'emploi précédent ; le futur, mieux attesté, est à préférer.

ᵏ Dans le mss D, la phrase porte en finale « par de vaines paroles (κενοῖς λόγοις) », expression courante que l'on trouve en Exᴸˣˣ 5, 9. Il s'agit d'une explicitation secondaire, sans doute influencée par la formulation de Ep 5, 6 : μηδεὶς ὑμᾶς ἀπατάτω κενοῖς λόγοις.

BIBLIOGRAPHIE

H.D. Betz, « Selbsttäuschung und Selbsterkenntnis bei Paulus. Zur Interprétation von 1 Kor 3, 18-23 », *ZThK* 105, 2008, 15-35. – J.R. Busto Saiz, « ¿ Se salvará come atravesando fuego ? 1 Cor 3, 15b reconsiderado », *EstEcl* 68, 1993, 333-338. – R.F. Collins, « Constructing a Metaphor ? 1 Corinthians 3, 9B-17 and Ephesians 2, 19-22 », in *Paul et l'unité des chrétiens*, J. Schlosser (ed.), Leuven 2010, 193-216. – J.A. Davis, *Wisdom and Spirit. An Investigation of 1 Cor. 1 : 18 – 3 : 20 against the Background of Jewish Sapiential Traditions in the Greco-Roman Period*, Lanham 1984. – P. Draguinović, « Weisheit und Liebe bei Paulus. Versuch einer textprogrammatischen Analyse des 1. Korintherbriefes », *EvTh* 73, 2013, 52-66. – B.A. Edsall, « Paul's Rhetoric of Kowledge. The OYK OIΔATE Question in 1 Corinthians », *NT* 55, 2013, 252-271. – J.M. Ford, « You Are God's "Sukkah" (1 Cor. III 10-17) », *NTS* 21, 1975, 139-144. – D. Frayer-Griggs,

« Neither Proof Text nor Proverb : The Instrumental Sense of διά and the Soterio-logical Function of Fire in 1 Corinthians 3. 15 », *NTS* 59, 2015, 517-534. – B.R. GAVENTA, *Our Mother Saint Paul*, Louisville 2007. – C. GERBER, « Milch für die Gemeinde in Korinth : vom Lesen fremder Briefe am Beispiel von 1 Kor 3, 1-4 », *BibKirch* 70, 2015, 172-176. – J. GNILKA, *Ist 1 Cor. 3, 10-15 ein Schriftzeugnis für das Fegfeuer ? Eine exegetisch-historische Untersuchung*, Düsseldorf 1955. – C. GRAPPE, « Le Temple de Dieu, c'est vous ! », *MonBi*, hors série hiver 2012-2013, 54-59. – R. HERMS, « Being Saved without Honor : A Conceptual Link Between 1 Corinthians 3 and *1 Enoch* 50 ? », *JSNT* 29, 2006, 187-210. – H.W. HOLLANDER, « Revelation by Fire : 1 Corinthians 3, 13 », *BibTrans* 44, 1993, 242-244. – H.W. HOLLANDER, « The Testing by Fire of the Builder's Work : 1 Corinthians 3, 10-15 », *NTS* 40, 1994, 89-104. – A.N. KIRK, « Building with the Corinthians : Human Persons as the Building Materials of 1 Corinthians 3. 12 and the "Work" of 3. 13-15 », *NTS* 58, 2012, 549-570. – M. KLINGHARDT, « Sünde und Gericht von Christen bei Paulus », *ZNTW* 88, 1997, 56-80. – D.W. KUCK, *Judgement and Community Conflict. Paul's Use of Apocalyptic Judgement Language in 1 Corinthians 3 :5 – 4 : 5*, Leiden 1992. – J.R. LANCI, *A New Temple for Corinth. Rhetorical and Archaelogical Approaches to Pauline Imagery*, New York 1997. – J. PROCTOR, « Fire in God's House : Influence of Malachi 3 in the NT », *JETS* 36, 1993, 9-14.

INTERPRÉTATION

Par-dessus la parenthèse constituée par 2, 6-16 dans laquelle l'auteur développait les circonstances qui conduisent les apôtres à tenir aux « parfaits » un discours de sagesse – mais il n'est pas sûr qu'il y en ait à Corinthe –, Paul reprend le fil de ses relations avec l'ensemble de l'Église, telles qu'il les a laissées en 2, 5. Le discours qu'il tient maintenant situe les prédicateurs de l'Évangile d'un côté, les destinataires de leur prédication de l'autre. L'Apôtre raconte à sa manière l'histoire de leurs relations lorsqu'il était sur place, et la conduite qu'il a dû tenir du fait de leur immaturité dans la foi. Un tel discours serait transposable dans toute situation analogue : il convient de fournir aux gens une nourriture adaptée (Gerber). La reprise des noms des trois prédicateurs dont les Corinthiens se réclament (vv. 22-23) forme inclusion avec la première mention de ces noms en 1, 12. Un premier développement de 1 Co se termine avec la fin du chapitre 3, malgré le rebondissement du chapitre 4. Une autre inclusion est discernable, entre la mention des humains aux vv. 3-4 et la reprise du même terme au v. 21 ; la tendance des Corinthiens à utiliser des critères purement humains pour juger des situations et des personnes est sous-jacente à l'ensemble du chapitre 3. Après une introduction qui rappelle aux destinataires leurs dispositions char-nelles et débouche sur une question accompagnée d'une première réponse (vv. 1-5), le texte présente trois métaphores sur l'Église et son rapport aux prédicateurs (vv. 6-17), introduites par la question du v. 5 portant sur les identités respectives d'Apollos et de Paul : la culture d'un champ (vv. 6-9) ;

la construction d'un édifice (vv. 10-15) ; le sanctuaire (vv. 16-17). La péricope se conclut par un développement sur l'articulation entre sagesse et folie devant Dieu (vv. 18-23).

VV. 1-5 – Dès le v. 1, Paul rappelle qu'il a évité, lorsqu'il a évangélisé les Corinthiens, de tenir un discours de sagesse, et il en donne les raisons : leur défaut de maturité dans la foi. Les échos que Paul a eus de la situation à Corinthe montrent qu'elle n'a guère changé depuis le premier séjour de l'apôtre dans cette ville. Classique dans le monde antique pour désigner la nourriture des débuts de la vie, l'image du lait, aux vv. 2-3, se trouve aussi en 1 P 2, 2 et en He 5, 12-14, où ceux qui sont nourris au lait ne sont pas encore « parfaits », autrement dit « adultes ». Paul fournit comme indice de cette immaturité la façon dont ses destinataires se raccrochent à un maître autre que Jésus. Les termes employés, liés à la petite enfance, montrent cependant que la situation des Corinthiens est provisoire ; par la suite, ils pourront évoluer ; l'apostolicité de la mission de Paul fait partie de ce qu'ils sont appelés à découvrir. Comme tous les enfants, ils sont normalement destinés à grandir. Le v. 4 reprend 1, 12, mais limite à deux (Paul et Apollos), au lieu de quatre (Paul, Apollos, Céphas, Christ), les noms cités. La raison de cette limitation est débattue. Est-ce parce que Paul se borne à donner des exemples (*e.g.* Fitzmyer*) ? Ou est-ce parce que la différence entre le discours de sagesse tenu par Apollos et le discours de folie tenu par Paul constituait la principale ligne de clivage au sein de l'Église de Corinthe (*e.g.* Barrett*) ? La métaphore agricole qui suit immédiatement, et qui insiste sur les rôles différents joués par Paul et Apollos dans l'évangélisation de Corinthe, conduit à estimer que la deuxième hypothèse est meilleure. Mais l'un et l'autre ont-ils compétence ? Au v. 5, Paul pose cette question pour Apollos et pour lui-même en utilisant un pronom interrogatif neutre, comme s'ils étaient l'un et l'autre d'importance négligeable. Puis il se classe avec Apollos dans la catégorie des serviteurs, étant sauf le fait que le Seigneur (Dieu ou Christ ?) a donné à chacun des rôles différents. C'est sans doute à dessein qu'il évite d'utiliser ici le titre d'apôtre, parce qu'il estime que même si Apollos peut être classé parmi les apôtres, il l'est moins que Paul lui-même.

VV. 6-9 – La première métaphore, celle des agriculteurs, obéit à une double dialectique. Elle joue d'abord sur la différence entre Paul et Apollos. De but en blanc, après avoir écrit précédemment qu'ils étaient tous deux serviteurs (v. 5) et en rappelant qu'ils sont tous deux collaborateurs de Dieu (v. 9), Paul met en place une distinction entre lui-même et Apollos ; il se compare à celui qui plante, et compare Apollos à celui qui arrose, tous deux travaillant dans le même champ. L'expression « le champ de Dieu » consonne avec des images utilisées dans la Bible juive, notamment, chez Isaïe, celle la vigne dont Dieu est le propriétaire et à laquelle il apporte tout son soin (Is 5, 1-7) ; la vigne était chargée de produire du bon raisin, elle est en faute car elle n'a donné que des raisins sauvages. La tradition évangélique a repris l'image (Mc 12, 1-12 et par.) mais, à la différence d'Isaïe, elle insiste sur la culpabilité des vignerons, accusés de ne pas remettre au maître le fruit de la récolte. En présentant Apollos et lui-même comme des ouvriers agricoles, Paul est plus proche de la tradition évangélique que d'Isaïe. Paul a été le premier dans le temps à travailler dans ce champ, car on n'arrose pas un champ avant d'avoir fait les semailles. C'est pour lui une façon de rappeler que c'est lui le véritable fondateur de l'Église de Corinthe et qu'Apollos n'est venu qu'en second, ce que confirme le récit des Actes (Ac 18, 27-28) ; leur salaire d'ouvriers ne sera donc pas le même (v. 8b) ; Dieu seul en décide ; il ne revient pas aux Corinthiens de distribuer les récompenses. La dialectique joue cependant à un deuxième niveau, à savoir la différence entre le travail des ouvriers et celui de Dieu. Eux n'ont que leurs mains pour travailler, ce qui est quasiment rien en comparaison de celui qui donne la croissance, Dieu, qui est également le propriétaire du champ (v. 9). Dieu est nommé une fois au début du passage (v. 6), une nouvelle fois au v. 7 avec une position en fin de phrase qui met le terme très en valeur, et à nouveau à trois reprises à la fin (v. 9). Heureusement qu'il prend soin lui-même de la communauté de Corinthe, autrement elle resterait quasiment embryonnaire. La différence entre Paul et Apollos s'efface presque en face de la différence plus fondamentale existant entre les ouvriers de l'évangélisation d'une part, et Dieu d'autre part, sans lequel tout travail serait improductif.

VV. 10-15 – La deuxième métaphore, celle de la construction, est annoncée à la fin du v. 9, mais elle se déploie à partir du v. 10 où le « nous » disparaît. Les sujets des verbes sont maintenant à la 1re personne du singulier pour Paul, et à la 3e pour chaque autre intervenant auprès de la communauté de Corinthe. Apollos a disparu de la scène. Sans transition, dès la fin du v. 9, la métaphore du bâtiment construit se surajoute à celle du champ cultivé. L'association d'idées entre les deux domaines vient spontanément à l'esprit. La plupart des champs plantés comportaient une petite construction : un pressoir, une tour de surveillance ou un abri pour ranger les outils. Associer l'image de la plantation à celle de la construction est traditionnel dans la littérature biblique. Elle est présente dans le chant de la vigne d'Is 5, 1-7 qui est sous-jacent au propos paulinien. Les verbes « bâtir » et « planter » sont souvent associés l'un à l'autre dans la Bible juive (Jr 1, 10 ; 31, 27-28 ; Ez 36, 36) ainsi qu'à Qumrân (1QS 8, 5 ; 11, 8-9 ; 1QH 6, 15-16 ; 8, 4-11). Le rôle des acteurs humains est ici présenté de façon très différente de celle dont il l'était dans la métaphore agricole. Dès le départ, Paul est seul en scène. À côté de Paul qui est l'architecte et qui, à ce titre, a posé la pierre de fondation sur laquelle repose l'édifice que constitue l'Église, il n'y a que des anonymes : « un autre » (v. 10) ; « chacun » (vv. 10 et 13) ; « quelqu'un » (v. 12). La pierre de fondation est unique, c'est Christ (v.11), il n'y en pas d'autre possible. La perspective de Paul n'est pas la même que celle qui s'exprime dans l'épître aux Ephésiens, où le Christ est aussi comparé à une pierre, mais où les fondations de la construction-Église sont les apôtres et les prophètes (Ep 2, 20-22). Matthieu est également plus proche de Ephésiens que de Paul :

chez lui, c'est Pierre, le premier des Douze, le rocher sur lequel l'Église est construite (Mt 16, 18). Les évangiles n'ignorent cependant pas l'attribution à Jésus du rôle de pierre de fondation ou pierre angulaire (Ps^{LXX} 117, 22 repris par Mt 21, 42 et par.); le fait que cette pierre a été rejetée par certains bâtisseurs est cohérent avec la folie de la prédication apostolique. Dès le départ, une mise en garde est prononcée à l'endroit des ouvriers de la construction autres que l'architecte (v. 10c). Car, s'ils ont le choix des matériaux avec lesquels ils vont poursuivre la construction (v. 12), ces matériaux ne présentent pas tous les mêmes garanties. Les six matières avec lesquelles il est envisagé de bâtir sur la pierre de fondation sont liées au verbe « construire » par un accusatif de qualification. L'hypothèse d'utiliser de tels matériaux pour une construction est pour une part imaginaire, bien que, si l'on en croit la tradition sacerdotale, le Temple de Salomon ait été orné d'or et de pierres précieuses (1 Ch 29, 2 ; 2 Ch 3, 6). Ainsi l'Apocalypse néotestamentaire en orne-t-elle les remparts de la Jérusalem nouvelle (Ap 21, 18-21). Trois de ces matériaux sont de grand prix et ininflammables (or, argent, pierres précieuses), trois sont bon-marché et inflammables (bois, foin, paille); cette énumération prépare le rôle joué par le feu à partir du v. 13, car certains résistent au feu (les trois premiers), d'autres non (les trois derniers). Au v. 13, le propos s'oriente alors sur le jugement eschatologique, soutenu par l'annonce du jour et par l'image du feu. Le « jour » auquel la valeur des œuvres sera révélée est le jour du jugement eschatologique, repris du « jour de Yahvé » (*e.g.* Am 5, 18); Paul y a déjà fait référence en 1 Th 5, 2. 4; il l'évoquera à nouveau en Rm 2, 16. Le feu, mentionné trois fois dans le passage (vv. 13 [2x]. 15) est l'instrument par lequel le jugement est opéré. Il n'est pas d'abord ici un feu purificateur des métaux précieux (malgré l'utilisation du mot à propos de l'or en Pr 17, 3 repris par 1 P 1, 7), mais un feu destructeur des matériaux vils, auquel résistent les matériaux nobles. Aux temps actuels, la valeur des personnes est encore cachée. C'est au jour ultime que seront révélés les secrets des cœurs (Hollander, 2 articles). La valeur de chaque partie de la construction réalisée (l'œuvre dont il question aux vv. 13-15) n'apparaît pas encore maintenant, elle ne sera manifestée que lors du jugement ultime, le temps eschatologique étant à la fois temps du salut et temps de la reconnaissance des personnes à leur juste valeur (Schapdick, *Eschatisches*). Si cette partie résiste au feu du jugement, le bâtisseur recevra son juste salaire (v. 14); si au contraire le feu la consume parce qu'elle est en matériau trop léger, le bâtisseur sera privé de salaire, ce qui n'exclut cependant pas son salut éternel (v. 15). Noter que la logique du texte ne soumet au jugement que les bâtisseurs chargés après l'architecte d'élever les murs, c'est-à-dire, pour passer de la métaphore à la situation réelle, chaque continuateur du travail de fondation que Paul a réalisé. Le jugement qui imprègne tout le texte, et qui est explicité à partir du v. 13, révèle la valeur de tous les membres de l'Église, mais le texte n'en tire des conséquences qu'à propos des évangélisateurs venus après Paul; les évangélisés ne sont, de toute façon, pas directement visés ici (malgré Klinghardt).

VV. 16-17 – La troisième métaphore, celle du sanctuaire, est apparentée à la deuxième – elle identifie celui qui habite dans la construction – bien que le vocabulaire soit différent et que le ton change. Il n'est maintenant plus question de l'Apôtre ni des autres bâtisseurs, mais des Corinthiens auxquels est adressée une question négative, la réponse étant déjà incluse dans la question : « Vous êtes un sanctuaire de Dieu... l'Esprit de Dieu demeure parmi vous » (vv. 16 et 17b). Le passage du processus banal de construction au bâtiment constitué par un sanctuaire est assez hardi. Une certaine incohérence existe même, car la métaphore développée aux vv. 10-15 présente l'édifice comme étant en cours de construction, et la métaphore du sanctuaire nomme l'occupant du bâtiment comme s'il était déjà terminé (Collins). Les destinataires avaient sous les yeux, à Corinthe, de multiples sanctuaires abritant la statue d'un dieu ; face à cette réalité, Paul évoque un édifice composé d'êtres humains et sans effigie à l'intérieur. Cette image a des antécédents à Qumrân ; loin du Temple de pierre et dans l'attente d'une restauration, les Esséniens se constituèrent en communauté sanctuaire (Grappe). L'idée d'un temple formé de personnes humaines existe aussi chez des auteurs païens (Épictète, *Entretiens* 2, 8, 14) ; elle se retrouve, plus développée, en 1 P 2, 5. Imaginer que les huttes de Sukkot constituent l'arrière-fond du propos paulinien (Ford) n'est pas nécessaire. Reste que l'articulation entre l'image de la communauté-sanctuaire et celle de la communauté-corps du Christ (12, 27) pose question, Paul tirant en 1 Co un parti plus considérable de l'image du corps. C'est la première fois en 1 Co que l'Esprit de Dieu est présenté comme une réalité habitant l'Église ; dans les emplois précédents, il concernait surtout la personne ; l'inhabitation de l'Esprit dans la personne ou dans le groupe sera reprise et développée en Rm 8, 9.11. L'avertissement sévère du v. 17a, construit en chiasme, rappelle celui de Gn 9, 6 qui figure dans la conclusion de l'alliance noachique. Le terme « saint » (v. 17b), qui qualifie ordinairement les membres individuels des Églises en tant qu'appelés par Dieu (1, 1-3), qualifie ici le groupe. Le v. 16a et le v. 17b forment inclusion, de part et d'autre du v. 17a qui est un avertissement plus sévère que celui du v. 15 puisque le destructeur sera lui-même détruit et qu'il n'est plus question de salut. Mais qui sont ces destructeurs potentiels de la communauté sanctuarisée et sacralisée ? Sont-ce les bâtisseurs comme au v. 15 ? S'agit-il d'un ennemi extérieur qui pourrait nuire au groupe ? Sont-ce plutôt les Corinthiens eux-mêmes qui, en mettant en concurrence Apollos et Paul, ruineraient l'édifice qu'ils constituent ? La première hypothèse ne semble pas à retenir, en particulier parce que le sort réservé au démolisseur est nettement plus sévère qu'au v. 15. L'ennemi extérieur n'est pas à exclure, ce d'autant plus que le verset v. 17a est formulé comme une vérité d'ordre général. Dans la logique du propos qui se déploie depuis le début du chapitre 3, la pointe semble cependant être l'ennemi intérieur, à savoir les Corinthiens eux-mêmes qui, inconscients de la dignité et de la mission de leur Église, s'épuisent en formant des coteries qui n'ont aucune raison d'être (Lanci). Si Dieu est présent au sein de leur groupe, tout ce qui conduit à le fissurer devient un acte sacrilège.

VV. 18-23 – La fin du chapitre 3 conclut une longue période, dont le début peut être situé en 3, 1 ou même en 1, 10. L'hypothèse a été faite que l'ensemble 1, 18 – 3, 20 avait eu au départ une existence indépendante, et que c'était une homélie haggadique reprenant des traditions de sagesse hellénistique (Davis); détacher cette section de son contexte n'est cependant pas nécessaire. Quant aux vv. 18-23 eux-mêmes, on y distingue en général deux périodes. Certains auteurs proposent de marquer une césure entre le v. 21a et le v. 21b, distinguant un avertissement contre l'autodestruction en 18-21a, et un éloge en 21b-23 (Betz). Nous préférons distinguer deux courtes mises en garde (18a et 21a) que Paul chaque fois commente. Aux vv. 18-20, il s'agit de ne pas s'illusionner soi-même. On retrouve les antinomies sage-fou et sagesse-folie précédemment développées en 1, 18-25; plusieurs formulations des vv. 19-20 sont des reprises presque mot pour mot de ladite péricope. Accepter d'être fou permet d'atteindre la vraie sagesse, celle qui vient de Dieu; c'est apparemment ce que les Corinthiens qui se réclamaient d'Apollos contre Paul ne parvenaient pas à faire, mais le propos est ici plus général. Deux citations scripturaires empruntées à la littérature sapientielle complètent ce commentaire : la première (v. 19b), reprise de Jb 5, 12-13; la seconde (v. 20), empruntée au Ps^{LXX} 93, 11. Aux vv. 21-23, il s'agit de ne pas se fier exagérément à d'autres. Conséquence de la précédente, elle se conclut par une *peroratio* aux accents très rhétoriques, où sont à nouveau nommés Paul et Apollos. Céphas l'est également, mais sans que l'attitude des personnes qui se réclamaient de lui ait pu être précisée, à condition qu'il y en ait eu. L'abondance des noms propres et communs crée un effet rhétorique certain de multiplicité anarchique, qui permet de déboucher au v. 23 sur de l'unique : Christ est unique (cela rappelle l'unique pierre de fondation de 3, 11) et tout lui appartient. Écrire que les évangélisateurs appartiennent aux Corinthiens pose cependant question, car Paul, à commencer par lui, prétend bien être libre à l'égard de tous (9, 1). Il s'est pourtant fait l'esclave de tous pour en gagner le plus grand nombre (9, 19), et il estime sans doute que telle devrait être la posture des vrais évangélisateurs. Ainsi une hiérarchie est-elle établie qui place les apôtres au bas de l'échelle car ils sont soumis aux fidèles, mais eux sont soumis au Christ, et Christ, lui-même appartient au Dieu unique. Devant cet unique, tout n'a plus qu'à s'agenouiller. *Soli Deo gloria*, écrivaient les commentateurs latins de 1 Tm 1, 17 et de Jude 25 !

NOTES

1

L'introduction du verset, avec κἀγώ et l'apostrophe ἀδελφοί (emplois précédents en 2, 1), montre qu'un nouveau développement commence, qui prolonge ce qui a été écrit en 2, 1-5. Le terme κἀγώ (καί + ἐγώ) est utilisé plusieurs fois en 1Co (ailleurs en 2, 3 ; 7, 8.40 ; 10, 33 ; 11, 1 ; 15, 8 ; 16, 4.10), mais il ne l'est en début de phrase, pour indiquer le retour à une opinion ou à une pratique personnelle de Paul, qu'en 2, 1 et 3, 1. C'est parce que les destinataires ne sont pas « spirituels » (πνευματικοί) que Paul ne peut leur tenir un discours de sagesse. Le terme reprend l'adjectif « parfaits » (τέλειοί) utilisé en 2, 6, dont il est l'équivalent. Au contraire, les Corinthiens sont « charnels » (σάρκινοι). Avec les auteurs grecs classiques, Paul fait en général la différence entre l'adjectif σάρκινος, qui signifie « composé de chair » (*e.g.* 2 Co 3, 3 où la chair s'oppose à la pierre), et l'adjectif σαρκικός employé deux fois au v. 3, qui signifie « ayant les caractéristiques de la chair » (*e.g.* 1 Co 9, 1 où les biens matériels s'opposent aux biens spirituels). Il n'est cependant pas sûr que cette distinction fonctionne entre le v. 1 et le v. 3. L'adjectif σάρκινοι est ici associé à l'enfance en Christ (ὡς νηπίοις ἐν Χριστῷ), c'est-à-dire aux débuts de la vie croyante. Lorsque Paul annonce aux Corinthiens qu'il s'adresse à eux comme à des νήπιοι, il manifeste par là qu'il les considère comme encore immatures dans l'ordre de la foi (Draguinović). Le νήπιος est en effet un enfant en bas-âge qui ne parle pas encore, d'âge intermédiaire entre le βρεφός (nouveau-né, nourrisson) et le παῖς (enfant qui parle et marche).

2

Paul se présente comme ayant abreuvé de lait les Corinthiens. Il endosse ainsi une figure féminine, comme en 1 Th 2, 7 et Ga 4, 18-19, complémentaire de l'image du père qu'il se donne en 4, 15 (Gaventa). Le lait, opposé aux aliments solides (βρῶμα), correspond à la seule nourriture que les Corinthiens sont pour le moment capables de prendre. Ils sont encore (ἔτι ; v. 2. 3) dans la petite enfance de la foi. Au moment de leur première évangélisation, ils ne pouvaient pas absorber autre chose (οὔπω ἐδύνασθε), mais maintenant encore, au moment où Paul leur écrit, ils ne le peuvent pas davantage (οὐδὲ ἔτι νῦν δύνασθε).

3-4

Au v. 3, deux substantifs qualifient la conduite des Corinthiens : ζῆλος (jalousie), dont c'est le seul emploi en 1 Co ; et ἔρις (discorde), déjà employé en 1, 10-11 à propos des figures emblématiques autour desquelles les Corinthiens se divisent, dont deux nommées au v. 4 : Paul et Apollos. Le couple ζῆλος-ἔρις se retrouve en 2 Co 12, 20, Ga 5, 20 et Rm 13, 13. Le terme ἄνθρωπος qui figure dans les deux versets se réfère à la personne humaine non éclairée par l'Esprit. La tournure κατὰ ἄνθρωπον (v. 3 ; également 9, 8 ; 15, 32) est moins fréquente que le très paulinien κατὰ σάρκα (voir 1, 26 et 10, 18) mais a un sens voisin. Lorsque les auteurs grecs classiques se réfèrent à l'aspect humain des choses, c'est souvent aussi pour en exprimer l'aspect limité, qui mérite d'être dépassé. Ainsi Eschyle, *Les sept* 425 ; Diodore de Sicile, *Bibliothèque historique* 16, 11, 2 ; Platon, *Philèbe* 370.

5

La conjonction οὖν n'est pas ici argumentative ; elle ressaisit ce qui vient d'être dit. Les deux questions posées sont introduites par un pronom interrogatif neutre : τί. Le masculin serait plus correct puisque les questions portent sur des personnes. La réponse donnée utilise un terme qui caractérise à la fois Paul et Apollos, διάκονοι, qui n'est pas employé ailleurs en 1 Co, mais qui l'est une vingtaine de fois dans le corpus paulinien. Rare dans la LXX et présent uniquement dans des livres tardifs (Est ; Pr ; 4 M), le terme désigne en grec classique un assistant ou un intermédiaire. L'épître n'utilise pas non plus le verbe διακονέω, mais le substantif abstrait διακονία est employé deux fois (12, 5 ; 16, 15). La fin du verset est elliptique. Bien qu'étant tous deux διάκονοι, Paul et Apollos ont chacun (ἕκαστος) reçu de Christ une mission propre.

6-9

Au v. 6, l'action conduite par Paul (planter) et celle conduite par Apollos (donner à boire ou arroser) sont indiquées par un verbe à l'aoriste. L'action divine (faire croître) est indiquée à l'imparfait, ce qui implique continuité et constance. Cette différence contribue à souligner l'importance de l'action de Dieu par rapport à celle de ses collaborateurs. En 2 Co 9, 10, Paul réaffirme le rôle indispensable de Dieu dans la croissance d'une plante ; il va même plus loin qu'en 1 Co, car il affirme alors que la graine est un don de Dieu. La réception d'un salaire (v. 8) est reprise en termes identiques au v. 14 à propos des bâtisseurs. Voir au v. 14 comment elle peut être comprise. La 1re personne du pluriel, au v. 9, concerne Paul et Apollos. Les destinataires de 1 Co ne font pas partie de ce « nous » ; Paul s'adresse à eux à la 2e personne du pluriel. Ils sont traités comme un collectif : un champ (γεώργιον), une construction (οἰκοδομή).

10-12

Le verbe le plus employé est ἐποικοδομέω (vv. 10 [2x]. 12. 14). Construire est la tâche de Paul et d'un ou plusieurs autres (ἄλλος) qui bâtissent sur les fondations qu'il a posées, et qui restent tout aussi impersonnels par la suite (τις au v. 12). Paul rappelle qu'il tient sa mission de la grâce de Dieu (cf. aussi 1 Co 15, 9 ; Ga 1, 15-16). En tant que sage architecte (σοφὸς ἀρχιτεκτῶν), il a posé l'assise, les fondations (τὸ θεμέλιον). Paul prend ici le terme au sens figuré, ce que font également des auteurs hellénistiques (Épictète, *Entretiens* 2, 15, 8-9). Le substantif neutre τὸ θεμέλιον est rare en grec. L'adjectif θεμέλιος est plus usité. Avec λίθος sous-entendu, le terme ὁ θεμέλιος peut désigner la pierre de fondation (ainsi Aristote, *Physique* 6, 6, 10). À propos d'un métier, l'adjectif σοφός signifie aussi bien « habile » que « sage » ; le texte semble jouer ici sur les deux sens de l'adjectif. Dans le monde antique, l'architecte ne se limite pas à dessiner les plans, il est aussi le maître d'œuvre : c'est lui qui conduit les travaux et dirige avec un soin particulier la pose des premiers éléments de la construction (Collins). Le v. 12 est une anacoluthe. La proposition conditionnelle introduite par εἴ δέ est mal reliée au v. 13.

13

Le passage au futur (γενήσεται, δηλώσει) et le sens des premiers verbes employés (δηλόω, ἀποκαλύπτω) introduit dans le discours une atmosphère d'apocalypse et de jugement qui se poursuit jusqu'au v. 15 inclus. Dans la logique du texte, le génitif ἑκάστου renvoie aux bâtisseurs (Paul, Apollos et les autres), non pas à un fidèle quelconque. La plupart des commentateurs estiment que τὸ ἔργον renvoie à l'œuvre des bâtisseurs au sens abstrait de ce que chacun a réalisé. On peut cependant en avoir une autre compréhension, à savoir que τὸ ἔργον renverrait à chaque personne de l'Église locale ou, pour poursuivre l'image, à chaque élément ou chaque pierre de la construction-Église (ainsi Kirk, reprenant Schlatter, *Paulus*, 133 ; Gromacki, *Called*, 48-49). Telle était déjà la lecture de plusieurs Pères (Hermas, Augustin, Jean Chrysostome). Arguments dans ce sens : 1° L'analogie avec l'image précédente où l'œuvre de Paul et d'Apollos est constituée par les plantes poussant dans le champ. – 2° Le parallèle avec 1 Co 9, 1, où Paul pose aux destinataires cette question rhétorique : « N'êtes-vous pas mon œuvre dans le Seigneur ? » – 3° Le fait que le jugement, annoncé par le jour (ἡ ἡμέρα) et par le feu (τὸ πῦρ) concerne les personnes et non les actions. Chez plusieurs auteurs grecs comme dans le vocabulaire architectural français, τὸ ἔργον (l'œuvre) désigne le bâti d'un monument (ainsi Aristophane, *Les oiseaux* 1125 ; Polybe, *Fragments historiques* 5, 3, 6 ; 1 M 10, 11). Dans le même sens plaide le texte de Sg 3, 6-7 qui comporte plusieurs termes communs avec 3, 12-13 (χρύσος, δοκιμάζω, καλάμη) et qui semble sous-jacent aux formulations pauliniennes : ce sont les personnes des justes qui sont éprouvées comme l'or, et qui resplendiront comme des étincelles à travers la paille. On pourrait rétorquer à cela que les images pauliniennes ne correspondent pas toujours terme à terme à la réalité évoquée (ainsi Senft* ; Conzelmann*) ; mais lorsque la correspondance se fait bien, il n'y a pas de raison de la négliger. Les connotations du terme ἔργον n'ont ici rien à voir avec la pensée dialectique sur la justice par la foi *vs* les œuvres de la loi, que Paul développera ultérieurement en Rm et Ga.

14-15

Deux cas de figure sont envisagés successivement. Au v. 14, le cas où l'œuvre du bâtisseur résiste au feu. Le salaire ou la récompense (μισθός) dont il sera gratifié n'est pas une métaphore du salut, puisque celui-ci peut être offert également à celui dont l'œuvre n'aura pas résisté (v. 15) ; on reste ici à l'intérieur des pratiques sociétales de la commande d'un bâtiment et de sa construction. Au v. 15 est abordé le cas où l'œuvre ne résiste pas au feu mais, au contraire, est entièrement consumée (verbe au passif κατακίω). Le salaire ou la récompense est alors remplacé par une perte ou un dommage. Le contenu précis de cette perte est difficile à préciser ; le sujet du verbe ζημιόω ne peut être que la personne désignée par le génitif indéfini τινος. Le verbe ζημιόω lui-même (autres emplois chez Paul en 2 Co 7, 9 ; Ph 3, 8) peut indiquer une simple absence de salaire, mais aussi le paiement d'une amende (ainsi Ex[LXX] 21, 22 ; Dt[LXX] 22, 19), voire un châtiment plus radical. Dans l'Antiquité, lorsqu'un bâtiment s'écroulait avant ou peu après la fin de la construction, l'architecte pouvait être exécuté. Malgré cette perte, le bâtisseur dont l'œuvre ne résiste pas au feu sera sauvé – le verbe σώζω a toujours chez Paul un sens fort – mais « comme à travers le feu » : οὕτως δὲ διὰ πυρός. Cette expression, dont l'histoire de l'interprétation est longue (Fitzmyer*) fonctionne au mieux si l'on envisage une scénographie où le bâtisseur se trouve à l'intérieur du bâtiment frappé par un incendie et qu'il parvient à en réchapper, avec une belle peur, quelques brûlures, et de la poussière de cendres sur ses vêtements. Mais à quoi cela renvoie-t-il, et qui est visé ? Voici trois lectures courantes accompagnées de réflexions critiques, suivies d'une remarque conclusive en 4ᵉ point : 1° Le v. 15 pourrait viser Apollos qui tenait un discours de sagesse non justifié ou favorisait un exclusivisme juif à l'intérieur de l'Église (Barrett*). Mais Paul a cessé de nommer Apollos, le discours semble dépasser son cas, et Apollos n'était pas judaïsant. – 2° Le v. 15b serait l'apodose de la protase exprimée en 3, 12, par-dessus une parenthèse constituée par les vv. 13-15a ; le bâtisseur serait alors ou non sauvé selon que sa construction résiste ou non au feu (Busto Saiz). Mais la théologie paulinienne ne fait pas dépendre à ce point le salut des œuvres. – 3° Les flammes auraient une fonction purificatrice – c'était un rôle que des proverbes leur attribuaient dans toute la culture antique – et on en trouve une expression privilégiée en Mal 3 qui serait sous-jacent à la phrase paulinienne (Collins ; Proctor) ; διὰ πυρός serait alors instrumental (références chez Frayer-Griggs ; Kirk ; Schrage* ; Weiss*). L'expression la plus nette de cette lecture est celle qui a trouvé ici les fondements d'une théologie du purgatoire. Initiée par le pape Grégoire le Grand (*Dialogues* 4, 41, 5), elle a été reprise par d'autres théologiens de l'Église occidentale et a fait l'objet de formulations conciliaires : 1er concile de Lyon (1254) citant 1 Co 3, 15 (Denzinger, *Symboles*, 838) ; concile de Florence affirmant la même chose mais sans l'appui scripturaire (Denzinger, *Symboles*, 1304). Pourtant cette lecture, maintes fois reprise à des époques plus récentes, a été dénoncée par des biblistes catholiques de grand renom (*e.g.* Gnilka qui a consacré un livre entier à cette question). Le rôle du feu en 1 Co 3, 13-15 est clairement de brûler les éléments de la construction qui ne lui résistent pas, et non de purifier quoi que ce soit. – 4° Sans qu'il soit facile d'être très précis, il est clair que le v. 15b concerne, comme l'ensemble de la section 3, 10-15, les évangélisateurs œuvrant pour la construction de la maison-Église et non pas l'ensemble des fidèles ; et que le salut qui leur est accordé « comme à travers le feu » est une sorte de rachat *in extremis*, qui n'exclut pas la honte du mauvais ouvrier (Herms), mais ne fait pas de ses insuffisances humaines un obstacle insurmontable à son bien. Un rapprochement mérite d'être fait avec d'autres passages de 1 Co où le mauvais comportement d'une personne peut avoir sur elle des conséquences néfastes comme la maladie ou la mort (5, 5 ; 11, 30.32), sans que pour autant son salut éternel soit mis en péril : Dieu peut corriger (παιδεύω ; 5, 5) le mauvais bâtisseur en sorte que, justement, il s'amende et ne soit pas définitivement condamné.

16-17

La formule rhétorique qui introduit la question posée au v. 16, οὐκ οἴδατε ὅτι, est assez courante chez Paul. On la retrouve fréquemment en 1 Co (5, 6 ; 6, 2.3.9.15.16.19 ; 9, 24) et une autre fois en Rm 6, 16 ; elle n'implique pas forcément que les destinataires possédaient déjà l'information que l'auteur leur communique ; chez Paul comme chez la plupart des auteurs qui l'utilisent, elle laisse entendre qu'il existe un accord implicite entre l'auteur et ses destinataires, mais cet accord peut être plus rhétorique que réel (Edsall). Le génitif θεοῦ après ναός n'est pas, comme au v. 9, un simple génitif d'appartenance ; il implique que Dieu lui-même, par son Esprit, réside dans le sanctuaire. Une idée proche de celle-ci se trouve en 1 Co 6, 19 et en Rm 8, 9 ; mais elle concerne alors le corps des individus, non pas la réalité ecclésiale considérée collectivement.

18-20

Cette première mise en garde (la seconde est aux vv. 21-23) est introduite par μηδείς suivi d'un impératif à la 3e personne. Rare dans la LXX, le verbe ἐξαπατάω est plus fort que ἀπατάω (tromper) qui est, au contraire, très fréquent dans la LXX (e.g. Gn 3, 13 ; Jr 20, 7) ; souvent employé dans le corpus paulinien (Rm 7, 11 ; 16, 18 ; 2 Co 11, 3 ; 2 Th 2, 3 ; 1 Tm 2, 14), ἐξαπατάω signifie « abuser, séduire, illusionner », toutes actions entreprises sur une personne pour la conduire à s'engager dans une voie sans issue. L'adjectif σοφός est employé deux fois avec des connotations différentes : au v. 18a, être sage est une illusion ; au v. 18b, celui qui devient fou aux yeux du monde est un sage véritable, il possède la vraie sagesse, celle qui s'alimente à la sagesse même de Dieu. À la fin du v. 19, Paul annonce une citation scripturaire difficile à identifier. Elle repose sur un participe substantivé (ὁ δρασσόμενος) et ne constitue pas une phrase avec un verbe. Le texte AT le plus proche est Jb^LXX 5, 12-13, une affirmation prononcée par Eliphaz de Témân, qui contient les termes πανουργός et σοφός. Mais tous les autres mots ou presque diffèrent du texte de Paul. Paul cite peut-être de mémoire. L'hypothèse a également été faite qu'il utilisait une traduction grecque de l'Écriture juive autre que la LXX. La citation du v. 20, au contraire, reproduit littéralement Ps^{LXX} 93, 11, avec un simple remplacement de τῶν ἀνθρώπων par τῶν σοφῶν, qui sert mieux l'argumentation paulinienne.

21-23

La seconde mise en garde utilise la même construction grammaticale que celle des vv. 18-20 (μηδείς suivi d'un impératif à la 3e personne du singulier) ; introduite par la conjonction ὥστε, elle est présentée comme une conséquence de la précédente. Le v. 21 suivi de la liste de noms du v. 22 reprend les formulations de 1, 12. L'ordre des noms propres est le même qu'en 1, 21 : Paul, Apollos, Céphas. Le nom de Christ n'est pas repris, mais il est mis en situation particulière au v. 23, ce qui conduit à estimer que le parti de Christ, en 1, 12, n'est pas une faction au même titre que les autres (voir la note sur 1, 12). La conjonction εἴτε est utilisée sept fois au v. 22, les trois premières pour introduire les trois noms propres, les autres pour introduire deux couples antinomiques : vie et mort, présent et avenir. Sans doute ne faut-il par trop insister sur le sens précis de ces quatre dernières réalités, mais plutôt considérer que leur accumulation est là pour créer un effet rhétorique donnant plus de poids à πάντα ὑμῶν, « tout est vôtre », formulé au v. 21 et au v. 22. L'accent principal du propos est que Paul renverse les dires des Corinthiens énoncés en 1, 12. Ils se disaient appartenir à untel ou untel ; or, c'est untel et untel qui leur appartiennent. Leur seul maître est Christ ; et lui-même ne s'appartient pas, il est à Dieu.

L'apôtre à la dernière place
(4, 1-13)

TRADUCTION

4, 1 Ainsi, qu'on nous considère comme des assistants de Christ et des intendants des mystères de Dieu. 2 Ici, du reste, ce qu'on recherche[a] chez les intendants, c'est que chacun soit trouvé fidèle. 3 Quant à moi, il m'importe très peu d'être évalué par vous ou par une cour humaine. Je ne m'évalue même pas moi-même. 4 Car je n'ai conscience de rien contre moi-même, mais ce n'est pas pour cette raison que j'ai été justifié. Celui qui m'évalue, c'est le Seigneur. 5 De la sorte, ne jugez rien avant le moment, jusqu'à ce que vienne le Seigneur, lui qui éclairera les secrets de l'ombre et manifestera les desseins des cœurs. Et alors la louange reviendra à chacun de la part de Dieu. 6 Ces choses, frères, je les ai adaptées à mon cas et à celui d'Apollos à cause de vous, afin que vous appreniez de nous le (principe) « Pas au-dessus de ce qui a été écrit »[b], afin qu'aucun de vous ne s'enfle pour l'un et contre l'autre. 7 Qui, en effet, t'accorde une distinction ? Qu'as-tu que tu n'aies reçu ? Si donc tu as reçu, pourquoi faire le fier comme si tu n'avais pas reçu ? 8 Déjà vous avez été rassasiés, déjà vous devîntes riches, sans nous vous devîntes des rois. Plût à Dieu que vous soyez devenus des rois afin que, nous aussi, nous soyons rois avec vous. 9 Il me semble, en effet que[c] nous, les apôtres, Dieu nous exhiba à la dernière place, comme des condamnés à mort, puisque que nous devînmes un spectacle pour le monde, et anges et hommes. 10 Nous (sommes) fous à cause de Christ, vous (êtes) avisés en Christ ; nous (sommes) faibles, vous (êtes) forts ; vous (êtes) glorieux, nous (sommes) méprisés. 11 Jusqu'à l'heure présente, et nous avons faim, et nous avons soif, et nous sommes nus[d], et nous recevons des gifles, et nous sommes sans domicile, 12 et nous peinons en travaillant de nos propres mains. Insultés, nous bénissons ; persécutés, nous supportons ; 13 calomniés[e], nous réconfortons. Nous devînmes comme les déchets du monde, le rebut de tous, jusqu'à présent.

[a] Le verbe passif impersonnel ζητεῖται est attesté par B Ψ 0289 *Byz* latt sy co. La majorité des mss porte ζητεῖτε, 2e pers. du pluriel de l'indicatif ou de l'impératif : p[46] ℵ[(*)] A C D F G P 6. 33. 104. 365. 1505. 1739. 1881. 2464 *al.* Cette seconde leçon est mieux attestée mais peu compréhensible. Elle est pourtant parfois retenue, et lue comme un impératif : « Aussi, ne demandez rien d'autre aux administrateurs que d'être fidèles » (Héring*).

[b] Le texte retenu, Μὴ ὑπὲρ ἃ γέγραπται, connaît deux variantes. Le relatif pluriel neutre ἃ est remplacé par le masculin singulier ὃ (D F G *Byz* ar) ; variante peu compréhensible et très peu attestée. Après γέγραπται plusieurs mss ajoutent φρονεῖν (ℵ[2] C[vid] D[2] 0285[vid]. 33. *Byz* vg[cl] sy) ; c'est une tentative pour améliorer la compréhension de ce passage difficile.

[c] La conjonction « que » (ὅτι), nécessaire pour la compréhension en français, est absente de la majorité des mss. Elle est présente dans ℵ[2] D[1] Ψ *Byz* vg[cl] sy. C'est sans doute l'explicitation secondaire d'une tournure elliptique.

[d] La majorité des mss porte γυμνιτεύομεν : ℵ A[(*)] B[(*)] C D[(*)] F G Ψ 0289. 630. 1881[c]. 2464. *l* 249 al. D'autres portent γυμνητεύιέν : p[46] 33. 1739. 1881*[vid] *Byz* ; Clément. L'orthographe avec un η est plus courante en grec ; elle relève sans doute d'une correction de scribe.

[e] Le participe δυσφημούμενοι est attesté par p[46] ℵ* A C P 33. 81. 1175. 1506. *l* 249. *l* 846 pc ; Clément Eusèbe. On trouve un terme plus familier, βλασφημούμενοι, en p[68] ℵ[2] B D F G Ψ 1739. 1881 *Byz*. Le remplacement du verbe δυσφημέω (hapax NT) par le terme plus familier βλασφημέω est sans doute secondaire.

BIBLIOGRAPHIE

P. Arzt-Grabner, « 1 Cor. 4 : 6 – A Scribal Gloss ? », *BN* 130, 2006, 59-76. – A. Asano, « 'Like the Scum of the World, the Refuse of All' : A Study of the Background and Usage of περίψημα and περικάθαρμα in 1 Corinthians 4, 13b », *JSNT* 39, 2016, 16-39. – J. Byron, « Slave of Christ or Willing Servant ? Paul's Self-Description in 1 Corinthians 4 : 1-2 and 9 : 16-18 », *Neotest.* 37, 2003, 179-198. – C.J.P. Friesen, « *Paulus Tragicus* : Staging Apostolic Adversity in First Corinthians », *JBL* 134, 2015, 813-832. – D.R. Hall, « A Disguise for the Wise : μετασχηματισμός in 1 Corinthiens 4. 6 », *NTS* 40, 1994, 143-149. – J.C. Hanges, « 1 Corinthians 4 : 6 and the Possibility of Written Bylaws in the Corinthian Church », *JBL* 117, 1998, 275-298. – P. Hertig, « Fool's God. Paul's Inverted

Approach to Church Hierarchy (1 Corinthians 4), with Emerging Church Impli-
cations », *Missiology* 35, 2007, 287-303. – M.D. HOOKER, « 'Beyond the Things
Which Are Written' : An Examination for I Cor. IV. 6 », *NTS* 10, 1963-64, 127-
132. – A.S. KASPAR, *Assistants of Christ and Administrators of God's Mysteries.
An Exegetico-theological Study of 1 Cor 4, 1-5*, Francfort York 2004. –
F.S. MALAN, « Rhetorical Analysis of 1 Corinthians 4 », *Theologia Viatorum* 20,
1993, 100-114. – V.H.T. NGUYEN, « God's Execution of His Condemned Apostles.
Paul's Imagery of the Roman Arena in 1 Cor 4, 9 », *ZNTW* 99, 2008, 33-48. –
V.H.T. NGUYEN, « The Identification of Paul's Spectacle of Death Metaphor in 1
Corinthians 4. 9 », *NTS* 53, 2007, 489-501. – C. PELLEGRINO, *Paolo, servo di
Cristo e padre dei Corinzi. Analisi retorico-letteraria di 1 Cor 4*, Rome 2006. –
L. SUTTER REHMANN, « 'Bis jetzt !' (1 Kor 4, 13) : Gewalt- und Todesstrukturen
wird das Ende angesagt », *BibKirch* 70, 2015, 156-160. – R.L. TYLER, « First
Corinthians 4 : 6 and Hellenistic Pedagogy », *CBQ* 60, 1998, 97-103. – J.S. VOS,
« Der μετασχηματισμός in 1 Kor 4, 4 », *ZNTW* 86, 1995, 154-172. – J.R. WAGNER,
« 'Not Beyond the Things Which Are Written', A Call to Boast only in the Lord
(1 Cor 4. 6) », *NTS* 44, 1998, 279-287. – L.L. WELBORN, « A Conciliatory Princi-
ple in 1 Cor 4 : 6 », *NT* 29, 1987, 320-346. – D.W. WENKEL, « Kingship and
Thrones for All Christians : Paul's Inaugurated Eschatology in 1 Corinthians 4-
6 », *ET* 128, 2016, 63-71.

INTERPRÉTATION

À la fin du chapitre 3, formulée avec une certaine emphase, le développement sur la sagesse et la folie commencé en 1, 18, semblait s'achever. Il
rebondit pourtant au chapitre 4, avec un impératif de la troisième personne :
« Qu'on nous considère... » Le ton est ferme : il est temps que les Corinthiens
portent sur les apôtres un regard juste. Paul utilise de nombreuses techniques
empruntées aux manuels de rhétorique pour convaincre ses destinataires
qu'ils sont sur une fausse piste (Malan). À propos des apôtres, Paul parle
en général au pluriel (vv. 1-2. 6. 9-13) ; il s'agit alors de lui et d'Apollos.
Mais il lui arrive de parler au singulier (vv. 3-4) ; c'est alors de lui qu'il
s'agit. Et lorsqu'il emploie le pluriel pour décrire les souffrances des apôtres
aux vv. 9-13, c'est d'abord les siennes qu'il décrit. Apollos n'a pas disparu
du paysage, mais c'est manifestement face à sa propre charge apostolique
que Paul exhorte les Corinthiens à mieux se situer. Des tentatives ont été
faites pour donner à l'ensemble du chapitre 4 une structure rhétorique inspirée de la rhétorique gréco-romaine, notamment en faisant des vv. 1-2 une
sub-propositio dépendant de la *propositio* générale de la section 1, 10 – 4,
21, *propositio* située en 1, 17 (Pellegrino). Pour intéressantes qu'elles soient,
ces tentatives centrent trop le propos sur le contenu théologique du ministère
apostolique. Elles risquent de faire passer au second plan l'un des objectifs
majeurs du chapitre 4 : mieux situer la relation entre les apôtres – Paul
principalement – et les Corinthiens, que le comportement de ces derniers
avait fondamentalement faussée.

VV. 1-5 – Ces cinq versets sont articulés autour de la thématique du jugement, avec une forte dimension eschatologique (Wenkel). Assistants du Christ et intendants des mystères de Dieu, les apôtres doivent être considérés par les Corinthiens pour ce qu'ils sont vraiment, ce qui laisse entendre qu'ils sont souvent sous-estimés par les fidèles. Les vv. 1-2 offrent une vision résumée de la façon dont Paul conçoit son ministère et celui des autres apôtres. La portée de l'expression « assistant de Christ » est assez difficile à saisir. Le terme grec utilisé (*hypèretès*), assez commun dans les évangiles et les Actes des Apôtres, désigne plutôt un subalterne. C'est peut-être en cela qu'il fait sens, un peu comme le terme « esclave » par lequel Paul est désigné dans l'adresse de plusieurs épîtres (Rm 1, 1 ; Ph 1, 1 ; Tt 1, 1). Comme un esclave, un assistant est aux ordres. Cette obéissance est une garantie de la conformité de l'attitude et de la parole apostoliques à celles du Christ qui est le maître. La seconde image, celle de l'intendant, est plusieurs fois utilisée dans l'évangile de Luc pour désigner la relation que le croyant doit entretenir avec Dieu. En Lc 12, 42, il est précisément attendu d'un intendant qu'il soit fidèle (terme employé par Paul à propos des apôtres au v. 2) et avisé (terme employé au v. 10 à propos des Corinthiens). La parabole de « l'intendant d'injustice », en Lc 16, 1-9, rappelle que celui qui trompe son maître est digne de renvoi. Paul réserve l'utilisation de l'image à l'apôtre, mais en le joignant au mot « mystère », ce qui en fait plus qu'un gérant ; les mystères de Dieu peuvent être rapprochés des profondeurs de Dieu (2, 10), ce qui établit entre l'apôtre et Dieu une relation très intime. L'apôtre est initié aux secrets divins, ce qui le qualifie plus que tout autre pour répandre la juste connaissance de ce que Dieu est. Après ce rappel, on passe aux vv. 3-5 de l'opinion que le maître peut avoir sur son assistant ou son intendant à un vocabulaire proprement judiciaire. Deux types d'évaluation ou de jugement sont disqualifiés : le jugement des apôtres par des humains, que Paul trouve tellement inadéquat qu'il renonce à se juger lui-même (vv. 3-4) ; et le jugement prématuré (v. 5). Le seul juge qualifié est le Christ lui-même, et il rendra son jugement à la fin des temps. Le v. 5 joue sur l'opposition entre l'ombre et la lumière, le caché et le manifeste. L'ère actuelle est celle des ténèbres et du secret ; l'œuvre du Christ juge sera précisément d'éclairer et de faire venir au jour. Ce vocabulaire consonne avec celui des mystères de Dieu employé au v. 1 : les apôtres y ont déjà accès ; en cela ils sont associés au savoir divin ; ils en révèlent quelque chose par leur prédication, mais la révélation complète de la valeur des personnes n'aura lieu qu'au jour dernier, et elle sera l'œuvre du Christ. L'œuvre de Dieu est, elle, mentionnée à la fin du v. 5 : c'est lui qui rendra à chacun sa louange, un autre mot pour dire la récompense. Le jugement eschatologique tel que Paul en parle au v., 5 concerne tout le monde : les apôtres, évidemment, mais les Corinthiens aussi. Eux, qui se comportent en juges vis-à-vis des apôtres, seront aussi jugés. Dans ces cinq versets, Paul déploie une très habile pédagogie. S'adressant à des gens qui se pensaient assez qualifiés pour juger de tout, y compris de la qualité de ceux qui leur ont apporté l'Évangile, il ne se contente pas de soustraire la possibilité de juger les apôtres à leur prétendue compétence, mais il inverse les rôles : lorsque le jugement aura lieu, plus tard, les juges autoproclamés deviendront des justiciables. Tout ce qui, en eux, peut avoir figure d'enflure (v. 6) ou de vantardise (v. 7) est a priori disqualifié.

VV. 6-13 – Le passage commence en douceur. L'emploi de l'apostrophe « frères » n'est pas seulement l'indicateur d'une nouvelle étape du développement. Il rappelle la relation fondamentale existant entre disciples du Christ, qu'il s'agisse des apôtres ou des simples fidèles. Il introduit une tonalité de tendresse, qui va être d'autant plus nécessaire que l'accusation va se durcir. Apparemment la vantardise des Corinthiens ne se limitait pas au bloc qu'ils formaient contre leurs apôtres. Aux vv. 6-7 perce clairement la rivalité qu'ils avaient les uns envers les autres : chacun est plein de lui-même, il s'enfle aux dépens de l'autre (v. 6), il se surestime, il se glorifie (v. 7). Paul doit alors rappeler que, tout ce qu'une personne humaine possède, il le tient d'un autre. Il est possible que le v. 7 où est affirmée cette dépendance par rapport à un autre joue sur plusieurs plans : dans tous les domaines, ce que nous possédons nous vient essentiellement de Dieu, c'est une vérité universelle. Mais il peut s'agir aussi des biens spirituels que les Corinthiens ont conscience de posséder et qui peuvent alimenter leur orgueil. Paul rappelle alors que ces biens-là aussi, ils les ont reçus, car l'Évangile leur a été transmis par les apôtres. En sorte que, quel que soit l'aspect sous lequel on considère les choses, les Corinthiens sont d'abord des récipiendaires, ils n'ont aucune autonomie. Aux vv. 8-10 le texte joue sur l'opposition entre le « nous » apostolique et le « vous » des destinataires. L'ironie y est présente en plusieurs endroits du texte. Elle l'est dès le v. 8 grâce à la connotation d'excès possiblement sous-jacente aux verbes employés, « être rassasié, être riche, être roi » : rassasié comme un goinfre, riche comme un profiteur, roi comme un despote. Et Paul insiste au v. 8b sur ce dernier point : si les Corinthiens régnaient vraiment, ils pourraient au moins faire bénéficier de leurs bienfaits les malheureux apôtres, alors que ceux-ci se trouvent méprisés (Plank, *Irony*) ! L'ironie disparaît au v. 9. Là, Paul utilise une métaphore : peut-être celle des orateurs de rue qui jouaient aux bouffons pour se faire écouter ; plus vraisemblablement celle des jeux du cirque, où les apôtres, confrontés aux souffrances de leur ministère, sont assimilés aux malheureux gladiateurs agressés par les bêtes et hués par la foule assise sur les gradins (Friesen). Mais est-ce seulement une métaphore ? En 15, 32, Paul prétend avoir combattu les bêtes à Ephèse. L'image du gladiateur dans l'arène est connue des stoïciens (voir Sénèque, *De providentia* 2, 9), qui l'utilisent pour souligner la puissance de la mauvaise fortune que le philosophe doit combattre. Paul ne l'invente donc pas, il en fait une autre utilisation. Le stoïcien se glorifie de la force qu'il manifeste en de telles circonstances ; le duel qu'il soutient est admiré de Dieu, mais le maître de l'Olympe est comme un spectateur qui approuve son champion (Nguyen, « Execution » ; Id, « Identification »). Paul, au contraire, est mis dans cette situation par Dieu (v. 9), c'est une situation analogue à celle du Christ ; c'est grâce à la force de Dieu et non grâce à la sienne qu'il peut échapper à la mort. L'humiliation des Corinthiens « à cause de Christ » est une conséquence directe de ce qui est énoncé au verset précédent (v. 9) : Dieu lui-même les a mis dans cette situation (v. 9), afin que le message de la croix ne soit pas seulement proclamé en paroles mais en actes. C'est à nouveau en faisant appel à l'ironie que Paul décrit la situation des apôtres au v. 10, en opposition à celle des Corinthiens. Eux sont avisés, forts, victorieux (v. 10). Ces hautes qualités des Corinthiens « en Christ » ne peuvent être comprises que sur le ton de la dérision car, « en Christ », Paul les a précédemment traités de « jeunes enfants » (3,1). Non seulement Paul fait leur éloge, mais il place les qualités qu'il leur attribue au plus haut niveau, celui de la sainteté qui est la leur lorsqu'ils ne se prennent pas pour des saints (cf. 1, 2) ! Par contraste, les termes et les images que Paul utilise pour évoquer sa situation et celle des autres apôtres en soulignent le tragique. Cependant, à cause du Christ et en Christ, qui est véritablement avisé, fort et glorieux ? Les apôtres plus que les Corinthiens, évidemment ! L'ironie permet d'établir un modèle nouveau pour l'Église de Corinthe, modèle où les valeurs du monde sont inversées : le fou est au-dessus du sage, le faible au-dessus du fort, le méprisé au-dessus du glorieux ; là où se trouvent les fondements d'une vie spirituelle enracinée dans le Christ crucifié que tous, apôtres et fidèles, ont à prendre pour modèle (Hertig). Le propos devient exclusivement centré sur la situation des apôtres aux vv. 11-13 ; les termes employés détaillent la situation de faiblesse et de mépris décrite à la fin du v. 10. La plupart de ces désavantages sont subis. Un seul ne l'est pas, à savoir le choix que Paul et Barnabas ont fait de travailler de leurs mains, choix plusieurs fois souligné par l'Apôtre (v. 12a. Voir 1 Th 2, 9 ; 1 Co 9, 6.12.15-18 ; 2 Co 11, 9 ; 12, 13). Aux vv. 12b et 13a, Paul ajoute à la situation pénible qu'il subit la positivité de sa réaction, en jouant sur les contrastes : être insulté/bénir ; être persécuté/supporter ; être calomnié/réconforter. Puisque les désavantages sont subis à cause du Christ (v. 10), quelque chose de la force du Christ ressuscité se manifeste dans la réaction de ceux qui, à cause de lui et avec lui, touchent le fond. Pourtant, la péricope ne se termine pas sur cette tonalité positive. Pour que la pédagogie de l'Apôtre soit efficace, il faut encore, au v. 13b, qu'il enfonce une dernière fois la touche du tragique. Le monde méditerranéen de l'époque utilisait volontiers les rites d'exécration ; il n'est pas exclu que Paul s'estime, par la façon dont lui-même et les apôtres sont traités, comme subissant des humiliations analogues (Asano). Si les Corinthiens ne prennent pas conscience du mal qu'ils font par la façon dont ils se comportent, le propos de la lettre risque de ne pas porter. Pour comprendre sans gloriole les encouragements qui vont leur être prodigués dans la péricope suivante, il faut que les raisons pour eux d'avoir honte aient été entièrement explicitées.

On peut, en conclusion, s'interroger sur la vigueur avec laquelle Paul critique l'auto-assurance et l'esprit de compétition des Corinthiens. Les reproches qu'il fait à ses destinataires, on pourrait les appliquer à lui-même. S'affirmer comme assistant de Christ et intendant des mystères de Dieu (v. 1) est une très haute revendication ; et se décrire à ce point comme le dernier des derniers (v. 13) relève également du superlatif. Indépendamment de son intérêt théologique, cette péricope est un lieu où s'exprime le psychisme très complexe de l'Apôtre.

NOTES

1-2

Le verbe λογιζόμαι, traduit par « considérer », absent de 1 Th, est employé ici pour la première fois par Paul ; il l'utilisera beaucoup par la suite, notamment en Rm 4, à propos de la justice qui fut « comptée » par Dieu à Abraham en raison de sa foi. C'est peut-être pour opposer action divine et action humaine que Paul emploie ici le substantif ἄνθρωπος au lieu de l'indéfini τις comme sujet du verbe. Le terme traduit par « assistant », ὑπηρέτης, est un hapax paulinien ; au sens premier, il désigne un rameur placé sous les ordres d'un chef ; le sens s'est ensuite élargi pour se référer à une aide ou à une assistance quelconque. Un οἰκόνομος est un intendant ou un gérant de choses ordinairement matérielles ; en Rm 16, 23, Paul nomme Eraste, intendant de Corinthe ; c'était souvent un esclave. Le terme pouvait être utilisé métaphoriquement pour la gestion de questions plus abstraites, ainsi en 1 P 4, 10, où les fidèles sont invités à être intendants de la grâce de Dieu (Byron ; Goodrich, *Administrator*, 103-164 ; Kaspar). Pour les « mystères », voir la note de 2, 1. Les apôtres ont reçu de Dieu l'accès à la connaissance secrète de ses projets, et ils sont chargés par leur prédication de les divulguer. Le v. 2 est une réflexion d'ordre général sur ce qui est attendu des οἰκονόμοι. Il est introduit par ὧδε λοιπόν : le premier terme, adverbe de lieu, a le sens de « ici ». Il ne se réfère pas à « ici-bas » à la différence de ce qui serait céleste, mais plutôt à un moment de la réflexion. « Du reste (λοιπόν) » correspond à une utilisation adverbiale de l'adjectif λοιπός, « restant ».

3-4

Paul emploie à trois reprises le verbe ἀνακρίνω, « évaluer, examiner », pour exprimer qu'il se soucie fort peu du jugement que portent sur lui les humains, qu'il s'agisse des Corinthiens ou de lui-même ! L'expression traduite par « cour humaine » est littéralement un « jour humain » : ἀνθρωπίνη ἡμέρα. En hébreu également, le « jour » (yōm) peut se référer au jour de convocation pour un procès et renvoyer métaphoriquement à la séance judiciaire. La même métaphore fonctionne en latin : *diem dicere alicui* peut signifier « intenter une accusation contre quelqu'un ». Le verbe traduit par « j'ai conscience », σύνοιδα, est ici un hapax paulinien. Il s'apparente à la συνείδησις (la conscience), une notion centrale de l'éthique paulinienne, employée en 1 Co 8, 7.10.12 ; 10, 25.27.28.29. Il est possible que Paul s'inspire ici de Jb^LXX 27, 6 : « Ma conscience ne me reproche pas d'avoir fait des choses étranges » : οὐ γὰρ σύνοιδα ἐμαυτῷ ἄτοπα πράξας. Le Seigneur dont il est question au v. 4 est sans doute le Christ plutôt que Dieu lui-même, car il est question de sa venue au verset suivant. « Ce n'est pas pour cette raison que j'ai été justifié » est repris, presque terme à terme, chez Ignace d'Antioche (*Romains* 5, 1).

5

Le verbe κρίνω, « juger », est plus fort que ἀνακρίνω employé aux vv. 3-4. Au lieu de
« ne jugez rien (τι) » on attendrait « ne jugez personne (τινα) » ; l'emploi du neutre à
propos de personnes est à rapprocher de 4, 5 : les Corinthiens ne sont qualifiés ni
pour juger les personnes ni pour juger des situations.

6

La reprise de l'apostrophe ἀδελφοί marque une respiration dans le texte ; l'emploi
précédent se trouvait en 3, 1. Le verbe μετασχηματίζω traduit ici par « adapter »,
implique normalement une transformation, un changement de l'aspect ou de la
forme, le fond restant le même (Hall ; Vos) ; il marque sans doute le passage du
discours figuré que l'on trouve dans les versets précédents (3, 6-9 : Paul et Apollos
cultivateurs – 3, 10-15 : Paul et Apollos bâtisseurs – 4, 1-2 : Paul et Apollos assistants
et intendants) à un discours plus direct. L'insistance est sur δι᾽ ὑμᾶς : « à cause de
vous. » Une pédagogie était nécessaire, dont la raison est donnée par le double « afin
que » (ἵνα) qui marque la fin du verset. La première proposition construite avec ἵνα
est compréhensible au début : « afin que vous appreniez » ; mais la fin est très
obscure : τὸ μὴ ὑπὲρ ἃ γέγραπται. Littéralement : « le pas au-dessus de ce qui a été
écrit. » De nombreuses études ont été conduites sur ce passage, les hypothèses
interprétatives pouvant être regroupées sous quelques chefs : 1° Il s'agirait d'une
glose marginale de scribe, fautivement réintroduite dans le texte. La première formulation de cette thèse est due à J.M.S. Baljon en 1884 (Baljon, *Tekst ;* repris depuis par
Arzt-Grabner ; Héring* ; Schmithals, *Gnosis*). – 2° Paul reprendrait une formule de
type proverbial introduite par l'article neutre τό. Plusieurs variantes existent à l'intérieur de cette proposition : il pourrait s'agir d'un modèle donné par les maîtres
d'écriture à leurs élèves que Paul citerait en invitant les Corinthiens à le prendre
pour modèle (Fitzgerald, *Cracks*) ; ou d'un slogan paulinien élaboré pour exprimer
l'accord entre Pierre et Paul dans le cadre de l'accord exprimé par le décret apostolique de Ac 15 (Goulder, « Σοφία ») ; ou d'une loi civile ou cultuelle en vigueur à
Corinthe, connue à la fois de Paul et de ses destinataires (Hanges ; Tyler ; Welborn). –
3° L'emploi du terme γέγραπται renvoie inévitablement chez Paul à l'Écriture juive ;
Paul se référerait globalement à l'Écriture (Lietzmann* ; Barrett* ; Schrage*) ; ou, de
façon plus précise, aux passages scripturaires qu'il a déjà utilisés par citation ou par
allusion depuis 1, 18, pour mettre en avant la croix du Christ (Fee* ; Hooker ;
Thiselton* ; Wagner ; Zeller*) ; il est vrai que certains passages cités précédemment
(1, 31 ; 2, 9 ; 3, 21) ont un rapport avec la réserve contre l'enflure (verbe φυσιόω) et
l'excessive fierté (verbe καυχάομαι). Conclusion : la réflexion sur l'usage paulinien
de γέγραπται fait pencher la balance en faveur de l'hypothèse 3 ; les arguments
présentés par les derniers auteurs nommés semblent convaincants. Employé ici
pour la première fois, le verbe φυσιόω est repris dans la suite du développement
(4, 18. 19) ; son emploi a été préparé par les occurrences antérieures de καυχάομαι (1,
29. 31 ; 3, 21), repris juste après au v. 7.

7

La 2ᵉ personne du singulier qui marque ce verset, est caractéristique de la diatribe. Le
ton est accusateur. Trois questions s'enchaînent. Le verbe διακρίνω (discerner, distinguer, accorder une distinction) utilisé dans la première, est à rapprocher des verbes de
la même racine utilisés dans les versets précédents : ἀνακρίνω (vv. 3. 4) et κρίνω
(v. 5). Les deux questions suivantes jouent sur la notion de réception (verbe λαμβάνω
répété trois fois).

8

Paul s'adresse aux destinataires à la 2ᵉ personne du pluriel en détaillant tout ce qu'ils ont reçu et dont ils bénéficient. D'abord le rassasiement : le verbe κορέννυμι peut avoir un sens matériel et un sens figuré ; l'autre emploi NT, en Ac 27, 38, est au sens figuré ; ce verbe peut comporter une nuance d'excès (ainsi Philon, *De somniis* 2, 149 ; *De vita Mosis* 1, 284). Ensuite la richesse (verbe πλουτίζω déjà employé en 1, 5). Enfin la royauté (verbe βασιλεύω repris trois fois) ; une allusion à Dnᴸˣˣ 7, 18 est possible, passage où il est dit que les saints du Très-Haut recevront (verbe παραλαμβάνω) la royauté et la conserveront.

9

Passant à la 1ʳᵉ personne du singulier, Paul expose sa pensée sur la condition réelle des apôtres dont il fait partie, condition qui est l'œuvre de Dieu. L'ironie est suspendue, les désavantages des apôtres sont bien réels : ils sont les derniers (ἔσχατοι) ; ils sont comme des condamnés à mort (ἐπιθανάτιοι) ; la dernière affirmation du verset utilise la métaphore des jeux du cirque, les apôtres étant dans l'arène, livrés aux bêtes hostiles, tandis que le monde entier occupe les gradins. Dans l'énumération de la fin du verset, les trois substantifs n'ont pas un rôle équivalent : il y a un article devant « monde », et pas devant « anges » ni devant « hommes ». Il faut alors comprendre le monde comme étant composé des anges et des hommes (Barrett*).

10

Les « nous » et les « vous » alternent, les quatre derniers pronoms personnels étant disposés en chiasme : A B B' A'. Les apôtres sont fous (μωροί, reprise du thème initié en 1, 18), faibles (ἀσθενεῖς), méprisés (ἄτιμοι). Les Corinthiens sont avisés (φρόνιμοι : il semble que Paul évite à dessein de les traiter de sages), forts (ἰσχυροί), glorieux (ἔνδοξοι). Les deux références au Christ ne sont pas introduites par la même préposition. Ce que sont les apôtres, ils le sont « à cause de Christ » (διὰ Χριστόν). Ce que sont les Corinthiens, ils le sont « en Christ » (ἐν Χριστῷ), c'est-à-dire dans la sphère chrétienne ; il conviendrait cependant qu'ils se comportent en conséquence, en étant solidaires les uns des autres, et des apôtres dont ils ont reçu l'Évangile (Sutter Rehmann).

11-13

Ces trois versets sont inclus entre deux locutions adverbiales qui se répondent : « jusqu'à l'heure présente » (ἄχρι τῆς ἄρτι ὥρας ; v. 11) et « jusqu'à présent » (ἕως ἄρτι ; v. 13). L'insistance sur ce présent laisse entendre que, lors du jugement final précédemment évoqué (v. 5), il en sera autrement. Le texte énumère les situations désavantageuses dans lesquelles se trouvent les apôtres en général et Paul en particulier. De telles listes sont fréquentes chez Paul (cf. 2 Co 4, 8-12 ; 6, 4-10 ; 11, 23-27). Au v. 13b, l'Apôtre pousse le tragique au paroxysme en s'identifiant avec ce qui est le plus méprisable. Les deux substantifs utilisés sont très forts : « déchets » ou « balayures » (περικαθάρματα), terme pluriel désignant ce que l'on a enlevé d'un endroit pour le purifier ou le nettoyer (un emploi LXX au singulier en Pr 21, 18) ; « rebut » (περίψημα), dont le sens est très proche (un emploi LXX en Tb 5, 19) ; les deux mots pouvaient être utilisés métaphoriquement pour désigner des humains méprisables et méprisés.

Paul en père préoccupé
(4, 14-21)

TRADUCTION

4, 14 Ce n'est pas pour vous faire honte que j'écris cela, mais pour vous avertir[a], comme mes enfants bien-aimés. 15 En effet, quand vous auriez en Christ dix mille pédagogues, (vous n'avez) pourtant pas plusieurs pères. Car en Christ Jésus, par l'Évangile, c'est moi qui vous engendrai. 16 Je vous exhorte donc : devenez mes imitateurs[b]. 17 C'est pour cela[c] que je vous envoyai Timothée, qui est mon enfant bien-aimé et fidèle dans le Seigneur, qui vous rappellera les chemins qui sont les miens en Christ Jésus, comme partout je les enseigne en toute Église. 18 Certains s'enflèrent comme si je ne devais pas venir chez vous. 19 Mais je viendrai promptement chez vous si le Seigneur le veut, et je connaîtrai non les discours de ceux qui se sont enflés, mais leur puissance. 20 Car ce n'est pas en discours qu'est le Règne de Dieu, mais en puissance. 21 Que désirez-vous ? Que je vienne vers vous avec un bâton, ou avec amour et en esprit de douceur ?

[a] Le verbe νουθετέω (faire souvenir, avertir, réprimander), dernier mot du verset, varie d'une lettre selon les mss. On le trouve tantôt au participe, νουθετῶν : p[11vid] ℵ A C P 6. 33. 104. 365. 630. 945. 1739 *l* 249 *pc*. Tantôt à la 1re personne de l'indicatif, νουθετῶ : p[46] B D F G Ψ 1881 *Byz* latt. Le choix textuel est difficile ; nous avons retenu la première leçon ; le sens ne change guère.

[b] Quelques mss ajoutent « Comme moi aussi du Christ » : 104. 614. (629) *pc* ar vg[cl]. C'est un ajout secondaire, influencé par le parallèle de 1 Co 11, 1.

c Après διὰ τοῦτο certains mss ajoutent αὐτό : p[11vid] ℵ* A P 33. 81. 1175. 1505 *pc*. La leçon brève, un peu mieux attestée, est retenue par p[46.68] ℵ[2] B C D F G y 1737. 1881 *Byz* latt. La leçon longue pourrait se traduire « à cause de cela même » (Senft*), mais le style de Paul lui ferait plutôt écrire διὰ αὐτὸ τοῦτο ; elle reste *lectio difficilior*. On lui préférera la *lectio brevior*, l'ajout de αὐτό pouvant résulter d'une dittographie.

BIBLIOGRAPHIE

E.A. CASTELLI, *Imitating Paul. A Discourse of Power*, Louisville 1991. – H.H. DRAKE-WILLIAMS III, « "Imitate Me" : Interpreting Imitation in 1 Corinthians in Relation to Ignatius of Antioch », *Perichoresis* 11, 2013, 75-93. – K. EHRENSPERGER, « "Be Imitators of Me as I Am of Christ" : A Hidden Discourse of Power and Domination in Paul ? », *LexTheolQuart* 38, 2003, 241-261. – R.G. FELLOWS, « Was Titus Timothy ? », *JSNT* 81, 2001, 33-58. – E.M. LASSEN, « The Use of the Father Image in Imperial Propaganda and 1 Corinthians 4 : 14-21 », *TynB* 42, 1991, 127-136. – J.C. O'NEILL, « Pedagogues in the Pauline Corpus (1 Corinthians 4. 15 ; Galatians 3. 24, 25) », *IBSt* 23, 2001, 50-65. – R.L. PLUMMER, « Imitation of Paul and the Church's Missionary Role in 1 Corinthians », *JETS* 44, 2001, 219-235. – A. REINTHARTZ, « On the Meaning of the Pauline Exhortation : *"mimētai mou ginesthe"* – Become Imitators of Me »,

StudRel/SciRel 16, 1987, 393-403. – A. REINMUTH, « Narratio und Argumentatio – Zur Auslegung der Jesus-Christus-Geschichte im Ersten Korintherbrief. Ein Beitrag zur mimetischen Kompentenz des Paulus », *ZThK* 92, 1995, 13-27. – B. SANDERS, « Imitating Paul : 1 Cor 4 : 16 », *HThR* 74, 1981, 353-363. – W.D. SPENCER, « The Power in Paul's Teaching (1 Cor 4 : 9-20) », *JETS* 32, 1989, 51-61. – E.C. STILL, « Divisions Over Leaders and Food Offered to Idols : The Parallel Thematic Structures of 1 Corinthians 4 : 6-21 and 8 : 1 – 11 : 1 », *TynB* 55, 2004, 17-41.

INTERPRÉTATION

Les huit derniers versets du chapitre 4 sont nécessaires pour que les questions abordées depuis 1 Co 1, 10 ne se terminent pas sur le ton très négatif – et où pointe l'ironie – que Paul a utilisé pour décrire la situation humiliante des apôtres en 4, 8-13. Ils servent à la fois de *peroratio* à la section 1, 10 – 4, 21 et d'annonce pragmatique d'événements futurs, à savoir la venue prochaine à Corinthe de Timothée (v. 17), et celle de Paul qui suivra (vv. 18-19). Le contenu de l'adjectif « bien-aimé » (*agapètos*, vv. 14. 17) est repris au v. 21 par l'emploi du mot « amour » (*agapè*). Paul s'exprime maintenant exclusivement à la 1re personne du singulier, et la péricope est tout entière incluse entre des termes exprimant l'amour paternel qu'il porte aux Corinthiens, un thème qui la traverse de part en part. Une certaine rupture existe pourtant entre les vv. 17 et 18. Les quatre premiers versets (14-17) sont conclusifs : ils culminent sur l'invitation lancée aux destinataires d'être imitateurs de Paul, invitation qui commande l'envoi de Timothée chargé de leur montrer comment vivre cette imitation. Les quatre derniers versets sont tournés vers le futur, et consacrés à la prochaine venue de Paul ; le verbe « venir » (*erchomai*, vv. 18.19.21) en est le fil conducteur.

VV. 14-17. – Le propos est tendre. Paul ne veut aucunement provoquer chez ses destinataires la honte ou le déshonneur, ce qui serait contre-productif. Garantir que ni honte ni déshonneur ne sont dans ses intentions lorsqu'il écrit avec une certaine fermeté est très fondamental, car les sociétés méditerranéennes de l'Antiquité accordaient une très grande place à l'honorabilité. Aux vv. 14-15, Paul jette un regard rétrospectif sur ce qu'il a écrit depuis 1, 10. Cela relève – estime-t-il – de l'avertissement paternel, ce qui est un juste positionnement : il est bien leur père, en effet, puisqu'il les a engendrés dans la foi en Christ. On passe du modèle ecclésial au modèle familial, ce qui permet de prendre en compte la tendresse et l'affectivité (Robertson, *Conflict*). Au père aimant s'oppose ici le pédagogue (v. 15) ; le père d'un enfant est évidemment unique, tandis qu'il peut avoir eu plusieurs pédagogues dans le courant de son éducation. Ainsi autoproclamé père des Corinthiens en Christ Jésus, Paul souligne le rôle incomparable qu'il a eu auprès de leur Église (O'Neill). Ce qu'il affirme de sa fonction paternelle à l'égard des Corinthiens, il l'a d'ailleurs préparé dès le v. 14 en écrivant qu'ils sont ses enfants et, plus que cela, ses enfants bien-aimés. L'expression « enfant bien-aimé » est reprise textuellement au v. 17 pour exprimer la relation existant entre Paul et son disciple Timothée ; elle est alors complétée par l'adjectif « fidèle », qui corrige ce que le terme « enfant » pourrait évoquer d'infantilité chez les Corinthiens (voir 3, 1-3). L'invitation que Paul lance à ses destinataires au v. 16 d'être ses imitateurs découle de la relation père-enfants qu'il vient de rappeler. Elle a été très discutée par les commentateurs, la demande d'imitation pouvant être un instrument de pouvoir ; les travaux de Michel Foucault ont mis en valeur le fait que se mettre au service de quelqu'un pouvait être un moyen supplémentaire de faire peser son autorité sur cette personne ; un tel procès a été fait à Paul (Castelli). Moins catégoriques, certains exégètes ont pourtant souligné l'ambiguïté de cette invitation à l'imiter que Paul lance aux Corinthiens, dans une section de la lettre où il tient précisément à réaffirmer son autorité auprès d'eux ; de la prière à l'ordre, le passage se fait facilement (Reinhartz) ; cette intention de l'auteur n'est sans doute pas complètement exclue ; il convient cependant d'interpréter 4, 16 par 11, 1, où l'imitation que Paul demande se réfère à la façon dont lui-même est « imitateur du Christ »... Et l'on pourrait compléter : « du Christ crucifié » (Ehrensperger ; Plummer ; Reinmuth ; Sanders ; Spencer). Le thème de l'imitation sera d'ailleurs largement repris à l'époque patristique, chez Ignace d'Antioche qui établit une sorte de chaîne d'imitations successives : imiter Dieu, comme le Christ l'a imité, comme plusieurs témoins de l'Évangile l'imitent (Drake-Williams III). Au v. 17, en annonçant la prochaine venue de Timothée à Corinthe, l'apôtre propose d'ailleurs un modèle autre que lui : son « enfant bien-aimé et fidèle dans le Seigneur » saura mieux qu'un écrit faire découvrir aux Corinthiens les chemins de vie que Paul préconise, qu'il tient lui-même du Christ et qu'il enseigne dans toute Église. En passant par un autre et en montrant que l'Église de Corinthe n'est pas un cas unique mais qu'elle fait nombre avec d'autres communautés que Paul a fondées, l'auteur sort de la relation binaire et conflictuelle qui peut exister entre certains Corinthiens et lui. Timothée sera auprès des Corinthiens le témoin d'une *halakha* christique dont Paul vit lui-même, lui qui connaît les souffrances et les abaissements évoqués de façon dramatique en 4, 11-13.

VV. 18-21 – La dernière étape du discours est essentiellement pragmatique. Après l'annonce de la venue de Timothée, Paul annonce au v. 18 la sienne propre. Elle est même présentée comme prochaine. Cette proximité montre que Paul ne veut pas que la situation telle qu'elle est à Corinthe s'éternise. Lui porter remède est urgent. L'absence de Paul a eu pour conséquence que certains Corinthiens se sont gonflés d'orgueil à ses dépens, donc aussi aux dépens de l'Évangile. Paul est cependant conscient qu'on ne peut pas être sûr de la réalisation de ses projets, et il précise aux vv. 19-20 qu'il viendra à Corinthe « si le Seigneur le veut » (le Seigneur est-il Dieu ou Jésus ? On ne sait). C'est prudent. Aux Thessaloniciens l'Apôtre écrivait qu'il avait projeté de venir les visiter avec ces collaborateurs, mais « Satan nous en a empêchés » (1 Th 2, 18). Pleine de sagesse, l'épître de Jacques théorisera même cette soumission nécessaire à la volonté divine (Jc 4, 15). La visite que fera Paul aura fonction d'authentification. Les orgueilleux seront démasqués, car le critère d'évaluation que maniera l'Apôtre ne sera pas le discours (*logos*) avec son cortège d'éloquence et de raisonnements, mais la puissance (*dunamis*) dont la manifestation conforme à l'Évangile est une humilité à l'image de celle du Christ. Paul utilise des termes dont il a déjà fait usage, la dénonciation de la sagesse du discours remontant à 1, 17-18 ; et, dans ces mêmes versets, il était écrit que le langage (également *logos*) de la croix n'est précisément pas seulement un discours, mais qu'il est « puissance de Dieu ». Par la reprise de ces termes, l'auteur montre qu'il est en train de conclure son développement. La section se termine par une question au v. 21, question fermée – les destinataires ne peuvent choisir le bâton plutôt que l'amour et l'esprit de douceur – qui n'est pourtant pas une menace. Elle ressemble à l'avertissement paternel dont Paul a déclaré que tel était son mode d'expression, au début de la péricope. Elle s'ouvre sur un futur qui est à la fois le futur des relations entre Paul et les Corinthiens et la suite de la lettre, où l'avertissement sera toujours présent, toujours associé à l'amour, et d'où le bâton comme tel a été exclu.

NOTES

14-15

Le verbe ἐντρέπω (faire honte) n'est employé qu'ici dans les *homologoumena* (on le trouve dans les deutéro-pauliniennes en 2 Th 3, 14 et Tt 2, 8). Définir sa relation aux personnes qu'il a évangélisées en termes de paternité (πατήρ au v. 15) / filiation (τέκνον aux vv. 14.17) est important pour Paul qui n'utilise jamais le terme μαθητής (disciple). Paul se désigne comme père malgré l'interdiction de Mt 23, 9 qui remonte vraisemblablement à Jésus et que Paul connaît peut-être ; mais il ne réclame pas qu'on l'appelle ainsi. Dans le monde romain, sont assimilés à des pères les personnes ayant apporté un certain salut au peuple, tels les généraux victorieux et les empereurs : Jules César, ainsi qu'Auguste, était *pater patriae* (Lassen). L'assimilation d'un maître d'enseignement à un père n'est pas attestée dans l'AT, mais elle l'est dans le judaïsme postbiblique (TBSanh 19b). Le verbe νουθετέω (avertir, admonester), employé à la fin du v. 14, a déjà été utilisé par Paul en 1 Th 5, 12.14, et il l'utilisera à nouveau en Rm 15, 14. Avertir est une fonction éminemment paternelle : Sg 11, 10, qui peut avoir influencé les formulations pauliniennes, le rappelle à propos de Dieu ayant éduqué le peuple d'Israël au cours de son séjour au désert. Le « pédagogue » (παιδαγωγός), terme que Paul utilise aussi en Ga 3, 24.25, n'a pas d'abord pour fonction d'instruire : le terme grec désigne l'esclave qui surveille l'enfant et l'emmène à l'école. L'hypothèse que Paul évoque pour les Corinthiens d'avoir eu dix mille pédagogues, introduite par ἐάν + subjonctif, représente une éventualité absurde en raison de son exagération !

16

Le verbe παρακαλέω (prier, consoler, exhorter), très fréquent chez Paul (plus haut en 1, 10 et 4, 13), ne permet pas de préciser avec quelle force est lancée l'exhortation.

Dans d'autres passages des épîtres pauliniennes, l'Apôtre se présente également comme un modèle à imiter : en 1 Co 11, 1 ; dans les autres *homologoumena* en Ga 4, 12 ; Ph 3, 17 ; 1 Th 1, 6 ; 2, 14 ; dans les deutéro-pauliniennes en 2 Th 3, 7. 9. Il utilise le verbe μιμέομαι (imiter) ainsi que les adjectifs pratiquement synonymes μιμητής et συμμιμητής (imitateur). Il n'emploie cependant jamais le substantif abstrait μίμησις, qui tient plus du mimétisme reproductif que de l'imitation au sens large (Fitzmyer*).

17

Nommé pour la première fois ici dans l'épître, Timothée l'est à nouveau à la fin de l'épître, en 16, 10 ; il l'est aussi en 2 Co, dont il est même présenté comme coauteur avec Paul (2 Co 1, 1.19) ; il disparaît ensuite de 2 Co pour laisser la place à Tite (2 Co 2, 13 ; 7, 6.13.14 ; 8, 6.16.23 ; 12, 8). Une telle substitution a fait poser l'hypothèse que Timothée et Tite étaient la même personne (Fellows) ; c'est cependant peu vraisemblable dans la mesure où, en 2 Tm 4, 10, passage sans doute authentique de cette épître, Paul écrit à Timothée sur Tite. Originaire de Lystre si l'on en croit Ac 16, 1-3, Timothée fut l'un des collaborateurs majeurs de Paul. L'Apôtre fait savoir qu'il l'a déjà envoyé (ἔπεμψα), utilisant un aoriste ambigu : l'a-t-il déjà fait quand il écrit, ou a-t-il l'intention de le faire et pense-t-il qu'il l'aura fait lorsque les Corinthiens recevront sa lettre (aoriste épistolaire) ? Son intention est au moins que Timothée arrive avant lui à Corinthe. Paul utilise le terme ὁδός (chemin) au sens figuré avec une connotation morale. C'est cohérent avec le fait qu'il emploie le verbe περιπατέω (marcher) également au sens figuré pour parler de la conduite éthique (1 Co 3, 3 ; 7, 17 ; Ga 5, 6). Le substantif ὁδός peut avoir également un sens figuré en grec classique (voie, moyen, manière de faire, méthode), mais n'est pas employé au sens moral ; c'est dans la LXX qu'il prend ce sens (*e.g.* Is^{LXX} 55, 8). La morale paulinienne peut être comparée à la *halakha* des maîtres juifs (du verbe hébreu *hālak*, aller).

18

L'importance que se sont donnée certains Corinthiens est exprimée par le verbe φυσιόω (s'enfler), que Paul a déjà utilisé en 4, 6 à propos des Corinthiens se donnant de l'importance les uns par rapport à d'autres ; ici et au v. 19, le verbe est employé à propos de l'importance qu'ils revendiquent contre lui. Le terme est dans le NT uniquement paulinien, et très caractéristique de 1 Co (autres emplois en 5, 2 ; 8, 1 ; 13, 4).

19-20

Ces deux versets sont construits sur le contraste entre λόγος (parole, langage, discours) et δύναμις (puissance). Le même contraste était affirmé en 2, 4.13. L'emploi de l'expression « le Règne de Dieu » (ἡ βασιλεία τοῦ θεοῦ) est remarquable. Elle est rare chez Paul (voir son emploi ou des formulations proches en 1 Th 2, 12 ; 1 Co 6, 9.10 ; 15, 50 ; Ga 5, 21 ; Rm 4, 17 ; et, dans les deutéro-pauliniennes, en 2 Th 1, 5), alors qu'elle est très fréquente chez les Synoptiques. C'est une illustration du fait que Paul se réfère parfois à la tradition synoptique, notamment dans la section 1, 10 – 4, 21 (voir plus haut p. 44).

21

La préposition ἐν devant ῥάβδῳ est un sémitisme. Elle facilite le parallèle avec ἐν ἀγάπῃ dans la deuxième partie du verset.

SECTION II

Débauche et procès
1 Co 5, 1 – 6, 20

BIBLIOGRAPHIE

W. DEMING, « The Unity of 1 Corinthians 5-6 », *JBL* 115, 1996, 289-312.

S.M. MCDONOUGH, « Competent to Judge : The Old Testament Connection between 1 Corinthiens 5 and 6 », *JThS* 56, 2005, 99-102.

R. TREVIJANO ETCHEVERRIA, « A propósito del incestuoso (1 Cor 5-6) », *Salmanticensis* 38, 1991, 129-153.

P.S. ZAAS, « Catalogues and Context : 1 Corinthians 5 and 6 », *NTS* 34, 1988, 622-629.

Les chapitres 5 et 6 forment un ensemble assez disparate, composé comme la section 1, 10 – 4, 21 de réactions de Paul à des informations reçues indirectement. À la différence de la section précédente, pourtant, au début de laquelle Paul nommait la source de son information, à savoir les gens de Chloé (1, 11), c'est maintenant par ouï-dire, ou par une source non nommée, que Paul connaît les dysfonctionnements dont il parle pour tenter de les pallier. Plusieurs phrases sont accusatrices (5, 6 ; 6, 5) ; à trois reprises le texte aligne des adjectifs décrivant des conduites pécheresses (4 termes en 5, 10 ; 6 termes en 5, 11 ; 10 termes en 6, 9-10) ; les impératifs sont nombreux pour exhorter les destinataires à vivre autrement (5, 7.13 ; 6, 18a.20b). En dénonçant ces déviances, Paul entend mettre un point final à l'orgueil manifesté par les Corinthiens dans la section précédente (1, 10 – 4, 21) dont cette section-ci est comme un appendice (Trevijano Etcheverria).

La rhétorique paulinienne est judiciaire au chapitre 5, délibérative au chapitre 6 : des comportements sont à modifier dans l'Église de Corinthe ; et Paul, à distance, tente de convaincre ses destinataires d'apporter de tels changements. Une formule appartenant au style de la diatribe et introduisant des questions rhétoriques revient périodiquement et traverse toute la section comme une sorte de leitmotiv : « Ne savez-vous pas que... ? » (5, 6 ; 6, 2a.3.9.15a.16.19). D'autres questions rhétoriques sont également posées, dans une forme littéraire moins définie (5, 12 ; 6, 2b.7b.7c.15b).

Trois péricopes peuvent être distinguées, la première et la dernière portant notamment sur la débauche que l'Église de Corinthe tolère en son sein. On aboutit alors à une architecture littéraire en inclusion :

A) 5, 1-13 – Chasser le frère débauché

B) 6, 1-11 – Éviter les procès entre frères

A') 6, 12-20 – Glorifier Dieu par son corps

Des éléments d'unité sont perceptibles entre les trois péricopes. On repère tout d'abord une unité thématique, le thème de la débauche exprimé par des termes composés à partir de la racine *porn-* (Deming) : substantifs *porneia*, « débauche » (5, 1 ; 6, 13.18) et *pornè*, « prostituée » (6, 15.16) ; verbe *porneuô*, « se débaucher » (6, 18) ; adjectif *pornos*, « débauché » (5, 9.10. 11 ; 6, 9). W. Deming fait aussi l'hypothèse que les procès intentés entre frères devant les tribunaux païens dont il est question dans la péricope centrale étaient portés par les membres de l'Église contre le débauché dont il est question en 5, 1, qu'ils avaient perdu leur procès, et que les Corinthiens demandaient l'arbitrage de Paul. Cela ferait, il est vrai, une section plus cohérente que si la dénonciation paulinienne des procès devant les tribunaux païens était plus générale ; mais la rhétorique utilisée est inconciliable avec l'hypothèse que Paul répond à un arbitrage demandé. En outre, si le terme « débauche » (*porneia*) est utilisé une fois dans la péricope centrale (6,9), c'est dans une liste stéréotypée de dix termes stigmatisant également d'autres déviances. Le vocabulaire de la débauche est d'ailleurs également présent dans d'autres passages de 1 Co (ainsi en 10, 8) ; le thème est omniprésent dans l'épître (Zaas). Nous ne retenons donc pas cette hypothèse.

Un second élément d'unité – que nous retenons – est la référence au Deutéronome au cours des deux chapitres (McDonough). Dt 17, 7 est explicitement cité en 1 Co 5, 13 ; mais la référence au Deutéronome ne se limite pas à ce verset. Paul a en partie structuré son propos à la lumière du cinquième livre de la Tora, dans le but de dénoncer le penchant de l'ensemble des fidèles à se faire complices des troubles présents dans la communauté. C'est bien l'un des reproches que l'on perçoit tout au long de la section qui couvre les chapitres 5 et 6.

Chasser le frère débauché
(5, 1-13)

TRADUCTION

5, 1 On entend en général dire (qu'il y a) parmi vous de la débauche, et une débauche telle (qu'il n'y en a) même pas parmi les nations[a], au point d'avoir pour femme celle de son père. 2 Et vous vous enflâtes, et vous ne prîtes pas plutôt le deuil afin que soit enlevé du milieu de vous celui qui a fait[b] une telle chose? 3 Car pour ma part, absent de corps mais présent d'esprit, j'ai déjà jugé comme (si j'étais) présent celui qui commit un tel méfait; 4 au nom de notre Seigneur Jésus[c], vous étant réunis, vous et mon esprit avec la force de notre Seigneur Jésus, 5 (il faut) livrer un tel homme à Satan pour l'anéantissement de la chair, afin que l'esprit soit sauvé au jour du Seigneur[d]. 6 Elle n'est pas belle, votre fierté! Ne savez-vous pas qu'un peu de levain fait lever toute la pâte? 7 Faites disparaître[e] le vieux levain pour être une pâte nouvelle, puisque vous êtes des azymes. Car aussi notre pâque a été immolée[f], (c'est) Christ. 8 Ainsi donc, célébrons la fête, non avec de l'ancien levain ni avec un levain de malice et de méchanceté, mais avec des azymes de pureté et de vérité. 9 Je vous écrivis dans la lettre de ne pas vous mélanger aux débauchés, 10 non[g] pas du tout les débauchés de ce monde, ni les cupides, ni[j] les rapaces, ni les idolâtres – puisque, autrement, vous devriez sortir du monde –11 mais en fait je vous écrivis de ne pas vous mélanger avec quelqu'un ayant nom de frère s'il est débauché, ou cupide, ou idolâtre, ou proférant des insultes, ou ivrogne, ou rapace, et de ne pas prendre de repas avec un tel homme. 12 En effet, pourquoi (serait-ce) à moi de juger ceux du dehors? N'est-ce pas ceux de l'intérieur que vous avez à juger[h]? 13 Ceux du dehors, Dieu les jugera[i]. *Otez[j] le mauvais du milieu de vous-mêmes.*

^a Après ἐν τοῖς ἔθνεσιν certains mss ajoutent ὀνομαζέται: p⁶⁸ ℵ² Ψ 1881 *Byz* vg^{mss} sy. Dans cette phrase où le verbe « être » est deux fois sous-entendu, ὀνομαζέται rend la phrase plus explicite. Préférer à cet ajout la *lectio brevior*.

^b Le participe grec πράξας, traduit par « celui qui a fait », est attesté par p¹¹vid ℵ A C 33. 81. 104. 326. 1175. 2464 *pc* ; Didyme. Autre leçon : ποιήσας, attestée par p⁴⁶ p⁶⁸ B D F G Ψ *Byz* b d sy ; Lucifer Ambrosiaster Pélage. La leçon avec le verbe ποιέω, employé presque 600 fois dans le NT, est certainement secondaire ; πράσσω n'est employé que 18 fois par Paul et 20 dans le reste du NT.

^c Quatre leçons différentes à la suite de ἐν τῷ ὀνόματι. 1° τοῦ κυρίου ἡμῶν Ἰησοῦ : B D* 1175. 1739 *pc* b d. – 2° τοῦ κυρίου ἡμῶν Ἰησοῦ Χριστοῦ : p⁴⁶ D² F G 33. 81(?). 1881 *Byz* vg sy^{p.h.**} co ; Ambrosiaster. – 3° τοῦ κυρίου Ἰησοῦ Χριστοῦ : ℵ ar. – 4° τοῦ κυρίου Ἰησοῦ : A Ψ 1505 *pc*. Il est vraisemblable que Χριστοῦ est un ajout introduit spontanément après Ἰησοῦ : les leçons 1 et 4 sont alors préférables, mais la leçon 4 est très peu attestée. Nous retenons la leçon 1, bien que le possessif ἡμῶν soit douteux.

^d Comme au v. 4, plusieurs leçons pour les derniers mots du verset : 1° τοῦ κυρίου : p⁴⁶ B 630. 1739 *pc* ; Tertullien Épiphane. – 2° τοῦ κυρίου Ἰησοῦ : p⁶¹vid ℵ Ψ *Byz* vgst. – 3° τοῦ κυρίου Ἰησοῦ Χριστοῦ : D *pc* b ; Ambrosiaster. – 4° τοῦ κυρίου ἡμῶν Ἰησοῦ Χριστοῦ : A F G P 33. 104. 365. 1241ˢ. 1881 *al* ar vg^{cl} sy^{p.h.**} co ; Lucifer. La leçon 4 est mieux attestée, mais la leçon 1 a de meilleurs témoins ; elle est aussi la *lectio brevior*. Nous la retenons.

^e Après l'impératif ἐκκαθάρατε certains mss ajoutent la conjonction « donc » (οὖν): p¹¹vid ℵ² C Ψ 048. 33. 1739. 1881 *Byz* ar vg^{mss} sy^h. Cet ajout, sans doute secondaire, renforce la logique argumentative.

^f Au lieu de τὸ πάσχα ἡμῶν ἐτύθη certains mss emploient une formule plus complète : τὸ πάσχα ἡμῶν ὑπὲρ ἡμῶν ἐτύθη : ℵ² C³ Ψ 1881 *Byz* sy sa bo^{mss}.

L'ajout, secondaire, est destiné à expliciter la dimension rédemptrice du sacrifice du Christ.

g Entre πλεονέκταις (cupides) et ἅρπαξιν (rapaces), certains mss donnent à lire la conjonction ἤ au lieu de καί : p⁴⁶ ℵ² D² Ψ 1881 *Byz* lat sy co. Cette modification, secondaire, est sans doute influencée par le sens des adjectifs : « cupide » et « rapace » ont des significations équivalentes. La majorité de la tradition occidentale et alexandrine porte καί, la conjonction qui relie tous les autres termes de l'énumération.

h Deux variantes, secondaires, affectent le v. 12 : 1° Le papyrus p⁴⁶, repris par les traductions sy^p et bo, omet οὐχί et met le verbe κρίνω à l'impératif aoriste κρίνατε : « Jugez vous-mêmes ceux de l'intérieur. » – 2° La traduction copte sahidique traduit comme si le v. 12 était formulé : τί γάρ μοι τοὺς ἔξω κρίνειν καὶ τοὺς ἔσω οὐχί ; τοὺς ἔσω ὑμεῖς κρίνετε. Traduction : « Pourquoi serait-ce à moi de juger ceux du dehors et non ceux de l'intérieur ? Jugez vous-mêmes ceux de l'intérieur. » Ce sont deux tentatives secondaires pour simplifier la pensée contournée de l'apôtre.

i Dans les mss non accentués, le verbe peut se lire κρίνει (présent) ou κρινεῖ (futur). Certains mss le lisent clairement comme un présent : L Ψ 629. 1241ˢ. 2464 *al* d. Ceux qui le lisent comme un futur sont plus nombreux.

j La forme la mieux attestée, ἐξάρατε (impératif aoriste de ἐξαίρω), est parfois remplacée par le présent ἐξαίρετε (p⁴⁶ 6. 1739. 1881 *pc*), ou par ἐξαρεῖτε (D² *Byz* sy^(h)) : deux variantes secondaires, la seconde influencée par une leçon LXX de Dt 17, 7 (mss A).

BIBLIOGRAPHIE

J.P. ALUMKAL, *The Death and Resurrection of Jesus Christ Implied in the Image of the Paschal Lamb in 1 Cor 5 : 7. An Intertextual, Exegetical and Theological Study*, Berne 2015. – E. BAMMEL, « Rechtsfindung in Corinth », *EThL* 73, 1997, 107-113. – C. BLUMENTHAL, « Die Satzstruktur von 1 Kor 5, 3-5 in der sahidischen Übersetzung des Neuen Testaments », *ZNTW* 95, 2004, 280-283. – B. CAMPBELL, « Flesh and Spirit in 1 Cor 5 : 5. An Exercise in Rhetorical Criticism of the NT », *JETS* 36, 1993, 331-342. – C.S. DE VOS, « Stepmothers, Concubines and the Case of πορνεία in 1 Cor 5 », *NTS* 44, 1998, 104-114. – P.B. DUFF, « René Girard in Corinth : An Early Christian Social Crisis and a Biblical Text of Persecution », *Helios* 22, 1995, 79-99. – J.A. GLANCY, « Obstacles to Slaves' Participation in the Corinthian Church », *JBL* 117, 1998, 481-501. – J.A. GLANCY, « The Sexual Use of Slaves : A Response to Kyle Harper on Jewish and Christian *Porneia* », *JBL* 134, 2015, 215-229. – M.D. GOULDER, « Libertines ? (1 Cor. 5-6) », *NT* 41, 1999, 344-348. – K. HARPER, « *Porneia* : The Making of a Christian Sexual Norm », *JBL* 131, 2012, 363-383. – R.E. MOSES, « Physical and/or Spiritual Exclusion ? Ecclesiastical Discipline in 1 Corinthians 5 », *NTS* 59, 2013, 172-191. – K.-H. OSTMEYER, « Satan und Passa in 1. Korinther 5 », *ZeitNT* 5, 2002, 38-45. – B.A. PASCHKE, « Ambiguity in Paul's References to Greco-Roman Sexual Ethics », *EThL* 83, 2007, 169-192. – M. PASCUZZI, *Ethics, Ecclesiology and Church Discipline. A Rhetorical Analysis of 1 Corinthians 5*, Rome 1997. – J.M. RENO, « Γυνὴ τοῦ Πατρός : Analytic Kin Circumlocution and the Case for Corinthian Adultery », *JBL* 135, 2016, 827-847. – B.S. ROSNER, « Temple and Holiness in 1 Co 5 », *TynB* 42, 1991, 137-145. – B.S. ROSNER, « 'Οὐχὶ μᾶλλον ἐπενθήσατε' : Corporate

Responsability in 1 Corinthians 5 », *NTS* 38, 1992, 470-473. – B.S. ROSNER, *Paul, Scripture and Ethics. A Study of 1 Corinthians 5-7*, Leiden 1994. – J. SCHWIEBERT, « Table Fellowship and the Translation of 1 Corinthians 5 :11 », *JBL* 127, 2008, 159-164. – V.G. SHILLINGTON, « Atonement Texture in 1 Corinthians 5, 5 », *JSNT* 71, 1998, 29-50. – J.F.M. SMIT, « That Someone Has the Wife of His Father : Paul's Argumentation in 1 Cor 5, 1-13 », *EThL* 80, 2004, 131-143. – D.R. SMITH, *« Hand this Man over to Satan ». Curse, Exclusion and Salvation in 1 Corinthians 5*, Londres 2008. – J.T. SOUTH, « A Critique of the Curse/Death Interpretation of 1 Corinthians 5. 1-8 », *NTS* 39, 1993, 539-561. – D.T. THORNTON, « Satan as Adversary and Ally in the Process of Ecclisial Discipline : The Use of the Prologue to Job in 1 Corinthians 5 : 5 and 1 Timothy 1 : 20 », *TynB* 66, 2015, 137-151. – K. THRAEDE, « Schwierigkeiten mit 1 Kor 5, 1-13 », *ZNTW* 103, 2012, 177-211. – C.M. TUCKETT, « Paul, Scripture and Ethics. Some Reflections », *NTS* 42, 2000, 403-424.

INTERPRÉTATION

La transition entre la fin du chapitre 4 et le début du chapitre 5 est assez brutale. Paul terminait son propos, en 4, 21, en proposant de se comporter vis-à-vis des Corinthiens de deux façons possibles : user d'un bâton quand il reviendrait dans leur ville, ou user d'amour et de douceur. La situation qu'il décrit en 5, 1-2 ferait plutôt penser que ses destinataires méritent le bâton. Car aux désordres qui sont l'occasion de 1, 10 – 4, 21 s'en ajoutent d'autres. Un membre de l'Église vit en situation incestueuse, ce qui est déjà sérieux ; bien plus, cette situation inacceptable provoque l'orgueil de la communauté, ce qui est encore plus grave et nourrit les principaux reproches formulés par Paul. Le propos se développe en trois volets. Aux vv. 1-5, Paul décrit la situation (vv. 1-2) et donne déjà le remède (Bammel) : il faut chasser le pécheur (vv. 3-5). Les vv. 6-8 expriment la motivation de ce comportement violent en utilisant une métaphore théologique : la communauté est comme une pâte à pain qui ne peut se laisser souiller par la présence en son sein d'un levain impur. Les vv. 9-13 reviennent sur des consignes analogues déjà données par Paul dans une lettre antérieure, et leur apportent des précisions : le groupe chrétien n'a pas à s'isoler des corruptions omniprésentes dans son environnement urbain, mais il doit veiller à sa pureté interne. Le tout s'achève au v. 13b par un ordre inspiré de Dt^{LXX} 17, 7 : « Otez le mauvais du milieu de vous-mêmes. » Dans toute cette péricope, la forme du discours paulinien appartient à la rhétorique judiciaire hellénistique ; le contenu, qui peut avoir quelques correspondances avec le droit romain, provient plutôt de la pensée juive (Smit).

VV. 1-5 – Dès le départ, au v. 1, le ton est donné. L'information qu'il y a de la débauche dans l'Église de Corinthe est répandue et générale. Elle culmine dans un cas particulier, un cas d'inceste. C'est une faute aux conséquences plus vastes que le simple adultère car, en plus des corps physiques, elle touche aussi le corps social (Reno). L'homme coupable appartient à la communauté ecclésiale, la femme vraisemblablement pas ; car, dans la logique du texte où Paul rappelle qu'il ne lui revient pas de juger ceux du dehors (v. 12), il demanderait aussi de prendre des mesures sévères à son endroit si elle était chrétienne. Par déduction, on peut connaître quelques éléments du type de relation existant entre cet homme et cette femme : il s'agissait d'une situation stable, non d'une faute occasionnelle ; le père de l'homme était sans doute décédé ou séparé de sa femme (malgré Winter, *After*, 44-57), ou encore elle n'était que sa concubine (De Vos), autrement c'eût été un adultère, un crime sévèrement puni ; l'union était sans doute une cohabitation non officialisée, car la loi romaine n'autorisait pas un tel mariage (Clarke, *Secular*, 75-98). C'est ce qui permet à Paul d'écrire qu'une telle débauche n'existe pas chez les païens ; officiellement, cela s'entend car, officieusement parlant, la débauche corinthienne était célèbre dans tout le monde antique. Paul idéalise la situation des païens pour souligner l'indignité du cas d'inceste qu'il dénonce (Paschke). On découvre au v. 2 que la pointe de l'accusation portée par l'Apôtre ne porte cependant pas sur la faute de cet homme, mais sur l'attitude de la communauté. Non seulement, elle n'a pris aucune mesure pour que cesse cette situation scandaleuse, mais elle en tire de l'orgueil. Plusieurs hypothèses ont été émises sur l'origine de cet orgueil dont Paul dénonce l'arrogance. Il pourrait s'agir de conséquences que les Corinthiens tiraient de l'enseignement de Paul lui-même, qui prenait ses distances par rapport à plusieurs préceptes de la loi juive (Smit). Si l'on retient l'hypothèse émise par W. Schmithals et reprise ensuite par d'autres exégètes, l'Église de Corinthe aurait comporté en son sein un groupe de spirituels enthousiastes qui se pensaient affranchis de toute contingence morale et revendiquaient une liberté supérieure (Schmithals, *Gnosis* ; Schlatter, *Bote*). Il se pourrait aussi que l'incestueux ait eu un statut social élevé et qu'il ait fait honneur à l'Église en lui appartenant, ce qui expliquerait la tolérance du groupe à son endroit (Clarke, *Secular*, 87-88 ; Goulder ; Winter, *After*, 44-57). Quoi qu'il en soit, Paul annonce que l'attitude correcte de l'Église aurait dû être tout autre : un deuil collectif, en sorte que le fautif se trouve exclu ; concrètement, cela aurait pu se traduire par une sorte de confession collective du péché du frère pécheur, ce péché atteignant par contagion l'ensemble des membres de l'Église (Rosner, *Corporate*). Dans la pensée juive dont Paul se révèle ici marqué, la débauche, comme l'idolâtrie, est à l'origine de tout paganisme ; elle doit être éradiquée du groupe des croyants (Thraede). Au v. 3, on passe de la description de la situation à la sentence judiciaire (verbe *krinô*, « juger », que l'on retrouve aux vv. 12 et 13). Bien que n'étant pas présent physiquement (il l'est en esprit par le souci qu'il porte de l'Église), Paul est suffisamment informé pour prononcer in petto un jugement qu'il communique aux Corinthiens : le coupable doit être excommunié, il est anormal que cela n'ait pas déjà été fait. Au v. 4, Paul invite alors l'Église à se rassembler « au nom de notre Seigneur Jésus » pour constituer l'équivalent d'une cour de justice. Les juges seront l'Église elle-même (sans doute représentée par ses responsables) ainsi que Paul, présent en esprit. La puissance du Seigneur Jésus les assistera et garantira l'équité du jugement prononcé. Le temps du jugement des personnes par Jésus – le temps eschatologique – n'est pas encore arrivé. C'est au v. 5 qu'il est évoqué : que l'excommunication soit prononcée. Toutes les sociétés de l'Antiquité excluaient leurs membres qui avaient commis une faute grave et nuisaient à la santé du groupe ; on se protégeait en prononçant sur le fautif des malédictions incantatoires (Smith). Mais la dureté de la formule employée pour exprimer le verdict, « livrer un tel homme à Satan pour l'anéantissement de la chair », peut surprendre ; et l'on peut aussi s'interroger sur la nature du salut dont il est question à la fin du v. 5. On imagine mal que « livrer à Satan » évoque la damnation ; ni Paul ni les Corinthiens ne sont habilités pour prononcer un tel jugement qui appartient à Dieu seul et qui sera prononcé par le Seigneur Jésus aux temps ultimes (South). Dans le prologue de Job, Satan, qui est un adversaire de Dieu, dialogue avec lui (Jb 2, 6) ; il semble qu'il joue ici le rôle d'un allié, pour le bien de l'Église et du pécheur (Thornton). Il est présent dans le monde païen, un monde idolâtre (plus loin dans l'épître, Paul écrit que les divinités romaines et grecques sont des démons ; 10, 20). C'est là que Paul demande de renvoyer l'incestueux, en l'excluant de l'Église. Quels sont alors la chair qui sera anéantie et l'esprit qui sera sauvé ? Chair (*sarx*) et esprit (*pneuma*) sont ambivalents ; la chair peut être la simple matière du corps physique, et aussi la chair en tant que part de la personne humaine portée au péché lorsque l'esprit ne l'anime pas ; quant à l'esprit, il peut être humain et divin. Les deux termes sont utilisés sans possessif. Comment articuler tout cela ? Il n'est certainement pas question de mettre à mort le coupable ; la peine de mort était réservée au pouvoir civil, et l'Empire ne mettait pas à mort pour des cas d'inceste ou même d'adultère. Le terme *sarx* ne peut alors être compris qu'au sens métaphorique paulinien de tendance pécheresse. Cette chair doit être à la fois celle de l'incestueux et celle de l'Église corinthienne ; car cette dernière porte aussi sa part de péché en s'enorgueillissant qu'une telle situation existe en son sein, au lieu d'en prendre le deuil. Autrement dit, l'excommunication du coupable fera du bien à tout le monde : lui-même sera conduit à réfléchir sur sa faute et peut-être à s'en repentir ; la communauté, ayant pris les mesures qui s'imposaient, se trouvera dans une situation saine (Moses). Le rite de l'expulsion du bouc émissaire est-il sous-jacent à la mesure d'exclusion préconisée par Paul ? On ne peut totalement l'exclure (Duff ; Shillington). Quel est alors l'esprit qui sera sauvé en conséquence de cette exclusion (v. 5b) ? Comme, selon l'anthropologie paulinienne, la personne ne se réduit pas dans l'au-delà à une âme ou à un esprit mais qu'elle devient « corps spirituel » (1 Co 15, 42-44), l'hypothèse a été émise qu'il s'agissait de l'esprit de la communauté et non de celui de l'incestueux (Campbell). Pourtant, Paul n'emploie jamais le terme *pneuma* au sens de l'esprit d'un groupe quel qu'il soit; l'Église est bien animée par l'Esprit Saint, mais ce dernier n'a pas besoin d'être sauvé (malgré Fitzmyer*). La seule possibilité reste alors qu'il s'agit de l'esprit de l'incestueux, Paul utilisant le terme *pneuma* au lieu de l'expression « corps spirituel » sous l'influence du binôme chair/esprit. L'excommunication de l'incestueux peut alors être considérée comme un remède pour tout le monde; l'un de ses objectifs est le salut éternel du pécheur. On peut rapprocher cette perspective de celle que Paul énonçait en 3, 15 : le responsable d'Église dont la construction n'est pas durable sera sauvé « comme à travers le feu ». Le souhait que l'homme incestueux se détourne de sa conduite mauvaise et soit reçu à nouveau comme un pénitent dans la communauté concorde avec le motif de la Pâque exprimé dans les vv. 6-8 (Ostmeyer).

VV. 6-8 – Au v. 6, après un bref reproche ironique fait aux Corinthiens pour leur orgueil mal placé (6a), Paul introduit, à l'aide d'un questionnement rhétorique, un proverbe qui fonctionne métaphoriquement dans le discours : un peu de levain fait lever toute la pâte (6b). L'analogie avec la situation à Corinthe s'impose : un seul pécheur corrompt toute l'Église locale. À partir de là, le propos se fait théologique. Au v. 7, Paul avance un argument massif, le cœur même de la foi chrétienne, à savoir que la Passion-Résurrection impose aux Corinthiens de cesser leur compromission avec le mal. La purification à laquelle l'Église est invitée en excluant l'homme incestueux est comparée au nettoyage des maisons que font les Juifs pour évacuer toute trace de vieux levain, à la veille de la Pâque (Ex 12, 19-20). Cette dernière est ici présentée par Paul comme une sorte de situation permanente depuis la résurrection de Christ. Cette perspective théologique deviendra courante dans la tradition chrétienne : Christ mourut sur la croix, comme l'agneau pascal était immolé dans les célébrations juives; sa résurrection est le signe d'une victoire sur la mort qui doit imprégner la vie actuelle des Églises (ainsi 1 P 1, 17-21; Jn 1, 29; Ap 5, 6). Cette typologie, dont on trouve ici la première attestation littéraire du Nouveau Testament, n'est pas entièrement stabilisée chez Paul. En 2 Co 5, 21, par exemple, il semble que le *typos* du Christ crucifié soit la victime des sacrifices pour le péché, plutôt que l'agneau pascal. Ici cependant, comme en 11, 17-34, c'est la typologie pascale que Paul met en avant. Il n'est pas impossible que l'approche de la fête de la Pâque au moment où Paul écrit 1 Co ait favorisé cette argumentation (voir 16, 8 où Paul exprime son intention de rester à Éphèse jusqu'à la Pentecôte). Continuant de filer l'image du levain, Paul la reprend au v. 8 en opposant le vieux levain et ses charges négatives, aux azymes de pureté et de vérité. La formulation du v. 8b peu claire : les azymes désignaient des personnes au v. 7; c'est peut-être encore le cas au v. 8b, mais la construction laisse plutôt entendre qu'il s'agit des dispositions des personnes plutôt que des personnes elles-mêmes. La cohérence des images avec ce à quoi elles renvoient n'est jamais parfaite, mais l'injonction est claire : l'Église doit vivre en situation pascale permanente, marquée par l'absence, en son sein, de tout ce qui pourrait la souiller ou la pourrir. Cette exigence est cohérente avec l'image de la communauté-sanctuaire à laquelle Paul s'est déjà référé en 3, 16-17 (Rosner, « Temple »).

VV. 9-13 – La fin de la péricope révèle que ce n'est pas la première fois que Paul met l'Église de Corinthe en garde contre la tolérance, en son sein, de personnes dont la vie est notoirement immorale. L'Apôtre l'avait déjà exprimé dans une lettre précédente, dont le lecteur apprend alors l'existence (voir l'Introduction p. 29 et 40), où il écrivait de ne pas se mélanger aux débauchés. Il précise alors au v. 9 qu'il s'agit de ne pas tolérer de telles personnes au sein de l'Église, y compris de ne pas prendre de repas avec elles (fin du v. 11), ce qui est une façon radicale de ne pas les admettre (Schwiebert) ; mais cela ne concerne pas les relations des chrétiens avec l'ensemble des citoyens de la ville, dont la réputation de débauche était grande. Il ne s'agit pas de « sortir du monde », selon la belle expression utilisée à la fin du v. 10 : l'Église n'est ni un monastère ni une secte ! Au v. 10, l'évocation de l'immoralité ambiante conduit Paul à donner un premier catalogue de pécheurs, suivi d'un second au v. 11 (noter qu'un troisième existe dans la même section de l'épître, en 6, 9-10). De tels catalogues ne sont pas absents de la littérature juive, notamment chez les Prophètes (par ex. Os 4, 1-2 ; Jr 7, 9) et les Sages (par ex. Pr 6, 16-19) ; Jésus lui-même en a fait usage (Mc 7, 21-22 et par.). Ils existent aussi dans la littérature stoïcienne, où figurent des listes de vertus cardinales et de vices. Paul, héritier de ces deux cultures, en fait une grande utilisation, la plus longue liste se trouvant en Rm 1, 29-31. Avec les vv. 12-13, on arrive à la conclusion de la péricope ; le verbe « juger » (*krinô*), déjà employé au v. 3, s'y trouve maintenant utilisé trois fois. Deux questions rhétoriques constituent le v. 12. La première concerne un « je » qui peut être à la fois Paul et les Corinthiens : il ne revient ni à Paul ni aux fidèles de juger les personnes n'appartenant pas l'Église ; cela relève du jugement eschatologique divin que présidera le Christ (v. 13a). La seconde concerne un « vous » désignant les fidèles de Corinthe : c'est à eux qu'il revient de juger maintenant – au sens judiciaire qui ne se confond pas avec le jugement ultime – les membres de l'Église, en sorte d'en faire sortir le ver qui pourrait s'être infiltré dans le fruit. L'opposition dedans/ dehors fonctionne à plein. La péricope se termine par une citation de Dt 17, 7 : un impératif catégorique qui n'est pas introduit par une formule courante de citation, mais où l'emprunt à l'Écriture est parfaitement repérable. Cette citation conduit à regarder de plus près le lien existant entre la péricope paulinienne et le Deutéronome (Tuckett). Les consignes données par Paul en 5, 1-13 peuvent être rapprochées de celles que Moïse énonce au peuple juif en Dt 17, dans le cadre plus général du cinquième livre de la Tora, où le législateur demande aux Hébreux de ne pas laisser l'idolâtrie infiltrer leur peuple. En Dt 17, 2-17, Moïse ordonnait au peuple d'exclure l'homme ou la femme qui pratiquerait l'idolâtrie, idolâtrie que la tradition biblique désigne métaphoriquement comme une prostitution (ainsi Osée). Dans le Deutéronome, supprimer l'idolâtre consiste même en une lapidation (Dt 17, 5). Paul exclut totalement cela, mais il réclame une pureté de l'Église qui, si elle se laisse contaminer par le paganisme et ses pratiques, perdra jusqu'à son identité.

NOTES

1

L'adverbe qui ouvre le verset, ὅλως, signifie « complètement » ou « en général » ; il n'a pas le sens spatial de « partout » qui se dirait plutôt πανταχοῦ. Paul insiste plus sur le fait que l'Église de Corinthe a une réputation globale de débauche, que sur l'étendue de cette réputation. Dans l'ensemble du corpus paulinien, on trouve six fois le substantif πορνεία, dont cinq en 1 Co 5-7. Au sens strict il signifie « prostitution », mais il a souvent pris un sens plus large ; dans le judaïsme hellénistique, il désigne toute activité sexuelle hors mariage, notamment l'adultère (μοιχεία) et l'homosexualité (ἀρσενομιξία, ἀρσενοφθορία) pour lesquels existent des termes grecs plus précis. Un débat existe sur le fait de savoir si le coït d'un homme libre avec l'une de ses esclaves, pratique extrêmement courante dans l'Antiquité gréco-romaine (Glancy, « Obstacles »), était, en milieu juif et chrétien, qualifié de πορνεία (Harper) ou non (Glancy, « Sexual »). La « femme du père » est une expression biblique pour désigner la belle-mère ; un mot grec existe pourtant pour désigner celle-ci au double sens qu'il a en français (mère de la femme, ou femme du père) : μητρυία. S'unir sexuellement à la femme de son père, y compris après le décès de celui-ci, était interdit par la loi juive (Lv 18, 18 ; 20, 11 ; Dt 23, 1 ; 27, 20) ; ce l'était aussi par la loi romaine (Caius, *Institutiones* 1, 63) ; le judaïsme rabbinique en fait même une faute passible de lapidation (MKer 1, 1 ; MSanh 7, 4). L'infinitif présent ἔχειν permet de savoir que la situation d'inceste ici dénoncée par Paul est durable.

2

L'orgueil que les destinataires tirent de cet inceste est exprimé par le verbe φυσιόω (au participe parfait passif) déjà utilisé en 4, 6.18.19 ; cet emploi souligne la continuité entre le chapitre 5 et les chapitres 1-4. Le lien logique entre « prendre le deuil » (verbe πενθέω) – ce qu'auraient dû faire les Corinthiens – et sa conséquence d'exclure l'incestueux (v. 2b) est peu clair ; ce qui conduit certains grammairiens à couper la phrase exclamative à la fin du v. 2a et à faire de la tournure ἵνα + subjonctif qui introduit le v. 2b l'équivalent d'un impératif (BDR, §§ 389 et 387.1 ; GB, § 415). L'exclusion de celui qui commettait des fautes graves, lorsqu'il persistait, était pratiquée par toutes les sociétés antiques. Le droit romain punissait certaines actions de bannissement (latin *relegatio*), notamment l'adultère qui relevait du droit criminel et non de la loi civile ; cela pouvait aller jusqu'à la spoliation des biens (Winter, *After*, 44-57). Des procédures d'exclusion existaient à Qumrân ; elles sont même longuement décrites dans les textes (1QS 6, 24 – 7, 18). Et la communauté matthéenne s'en fait également l'écho en Mt 18, 15-17.

3-5

La construction de ces trois versets présente plusieurs anomalies et difficultés de construction : le v. 4 n'a pas de verbe principal et se réduit à un génitif absolu encadré de deux locutions circonstancielles : « au nom de notre Seigneur Jésus », et « avec la force du Seigneur Jésus ». De quoi dépend alors l'infinitif παραδοῦναι au v. 5 ? Et à quoi se rattachent les locutions circonstancielles encadrant le génitif absolu ? À ce qui précède ou à ce qui suit ? Plusieurs solutions ont été imaginées (pour un inventaire détaillé, voir Thiselton*). 1° Faire dépendre παραδοῦναι (v. 5) du parfait κέκρικα (v. 3) est possible, mais cela implique deux accusatifs compléments d'objet de κέκρικα : « J'ai jugé celui qui... (v. 3) et (j'ai jugé) qu'il faut livrer (v.5)... » – 2° Faire de παραδοῦναι (v. 5) un infinitif final dépendant du participe συναχθέντων (v. 4) est l'interprétation qui a été retenue par la traduction sahidique (Blumenthal) : « ... vous étant rassemblés... pour livrer... » (voir note textuelle ʰ). – 3° Accepter une rupture dans la construction, l'infinitif παραδοῦναι exprimant une chose à faire sans qu'il soit pour autant relié à un verbe principal ; c'est la solution que nous retenons. Quant aux deux locutions circonstancielles du v. 4, elles peuvent toutes les deux se rapporter au génitif absolu συναχθέντων qu'elles encadrent. Les deux sujets de ce génitif sont les Corinthiens et l'esprit de Paul. Paul emploie pour lui-même les catégories humaines de corps (1ᵉʳ emploi de σῶμα en 1 Co) et d'esprit (malgré Fee* et Thiselton*, pour lesquels l'emploi de πνεῦμα au v. 3 renvoie à l'Esprit divin). Le Seigneur est présent par sa puissance (δύναμις) mais ne prend pas part au jugement.

6-8

Le terme καύχημα a été précédemment employé en 1, 29. 31 ; 2, 21 ; 4, 7. La formule rhétorique de questionnement « ne savez-vous pas que » introduit une sentence proverbiale que l'on retrouve mot pour mot en forme affirmative en Ga 5, 9. L'utilisation de l'image du levain est possible en raison de la connotation négative du levain (ζύμη) dans le monde juif. En dépit d'une image positive dans une parabole évangélique (Mt 13, 33 ; Lc 13, 20-21), cette connotation négative a été maintenue dans le NT (Mt 16, 6. 11 ; Mc 8, 15 ; Lc 12, 1). En revanche, ce qui est azyme (ἄζυμος) est porteur d'une connotation positive, car il évoque spontanément la fête juive de la Pâque. Le terme ἄζυμος est un adjectif ; Paul l'emploie cependant comme un substantif désignant des personnes au v. 7a, ce que confirme l'expression que l'on trouve au v. 8b : « des azymes de pureté et de vérité ». La Pâque (en grec τὸ πάσχα) désigne au départ la fête. Par métonymie, déjà dans la LXX, le substantif peut désigner l'agneau pascal, ainsi en Exᴸˣˣ 12, 21 et en Dtᴸˣˣ 16, 5, où les Israélites sont invités à « immoler la Pâque » (τὸ πάσχα θύειν). C'est la première fois dans la littérature chrétienne que l'on trouve l'image de l'agneau pascal appliquée à Jésus crucifié (πάσχα n'est d'ailleurs employé qu'ici dans le corpus paulinien) ; pourtant, Paul n'en est sans doute pas le créateur ; il est vraisemblable qu'il la reprend à une tradition chrétienne haute, relisant la Pâque du Christ à la lumière de l'Exode (Alumkal). Χριστός, apposition à τὸ πάσχα, est renvoyé la fin du v. 7 : la construction est curieuse, mais elle met en valeur ce terme Χριστός dont c'est le seul emploi dans la péricope.

9-11

Au v. 9 et au v. 11, Paul utilise deux fois le même aoriste grec : ἔγραψα (je vous écrivis). Quel est le statut de ces aoristes ? Pour celui du v. 9, il n'y a pas d'ambiguïté : il se réfère à l'écriture passée de la lettre que Paul a envoyée précédemment. Pour celui du v. 11, du fait qu'il est précédé de νῦν δέ, il est parfois interprété comme un aoriste épistolaire se référant au moment où la présente lettre est écrite, moment qui sera déjà passé lorsque les destinataires la recevront. On pourrait alors traduire : « Mais maintenant je vous écris » (Barrett* ; Fitzmyer*). Il est vrai que, en Rm 3, 21, une expression proche, νυνὶ δέ, est la plupart du temps comprise comme opposant une situation présente à une situation antérieure ; mais la formulation en Rm (νυνί au lieu de νῦν) n'est pas tout à fait la même ; en outre, elle est suivie d'un verbe au parfait et non pas à l'aoriste. Il est peu vraisemblable que, à quelques lignes d'intervalle, le même terme ἔγραψα se réfère à deux moments différents. Nous retenons que l'un et l'autre se réfèrent à l'écriture de la lettre précédente. Quatre adjectifs sont utilisés dans le premier catalogue de pécheurs au v. 9 : πόρνος (débauché), πλεο-νέκτης (cupide), ἅρπαξ (rapace), εἰδολολάτρης (idolâtre). Ils sont tous repris dans celle du v. 11, où leur nombre est porté à six ; sont ajoutés λοίδορος (insulteur) et μέθυσος (ivrogne). Cinq d'entre eux sont en rapport avec les péchés dénoncés dans le Deutéronome : la débauche en Dt 22, 21-24 ; l'idolâtrie en Dt 17, 17 ; la rapacité en Dt 24, 7 ; l'insulte et la calomnie en Dt 19, 19 ; l'ivrognerie en Dt 21, 21 (Rosner, *Scripture*).

12-13

L'opposition entre ceux de l'intérieur (οἱ ἔσω) et ceux de l'extérieur (οἱ ἔξω) couvre les deux versets ; elle reprend l'opposition entre « parmi vous » (ἐν ὑμῖν) et « parmi les nations » (ἐν τοῖς ἔθνεσιν) du v. 1. La citation finale de Dt[LXX] 17, 7 n'est pas introduite, mais elle est clairement identifiable, notamment par le fait qu'elle utilise un vocabulaire très peu paulinien : l'adjectif πονηρός (mauvais) est rare dans les *homologoumena* (en plus d'ici, on ne le trouve qu'en Rm 12, 9 ; Ga 1, 4 ; 1 Th 5, 22) ; le verbe ἐξαίρω est un hapax NT. Paul reprend littéralement le texte LXX du Dt en remplaçant seulement « tu ôteras » (ἐξαρεῖς) par « ôtez » (ἐξάρατε), pour donner une dimension plus collective à l'ordre par lequel se conclut la péricope. On notera que le texte hébreu écrit « le mal » (sens abstrait), et non pas « le mauvais » (le masculin désigne clairement une personne).

Éviter les procès entre frères et toute déviance
(6, 1-11)

TRADUCTION

6, 1 L'un de vous[a], ayant une affaire avec l'autre, ose-t-il intenter un procès devant les injustes et non pas devant les saints ? 2 Ou bien[b] ne savez-vous pas que les saints jugeront[c] le monde ? Et si c'est par vous que le monde est jugé, seriez-vous indignes de (prendre des) décisions de justice très minimes ? 3 Ne savez-vous pas que nous jugerons les anges, et plus encore les choses de la vie courante ? 4 Ainsi donc, si vous avez (à prendre) des décisions de justice pour les choses de la vie courante, vous faites siéger ces gens dont il n'est fait aucun cas dans l'Église ! 5 Je le dis pour vous faire honte. Ainsi, parmi vous, n'y a-t-il[d] aucun sage[e] qui pourrait décider impar-tialement avec son frère[f] ? 6 Mais un frère va en justice contre son frère, et cela devant des non-croyants ! 7 Déjà, pour tout dire[g], c'est une déchéance pour vous d'avoir des procès[h] entre vous. Pourquoi ne subissez-vous pas plutôt l'injustice ? Pourquoi ne vous laissez-vous pas plutôt dépouiller ? 8 Mais vous, vous commettez l'injustice et vous dépouillez, et cela[i] envers des frères ! 9 Ou bien ne savez-vous pas que les injustes n'hériteront pas du

Royaume de Dieu ? Ne vous y trompez pas. Ni débauchés, ni idolâtres, ni adultères, ni pédérastes, ni sodomites, 10 ni voleurs, ni cupides, ni ivrognes, ni insulteurs, ni rapaces n'hériteront[j] du Royaume de Dieu. 11 Cela, quelques-uns d'entre vous l'étiez. Mais vous avez été lavés, mais vous avez été sanctifiés, mais vous avez été justifiés dans le nom du Seigneur Jésus Christ[k] et dans l'Esprit de notre Dieu.

[a] Au lieu de τολμᾷ τις ὑμῶν, quelques mss portent τολμᾷ τις ἐξ ὑμῶν (A P 33. 104. 365. 1881* al). Il s'agit d'une explicitation secondaire.

[b] Dans la majorité des mss, la phrase commence par ἢ οὐκ οἴδατε. Quelques mss omettent la conjonction ἤ (D² L. 6. 614. 629. 1241ˢ pm ; Cyprien) ; la présence de la conjonction ἤ (ou bien) en début d'une phrase interrogative (le v. 2) conduit à lire également le v. 1 comme une phrase interrogative. La suppression de la conjonction, secondaire, transforme le v. 1 en affirmation.

[c] Les onciaux sans accents (p⁴⁶ א A C D F G P) portent ΚΡΙΝΟΥΣΙΝ qui peut être un futur (κρινοῦσιν) ou un présent (κρίνουσιν). Le futur est la lecture la plus courante. Quelques mss portent explicitement le présent κρίνουσιν (B² 81. 1175. 1241ˢ. 1505. 1881. 2464). Le futur est la meilleure lecture, le jugement étant eschatologique.

[d] L'expression οὐκ ἔνι (n'y a-t-il pas ?), contraction de οὐκ ἔνεστι, est remplacée dans certains mss par l'expression plus courante οὐκ ἔστιν (p¹¹ D F G 6. 104. 365. 630. 1179. 1881 al) ; ce remplacement est secondaire.

[e] La leçon οὐδεὶς σοφός est attestée par les principaux mss (p⁴⁶ א B C Ψ 33 pc). On trouve la graphie οὐδὲ εἷς σοφός en F G P 1739 pc. L'ordre des mots est inversé en D² L Byz : σοφὸς οὐδὲ εἷς. L'inversion, peu attestée, renforce le questionnement : « N'y a-t-il pas de sage, pas même un seul ? »

[f] La formulation de la fin du verset est tellement elliptique qu'elle est presque incompréhensible : ἀνὰ μέσον τοῦ ἀδελφοῦ αὐτοῦ : « au milieu de son frère. » La formulation correcte complète serait ἀνὰ μέσον ἀδελφοῦ καὶ ἀδελφοῦ αὐτοῦ : « au milieu de (= entre) un frère et son frère. » Il existe plusieurs tournures analogues à cette formule complète dans la LXX (Gnᴸˣˣ 32, 17 ; Ezᴸˣˣ 18, 8). On pourrait penser que ἀδελφοῦ καί a disparu du texte par haplographie, mais l'attestation de la formule complète est très faible. Quelques versions traduisent comme si le grec portait la formulation complète (f g vgᵐˢˢ syᵖ boᵐˢ). Il est difficile de dire si l'explicitation s'est faite au niveau des copistes grecs ou au niveau des traducteurs (Kloha).

[g] La conjonction οὖν est attestée par א² A B C D¹ Ψ Byz syᵖ·ʰ**. Le sens courant, « donc », indiquant une conséquence, ne convient pas ; il faut lui donner un sens récapitulatif : « pour tout dire ». Certains mss l'omettent : p⁴⁶ א* D* 6. 33. 630. 1505. 1739. 1881 pc. C'est sans doute une suppression secondaire, pour éviter un sens difficile.

[h] Au lieu du pluriel κρίματα certains mss portent le singulier κρίμα (א 629. 1241ˢ. 1881 pc syᵖ) : leçon moins bien attestée, secondaire.

[i] Au lieu du neutre singulier τοῦτο, certains mss portent le neutre pluriel ταῦτα (Byz syʰ) ; variante secondaire.

[j] Quelques mss ajoutent οὐ devant κληρονομήσουσιν (1739ᶜ. 1881 Byz syᵖ). Cette double négation, secondaire, ne modifie pas le sens.

k Plusieurs leçons existent pour les titres attribués à Jésus : 1° Celle retenue pour la présente traduction : τοῦ κυρίου Ἰησοῦ Χριστοῦ (p[11vid] p[46] D* pc ; Irénée[lat] Tertullien Cyprien Ambrosiaster). – 2° Une leçon plus brève : τοῦ κυρίου Ἰησοῦ (A D[2] Ψ Byz sa). – 3° Une leçon plus longue : τοῦ κυρίου ἡμῶν Ἰησοῦ Χριστοῦ (B C[vid] P 33. 81. 104. 365. 629. 630. 1739. 1881. 2464 al lat sy[p.h**] ; Épiphane). On retient la leçon 1. La leçon 2 peut résulter de l'omission du terme Χριστοῦ par haplographie de la graphie abrégée : KYIYXY. La leçon 3 peut avoir été influencée par la fin du verset : τοῦ θεοῦ ἡμῶν.

BIBLIOGRAPHIE

B. EDSALL, « When Cicero and St Paul Agree : Intragroup Litigation among the *Luperci* and the Corinthian Believers », *JThS* 64, 2013, 25-36. – H. GIESEN, « Sorge des Apostels um Heiligkeit und Einheit der Gemeinde. Paulus zu Streitigkeiten unter Christen in Korinth (1 Kor 6, 1-11) », *StudNTUmwelt* 38, 2013, 23-71. – N.K. GUPTA, « "But you Were Acquitted..." : 1 Corinthians 6. 11 and Justification and Jugement in Its Socio-Literary and Theological Context », *IBSt* 27, 2008, 90-111. – P.M. HOSKINS, « The Use of Biblical and Extrabiblical Parallels in the Interpretation of First Corinthians 6 : 2-3 », *CBQ* 63, 2001, 287-297. – B. KINMAN, « "Appoint the Despised as Judges !" (1 Corinthians 6 : 4) »*TynB* 48, 1997, 345-354. – J. KLOHA, « 1 Co 6 : 5 : A Proposal », *NT* 46, 2004, 132-142. – S. KOCH, « Die Sentenz "Besser unrecht meiden als unrecht tun" und ihre Funktion in 1 Kor 6 », in *Paul's Greco-Roman Context*, C. BREYTENBACH (ed.), Leuven 2015, 387-400. – R.A. LÓPEZ, « Does the Vice List in 1 Corinthians 6 : 9-10 Describe Believers or Unbelievers ? », *BS* 164, 2007, 59-73. – A.C. MITCHELL, « Rich and Poor in the Courts of Corinth : Litigiousness and Status in 1 Corinthians 6. 1-11 », *NTS* 39, 1993, 562-586. – D. NEUFELD, « Acts of Admonition and Rebuke : A Speech Act Approach to 1 Corinthians 6 : 1-11 », *BibInt* 8, 2000, 375-399. – M. PEPPARD, « Brother against Brother. *Controversiae* about Inheritance Disputes and 1 Corinthians 6 : 1-11 », *JBL* 133, 2014, 179-192. – B.S. ROSNER, « Moses Appointing Judges. An Antecedent to 1 Cor 6, 1-6 ? », *ZNTW* 82, 1991, 275-278. – G. SHILLINGTON, « People of God in the Courts of the World : A Study of 1 Corinthians 6 : 1-11 », *Direction* 15, 1986, 40-50. – A. STEIN, « Wo trugen die korintischen Christen ihre Rechtshändel aus ? », *ZNTW* 59, 1968, 86-90. – B.W. WINTER, « Civil Litigation in Secular Corinth and the Church, The Forensic Background to 1 Corinthians 6, 1-8 », *NTS* 37, 1991, 559-572.

INTERPRÉTATION

Sans transition avec ce qui précède, Paul passe à un autre reproche à propos d'une situation de l'Église de Corinthe dont il a été informé par un canal que l'on ignore : des fidèles intentent des actions judiciaires contre d'autres fidèles, et ils le font devant des « injustes » (v. 1), c'est-à-dire vraisemblablement des tribunaux païens. Paul réagit en deux temps. Dans un premier temps (vv. 1-6), il conteste cette pratique en mettant en avant la compétence judiciaire de ceux qu'il appelle « les saints » (v. 1), c'est-à-dire les membres de l'Église de Corinthe, et l'incompétence des « non-croyants »

(v. 6). Mais il ne se contente pas de cette réserve. À partir du v. 7, c'est l'existence même de procès entre les membres de l'Église qu'il met en cause : mieux vaut se laisser dépouiller que se défendre (vv. 7-8). Et, prenant ses distances par rapport à la question des procès, il poursuit sur le ton de la menace envers tous les pécheurs que leur situation exclut du Royaume de Dieu (vv. 9-10), avant de conclure de façon plus positive (v. 11), puisque les chrétiens n'appartiennent théoriquement plus aux catégories de pécheurs qu'il vient de nommer. Deux unités peuvent ainsi être dégagées dans la péricope, la séparation se faisant entre le v. 8 et le v. 9 (Giesen).

Comme souvent, pour convaincre, Paul lance à ses destinataires des questions rhétoriques ; les principales sont ici introduites par la formule stéréotypée « ne savez-vous pas que... » (vv. 2.3.9), qu'il a déjà employée précédemment (3, 16 ; 5, 5) et qu'il emploiera à nouveau, plus avant dans l'épître (6, 15.16.19 ; 9, 13.24) ; elles sont caractéristiques d'une rhétorique délibérative, l'auteur faisant appel à ce que ses destinataires sont censés savoir, y compris si cela ne leur pas déjà été enseigné ! Le ton est polémique, ce qui fait se poser la question de savoir si l'autorité de Paul vis-à-vis de ses destinataires est bien établie ou si, au contraire, l'Apôtre a conscience qu'il doit la reconquérir (Neufeld). Au plan des contenus, on peut noter que l'argumentation fait plusieurs fois appel à des réalités eschatologiques : les « saints » qui jugeront le monde (v. 2) et les anges (v.3), ce qui les rend d'autant plus aptes à prononcer des jugements dès cette vie sur des questions de faible importance ; et la promesse du Royaume de Dieu dont les injustes n'hériteront pas (vv. 9-10).

VV. 1-8 – Il est clair que la situation dénoncée par Paul concerne les procès que les chrétiens se font entre eux. Le vocabulaire judiciaire abonde (termes de la racine *krin-* aux vv. 1.2.3.4.5.6.7). Le v. 1, formulé de façon interrogative, ne pose pas une question mais dénonce une situation. Des inconnues demeurent sur l'étendue du phénomène dénoncé : s'agit-il d'un cas unique, comme celui de l'inceste dénoncé en 5, 1-13, ou est-ce une pratique plus largement répandue ? Les termes employés ne permettent pas connaître l'ampleur du scandale, mais il est vraisemblable que plusieurs cas au moins existaient. De toute façon, dès le v. 2, Paul s'adresse à toute l'Église locale, qui a tort de tolérer que certains de ses membres s'adressent aux tribunaux païens pour régler des affaires entre membres du groupe. Des inconnues demeurent également sur la nature desdites affaires. Si l'on se réfère à ce qui est écrit au v. 7 où les destinataires sont invités à se laisser dépouiller, ainsi qu'à la liste de pécheurs figurant aux vv. 9-10, on peut supposer que l'objet des litiges porte principalement sur des questions de finances, de propriété mobilière ou immobilière, ou encore sur des questions de relations intrafamiliales (Shillington), voire, de façon plus précise, d'héritages (Peppard). Les mises en garde figurant en Dt 17, 17 à propos des rois, qui doivent éviter les excès dans le domaine de la vie sexuelle et de l'argent, sont peut-être sous-jacentes à l'énumération des vv. 9-10 ; on ne saurait pourtant en déduire que les procès dénoncés au v. 1 ont ces seules questions pour objet. L'Antiquité gréco-romaine était devenue très procédurière à l'époque impériale, les plaignants se traînaient volontiers et à tout propos devant les magistrats siégeant au *bèma* de la cité ; il semble que les membres de l'Église continuaient de faire comme ils avaient toujours fait, leur adhésion à la foi chrétienne n'ayant en rien changé leurs habitudes. Mais Paul ne l'entend pas de cette oreille. La raison de sa réserve telle qu'il l'exprime est l'incompétence des juges païens pour juger entre des personnes sorties du paganisme ; une autre raison peut aussi avoir existé, à savoir que la justice rendue dans les cités grecques pouvait favoriser les notables, les magistrats n'étant pas forcément exempts de toute corruption (Mitchell ; Winter). Ce n'est peut-être pas sans motif que Paul les appelle « les injustes » (v. 1) même si, ensuite, il corrige sa formulation en les appelant simplement « les non-croyants » (v. 6). Le premier argument avancé par Paul pour exprimer la compétence des chrétiens en termes de jugement repose sur un raisonnement eschatologique a fortiori exprimé au v. 2 et repris au v. 3 : « Les saints (= les chrétiens) jugeront le monde. » Le terme « monde » est certainement global, il désigne le monde terrestre et le monde céleste des anges et démons, comme le précise le v. 3. Si une telle charge leur est confiée aux derniers temps, ils sont évidemment qualifiés pour juger des choses de la vie actuelle et courante (*biôtika*). Cette affirmation n'est pas contradictoire avec 5, 12 où Paul se déclarait non qualifié pour porter un jugement (en 5, 12 il s'agit d'un jugement actuel ; en 6, 2 il s'agit du jugement eschatologique). Le v. 4 reprend l'idée que les différends entre chrétiens sont des affaires internes à l'Église ; ils n'ont pas à être réglés devant des personnes qui ne lui appartiennent pas. Au v. 5, Paul introduit le motif de la honte, une réalité à laquelle les personnes étaient très sensibles dans la société gréco-romaine ; c'est une façon de reprendre en termes d'accusation le scandale qu'il éprouve devant la conduite des fidèles de Corinthe, qu'il a exprimé au v. 1. Le ton est plus sévère que dans les quatre premiers chapitres de l'épître où, justement, l'Apôtre écrivait qu'il ne voulait pas faire honte à ses destinataires (4, 14). Et il prolonge cette affirmation sur la honte par une question rhétorique ironique sur l'absence de sages à Corinthe. Là encore, la différence avec ce qu'il écrivait dans les chapitres 1 à 4 est patente ; il y affirmait qu'il n'y avait pas de sages parmi eux et que, pour cette raison, il devait utiliser un langage adapté (1, 20.26 ; 3, 18) ; et maintenant il leur reproche de ne pas être capables d'en trouver ! Sans doute faut-il distinguer entre « sage » et « sage ». Dans les quatre premiers chapitres, le motif de la sagesse concerne un certain type d'érudition savante qui ferait obstacle à la réception du message de la croix. Le terme est ici plus anodin : pour juger correctement, il suffit d'avoir de l'honnêteté et du bon sens. Peut-être Paul s'inspire-t-il de ce que Moïse avait fait au désert pour l'assister dans son rôle d'arbitre auprès des Hébreux (Rosner) : il avait institué des juges (Ex 18, 13-26 ; Dt 1, 9-17). Le rapprochement peut d'ailleurs être fait avec ce que Paul écrivait en 5, 4-5, où les

Corinthiens étaient invités à constituer en leur sein une sorte de cour de justice en vue de prononcer l'excommunication de l'incestueux qui faisait du tort à toute l'Église. Le v. 6 reprend le contenu du v. 1 à la troisième personne du singulier, en forme de constatation désolée : la répétition du terme « frère » dramatise le propos. En se faisant des procès devant les tribunaux païens, les Corinthiens créent un double dommage : ils se font du tort à eux-mêmes en tant qu'Église ayant à se comprendre comme peuple de Dieu eschatologique ; ils donnent un contre-témoignage devant les païens (ce que souligne la préposition *epi* qui commande au v. 6 l'adjectif substantivé « non-croyants »). Ceux à qui ils font appel pour régler leurs procès pourraient devenir ceux qui les jugent, non pas en tant qu'individus, mais en tant que groupe indigne de ce qu'il prétend être. À partir du v. 7, le propos paulinien se radicalise. Non seulement les procès devant les païens sont condamnables, mais tous les procès entre frères le sont, quelle que soit l'instance devant laquelle ils sont tenus, car ils ne correspondent pas à un comportement juste devant Dieu. Le vocabulaire n'est plus tant celui du jugement que celui de la justice ou de la justesse (mots de la racine *dik-* aux vv. 7.8.9.11). Un siècle avant Paul, Cicéron stigmatisait déjà les litiges internes à un groupe, au nom de l'urbanité nécessaire entre ses membres (*Pro Caelio* 11, 26) (Edsall). Depuis Platon, les philosophes grecs estiment que la position de celui qui subit l'injustice est plus noble que celle de celui qui la commet (Platon, *Gorgias* 509c ; Épictète, *Entretiens* 4, 5, 10 ; Marc-Aurèle, *Pensées* 2, 1), et Philon d'Alexandrie pense la même chose (*De Iosepho* 4, 20) (Koch). Il se peut que Paul s'inspire de ce courant ; mais on ne peut exclure de sa source d'inspiration le *logion* sur l'amour des ennemis prononcé par Jésus et rapporté dans le Sermon sur la Montagne (Mt 5, 39-42 ; cf. aussi 1 P 2, 23). C'est en forme de question qu'il lance à ses destinataires cette invitation à subir l'injustice et à se laisser dépouiller ; elle est cohérente avec ce qu'il écrit dans la suite de l'épître lorsque, à propos des idolothytes, il invite ses destinataires à renoncer à leurs droits (8, 1 – 11, 1), plus précisément lorsqu'il se propose comme exemple de personne ayant su le faire (9, 19-23). Et, de façon analogue au v. 6 où Paul faisait un constat désabusé, il en fait un autre au v. 8 : vraiment, les frères en Christ que sont les croyants ne se comportent pas comme des frères !

VV. 9-11 – Aux vv. 9-10, le réquisitoire contre les injustes (*adikoi*) se radicalise. À qui s'applique ce terme ? Au v. 1, il désignait les juges païens ; mais le contexte a changé. La parenté de vocabulaire entre l'adjectif « injustes » (*adikoi*) et le verbe « vous commettez l'injustice » (*adikeite*) employé au v. 8 pourrait faire penser que Paul vise les membres pécheurs de l'Église, dont une nouvelle liste (10 termes) figure ensuite ; mais le v. 11a laisse entendre que les chrétiens sont sortis de cet univers de péché ; il est alors sans doute meilleur de penser que Paul décrit la situation tragique de non-chrétiens, et qu'il l'utilise comme repoussoir pour exhorter les croyants à mener une vie bonne (López). Quoi qu'il en soit, le ton se fait menaçant, marqué par un impératif négatif qui évoque la diatribe : « Ne vous y trompez pas. » Ceux qui se laissent aller au péché, quels qu'ils soient, chrétiens ou non, risquent d'être exclus du Royaume de Dieu aux temps eschatologiques. Le v. 11 conclut la péricope sur une note plus optimiste : les chrétiens ne font normalement plus partie des pécheurs nommés dans la liste précédente, car ils sont dans une situation nouvelle marquée par trois aoristes : ils ont été « lavés, sanctifiés, justifiés ». Ces aoristes ont, semble-t-il, un double référentiel dans le passé, lié à l'action du Christ et à celle de l'Esprit : ils désignent un événement survenu dans l'histoire des personnes lorsqu'elles sont devenues croyantes ; mais ils se réfèrent également à l'histoire du salut marquée par la mort et la résurrection du Christ, qui a fait entrer le monde dans l'ère de l'Esprit. L'Église se doit de vivre comme la nouvelle famille qu'elle est, composée de frères (4 emplois du terme dans la péricope), soumise à Dieu, et dont les membres sont tous héritiers de l'Esprit (Peppard). Paul corrige la tonalité menaçante qu'il vient de donner à son propos. Le v. 11 joue alors une double fonction : celle de faire retrouver à ses destinataires une certaine sérénité après les avoir sévèrement tancés ; et celle de leur faire remarquer que le monde du péché n'est plus le leur. En conséquence de quoi le péché qu'ils commettent en s'adressant aux tribunaux païens pour régler leurs différends n'a plus de raison d'être. Leur univers n'est normalement plus celui du péché. On est là au cœur de l'éthique paulinienne : la foi crée des conditions nouvelles dont le péché ne fait plus partie. Les consignes éthiques ont pour fondement principal cet impératif : « Devenez ce que vous êtes. »

NOTES

1
Au vu de l'estime que Paul exprime en Rm 13 à l'égard des pouvoirs civils romains, l'hypothèse a été émise que les ἄδικοι désignaient ici des Juifs non chrétiens (Stein) ; il semble plutôt que Paul est influencé par l'habitude juive de régler ses conflits entre Juifs ; les synagogues hellénistiques avaient leur propre juridiction. Voir aussi dans le rabbinisme les propos attribués à Rabbi Eléazar ben Azaria (MekExode 21, 1) et à Rabbi Tarfon (TBGit 88b). Le verbe « oser » (τολμάω) a un sens fort ; il exprime le profond scandale qu'éprouve l'Apôtre devant la situation qu'il dénonce. Son sujet est singulier, τις ὑμῶν, mais suffisamment indéfini pour rendre possible qu'il ne s'agit pas d'un cas unique.

2
La tradition juive attribue déjà une fonction de jugement aux « saints du Très Haut » (Dn^{LXX} 7, 22). La même idée est reprise en Sg 3, 7-8 et dans plusieurs écrits du judaïsme ancien (1 Hén 1, 9 ; 90, 20-27 ; 95, 3), notamment à Qumrân (1QpHab 5, 4). Le NT s'en fait l'écho dans plusieurs passages, dont le plus significatif est Mt 19, 28 et son parallèle Lc 22, 30. Voir aussi Rm 5, 17 ; 2 Tm 2, 12 ; Ap 2, 26-27 ; 3, 21 (Hoskins). L'affirmation de Paul que cette fonction sera jouée aux temps eschatologiques par tous les croyants est cependant plus large que dans ces parallèles. Une difficulté existe concernant le terme traduit par « décision de justice » (κριτήριον)

employé ici et au v. 4. En grec classique, κριτήριον se réfère à la faculté de porter des jugements sur les personnes ou les situations ; et, dans le vocabulaire judiciaire, le terme désigne une personne individuelle ou collective, à savoir le juge ou le tribunal. Retenir cette dernière acception conduirait à proposer des traductions alambiquées : «... seriez-vous indignes de (former) des tribunaux de très faible importance ? » (v. 2) ; « Si vous avez (besoin) de tribunaux pour les affaires de la vie courante... » (v. 4). Or, des textes du judaïsme ancien légèrement postérieurs aux écrits pauliniens emploient le substantif κριτήριον avec d'autres significations : le processus ou la décision judiciaire ; ou encore le dossier utilisé lors d'un procès : Test Abr 9, 23 ; 10, 2 ; 12, 1 ; Ap Esd 2, 30 ; 5, 26 (Zeller*). Ces sens pouvaient déjà exister au temps de saint Paul ; l'hypothèse que Paul parle ici des décisions judiciaires – et non pas des tribunaux – n'est pas sans fondement.

3

Le fait que Satan et ses anges seront jugés aux temps eschatologiques est communément affirmé dans le NT (Jude 6 ; 2 P 2, 4) ; il est repris de la tradition juive telle qu'elle s'exprime à Qumrân (4QEnoch^c 1, VI, 14-15 ; 4QEnoch^g 1, IV, 22-23) et en 1 Hén 67-69.

4-6

Les juges païens sont désignés ici comme ἐξουθενημένοι dans l'Église ; traduire le terme par « méprisés », ce qui est possible, ferait porter l'insistance sur le fait que ces juges étaient souvent vénaux (Mitchell). L'accent ne semble pourtant pas celui-là ; Paul affirme plutôt qu'ils n'ont aucun rôle à jouer dans ladite Église. Le terme καθίζητε qui clôt le verset peut être un indicatif (ton de reproche) ou un impératif (ton ironique) : « Faites donc siéger ces gens... » La tonalité générale étant celle du reproche et l'ironie étant absente du passage, l'indicatif semble meilleur (malgré Clarke, *Secular*, 69-71 ; et Kinman). Sur la formulation de la fin du v. 5, voir la critique textuelle. Au v. 6, l'adjectif ἄπιστος (non-croyant) est employé pour la première fois en 1 Co et dans toute la littérature paulinienne ; comme c'est le cas ici, il peut être substantivé. Il sera beaucoup repris par la suite dans cette épître, notamment au chapitre 7 où la distinction entre « croyant » et « incroyant » est très présente pour les questions concernant le mariage (références 1 Co 7, 12.13.14[2x]. 15 ; 10, 27 ; 14, 22 [2x].23.24). Ἄπιστος désigne le non-chrétien, à la différence de τὰ ἔθνη qui désigne les non-juifs.

7-8

Au v. 7a, la conjonction οὖν n'a pas son sens consécutif courant, mais un sens récapitulatif ; elle reprend le contenu de ce qui vient d'être écrit pour le dépasser par le haut et émettre une idée nouvelle. Au v. 7b, les verbes ἀδικεῖσθε et ἀποστερεῖσθε peuvent être des formes moyennes ou passives (encore que le moyen ne soit pas attesté ailleurs pour ἀδικέω), mais le sens est le même.

9-10

L'expression « Royaume de Dieu » (βασιλεία τοῦ θεοῦ) figure au début du v. 9 et à la fin du v. 10. Elle est relativement rare dans le corpus paulinien. On ne trouve qu'une dizaine d'occurrences, dont quatre où elle est complément d'objet direct du verbe « hériter de, recevoir en héritage » (κληρονομέω) : 1 Co 6, 9.10 ; 15, 50 ; Ga 5, 21. La liste de vices figurant aux vv. 9-10 est la troisième dans l'ensemble des chapitres 5-6, après celle de 5, 9 (quatre vices) et celle de 5, 11 (six vices) ; elle comporte dix vices dont le premier (πόρνοι) et le dernier (ἅρπαγες) sont les mêmes qu'en 5, 11 ; tous ceux figurant dans la liste de 5, 11 sont repris dans un ordre légèrement différent, et quatre sont ajoutés, touchant les déviances sexuelles et le vol : μοιχοί (adultères), μαλακοί (pédérastes), ἀρσενοκοῖται (sodomites), κλέπται (voleurs). Pour la traduction de certains de ces termes, voir l'excursus (p. 138-140) : Paul et l'homosexualité.

11

Des trois aoristes employés pour désigner le changement essentiel intervenu chez les chrétiens du fait de leur accès à la foi et de leur entrée dans l'Église, les deux qui sont au passif, ἡγιάσθητε (vous avez été sanctifiés) et ἐδικαιώθητε (vous avez été justifiés), ne posent pas de difficulté particulière ; ces deux réalités se réfèrent à des événements ponctuels qui sont l'œuvre de Dieu ; les passifs sont des passifs théologiques. Ils ont marqué l'histoire de chaque chrétien lors de son accès à la foi et de son entrée dans la communauté croyante. À partir de là, les chrétiens peuvent être appelés οἱ ἅγιοι (les saints ; 6, 1), et ils ne font plus partie des injustes (ἄδικοι ; 6, 9). Plus complexe est la compréhension du verbe ἀπελούσασθε (vous avez été lavés), qui est un moyen à sens passif. À quoi renvoie-t-il ? On pense assez spontanément au rite d'eau qu'est le baptême (Barrett* ; Fitzmyer* ; Senft* ; D. Zeller*). Mais alors pourquoi Paul n'emploie-t-il pas le verbe « baptiser » (βαπτίζω) au passif, comme il le fait souvent (Rm 6, 3 [2x] ; 1 Co 1, 13.15 ; 12, 13 ; Ga 3, 27) ? L'emploi de l'expression ἐν τῷ ὀνόματι τοῦ κυρίου Ἰησοῦ Χριστοῦ après les trois verbes ne va pas dans le sens d'une interprétation baptismale de ἀπελούσασθε car, lorsque Paul se réfère au nom de Jésus à propos du baptême, il utilise la préposition εἰς + accusatif ou l'expression plus complète εἰς τὸ ὄνομα (Rm 6, 3 ; 1 Co 1, 13.15 ; Ga 3, 27). Par ailleurs, à la différence des Synoptiques et des Actes, Paul ne fait jamais explicitement le lien entre le baptême et le pardon des péchés. Il faut en conclure que le verbe ἀπελούσασθε renvoie à une sortie réelle de l'univers du péché sans allusion précise au rite baptismal (Fee* ; Gupta ; Héring* ; Quesnel, *Baptisés* 165-166).

Excursus : Paul et l'homosexualité

Bibliographie

C.C. CARAGOUNIS, « The Biblical Attitude to Homosexuality against its Ancient Background », *VoxEvang* 27, 1997, 27-44. – J.B. DE YOUNG, « The Source and NT Meaning of ἀρσενοκοῖται, with Implications for Christian Ethics and Ministry », *Master's Seminary Journal* [Sun Valley, CA], 3, 1992, 191-215. – J. EAPEN, « "Malakoi" Will not Inherit the Kingdom of God (1 Cor 6, 9) » *BibBhash* 31, 2005, 141-147. – J.-B. EDART, « Récentes herméneutiques bibliques sur l'homosexualité », *NT* 84, 2009, 449-465. – J.H. ELLIOTT, « No Kingdom of God for Softies ? Or, What Was Paul Really Saying ? 1 Corinthians 6 : 9-10 », *BTB* 34, 2004, 17-40. – W.L. PETERSON, « Can *arsenokoitai* be Translated by "Homosexuals" ? (I Cor. 6. 9 ; I Tim 1. 10) », *VigChrist* 40, 1986, 187-191. – C. RICHIE, « An Argument against the Use of the Word "Homosexual" in English Translations of the Bible », *HeythJourn* 51, 2010, 723-729. – D.L. TIEDE, « Will Idolaters, Sodomizers, or the Greedy Inherit the Kingdom of God ? A Pastoral Exposition of 1 Cor 6 : 9-10 », *WordWorld* 10, 1990, 147-155. – D.F. WRIGHT,

« Translating ΑΡΣΕΝΟΚΟΙΤΑΙ (1 Cor. 6 : 9 ; 1 Tim. 1 : 10) », *VigChrist* 41, 1987, 396-398.

En 1 Co 6, 9-10, Paul donne une liste de dix attitudes pécheresses pour lesquelles il affirme que ceux qui les pratiquent n'hériteront pas du Royaume de Dieu. Deux de ces termes ont rapport avec l'homosexualité : *malakos* et *arsenokoitès* (ce dernier également en 1 Tm 1, 10). Deux questions principales se posent : 1° Quel est le sens précis de ces deux termes ? – 2° En tenant compte du contexte historique et culturel dans lequel vit Paul, comment interpréter aujourd'hui cette stigmatisation ?

Malakos est un adjectif dont le sens propre est très concret ; il signifie « fraîchement labouré » pour un sol, ou « mou, moelleux, doux au toucher », pour un objet. Les sens figurés sont multiples : « doux, agréable, moelleux (y compris pour un vin) » ; d'où « facile, complaisant » ; et « mou, sans vigueur, efféminé » (Eapen). On le trouve deux autres fois dans le NT à propos de vêtements raffinés (Mt 11, 8 ; Lc 7, 25). Appliqué à un homme mâle, c'est en grec classique un terme péjoratif mettant l'accent sur son manque de virilité et son homosexualité. Denys d'Halicarnasse, par exemple, parle d'Aristodemus, tyran de Cumes, que les citoyens appelaient Malachus (*Antiquités romaines* 7, 2, 4). *Arsenokoitès* est beaucoup plus explicite, puisqu'il évoque le partage d'une même couche entre mâles. Lv^{LXX} 18, 22 et 20, 13 ne l'emploie pas, mais associe dans la même phrase les substantifs *arsèn* (mâle) et *koitè* (la couche), pour fustiger comme une abomination possible de mort le fait que deux hommes couchent ensemble (Wright). Le monde juif était, en cette matière, extrêmement sévère. Il n'en était pas de même dans le monde grec et dans le monde gréco-romain, où les relations homosexuelles entre mâles étaient mieux admises, à condition que les partenaires ne perdent pas leur virilité, au combat ou dans la vie sociale. Et il était assez courant que des messieurs d'un certain âge se fassent pénétrer par de jeunes éphèbes, ce qui était aussi une façon d'initier les jeunes aux relations sexuelles. Ce contexte peut aider à traduire les deux termes *malakos* et *arsenokoitès*. Si Paul emploie deux termes différents, c'est sans doute pour exprimer deux réalités différentes. Le *malakos* dans une relation homosexuelle entre mâles est sans doute le partenaire passif, celui qui est en position féminine ; comme cette position était souvent celle d'un homme faisant appel aux services d'un jeune éphèbe, la traduction « pédéraste » semble un bon équivalent du grec. L'étymologie du terme *arsenokoitès* fait plutôt penser au partenaire actif ; le traduire par « sodomite » est sans doute un peu trop général, mais le français n'a pas de terme plus précis.

En ce qui concerne l'interprétation de la dénonciation prononcée par Paul, il est clair que l'Apôtre est dépendant de la culture juive de son époque, celle dans laquelle il a été éduqué, et que sa position s'enracine dans la vision anthropologique de la différence sexuelle selon Gn 1-2 et dans l'autorité de la loi divine (Edart). En Rm 1, 28-27, il dénonce plus violemment encore le comportement des idolâtres qui entretiennent, entre hommes et femmes, des rapports contre nature ; homosexualité et idolâtrie ne sont pas étrangères l'une à l'autre, la première étant un symptôme de la seconde. Paul reprend là un discours stéréotypé par lequel le judaïsme stigmatisait l'indécence païenne. En pratique, il est vraisemblable que l'Apôtre n'aurait pas toléré au sein des Églises qu'il avait fondées des personnes ayant régulièrement des relations homosexuelles identifiées (Caragounis). Il convient cependant de remarquer que les listes de vices dénoncent des comportements, non pas des orientations ayant une forte dimension psychologique (De Peterson ; Tiede), et que l'Antiquité ignorait tout des dispositions innées ou acquises concernant l'orientation sexuelle d'une personne (Richie). Or, depuis deux millénaires et même depuis quelques décennies, les connaissances dans ce domaine ont considérablement évolué, l'homosexualité n'est plus ce qu'elle était. Dans la lecture de 1 Co 6, 9-10, il convient aussi de remarquer que Paul ne tient pas sur l'homosexualité des propos plus durs que sur l'idolâtrie, l'ivrognerie, la cupidité ou le vol. En conséquence, les discours qui s'appuient sur saint Paul pour tenir aujourd'hui des propos très durs sur l'homosexualité – et beaucoup plus tolérants sur d'autres comportements que l'Apôtre dénonce tout aussi fermement – opèrent des raccourcis herméneutiques intenables (Elliott).

Glorifier Dieu par son corps
(1 Co 6, 12-20)

TRADUCTION

6, 12 Tout m'est permis mais tout n'est pas utile. Tout m'est permis mais moi, je ne serai pas dominé par qui ou quoi que ce soit. 13 Les aliments (sont) pour le ventre, et le ventre, pour les aliments ; or, Dieu fera disparaître celui-ci et ceux-là. Or, le corps (n'est) pas pour la débauche, mais pour le Seigneur, et le Seigneur, pour le corps. 14 Or, Dieu éveilla le Seigneur, et il nous réveillera[a] par sa puissance. 15 Ne savez-vous pas que vos corps sont des membres de Christ ? Vais-je donc enlever[b] les membres du Christ et en faire des membres de prostituée ? Absolument pas ! 16 Ou bien ne savez-vous pas que celui qui s'unit à la prostituée est un seul corps (avec elle) ? Car il est dit : *Les deux seront une seule chair.* 17 Celui qui s'unit au Seigneur est un seul esprit (avec lui). 18 Fuyez la débauche. Tout péché qu'un humain peut commettre est extérieur au corps ; mais celui qui se débauche pèche contre son propre corps. 19 Ou bien ne savez-vous pas que votre corps[c] est un sanctuaire du Saint-Esprit en vous que vous tenez de Dieu, et que vous ne vous appartenez pas ? 20 En effet, vous avez été achetés contre paiement. Eh bien[d], glorifiez Dieu par votre corps[e].

ᵃ Le futur ἐξεγερεῖ est la leçon la mieux attestée : p⁴⁶ᶜ¹ ℵ C D² Ψ 33. 181 *Byz* vg syʰ co ; Irénée^lat Tertullien Méthode Ambrosiaster. Certains mss portent l'aoriste ἐξήγειρεν (p⁴⁶ᶜ² B 6. 1739 *pc* it vg^mss ; Irénée^latv.1 Origène^1739mg) ; d'autres, le présent ἐξεγείρει (p¹¹ p⁴⁶ A D* P 1241ˢ *pc*). On retient le futur, bien attesté et nécessaire au sens ; la leçon avec l'aoriste est sans doute influencée par l'aoriste ἤγειρεν employé plus haut à propos du Seigneur ; la leçon avec le présent, marqué par un simple ι après ε, serait une erreur de stylet.
ᵇ La majorité des mss fait commencer la phrase par ἄρας (participe aoriste de αἴρω) suivi de οὖν : p⁴⁶ ℵ A B C D K L. 33. 365. 1505. 1739*. 1881. 2464 *pm* lat sy ; Irénée^lat Méthode. On trouve aussi ἄρα οὖν dans P Ψ 81. 104. 630. 1175. 1241ˢ.

1739ᶜ. 2495 *pm*) et ἤ ἄρα οὖν (F (G). Le sens de l'expression « enlever les membres du Christ » peut faire difficulté (ainsi Héring*) ; la tournure ἄρα οὖν est courante en grec ; elle est le fruit d'une correction explicable.

ᶜ Plusieurs mss portent « vos corps » au pluriel (τὰ σώματα ὑμῶν) : Aᶜ L Ψ 33. 81. 81 104. 365. 1175. 1505. 1881. 2464 *pm* syʰ bo ; Méthode Ambrosiaster. Le singulier τὸ σῶμα ὑμῶν est mieux attesté dans les grands onciaux : p⁴⁶ ℵ A* B C D F G K P 630. 1241ˢ. 1739 *pm* b r syᵖ sa boᵐˢˢ. On le préférera au pluriel.

ᵈ Le v. 20b commence par δοξάσατε δή. C'est l'unique emploi par Paul de la particule δή (eh bien). L'attestation manuscrite est pourtant excellente : p⁴⁶ ℵᵃ A B C D F G K L P *pm* ; c'est sans doute la leçon originale. Elle a fait difficulté à certains copistes, qui l'omettent (ℵᵃ d syʰ* bo) ; ou la remplacent par οὖν (syᵖ sa ; Pseudo-Athanase) ; ou écrivent ἄρα γε avant δοξάσατε (1611). Cette dernière leçon a parfois été luc ἄρατε δοξάσατε (Chrysostome), ce qui peut être à l'origine de nombreuses témoins latins : « *Glorificate et portate Deum in corpore vestro* » (g vg ; Marcion Cyprien Lucifer Ambrosiaster Pseudo-Augustin).

ᵉ Quelques témoins ajoutent à la fin de la phrase « et dans votre esprit, qui sont de Dieu » (καὶ ἐν τῷ πνεύματι ὑμῶν, ἅτινα ἐστιν τοῦ θεοῦ) : C³ D² Ψ 1739ᵐᵍ. 1881 *Byz* vgᵐˢ sy. Il s'agit d'une glose, destinée à étendre à l'esprit ce qui est écrit du corps.

BIBLIOGRAPHIE

M. D'AGOSTINO, « Un Paolo stoico o un Epitteto Paolino ? Ripensare gli slogan in 1 Cor 6, 12-20 », *RivBib* 52, 2004, 41-75. – G. BALDANZA, « L'uso della metafora sponsale in 1 Cor 6, 12-20. Riflessi sull'ecclesiologia », *RivBib* 46, 1998, 317-340. – J. BUCHHOLD, « 1 Corinthiens 6. 12 : problème d'esclavage ou question d'allégeance ? », *Théologie évangélique* [Vaux-sur-Seine] 15, 2016, 1-15. – D. BURK, « Discerning Corinthian Slogans through Paul's Use of the Diatribe in 1 Corinthians 6 : 12-20 », *BBR* 18, 2008, 99-121. – J.D.M. DERRETT, « Right and Wrong Sticking (1 Cor 6, 18) ? », *EstB* 55, 89-106. – B.J. DODD, « Paul's Paradigmatic "I" and 1 Corinthians 6. 12 », *JSNT* 59, 1995, 39-58. – B.N. FISK, « ΠΟΡΝΕΥΕΙΝ as Body Violation : The Unique Nature of Sexual Sin in 1 Corinthians 6. 18 », *NTS* 42, 1996, 540-558. – N.K. GUPTA, « Which "Body" Is a Temple (1 Corinthians 6 : 19) ? Paul beyond the Individual/ Communal Side », *CBQ* 72, 2010, 518-536. – R. KIRCHHOFF, *Die Sünde gegen den eigenen Leib. Studien zu πόρνη und πορνεία in 1 Kor 6, 12-20 und dem sozio-kulturellen Kontext der paulinischen Adressaten*, Göttingen 1994. – G.L. KLEIN, « Hos 3 : 1-3 – Background to 1 Cor 6 : 19b-20 », *CriswellTheol-Rev* 3, 1989, 373-375. – J. LAMBRECHT, « Paul's Reasoning in 1 Corinthians 6, 12-20 », *EThL* 85, 2009, 479-486. – S.D. MACKIE, « The Two Tables of the Law and Paul's Ethical Methodology in 1 Corinthians 6 : 12-20 and 10 : 23 – 11 : 1 », *CBQ* 75, 2013, 315-334. – J.E. MARSHALL, « Community in a Body : Sex, Marriage, and Metaphor in 1 Corinthians 6 : 12 – 7, 7 and Ephesians 5 : 21-33 », *JBL* 134, 2015, 833-847. – A.S. MAY, « *The Body for the Lord* ». *Sex and Identity in 1 Corinthians 5-7*, Londres 2004. – X. MOXNES, « Ascetism and Christian Identity in Antiquity : A Dialogue with Foucault and Paul », *JSNT* 26, 2003, 3-29. – X. MOXNES, « Kropp som konstruksjon », *NorskTheolTids* 104, 2003, 35-40. – J. MURPHY-O'CONNOR, « The Fornicator Sins against His Own

Body (1 Cor 6 : 18c) », *RB* 115, 2008, 97-104. – B. OGNIBENI, « Il corpo per il Signore, il Signore per il corpo : Argomenti contro la fornicazione nelle primera lettera ai Corinzi », *EstB* 74, 2016, 183-195. – S.E. PORTER, « How Should κολλώμενος in 1 Cor 6, 17. 18 Be Translated ? », *EThL* 67, 1991, 105-106. – B.S. ROSNER, « A Possible Quotation of Test. Ruben 5 : 5 in 1 Co 6 : 18a », *JThS* 43, 1992, 123-127. – B.S. ROSNER, « Temple Prostitution in 1 Corinthians 6 : 12-20 », *NT* 40, 1998, 336-351. – L. SALAH NASRALLAH, « "You Were Bought with a Price" : Freedpersons and Things in 1 Corinthians », in *Corinth in Context*, S.J. FRIESEN, S.A. JAMES, D.N. SCHOWALTER (eds), Leiden 2014, 54-73. – U. SCHNELLE, « 1 Kor 6 : 14 – Eine nachpaulinische Glosse », *NT* 25, 1983, 217-219. – J.E. SMITH, « The Roots of a "Libertine" Slogan in 1 Corinthians 6 : 18 », *JTS* 59, 2008, 63-95. – A.W. WHITE, « Pauline Rhetoric Revisited : On the Meaning of κολλώμενος in the Context of 1 Cor 6, 12-20 », *EThL* 90, 2014, 751-759.

INTERPRÉTATION

Sans transition avec ce qui précède, s'impose dans le texte une phrase répétée deux fois, chaque fois aussitôt contestée par un « mais » : une sorte de slogan abrupt dont le rapport avec le contexte n'apparaît pas clairement. Elle semble ne pas avoir de lien avec la question des procès que Paul vient d'aborder en 6, 1-11, sauf que l'Apôtre conserve la même rhétorique rythmée par le membre de phrase « ne savez-vous pas que... ? » ; les versets qui suivent parlent de débauche (plusieurs mots de la racine *porn-* ; vv. 13. 15. 16. 18), une question que Paul a abordée précédemment en 5, 1. 9-11, mais il n'est plus question du cas d'inceste dénoncé en 5, 1-13. La fin de la péricope, quant à elle, est bien marquée, puisque Paul aborde clairement une autre question en 7, 1. Ces neuf versets sont un troisième volet de la section constituée par les chapitres 5-6, dont le thème central est nouveau, à savoir le « corps » (8 emplois de *sôma* dans la péricope), et qui à ce titre vaut d'être mis en dialogue avec ce que Paul écrit en 1 Co 12 où le même mot est abondamment employé. Paul raisonne à partir de principes éthiques et non à partir de cas concrets comme dans les deux péricopes précédentes. Le passage comporte deux impératifs catégoriques (vv. 18a et 20b) – c'était aussi le cas en 5, 13 – ce qui montre que la rhétorique sous-jacente est toujours délibérative.

Plusieurs modèles sont possibles concernant la composition de la péricope. Un premier modèle s'appuie sur le fait qu'une citation scripturaire existe en milieu de péricope (Gn 2, 24 cité au v. 16b), autour de laquelle on a pu construire une structure littéraire en inclusion, de part et d'autre de cette citation (Heil, *Rhetorical*, 103-123) :

Introduction (v. 12)
   Dieu, le corps (vv. 13-14)
      La prostituée (*pornè*) et le corps (v. 15)
         S'unir, un seul corps (v. 16a)
            Citation de Gn 2, 24 (v. 16b)
         S'unir, un seul esprit (v. 17)
      La prostitution (*porneia*), se débaucher (*porneuô*) et le corps (v. 18)
   Dieu, le corps (v. 19)
Conclusion (v. 20)

Certains des mots dont la place est ainsi soulignée sont cependant employés en dehors des éléments qu'une telle structure met en valeur (par exemple on trouve aussi *porneia* au v. 13, et pas au v. 19) ; en outre, ce modèle ne permet pas de saisir la progression du raisonnement. On lui préférera un second modèle, reposant sur la constatation que, dans les vv. 12-14, sont avancées des propositions aussitôt contestées par un « mais » (*alla ;* 2x au v. 12, 1x au v. 13), alors que, à partir du v. 15, les arguments sont introduits par la formule « ne savez-vous pas que... ? » On distinguera donc deux parties dans cette péricope : une première où Paul réfute des slogans énoncés par ses destinataires (vv. 12-14) ; une seconde (vv. 15-20) dans laquelle il présente en trois étapes sa propre théologie du corps (successivement v. 15 ; vv. 18-18 ; vv. 19-20). Le tournant que représente le v. 15 peut être encore souligné par le fait qu'il correspond à un changement de pronom personnel : le début de la péricope est en « je » (vv. 12-13), il est suivi d'un « nous » (v. 14), et la suite s'adresse aux destinataires à la deuxième personne du pluriel, « vous » (vv. 15-20) (d'Agostino).

VV. 12-14 – L'affirmation du v. 12, « Tout m'est permis, mais tout n'est pas utile », se retrouve en 10, 23, sans le pronom personnel de la 1re personne. Ici, « tout m'est permis » est repris une deuxième fois, toujours suivi d'un « mais » dont le contenu est un peu différent : « ... mais je ne serai pas dominé par qui ou quoi que ce soit. » Par ce double « mais », Paul exprime une réserve sur cette proposition, qui reprend apparemment une revendication des chrétiens de Corinthe ; car pour lui, demander ce qui est permis ne peut être le fondement d'une éthique valable. L'hypothèse a été émise que ce slogan libéral – même libertaire – viendrait de Paul lui-même prenant ses distances par rapport aux préceptes de la Tora, et que les Corinthiens l'auraient repris à leur compte en l'interprétant de façon plus permissive (Roberston, Plummer* ; Dodd). Paul se fait, certes, champion de la liberté chrétienne (cf. Ga 5, 1) ; il ne condamne d'ailleurs pas la proposition « tout est permis » ; mais il y apporte de telles réserves qu'on peut difficilement la lui attribuer. Il faut donc en chercher l'origine ailleurs. Les tenants de la présence de pré-gnostiques à Corinthe estiment que ces derniers pourraient en être les auteurs : puisque le monde matériel est sans valeur, on peut y faire n'importe quoi (*e.g.* Barrett* ; Conzelmann* ; Schmithals, *Gnosis*). On a aussi émis l'hypothèse que cette proposition viendrait du cercle de Céphas, s'affranchissant de certains préceptes de la Tora comme Jésus l'avait fait ; la proposition du v. 13ab est, en effet, assez proche de l'enseignement de Jésus ; mais le comportement de Céphas tel que le décrit Paul en Ga 2, 11-12 ne correspond pas du tout à ce modèle. Plus simplement, une telle proposition est vraisemblablement le reflet d'une pensée stoïcienne assez répandue (Diogène Laërce, *Vies*, 7, 121 ; Épictète, *Entretiens* 1, 1, 21 ; Philon, *Quod omnis probus liber sit* 9, 59) et qui atteignait toutes les classes sociales (Fitzmyer* ; Winter, *After*, 81-82) : le philosophe est maître de sa conduite, c'est à lui de définir ce qu'il se permet et ce qu'il s'interdit. Au v. 13, une deuxième proposition corinthienne est énoncée (13ab) : elle porte sur les aliments, un sujet dont il n'a pas été question jusqu'ici et dont il ne sera pas non plus question dans la suite de la péricope ; elle est le reflet de la position des forts concernant la nourriture, dans les chapitres consacrés aux idolothytes (8, 1 – 11, 1). Effectivement, le ventre et les aliments n'existent que pendant cette vie-ci, la vie terrestre. Paul partage cette opinion ; et, en citant cette proposition des Corinthiens, il peut introduire la notion de « corps », grâce à un passage habile qu'il opère du ventre (*koilia*) au corps (*sôma*) et au sujet qu'il veut aborder, à savoir la débauche (*porneia*) : le corps est pour le Seigneur et le Seigneur, pour le corps (v. 13c). Cette affirmation est forte, il en va de l'identité du corps du croyant, la relation se faisant à double sens : du corps vers le Seigneur et du Seigneur vers le corps (May). En outre – poursuit Paul au v. 14 –, à la différence du ventre, le corps fait partie du programme de la résurrection, celle du Christ et la nôtre ; c'est de là qu'il tire toute sa noblesse et c'est pour cela qu'il n'est pas fait pour s'unir aux prostituées, ni pour quelque forme de débauche que ce soit. On le voit, la rhétorique paulinienne des vv. 12-14, qui peut paraître hésitante, se révèle à l'examen assez magistrale. L'apôtre a manifestement l'intention de lutter contre la légèreté de comportement de certains chrétiens de Corinthe qui fréquentaient les prostituées. Il part de revendications corinthiennes, certaines qu'il ne partage pas (v. 12), certaines qu'il partage et qui sont entre eux et lui un terrain d'entente (v. 13) ; cette dernière, portant sur la nourriture, lui permet de développer une théologie du corps (vv. 15-20) qui va, en finale, fonder l'interdit du v. 18a et l'impératif positif du v. 20a.

VV. 15-20 – Trois emplois de la formule « ne savez-vous pas que » (vv. 15. 16. 19) introduisent des questions et rythment l'argumentation paulinienne contre la prostitution. Chacune introduit un développement théologique sur ce qu'est le corps humain, en particulier le corps du croyant ; l'interrogation contient une affirmation sous-jacente que les destinataires sont supposés connaître mais dont le contenu ne fait pas forcément partie de leur savoir disponible. Questionner est un procédé rhétorique destiné à impliquer les destinataires dans le savoir qui leur est communiqué. Au v. 15, le premier développement parle de « vos corps », c'est-à-dire les corps des croyants, dont il est écrit à deux reprises qu'ils sont « membres du Christ » (15a et

. 15b), donc membres d'un corps plus grand que celui qu'ils sont eux-mêmes, idée qui sera reprise et développée plus longuement au chapitre 12. Telle est la conviction théologique qui sous-tend ce v. 15. Dans la question posée au v. 15b, Paul imagine, par impossible, d'arracher ces membres à Christ pour les donner à une prostituée ; c'est évidemment impensable, mais c'est ce qui se réaliserait si les Corinthiens continuaient à forniquer. L'enjeu est celui de l'appartenance à un corps, celui du Christ et celui de la prostituée étant concurrents ; on ne peut appartenir à l'un et à l'autre, la déviance sexuelle souillant le corps du Christ (Marshall). Le corps mâle n'a pas d'identité en lui-même, il se constitue essentiellement à travers des relations (Moxnes, « Kropp ») qui comportent une certaine part d'ascèse (Moxnes, « Ascetism »). Le deuxième développement, aux vv. 16-17, est construit de façon plus complexe que le premier. La thèse sous-jacente est qu'il existe une analogie entre l'union sexuelle qui engendre une unité des corps accouplés, et l'union avec le Christ qui engendre une unité d'esprit avec lui. Comme le précédent et le suivant, ce développement s'ouvre par une question commençant par « ne savez-vous pas que... ? », mais il intègre une citation biblique qu'aucune formule n'introduit, au v. 16b (Gn^{LXX} 2, 24). Le v. 17 reprend le v. 16a par-dessus la citation : « un seul corps » (v. 16a), qui concerne l'union avec la prostituée, devient « un seul esprit » (v. 17) lorsqu'il s'agit de l'union avec le Seigneur, qui s'exprime par l'observance des commandements de l'amour du prochain (Dt 6, 5 et Lv 19, 18) relus à la lumière de l'événement Christ (Mackie). Les vv. 16 et 17 permettent de formuler l'impératif catégorique sur lequel s'ouvre le v. 18, sur la nécessité de fuir la débauche (18a), qui peut être rapproché de formulations analogues dans des écrits du judaïsme ancien (par ex. *TestRuben* 5, 5) (Rosner, « Possible »). Le vocabulaire du péché n'a pas encore été utilisé en 1 Co ; il apparaît aux v. 18bc pour la première fois. Le texte distingue deux sortes de péchés. Si le v. 18c est clairement un reflet de la pensée paulinienne insistant sur la gravité de la fornication avec une prostituée (malgré Murphy-O'Connor), le v. 18b est obscur ; la question de savoir s'il reflète la pensée de Paul ou s'il reproduit un slogan corinthien reste débattue. Le troisième développement, aux vv. 19-20, commence par la même forme de question que les précédents. Le discours fait ici appel à des catégories commerciales : l'appartenance, la propriété, l'achat. Le début du v. 19 suit la même construction que le v. 15a, la notion de « membres du Christ » étant remplacée par celle de « sanctuaire du Saint-Esprit ». La thèse sous-jacente est exprimée de façon lapidaire à la fin du v. 19c : le corps du chrétien ne lui appartient pas. L'expression « sanctuaire du Saint-Esprit » peut être rapprochée de celle de « sanctuaire de Dieu » que Paul a utilisée en 3, 16 à propos de l'Église, où il ajoutait que l'Esprit de Dieu demeurait parmi les croyants. Le corps de l'individu croyant et le corps ecclésial sont ordonnés l'un à l'autre (Gupta). Un acte d'achat a eu lieu qui est vraisemblablement la crucifixion du Christ, prix payé (le texte ne dit pas à qui) pour qu'existe cette appartenance (v. 20a). La conclusion s'impose : la meilleure utilisation qu'un chrétien puisse faire de son corps, c'est d'en faire un instrument de la glorification divine (v. 20b) ; l'impératif, ici encore, est catégorique. Paul exprime à propos du sexe ce qu'il exprime plus loin à propos du manger et du boire (10, 31). Dernière phrase de cette péricope, l'impératif que constitue le v. 20b donne un nouvel éclairage à 5, 1-13 : l'incestueux dont les mœurs sont dénoncées aurait bien fait de se l'appliquer. Dans les consignes que donne Moïse sur le comportement du roi en Dt 17, 17, il demande que ce dernier ne multiplie ni le nombre de ses femmes ni son argent ni son or. On peut, à la lumière de ce verset, relire l'ensemble des chapitres 5 et 6 : désordre dans les relations aux femmes en 5, 1-13 et 6, 12-20 ; cupidité entraînant des actions en justice en 6, 1-11. Le sexe et l'argent, les terrains d'infidélité restent les mêmes à travers les âges !

NOTES

12-13

Un doute existe sur le genre de ὑπὸ τινος à la fin du v. 12 (masculin ou neutre) : « dominé par rien », ou « dominé par personne. » Les puissances dominantes potentielles nommées dans le v. 13 étant des termes abstraits (βρώματα, πορνεία), le neutre pourrait sembler préférable ; il est retenu par la majorité des traducteurs. En même temps, on peut hésiter, car le vocabulaire de l'asservissement est présent dans la péricope, notamment avec le vocabulaire de l'achat au v. 20 (Buchhold). Nous avons tenté de rendre la globalité du masculin et du neutre dans notre traduction. Un *logion* de Jésus rapporté en Mt 15, 17 et Mc 7, 19, qui utilise aussi le terme ἡ κοιλία (le ventre) est en parfaite concordance avec la proposition énoncée au v. 13ab ; celle-ci reflète le point de vue de croyants corinthiens sûrs d'eux-mêmes tels qu'on les retrouvera dans la section sur les idolothytes (8, 1 – 11, 1) mais, à la différence de la proposition corinthienne « tout m'est permis », elle leur avait sans doute été enseignée par Paul lui-même. Le sens premier du terme πορνεία est la prostitution ou la fréquentation des prostituées. C'est bien le sens qu'il a dans cette péricope, où Paul emploie à deux reprises le terme πόρνη : « prostituée » (vv. 15 et 16 ; les deux seuls emplois du terme dans le corpus paulinien). Comme on l'a vu précédemment (5, 1), Paul peut aussi l'employer dans le sens plus général de « débauche », à savoir tout dérèglement dans les relations sexuelles, y compris les mariages illicites (Ognibeni).

14

Ce verset est à première vue peu compatible avec ce que Paul affirme en 1 Co 15 de la transformation des corps au moment de la résurrection générale (15, 51-52). L'hypothèse a alors été émise qu'il s'agit d'une glose post-paulinienne (Schnelle). Cette hypothèse présuppose que la pensée de l'Apôtre est toujours pleinement cohérente, ce qui n'est pas le cas ; et elle ne tient pas compte du fait que l'évocation de la résurrection (seulement au v. 14 dans cette péricope) contribue fortement à la valorisation du corps. Elle n'a pas été suivie.

15

Le syntagme μέλη Χριστοῦ (membres du Christ) est employé deux fois dans ce verset. On ne le retrouve jamais sous cette forme dans le corpus paulinien, mais sous des formes voisines en 1 Co 12, 27 et en Ep 5, 30. L'idée est cependant présente et développée en 1 Co 12, 4-5 et en Rm 12, 4-5. Aux vv. 15 et 16 se trouvent les deux seuls emplois du terme πόρνη (prostituée) du corpus paulinien (voir note sur 12-13). L'hypothèse a été émise qu'il s'agissait de prostituées sacrées, du fait que les arguments avancés sont théocentriques et que la question de la fréquentation des temples pas les membres de l'Église est clairement posée en 8, 1 – 11, 1 (Rosner, « Temple »). Aucun indice précis dans les formulations pauliniennes ne permet cependant de l'affirmer.

16-17

Le verbe κολλάομαι (s'unir, s'attacher), employé deux fois ici (vv. 16a et 17), est connu de la LXX, notamment à propos de la fréquentation des prostituées (Si 19, 2-3). Paul l'emploiera à nouveau en Rm 12, 9 pour exprimer l'attachement au bien ; il n'est pas nécessaire de donner ici au verbe κολλάομαι une connotation de subordination économique (White, malgré Porter). Un des ses composés (προσκολλάομαι) est utilisé en Gn^{LXX} 2, 24 à propos de l'attachement de l'homme à sa femme : « C'est pourquoi l'homme quittera son père et sa mère et s'attachera (προσκολληθήσεται) à sa femme et tous deux deviendront une seule chair (καὶ ἔσονται οἱ δύο εἰς σάρκα μίαν). » C'est la fin de ce verset de la Genèse qui est citée au v. 16b ; elle se trouve comme appelée par l'emploi du verbe κολλάομαι au v. 16a. Gn^{LXX} n'emploie pas ici le terme σῶμα (corps) qui conviendrait mieux au raisonnement de Paul. Pour l'Apôtre, en effet, la σάρξ (chair) n'est pas destinée à vivre éternellement (cf. 1 Co 15, 50). Il ne pouvait pourtant pas modifier une phrase de la Tora présente dans la plupart des mémoires, phrase que Matthieu cite aussi pour souligner l'unité du couple (Mt 19, 5). Le raisonnement paulinien est construit sur la conviction que le projet de Dieu concernant le couple originel tel qu'il est précisé en Gn 2, 24 affecte tout acte sexuel, y compris la simple passade avec une prostituée (Baldanza ; Derrett) ; c'est donner beaucoup d'importance à tout acte sexuel quel qu'il soit ; on comprend que les citoyens d'une Corinthe aux mœurs très libérales n'y aient pas spontanément adhéré.

18

Deux termes le la racine ἁμαρτ- sont employés aux vv. 18b et 18c : le verbe ἁμαρτάνω (pécher), classique et très fréquent dans le NT ; le substantif neutre ἁμάρτημα (faute, péché), plus rare, que Paul n'emploie que deux fois, ici et en Rm 3, 25 (alors qu'il emploie plus de 50 fois son quasi-synonyme ἁμαρτία). Ils servent à distinguer deux types de péché : le péché de πορνεία (emploi du verbe πορνεύω au v. 18c) qui affecte le corps, opposé à tout autre péché (πᾶν ἁμάρτημα) qui est extérieur au corps (ἐκτὸς τοῦ σώματος ; v. 18b). Autant le v. 18c, qui représente certainement le point de vue de Paul, peut facilement se comprendre dans une mentalité juive où la fornication marque durablement le corps de chair (voir Si 19, 2 ; 23, 17) (Fisk), autant l'affirmation du v. 18b est obscure : en quoi tout péché autre que la fornication est-il extérieur au corps ? Quelle source juive ou grecque peut justifier une telle affirmation ? De multiples tentatives ont été faites pour l'expliquer. L'une des plus classiques est que, au v. 18b, Paul reproduit un slogan défendu par des Corinthiens prétendant que le corps physique est moralement neutre, car le péché se situe à un autre niveau de la personne (Burk ; Smith) ; le fait que péché y est désigné par le terme ἁμάρτημα, rare chez Paul, est un indice qui peut permettre d'aller dans ce sens. Au début de la péricope, Paul ne s'est pas privé de citer à deux où trois reprises des slogans corinthiens ; il procéderait ici de la même façon. A contrario, l'enchaînement des v. 18a et 18b est peu compréhensible si le v. 18b ne reproduit pas une opinion paulinienne. Une source de la pensée paulinienne est alors difficile à trouver, mais certains écrits rabbiniques utilisent l'expression « pécher dans son corps » (TBBer 19a ; TBRošHaš 16b), ce qui peu conduire à penser que l'opposition « pécher dans son corps » *vs* « pécher à l'extérieur de son corps » – la première expression concernant le péché de chair – n'était pas étrangère au judaïsme. On ne peut exclure que le v. 18b ait été créé par Paul lui-même, quelque difficile que son contenu reste à expliquer (Lambrecht).

19-20

L'expression ἠγοράσθητε γὰρ τιμῆς se retrouve en 7, 23 (sans γάρ) ; elle n'est pas facile à traduire, le substantif ἡ τιμή pouvant avoir des acceptions très larges. Associé au verbe ἀγοράζω (acheter), il a certainement ici un sens financier : « prix, paiement, indemnité, montant d'une vente » ; et le génitif est un génitif de prix. Embarrassée par l'original grec, la Vulgate a traduit : « *Empti enim estis pretio magno* », insistant sur l'importance du prix payé (la crucifixion, ce n'est pas rien !). On pourrait alors comprendre : « Vous avez été achetés cher. » Il ne semble pourtant pas que le texte grec s'attache au montant de la somme ; l'accent est plutôt mis sur le fait que la transition commerciale a eu lieu, comme lorsqu'un esclave est acheté à son ancien maître par un nouveau ; car c'est bien un transfert de propriété que suggère le vocabulaire employé, non un affranchissement (malgré Salah Nasrallah). D'où la traduction que l'on pourrait risquer en anglais : « *You were bought cash.* » L'hypothèse a été émise que Paul faisait allusion au texte d'Os 3, 1-3 décrivant la nouvelle relation du prophète avec sa femme infidèle pour décrire la nouvelle relation à Dieu aux vv. 19b-20 (Klein) ; mais les rapprochements de vocabulaire entre le texte de Paul et le texte LXX d'Osée ne sont pas suffisamment importants pour que l'on puisse la retenir.

SECTION III

Mariage, virginité, célibat
1 Co 7, 1-40

BIBLIOGRAPHIE

Monographies complètes

N. Baumert, *Ehelosigkeit und Ehe im Herrn. Eine Neuinterpretation von 1 Kor 7*, Würzburg 1984.

N. Baumert, *Frau und Mann bei Paulus. Überwindung eines Missverständnisses*, Würzburg 1992.

W. Deming, *Paul on Marriage and Celibacy. The Hellenistic Background of 1 Corinthians 7*, Cambridge 1995, 2e éd. 2004.

J.E. Ellis, *Paul on Ancient Views of Sexual Desire. Paul's Sexual Ethics in 1 Thessalonians 4, 1 Corinthians 7 and Romans 1*, Londres 2007.

J.D. Gordon, *Sister or Wife ? 1 Corinthians 7 and Cultural Anthropology*, Sheffield, UK 1997.

H. Külling, *Ehe und Ehelosigkeit bei Paulus. Eine Auslegung zu 1. Korinther 6, 12 – 7, 40*, Zurich 2008.

W. Wolbert, *Ethische Argumentation und Paränese in 1 Kor 7*, Düsseldorf 1981.

O.L. Yarbrough, *Not Like the Gentiles : Marriage Rules in the Letters of Paul*, Atlanta 1985.

Articles et autres contributions

J.-J. Fauconnet, « La morale sexuelle chez saint Paul : Analyse et commentaire de 1 Co 6, 12 à 7, 40 », *BLE* 93, 1992, 359-378.

J.M. Gundry-Volf, « Celibate Pneumatics and Social Power. On the Motivation for Sexual Ascetism in Corinth », *USQR* 48, 1994, 105-126.

D.G. Horrell, « Ethnicisation, Marriage and Early Christian Identity : Critical Reflections on 1 Corinthians 7, 1 Peter 3 and Modern New testament Scholarchip », *NTS* 62, 2016, 439-460.

D. INSTONE-BREWER, « 1 Corinthians 7 in the Light of the Graeco-Roman Marriage and Divorce Papyri », *TynB* 52, 2001, 101-116.

D. INSTONE-BREWER, « 1 Corinthians 7 in the Light of the Jewish and Aramaic Marriage and Divorce Papyri », *TynB* 52, 2001, 225-243.

G.J. LAUGHERY, « Paul : Anti-marriage ? Anti-sex ? Ascetic ? A Dialogue with 1 Corinthians 7 : 1-40 », *EvQ* 42, 1998, 109-128.

M.Y. MACDONALD, « Women Holy in Body and Spirit : The Social Setting of 1 Corinthians 7 », *NTS* 36, 1990, 161-181.

M. THEOBALD, « "Verherrlicht Gott mit eurem Leib !" (1 Kor 6, 20) : Paulus und die Sexualität », *BibKirch* 70, 2015, 166-171.

P.J. TOMSON, « Paul's Jewish Background in View of His Law Teaching in 1 Cor 7 », in *Paul and the Mosaic Law*, J.D.G. DUNN (ed.), Tübingen 1996, 251-270.

D. ZELLER, « Der Vorrang der Ehelosigkeit in 1 Kor 7 », *ZNTW* 96, 2005, 61-77.

Le chapitre 7 de 1 Co tranche par rapport aux précédents de par son statut épistolaire. Au lien de réagir à des informations dont il dispose par ouï-dire, Paul aborde des questions qui lui ont été posées par les Corinthiens dans une lettre qui ne nous a pas été transmise, et que nous pouvons essayer de reconstituer à partir des réponses que Paul lui apporte. On ignore si ces réponses se limitent au chapitre 7 ou si, dans les chapitres suivants, notamment 8, 1 – 11, 1, Paul continue de répondre à des questions posées. Un fait s'impose cependant : même si la lettre des Corinthiens à Paul posait des questions de différents ordres, c'est par les questions d'ordre familial et sexuel que Paul commence sa réponse ; 1 Co 7 est alors, dans une certaine mesure, la suite logique de 1 Co 5-6. La composition de ce chapitre ne respecte pas les règles d'une construction rhétorique gréco-romaine classique. Il est vraisemblable que Paul réponde au coup par coup, en suivant l'ordre des questions que lui ont posées les Corinthiens, à savoir :

– L'homme devenu disciple du Christ doit-il s'abstenir de la femme ? (vv. 1-9)

– Que doit faire un converti chrétien dont le conjoint ne partage pas la foi ? (vv. 10-16)

– Et si l'on n'est pas circoncis ? Et si l'on est esclave ? (vv. 17-24)

– Un croyant doit-il se marier s'il ne l'est pas encore ? (vv. 25-35)

– Un père croyant doit-il chercher à marier sa fille ? (vv. 36-38)

– Et les veuves ? (vv. 39-40)

L'argumentation paulinienne repose sur un principe plusieurs fois énoncé : que chacun demeure dans l'état dans lequel il était lorsqu'il est devenu croyant en Christ (vv. 17.20.24). Pour illustrer ce principe, Paul se réfère, aux vv. 17-24, non à la situation matrimoniale des personnes, mais à deux autres situations antinomiques, à savoir circoncision *vs* incirconcision, et esclavage *vs* liberté : que le Juif ou le païen reste dans l'état qui était le sien quand il est devenu croyant en Christ, et que l'esclave en fasse autant. La même règle joue pour la situation des époux, des célibataires, des vierges. Devenir chrétien ne doit pas conduire à modifier sa situation ou ses projets d'ordre conjugal, mais il conduit à habiter toutes les situations avec un état d'esprit nouveau (Fauconnet ; Külling). Ce principe, qui commande l'essentiel des prises de position de Paul tout au long du chapitre, a parfois conduit à proposer de placer ces vv. 17-24 au centre d'une structure en inclusion : A. vv. 1-16 / B. vv. 17-24 / A'. vv. 25-40. Peu d'indices littéraires vont cependant dans ce sens.

En complément de ce principe, le chapitre 7 met aussi en avant une conception paulinienne que révèlent deux passages particuliers : les enfants d'un couple, dont l'un des conjoints est chrétien et non pas l'autre, sont eux-mêmes chrétiens (v. 14) ; si une femme chrétienne se remarie après veuvage, qu'elle épouse un chrétien (v. 39). Ces deux points particuliers révèlent que, selon Paul, le foyer est un endroit propice à la reproduction et à l'engendrement de l'identité chrétienne (Horrell). Il est important de le souligner contre les accusations lancées souvent contre Paul qu'il serait misogyne et fervent partisan du célibat (Baumert, *Frau*). À l'appui de cette remarque, il convient de souligner que jamais le terme « chair » (*sarx*) n'est utilisé dans ce chapitre (sauf une fois au v. 28, dans un sens inhabituel), terme qui peut avoir chez Paul une connotation négative ; c'est le terme « corps » (*sôma*) qui est systématiquement employé (vv. 4[x2]. 34). Plusieurs auteurs de l'époque patristiques seront beaucoup plus marqués que lui dans le sens de l'ascèse (Cothenet, *Exégèse*, II, 89-106).

L'interprétation de ce chapitre est en partie commandée par le statut accordé au v. 1b : « Il est bon pour un homme de ne pas s'approcher d'une femme. » Longtemps considérée exclusivement comme une prise de position de Paul en réponse aux questions que les Corinthiens posaient dans la lettre qu'ils lui ont adressée – notamment à l'époque patristique marquée par un courant d'ascétisme monastique – cette phrase est souvent lue par des commentateurs récents comme une citation que Paul ferait d'un slogan développé par certains Corinthiens, slogan que Paul ne reprendrait pas à son compte mais que, au contraire, il contesterait. L'analyse du v. 1 discute ces positions différentes (voir p. 154-155). Un autre point largement débattu est de savoir dans quelle mesure le discours paulinien est dépendant des positions sur le mariage et le célibat qui s'exprimaient dans les différents courants philosophiques et religieux de son temps, notamment s'il prend parti dans le débat entre cyniques et stoïciens (Instone-Brewer, « Graeco-Roman » ; Deming), sans oublier la question d'évaluer son degré de dépendance vis-à-vis du judaïsme hellénistique dans lequel il a été élevé et formé (Instone-Brewer, « Jewish » ; Tompson) ; ce point sera également discuté dans le commentaire des péricopes.

La lecture de 1 Co 7 pose encore une question herméneutique fondamentale : comme c'est le plus long passage du NT consacré aux questions touchant au mariage et au célibat, il a été largement exploité en théologie morale chrétienne. C'est de lui, en particulier, que l'Église catholique a tiré le Privilège paulin (voir p. 166-167), permettant à un conjoint catholique de se remarier religieusement « en faveur de la foi » après un divorce, si la partie non-croyante « refuse de cohabiter ou de cohabiter pacifiquement sans injure au Créateur avec la partie baptisée » (*Codex Iuris Canonici* 1983, canons 1143-1144, inspirés de 1 Co 7, 12-16). Est ici posée la question de tirer de 1 Co 7 des normes morales ou disciplinaires pour l'Église moderne universelle, alors que le discours paulinien s'adresse à une jeune Église de l'Antiquité dont la situation sociétale n'est pas du tout la même que celle des Églises héritières de deux mille ans d'histoire. Paul répond manifestement à des questions particulières qui se posaient dans l'Église de Corinthe, il ne prétend aucunement faire un exposé systématique de la théologie du mariage (Fitzmyer* ; Schrage*). Et il convient de distinguer, dans les règles que Paul énonce, celles que l'Apôtre a forgées lui-même et que l'on pourrait considérer comme un simple avis (vv. 6.12.17.25.35.40), et les ordres venant du Seigneur, essentiellement celui de respecter l'indissolubilité conjugale (v. 10). Serait-il exagéré de dire que le discours de Paul est essentiellement circonstanciel et qu'on ne saurait raisonnablement en déduire des normes ou même des consignes encore valables au XXIᵉ siècle ? Et que l'on peut dégager de ce chapitre autant d'arguments en faveur de la continence sexuelle, que d'arguments en faveur du mariage (Theobald) ? Quel profit peut-on alors aujourd'hui tirer de la lecture de ce chapitre ? Une telle question devra nécessairement colorer l'interprétation des péricopes incluses dans ce chapitre.

Scènes de la vie conjugale
(7, 1-9)

TRADUCTION

7, 1 A propos de ce que vous écrivîtes[a], (il est) bon pour un homme de ne pas s'approcher d'une femme. 2 Pourtant, à cause des débauches[b], que chacun ait sa propre femme, et que chacune ait son propre mari[c]. 3 Qu'à la femme le mari rende ses devoirs[d] ; pareillement la femme, au mari. 4 La femme n'a pas autorité sur son propre corps, mais le mari ; pareillement le mari n'a pas autorité sur son propre corps, mais la femme. 5 Ne vous privez pas l'un de l'autre, sinon d'un commun accord et pour un temps, afin de vous rendre disponibles pour la prière[e] ; et, à nouveau, soyez[f] ensemble, afin que Satan ne vous tente pas par votre manque de maîtrise. 6 Cela, je le dis comme une concession, non comme un ordre. 7 Or, je voudrais[g] que tous les hommes soient aussi comme moi-même ; mais chacun possède son propre charisme qui vient de Dieu, l'un celui-ci, l'autre celui-là[h]. 8 Je dis aux célibataires et aux veuves : il est bon pour eux de rester aussi comme moi. 9 Mais s'ils ne se maîtrisent pas, qu'ils se marient, car il est mieux de se marier[i] que de brûler.

[a] Certains mss portent « à propos de ce que vous *m*'écrivîtes ». Le pronom personnel au datif, μοι, est ajouté après ἐγράψατε en A D F G Ψ *Byz* ar b vg[cl] sy co ; Ambrosiaster Pelage. Il est absent des mss p[46] ℵ B C 33. 81. 1739. 1881. 2464 *pc* r vg[st]. L'emploi du pronom personnel correspond à une volonté d'explicitation ; il est secondaire.

[b] Au lieu de διὰ δὲ τὰς πορνείας (accusatif pluriel), quelques mss portent διὰ δὲ τὴν πορνείαν (accusatif singulier) : F G latt sy. Il s'agit d'une correction venant du fait que le substantif πορνεία est peu attesté au pluriel dans le NT.

[c] La fin de la phrase, καὶ ἑκάστη τὸν ἴδιον ἄνδρα ἐχέτω, est omise par quelques mss : F G *pc*. L'omission, secondaire, peut soit être une correction volontaire d'un scribe refusant la réciprocité des relations homme-femme, soit être due à un *homoïoteleuton* accidentel entre les deux emplois de ἐχέτω.

[d] La plupart des mss portent τὴν ὀφειλήν (la dette, les devoirs) ; quelques-uns, sans doute pour adoucir l'exigence de la dette dans les relations sexuelles, remplacent le substantif par l'expression : τὴν ὀφειλομένην εὔνοιαν (la bienveillance due) : *Byz* sy. Il s'agit d'une correction secondaire.

[e] Au lieu de τῇ προσευχῇ (pour la prière), quelques mss portent τῇ νηστείᾳ καὶ τῇ προσευχῇ (pour le jeûne et la prière) : ℵ[2] *Byz* sy. Il s'agit d'une interpolation secondaire visant à favoriser l'ascétisme dans l'Église.

[f] Au lieu de ἦτε (soyez), quelques mss portent un autre verbe : συνέρχησθε (réunissez-vous ; Ψ *Byz* lat sy[h] ; Ambrosiaster) ou, à l'indicatif, συνέρχεσθε (p[46] P 614 *pc*). Le verbe συνέρχομαι a plus de couleur que le verbe ἔχω ; son emploi relève sans doute d'une correction secondaire.

[g] Au lieu de θέλω δέ, plusieurs mss portent θέλω γάρ (ℵ[2] B D[2] 1739. 1881 *Byz* vg[cl] sy) ; cette seconde leçon est moins bien attestée ; elle est sans doute due à des scribes ne comprenant pas la nuance d'opposition à la concession accordée au v. 6.

[h] La majorité des manuscrits construit ce membre de phrase avec un article : ὁ μὲν οὕτως, ὁ δὲ οὕτως. Certains remplacent les deux articles ὁ par les deux pronoms relatifs ὅς (p[46] ℵ[2] Ψ *Byz*). La leçon avec les articles, moins littéraire, est mieux attestée ; elle est à préférer.

[i] Deux leçons existent pour le verbe « se marier » : γαμῆσαι (infinitif aoriste ; p[46] ℵ[2] B C[2] D F G Ψ 1739. 1881 *Byz*) ; et γαμεῖν (infinitif présent ; ℵ* A C* 33. 81. 945. 1505 *pc*). L'attestation de l'aoriste est meilleure, mais les deux leçons n'offrent pas de différence de sens significative.

BIBLIOGRAPHIE

W. BINI, « 1 Cor 7, 9 : Un "midrash" paolino », *RivBib* 52, 2004, 87-95. – C.C. CARAGOUNIS, « What Did Paul Mean ? The Debate on 1 Cor 7, 1-7 », *EThL* 82, 2006, 189-199. – R.E. CIAMPA, « Revisiting the Euphemism in 1 Corinthians 7.1 », *JSNT* 31, 2009, 325-338. – M.M. MITCHELL, « Concerning περὶ δέ in 1 Corinthians », *NT* 31, 1989, 229-256. – R.K. MOLVAER, « St Paul's View on Sex

according to 1 Corinthians 7: 9 & 36-38», *StudTheol* 58, 2004, 45-49. –
G.W. PETERMAN, «Marriage and Sexual Fidelity in the Papyri, Plutarch and
Paul», *TynB* 50, 1999, 163-172. – J.C. POIRIER, «Three Early Christian Views
on Ritual Purity: A Historical Note Contributing to an Undestsanding of Paul's
Position», *EThL* 81, 2005, 424-434. – J.C. POIRIER, J. FRANCOVIC, «Celibacy and
Charism in 1 Cor 7: 5-7», *HThR* 89, 1996, 1-18. – B. PRETE, «Il significato della
formula πρὸς καιρόν (Vg: *ad tempus*) in 1 Cor 7, 5», *RivBib* 49, 2001, 417-437.
– G. SCARPAT, «*"Nisi forte ex consensu ad tempus"*. A proposito di πρὸς καιρόν di
1 Cor 7, 5», *RivBib* 48, 2000, 151-166. – K.E. VALENTINE, «1 Corinthians 7 in
Light of Ancient Rhetoric of Self-Control», *RExp* 110, 2013, 577-590. –
C.A. WANAMACKER, «Connubial Sex and the Avoidance of Πορνεία: Paul's
Rhetorical Argument in 1 Corinthians 7: 1-5», *Scriptura* 90, 2005, 839-849. –
B.W. WINTER, «1 Corinthians 7: 6-7. A Caveat and a Framework for the
"Sayings" in 7: 8-24», *TynB* 48, 1997, 57-65.

INTERPRÉTATION

Certains commentateurs arrêtent à la fin du v. 7 cette péricope consacrée
aux relations entre l'homme et la femme dans le cadre du couple. Il est vrai
que le v. 8, tout en conservant un ton impersonnel, concerne une catégorie
particulière de personnes, à savoir les célibataires et les veuves, et qu'il
commence par «je dis» (*legô*) qui peut sembler introduire un nouveau
sujet. Mais un tel découpage conduirait à subdiviser le texte en très petites
unités, puisque le propos concerne des personnes différentes à chaque phrase
nouvelle: les célibataires (vv. 8-9), ceux qui se sont mariés (vv. 10-11). À
l'inverse, on remarque que l'expression «il est bon» (*kalon*) se trouve au v. 1
et aux vv. 8-9, et qu'elle fait inclusion entre le début et la fin de la portion de
texte formée par les vv. 1-9. Par le contenu aussi, le v. 1 et le v. 8 se
correspondent: «rester comme moi» (v. 8) correspond à «ne pas s'approcher d'une femme» (v. 1), car Paul était célibataire et revendiquait la légitimité de cet état. Mieux vaut donc considérer les vv. 1-9 comme une unité et
n'ouvrir une nouvelle péricope qu'au v. 10. La question se pose de l'autorité
avec laquelle Paul donne les consignes contenues dans ce passage. Les
premiers versets (vv. 1-5), où les phrases sont impersonnelles, ne contiennent
aucun indice sur cette question. Mais à partir du v. 6, Paul écrit «je», en
précisant même qu'il ne donne pas d'ordre. Il faut en conclure que toute la
péricope ne se réfère à aucune autre autorité que celle de l'Apôtre. Cela est
confirmé par les vv. 10-11 qui ouvrent la péricope suivante où là, au
contraire, la référence change: c'est celle du Seigneur Jésus. Puis à nouveau,
à partir du v. 12, Paul ne mettra plus en avant que sa seule autorité apostolique.

Comme l'indique le v. 1, le chapitre 7 est une réponse à des questions
posées par les Corinthiens à Paul dans une lettre antérieure à 1 Co. Le
contenu précis de cette lettre n'est pas connu. Plusieurs commentateurs

récents en ont trouvé un certain résumé dans le v. 1b qui, contrairement aux interprétations traditionnelles, serait un slogan corinthien. Cette opinion, qui aurait pour conséquence de dédouaner Paul d'une réserve sur les relations sexuelles, a été renforcée par les thèses de W. Schmitals (*Gnosis*) qui voyait l'Église de Corinthe imprégnée de courants gnostiques, certains favorisant une licence sexuelle débridée, certains de tendance ascétique et encratiques (Caragounis ; G. Fee* ; Thiselton* ; Wanamacker). Un point est sûr : il arrive à Paul de citer dans ses lettres un slogan de ses destinataires par rapport auquel il prend ses distances ; tel est le cas pour l'affirmation « tout est permis » deux fois répété en 6, 12 et en 10, 23 ; tel est aussi peut-être le cas en 8, 1. 4 à propos des viandes immolées aux idoles. Parmi les arguments qui poussent à faire de la phrase reproduite au v. 1b un slogan corinthien imprégné de gnose et non une affirmation paulinienne, citons ceux-ci : 1° Cette phrase est peu compatible avec l'affirmation biblique de Gn 2, 18. – 2° Dans la suite du chapitre 7, Paul insiste sur la légitimité des relations sexuelles dans le cadre du mariage. – 3° Paul précise plus loin sa propre position (7, 8. 26), il ne la donne pas au départ. Pour séduisants qu'ils soient, car ils donnent de l'Apôtre une image plus ouverte que celle que beaucoup lui prêtent, ces arguments ne sont pas forcément convaincants. On peut leur opposer ceux-ci : 1° Il arrive, effectivement, que Paul cite une opinion par rapport à laquelle il prend ses distances, mais sa propre position est en général introduite par une conjonction adversative claire, « mais » (en grec *alla* ; 6, 12 ; 8, 7 ; 10, 23) ; ici, l'opposition marquée au début du v. 2 est beaucoup plus faible. – 2° Au v. 7 et au v. 8, Paul exprime son souhait que tous, dans leur rapport aux femmes, soient comme lui ; or, il vivait en célibataire (cf. 9, 4). – 3° L'affirmation du v. 2 favorable au mariage est une concession « à cause des débauches », non une exaltation de l'état conjugal. – 4° Enfin, la reconstitution proposée par W. Schmithals d'un gnosticisme enthousiaste corinthien, porté à la licence dans certaines de ses composantes et à l'encratisme dans certaines autres, est peu vraisemblable. Les mœurs corinthiennes étaient plus célèbres par la débauche qui régnait dans la ville que par un prétendu ascétisme, même minoritaire. En conclusion, même si une opinion analogue à la formulation du v. 1b peut avoir circulé dans certains milieux corinthiens et peut être ici citée par l'Apôtre, il ne s'y oppose pas. Au contraire, il la signe. Elle colore l'ensemble du chapitre 7 et en commande pour une bonne part l'interprétation (*e.g.* Fitzmyer* ; Héring* ; Senft* ; Zeller*). De fait, la possibilité d'avoir une femme ou un mari, qui désigne la relation conjugale sans la nommer explicitement, est présentée au v. 2 comme une concession, pour éviter les dérèglements sexuels. Les fins du mariage ne sont pas évoquées, notamment la procréation sur laquelle insistaient les rabbis contemporains de Paul ; Paul tient aussi un tout autre discours que le judaïsme de son temps en donnant à l'homme et à la femme un rôle parfaitement symétrique dans la relation conjugale, ce qui est très novateur pour l'époque (Peterman). Cette réciprocité des rôles est encore soulignée aux vv. 3-4 par l'emploi de l'adverbe « pareillement » (*homoiôs*). Il faut bien avouer que la relation sexuelle entre époux telle qu'elle est décrite aux vv. 3-4 utilise un vocabulaire juridico-financier peu exaltant : celui de la dette (v. 3), celui de l'autorité (v. 4). L'autorité que chacun a sur le corps de l'autre a sans doute pour origine l'affirmation de Gn 2, 24 que les deux conjoints sont devenus « une seule chair ». On remarquera cependant que, à la différence de Matthieu et Marc lorsqu'ils citent Gn 2, 24 (Mt 19, 5 ; Mc 10, 8), Paul utilise le vocabulaire du corps (*sôma*) et non celui de la chair (*sarx*), *sôma* renvoyant à une dimension plus complète de la personne humaine. Au v. 5, Paul nomme une circonstance qui peut justifier l'abstinence temporaire des relations sexuelles entre époux : les périodes où ils se consacrent plus spécialement à la prière. Abuser de cette abstinence ou la faire durer trop longtemps peut donner prise à Satan, de même que, au v. 2, le risque d'un célibat non choisi était la débauche, voire la prostitution. Les conditions à réunir sont bien précises : cette abstinence ne peut avoir lieu que « d'un commun accord » et « pour un temps ». La raison pour laquelle l'Apôtre aborde cette question vient sans doute d'une question précise posée par les Corinthiens dans la lettre qu'ils avaient envoyée à Paul : dans de nombreuses religions, l'abstinence de rapports sexuels avant un acte cultuel est réclamé, y compris actuellement pour les prêtres chrétiens orientaux ; la religion de l'Israël antique en porte des traces (ainsi Ex 19, 15 ; Lv 15, 18 ; 1 S 21, 4-6 ; TestNephtali 8, 8) ; la jeune Église de Corinthe voulait savoir comment se situer par rapport à cette exigence de pureté rituelle (Poirier ; Poirier, Francovic). Paul répond de ne pas abuser de cette abstinence, mais sa réponse ne permet pas de préciser ce qu'il entend lorsqu'il la recommande « pour la prière » : le vendredi soir avant la participation au repas du Seigneur ? les jours de jeûne ? à d'autres moments ?

À partir du v. 6, l'Apôtre précise le degré d'autorité de son discours : il s'agit d'une concession, non d'un ordre. L'objet sur lequel porte cette concession n'est cependant pas clair. Il peut s'agir de la continence sexuelle temporaire pour se consacrer à la prière (v. 5) ; il peut aussi s'agir du choix de vivre en couple plutôt que de rester célibataire pour éviter la débauche (vv. 2-4) ; il peut encore s'agir de ce que le texte exprime au v.7, à savoir rester célibataire comme Paul (Winter). La réponse est liée à l'interprétation que l'on fait du v. 1b : si c'est un slogan corinthien que Paul récuse, la concession serait la possibilité de s'abstenir temporairement de relations sexuelles (v. 5), ou même définitivement (v. 7) ; si, au contraire, Paul estime bon de ne pas s'approcher d'une femme, la concession porte plutôt sur le fait de constituer un foyer intégrant les relations sexuelles, pour éviter la débauche (vv. 2-4) ou l'action de Satan (fin du v. 5). C'est cette dernière position que nous avons retenue. Au v. 7, en effet, Paul revient à ce qu'il considère comme le choix le meilleur, celui qu'il a fait lui-même de vivre un chaste célibat. Il ne motive pas ici ce choix par des raisons eschatologiques, comme il le fera plus loin au v. 26. Il ne se fait cependant pas d'illusions sur le nombre de personnes capables de vivre sereinement un tel choix et – de façon provisoire car il reviendra sur ces questions à partir du v. 26 – se réfugie derrière le fait que chacun a son charisme, celui du mariage ou celui de la chasteté vécue dans le célibat.

Les vv. 8-9 s'inscrivent directement dans la suite de ce qui précède. Puisqu'il a recommandé d'être « comme lui », c'est-à-dire en s'abstenant de relations sexuelles, Paul s'adresse en premier à ceux dont la situation comporte normalement cette abstinence, à savoir les célibataires et les veuves. « Il est *bon* pour eux d'être comme moi » reprend le v. 1b : « Il est *bon* pour un homme ne pas s'approcher d'une femme. » Le propos pour les veuves est relativement clair : Paul les invite à ne pas se remarier après leur veuvage ; il est ici en rupture avec la tradition juive, la situation d'une veuve non remariée étant particulièrement dramatique, car elle était privée de droits civiques ; d'où la loi du lévirat (Dt 25, 5-10), possible seulement dans un contexte où la polygamie est possible, ce dont on n'a pas de traces dans l'Église corinthienne. La situation que recouvre le terme « célibataire » (*agamos :* le célibataire mâle) est moins claire. S'agit-il de célibataires ayant décidé de rester dans cet état ? De telles décisions étaient fréquentes chez les philosophes stoïciens et cyniques, les premiers pour conserver la totale maîtrise de leur réflexion sans s'avilir dans les passions, les seconds par contestation de l'ordre social dominant (Ellis). S'agit-il aussi de veufs, voire de veufs seulement ? S'agit-il de jeunes gens non encore mariés ayant eu des relations sexuelles préconjugales avant leur conversion au christianisme, auxquels Paul demanderait de s'abstenir jusqu'à leur mariage (Molvaer) ? Quels que soient ces destinataires, la perspective développée dans ces deux versets est cohérente avec ce que l'Apôtre affirme depuis le début du chapitre : il utilise son propre statut d'homme sachant se contrôler pour arguer que la continence est possible et souhaitable, alors que les mentalités courantes faisaient du self-control une vertu réservée aux élites. Un sain réalisme nuance pourtant le propos ; si la continence est hors d'atteinte, il accepte que des relations sexuelles aient lieu, dans le cadre d'une union régulière, cela s'entend (Valentine).

NOTES

1

L'expression περὶ δέ qui ouvre le verset se retrouve ensuite en 7, 25 ; 8, 1 ; 12, 1 ; 16, 1.12. Elle introduit un nouveau sujet, la coupure avec ce qui précède étant d'importance variable ; elle est forte en 8, 1 ; elle est plus faible en 7, 25, la question de la virginité n'étant pas sans rapport avec les questions conjugales. Sa répétition en 8, 1 et 12, 1 n'implique pas que ces nouveaux sujets aient été abordés dans la lettre que les Corinthiens ont adressée à Paul (Mitchell). L'emploi de l'adjectif neutre καλόν a joué comme argument pour attribuer le v. 1b aux Corinthiens et non à Paul, puisque le texte de Gn^{LXX} 2, 18 l'emploie précisément pour exprimer les méfaits de l'isolement : οὐ καλὸν εἶναι τὸν ἄνθρωπον μόνον. On le retrouve plus loin en 1 Co 7, 8.26

[2x] ; 9, 15. La signification de l'expression « ne pas s'approcher d'une femme » est débattue. On la trouve dans la littérature grecque antique pour exprimer les rapports sexuels qu'un homme a avec elle (*eg*. Platon, *Lois* 8, 840a ; Aristote, *Politique* 7, 1355b, 12 ; Josèphe, *AJ* 1, 8, 1 § 163), ainsi que dans la LXX (Gn 20, 6 ; Ruth 2, 9 ; Pr 6, 29). Certains auteurs estiment qu'elle s'applique uniquement à des rapports sexuels de divertissement ou purement hédonistes (Ciampa) ; cela favoriserait le lien avec les chapitres 5 et 6. En limiter le sens à ce type de rapport n'est cependant pas exigé par les attestations littéraires ; et l'ensemble des propos tenus par Paul en 1 Co 7 ne va pas dans ce sens.

2

Le substantif πορνεία a été employé pour la première fois et à deux reprises dans la lettre, en 5, 1 (voir ce verset pour le sens du mot) ; il l'a été à nouveau en 6, 13 et 18 et sert de mot-crochet entre 5-6 d'une part et 7 d'autre part ; il est ici au pluriel, comme en Mc 7, 21 et Mt 15, 19. Le verbe ἔχω utilisé pour « avoir » une femme ou un mari sans que soit utilisé le vocabulaire propre au mariage peut sembler faible ; on le trouve pourtant pour exprimer des relations conjugales dans la LXX (Ex 2, 1 ; Dt 28, 30 ; Is 13, 16).

3-4

Le substantif ὀφειλή (v. 4) exprime au sens premier une « dette ». L'expression ἀποδίδωμι ὀφειλὴν est fréquente dans les papyri au sens de « payer une dette ». Le terme ἐξουσία (v. 5) utilisé à propos de l'autorité que chaque conjoint possède sur le corps de l'autre appartient également au vocabulaire juridico-financier.

5

L'impératif négatif μὴ ἀποστερεῖτε est au présent ; ce temps exprime une défense générale (l'impératif aoriste exprimerait une défense précise). Le sens propre de ἀποστερέω (déjà employé en 6, 7-8) est « dérober, priver de » ; son emploi ici est cohérent avec celui du verbe ἔχω qui évoque la possession, au v. 2. Le sens de l'expression temporelle πρὸς καιρόν est débattu. Des auteurs la rapprochent de l'adjectif πρόσκαιρος et, en se fondant sur certains emplois tirés de la littérature grecque de Sophocle à Clément d'Alexandrie, la traduisent « dans des occasions appropriées » (Scarpat). Ce rapprochement n'est cependant pas nécessaire (Prete) : la deuxième partie du verset invite les époux à être de nouveau ensemble ; le sens classique « pour un temps », au sens d'un temps limité, est ici approprié.

6-7

Le démonstratif neutre τοῦτο (v. 6) est ambigu ; il peut s'appliquer à ce qui précède et à ce qui suit ; d'où une pluralité d'interprétations possibles pour ce v. 6. Le verbe exprimant la volonté de Paul au v. 7, θέλω, exprime un désir et non une volonté ferme (à la différence de βούλομαι qui se réfère à une décision souvent prise après délibération) ; suivi de la conjonction ἀλλά, il peut même exprimer un vœu irréalisable : « Je voudrais » (Senft*). La fin du v. 7 entraîne que le terme χάρισμα (v. 7) s'applique apparemment aux deux situations : mariage et célibat, pas seulement au célibat ou à la virginité (malgré Senft*).

8-9

Tout en s'adressant à des catégories de personnes particulières, Paul conserve un ton impersonnel ; il parle d'elles à la troisième personne (v. 8). Ἄγαμος est un adjectif signifiant « non marié » ; il se traduit habituellement par « célibataire ». Il peut sans doute aussi désigner un veuf, le substantif ἡ χήρα, qui signifie « la veuve », n'ayant pas de correspondant masculin. Certains auteurs estiment que Paul parle ici essentiellement des veufs, dans la mesure où le sort des célibataires vierges serait traité plus loin au v. 26 et suivants (voir le commentaire de ce verset) ; Paul parlerait alors ici, toujours dans le respect de la symétrie du rapport homme/femme, aux personnes qui se retrouvent seules après le décès d'un conjoint (Fee*) ; le texte n'exige cependant cette acception restreinte du terme ἄγαμος. L'emploi au v. 9 du verbe « brûler » (πυροῦσθαι) renvoie plus vraisemblablement au feu de la passion qu'au feu de l'enfer ; à aucun endroit du texte il n'est question de damnation (voir 2 Co 11, 29 où Paul utilise la même image à propos de lui-même). L'hypothèse a été faite que l'argumentation paulinienne reprend des traditions juives jouant sur les termes hébreux ʾēš (le feu) et ʾiššāh (la femme) (Bini) ; ce n'est pas impossible, mais rien ne le prouve.

Stabilité du mariage, sauf si...
(7, 10-16)

TRADUCTION

7, 10 A ceux qui se sont mariés je prescris, non pas moi mais le Seigneur, qu'une femme ne se sépare pas[a] de son mari – 11 ou alors, si elle se sépare, qu'elle demeure célibataire ou qu'elle se réconcilie avec son mari – et qu'un mari ne renvoie pas sa femme. 12 Pour le reste je dis, moi et non pas le Seigneur : si un frère a une femme non-croyante et qu'elle trouve bon de demeurer avec lui, qu'il ne la renvoie pas. 13 Et une femme, si[b] elle a un mari non-croyant et que celui-ci trouve bon de demeurer avec elle, qu'elle ne renvoie pas son mari. 14 Car le mari non-croyant est sanctifié de par sa femme[c], et la femme non-croyante est sanctifiée de par le frère[d] puisque, autrement, vos enfants seraient impurs ; or, en fait, ils sont saints. 15 Si le non-croyant se sépare, qu'il se sépare ; le frère ou la sœur n'est pas asservi en de tels cas. C'est à la paix que Dieu vous[e] a appelés. 16 En effet, le sais-tu, femme, si tu sauveras ton mari ? Ou le sais-tu, mari, si tu sauveras ta femme ?

[a] La leçon la mieux attestée porte le verbe χωρίζω (éloigner, séparer) à l'infinitif aoriste passif : μὴ χωρισθῆναι (א B C Ψ 33^vid. 1739 *Byz ;* Clément Épiphane). Certains mss portent l'infinitif présent, moyen ou passif : μὴ χωρίζεσθαι (A D F G 1505. 1881 *pc*) ; le sens est pratiquement le même. Quelques mss portent un impératif présent moyen ou passif de la troisième personne : μὴ χωρίζεσθω (p^46 614 *pc*) ; cette dernière leçon, très peu attestée, est sans doute influencée par le parallèle de Mc 10, 9.

^b Hésitation forte entre deux leçons : 1° εἴ τις (p^{46}א D* F G P 1505 *al* latt sa) : conjonction + adjectif indéfini. – 2° ἥτις (A B D^2 Ψ 33. 1739. 1881 *Byz* sy^h bo) : pronom relatif féminin. L'attestation de la leçon 1 est légèrement meilleure ; c'est elle que l'on retient, malgré l'influence possible de εἴ τις ἀδελφός au v. 12. Noter qu'au Ier siècle les deux leçons se prononcent pareil.

^c Après ἐν τῇ γυναικί, certains mss, appartenant pour la majorité à la tradition occidentale, ajoutent τῇ πιστῇ : D F G 629 latt sy^p ; Tertullien. Cette glose interprétative explicite les facteurs de sanctification du mari : il faut que sa femme soit croyante.

^d Trois leçons manuscrites en présence : 1° ἐν τῷ ἀδελφῷ (p^{46} א* A B C D* F G P Ψ 33. 365. 1175. 1739 *pc* co). – 2° ἐν τῷ ἀνδρί (א^2 D^2 *Byz* sy^h). – 3° ἐν τῷ ἀνδρὶ τῷ πιστῷ (629 lat sy^p ; Irénée^{lat} Tertullien Ambrosiaster). La mieux attestée, retenue, est la leçon 1. La leçon 2 est une correction par corrélation avec ἐν τῇ γυναικί. La leçon 3 est une glose précisant que le mari en question doit être croyant.

^e Le pronom personnel ὑμᾶς (א* A C K 81. 326. 1175 *pc* bo) est remplacé par ἡμᾶς dans de nombreux mss (p^{46} א^2 B D C F G Ψ 33. 1739. 1881 *Byz* sy sa). La leçon avec ἡμᾶς est mieux attestée ; elle n'est pas retenue par *NTG* au nom d'une tendance qu'ont les scribes à généraliser ; nous ne la retenons pas non plus. Certains commentateurs la préfèrent pourtant au nom de sa meilleure attestation (*eg.* Héring*).

BIBLIOGRAPHIE

S.C. BARTON, « Sanctification and Oneness in 1 Corinthians with Implications for the Case of "Mixed Marriages" (1 Corinthians 7. 12-16) », *NTS* 63, 2017, 38-55. – E. BEST, « 1 Corinthians 7 : 14 and Children in the Church », *IBSt* 12, 1990, 158-166. – Y.M. GILLIHAN, « Jewish Laws on Illicit Marriage, the Defilement of Offspring, and the Holiness of the Temple : A New Halakic Interpretation of 1 Corinthians 7 : 14 », *JBL* 121, 2002, 711-744. – C. J. HODGE, « Married to an Unveliever : Households, Hierarchies, and Holiness in 1 Corinthians 7 : 12-16 », *HThR* 103, 2010, 1-25. – C.J. HODGE, « "Mixed Marriage" in Early Christinaity », in *Corinth in Contrast*, S.J. FRIESEN, S.A. JAMES, D.N. SCHOWALTER (eds), Leiden 2014, 227-244. – S. KUBO, « 1 Cor VII : 16 : Optimistic or Pessimistic ? », *NTS* 24, 1978, 539-544. – J. LAMBRECHT, « What Kind of Logic Is There in 1 Corinthians 7, 14cd ? », *EThL* 88, 2012, 173-178. – M.Y. MACDONALD, L.E. VAAGE, « Unclean but Holy Children : Paul's Everyday Quandary in 1 Corinthians 7 : 14c », *CBQ* 73, 2011, 526-546. – M.P. MARTENS, « First Corinthians 7 : 14 : "Sanctified" by the Believing Spouse », *NotesTrans* 10, 1996, 31-35. – J. MURPHY-O'CONNOR, « Works without Faith in I Cor., VII, 14 », *RB* 84, 1977, 349-361. – R.G. OLENDER, « Paul's Source for 1 Corinthians 6 : 10 – 7 : 11 », *Faith and Mission* [Wake Forest, NC] 18, 2001, 60-73. – L.E. VAAGE, « The Translation of 1 Cor 7 : 14c and the Labile Social Body of the Pauline Church », *RB* 116, 2009, 557-571. – E.K.C. WONG, « The Deradicalization of Jesus' Ethical Sayings in 1 Corinthians », *NTS* 48, 2002, 181-194. – M. et R. ZIMMERMANN, « Zituation, Kontradiktion oder Applikation ? Die Jesuslogien in 1 Kor 7, 10f. und 9, 14 : Traditionsgeschichtliche Verankerung und paulinische Interpretation », *ZNTW* 87, 1996, 83-100.

INTERPRÉTATION

Après avoir fait l'apologie du célibat, le discours paulinien se consacre à la situation des personnes mariées, situation majoritaire pour les personnes adultes du monde antique. Le propos est essentiellement éthique, le mariage n'ayant pas à l'époque, ni dans le monde juif ni dans le monde gréco-romain, de dimension proprement religieuse. C'est à partir du XIe siècle seulement que, dans l'Église catholique, des théologiens lui attribueront une dimension sacramentelle. L'engagement entre les conjoints pour constituer une famille est cependant pris au sérieux. À la suite de Jésus, Paul réclame la stabilité du mariage (vv. 10-11); une exception peut cependant exister, orientant vers ce que la tradition chrétienne a appelé le «privilège paulin» (vv. 12-16). Aux vv. 12-16, Paul répond vraisemblablement à une question que lui ont posée les Corinthiens: dans un couple qui s'est marié avant d'avoir connu la foi chrétienne, si l'un des deux conjoints devient chrétien et que l'autre ne le suive pas dans sa conversion, le couple doit-il se séparer? Et, si oui, le remariage de la partie croyante avec un membre de la communauté chrétienne est-il possible? De tels cas devaient être fréquents à Corinthe, quatre ou cinq années seulement séparant l'évangélisation de la ville et la rédaction de 1 Co. En revanche, on ne peut savoir si les consignes générales données aux vv. 10-11 sont une réponse de l'Apôtre à une question posée. Peut-être est-ce simplement lui qui prend l'initiative de rappeler ce principe général, pour dessiner la toile de fond à partir de laquelle il aborde la question des mariages mixtes aux vv. 12-16.

VV. 10-11 – «A ceux qui sont mariés je prescris» (début du v. 10) fait pendant à l'expression équivalente au début du v. 8: «Je le dis aux célibataires et aux veuves.» C'est Paul qui parle, mais il s'appuie, pour réclamer la stabilité des couples, sur une autorité plus haute que la sienne, à savoir celle du Seigneur (v. 10a); ce qui laisse entendre que les recommandations de la péricope précédente (vv. 1-9) relevaient de la seule autorité de l'Apôtre (ce sera à nouveau le cas à partir du v. 12). Comment a-t-il connaissance de cette prescription remontant au Seigneur? Il semble qu'il se réfère à la prédication de Jésus au cours de sa mission terrestre – et non au Ressuscité, malgré l'emploi du terme *kurios* – bien qu'il n'en fasse aucune citation explicite. Plus loin, en 9, 14, il fera également allusion à un *logion* remontant à Jésus sans réellement le citer, précisément pour se justifier de ne pas en suivre les prescriptions (Zimmermann)! On trouve la trace de l'interdiction par Jésus de la répudiation dans quatre passages des évangiles synoptiques (Mt 5, 31-32; 19, 3-9; Mc 10, 2-12; Lc 16, 18); Jésus prend là ses distances par rapport aux consignes sur le divorce, données en Dt 24, 1-4. Dans deux de ces passages (Mt 19, 3-9 et Mc 10, 2-12) il s'agit d'une controverse entre Jésus et des Pharisiens; le rabbi de Galilée justifie la stabilité du couple en s'appuyant sur l'intention créatrice de Dieu telle qu'elle est exprimée en Gn 2, 24. Paul cite ce même passage de la Genèse en 6, 16, mais il ne l'applique pas explicitement à la relation conjugale. Dans les deux autres passages évangéliques (Mt 5, 31-32 et Lc 16, 18), Jésus interdit la répudiation sans faire appel à l'Écriture. C'est aussi le cas pour Paul, auquel il suffit de s'appuyer sur l'autorité de Jésus sans avoir besoin d'un autre appui. Les vv. 10-11 de 1 Co 7 semblent alors tenir la place d'un de chaînon intermédiaire entre la tradition remontant à Jésus et la rédaction définitive de Matthieu et Marc (Dungan, *Sayings*). Il vaut aussi la peine de remarquer que Paul a en commun avec Marc d'envisager l'hypothèse, totalement absente de la tradition juive, d'une femme renvoyant son mari (Mc 10, 12) (Olender); c'est même par ce cas-là qu'il commence (vv. 10b-11a), le cas d'un mari répudiant sa femme n'étant envisagé qu'ensuite (v. 11b). On a là une illustration parmi d'autres des relations existant entre les écrits pauliniens et l'évangile de Marc (Wong).

VV. 12-16 – L'introduction des vv. 12-13 montre que l'Apôtre aborde un nouveau sujet, mais le contenu n'en est pas spontanément discernable. C'est au fil de la lecture qu'on en comprend l'enjeu. Quelles sont en effet les seules conditions possibles pour qu'un chrétien (appelé ici un frère) ait une femme non-croyante ? Il faut qu'il l'ait épousée alors que tous deux étaient encore païens, que lui se soit converti au christianisme et elle, pas ; car il était tout à fait inenvisageable qu'un chrétien célibataire ou veuf, quel que soit son sexe, se marie avec un païen ou une païenne (voir v. 39). La situation que Paul aborde dans les vv. 12-16 est donc celle de ce que nous appelons dans vocabulaire religieux moderne, celle des foyers mixtes, une situation que Paul accepte mais que l'Église refusera en général à l'époque patristique (*e.g.* Tertullien, *Ad uxorem* 2, 2, 1) (Hodge, *Mixed*). Ici comme aux vv. 1-9, c'est l'opinion de Paul qui s'exprime ; il n'a pas à sa disposition un commandement du Seigneur sur lequel il pourrait s'appuyer. Deux cas peuvent se présenter. Premier cas : le conjoint qui ne s'est pas converti au christianisme (la femme au v. 12 ; le mari au v. 13) accepte de rester en couple avec celui qui est devenu chrétien : pas de problème, déclare Paul ! Qu'ils restent en couple ! Joue déjà implicitement un principe que l'Apôtre énoncera plus loin aux vv. 17.20.24 à propos de la situation des esclaves : devenir chrétien ne doit pas conduire à changer de situation, ni au plan social, ni au plan conjugal. Mais ce principe n'est pas le seul à jouer ; Paul en énonce un autre au v. 14, à savoir que le mari non-croyant est sanctifié au moyen de la femme et que la femme non-croyante est sanctifiée au moyen du mari. Autrement dit, ce n'est pas l'impureté du conjoint païen qui souille le couple mixte, mais c'est par la sainteté du conjoint croyant que le couple est sanctifié ; la sainteté l'emporte sur l'impureté. À l'inverse de la Loi de sainteté de l'AT qui demande au Juif de se protéger de ce qui est impur (Lv 17-26), la sainteté selon Paul est contagieuse (Barton). Un tel propos pourrait cependant n'être pas convaincant pour une mentalité antique où le monde des démons et du mal était omniprésent et particulièrement redouté. Pour mieux convaincre, Paul argumente alors à partir des enfants : au lieu d'être impurs, ils sont saints ! Paul utilise communément le terme « saint », surtout au pluriel, pour désigner les chrétiens (ainsi en 1 Co 1, 2 ; 6, 1.2 ; 14, 33 ; 16, 1.15) ; leur foi en fait en quelque sorte des séparés du reste du monde, la connotation de séparation faisant partie du concept de sainteté antique ; dans ce type d'emploi, le terme a une connotation rituelle et légale ; le sens le plus immédiat est alors que l'adhésion au Christ d'un seul des deux parents est suffisante pour que les enfants du couple soient considérés comme membres de l'Église (Best ; Gillihan). J. Murphy-O'Connor conteste cette lecture, soulignant qu'il est difficile de penser que le terme « saint » est employé avec cette connotation ici, dans la mesure où rien ne dit que lesdits enfants sont baptisés ; il remarque que Paul utilise aussi le terme « saint » avec une autre connotation, par exemple en 1 Th 4, 1-7 ou Rm 6, 19-22. Dans ces passages, la sainteté n'est pas liée à une situation ecclésiale, mais à un agir ; c'est une attitude dynamique repérée chez des personnes qui, en vertu d'un appel divin, ont une conduite à l'opposé des comportements courants chez les païens ; on peut être alors à la fois saint et non-croyant. Pour intéressante que soit cette réflexion, nous ne la retenons pas, car les enfants peuvent être très jeunes, et pas encore en mesure d'avoir toutes ces aspirations.

Deuxième cas, au v. 15 : la partie non-croyante prend ses distances par rapport au couple, car la vie religieuse de son conjoint devenu chrétien lui rend la vie difficile. Paul déclare alors que la séparation est possible. S'efforcer de rester ensemble serait un véritable asservissement, alors que Dieu appelle les humains à la paix et à la liberté. Dans l'Antiquité, en effet, le foyer domestique était un espace sacré ; un membre du foyer qui refusait d'honorer les dieux de son conjoint et honorait les siens à la place mettait gravement en péril l'harmonie conjugale (Hodge, *Unbeliever*). Une question est largement débattue, celle de savoir si le remariage de la partie croyante avec un autre chrétien est possible ou non (voir l'encadré sur le privilège paulin). Sans être directement liée à la lecture qui est faite du v. 16, elle n'est cependant pas sans rapport avec elle. Ce verset est composé de deux phrases interrogatives auxquelles il n'est pas donné de réponse. Selon le ton avec lequel on les prononcerait oralement, on peut s'orienter vers un questionnement pessimiste ou vers un questionnement optimiste. Paraphrase du questionnement pessimiste : « Comment, toi le croyant, peux-tu être sûr que tu convaincras ton conjoint non-croyant ? Tu n'as aucune garantie. » Paul prendrait alors acte d'une rupture de fait de l'union conjugale ; la conciliation n'est pas possible. C'est dans ce cadre que peut intervenir le « privilège paulin ». Paraphrase du questionnement optimiste : « Comment, toi le conjoint croyant, peux-tu être sûr que tu ne convaincras pas ton conjoint non-croyant ? » Paul exhorterait alors le conjoint croyant à vivre en couple coûte que coûte, peut-être en faisant intervenir une réconciliation analogue à celle qui est évoquée au v. 11a, et à conquérir une paix qui est tout autre chose que la tranquillité de ceux qui se sont séparés. Que choisir ? Un détour par l'histoire de la lecture du v. 16 est éclairant. La plupart des Pères de l'Antiquité chrétienne optaient pour la lecture optimiste : la force de conviction du conjoint croyant pouvait aboutir à la conversion du non-croyant (ainsi Tertullien, Augustin, Théodoret, Photius, Théophylacte). Les choses changent avec le Moyen Âge ; le théologien franciscain Nicolas de Lyre (mort en 1340) insiste sur la continuité existant entre le v. 15 et le v. 16 ; l'éventualité de convertir son conjoint incroyant est peu réaliste. Cette lecture restera dominante jusqu'au xxe siècle où des travaux plus fouillés sur la LXX puis sur la littérature grecque ont permis d'identifier des questions utilisant les mêmes tournures grammaticales que le v. 16, exprimant un espoir plutôt qu'un doute. Des bilans plus récents ont été faits ; si l'on pense que Paul autorise le remariage après la séparation, c'est sans doute parce qu'il ne se fait pas d'illusion sur la possibilité de vivre en paix entre conjoints ayant des appartenances religieuses inconciliables. Ce qui avait valeur pour le monde antique n'est cependant pas à transposer sans aménagements à l'époque moderne.

NOTES

10-11

Dans le monde juif du Ier siècle, les conditions dans lesquelles un homme pouvait répudier sa femme étaient très débattues (voit Mt 19, 3-9 et Mc 10, 2-12) ; Rabbi Hillel l'accordait dans les conditions assez larges, presque futiles parfois ; Rabbi Shammaï était plus restrictif (Schillebeeckx, *Mariage*, 150-151) ; à Qumrân on interdisait le divorce (CD 4, 20-21 ; 11QRT 19, 17-19). Dans le judaïsme palestinien, une femme ne pouvait répudier son mari (le judaïsme rabbinique le rendra possible) ; mais il semble que cela pouvait avoir lieu dans la colonie juive égyptienne d'Éléphantine, et cela dès le ve siècle avant notre ère, sous l'influence des mœurs locales (Fitzmyer*, 290). En revanche, dans le monde gréco-romain, le divorce était possible, soit par consentement mutuel, soit à l'initiative de l'un des deux époux. Au v. 10, le verbe par lequel l'Apôtre réclame la stabilité du couple (παραγγέλλω) a une connotation de prescription forte. Les époux sont désignés par le participe parfait du verbe γαμέω (se marier) : situation présente résultant d'un événement passé. Pour la femme se séparant de son mari, le verbe utilisé est χωρίζω au passif (s'éloigner, se séparer) ; également au v. 11 et au v. 15 [2x] ; il n'appartient pas au vocabulaire technique de la répudiation, la répudiation du mari par la femme étant impossible dans la tradition juive. Pour le mari répudiant sa femme, Paul utilise un autre verbe, ἀφίημι (renvoyer ; vv. 11.12). Mais l'usage paulinien est flottant ; au v. 13, ἀφίημι est employé pour la femme renvoyant son mari. Le v. 11a semble être un complément paulinien à la tradition remontant au Seigneur, exprimée de façon lapidaire aux vv. 10b et 11b.

12-13

Le datif pluriel par lequel commence le v. 12, τοῖς δὲ λοιποῖς, peut-être un masculin ou un neutre : Paul se réfère soit à d'autres personnes, soit à d'autres situations. Entre les deux possibilités, il n'est pas nécessaire de choisir ; quelle que soit la traduction, le texte aborde un nouveau sujet. Les vv. 12 et 13 sont formulés de façon symétrique pour le mari et pour la femme, mais les termes employés pour désigner les personnes ne sont pas équivalents : le conjoint chrétien mâle est d'abord appelé « frère » (ἀδελφός ; v. 12 puis vv. 14. 15) avant d'être appelé « mari » (ἀνήρ ; v. 13-16) ; tandis que le conjoint femelle est presque toujours appelé « femme » (γυνή ; vv. 12.13.14.16), et une seule fois « sœur », lorsqu'il est nécessaire d'insister sur le fait qu'elle est chrétienne (ἀδελφή ; v. 15). L'adjectif employé pour désigner la partie non-chrétienne est ἄπιστος (vv. 12-15) ; Paul l'emploie uniquement en 1 Co et 2 Co (1 Co 6, 6 ; 10, 27 ; 14, 22.23.24 ; 2 Co 4, 4 ; 6, 14-15), toujours à propos des personnes n'appartenant pas au groupe chrétien ; c'est ici le seul passage où il est utilisé à propos du mariage ; il n'a pas ici de connotation dépréciative.

14

Ce verset est marqué par le vocabulaire de la sanctification : deux fois le verbe ἁγιάζω au parfait passif (mari et femme ont été sanctifiés et le demeurent) ; une fois l'adjectif ἅγιος (saint) à propos des enfants, opposé à ἀκάθαρτος (impur). Cette sanctification peut avoir deux contenus : elle peut simplement indiquer qu'un mariage mixte est légitime aux yeux de Dieu ; elle peut avoir un sens plus fort, le conjoint non-croyant étant en quelque sorte bénéficiaire de l'engagement de foi du conjoint croyant (Martens). Contrairement à certaines opinions, le terme « saint » appliqué aux enfants n'implique pas qu'ils soient baptisés ; il est vrai qu'une maison-née était parfois baptisée en même temps que le chef de famille (exemple connu du geôlier de Philippes en Ac 16, 33) ; mais ce n'était pas systématique et, ici, la situation est clairement celle du foyer mixte. L'agent du passif ἡγίασται n'est ni la femme ni le mari, mais Dieu qui, seul, peut sanctifier ; le rôle du conjoint dans ce processus de sanctification est introduit par la préposition ἐν et non par la préposition ὑπό (cf. emplois analogues en Ex^{LXX} 29, 37.43-44). Le couple des contraires « impu-reté » (ἀκαθαρσία) *vs* « sanctification » (ἁγιασμός) existe ailleurs chez Paul (1 Th 4, 7 ; Rm 6, 19). Le sens de la phrase finale à propos des enfants est débattu ; les deux premiers mots, ἐπεὶ ἄρα (littéralement « puisque donc ») pourraient suggérer qu'ef-fectivement les enfants d'un couple mixte sont impurs ; mais paradoxalement (deuxième partie de la phrase) ils sont saints ; à la fois impurs et saints, ils représen-teraient une sorte de frontière entre le monde païen et le monde de l'Église corin-thienne (MacDonald, Vaage ; Vaage). Il est tentant, en effet, de penser que les traductions en langue moderne qui font du premier membre de la phrase une condi-tion irréelle ont été influencées par la Vulgate qui traduit ἐπεὶ ἄρα par *alioquin* (autrement) ; et c'est bien le même verbe ἐστιν qui figure dans les deux parties de la phrase. Pourtant, à l'intérieur du v. 14, la sanctification du conjoint non-croyant et la sainteté des enfants appartiennent à la même logique ; il n'y a pas de raison de placer les enfants en situation excessivement paradoxale (Lambrecht).

15

L'emploi du verbe δουλόω au passif (être asservi) pour exprimer le lien conjugal semble donner une idée très négative du mariage. Il faut cependant remarquer qu'il est ici employé dans le cas pour un chrétien dont le conjoint non-croyant veut se séparer ; ce n'est pas une situation matrimoniale paisible. On trouve cependant la même idée chez Philon parlant des esséniens célibataires et estimant que celui qui a pris femme et a des enfants est passé de la liberté à l'esclavage (*Hypothetica* 11, 17).

16

Les deux questions du v. 16 sont introduites par τί γὰρ οἶδας... εἰ. Les lectures optimistes récentes s'autorisent du parallèle avec une tournure proche que l'on trouve dans certains passages de la LXX sous la forme τίς οἶδεν εἰ : 2 R^{LXX} 12,

22 ; Jl 2, 14 ; Jon 3, 9 ; Est 4, 14) ; elle introduit un questionnement associé à un faible espoir (Lightfoot, *Notes*, 227). Des parallèles dans la littérature grecque pourraient conduire au même résultat : Épictète, *Entretiens* 2, 20, 30 ; 2, 22, 31 ; 2, 25, 2 ; Joseph et Aséneth 54, 12-13 ; Homère, *Odyssée* 3, 216 ; Sophocle, *Antigone* 521 ; Platon, *Gorgias* 492e. À l'inverse, on doit remarquer le lien étroit entre le v. 15 et le v. 16, exprimé par la conjonction γάρ au début du v. 16 ; le v. 15 étant tout entier consacré à l'hypothèse de la séparation entre les conjoints, une lecture pessimiste des questionnements du v. 16 semble plus fidèle au mouvement du texte (Kubo). Par ailleurs, le verbe « sauver » (σώζω) employé deux fois et ayant pour sujet la femme ou le mari a ici le sens restreint de « faire rentrer dans l'Église ». On trouve parfois cet emploi chez Paul, une personne humaine – et non pas Dieu ni le Christ – étant le sujet dudit verbe (*e.g.* Rm 11, 14).

Excursus : Le privilège paulin dans la tradition catholique

Bibliographie

G.L. BOCHERT, « 1 Corinthians 7 :15 and the Church's Historic Misunderstanding of Divorce and Remarriage », *RExp*, 96, 1999, 125-129. – C BOWMAN, « Paulus en het celibaat », *Bijdr* 37, 1976, 379-390. – P. MENOUD, « Mariage et célibat selon saint Paul », *RevTheolPhil*, 1951, 21-34. – R.G. OLENDER, « The Pauline Privilege : Inference or Exegesis ? », *Faith and Mission* 16, 1998, 94-117. – H.-U. WILLI, « Das Privilegium paulinum (1 Kor 7 : 15-16) – Pauli eigene Lebeserinnerung », *BZ* 22, 1978, 100-108.

En 1 Co 7, 15-16, Paul autorise les conjoints d'un foyer mixte à se séparer si la vie conjugale devient impossible après la conversion au christianisme de l'un des deux. Il donne clairement cette autorisation dans le cas où la partie non-croyante prend l'initiative de cette séparation (v. 15a). La question a été posée de savoir si Paul ne donnait pas cette autorisation car il aurait lui-même connu une situation analogue : marié avant sa conversion comme la plupart des rabbis juifs, il aurait été abandonné par son épouse qui ne supportait pas les nouveaux engagements de son mari ; (Bowman ; Menoud). Reprise à nouveaux frais après un examen fouillé des textes du judaïsme ancien dans lequel on a cru discerner une obligation pour les rabbis de se marier, cette thèse n'est pourtant plus soutenue (Willi). De toute façon, il est clair que Paul n'est pas marié lorsqu'il parcourt le monde méditerranéen pour y témoigner de l'Évangile ; il revendique fortement son célibat (1 Co 7, 1. 7 ; 9, 5). Une autre question posée est de savoir si, après cette séparation, Paul autorise la partie croyante à se remarier, avec une personne chrétienne, évidemment (cf. 7, 39). L'Apôtre ne donne pas de réponse explicite mais, dans la logique de son propos, on peut penser que oui, sauf à faire du v. 16 une lecture tellement optimiste que la conversion du conjoint non-croyant par le conjoint croyant deviendrait une priorité dans le couple. La possibilité de contracter alors un nouveau mariage est connue dans la tradition chrétienne sous le nom de « privilège paulin ». Elle est le résultat d'une lecture de 1 Co 7, 15 considérant que Paul donne une telle autorisation, dans le cas où les conflits résultant de la différence de religion rendent impossible la vie conjugale (Bochert). Paul, cependant, n'exprime pas explicitement cette possibilité de remariage ; certains lecteurs estiment que l'existence du privilège paulin trahit le texte de l'Apôtre (Olender). L'Église catholique autorise cependant le remariage « au bénéfice de la foi » ; elle est même plus ouverte dans ce domaine que Paul lui-même. L'Apôtre n'envisage, en effet, la séparation que sur initiative de la partie non-croyante (1 Co 7, 15a) ; l'Église catholique autorise également la séparation et le remariage sur initiative de la partie catholique (Schille-beeckx, *Mariage*, 160-173).

Codex Iuris Canonici (édition 1983, traduction française par la Société internationale de droit canonique et de législations religieuses comparées) :

Canon 1143 – § 1. Le mariage conclu par deux non-baptisés est dissous en vertu du privilège paulin en faveur de la foi de la partie qui a reçu le baptême, par le fait même qu'un nouveau mariage est contracté par cette partie, pourvu que la partie non baptisée s'en aille.

– § 2. La partie non baptisée est censée s'en aller si elle refuse de cohabiter ou de cohabiter pacifiquement sans injure au Créateur avec la partie baptisée, à moins que cette dernière après la réception du baptême ne lui ait donné une juste cause de départ.

Une conversion sans effets sociaux
(7, 17-24)

TRADUCTION

7, 17 Sinon, que l'on se conduise chacun selon la part que le Seigneur lui donna[a], chacun comme Dieu l'a appelé. C'est cela que je prescris[b] dans toutes les Églises. 18 Quelqu'un fut appelé (étant) circoncis, qu'il ne se fasse pas étirer (la peau). Quelqu'un a été appelé[c] en (état d') incirconcision, qu'il ne se fasse pas circoncire. 19 La circoncision n'est rien et l'incirconcision n'est rien, mais l'observance des commandements de Dieu. 20 Chacun dans l'appel dans lequel[d] il fut appelé, qu'il y demeure. 21 Tu fus appelé (étant) esclave, que ce ne soit pas un souci pour toi – mais si aussi tu peux devenir libre, profites-en plutôt. 22 En effet, dans le Seigneur, celui qui fut appelé (étant) esclave est un affranchi du Seigneur ; pareillement celui fut appelé (étant) libre est un esclave du Christ. 23 Vous avez été achetés contre paiement. Ne devenez pas esclaves des hommes. 24 Chacun dans l'état dans lequel il fut appelé, frères, qu'il y demeure devant Dieu[e].

ᵃ Au lieu de l'aoriste ἐμέρισεν (p⁴⁶ ℵ² [A] C D F G Ψ 33 *Byz*), certains mss portent le parfait μεμέρικεν ([p⁴⁶ᶜ] ℵ* B 81. 630. 1739 *pc*) ; cette modification est sans doute secondaire et influencée par le parfait κέκληκεν qui le suit de près.

ᵇ Au lieu de « je prescris » (διατάσσομαι), quelques mss portent « j'enseigne » (διδάσκω) : D* F G latt. Cette variante utilisant un terme plus fréquent dans les écrits pauliniens est peu attestée.

ᶜ Au lieu de κέκληται τις, attesté par la majorité des mss, on peut trouver les mots dans l'ordre inverse : τις κέκληται (p¹⁵ D* F G Ψ 1881 *pc*) et même, dans quelques mss, avec l'aoriste au lieu du parfait : τις ἐκλήθη (D² *Byz*). La première formulation, beaucoup mieux attestée, est la meilleure.

ᵈ La majorité des mss portent une tournure elliptique : ἐν τῇ κλήσει ᾗ ἐκλήθη. Quelques mss l'explicitent : ἐν τῇ κλήσει ἐν ᾗ ἐκλήθη (p¹⁵ [1739ᶜ] ar ; Ambrosiaster) ; cette explicitation, peu attestée, est secondaire.

ᵉ La fin de la phrase, « devant Dieu » (παρὰ θεῷ) est omise par le mss 309. C'est sans doute par contagion du v. 20 qui ne porte pas cette finale.

BIBLIOGRAPHIE

S.S. Bartchy, *Mallon chresai : First-Century Slavery and the Interpretation of 1 Corinthians 7 : 21*, Cambridge 1973. – L. Boston, « A Womanist Reflection on 1 Corinthians 7 : 21-24 and 1 Corinthians 14 : 33-35 », *Journal of Women and Religion* 9-10, 1990-91, 81-89. – B.R. Braxton, *The Tyranny of Resolution. I Corinthians 7 : 17-24*, Atlanta 2000. – A. Callaghan, « A Note on I Corinthians 7 : 21 », *JournInterdenomTheolCent* 17, 1989-90, 110-114. – G.W. Dawes, « "But if you Can Gain your Freedom", (1 Corinthians 7 : 17-24) », *CBQ* 52, 1990, 681-697. – W. Deming, « A Diatribe Pattern in 1 Cor. 7 : 21-22 : A New Perspective on Paul's Directions to Slaves », *NT* 37, 1995, 130-137. – L.K.F. Dow, « Understanding κλῆσις in the New Testament », *JournGrecoRomChristJud* 6, 2009, 191-198. – M. Flexsenhar, « Recovering Paul's Hypothétical Slaves : Rhetoric and Reality in 1 Corinthians 7 : 21 », *JournStudPaulLett* 5, 2015, 71-88. – J.A. Harrill, « Paul and Slavery : The Problem of 1 Corinthians 7 : 21 », *BR* 39, 1994, 5-28. – J.A. Harrill, « Slavery and Society in Corinth », *BiTod* 35, 1997, 287-293. – N. Jacoby, « Karriere ja oder nein ? 1 Kor 7. 21 », *StudNTUmwelt* 37, 2012, 49-68. – P. La Grange du Toit, « Paul's Reference to "Keeping the Commandments of God" in 1 Corinthians 7 : 19 », *Neotest.* 49, 2015, 21-45. – D.J. Rudolph, « Paul's "Rule of All the Churches" (1 Cor 7 : 17-24) and Torah-Defined Ecclesiological Variegation », *Studies in Christian-Jewish Relations* 5, 2010, 1-24. – M.M. Tábet, « La situazione ordinaria di vita come "chiamata" in 1 Cor 7, 17-24 », *RivBib* 53, 2005, 277-312. – P. Trummer, « Die Chance der Freiheit. Zur Interpretation des μᾶλλον χρῆσαι in 1 Kor 7, 21 », *Bib.* 56, 1975, 344-368. – J.B. Tucker, *Remain in your Calling. Paul and the Continuation of Social Identities in 1 Corinthians*, Eugene, OR 2011.

INTERPRÉTATION

Paul abandonne momentanément le terrain des questions conjugales pour se consacrer à deux autres sujets, à savoir la circoncision et l'esclavage. Un tel changement a pu faire considérer cette péricope comme une digression, mais il n'en est rien, au contraire. Car, avec le v. 17, Paul donne une règle qu'il a déjà appliquée précédemment dans le chapitre, règle qu'il reprend en des termes peu différents au v. 20 et à nouveau au v. 24. Plutôt qu'une digression, on peut considérer l'affirmation du v. 17 comme une véritable *propositio* rhétorique pour l'ensemble du chapitre 7. Les versets consacrés à la circoncision et à l'incirconcision d'une part (vv. 18-19), à l'esclavage et à la condition d'homme libre d'autre part (vv. 21-23) sont un champ d'application de la même *propositio*, donné comme exemple du bien-fondé de ce que Paul écrit à propos du mariage. Et ils sont conclus par une reprise de la *propositio* du v. 17 (vv. 20 et 24). On aboutit alors au plan très structuré suivant :

A. Première formulation de la *propositio* (v. 17)
    B. Application au binôme circoncision *vs* incirconcision (vv. 18-19)
A'. Deuxième formulation de la *propositio* (v. 20)
    C. Application au binôme esclavage *vs* condition d'homme libre (vv. 21-23)
A''. Troisième formulation de la *propositio* (v. 24)

Il est à noter que Paul continue de parler de sa propre autorité sans se référer à un commandement du Seigneur ; il renforce cependant le poids de ses paroles en indiquant qu'il donne les mêmes consignes à toutes les Églises (v. 17b).

La thématique dominante du chapitre 7 est le binôme homme-femme ; s'y adjoignent maintenant les couples circoncision-incirconcision (vv. 18-19) et esclavage-liberté (vv. 21-23). Cette triple thématique sera reprise dans l'épître aux Galates (Ga 3, 28), en développant la même idée que les situations sociales, ethniques ou religieuses sont secondes par rapport à l'identité nouvelle qu'acquiert le chrétien : Juif ou Grec, esclave ou homme libre, homme ou femme, ces distinctions tombent devant le salut commun offert à ceux qui sont appelés à vivre en Christ. Le thème de l'appel, qui apparaît au v. 17, traverse en effet toute la péricope et y prend un sens assez particulier. Dans l'ensemble du NT, l'appel est une réalité globale et permanente lancée par Dieu qui doit entraîner chez le chrétien un certain mode de vie ; tel est son sens en 1, 9 et encore en 7, 15. Dans la présente péricope, le verbe « appeler » et le substantif « appel » se rapportent au moment précis où le croyant a perçu que Dieu l'appelait à croire au Christ et a choisi d'y répondre positivement en recevant le baptême et en entrant dans l'Église (Fee*). Les consignes données par Paul à une personne qui fait cette démarche sont clairement de ne rien changer de sa situation. Aux vv. 18-19, l'Apôtre applique cette règle à une situation ethnico-religieuse, le fait d'être ou non circoncis au moment de sa conversion. La formulation est impersonnelle. Il était possible de se faire circoncire étant adulte, tentation qui ne semble pas avoir concerné les Corinthiens, mais que Paul combattra vigoureusement chez les Galates (Ga 5, 2-3) et sans doute aussi chez les Philippiens (Ph 3, 2-3). Il était aussi possible, au prix d'une chirurgie douloureuse et risquée, de se faire refaire un prépuce lorsqu'on était circoncis ; des Juifs en profitèrent à l'époque hellénistique pour dissimuler leur identité juive dans les gymnases ou sur les stades, pratique qui fut fortement dénoncée par 1 Maccabées. L'intention du texte est de dénoncer toute envie de changer d'état, le fait d'être circoncis ou incirconcis étant sans importance, et l'Église de Corinthe étant riche de la diversité de ses membres, juifs et grecs. Pour appuyer son propos, Paul emploie au v. 19a une formule lapidaire : il déclare le néant de la circoncision et du prépuce ; lui-même, tout en étant juif chrétien, n'accorde pas d'importance à la circoncision ni, à plus forte raison, aux règles alimentaires (Freed, *Apostle*, 78-81). Ce qu'il écrit à ce propos dans Galates (Ga 5, 6 ; 6, 15) et Romains (Rm 2, 25) est plus nuancé. Le v. 19b étonne tout autant quand on le resitue dans l'ensemble de la pensée paulinienne : pour faire pièce au néant de la circoncision ou de l'incirconcision, Paul réclame d'observer les commandements de Dieu, autrement dit la Tora. Ce n'est pas une façon de les valoriser, mais au contraire, si le fait d'être ou non circoncis a moins de valeur que la pratique des commandements de la Tora, il est vraiment très secondaire (La Grange du Toit) ; en outre, l'Apôtre n'a sans doute pas encore poussé à fond la réflexion qui le conduira, principalement en Galates et en Romains, à refuser de fonder l'existence chrétienne sur la pratique de la Loi. Le v. 20 conclut ce qui vient d'être écrit à propos de la circoncision et de l'incirconcision, en utilisant le terme « appel » dans un sens encore dérivé des précédents : il signifie ici le statut ou l'état de la personne au moment où elle est appelée, un peu comme, en français, le mot « vocation » peut désigner le métier d'une personne (Dow ; Tábet). Or, ce statut ou cet état, il n'y a pas de raison d'en changer en devenant chrétien.

La deuxième application du principe de non-changement, au v. 21, traite des esclaves et des hommes libres. Elle diffère de la première en au moins deux points. En premier lieu, le texte quitte le mode impersonnel ; Paul s'adresse directement à l'esclave en l'invitant à ne pas rechercher la manumission du fait qu'il devient chrétien ; son esclavage ne doit pas être pour lui un souci. En deuxième lieu, le changement dans l'autre sens n'est pas envisagé, car jamais homme libre ne chercherait à tomber dans l'esclavage. L'ambiguïté des formulations du v. 21b fait se poser la question du conseil que Paul donne à un esclave qui aurait l'opportunité de devenir libre ; rester esclave ou préférer la manumission. Malgré le défaut de logique dans le raisonnement, l'Apôtre conseille plutôt la manumission, ce qui donne au v. 21b un statut de parenthèse. Vu ce qu'était l'esclavage, il aurait été inhumain de conseiller d'y rester si l'on avait la possibilité d'en sortir. Le v. 22 permet cependant à Paul de dépasser les catégories sociales esclavage *vs* liberté, dépassement qui a fait accuser Paul de conservatisme social (Boston ; Martin, *Slavery* ; Tucker) ; mais l'Apôtre situe les réalités essentielles à un autre niveau que celui des contingences sociales, à savoir « dans le Seigneur ». Et là, il ne se contente pas de nier les différences, il inverse les catégories : l'esclave selon les lois humaines est un affranchi du Seigneur ; et l'homme libre socialement est un esclave du Christ. La thématique de l'esclavage spirituel du disciple lui tient à cœur ; en 9, 19, lui-même se déclare « esclave de tous » ; et il se désignera comme « esclave du Christ » dans les adresses de plusieurs de ses lettres postérieures (Rm 1, 1 ; Ph 1, 1). Finalement, tout chrétien est à la fois esclave du Christ et affranchi par le Christ (Ga 5,1). Le v. 23 commence par reprendre presque mot pour mot l'expression utilisée en 6, 20, évoquant le fait que le chrétien n'est plus esclave des hommes puisque le Christ a, par la croix, payé le prix de sa manumission. Il se poursuit naturellement par une invitation lancée au pluriel à vivre pleinement cette liberté fondamentale de ne pas devenir – ou redevenir – esclave des hommes. Il dépasse alors le simple propos de supporter sans s'en soucier la condition sociale d'esclave. De quel esclavage Paul demande-t-il alors de se libérer ? Le chapitre 7 permet mal de répondre. En 2 Co 11, 20, l'image joue à propos de l'asservissement que voudraient imposer des prédicateurs opposés à l'Évangile de Paul. En Ga 5, 1, c'est l'esclavage de se soumettre à la circoncision et à la minutie de la Tora. C'est sans doute des questions comme celles-là que Paul a en tête, questions qu'il a plutôt abordées dans les premiers chapitres de 1 Co : soumission à une sagesse purement humaine (1, 18 – 2, 5) ; soumission à des juges païens (6, 1-11) ; contagion du climat de débauche qui régnait à Corinthe (6, 12-20). Enfin, au v. 24, il répète la consigne déjà donnée aux vv. 17 et 20, en des termes presque semblables à ceux du v. 20, en ajoutant cependant une référence à Dieu qui donne une dimension théologique à son propos et qui fait inclusion avec le v. 17. La règle donnée, répétée trois fois dans la péricope, fonctionne comme une sorte de goupille de sécurité permettant à l'Église d'être un corps composé de gens aussi différents que des Juifs et des Grecs, des esclaves et des hommes libres. L'esprit peut en être conservé dans les siècles futurs, mais pas forcément la lettre, car les situations sociales évoluent au cours des siècles (Rudolph). Tirer parti des consignes pauliniennes pour justifier la permanence de l'esclavage, comme ce fut le cas au XIXe siècle aux États-Unis par des groupes non-abolitionnistes qui trouvaient là un soutien de leurs thèses, est totalement injustifié et particulièrement odieux (Braxton).

NOTES

17

La transition avec la péricope précédente est exprimée par la double conjonction εἰ μή qui, en cours de phrase signifie « sinon ». Elle est rare en début de phrase, et pourrait être traduite par « néanmoins, en tout cas... », marquant la conclusion de ce qui précède en utilisant d'autres mots. Le thème de l'appel apparaît clairement et traverse toute la péricope : verbe καλέω (appeler) aux vv. 17.18[2x].20.21.22[2x].24 ; substantif κλῆσις (appel) au v. 20.

18-19

Le vocabulaire utilisé pour parler de la circoncision est classique : verbe περιτέμνω (circoncire) et substantif περιτομή (circoncision). Le substantif ἀκροβυστία a pour sens premier le « prépuce » ; c'est sans doute ce sens qu'il faut lui conserver ici, l'homme qui se trouve ἐν ἀκροβυστίᾳ est un homme ayant conservé son prépuce. Mais les deux termes sont le plus souvent employés par Paul avec des sens dérivés. « La circoncision » n'est pas seulement l'opération rituelle ; elle est un état (ici et en Rm 2, 15), et elle peut aussi désigner le peuple juif (e.g. Rm 3, 30). Quant « au prépuce », il peut également renvoyer à l'état de celui qui est incirconcis (e.g. Rm 2, 25 ; Ga 5, 6), et avoir également le sens collectif du peuple des incirconcis, c'est-à-dire les païens (e.g. Rm 3, 30 ; Ga 2, 7). Le verbe utilisé au v. 18 pour se faire refaire un prépuce, ἐπισπάομαι, signifie littéralement « étirer, tirer sur » ; c'est un hapax du NT. Paul emploie ici un euphémisme, évoquant l'opération chirurgicale qui consistait à étirer la peau de la verge pour recouvrir le gland. Les autres textes connus (1 M 1, 15 ; Josèphe, AJ 12, 5, 1 § 241 ; TestMoïse 8, 3) pour désigner l'opération consistant à dissimuler sa circoncision utilisent un vocabulaire différent. Le substantif τήρησις (observance) n'est employé qu'ici par Paul ; le substantif ἐντολή (commandement) l'est aussi en 1 Co 14, 37 ; en aucun autre passage des *homologoumena* Paul ne réclame comme ici une observance des commandements, surtout au pluriel !

20

Le terme κλῆσις (appel) ici employé a déjà été utilisé en 1 Co 1, 26, avec une connotation proche : la situation ou les qualités de la personne appelée par Dieu à devenir chrétienne.

21

Le statut rhétorique de ce verset est débattu. Paul aborde-t-il la question de l'esclavage et de la manumission pour elle-même ? Ou n'est-ce qu'un exemple illustrant la consigne de rester dans la condition familiale dans laquelle on se trouvait lors de l'adhésion au Christ puisque, de toute façon, un esclave n'y peut rien changer sans intervention extérieure (Flexsenhar) ? Malgré les arguments rhétoriques favorisant la seconde hypothèse, il semble meilleur de conserver la première ; déjà aux vv. 18-19, avec la circoncision, le propos s'était écarté des questions touchant à la famille. Le v. 21b contient une *crux interpretum* célèbre. Sur fond de non-changement de statut lorsqu'on devient chrétien, Paul écrit : ἀλλ᾽ εἰ καὶ δύνασαι ἐλεύθερος γενέσθαι, μᾶλλον χρῆσαι. Traduction littérale : « Mais si aussi tu peux libre devenir, profite plutôt. » Il envisage donc le cas où, par la grâce d'un maître bienveillant ou parce qu'il dispose d'une somme suffisante pour se racheter par l'intermédiaire d'un dieu tutélaire comme l'Apollon de Delphes – car un esclave n'a pas lui-même possibilité d'accomplir un acte juridique – il pourrait devenir libre (Jacquemin, Mulliez, Rougemont, *Inscriptions*, 126-139). Il doit alors en tirer profit. Mais tirer profit de quoi ? Les hypothèses avancées peuvent être regroupées sous trois chefs : 1° Rester esclave et mettre à profit cet état pour vivre son engagement chrétien (Barrett*, 170 ; Deming ; Flexsenhar ; Héring* ; Jacoby ; Senft* ; Zeller*). – 2° Profiter de l'occasion de pouvoir être affranchi et accéder à la condition d'homme libre (Brookins, Longenecker* ; Callaghan ; Dawes ; Harrill, 2 articles ; Fee* ; Fitzmyer* ; Lémonon, *Pour* *lire* 78 ; Trummer). – 3° Profiter de l'appel reçu, que la personne choisisse de rester esclave ou de se faire affranchir ; Paul ne donnerait alors aucun conseil précis (Bartchy ; Thiselton*). Nous ne retenons pas l'hypothèse 3 car il semble que, si Paul n'orientait vers aucun choix, le v. 21b serait tout à fait inutile ; il n'aurait pas de raison d'avoir été écrit. L'hypothèse 1 a pour elle de sérieux arguments : a) La double conjonction εἰ καί a souvent le sens de « même si » (*e.g.* 2 Co 4, 16 ; 7, 8 ; Ph 2, 17 ; Lc 18, 4) ; b) l'adverbe μᾶλλον a souvent un sens adversatif ; c) la conjonction γάρ au début du verset 22 favorise cette lecture ; d) le contexte demande de ne pas changer de condition, l'invitation à rester esclave est cohérente avec le propos général ; e) l'antiquité gréco-romaine connaît des philosophes qui se sont accommodés de cet état, tel Épictète (*Entretiens* 2, 21, 20). On peut cependant leur opposer des arguments favorables à l'hypothèse 2 : a) εἰ καί peut aussi avoir le sens de « certes si, si bien sûr » ; b) dans une phrase elliptique, le mot à compléter est plutôt celui qui se trouve dans la même phrase (ἐλεύθερος) que celui qui se trouve dans la phrase précédente (δοῦλος) ; c) χρῆσαι est un impératif aoriste, temps qui évoque une action à entreprendre et non pas un état à conserver (on aurait alors un impératif présent) ; d) la conjonction ἀλλά au début du v. 21b oriente vers un changement ; e) l'adverbe μᾶλλον et le verbe χράομαι ont une connotation positive et joyeuse ; f) on n'a pas vraiment de témoignages antiques qu'un esclave pouvant être affranchi aurait refusé sa liberté ; g) Paul était nourri de la Tora juive, qui interdisait l'esclavage à vie (Ex 21, 2 ; Lv 25, 10). Les arguments en faveur de l'hypothèse 2 semblent plus forts que ceux qui sont donnés à l'appui de l'hypothèse 1 ; c'est elle que, à regret pour la logique paulinienne, nous retenons.

22

La conjonction γάρ se rattache au v. 21a par-dessus la parenthèse du v. 21b. Le verset est construit en chiasme : δοῦλος... ἀπελεύθερος... ἐλεύθερος... δοῦλος. Le vocabulaire pour désigner un homme libre est très précis : l'adjectif ἐλεύθερος désigne un homme libre qui l'a toujours été ; l'adjectif ἀπελεύθερος désigne un affranchi qui, dans la société gréco-romaine passait du statut de chose au statut de personne, mais restait toujours marqué par sa condition antérieure. L'expression ἐν κυρίῳ se retrouvera à la fin du chapitre, en 7, 39 ; elle fait référence à l'ordre surnaturel et ecclésial des choses ; si l'esclave est un affranchi du Seigneur dans l'ordre surnaturel, cet avantage ne change rien à sa situation sociale ; si son maître est lui-même chrétien, ce dernier doit cependant se comporter envers lui comme un frère (Phm 16).

23-24

Le v. 23b, presque identique à 6, 20a, est mieux en contexte ici, puisqu'il utilise la métaphore du prix payé pour l'achat d'un esclave, et que la question de l'esclavage est traitée depuis le v. 21. Le v. 24 est presque identique au v. 20 mais ajoute en finale παρὰ θεῷ.

Des vierges et des veuves
(7, 25-40)

TRADUCTION

7, 25 Au sujet des vierges, je n'ai pas de prescription du Seigneur ; c'est une opinion que je donne, en tant qu'homme fiable, objet de la miséricorde du Seigneur. 26 Je pense donc – c'est une bonne situation à cause de la nécessité présente – qu'il est bon pour un humain d'être comme il est. 27 Es-tu lié à une femme ? Ne cherche pas à rompre. Es-tu sans lien avec une femme ? Ne cherche pas de femme. 28 Si pourtant tu te maries[a], tu ne pèches pas. Et si la vierge se marie, elle ne pèche pas. Mais de tels gens auront des difficultés quant à la chair, et moi je vous ménage. 29 Je dis ceci, frères : le temps a été réduit. Désormais, que ceux qui ont des femmes soient comme n'en ayant pas ; 30 et ceux qui pleurent, comme ne pleurant pas ; et ceux qui se réjouissent, comme ne se réjouissant pas ; et ceux qui achètent, comme ne possédant pas ; 31 et ceux qui usent du monde[b], comme n'en abusant[c] pas ; car elle passe, la figure de ce monde-ci. 32 Je voudrais que vous soyez sans soucis. Le célibataire se soucie des affaires du Seigneur, de la façon de plaire au Seigneur. 33 Mais celui qui est marié se soucie des affaires du monde, de la façon de plaire à sa femme, 34 et il est partagé. Et la femme[d] célibataire et la vierge se soucie[e] des affaires du Seigneur, afin d'être sainte et de corps et d'esprit. Mais celle qui est mariée se soucie des affaires du monde[f], de la façon de plaire à son mari. 35 Cela, c'est dans votre intérêt[g] que je le dis, non pas dans le but de vous prendre au filet, mais pour la bonne tenue et la fidélité auprès du Seigneur, sans tiraillement. 36 Si quelqu'un pense manquer aux convenances envers sa vierge, et si elle n'est plus très jeune et qu'il doit en être ainsi, qu'il fasse ce qu'il veut : il ne pèche pas, qu'ils se marient[h]. 37 Pourtant, celui qui se tient ferme en son cœur et, agissant sans contrainte, a autorité sur sa propre volonté, s'il a décidé en son propre cœur[i] de conserver sa vierge, il fera bien. 38 En sorte que celui qui marie sa vierge fait[j] bien, et celui qui ne la marie pas fera mieux. 39 Une femme est liée[k] pour autant de temps que son mari est vivant ; si le mari s'endort (dans la mort)[l], elle est libre de se marier à qui elle veut, dans le Seigneur seulement. 40 Pourtant elle est plus heureuse si elle reste comme elle est, selon mon opinion. Or, je pense avoir moi aussi l'Esprit de Dieu.

[a] Au lieu de ἐὰν δὲ καὶ γαμήσῃς (si pourtant tu te maries), certains mss portent ἐὰν δὲ καὶ λάβῃς γυναίκα (si pourtant tu prends femme) : D F G sy^p. Correction secondaire visant à préciser que la phrase est adressée à l'homme, le cas de la femme étant traité ensuite.

[b] Trois leçons principales : 1° καὶ οἱ χρώμενοι τὸν κόσμον (p^15 p^46 ℵ* A B bo). – 2° καὶ οἱ χρώμενοι τὸν κόσμον τοῦτον (D* F G 33. 81. 1739* pc sa ; Origène). – 3° καὶ οἱ χρώμενοι τῷ κόσμῳ τουτῷ (ℵ^2 D^1 Ψ 1739^c. 1881 Byz sy^h ; Eusèbe). Entre

la leçon 1 et la leçon 2, on préférera la *lectio brevior*. La leçon 3 est sans doute une correction grammaticale de la leçon 2 : le verbe χράομαι se construit en général avec le datif.

ᶜ Le participe καταχρώμενοι (abusant) est remplacé dans le mss L par παραχρώμενοι (mésusant) ; certains mss répètent χρώμενοι (usant) employé plus haut : Ψ *pc* latt. Très peu attestées, ces variantes sont secondaires.

ᵈ La majorité des mss porte deux fois la conjonction καί : καὶ μεμέρισται. καὶ ἡ γυνή : p¹⁵ p⁴⁶ ℵ A B P 6. 33. 81. 104. 365. 1175. 1505. 1739. 1881. 2424 *al* lat sy^h ; Origène¹⁷³⁹ᵐᵍ Eusèbe. Cela conduit à rattacher « et il est partagé » à la phrase précédente. Ceux qui ne la portent qu'une fois favorisent le rattachement de « est partagé » à la phrase suivante, et ce verbe concerne alors la femme : μεμέρισται καὶ ἡ γυνή (D² F G Ψ *Byz*) ; καὶ μεμέρισται ἡ γυνή (D* 629 *pc* f). Il existe aussi une forme ne comportant pas le premier καί et remplaçant le second par δέ : μεμέρισται δὲ ἡ γυνή ([1241ˢ] *pc* sy^p). De toutes ces leçons, on retient la première (avec deux fois καί), nettement mieux attestée.

ᵉ Quatre leçons différentes : 1° « et la femme célibataire et la vierge se soucie » (p¹⁵ B P 6. 104. 365. 1175. 1505 *pc* t vg co ; Eusèbe). − 2° « et la femme et la vierge se soucie » (f). − 3° « et la femme et la vierge célibataire se soucie » (D F G Ψ *Byz* ar b sy^(p) ; Cyprien Ambrosiaster Speculum). − 4° « et la femme célibataire et la vierge célibataire se soucie » (p⁴⁶ ℵ A 33. 81. 1739. 1881 *pc ;* Origène¹⁷³⁹ᵐˢˢᵍ). Dans ces quatre leçons, le verbe « se soucie », au singulier, s'accorde avec le sujet le plus rapproché. Les leçons 1 et 4 sont aussi bien attestées l'une que l'autre. Si l'on choisit la leçon 4, il faut donner au terme « célibataire » deux connotations différentes : la femme célibataire a été mariée et ne l'est plus ; la vierge célibataire n'a jamais été mariée. La répétition de l'adjectif ἄγαμος (célibataire) pourrait sembler non nécessaire et être préférée comme *lectio difficilior* (Thiselton*) ; on peut, à l'inverse, la considérer comme une emphase secondaire de scribe (*TCGNT* 555-556). Nous choisissons la leçon 1.

ᶠ Le membre de phrase τὰ τοῦ κόσμου est supprimé dans B et chez Tertullien. Cette suppression, secondaire, allège la phrase et enchaîne directement : « se soucie de la façon de plaire à son mari ».

ᵍ La majorité des mss porte πρὸς τὸ ὑμῶν αὐτῶν σύμφορον. Certains suppriment αὐτῶν, non nécessaire au sens (p¹⁵ 1241ˢ *pc* latt ; Eusèbe). La leçon avec αὐτῶν est *lectio difficilior ;* nous la retenons. D'autres mss remplacent σύμφορον par συμφέρον (ℵ² D² F G Ψ 1739. 1881 *Byz ;* Eusèbe), deux adjectifs qui ont le même sens (qui est utile, ou avantageux). Le premier est formé sur le verbe συμφορέω, plus rare que le verbe συμφέρω ; il est *lectio difficilior*, à conserver.

ʰ L'impératif pluriel γαμείτωσαν est parfois remplacé par le singulier γαμείτω (D* F G 1505 *pc* d vg^st sy^p), plus cohérent avec l'ensemble de la phrase. Variante secondaire.

ⁱ Le texte grec le mieux attesté porte ἐν τῇ καρδίᾳ αὐτοῦ ἑδραῖος (ℵ* A B D P 0278^vid 33. 81. 104. 365. 1175. 2464 *pc* lat) ; nous le retenons. Des variantes secondaires existent : 1° même texte sans ἐν (p¹⁵). − 2° même texte sans αὐτοῦ (630. 1739). − 3° ἑδραῖος ἐν τῇ καρδίᾳ (ℵ² Ψ 1881 *Byz*). − 4° ἑδραῖος ἐν τῇ καρδίᾳ αὐτοῦ (1505. 1881 *al*). − 5° ἐν τῇ καρδίᾳ αὐτοῦ (p⁴⁶vid F G b d).

ʲ Le verbe ποιέω (faire) peut se trouver au futur (p¹⁵ p⁴⁶ B 6. 1739. 1881 *pc*), comme il l'est à la fin du verset. Cette variante est attestée par des témoins anciens, mais peu nombreux. Le sens général n'est pas modifié.

ᵏ Après « est liée » (δέδεται), certains mss ajoutent « par la loi » (νόμῳ) : ℵ² D¹ F G Ψ *Byz* ar vgᶜˡ sy ; Épiphane Ambrosiaster. Cette formulation est peut-être influencée par Rm 7, 2. D'autres mss ajoutent « par le mariage » (γάμῳ) : K bo. C'est également une explicitation secondaire.

ˡ Le verbe κοιμάομαι (s'endormir) est remplacé par ἀποθνῄσκω (mourir) dans A 0278 *pc* syʰᵐᵍ ; Clément Épiphane. Remplacement secondaire de la métaphore par un verbe plus réaliste.

BIBLIOGRAPHIE

P. ARZT-GRABNER, R.E. KRITZER, « Bräutigam und Braut oder Vater und Tochter ? Literarisches und Dokumentarisches zu 1 Kor 7, 36-38 », *BN* 129, 2006, 89-102. – D.L. BALCH, « 1 Cor 7, 32-35 and Stoic Debates about Marriage, Anxiety, and Distraction », *JBL* 102, 1983, 429-439. – P.H. BOTHA, F.J. VAN RENGSBURG, « Seksuele reinheid voor die huwelik in Korinte in die eerste eeu nC », *VerbEccl* 23, 2002, 52-66. – T. CALLAN, « Παρθένοι in Corinth : 1 Cor 7, 25-40 », *Bib.* 97, 2016, 264-286. – J.S. CHA, « The Ascetic Virgins in 1 Corinthians 7 : 25-38 », *AsiaJournTheol* 12, 1998, 89-117. – J. CHMIEL, « Die Interpretation des paulinischen *hōs mē* im 1 Kor 7, 29-31 », *AnalCracov* 18, 1986, 197-204. – K.G.E. DOLFE, « 1 Cor 7, 25 Reconsidered (Paul Supposed an Adviser) », *ZNTW* 83, 115-118. – J.M. FORD, « The Rabbinic Background of St. Paul's Use of *hyperakmos* (1 Cor. VII 36) », *JournJewishStud* 17, 1966, 89-91. – P. GENTON, « 1 Corinthiens 7 », *ETR* 67, 1992, 249-253. – A.R. GUENTHER, « One Man or Two ? 1 Corinthians 7 : 34 », *BBR* 12, 2002, 33-45. – J.M. GUNDRY, « Affliction for Procreators in the Eschatological Crisis : Paul's Marital Counsel in 1 Corinthians 7. 28 and Contraception in Greco-Roman Antiquity », *JSNT* 39, 2016, 141-168. – R. HURLEY, « To Marry or not to Marry : The Interpretation of 1 Cor 7 : 36-38 », *EstB* 58, 2000, 7-31. – D.W. KUCK, « The Freedom of Being in the World "As If Not" (1 Cor 7 : 29-31) », *CurrTheolMiss* 28, 2001, 585-593. – M. NAVARRO PUERTO, « La παρθένος : Un futuro significativo en el aquí y ahora de la comunidad (1 Cor 7, 25-38) », *EstB* 49, 1991, 353-387. – G.M.M. PELSER, « The Relation between Church and World/Culture in View of the Pauline "as if not" (ὡς μή) », *HTSTeolStud* 61, 2005, 709-727. – G. PETERS, « Spiritual Marriage in Early Christianity : 1 Cor 7 : 25-38 in Modern Exegesis and in the Earliest Church », *TrinJourn* 23, 2002, 211-224. – R.A. RAMSARAN, « More than an Opinion : Paul's Rhetorical Maxim in First Corinthians 7 : 25-26 », *CBQ* 57, 1995, 531-541. – R.B. WARD, « Musonius and Paul on Marriage », *NTS* 36, 1990, 281-289. – V.L. WIMBUSH, *Paul : The Wordly Ascetic Response to the World and Self-Understanting according to I Corinthians 7*, Macon, GA 1987. – B.W. WINTER, « Puberty or Passion ? The Referent of ὑπέρακμος in 1 Corinthians 7 : 36 », *TynB* 49, 1998, 71-89. – B.W. WINTER, « Secular and Christian Responses to Secular Famines », *TynB* 40, 1989, 86-106.

INTERPRÉTATION

Après l'énoncé du principe général qui consiste à ne pas changer de condition lorsqu'on est appelé à devenir chrétien et qu'on entre dans l'Église, Paul revient sur la relation hommes-femmes, abordée dès le début du chapitre 7. On ne sait s'il continue de répondre à des questions posées par les Corinthiens dans leur lettre, ou s'il aborde de son propre chef un sujet important qu'il considère comme complémentaire des questions qu'il vient de traiter. Comme dans la péricope précédente, aucun commandement du Seigneur n'appuie son propos ; il n'a d'autre autorité que la sienne pour le soutenir, sa fiabilité étant cependant garantie par ce que le Seigneur a réalisé en lui dans sa miséricorde ; plus que de simples propositions, les opinions qu'il avance constituent un véritable engagement (Dolfe ; Ramsaran). Le terme « opinion » (*gnômè*) forme inclusion entre le v. 25 et le v. 40, ce qui donne une certaine unité au passage, bien que les différents sujets soient abordés les uns à la suite des autres, sans ordre apparent. Dans l'ensemble, le discours est impersonnel. À deux reprises, pourtant, Paul s'adresse à un destinataire désigné à la deuxième personne, du singulier d'abord (vv. 27-28), du pluriel ensuite (vv. 32a et 35) ; le ton reste cependant paisible, il n'est pas celui de la diatribe.

VV. 25-28 – « Au sujet des vierges... » : les premiers mots de la péricope commandent la majorité des sujets qui vont y être traités. Bien que les questions abordées dans cette péricope concernent des personnes de l'un et l'autre sexe, notamment des mâles auxquels Paul s'adresse à la 2e personne (vv. 27-28), il vaut mieux laisser au terme « vierge » (*parthenos*) son sens le plus courant (malgré Fitzmyer*). Le devenir des jeunes filles était une question de toute première importance, tant chez les Juifs que chez les Grecs et les Romains de l'Antiquité (Botha, van Rengsburg) ; le propos paulinien s'inscrit dans cette perspective, bien que l'Apôtre tranche par rapport à cette culture en valorisant la virginité conservée. Quoi qu'il en soit, le propos paulinien suit toujours le principe énoncé aux vv. 17-24 : que chacun reste comme il est, sans changer de condition du fait qu'il devient chrétien. Le devenir chrétien est porteur d'une nouveauté fondamentale qui n'a pas besoin d'être assortie d'un changement social ou ethnico-religieux. Une nouvelle raison de ne pas changer est ajoutée au v. 26, à savoir la nécessité présente, sur laquelle Paul apportera des précisions à partir du v. 29. Les vv. 27-28 constituent une parenthèse, formulée partiellement en mode exhortatif. Paul s'adresse d'abord fictivement à un destinataire mâle (vv. 27-28a) pour le convaincre de ne rien changer à l'état qui était le sien au moment où il est devenu chrétien. Et, pour bien montrer que le principe du non-changement commande l'ensemble des recommandations, il commence même par envisager le cas de l'homme marié (v. 27a) avant d'aborder celui du célibataire (vv. 27b et 28a). Ce dernier fera bien de rester comme il est. Nulle part, en effet, dans le chapitre 7, Paul ne semble se soucier de la nécessité pour les chrétiens de procréer (Gundry). Cependant, contracter mariage n'est pas pécher, ni pour l'homme vierge (v. 28a) ni pour la femme vierge (v. 28b ; où la tournure impersonnelle est reprise). Ici encore, les consignes données pour l'homme et pour la femme sont symétriques, la seule différence étant dans le positionnement du locuteur par rapport au destinataire : pour l'homme, Paul lui parle ;

et, pour la femme, il parle d'elle. C'est là un signe de plus que, tout en déclarant l'égalité fondamentale entre les deux sexes, Paul ne bouleverse pas les codes culturels et sociaux solidement ancrés dans les mentalités. Le v. 28c conclut ce bref passage, en s'adressant simultanément à l'homme et à la femme qui vivent en couple (dans le même couple ou dans des couples différents) : le mariage est une situation pleine de difficultés dues à la fragilité de la condition humaine, difficultés que Paul souhaite éviter à ses ouailles.

VV. 29-31 – En plus de la raison donnée aux vv. 17-24, à savoir qu'il ne faut pas changer d'état social ou ethnico-religieux lorsqu'on devient chrétien, Paul nomme maintenant une seconde raison de rester célibataire ; elle est d'ordre eschatologique. Elle est introduite au v. 29a par une formule solennelle – avec la reprise de l'apostrophe « frères » (emploi précédent en 4, 6) – qui souligne son importance dans l'ordre du dire, ainsi que le fait qu'elle relève de la seule autorité de Paul. Paul insiste en effet, ici et plus loin en 10, 11, sur la situation particulière de la période présente : « Le temps a été réduit ». La résurrection du Christ fut un événement eschatologique qui sonna le début des temps ultimes ; le temps actuel est une période intermédiaire entre ce premier coup de gong et le dernier jour du monde décrit en 1 Th 4, 13-18 et 1 Co 15, 51-53. Il est comme un concentré de *chronos* pendant lequel rien n'est comme avant (Agamben, *Temps*, 37-74). Le monde est, en quelque sorte, en sursis, comme cela sera rappelé au v. 31b : « Elle passe, la figure de ce monde-ci. » En conséquence, ce qui s'y joue fondamentalement ne peut être confondu avec ce qui en apparaît ni avec ce qui s'y manifeste. D'où l'importance de l'expression « comme si » que Paul utilise 5 fois aux vv. 29b-31a. Paul n'en est pas l'inventeur. On la trouve également en 4 Esd 16, 41-47, où le croyant est invité à se préparer dès maintenant au combat final en se considérant comme vivant sur une terre qui n'est plus la sienne. Elle est également courante chez les stoïciens (*e.g.* Sénèque, *Lettres à Lucilius* 5, 6) et chez les cyniques (Diogène Laërce, *Vies* 6, 29) mais avec des accents très différents : le stoïcien se détache des contingences pour ne pas se confondre avec le vulgaire, le cynique méprise les notables qui leur accordent une importance indue. Paul n'épouse les thèses ni des uns ni des autres. Selon lui, le chrétien vit dans la « pro-existence » (Chmiel) ; il n'est pas seulement lui-même, mais il appartient à un monde finalisé par le Christ (Ga 2, 20 ; 3, 28), qui relativise toutes les situations terrestres et nécessite une prise de distance critique par rapport à toute chose (Kuck ; Pelser). Une idée proche est exprimée dans l'épître aux Philippiens, lorsque Paul déclare que notre citoyenneté se trouve dans les cieux (Ph 3, 20).

VV. 32-35 – En plus de la raison eschatologique de ne pas s'orienter vers le mariage si l'on est célibataire, Paul avance maintenant une autre raison : la nécessité de favoriser l'unité de vie de la personne croyante. Le passage est inclus entre deux phrases formulées à la 2ᵉ personne du pluriel (vv. 32a et 35). Et là, il semble clair que les destinataires sont aussi bien l'homme que la femme. L'Apôtre commence par envisager le cas de l'homme (32b-34a).

S'il est célibataire, pas de problème, il peut se donner tout entier aux affaires du Christ Seigneur. S'il est marié, au contraire, il est partagé entre sa volonté de plaire au Seigneur et sa volonté de plaire à son épouse : elle et le monde le tirent du même côté, un côté présenté comme étant à l'opposé de celui du Seigneur. Le texte aborde ensuite la situation de la femme (suite du v. 34). Dans son cas, sont développées plus que pour l'homme les raisons pour qu'elle reste célibataire : une sainteté de corps et d'esprit. Si elle est mariée, le texte ne répète pas qu'elle est partagée, mais il énonce, comme pour l'homme, le danger de son intérêt pour le monde et pour son mari, qui peut l'éloigner des affaires du Seigneur. On peut s'interroger sur ce que Paul entend lorsqu'il nomme, pour l'homme (v. 32b) et pour la femme (v. 34), « les affaires du Seigneur » (*ta tou kuriou*). De quoi s'agit-il ? De la prière ? de la présence dans les assemblées chrétiennes ? des œuvres caritatives ? de l'ascèse ? Le texte ne nomme aucune de ces activités. Il semble plutôt qu'il faille y voir les possibilités offertes par la liberté chrétienne, telle que Paul la décrit pour lui-même en 9, 19-23, à savoir une liberté qui permet au croyant de se dégager de toutes les contraintes sociales qui, elles, font partie de ce que Paul appelle ici « les affaires du monde » (*ta tou kosmou ;* vv. 33. 34). L'ensemble constitué par les vv. 29-34 est un modèle de piété ascétique (Wimbush). Le v. 35 intervient comme une conclusion de l'ensemble formé par les vv. 25-35 : comme au v. 25 qui ouvrait le passage, Paul énonce ses propres dispositions en tant que locuteur. Les consignes qu'il vient de donner, qui sont nettement plus favorables à la virginité et au célibat qu'au mariage, pourraient être perçues comme un piège par les destinataires. Elles sont tout sauf cela, prétend l'Apôtre. Mais chacun doit savoir qu'une personne mariée est exposée à des tiraillements entre deux réalités (cf. les premiers mots du v. 34), celles du Seigneur et celles du monde, et que cela nuit à la qualité d'une vie dont le service du Seigneur constitue l'orientation principale (v. 35b).

VV. 36-38 – Alors que le v. 35 semblait être une conclusion, le propos rebondit. Les vv. 36-37 sont construits selon un parallélisme repérable, le v. 36 aboutissant au mariage, et le v. 37 à l'absence de mariage (Winter, *After*, 252) :

	v. 36	v. 37
Critères	Si quelqu'un pense manquer aux convenances envers sa vierge et si elle n'est plus très jeune	Pourtant, celui qui se tient ferme en son cœur et, agissant sans contrainte,
Conséquences	et qu'il doit en être ainsi,	a autorité sur sa propre volonté,
Recommandation	qu'il fasse ce qu'il veut : il ne pèche pas,	s'il a décidé en son propre cœur de conserver sa vierge,
Conclusion	qu'ils se marient.	il fera bien.

Il y est question de ce qu'un homme doit faire vis-à-vis de « sa vierge », expression qui revient trois fois en trois versets (36. 37. 38) et qui est d'interprétation difficile. Toute la question est de savoir qui sont l'un pour l'autre l'homme en question et la femme appelée « sa vierge ». Quatre interprétations sont en concurrence. – 1° L'homme est le père, et sa vierge est sa fille. Celle-ci a passé la fleur de l'âge et la question se pose de la marier ou non ; Paul prétend qu'il ne pèche pas s'il la marie (cf. v. 28), mais invite pourtant à la maintenir dans la virginité. Cette lecture est traditionnelle, elle a été mise en valeur par Jean Chrysostome (cf. aussi Arzt-Grabner, Kritzer). La principale objection est qu'elle applique l'adjectif *huperakmos* (v. 36) à la vierge alors que, grammaticalement parlant, il concernerait plutôt l'homme. – 2° L'homme et la femme (sa vierge) se sont engagés dans un mariage spirituel continent, pratique ascétique attestée au IIe siècle chez Hermas sous le nom de « syneisaktisme » (*Similitudes* 9, 11). S'ils peuvent tenir ainsi, Paul les y encourage. Mais si l'homme ne peut surmonter sa passion amoureuse (l'adjectif *huperakmos* concerne alors l'homme), Paul les autorise à s'épouser charnellement, ils ne pèchent pas (Peters). Deux objections font obstacle à cette interprétation : la démarche du mariage spirituel chaste n'est pas attestée au Ier siècle, et il ne semble pas légitime d'anticiper cette coutume proprement chrétienne en faisant appel à la virginité cultuelle qui existait dans le monde gréco-romain (malgré Cha) ; cette solution exige de donner le même sens « se marier » aux deux verbes utilisés pour le mariage, *gameô* (se marier ; v. 36) et *gamizô* (marier ; v. 38). – 3° La vierge en question est une jeune veuve, l'homme est son plus proche parent. Selon la loi du lévirat, il devrait l'épouser (Dt 25, 5-10) ; mais Paul avance que, s'il peut s'abstenir et la laisser vivre chastement son veuvage, c'est mieux (Ford). Deux objections principales à cette lecture : le terme *parthenos* peut difficilement désigner une veuve ; par ailleurs on imagine mal Paul, ayant pris les distances que l'on sait par rapport à la pratique de la Tora, se référer à la loi du lévirat. – 4° L'homme et la femme sont fiancés et ils s'interrogent sur l'éventualité de contracter mariage ou de rester dans la virginité. Paul dit à l'homme que, s'il brûle de passion (*huperakmos* concerne toujours l'homme), il peut épouser sa fiancée, il ne pèche pas en le faisant, mais s'ils peuvent rester célibataires l'un et l'autre, c'est mieux (Hurley). La même objection existe que pour l'hypothèse 2 : elle oblige à donner le sens de « se marier » au verbe *gamizô*. La lecture qui soulève le moins d'objections semble être la lecture 1, celle qui remonte le plus haut dans la tradition interprétative ; elle peut gêner des lecteurs modernes qui y voient une dépendance excessive d'une fille par rapport à la volonté de son père, mais tel était bien le cas dans l'Antiquité. Il ne s'agit pas de « conserver sa vierge » (v. 37) en agissant comme un père abusif, mais d'aider celle-ci à vivre positivement sa virginité en tant que chrétienne, une situation qui avait dans l'Église un véritable statut ; c'est cohérent avec ce que Paul énonçait au début du chapitre (7, 1b). Il est clair que, dans toute cette péricope, Paul souligne la valeur éminente de la virginité chrétienne : puisque le temps est écourté, la vierge rend visible le monde nouveau, elle contribue ainsi à donner à toute l'Église sa dimension eschatologique (Navarro Puerto).

VV. 39-40 – Paul termine ses développements sur le mariage et le célibat en évoquant le cas des veuves. Il rappelle qu'une veuve n'est liée à son mari qu'aussi longtemps que celui-ci est vivant. S'il s'endort du sommeil de la mort, elle est libre de contracter un nouveau mariage. Qu'elle le fasse cependant « dans le Seigneur », c'est-à-dire en épousant un chrétien (Schillebeeckx, *Mariage*, 141-147). Paul insiste sur le fait qu'elle a elle-même le choix de son nouvel époux, ce qui confirme le rôle actif qu'il donne à la femme dans l'ensemble de ses propos sur le mariage. Cependant, toujours en énonçant une opinion qui ne s'autorise que de lui mais qui n'est pourtant pas sans valeur (c'est le cas depuis 7, 12), il estime qu'elle sera plus heureuse – c'est-à-dire en meilleure situation devant Dieu – en restant comme elle est. Comme les vierges, les veuves avaient un statut qui, au fil des années, se confirmait dans l'Église naissante. On remarquera en conclusion de cette péricope que Paul s'y adresse exclusivement à des hommes, soit quand il emploie une tournure impersonnelle, soit quand il parle à la 2e personne du singulier (vv. 27-28a) ; la femme est cependant destinataire du propos en même temps que l'homme lorsqu'il emploie le « vous » (vv. 28c.32.35). Au centre de son argumentation se trouve la conviction que le temps est écourté (v. 29a) et que la figure de ce monde est en train de passer (v. 31b). Son intention n'est pas d'élaborer une théologie du mariage ou de la virginité, mais d'organiser la vie courante de l'Église corinthienne, à la fois dans la continuité avec le passé (ne pas changer d'état) et dans le provisoire de la situation présente (Genton). Si l'Apôtre peut sembler moralement conservateur, ce n'est pas à cause d'une conviction qu'il aurait que le changement est mauvais ; mais parce que, selon lui, du fait que l'homme n'est pas fait pour ce monde-ci, changer les réalités matérielles et sociales ne vaut pas la peine.

NOTES

25

Ce verset commence par περὶ δέ suivi d'un génitif, comme déjà 7, 1 et ensuite 8, 1 et 12, 1. Cette tournure indique que l'épître aborde un nouveau sujet. Il n'est pourtant pas entièrement neuf, car les termes de la racine γαμ- qui s'y trouvent abondamment (vv. 28. 32-34. 36. 38. 39) ont déjà été employés plus haut dans le chapitre 7 (vv. 9-11). Le génitif pluriel παρθένων est lui-même précédé d'un article au génitif pluriel, ce qui ne permet pas d'en connaître le genre : masculin ? féminin ? masculin et féminin indifféremment ? un couple de fiancés (voir aussi vv. 36-38) ? L'hypothèse a été faite qu'il pouvait s'agir de jeunes gens non mariés des deux sexes (*e.g.* Fitzmyer*) ; à l'appui de cette possibilité, des textes juifs où le terme désigne un célibataire masculin (Joseph et Aséneth 4, 7 ; 8, 1 ; cf. aussi Ap 4, 14). Cependant, le sens premier de παρθένος renvoie à une femme vierge (ainsi dans les évangiles et en 2 Co 11, 2) ; et, dans la suite de la péricope, chaque fois que παρθένος est employé au singulier, il est précédé de l'article féminin. L'hypothèse a également été faite que le propos concernait en priorité les fiancé(e)s (*e.g.* G. Fee*), mais c'est là une précision que le texte n'exige pas. Le contexte général implique qu'il s'agit seulement de femmes, et plus précisément sans doute, des filles non encore mariées des chrétiens de Corinthe (Callan). Paul se déclare πιστός, mot qui peut avoir un sens actif (croyant), ou passif (fiable) ; ici comme en 4, 2, le sens passif est meilleur.

26

Pour l'homme, comme pour la femme, être en état de virginité est bon (κάλον à deux reprises), un terme chargé de sens dans la pensée grecque, qui évoque à la fois ce qui convient et ce qui est désirable. Certains auteurs ont cherché des références historiques précises derrière le syntagme « la nécessité présente » (ἡ ἐνεστῶσα ἀνάγκη) : des famines, par exemple, comme il en existait périodiquement dans le monde antique, auxquelles les pouvoirs publics tentaient de remédier en nommant des curateurs de la distribution des céréales (Winter, *Secular*). On manque de données précises à ce sujet pour Corinthe. La pression de la situation eschatologique développée aux vv. 29-31 est sans doute une explication meilleure.

27-28

Ces deux versets utilisent plusieurs types de discours : 2e personne du singulier aux vv. 27 et 28a ; mode impersonnel de la 3e personne du singulier à propos de la vierge au v. 28b ; 2e personne du pluriel à la fin du v. 28. La question se pose de savoir si le « vous » de la fin du v. 28 concerne les hommes seulement (généralisation du propos tenu en 27-28a) ou s'il concerne l'homme et la vierge (dont il est question en 28b) ; vu la relative symétrie du discours, il est assez vraisemblable que Paul y exprime sa volonté de voir libre de difficultés les personnes des deux sexes. Une autre ambiguïté de ces versets est que le terme γυνή (femme) signifie, en grec comme en français, aussi bien la personne humaine de sexe féminin (femme *vs* homme) que l'épouse (femme *vs* mari). « Etre lié à une femme » peut aussi bien signifier pour un homme « être marié » qu'avoir des projets de mariage (Winter, *After*, 262-263). Dans la cohérence du verset, il semble cependant que Paul pense ici à l'homme marié avec une femme. Les réserves que Paul exprime vis-à-vis du changement d'état pour cause de conversion ainsi que vis-à-vis du mariage l'obligent à préciser que contracter mariage n'est pas pécher (ici et en 7, 38). C'est cependant un état source de difficultés (θλῖψις), un terme déjà utilisé par Paul en 1 Th (1, 6 ; 3, 3.7) et qu'il reprendra abondamment en 2 Co (une dizaine d'emplois) ; ce terme renvoie exclusivement à des difficultés vécues par des humains, en général du fait d'autres humains. C'est la raison pour laquelle l'utilisation du mot σάρξ (chair) dans l'expression θλῖψις τῇ σαρκί ne doit pas en orienter la compréhension vers des explications de l'ordre du sexe ; pas davantage en donnant au terme σάρξ le sens négatif qu'il a souvent chez Paul (*e.g.* Rm 8, 4-6.9.13). Il s'agit plutôt de difficultés matérielles d'ordre courant ou causées par la tension entre le devoir de plaire au Seigneur et le devoir de plaire à son conjoint (cf. plus loin vv. 32-34). Comme le verbe θέλω aux vv. 7 et 32, le verbe φείδομαι a ici un sens volitif : « je vous ménage », au sens de « je désire vous ménager », disposition d'esprit que Paul mentionne à plusieurs reprises dans ses relations avec l'Église de Corinthe (cf. 2 Co 1, 23 ; 12, 6 ; 13, 2).

29-30

La nécessité présente évoquée au v. 26 est maintenant explicitée en une formule ramassée : « le temps a été réduit » (ὁ καιρὸς συνεσταλμένος ἐστιν). S'agissant d'une déclaration concernant la marche générale du cosmos (deux emplois de κόσμος au

v. 31), on s'attendrait à ce que soit employé χρόνος plutôt que καιρός ; ce dernier terme fait en effet penser à un moment précis plutôt qu'à un temps continu ; καιρός a cependant une connotation de temps critique, qui convient bien pour exprimer un présent à durée limitée (ainsi en Rm 3, 26). Συνεσταλμένος est le participe parfait passif de συστέλλω, qui signifie « replier, réduire, abréger » ; un événement précis est à l'origine de cette réduction du temps – sans doute la Résurrection – et la situation qui en résulte est la situation actuelle. L'abrégement du temps est également connu dans les discours eschatologiques de Marc et Matthieu (Mc 13, 20 ; Mt 24, 22), mais avec une connotation différente : chez Marc et Matthieu, il est présenté comme une faveur destinée à raccourcir la durée des souffrances eschatologiques.

31

La « figure de ce monde » (v. 31) utilise le substantif σχῆμα (aspect, figure) que l'on trouve aussi dans l'hymne christologique des Philippiens (2, 7) pour évoquer la figure humaine du Christ ; la « figure » dit quelque chose du réel, elle n'est pas seulement de l'ordre de l'apparence, mais elle n'en exprime pas toute la réalité. Le κόσμος n'a pas les mêmes connotations en 31a et en 31b : en 31a, il renvoie au monde séculier, celui dont on s'occupe quand on a le souci des « affaires du monde » (cf. vv. 33-34) ; au v. 31b, c'est le cosmos, en tant que désignant l'ensemble de l'univers matériel, qui est en jeu.

32-33

Comme en 7, 7, θέλω exprime un fort désir plus qu'une volonté autoritaire, et mérite d'être traduit par un conditionnel : « je voudrais. » Le verbe μεριμνάω est employé 4 fois entre les vv. 32b-34. Il évoque l'inquiétude, le souci, avec, comme un français, une connotation péjorative ; c'est à partir de lui qu'est formé l'adjectif ἀμέριμνος (ici et en Mt 28, 14), qui signifie littéralement « non inquiété ».

34

Deux syntagmes différents sont employés pour parler de la femme célibataire : ἡ γύνη ἄγαμος et ἡ παρθένος. On peut les comprendre comme renvoyant à deux réalités différentes : la femme non mariée d'une part, qui peut aussi être une veuve ou une femme séparée de son mari ; et la vierge d'autre part. Mais on peut aussi comprendre ἡ παρθένος comme une apposition à ἡ γύνη ἄγαμος : la femme non mariée, c'est-à-dire la vierge (Guenther). Le fait qu'elle soit désignée comme faite pour être « sainte et de corps et d'esprit » se comprend alors plus facilement.

35

Les adjectifs substantivés autour desquels est construit ce verset ont une connotation stoïcienne forte, bien que Paul emploie des termes qui ne font pas à proprement parler partie du vocabulaire stoïcien (Winter, *After*, 263-265) : τὸ σύμφορον (ce qui convient ; ici et en 10, 33), τὸ εὔσχημον (ce qui a de la bonne tenue ; hapax NT), τὸ εὐπάρεδρον (ce qui est fidèle à, ce qui est au service de ; hapax de la langue grecque antique). Paul désire pour ses destinataires – des deux sexes sans doute – une vie bonne, libre de toute anxiété et de tout écartèlement. L'homme et la femme y sont présentés comme égaux dans le mariage (Balch), sans subordonner la femme à l'homme (Ward). L'adverbe ἀπερισπάστως (sans tiraillement), dernier mot du verset, est formé sur le verbe περισπάομαι (être tiraillé), employé à propos de Marthe tiraillée entre les multiples aspects du service dont elle a le souci, en Lc 10, 40.

36-38

Au v. 36, le verbe ἀσχημονέω (manquer aux convenances, se comporter mal) est rare en grec ; il est employé deux fois dans le NT, ici et en 1 Co 13, 5. Le syntagme ἡ παρθένος αὐτοῦ (v. 36) ou ἡ ἑαυτοῦ παρθένος (vv. 37 et 38), qui signifie littéralement « sa vierge » est peu compréhensible. Le terme παρθένος accompagné d'un possessif est exceptionnel en grec. On le trouve chez Théodore Prodrome (1, 293), un auteur byzantin du XIIᵉ siècle, où le mot « fille » est sous-entendu. L'adjectif ὑπέρακμος (hapax du NT) a la même forme au masculin et au féminin ; il évoque quelque chose qui a dépassé l'acmé, le sommet (ἡ ἀκμή). S'il se rapporte à une vierge, il évoque sans doute le fait qu'elle a passé la fleur de l'âge ; s'il se rapporte à l'indéfini τις (3ᵉ mot du verset) qui renvoie manifestement à un mâle (Winter, *Puberty*), il évoque un excès de passion. Deux verbes ont dans ce passage un rapport au mariage : γαμέω (se marier ; au v. 36), γαμίζω (marier, accorder en mariage ; 2x au v. 38). Certains auteurs prétendent que, dans la langue de la *koinè*, ils peuvent être utilisés l'un pour l'autre (*e.g.* Barrett* ; Héring* ; Senft*), mais cette confusion n'est clairement attestée nulle part (Fitzmyer*). La décision de « conserver sa vierge » fait appel au « cœur » (ἡ καρδία) de la personne (2x au v. 37) ; dans l'anthropologie du NT, le cœur n'est pas seulement le siège des capacités affectives, mais aussi des capacités de discernement et de la volonté ; c'est là, notamment, que se prennent les décisions. L'un des meilleurs équivalents de ἡ καρδία dans l'anthropologie occidentale moderne est « l'intériorité ».

39-40

L'affirmation qu'une femme n'est liée à son mari qu'aussi longtemps que ce dernier vit est reprise en Rm 7, 2 pour figurer de façon métaphorique le lien d'une personne avec la Tora ; lorsque celle-ci perd sa valeur en tant qu'ensemble de préceptes, on est libre par rapport à elle. Paul a déjà utilisé le verbe κοιμάομαι (s'endormir) comme métaphore du sommeil (cf. 1 Th 4, 13-15) ; il fera de même dans la suite de 1 Co (11, 30 et 15, 6.18.20.51). « Dans le Seigneur (ἐν κυρίῳ) est une expression très familière à Paul, déjà rencontrée en 1, 31 ; 4, 17 ; on la retrouve plus loin dans 1 Co, en 9, 1.2 ; 11, 11 ; 15, 58 ; 16, 19. Paul l'utilise lorsqu'il a en vue son activité apostolique ou ce que les chrétiens doivent faire au nom de leur foi (Dunn, *Theology* 396-401). La formule restrictive utilisée ici (μόνον ἐν κυρίῳ) indique l'exigence d'épouser uniquement un chrétien si l'on est une veuve chrétienne et que l'on veut se remarier. L'adjectif μακάριος (heureux) n'est pas employé dans le NT au sens d'un bonheur affectif ni psychologique : il renvoie à une situation bonne devant Dieu (cf. les Béatitudes). C'est dans cette situation que seront les veuves qui décideront de ne pas se remarier.

SECTION IV

La nourriture offerte aux idoles
1 Co 8, 1 – 11, 1

BIBLIOGRAPHIE

Monographies complètes

A.T. CHEUNG, *Idol Food in Corinth. Jewish Background and Pauline Legacy*, Sheffield 1999.

P. COUTSOMPOS, *Paul and the Lord's Supper. A Socio-Historical Investigation*, New York 2005.

J. FOTOPOULOS, *Food Offered to Idols in Roman Corinth. A Socio-Rhetorical Reconsideration of 1 Corinthians 8 : 1 – 11 : 1*, Tübingen 2003.

V. GÄCKLE, *Die Starken und die Schwachen in Korinth und in Rom. Zu Herkunft und Funktion der Antithese in 1 Kor 8, 1 – 11, 1 und Röm 14, 1 – 15, 13*, Tübingen 2005.

P.D. GARDNER, *The Gifts of God and the Authentification of a Christian. An Exegetical Study of 1 Corinthians 8, 1 – 11, 1*, Lanham 1994.

P.D. GOOCH, *Dangerous Food. 1 Corinthians 8-10 in Its Context*, Waterloo, Ont 1993.

D. NEWTON, *Deity and Diet. The Dilemma of Sacrificial Food at Corinth*, Sheffield 1998.

Á. PEREIRA DELGADO, *De apóstol a esclavo. El* exemplum *de Pablo en 1 Corintios 9*, Rome 2010.

R.L.-S. PHUA, *Idolatry and Authority. A Study of 1 Corinthians 8. 1 – 11. 1 in the Light of the Jewish Diaspora*, Londres 2005.

H. PROBST, *Paulus und der Brief. Die Rhetorik der antiken Briefes als Form der paulinischen Korintherkorrespondenz (1 Kor 8-10)*, Tübingen 1991.

M. L.-T. SHAN, *Canaan to Corinth. Paul's Doctrine of God and the Issue of Food Offered to Idols in 1 Corinthians 8 : 1 – 11 : 1*, New York 2012.

J.F.M. SMIT, *« About the Idol Offerings ». Rhetoric, Social Context and Theology of Paul's Discourse in First Corinthians 8 : 1 – 11 : 1*, Leuven 2000.

W.L. WILLIS, *Idol Meat in Corinth. The Pauline Argument in 1 Corinthians 8 and 10*, Chico, CA 1985.

K.K. YEO, *Rhetorical Interaction in 1 Corinthians 8 and 10. A Formal Analysis with Preliminary Suggestion for a Chinese Cross-Cultural Hermeneutic*, Leiden 1995.

Articles et autres contributions

J.C. BRUNT, « Rejected, Ignored or Misunderstood ? The Fate of Paul's Approach to the Problem of Food Offered to Idols in Early Christianity », *NTS* 31, 1985, 113-124.

L. COPE, « First Corinthians 8-10 : Continuity or Contradiction ? », *AnglTheolRev-Suppt* 11, 1990, 114-123.

J. DELOBEL, « Coherence and Relevance of 1 Cor 8-10 », in *The Corinthian Correspondance*, R. BIERINGER (ed.), Leuven 1996, 177-190.

D.W. ELLINGTON, « Imitating Paul's Relationship to the Gospel : 1 Corinthians 8. 1 – 11. 1 », *JSNT* 33, 2011, 303-315.

P. FARLA, « The Rhetorical Composition of 1 Cor 8, 1 – 11, 1 », *EThL* 80, 2004, 144-166.

G. FEE, « Εἰδωλόθυτα Once Again », *Bibl.* 61, 1980, 172-197.

D.E. GARLAND, « The Dispute over Food Sacrified to Idols (1 Cor 8, 1 – 11 : 1) », *PersRelStud* 30, 2003, 173-197.

D. HORRELL, « Theological Principle or Christological Praxis ? Pauline Ethics in 1 Corinthians 8. 1 – 11. 1 », *JSNT* 67, 1997, 83-114.

J. KLOHA, « Idols, Eating, and Rights (1 Cor. 8 : 1 – 11 : 1) : Faithful and Loving Witness in a Pluralistic Culture », *ConcJourn* 30, 2004, 178-202.

J. LAMBRECHT, « Universalism in 1 Cor 8 : 1 – 11 : 1 ? », *Gregorianum* 77, 1996, 333-339.

Ch.D. LAND, « "We Put no Stumbling Block in Anyone Path, So that our Ministry Will not Be Discredited" : Paul's Response to an Idol Food Inquiry in 1 Corinthians 8 : 1-13 », in *Paul and His Social Relations*, S.E. PORTER, Ch.D. LAND (eds), Leiden 2013, 229-283.

J.J. MEGGITT, « Meat Consumption and Social Conflict in Corinth », *JThS* 45, 1994, 137-141.

A. MORENO GARCIA, R. SAEZ GONZALVEZ, « El problema de los idolotitos en 1 Co 8-11 como humus de los banquetes judeo-cristianos », *EstB* 59, 2001, 47-77.

J. MURPHY-O'CONNOR, « Freedom in the Ghetto », *RB* 85, 1978, 543-574.

M.D. NANOS, « The *Polytheist* Identity of the "Weak", and Paul's Strategy to "Gain" Them : A New Reading of 1 Corinthians 8 : 1 – 11 : 1 », in *Paul : Jew, Greek, and Roman*, S.E. PORTER (ed.), Leiden 2008, 179-210.

T. Söding, « Starke und Schwache : Der Götzenopferstreit in 1 Kor 8-10 als Paradigma paulinischer Ethik », *ZNTW* 85, 1994, 69-92.

E.C. Still, « Divisions Over Leaders and Food Offered to Idols : The Parallel Thematic Structures of 1 Corinthians 4 : 6-21 and 8 : 1 – 11 : 1 », *TynB* 55, 2004, 17-41.

E.C. Still, « Paul's Aim Regarding εἰδωλόθυτα : A New Proposal for Interpreting 1 Corinthians 8 : 1 – 11 : 1 », *NT* 44, 2002, 333-343.

G. Theissen, « Die Starken und Schwachen in Korinth », *EvTh* 35, 1975, 155-172.

W. Willis, « 1 Corinthians 8-10 : A Retrospective after Twenty-Five Years », *RestQ* 49, 2007, 103-112.

B.W. Winter, « Theological and Ethical Responses to Religious Pluralism – 1 Corinthians 8-10 », *TynB* 41, 1990, 209-226.

B. Witherington, « Why Not Idol Meat ? Is It What You Eat or Where You Eat It ? », *BibRev* 10, 1994, 38-43, 54-55.

Remarques sur la bibliographie. Elle est pléthorique. Plus de douze monographies ont été consacrées à cette section de 1 Co depuis une trentaine d'années, la plupart reprenant des thèses de doctorat. Cette situation est en partie due au fait que ces trois chapitres constituent un tout assez facile à isoler ; et en partie au fait qu'ils font appel à un discernement éthique très subtil et toujours valable. On notera également l'utilisation indue de l'adjectif « fort » (anglais strong ; allemand stark) pour désigner les personnes qui estiment pouvoir consommer des nourritures offertes aux idoles, alors que Paul ne l'utilise pas en 1 Co 8, 11 – 11, 1 ; c'est sans doute sans doute sous l'influence du faux parallèle de Rm 14, 1 – 15, 13 (Gäckle).

Le début de cette partie (8, 1) ne pose pas de difficulté : il est clair que Paul y aborde un nouveau sujet. La fin est plus complexe : quand, au XIIIᵉ siècle, Étienne Langton subdivisa la Bible en chapitres, il attribua le v. 1 du chapitre 11 à la péricope suivante. Son appartenance à la question des idolothytes est actuellement universellement reconnue : il en forme une bonne conclusion, notamment après que Paul s'est donné en exemple, au chapitre 9 (Ellington).

Avoir ou non le droit de consommer de la nourriture provenant des sacrifices offerts aux divinités gréco-romaines est une question qui se posait inévitablement dans la jeune Église de Corinthe. Par tradition, les Juifs ne le faisaient pas ; devenus disciples du Christ, ils n'étaient pas davantage tentés de le faire. En revanche, la question se posait différemment pour les chrétiens d'origine païenne, qui le faisaient couramment avant leur conversion : pouvaient-ils continuer à faire comme ils avaient toujours fait sans problème, puisque leur foi en Christ leur permettait de comprendre que les divinités païennes n'ont pas d'existence réelle ? Ou devaient-ils être plus prudents et éviter tout geste risquant de les faire pactiser, de près ou de loin, avec les cultes idolâtres ? Dans la lettre qu'ils avaient envoyée à Paul et à laquelle une grande partie de 1 Co est une réponse, les fidèles de Corinthe avaient sans doute posé la question à l'Apôtre. La longueur de sa réponse est proportionnelle à la complexité et à l'intérêt de la question.

À Corinthe comme dans les autres villes de l'Empire, la religion structurait en grande partie la vie des habitants. On pourrait presque écrire « les religions » car existaient de multiples sanctuaires, fréquentés en fonction des besoins ou des sensibilités personnelles ou familiales. Les fouilles archéologiques de la ville ont mis au jour avec certitude un temple consacré à Isis, un sanctuaire de Déméter et Korè, et un complexe cultuel consacré à Asclépios, le dieu guérisseur. Il est possible que certains soient postérieurs à la date de rédaction de 1 Co, mais il est à peu près assuré que le temple d'Asclépios, construit au IVe siècle avant notre ère et restauré lors de la reconstruction de la ville en 44, était en pleine activité. Il comportait des salles de banquet pouvant contenir des tables en U permettant d'accueillir onze personnes (Murphy-O'Connor, *Corinthe*, 247-254) : nourriture, vin et relations sexuelles étaient au programme (Fotopoulos). Il était courant pour les citoyens d'offrir des sacrifices à telle ou telle divinité de la ville, soit pour demander une faveur, soit pour remercier d'une situation favorable (Winter, « Theological »). Les produits offerts (viande ou produits végétaux) étaient en partie brûlés sur l'autel de la divinité ; une autre partie était consommée par le clergé ; une autre pouvait être consommée par l'offrant et ses invités dans les salles à manger prévues à cet usage ; le reste, enfin, était vendu sur les marchés, au bénéfice du sanctuaire. On a retrouvé des billets d'invitation à de tels repas sacrés dans les dépendances des sanctuaires, ainsi celui-ci : « Héraïs t'invite à dîner dans la salle du Sérapéion à un banquet du Seigneur Sérapis, demain le onze à partir de la neuvième heure » (Murphy-O'Connor, *Corinthe*, 250). On peut imaginer que les Corinthiens devenus disciples du Christ s'abstenaient dorénavant d'offrir eux-mêmes des sacrifices. Mais ils pouvaient être invités à un banquet sacré dans les dépendances des temples (8, 10 ; 10, 20) ; ils pouvaient s'en procurer sur les marchés pour leur nourriture quotidienne ou lors de fêtes qu'ils organisaient (10, 25) ; et, lorsqu'ils étaient invités dans une famille autre que la leur, il pouvait arriver qu'il leur soit servi de la nourriture provenant des temples (10, 27-28) (Kloha ; Moreno García, Saez Gonzalvez). Que faire dans chacun de ces cas ?

Ce type de question avait revêtu une acuité particulière dans les années qui ont immédiatement précédé la rédaction de 1 Co. Le culte impérial avait été établi en 54, au début du règne de Néron, pour toute la province d'Achaïe ; il est difficile de savoir l'importance qu'il avait dans la vie de la cité au moment de la rédaction de 1 Co. Plus déterminants étaient les Jeux isthmiques rétablis à Isthmia dans les années 50, qui avaient lieu tous les deux ans. Une inscription retrouvée à Corinthe permet d'en connaître le premier président, Cn. Publicus Regulus. Isthmia était toute proche de Corinthe. Autour des jeux avaient lieu de multiples festivités, dont des banquets auxquels étaient invités les notables de Corinthe, au cours desquels les dieux étaient honorés (Winter, *After*, 269-286). Alors, s'y rendre ou ne pas s'y rendre ? On comprend le caractère prégnant du dilemme, qui est peut-être directement à l'origine de la demande adressée à Paul par les chrétiens de la ville. S'abstenir de consommer des viandes immolées aux divinités gréco-romaines, c'était se marginaliser par rapport à la vie sociétale ordinaire.

La réponse de Paul doit tracer un chemin dans ce maquis de situations diverses, ce qui a pour résultat que sa cohérence n'apparaît pas clairement (Delobel). Dans l'histoire de l'exégèse critique, 1 Co 8, 1 – 11, 1 a fortement contribué à penser que l'épître était composite car – estimaient les tenants de cette hypothèse – Paul n'avait pas pu écrire dans la même lettre des propos qui semblent aussi peu conciliables. Il est net, par exemple, que Paul, qui tient une position assez ferme en 10, 1-22, est plus permissif en 8, 1 – 9, 27 et 10, 23 – 11, 1. Plusieurs commentateurs estiment qu'il s'est assoupli avec le temps, et que 10, 1-22 est emprunté à une lettre plus ancienne (Senft* ; Weiss*). D'autres, que la position dure n'est pas celle de Paul lui-même, et que 10, 1-22 est une interpolation post-paulinienne destinée à faire justifier par l'Apôtre, en la plaçant sous son autorité, une position ferme, largement répandue dans le christianisme postérieur (Cope) (voir dans l'Introduction : L'unité de la lettre). La plupart des tenants du manque d'unité du passage se sont cependant exprimés avant que l'on analyse les lettres pauliniennes en tenant compte des règles de composition des lettres et des discours dans la société gréco-romaine. Les partisans de l'unité de ces trois chapitres sont actuellement les plus nombreux. Ce qui n'implique pas qu'ils soient d'accord sur leur composition rhétorique (voir l'Interprétation des différentes péricopes de cette partie).

Malgré l'abondance des études qui ont été consacrées à ces trois chapitres, restent plusieurs points de désaccord parmi les exégètes. En voici une liste récente (Land ; Willis, « A Retrospective ») : 1° Les tenants de l'intégrité de ces trois chapitres sont maintenant majoritaires, mais des adversaires demeurent, persuadés qu'il s'agit d'un texte composite (*e.g.* Senft*) : la question est-elle réglée ? – 2° Quelle est la situation qui a provoqué le débat : consommer de la nourriture dans les temples lors de repas cultuels, ou en toute circonstance (Horrell) ? – 3° Les « faibles » dont Paul parle existaient-ils à Corinthe, ou leur mention est-elle une création de l'Apôtre pour soutenir son argumentation vis-à-vis de ceux qui déclarent posséder la connaissance (Gooch) ? – 4° S'ils ont réellement existé, qui sont les faibles : des convertis encore idolâtres dans leurs habitudes (Garland ; Murphy-O'Connor) ? Des chrétiens habités par des scrupules juifs (Cheung ; Phua) ? Des personnes de classe sociale inférieure (Coutsoumpos ; Theissen contesté par Meggitt) ? Des ignorants de la philosophie morale hellénistique ? Des polythéistes (Land ; Nanos) ? – 5° Certaines phrases du texte sont-elles des citations d'opinions émises par les destinataires corinthiens (parmi les plus couramment identifiées : 8, 1. 4-6. 8 ; 10, 23) ? – 6° Quel est le statut des relations entre Paul et ses destinataires ? Un conflit ouvert (Fee) ? Un débat paisible ? –

7° Quelle est la fonction du chapitre 9 : un exemple donné par Paul pour favoriser la liberté ? Une réponse à l'opposition ? – 8° Et enfin, quelle est la position personnelle de Paul sur les idolothytes : est-il en accord avec ceux qui prétendent avoir la connaissance ? Distingue-t-il selon les circonstances (Shen ; Witherington) ? Ou est-il partisan d'une interdiction plus radicale ? Les analyses conduites au cours du commentaire tenteront de donner des réponses à plusieurs de ces questions, sans prétendre répondre à toutes.

La structure littéraire de l'ensemble s'impose : Paul aborde de front la question des idolothytes en 8, 1-13 (A) ; il l'abandonne momentanément au chapitre 9 pour conduire une réflexion sur l'usage que l'on doit faire de son autorité, en se fondant sur son propre exemple d'apôtre (B) ; il revient à la question des nourritures immolées aux idoles en 10, 1 – 11, 1 (A'). Cela dessine un plan en inclusion (ABA'), classique dans la culture sémitique (Mitchell, *Rhetoric*, 237-240). Ce plan peut encore être affiné par les remarques suivantes. Le chapitre 8 introduit la question et évoque un droit théorique de consommer des idolothytes, mais c'est pour lui imposer aussitôt des restrictions indiquées par un impératif (8, 9) au nom de l'amour du frère. Au chapitre 9, Paul évoque sa propre situation en deux temps : en tant qu'apôtre, il est libre et dispose de droits qu'il défend (9, 1-14), mais il a choisi de n'en pas faire usage et donne sa conduite en exemple (9, 15-27) ; chacune des parties de ce chapitre 9 se termine par une courte conclusion introduite par la formule « Ne savez-vous pas que ? » (vv. 13 et 24). Le chapitre 10 reprend l'argumentation dans l'ordre inverse : est d'abord donné le contre-exemple d'Israël au désert qui n'a pas su se restreindre (10, 1-13) ; puis l'Apôtre revient, à l'aide d'un nouvel impératif (10, 14), sur la conduite à tenir (10, 14-22). L'ensemble se termine par une conclusion assortie de consignes pratiques (10, 23 – 11, 1). Le schéma en inclusion suivant, qui tient compte de ces remarques, est assez opératoire (Pereira Delgado, 25-63) :

8, 1-6 – Introduction
I) Renoncer à ses propres droits en faveur du frère faible
   8, 7-13 – Impératif : « Prenez garde » (8, 9)
     9, 1-27 – De l'apologie à l'exemple : le cas de Paul
II) Fuir l'idolâtrie
     10, 1-13 – Contre-exemple d'Israël au désert
   10, 14-22 – Impératif : « Fuyez l'idolâtrie » (10, 14)
10, 23 – 11, 1 – Conclusion

Ce schéma est sous-jacent au découpage en péricopes que nous proposons :
– Néant des idoles et amour du frère (8, 1-13)
– Liberté et droits de l'Apôtre (9, 1-14)
– L'exemple de Paul : les raisons d'un renoncement (9, 15-27)
– Le contre-exemple d'Israël au désert (10, 1-13)

– Deux repas inconciliables (10, 14-22)
– Tout pour la gloire de Dieu (10, 23 – 11, 1).

L'un des mots qui revient aux deux extrémités de ce développement contourné est le verbe « édifier », pris dans son sens étymologique de « construire » (8, 1.10 ; 10, 23) : édification du frère chrétien pour la construction de l'Église locale. Il substitue une logique de l'amour à une logique du savoir et du droit. Soucieux d'une liberté vraie et méfiant vis-à-vis des impératifs catégoriques, Paul en retient cependant deux : l'impératif de la diffusion de l'Évangile en vue du salut du plus grand nombre (Lambrecht) et l'impératif de l'*agapè* comme norme éthique de référence (Söding ; Willis, *Idol Meat*). Cela implique ascèse et abstention (Still, « Divisions » ; Id., « Paul's Aim »). Si la nourriture est neutre, la manière de manger ensemble ne l'est pas. Ces trois chapitres sont un modèle de discernement éthique, tout en nuances, qui contribue également à l'édification du lecteur (Caillot, *L'Évangile*, 221-231).

Après Paul, il sera encore question d'idolothytes dans le N T, en Ap 2, 14 (lettre à l'Église de Pergame) et en Ap 2, 20 (lettre à l'Église de Thyatire) ; le propos est alors beaucoup plus catégorique que chez Paul ; consommer de la nourriture offerte aux idoles est assimilé à de la prostitution. L'époque patristique sera également plus restrictive que l'Apôtre (Brunt). Irénée fait de la consommation des idolothytes une pratique hérétique des valentiniens (*Adv. Haer.* 1, 6, 3) et de Basilides (*Ibid* 1, 24, 5). Origène (*Contre Celse* 8, 30) et Clément d'Alexandrie (*Pédagogue*, II, 7, 56) majorent, dans les trois chapitres que Paul consacre au sujet, les versets les plus restrictifs (10, 18-22). La subtilité du discours paulinien, qui est sa grandeur, est aussi sa faiblesse ; l'Église trouve souvent plus simple d'édicter des impératifs ou des interdits plutôt que de se lancer dans une casuistique de bon aloi.

Néant des idoles et amour du frère
(8, 1-13)

TRADUCTION

8, 1 Au sujet des idolothytes, nous savons que tous, nous avons la connaissance. La connaissance enfle, c'est l'amour qui édifie. 2 Si quelqu'un pense connaître[a] quelque chose, il ne connaît pas encore comme il faut connaître. 3 Si quelqu'un aime Dieu, celui-là est connu par lui[b]. 4 Donc, au sujet de la consommation des idolothytes... Nous savons qu'(il n'y a) aucune idole dans le monde, et que personne (n'est) Dieu, sinon un seul. 5 Et en effet, puisque existent de prétendus dieux, soit au ciel soit sur terre, de même qu'existent des dieux nombreux et des seigneurs nombreux... 6 Mais[c] pour nous (il n'y a qu') un seul Dieu, le Père, de qui tout (vient), et nous (allons) vers lui ; et un

seul Seigneur, Jésus Christ, par qui[d] tout (existe) ; et nous (serons) par lui[e].
7 Mais la connaissance (n'est) pas en tous ; certains, par l'habitude[f] (qu'ils
ont eue) de l'idole jusqu'à présent, mangent comme (si c'était) un idolothyte,
et leur conscience, étant faible, est souillée. 8 Un aliment ne nous[g] placera
pas auprès de Dieu. Ni si nous ne mangeons pas, nous sommes privés ; ni si
nous mangeons, nous sommes comblés[h]. 9 Mais prenez garde que cette
autorité qui est la vôtre ne devienne pierre d'achoppement pour les faibles.
10 En effet si quelqu'un te voit, toi qui as la connaissance, attablé dans un
temple d'idoles, sa conscience à lui qui est faible ne sera-t-elle pas construite
en sorte de lui faire manger les idolothytes ? 11 Car le faible se perd[i] à cause
de ta connaissance, le frère en faveur de qui Christ mourut. 12 En péchant
ainsi contre les frères, en choquant leur conscience affaiblie[j], c'est contre
Christ que vous péchez. 13 C'est pourquoi, si un aliment scandalise mon
frère, que je ne mange à tout jamais de la viande, afin de ne pas scandaliser
mon[r] frère.

ᵃ Au lieu de ἐγνωκέναι (majorité des mss), certains mss portent εἶναι (326 *pc*) ;
d'autres εἴδεναι : K L. 6. 614. 629. 1241ˢ. 1505 *Byz* lat ; Ambrosiaster. C'est sans
doute une correction influencée par l'emploi de οἶδα au v. 1.

ᵇ Plusieurs mots des vv. 2-3 manquent dans p⁴⁶, l'un des plus anciens témoins du
texte. Certaines de ces omissions manquent aussi dans d'autres mss. Voici le texte de
p⁴⁶, avec indication des omissions par d'autres mss que lui : εἰ τις δοκεῖ ἐγνωκέναι [τι
omis aussi par Ambrosiaster] οὔπω ἔγνω καθὼς δεῖ γνῶναι. εἰ δὲ τις ἀγαπᾷ [τὸν θεόν
omis aussi par Clément] οὗτος ἔγνωσται [ὑπ' αὐτοῦ omis aussi par א* 33 Clément].
En traduction : « Si quelqu'un pense connaître, il ne connaît pas encore comme il faut
connaître. Si quelqu'un aime, il connaît vraiment. » La phrase est alors un adage
sapientiel digne de Paul, dont certains ont émis l'opinion qu'il pourrait être le texte
original (*e.g.* Fee* ; Letteney). L'attestation en est cependant très faible. On trouve
par ailleurs chez Paul des affirmations proches de la leçon longue (cf. Ga 4,9). La
majorité des critiques estiment qu'il s'agit d'une correction volontaire de scribe.

ᶜ La conjonction ἀλλά est omise par p⁴⁶ B (33) b sa ; Irénée[lat]. Le v. 6 devient alors
proposition principale, et la phrase constituée par les vv. 5-6 n'est plus une anacoluthe. La présence de la conjonction est *lectio difficilior ;* la conserver.

ᵈ Au lieu de δι'οὗ, on trouve dans B : δι'ὅν : « en vue de qui » au lieu de « par
qui ». Attestation faible ; correction porteuse d'une autre vision christologique.

ᵉ A la fin de la phrase, quelques mss ajoutent « et un Esprit Saint en qui (existent)
toutes choses et nous (existons) en lui » : 630. (1881) *pc*. Correction volontaire
destinée à remplacer la confession binitaire par une confession trinitaire.

ᶠ Plusieurs mss portent τῇ συνειδήσει au lieu de τῇ συνηθείᾳ (א² D F G *Byz* lat sy ;
Ambrosiaster) : « par la conscience » au lieu de « par l'habitude ». Correction secondaire, sans doute par attraction du terme « conscience » à la fin du verset.

ᵍ Le pronom ἡμᾶς est parfois remplacé par ὑμᾶς : א* Ψ 33. 365. 1241ˢ. 1881* *al*.
Cette correction lève l'ambiguïté de la phrase ; au lieu d'être possiblement la citation
d'un slogan des Corinthiens, elle devient clairement une affirmation paulinienne.

ʰ Cette phrase très alambiquée peut être présentée dans l'ordre inverse : « Ni si
nous mangeons, nous sommes comblés ; ni si nous ne mangeons pas nous sommes

privés » : א Ac 33. (1881) *pc* vg^[cl] ; Tertullien Origène^[pt]. Dans cet ordre, certains mss ajoutent « car » après le premier « ni » (οὔτε γάρ) : D F G *Byz* ar b sy ; Clément. Une modification plus importante existe dans A*, qui inverse le sens : « Ni si nous ne mangeons pas nous sommes comblés ; ni si nous mangeons nous sommes privés. » L'ordre que nous retenons dans notre traduction se trouve dans deux des témoins les plus anciens, p^[46] et B.

^[i] Plusieurs leçons sont en présence : ἀπόλλυται γάρ (p^[46] א* B 33. 1175 *pc* bo ; Clément) ; ἀπόλλυται οὖν (A P *pc*) ; καὶ ἀπόλλυται (א² D* Ψ 6. 81. (104). 365. 630. 1739. 1881 *pc* ar b) ; καὶ ἀπολεῖται (D² F G *Byz* vg (sa) ; Irénée^[lat] Ambrosiaster). Des trois premières, la toute première est la mieux attestée. La dernière porte un futur attique moyen (le faible se perdra) au lieu du présent (le faible se perd) attesté dans la première ; ce futur, sans doute secondaire, donne à cette perte une tonalité eschatologique.

^[j] L'adjectif ἀσθενοῦσα manque dans p^[46] ; Clément. Soit oubli involontaire d'un mot, soit correction volontaire pour adoucir le scandale consistant à choquer une conscience affaiblie.

BIBLIOGRAPHIE

En plus des titres pour 8, 1 – 11, 1

W. COPPINS, « To Eat or Not to Eat Meat ? Conversion, Bodily Practice, and the Relationship between Formal Worship and Everyday Life in the Anthropology of Religion and 1 Corinthians 8 : 7 », *BTB* 41, 2011, 84-91. – J.A. DAVIS, « The Interaction between Individual Ethical Conscience and Community Ethical Consciousness in 1 Corinthians », *HorBibTheol* 10, 1988, 1-18. – G.W. DAWES, « The Danger of Idolatry : First Corinthians 8 : 7-13 », *CBQ* 58, 1996, 82-98. – P.W. GOOCH, « Conscience in 1 Corinthians 8 and 10 », *NTS* 33, 1987, 244-254. – S. KIM, « *Imitatio* Christi (1 Corinthians 11 : 1) : How Paul Imitates Jesus Christ in Dealing with Idol Food (1 Corinthians 8-10) », *BBR* 13, 2003, 193-226. – M. LETTENEY, « Toward a New Scribal Tendency : Reciprocal Corruptions and the Text of 1 Corinthians 8 : 2-3 », *JBL* 135, 2016, 391-404. – M.M. MITCHELL, « Paul's Letters to Corinth : The Interpretative Intertwining of Literary and Historical Reconstruction », in *Urban Religion in Roman Corinth, Interdisciplinary Approaches*, D.N. SCHOWALTER, S.J. FRIESEN (eds), Harvard 2005, 307-338. – J. MURPHY-O'CONNOR, « I Cor VIII, 6 : Cosmology or Soteriology ? », *RB* 85, 1978, 253-267. – D.W. ODELL-SCOTT, « Paul's Skeptical Critique of a Primitive Christian Metaphysical Theology », *Encounter* 56, 1995, 127-146. – B.J. OROPEZA, « Laying to Rest the Midrash : Paul's Message on Meat Sacrified to Idols in Light of the Deuteronomic Tradition », *Bib.* 79, 1998, 57-68. – A. ROMANOV, « Through One Lord Only : Theological Interpretation of the Meaning of διά in 1 Cor 6, 6 », *Bib.* 96, 2015, 391-415. – A. ROMANOV, « Εἷς κύριος and ὑμεῖς in 1 Corinthians 8, 6 : An Investigation of the First Person Plural in Light of the Lordship of Jesus Christ », *Neotest.* 49, 2015, 47-74. – J.F.M. SMIT, « 1 Cor 8, 1-6 : A Rhetorical Partitio », in *The Corinthian Correspondence*, R. BIERINGER (ed.), Leuven 1996, 577-591. – J.F.M. SMIT, « Paulus "over de afgodsoffers" : De Kerk tussen joden en grieken (1 Kor. 8, 1 – 11, 1) », *TijdTheol* 37, 1997, 228-242. – J.F.M. SMIT, « The Rhetorical Disposition of First Corinthians 8 :

7 – 9 : 27 », *CBQ* 59, 1997, 476-491. – T. Söding, « Gottesliebe bei Paulus », *ThGl* 79, 1989, 219-242. – E.C. Still, « The Meaning and Uses of ΕΙΔΩΛΟΘΥΤΟΝ in First Century Non-Pauline Literature and 1 Co 8 : 1 – 11 : 1 : Toward Resolution of the Debate », *TrinJourn* 23, 2002, 225-234. – B.W. de Wet, « Knowledge and Love in 1 Corinthians 8 », *Neotest.* 43, 2009, 311-333. – P. Wischmeyer, « ΘΕΟΝ ΑΓΑΠΑΝ bei Paulus. Eine traditionsgeschichtliche Miszelle », *ZNTW* 78, 1987, 141-144. – B. Witherington, « Not So Idle Thoughts about *eidolothuton* », *TynB* 44, 1993, 237-254. – B.G. Wold, « Reconsidering an Aspect of the Title *kyrios* in Light of Sapiential Fragment 4Q416. 2 iii », *ZNTW* 95, 2004, 149-160. – N.T. Wright, « One God, One Lord. How Paul Redefines Monotheism », *Christ-Cent* 130, 2013, 22-25. 27.

INTERPRÉTATION

1 Co 8, 1-13 constitue une péricope bien délimitée. Le sujet est nommé dès le v. 1, à savoir les idolothytes. Le v. 13, le seul formulé à la 1re personne du singulier, conclut l'argumentation de façon emphatique, et il introduit en même temps le chapitre 9 dans lequel Paul parle essentiellement de lui, donnant sa propre conduite en exemple. Les vv. 1-8 sont essentiellement formulés à la 1re personne du pluriel (avec des interruptions en style imper-sonnel), ce « nous » étant structurellement ambigu car il peut désigner soit l'auteur et ses destinataires, soit l'auteur et les gens qui pensent comme lui *vs* les destinataires, soit encore les seuls destinataires dont l'auteur citerait l'opinion. La 2e personne est employée du v. 9 au v. 12, successivement au pluriel (v. 9), au singulier (vv. 10-11), et à nouveau au pluriel (v. 12) ; la ou les personne(s) à qui Paul s'adresse sont celles qui revendiquent la connais-sance et, à partir de là, un droit. On est alors dans la diatribe. Une rupture autre que le changement de personne des verbes – et sans doute plus impor-tante – est cependant marquée entre les vv. 6 et 7 ; celui-ci reprend une formulation du v. 1, « tous, nous avons la connaissance », pour la contredire : « Mais la connaissance n'est pas en tous. » C'est également à partir du v. 7 que deux mots, importants pour la thématique, font leur apparition dans le texte : le substantif « conscience » (*suneidèsis*) et l'adjectif « faible » (*asthenès*). Cela conduit à distinguer successivement deux paragraphes : les vv. 1-6, où les personnes nommées partagent une opinion commune ; puis les vv. 7-13, où la distinction des points de vue prime (différence entre Paul et ses destinataires, et différence entre faiblesse et connaissance).

Comme cette péricope ouvre la partie de la lettre consacrée aux idolo-thytes, la question se pose de savoir si elle joue un rôle dans la structuration rhétorique des trois chapitres. Quelques modèles ont été proposés. Premier exemple (Probst) : 8, 1-13 constituerait l'*exordium* des trois chapitres ; on aurait ensuite la *narratio* (9, 1-18), l'*argumentatio* (9, 19 – 10, 17), enfin la *peroratio* (10, 18 – 11, 1). Cette proposition est peu convaincante : l'impor-tance de ce qui est affirmé au chapitre 8, par exemple, ne saurait le réduire à

une fonction rhétorique d'*exordium* ! Un deuxième schéma est plus subtil
(Smit, trois articles ; repris avec des variantes par J. Fotopoulos, *Food Offered*) : 8, 1-6 constituerait la *partitio* des chapitres 8-9, et l'on aurait ensuite
successivement la *narratio* (8, 7), la *propositio* (8, 8), une *reprehensio*
(8, 9-12), une *confirmatio* (8, 13 – 9, 23) et une *peroratio* (9, 24-27). L'un
des inconvénients de ce modèle est de faire de 8, 8 la *propositio* de deux
chapitres, alors que ce verset ressemble plutôt à une remarque incidente qui
ne contient aucun des termes importants de cette partie de l'épître. Mention-
nons un troisième modèle (Farla) : adresse (8, 1-3), *exordium* (8, 4a), *narratio* (8, 4b-7), *propositio* (8, 8-13), *argumentatio* (9, 1 – 10, 13), *peroratio*
(10, 14 – 11, 1). Les faiblesses de cette troisième *dispositio* apparaissent
aussi nettement que pour les deux précédentes : six versets (vv. 8-13), c'est
beaucoup trop pour une *propositio* ; et 10, 14 – 11, 1 apporte de nombreux
d'éléments nouveaux, ce qui n'en fait pas une *peroratio* satisfaisante. Des
trois modèles que l'on vient d'examiner, aucun ne convient finalement. On
peut sans doute en conclure que vouloir faire obéir ces trois chapitres à la
dispositio classique d'une période rhétorique à fonction délibérative
ressemble au supplice que Procuste infligeait à ses victimes. Paul a certes
utilisé, en les écrivant, des procédés empruntés à la rhétorique de son temps,
mais sans appliquer un modèle organisationnel qui conviendrait à
l'ensemble.

Une dernière question touchant l'ensemble de la péricope porte sur
l'énonciation : dans ces chapitres et principalement dans le chapitre 8, Paul
cite-t-il parfois l'opinion des Corinthiens ? Ce ne serait pas inédit : peut-être
l'a-t-il déjà fait en 7, 1 (hypothèse non retenue par nous). Elle se pose ici
pour les propositions introduites par « nous savons que » (vv. 1 et 4), pour les
vv. 5-6 qui font suite au v. 4 sans indication de changement d'énonciateur, et
également pour le v. 8. Il est vraisemblable que « nous avons la connaissance » (v. 1a) soit une revendication corinthienne car, aussitôt après au v. 1b,
Paul dénonce les méfaits de ladite connaissance. Le « tous » (*pantes*) du v. 1
en fait-il partie ? Pas forcément. Il se peut que certains Corinthiens revendiquent la connaissance pour eux-mêmes en disant « nous », ce que Paul
corrigerait en « nous tous », indiquant ainsi : pas seulement « vous », mais
« vous et moi » et, à ce titre, je peux, moi aussi, parler. Il est également
vraisemblable que la formule du v. 4b sur le néant des idoles et la foi en
un seul Dieu ait été prononcée par les Corinthiens qui revendiquaient la
connaissance. C'est au nom même de ce savoir qu'ils estimaient pouvoir
consommer des idolothytes : si les idoles ne sont rien, ce n'est rien d'autre
que de la nourriture ordinaire. Ici encore, Paul reprend ce savoir à son
compte, car il fait lui-même partie de ceux qui possèdent la connaissance.
Pour les vv. 5-6, il est plus douteux que Paul cite ses destinataires. Si l'on
s'en tient au texte retenu, ces deux versets ne possèdent pas de verbe principal, la phrase est une anacoluthe... Ce qui est bien dans la manière de Paul. Il
soignerait sans doute davantage sa syntaxe s'il citait ses destinataires. Quant

au v. 8, il n'est introduit par aucun indicateur de décalage de l'énonciation ; il ressemble davantage, comme nous le remarquions plus haut, à une dernière réflexion en « nous » que Paul énoncerait comme valable pour lui et pour ceux qui revendiquent la connaissance, réflexion préparant l'impératif qui suit immédiatement : « Prenez garde » (v. 9).

VV. 1-6 – Après avoir mentionné le sujet auquel il va consacrer les trois chapitres qui s'ouvrent par le v. 1 du chapitre 8, Paul cite l'opinion de Corinthiens prétendant en savoir assez pour pouvoir consommer des idolothytes sans courir de risque et sans connaître une faute. Ils se réclament de la « connaissance » (*gnôsis*) qu'ils possèdent. L'utilisation du terme a pu faire penser qu'ils étaient gnostiques ou pré-gnostiques (Schmithals*, *Gnosis*, repris par plusieurs auteurs) ; cette opinion n'est plus guère retenue, car elle anticipe de façon anachronique l'existence des mouvements gnostiques. Du fait que le terme *gnôsis* figure parmi les charismes nommés dans les chapitres 12-14 (12, 8 ; 13, 2.8 ; 14, 6), l'hypothèse a également été émise que les tenants de cette connaissance estimaient posséder la plénitude du don de l'Esprit Saint et que cela leur donnait un statut authentifié dans l'Église comme communauté de l'Alliance (Gardner). Si tel était le cas, Paul se référerait davantage à l'Esprit en 8, 1 – 11, 1 ; or, le terme *pneuma* est totalement absent des trois chapitres. Il est plus vraisemblable qu'il s'agisse de chrétiens nourris de philosophie stoïcienne comme on en a rencontré à propos du passage sur sagesse et folie (1, 18 – 2, 5), trop maîtres d'eux-mêmes pour être déstabilisés par les contingences de la vie ordinaire (Odell-Scott). À ceux-là, Paul rétorque par un adage dont il est sans doute l'auteur (v. 1b), bâti sur une double opposition : connaissance (*gnôsis*) *vs* amour (*agapè*) ; et enfler (*phusioun*) *vs* construire (*oikodomein*). Le thème de la construction-édification a déjà été largement développé (3, 10-15) ; celui de l'amour le sera abondamment dans la section sur les charismes (13, 1-13). Avant de poursuivre sa réflexion sur les idolothytes (au v. 4), le texte intercale aux vv. 2-3 une digression sur l'opposition amour *vs* connaissance. Paul dénonce d'emblée la prétention d'un humain à avoir une connaissance aboutie sur quoi que ce soit ; la connaissance est toujours inchoative (v. 2). Un seul peut prétendre avoir une connaissance aboutie, à savoir Dieu lui-même ; et Dieu connaît particulièrement bien la personne qui l'aime car elle s'offre à lui (v. 3). Paul reprendra cette thématique en Ga 4, 9, passage où il commence par employer l'expression « connaître Dieu », mais il se reprend aussitôt en lui substituant celle-ci : « être connu par lui. » Au v. 4, Paul revient explicitement à la question de la consommation des idolothytes, en citant sans doute à nouveau des affirmations des Corinthiens prétendant avoir la connaissance. La première affirmation désarticule le mot « idolothyte » pour anéantir la notion même d'idole : une idole n'est rien, c'est du vide. L'Ecriture juive est suffisamment explicite sur ce point, elle l'affirme abondamment à propos de toutes les divinités cananéennes, grecques, romaines et égyptiennes (*e.g.* Lv 19, 4 ; 26, 1 ; Dt 32, 21 ; Jr 8, 19 ; 10, 8 ; Ps 115, 4-8). La conséquence s'impose d'elle-même : les nourritures qui leur sont offertes en sacrifice sont offerte à du néant... Donc ce sont des nourritures ordinaires et l'on peut les consommer sans dommage ni péché. Cela n'est pas écrit, mais la logique l'impose. Paul et les Corinthiens jouissant du même niveau de connaissance que lui ne peuvent qu'être d'accord. Et ils partagent aussi la conviction formulée à la fin du v. 4, à savoir la confession du Dieu unique, sur laquelle s'ouvre le *Shema Israel* (composé de Dt 6, 4-9 ; 11, 13-21 ; Nb 15, 37-41), la prière de référence du judaïsme, qui faisait certainement partie de la catéchèse dispensée dans les jeunes Églises, y compris en milieu pagano-chrétien. L'unicité du Dieu biblique est une affirmation constante du Deutéronome, dont le message est sous-jacent au propos paulinien (Oropeza) ; elle n'est pas incompatible, pour l'Apôtre, avec la place unique de Jésus, Christ et Seigneur (Wright). La finesse rhétorique du discours paulinien conduit cependant à apporter comme une réserve à la dernière affirmation avancée au v. 4 sur l'unicité de Dieu : elle est exprimée au v. 5 qui semble donner une certaine consistance aux faux dieux. L'Ecriture juive le faisait parfois, en les identifiant à des démons (Dt 32, 17 ; Ps 106, 36-37 ; voir plus loin en 10, 20-21). Paul pousse cette logique au maximum en ajoutant aux dieux nombreux des seigneurs nombreux. Cette allusion à des êtres réels ou fictifs a cependant pour fonction rhétorique d'introduire l'affirmation de foi du v. 6, affirmation où les « nombreux » du v. 5 laissent place à deux « uniques », le Dieu Père et le Seigneur Jésus Christ devant lesquels tout autre monde divin s'efface. Le deuxième mot de ce verset, « pour nous » (*hèmin*), est inclusif ; il indique que Paul a conscience d'exposer ici une foi qu'il partage avec les Corinthiens possédant la connaissance. La relation des croyants avec Dieu le Père est précisée sans ambiguïté : il est celui de qui tout vient (préposition *ek*) et vers qui tout va (préposition *eis*) ; en termes théologiques, nous dirions qu'il est l'origine et le terme de la création. Leur relation au Seigneur Jésus Christ est plus complexe : il est celui par qui (préposition *dia*) tout existe, ce qui laisse entendre que la création s'est faite par lui, idée que l'on trouve exprimée avec force dans l'hymne de l'épître aux Colossiens que l'auteur emprunte sans doute à la tradition (Col 1, 15-20) ; la raison pour laquelle Paul répète la même chose à propos des créatures humaines à la fin du v. 6 (même préposition *dia*), laisse entendre qu'il ne s'agit pas seulement de création, mais sans doute aussi de rédemption (Murphy-O'Connor), et peut-être même de rédemption eschatologique au nom du parallélisme entre les deux parties du verset. En effet, c'est aux temps ultimes que nous rejoindrons le Père ; le parallélisme conduit à dire que c'est aussi dans le futur que cette rédemption sera pleinement réalisée par le Seigneur Jésus Christ (Romanov, « Through »). L'absence de verbes dans ce verset oblige à surinterpréter les prépositions, et cette surinterprétation est toujours hasardeuse. Ces formules très ramassées concernant le Dieu Père ou le Seigneur Jésus Christ sont peut-être traditionnelles. Sont-elles, à l'origine, des confessions de foi ou plutôt des acclamations liturgiques ? On peut en débattre. Elles ont au moins fonction ici d'exprimer la foi commune des Corinthiens possédant la connaissance, et de Paul la possédant aussi. Elles sont le tronc commun à partir duquel l'Apôtre peut continuer de réfléchir avec eux, fût-ce pour contester leurs prétentions et défendre un autre point de vue que le leur.

VV. 7-13 – Le v. 7 marque un tournant dans le propos, qui passe d'une certaine unanimité des convictions à une différence ; l'affirmation du v. 1, « tous, nous avons la connaissance », est contredite à l'aide de l'opposition entre tous (*pantes*) et quelques-uns (*tines*). Certains commentateurs, prêtant à Paul une rigueur logique qu'il n'a pas toujours, prétendent qu'il ne s'agit pas ici de la même connaissance qu'au v. 1 (Héring*). Une telle tentative nuit à la compréhension du texte : l'apparente contradiction entre les vv. 1 et 7 contribuent, au contraire, à la vigueur du discours. Les « quelques-uns » en question sont ceux qui, ne disposant pas d'une connaissance de même niveau que celle de ceux à qui Paul s'adresse, n'ont pas pleinement conscience que les idoles ne sont rien. Il est écrit dans ce verset que leur conscience est faible ; plus loin (8, 9 ; 9, 22), ils sont même appelés « les faibles ». Leur identité a été largement débattue (voir p. 79-80). Ce que l'on peut connaître de la situation à Corinthe ainsi que la logique du texte conduit à éliminer toutes les hypothèses revenant à les classer dans une catégorie socioreligieuse déterminée : ils ne sont ni des gens de classe sociale inférieure (malgré Theissen) ; ni des polythéistes (malgré Nanos) ; ni des judaïsants (malgré Cheung et Phua) ; aucun indice dans le texte ne conduit à les désigner avec une telle précision. On ne retient pas non plus l'idée qu'ils sont ici simplement imaginés par Paul pour contrer la superbe de ceux qui prétendent avoir la connaissance (malgré Gooch, *Dangerous Food*). La question à se poser est : que sont les idolothytes pour l'esprit et le corps du converti (Coppins) ? Les termes utilisés dans le v. 7 sont, semble-t-il, suffisamment clairs, et conduisent à retenir la réponse classique : ces gens-là ont eu une habitude récente de l'idole, comme tous les chrétiens de Corinthe issus du paganisme – l'Église locale n'a que quatre ou cinq années d'existence –, et ne disposant d'aucune connaissance élaborée. Ils n'ont pas une capacité de discernement leur permettant de considérer les idolothytes comme de la nourriture neutre, ni pour eux-mêmes s'ils en consommaient, ni pour d'autres chrétiens qu'ils verraient en consommer. Le v. 8 est le dernier de la péricope à être formulé à la 1re personne du pluriel. Paul y aligne deux adages sapientiels qui relativisent toute prise de position par rapport à la nourriture, le premier à un terme (8a), le second à deux termes (8b). Entre les deux interprétations possibles du premier (8a), il semble qu'il faille favoriser la lecture positive : un aliment est indifférent quant à la proximité présente ou future avec Dieu. C'est cohérent avec la conviction de l'Apôtre que le chrétien n'a pas à observer les règles alimentaires juives. Les controverses de Jésus avec les milieux pharisiens rapportées par les évangiles vont dans le même sens : ce qui pénètre dans la bouche ne saurait rendre l'homme impur (Mc 7, 15-23 et parallèles) ; en ce sens, l'affirmation du v. 8a situe déjà Paul dans la ligne de l'*imitatio Christi* (Kim) qu'il revendiquera en conclusion (11, 1). Quant au v. 8b, il nie l'intérêt de tout qui concerne les nourritures terrestres : ne pas manger ne prive de rien, manger ne procure aucune abondance. La qualité de la relation à Dieu et aux autres est d'un tout autre ordre. Avec le v. 9 commence la mise en garde lancée en direction de ceux qui possèdent la connaissance. Le savoir est un pouvoir, ou encore il confère une autorité (*exousia*) ; mais il est aussi un danger pour ceux qui ne le possèdent pas – les faibles – du fait du mauvais usage que les savants peuvent en faire ; et, en conséquence, il est également un danger pour les savants eux-mêmes. Paul s'engage alors, aux vv. 10-11, dans une diatribe avec l'homme possédant la connaissance (à la 2ᵉ personne du singulier), évoquant ce qui pourrait arriver si celui-ci suivait la seule logique de son propre savoir. N'ayant rien à craindre puisqu'il sait que les idoles sont du néant, le voici allongé pour un repas sacré, dans l'une des salles à manger construites dans l'enceinte d'un temple païen. On y sert évidemment de la nourriture offerte au dieu. S'il était seul en cause, ce serait sans conséquences. Mais tout se sait. Le frère faible, un autre chrétien de l'Église de Corinthe, ayant connaissance de l'événement et faisant spontanément confiance à ce frère plus savant, ne s'y retrouve pas. Belle édification de sa conscience, rappelle Paul avec ironie ! Évidemment il aura envie de faire pareil ! Mais, vu son niveau de connaissance, ce sera pour lui comme s'il avait réellement pactisé avec les idoles, et le voilà idolâtre (Dawes) ! La conséquence en est la perte du frère, un terme fort (verbe *apollumi*) qui évoque une perte radicale, encore qu'il ne faille pas en conclure que le frère en question est damné. En rappelant que Christ mourut pour ce frère-là comme il mourut pour tous les hommes, Paul souligne la gravité de l'acte commis par son destinataire dont le savoir est le seul guide. Le vocabulaire théologique se poursuit au v. 12, dans une parole à nouveau adressée à l'ensemble de ceux qui possèdent la connaissance : le péché entre en scène (verbe *hamartanô*), non seulement péché contre les frères, mais péché contre Christ lui-même qui mourut pour eux. Avec le v. 13, qui conclut la péricope à la 1ʳᵉ personne du singulier, on est dans l'exagération rhétorique. Paul assume sa position de frère qui possède la connaissance et qui désire simultanément le bien de son frère faible. Pour éviter toute occasion de causer de causer la chute de ce dernier, le voici prêt à devenir pour toujours végétarien ! Cette exagération n'est cependant pas purement imaginaire. Au témoignage de Josèphe, certains prêtres juifs établis à Rome se nourrissaient de figues et de noix pour éviter de se souiller avec des nourritures non kasher (*Vita*, 9). Paul, cependant, n'en est pas là. Le but de cette déclaration ampoulée est de montrer par l'absurde jusqu'où peut aller le souci du frère faible, lorsque l'on se laisse guider par *l'agapè* (de Wet) et non par la seule connaissance (cf. vv. 1-2). Au chapitre 9, il va exposer comment il se comporte dans tous les domaines de sa vie apostolique. Il quittera momentanément les questions de nourriture, pour y revenir avec des arguments mieux affûtés au chapitre 10.

NOTES

1

Le terme grec εἰδωλόθυτον n'a pas d'équivalent en français («idolothyte» est décalqué sur le grec pour éviter l'emploi d'une périphrase) ; il est formé à partir du substantif εἴδωλον (idole) et du verbe θύω (offrir en sacrifice), et désigne un aliment offert en sacrifice à une idole. La connotation péjorative du terme «idole» imprègne aussi le terme «idolothyte» (Witherington). Les païens ne l'employaient par car, pour eux, les divinités du panthéon gréco-romain n'étaient pas des idoles. Des apôtres comme Paul – ou des chrétiens de Corinthe – en sont peut-être les inventeurs. En dehors de 1 Co 8-10, on le trouve dans le NT en Ac 15, 29 ; 21, 25 ; Ap 2, 14.20. Il figure aussi dans la *Didachè* (6, 3) et dans la littérature patristique. La littérature juive postérieure à l'écriture du NT l'utilise également : Oracles Sibyllins 2, 96 et 4 M 5, 2. Pour parler de la même chose, le monde païen utilisait ἱερόθυτον (offert en sacrifice dans un temple ; aussi en 1 Co 10, 28) ou θεόθυτον (offert en sacrifice à un dieu) (Still, «Meaning»). Malgré l'utilisation du terme «viande» ou son équivalent dans plusieurs titres bibliographiques, on pouvait, dans les cultes gréco-romains comme dans la religion juive, offrir des produits végétaux à la divinité, et pas seulement des animaux. Noter que ce v. 1 est cité dans l'*Évangile de Philippe* 110.

2-3

Les quatre emplois du verbe γινώσκω dans ces deux versets jouent sur le contraste entre le parfait (infinitif ἐγνωκέναι, indicatif passif ἔγνωσται) et l'aoriste (indicatif ἔγνω, infinitif γνῶναι). Le parfait se réfère à une connaissance aboutie ; l'aoriste, à un apprentissage de la connaissance. On pourrait paraphraser ainsi le v. 2 : «Si quelqu'un pense déjà connaître, il n'a pas appris à connaître comme il faut apprendre à connaître.» L'amour pour Dieu (v. 3) est un thème assez peu présent dans les proto-pauliniennes (ici et en 1 Co 2, 9 ; 13, 4-7 ; Rm 8, 28). L'Apôtre le reçoit de la tradition juive ; dans l'attitude du fidèle envers Dieu, il emploie surtout le vocabulaire de la foi ; l'amour concerne plutôt l'attitude de Dieu envers les créatures (Wischmeyer ; Söding).

4

Le v. 4b est composé de deux affirmations, chacune introduite par la conjonction ὅτι ; le double emploi de cette conjonction confirme que Paul cite ici deux opinions distinctes formulées par ses destinataires (Murphy-O'Connor). Ces affirmations ne contiennent pas de verbe. On peut comprendre οὐδέν comme une épithète (il n'y a aucune idole) ou comme un attribut (une idole n'est rien) ; et οὐδείς comme un sujet (personne n'est Dieu) ou comme une épithète (il n'y a aucun Dieu). Les significations ne sont pas tout à fait les mêmes, mais elles sont voisines.

5

La phrase composée des vv. 5-6 est une anacoluthe ; le v. 6 commençant par la conjonction de coordination ἀλλά est, par le fait même, dépendant de la conjonction de subordination εἴπερ (v. 5), et il manque un verbe principal. Les dieux nombreux (θεοὶ πολλοί) nommés au v. 5, qui sont pour Paul de prétendus dieux (λεγόμενοι θεοί), sont soit terrestres soit célestes. Il leur est aussi associé des seigneurs (κύριοι). L'identité des uns et des autres est difficile à préciser. Certes, les images terrestres (εἴδωλα) des divinités païennes étaient bien réelles ; des statues étaient dressées dans les temples païens, y compris les statues des empereurs divinisés. Et il semble que la tradition juive utilisait le vocabulaire divin (*'èlohīm* ou *'èlīm* en hébreu, θεοί en grec) et celui de la seigneurie (*'adonīm* en hébreu, κύριοι en grec) pour désigner d'autres êtres que le Dieu d'Israël : des faux dieux, peut-être des juges ou des princes terrestres (*e.g.* Ps 58, 2), peut-être encore des êtres angéliques très puissants (*e.g.* Ps 29, 1 ; 82, 1) (Héring* ; Wold). Paul connaît ce monde-là qui a sans doute pour lui une certaine consistance, mais il n'a rien de divin : les puissances mauvaises, Satan compris, sont vouées à disparaître à la fin des temps (cf. 15, 20-28).

6

Ἀλλ' ἡμῖν (mais pour nous), au début du verset, marque clairement une différence avec le savoir commun. Le Dieu Père et le Seigneur Jésus Christ ne font pas nombre avec les divinités présentées au v. 5 (Romanov, « Εἷς κύριος »). L'expression utilisée pour désigner Dieu le Père au v. 6, εἷς θεὸς ὁ πατήρ est peu courante chez Paul, bien que la paternité de Dieu lui soit familière (*e.g.* 1 Co 1, 3 ; 15, 24 ; 2 Co 1, 2. 3 ; 11, 31 ; Rm 1, 7 ; 6, 4 etc.). C'est un indice du fait que Paul cite sans doute une acclamation traditionnelle dont il n'est pas l'auteur, peut-être inspirée du *Shema Israel* avec lequel elle possède trois mots communs (italiques) : comparer la formule paulinienne (*ἡμῶν εἷς θεὸς ὁ πατήρ*) et le début du *Shema Israel* en Dt[LXX] 6, 4 (ἄκουε Ἰσραηλ, κύριος ὁ *θεὸς ἡμῶν* κύριος *εἷς* ἐστιν) (Mitchell, 309). Il n'y a pas de raison d'estimer que Paul cite ici une tournure reprise intentionnellement à ses destinataires.

7

Le substantif ἡ συνηθεία est utilisé trois fois dans le NT dont deux par Paul (ici et en 11, 6). Il se réfère aux habitudes communes d'un groupe, habitudes qui, dans le cas ici envisagé, sont récentes et ne sont plus pratiquées (ἕως ἄρτι : jusqu'à présent). Le substantif ἡ συνείδησις, employé ici pour la première fois par Paul, est un des termes clefs de la compréhension des chapitres 8-10 (à nouveau en 8, 10.12 ; 10, 25.27.28. 29[2x]). Il peut avoir en grec les différents sens du mot français « conscience » : 1° La perception que l'on a de quelque chose (anglais *awareness*). – 2° La conscience comme sentiment intime d'exister, en particulier le fait d'être conscient (anglais *consciousness*). – 3° La conscience comme instance morale de décision (anglais *conscience*). L'une des difficultés du passage est de savoir avec quel sens Paul emploie ici le mot. Sans doute quelque chose d'intermédiaire entre le 2e et le 3e sens. Ceux qui n'ont pas la connaissance ont une conscience morale trop faible pour savoir faire la part de ce qu'il y a de réel et d'imaginaire dans les idoles (sens 3) ; mais ce qui est souillé en eux est plutôt la conscience qu'ils ont d'eux-mêmes (sens 2) (Davis ; Eckstein, *Syneidesis* ; Gooch, « Conscience » ; Jewett, *Anthropological*, 402-446). L'adjectif « faible » (ἀσθενής) a déjà été utilisé en 1 Co 1, 25. 27 ; 4, 10. Il est repris plusieurs fois aux chapitres 8 et 9 dont il est une des clefs d'interprétation (ici et en 8, 9.10 ; 9, 22) conjointement avec le verbe ἀσθενέω (être faible : 8, 11.12).

8

La formulation alambiquée de ce verset a pour conséquence qu'il n'a pas forcément été compris des scribes ; d'où les variantes textuelles (voir note [h] de l'apparat critique). La compréhension en est encore compliquée du fait des différents sens possibles du verbe παρίστημι : d'après l'étymologie, il signifie « mettre (transitif) ou se tenir (intransitif) auprès de ». Cette proximité peut intervenir dans un contexte négatif, dans le cas d'une comparution en justice devant un juge (ainsi en Ac 23,

33 ; 24, 14) ; le v. 8a indiquerait alors qu'une nourriture ne saurait condamner quiconque (*e.g.* Thiselton*). Le rapprochement peut, à l'inverse, avoir un aspect positif ; tel est le cas en 2 Co 4, 14, évoquant que Dieu qui a ressuscité Jésus nous placera auprès de lui (même futur παραστήσει) ; l'événement est alors eschatologique. Paul n'emploie pas le terme au sens d'une comparution judiciaire. L'emploi le plus proche de 1 Co 8, 8 est celui de 2 Co 4, 14 : il s'agit d'être placé auprès de Dieu au sens positif. On ne saurait cependant décider s'il s'agit d'une proximité actuelle ou d'une proximité eschatologique, l'un et l'autre étant possibles.

9-11

Au v. 9 apparaît un nouveau terme qui structure le propos paulinien, ἡ ἐξουσία, « le pouvoir », ou « l'autorité » (employé à nouveau en 9, 4.5.6.12.18) : c'est une prérogative de ceux qui possèdent la connaissance, Paul y compris, mais, précisément, ce dernier refuse d'en faire usage. Le πρόσκομμα (la pierre d'achoppement) est pratiquement synonyme du σκάνδαλον que Paul emploie en 1, 23 ; deux fois en 8, 13, il reprend la même idée en utilisant le verbe σκανδαλίζω. Au v. 10, l'expression « toi qui as la connaissance » (σὺ τὴν γνῶσιν ἔχων) renvoie au moins de façon indirecte à la scène de la Genèse où est présenté « l'arbre pour savoir le connaissable du bien et du mal » (τὸ ξύλον τοῦ εἰδέναι γνωστὸν καλοῦ καὶ πονηροῦ ; Gn^LXX 2, 9) ; le premier péché avait déjà un rapport avec la connaissance et le savoir. Au v. 11, les termes qui évoquent les effets de la manducation d'idolothytes dans un temple, sur le frère faible, sont particulièrement forts : le verbe ἀπόλλυμι évoque une perte radicale ; et il est rappelé que Christ, mort pour tous, est en particulier mort pour ce frère-là. Pour exprimer la « mort pour », Paul utilise διά + accusatif, au lieu de la formule plus habituelle avec ὑπέρ + génitif (que l'on trouve dans le verset parallèle de Rm 14, 15). C'est une formulation moins conforme à la tradition (comparer aussi avec 15, 3). Elle est moins polysémique et plus directionnelle que la formule avec ὑπέρ : c'est en faveur de ce frère, au bénéfice de ce frère, que Christ mourut.

12

Le verbe « pécher » (ἁμαρτάνω) est employé deux fois dans ce verset. Les emplois précédents dans l'épître ont un rapport avec le corps (6, 18) ou avec les relations sexuelles et conjugales (7, 28.36). Ici, c'est avec la nourriture. Sauf en 15, 34 où le péché est envisagé sous un angle plus général, le péché a en 1 Co une connotation très physique.

13

Le terme « viande » (grec κρέας) fait ici son apparition dans la péricope. C'est sans doute à partir de là que plusieurs commentateurs considèrent les idolothytes comme étant composés de viande. Mais avec ce verset, on n'est pas dans le descriptif, on est dans l'exagération oratoire. Il n'est plus question de viande dans les deux chapitres qui suivent.

Liberté et droits des apôtres (9, 1-14)

TRADUCTION

9, 1 Ne suis-je pas libre ? Ne suis-je pas apôtre[a] ? N'ai-je pas vu Jésus notre Seigneur ? N'êtes-vous pas mon œuvre dans le Seigneur ? 2 Si pour d'autres je ne suis pas apôtre, pour vous du moins je le suis. En effet, le sceau de mon apostolat[b], c'est vous qui l'êtes, dans le Seigneur. 3 Ma défense contre ceux qui me jugent, la voici. 4 N'avons-nous pas droit de manger et de boire ? 5 N'avons-nous pas droit d'emmener une femme sœur[c] comme (le font) les autres apôtres et les frères du Seigneur et Céphas ? 6 Ou bien moi seul et Barnabas n'avons-nous pas droit de ne pas travailler ? 7 Qui sert un jour dans l'armée à ses propres frais ? Qui plante une vigne et n'en consomme pas le fruit[d] ? Ou bien qui fait paître un troupeau et ne consomme pas le lait du troupeau ? 8 Est-ce que je dis ces choses[f] de façon humaine, ou bien la loi ne dit-elle pas également ces choses ? 9 En effet, dans la loi de Moïse, il a été écrit : *Tu ne museller as*[e] *pas un bœuf qui foule le grain*. Est-ce que pour Dieu le souci porte sur les bœufs 10 ou bien est-ce pour nous très certainement qu'il parle ? C'est pour nous, en effet, qu'il fut écrit que le laboureur doit labourer avec espérance, et celui qui foule le grain, avec l'espérance d'y avoir part[f]. 11 Si nous, nous semâmes pour vous les biens spirituels, est-ce trop si nous moissonnons vos biens matériels ? 12 Si d'autres ont part à ce droit sur vous, à plus forte raison, n'est-ce pas notre cas ? Mais nous n'avons profité de ce droit, mais nous supportons tout afin de ne pas faire obstacle à l'Évangile du Christ. 13 Ne savez-vous pas que ceux qui travaillent au culte consomment ce qui provient du temple, ceux qui s'occupent[g] de l'autel partagent avec l'autel ? 14 De même, le Seigneur ordonna à ceux qui annoncent l'Évangile de vivre de l'Évangile.

[a] L'enchaînement « Ne suis-je pas libre ? Ne suis-je pas apôtre ? » figure dans cet ordre en p⁴⁶ א A B P 33. 104. 365. 629. 630. 1175. 1739. 1881 *pc* vg (sy^p) co ; Tertullien. Les deux questions sont dans l'ordre inverse en D F G Ψ ar b sy^h ; Ambrosiaster Pelage. La première leçon est mieux attestée et doit être préférée. La seconde est une correction de scribe visant à mettre en tête le thème le plus traité dans le chapitre.

[b] On lit ἡ γὰρ σφράγις μου τῆς ἀποστολῆς en א B P 33. 104. 1739 *pc*. Le mss A porte ἡ γὰρ σφράγις ἀποστολῆς. On lit ἡ γὰρ σφράγις τῆς ἐμῆς ἀποστολῆς en p⁴⁶vid D F G Ψ 1881 *Byz* sy. La leçon du mss A est le résultat d'un *homoïoteleuton* involontaire. La troisième leçon est le résultat d'une amélioration grammaticale, sans doute volontaire.

[c] La majorité des témoins porte ἀδελφὴν γυναῖκα (une femme sœur). Ces mots sont remplacés par γυναῖκας (des femmes) en F G ar b ; Tertullien Ambrosiaster Pélage. Le passage de une à plusieurs femmes résulte apparemment d'une correction volontaire ayant pour but de mentionner des collaboratrices de l'Évangile plutôt qu'une épouse.

ᵈ On lit τὸν καρπὸν αὐτοῦ (son fruit) en ℵ* A B C* D* F G P 0222. 33. 1175. 1739 *pc* vgˢᵗ sa; Pélage. Autre leçon: ἐκ τοῦ κάρπου αὐτοῦ (de son fruit), en p⁴⁶ ℵ² C³ D¹ Ψ 1881 *Byz* it vgᶜˡ sy⁽ᵖ⁾ bo; Ambrosiaster. La seconde leçon est sans doute due à une assimilation avec l'expression ἐκ τοῦ γάλακτος dans la phrase suivante.

ᵉ La leçon οὐ κημώσεις (B* D* F G 1739) est moins bien attestée que οὐ φιμώσεις (p⁴⁶ ℵ A B² C D¹ Ψ 33. 1881 *Byz;* Origène Épiphane). On préfère pourtant la première, car elle utilise un verbe plus rare, et la seconde reproduit à l'identique le texte de la LXX qui peut venir spontanément sous le stylet du scribe.

ᶠ Plusieurs leçons textuelles pour la fin du verset: 1° ἐπ' ἐλπίδι τοῦ μετέχειν en p⁴⁶ ℵ* A B C P 33. 81. 365. 1175. 1505. 1739. 2464 *pc* vg sy; Origène Eusèbe – 2° τῆς ἐλπίδος αὐτοῦ μετέχειν en D* F G ar b syʰᵐᵍ – 3° τῆς ἐλπίδος αὐτοῦ μετέχειν ἐπ' ἐλπίδι en ℵ² D F G Ψ (104). 1881 *Byz* ar b syʰᵐᵍ; (Ambrosiaster). La première, nettement mieux attestée, est la meilleure. On explique la deuxième par une mauvaise compréhension du lien entre ὀφείλει (doit, il faut que) et μετέχειν (avoir sa part). Et la troisième par un essai de combinaison des leçons 2 et 3 (TCGNT 558).

ᵍ Au lieu de παρεδρεύοντες (siéger auprès de, s'occuper de), quelques mss portent προσεδρεύοντες: ℵ² Ψ *Byz*. Les deux verbes ont pratiquement le même sens, le second avec une nuance d'assiduité plus grande; la correction, secondaire, s'explique facilement.

BIBLIOGRAPHIE

Concernant l'ensemble du chapitre 9

R. BUTARBUTAR, *Paul and Conflict Resolution : An Exegetical Study of Paul's Apostolic Paradigm in 1 Corinthians 9*, Milton Keynes, UK 2007. – B. FJÄRSTEDT, *Synoptic Tradition in 1 Corinthians. Themes and Clusters of Theme Words in 1 Corinthians 1-4 and 9*, Uppsala 1974. – L.E. GALLOWAY, *Freedom in the Gospel. Paul's Exemplum in 1 Cor 9 in Conversation with the Discourses of Epictetus and Philo*, Leuven 2004. – W. HARNISCH, « Der paulinische Lohn (1 Kor 9, 1-23) », *ZThK* 104, 2007, 25-43. – J.N. LOHR, « He Identified with the Lowly and Became a Slave to All: Paul's Tent-Making as a Strategy for Mission », *CurrTheolMiss* 34, 2007, 179-187. – H.P. NASUTI, « The Woes of the Prophets and the Rights of the Apostle : The Internal Dynamics of 1 Corinthians 9 », *CBQ* 50, 1988, 246-264. – A. PEREIRA DELGADO, « Apuntes de metodología paulina a partir de 1 Corintios 9 », *RevBib* 71, 2009, 37-50. – A. PEREIRA DELGADO, *De Apóstol a esclavo. El exemplum de Pablo en 1 Corintios 9*, Rome 2010. – R.L.-S. PHUA, « Authority and Exemple : 1 Corinthians 9 and the Context of Debates on Idolatry », *Trinity Theological Journal* 13, 2005, 52-74. – A. POPOVIĆ, « Freedom and Right of the Apostle : *Gratis* Proclamation of the Gospel as an Example of the Correct use of Freedom and Right according to 1 Cor 9 : 1-18 », *Antonianum* 78, 2003, 415-445. – J.R. WHITE, « Meals in Pagan Temples and Apostolic Finances. How Effective Is Paul's Argument in 1 Corinthians 9 : 1-23 in the Context of 1 Corinthians 8-10 ? », *BBR* 23, 2013, 531-546.

Concernant la péricope 9, 1-14

C.C. Caragounis, « *Opsōnion* : A Reconsideration of Its Meaning », *NT* 16, 1974, 35-37. – J.G. Cook, « 1 Cor 9, 5 : The Women of the Apostles », *Bib.* 89, 2008, 352-368. – E. Grässer, « Noch einmal : "Kümmert sich Gott etwa um die Ochsen ?" », *ZNTW* 97, 2006, 275-279. – A.E. Harvey, « "The Workman is Worthy of His Hire" : Fortunes of a Proverb in the Early Church », *NT* 24, 1982, 209-211. – H.W. Hollander, « The Meaning of the Term "Law" (NOMOΣ) in 1 Corinthians », *NT* 40, 1998, 117-135. – D. Instone Brewer, « 1 Corinthians 9. 9-11 : A Literal Interpretation of "Do Not Muzzle the Ox" », *NTS* 38, 1992, 554-565. – E. Lohse, « "Kümmert sich Gott etwa um die Ochsen ?" Zu 1 Kor 9, 9 », *ZNW* 88, 1997, 314-315. – J.F.M. Smit, « "You Shall not Muzzle a Threshing Ox". Paul's Use of the Law of Moses in 1 Cor 9, 8-12 », *EstB* 58, 2000, 239-263. – J.L. Verbruggen, « Of Muzzles and Oxen : Deuteronomy 25 : 4 and 1 Corinthians 9 : 9 », *JETS* 49, 2006, 699-711. – A. Zimmerman, « Wives of the Apostles », *HomPastRev* 104, 2003, 64-66.

INTERPRÉTATION

Les quatre questions qui ouvrent le chapitre 9 (v. 1) marquent une rupture – dans le ton et dans les thèmes abordés – avec ce qui précède. Il n'y est plus question d'idolothytes. Le thème de l'idolâtrie et des idolothytes ne sera à nouveau traité que dans le chapitre 10, à travers deux injonctions, la première à ne pas devenir idolâtre (10, 7), la seconde à fuir l'idolâtrie (10, 14). Quelques auteurs ont estimé que ce chapitre n'appartenait pas à la même lettre que 8, 1-13 (*e.g.* J. Héring*) ; ils sont pourtant de moins en moins nombreux, car des éléments de continuité sont repérables entre le chapitre 8 et le chapitre 9. Paul avait déjà utilisé la 1re personne du singulier en 8, 13, lorsqu'il envisageait l'hypothèse absurde de ne plus jamais manger de viande pour éviter de faire tomber son frère faible. C'est elle qui donne le ton dans le chapitre 9, que le « je » soit constamment prononcé comme aux vv. 13-23, ou que ce soit de façon plus implicite. La plupart des auteurs considèrent ce chapitre comme résolument apologétique (cf. le terme *apologia* en 9, 3), Paul utilisant une rhétorique judiciaire et se défendant essentiellement contre ceux qui lui reprochaient sa conduite. Mais, si tel était le cas, que lui reproche-raient-ils ? De revendiquer d'être apôtre donc de réclamer un droit à vivre des subsides de l'Église ? Ou, au contraire, de ne pas se comporter comme les prédicateurs et les philosophes ordinaires en préférant travailler de ses mains plutôt que de compter sur les finances des autres ? En outre, si Paul est attaqué dans son comportement, serait-ce de bonne pédagogie que de donner ce comportement en exemple ? Tenant compte de cela, il semble qu'il faille distinguer au moins deux temps dans ce chapitre 9 : 1° le temps de l'*apologia* (vv. 3-14), où Paul défend les droits des apôtres de vivre financièrement des subsides de l'Église. – 2° Le temps de l'*exemplum*

(vv. 15-27), où Paul se donne comme modèle, en mettant en avant la liberté qu'il prend de ne pas profiter de ces droits et de gagner lui-même sa vie (Pereira Delgado, « Apuntes » ; Id., *De Apóstol*). La façon de délimiter ces deux temps ne fait cependant pas l'unanimité. À preuve, d'un commentateur à l'autre, le découpage des péricopes à l'intérieur du chapitre est très varié : il va d'une péricope unique à cinq ou six... La raison en est sans doute la façon dont Paul articule la succession de ces deux temps : il utilise la technique du « chevauchement », décrite par le rhéteur Lucien de Samosate (*De la manière d'écrire l'histoire*, 55), à laquelle ont souvent recours les Actes des Apôtres (Dupont, « Question ») et que l'on retrouvera en 15, 35-49. Ici, le temps de l'*apologia* n'est pas encore achevé (il se termine avec le v. 14), que déjà le temps de l'*exemplum* est commencé (avec le v. 12b). On peut figurer ce processus par le schéma ci-dessous ; d'où un autre découpage possible : vv. 1-12a / vv. 12b-27 (Brookins, Longenecker*) :

Temps de l'*apologia*	
vv. 1-14	Temps de l'*exemplum*
	vv. 12b-27

Si l'on retient notre découpage, chacun de ces deux temps se termine par une reprise en forme d'argument supplémentaire (vv. 13-14 et 24-27), introduit chaque fois par la formule « Ne savez-vous pas que ? » L'ensemble est donc très bien construit. La liberté que Paul réclame en finale est paradoxale (Harnisch), puisque son choix est de se faire l'esclave de tous et de ne pas jouir de ses droits (v. 19). Ce paradoxe est cependant celui-là même de l'Évangile ; il est celui que Paul vit, et celui qu'il propose aux fidèles d'imiter (11, 1) (Phua). Section centrale de la partie de 1 Co consacrée aux idolothytes, le chapitre 9 permet de passer de l'affirmation « il n'y a aucune idole dans le monde » (8, 4) à une autre qui peut sembler contradictoire avec la première, « fuyez l'idolâtrie » (10, 14).

VV. 1-2 – Dans ces deux versets, le « je » dialogue avec le « vous ». C'est par les Corinthiens que Paul revendique d'être reconnu comme apôtre, et qu'il réclame également de pouvoir agir à sa guise. « Ne suis-je pas libre ? » constitue un meilleur enchaînement avec 8, 13 que « Ne suis-je pas apôtre ? » En effet, Paul ferait usage de sa liberté s'il s'interdisait de manger de la viande, mais non pas de sa condition apostolique. La question sur la liberté trouve donc tout naturellement sa place comme la première de toutes. Mais elle va aussitôt être abandonnée : le thème de la liberté ne sera repris qu'au v. 19. Plus urgent et plus fondamental est que Paul soit reconnu comme apôtre. Il a d'ailleurs des arguments plus forts que ceux étayant sa liberté pour convaincre. Il a vu le Seigneur. L'événement qui se produisit sur le chemin de Damas (2 Co 11, 32 ; Ga 1, 17) et que les Actes des Apôtres rapportent à trois reprises (Ac 9 ; 22 ; 26) est considéré par lui comme une manifestation du Ressuscité, la dernière d'une série qui commence par une apparition à Pierre (1 Co 15, 3-11). Avoir vu le Seigneur ressuscité n'est cependant pas suffisant, car d'autres personnes ont été bénéficiaires de la même vision, par exemple un groupe de plus de cinq cents frères (15, 6), qui n'en sont pas apôtres pour autant. Pour mériter le titre d'apôtre, il faut aussi avoir été témoin actif de la Résurrection, ce que Paul a été largement, l'Église de Corinthe en est la preuve. Elle est l'œuvre de Paul (*ergon ;* v. 1) ; elle est le sceau (*sphragis ;* v. 2) qui authentifie son apostolat ; plus haut dans le texte, Paul avançait la même idée en utilisant d'autres termes : il revendiquait à leur égard le titre de père (4, 15). Utilisant un argument *ad hominem*, l'Apôtre fait comprendre à ses destinataires qu'ils sont les plus mal placés pour contester son identité apostolique ; si Paul n'était pas apôtre, ils n'existeraient pas en tant qu'Église. D'autres, à la rigueur, pourraient lui refuser ce titre, mais surtout pas eux. S'il n'est pas apôtre, eux ne sont pas « dans le Seigneur » !

VV. 3-7 – Le texte abandonne la 2ᵉ personne, du v. 3 au v. 10 inclus (on la retrouvera au v. 11). Il utilise principalement la 1ʳᵉ personne, au singulier ou au pluriel, le « nous » désignant Paul et ceux qui agissent comme lui, nommément Barnabas (v. 6) ; la 3ᵉ personne est aussi utilisée au v. 7, pour poser des questions en mode impersonnel. Le terme « apôtre » et les termes de la même racine disparaissent également du vocabulaire (jusqu'en 12, 28), sauf au v. 5 où « les autres apôtres » font nombre avec Céphas. Paul estime en avoir assez dit sur le fait qu'il est apôtre et que personne à Corinthe ne peut lui contester ce titre. Ce qu'il aborde maintenant, ce sont les droits qu'il a, comme tous les apôtres, de vivre aux frais des Églises au service desquelles il se dépense. Cela n'en donnera que plus de force au choix qui fut le sien, à savoir travailler de ses mains pour, précisément, ne pas vivre aux frais des fidèles (v. 12bc). À Corinthe et dans d'autres villes – il fit une exception pour Philippes (Ph 4, 15-16) – Paul avait choisi de gagner sa vie en exerçant son métier de fabricant de tentes, ce que confirment les Actes des Apôtres (Ac 18, 3), et qu'il rappelle à d'autres endroits de sa correspondance (1 Co 4, 12 ; 1 Th 2, 9 ; cf. 2 Th 3, 7-9) ; c'était un métier assez modeste, comme en choisissaient souvent les Pharisiens (cf. Ph 3, 5) pour pouvoir mieux s'adonner à l'étude de la Tora (Lohr). Une telle façon de faire n'était pas habituelle dans les cités grecques et romaines. Les philosophes populaires, au contraire, cherchaient des patrons pour les entretenir financièrement ; lorsqu'ils en trouvaient qui jouissaient d'un statut social élevé ou d'une bonne réputation intellectuelle, cela les valorisait. C'est peut-être à cela que Paul fait allusion au v. 4, en rappelant son droit de manger et de boire, ce qui fait implicitement allusion aux parasites qui mangeaient gratuitement à la table des riches. L'emploi du verbe « manger » n'est cependant pas anodin ; employé à quatre reprises au chapitre 8 (vv. 7.8.10.13), il est le sujet même de toute la section sur les idolothytes (8, 1 – 11, 1), nourriture qu'il convient ou qu'il ne convient pas de manger. Paul, pourtant, ne reste pas sur ce terrain-là, qui pourrait le faire comparer à des philosophes prédicants plus ou moins parasites, ce dont il s'est déjà défendu (cf. 1, 18 – 2, 5). La pratique dont il peut le mieux s'autoriser pour revendiquer son droit d'être entretenu financièrement par les Corinthiens, c'est celle des autres apôtres. Il aborde explicitement le sujet au v. 5 : d'autres prédicateurs chrétiens se déplaçaient avec leurs épouses et peut-être avec une maisonnée d'une certaine importance dont les jeunes Églises devaient assurer l'ordinaire. Pour que l'argument porte, il faut que les personnes nommées par Paul soient connues au moins de nom des Corinthiens. Il nomme « les autres apôtres » en utilisant l'article défini, ce qui laisse entendre qu'il s'agit d'une pratique générale – Apollos sans doute du nombre – et que Paul et Barnabas font plutôt figure d'exception. Il nomme encore les frères du Seigneur au pluriel ; seul Jacques, pourtant, est connu par la tradition comme ayant pris une part active à la diffusion de l'Évangile (cité par Paul en 1 Co 15, 7 ; Ga 1, 19 ; 2, 9.12). Le dernier nommé – que Paul conserve pour la fin – est Céphas, dont la place est suffisamment reconnue pour que Paul puisse s'autoriser de lui (sur la question de sa venue ou non à Corinthe, voir 1, 10-17, p. 68). Le v. 6, qui associe Barnabas à Paul dans son droit de vivre des subsides de l'Église et dans son choix de ne pas en jouir, est une superbe litote dans laquelle pointe l'ironie. Les arguments tirés du v. 7 paraissent banals en comparaison de ceux qui ont été précédemment énoncés. Formulés en forme interrogative, ils sont tirés de la vie courante et font appel au bon sens : un soldat reçoit une solde, en nature ou en argent (7a) ; un viticulteur mange les raisins et boit le vin de sa vigne (7b) ; le pasteur d'un troupeau en consomme le lait et le fromage (7c). La place qu'occupent ces arguments dans le discours relève, une fois encore, de l'habileté du rhéteur. Ils préparent par contraste, la question rhétorique du v. 8 et l'argument beaucoup fort que Paul va utiliser ensuite : le droit qu'ont les apôtres de vivre matériellement de leur activité apostolique est affirmé par la Tora ! Et pour Jésus, c'est même un devoir !

VV. 8-12 – Le droit qu'auraient Paul et Barnabas d'être entretenus financièrement par les Églises auxquelles ils se dévouent a été jusqu'ici étayé par des arguments sérieux : le mécénat dans les cités gréco-romaines, l'exemple des autres apôtres et prédicateurs chrétiens, le salaire en argent ou en nature que tout travailleur tire légitimement de son activité professionnelle. Tout cela, pourtant, pourrait ne relever que des usages. C'est ce que laisse entendre la question rhétorique qui constitue le v. 8. Il faut frapper plus fort. Paul en vient alors à citer la Tora, dont le degré d'autorité est supérieur à celui des arguments déjà avancés. C'est ce qu'il fait aux vv. 9-10. Mais comme celle-ci ne parle pas directement du salaire que méritent les prédicateurs ou les prophètes, il faut faire le détour par un autre sujet : le droit qu'ont les bœufs de consommer la paille et les épis qu'ils foulent pendant qu'ils les foulent. On leur laisse la bouche libre pour qu'ils puissent se nourrir comme bon leur semble. Paul cite alors la courte prescription de la Tora sur le bœuf en train de fouler, à savoir Dt 25, 4. Dans le Deutéronome, ce verset semble une prescription isolée, sans lien direct avec le contexte. Paul en fait une lecture humanitaire, estimant – peut-être à tort ! – que Dieu n'a pas souci des bœufs ; mais surtout qu'il parle « pour nous » (voir la question rhétorique à laquelle la réponse est « non », posée en 9c-10a). On a parfois estimé qu'il faisait de ce verset du Deutéronome une lecture allégorique (Lohse), mais le procédé critique qu'il emploie est plutôt du type a fortiori : si Dieu veut que le bœuf qui foule puisse vivre de son travail, à plus forte raison le veut-il pour les travailleurs agricoles (v. 10bc). Le bœuf est alors assimilé au laboureur et au fouleur qui, l'un et l'autre, ont le droit de vivre de leur travail (Grässer ; Instone Brewer ; Smit ; Verbruggen). Ce procédé exégétique, connu dans le rabbinisme sous le nom de *qal wahomer*, était déjà utilisé par les rabbis juifs du Ier siècle. Si, à Qumrân, la loi formulée en Dt 25, 4 est classée au milieu d'autres lois concernant le bétail (11QRT 52, 12-13), Philon la classe déjà parmi les lois d'humanité (*De virtutibus* 145-146). Cependant, il n'est pas exclu qu'en formulant cette interprétation du Deutéronome Paul reflète aussi une idée forte du stoïcisme, à savoir le souci divin pour les êtres humains (ainsi Cicéron, *De natura deorum* 2, 132-133. 153-155) (Lohse). Là où Paul dépasse les interprétations juives courantes de Dt 25, 4, c'est qu'il passe du travailleur agricole aux apôtres. Le v. 11 fait encore appel à un raisonnement a fortiori. Mais au lieu de faire le chemin *a minore ad majus* (du bœuf à l'homme et à l'apôtre), il fonctionne selon la logique inverse, *a majore ad minus* (du spirituel au matériel) puisqu'il s'agit maintenant de don et de contre-don : Paul et les apôtres ont donné aux Corinthiens les biens spirituels, à savoir la foi en Christ, c'est les récompenser bien faiblement que de leur donner en retour des biens matériels que les fidèles doivent leur fournir. On remarquera que le champ sémantique dans lequel Paul puise ses images – semer et moissonner – reste le même que celui dans lequel il a puisé depuis le v. 7b, à savoir l'agriculture. Le v. 12a apporte un point final au débat sur les droits des apôtres et les devoirs des Corinthiens. Apparemment, les fidèles ont soutenu de leurs deniers d'autres prédicateurs : Pierre s'il est venu à Corinthe, Apollos éventuellement (mais 1 Co ne permet pas de le savoir), peut-être encore d'autres, plus à distance du courant paulinien. On est à nouveau dans un raisonnement a fortiori : si les Corinthiens ont soutenu financièrement d'autres prédicateurs, il serait complètement illogique qu'ils n'acceptent pas de soutenir Paul, qui est leur père dans la foi (4, 15). La logique à laquelle Paul fait appel a pour conséquence que le « nous » employé au v. 11 et au v. 12a ne renvoie qu'à deux personnes, lui-même et Barnabas, qui ont tous deux le droit de ne pas travailler (v. 6). Le v. 12bc, qui commence par un « mais » solennel, sonne comme un véritable coup de théâtre dans le discours. Depuis le v. 3, Paul a revendiqué le droit des apôtres à vivre des subsides venant de l'Église, et il a manié les arguments les plus divers pour justifier ce droit, y compris la Tora de Moïse. Et soudain, en employant toujours pour parler de lui un pluriel emphatique, il annonce qu'il renonce à y avoir recours. Le coup de théâtre est pourtant uniquement littéraire, car ses destinataires connaissent parfaitement la situation. Là où Paul fournit une information supplémentaire, c'est qu'il donne la raison de son choix, à savoir l'Évangile du Christ. Il y a, en effet, parfaite cohérence entre l'objet de la prédication apostolique, un message qui comporte la Passion, le renoncement, le dépouillement, la kénose (voir l'hymne de Ph 2, 6-11), et la façon de le prêcher, qui comporte lui aussi un renoncement, le renoncement à l'argent et aux aides matérielles que l'Église pourrait fournir à l'Apôtre. On découvre par là que le choix de Paul n'est pas seulement le choix d'une liberté par rapport aux fidèles, entraînant qu'il préfère ne rien leur devoir (ce qui relèverait d'un certain orgueil), mais que c'est un choix plus essentiel : l'Évangile du Christ mort et ressuscité engage l'attitude du prédicateur (Galloway) ; c'est l'essence de l'Évangile de répandre la grâce divine gratuitement (Harnisch). Si l'on en tire toutes les conséquences, on pourrait même lire chez Paul une accusation implicite vis-à-vis des prédicateurs de l'Évangile qui procèdent autrement que lui et qui acceptent le soutien matériel des fidèles. Mais ce serait aller au-delà du texte : en agissant ainsi, ils ne font jamais que jouir de leur droit, un droit garanti par la Tora elle-même.

VV. 13-14 – Comme mu par la crainte de ne pas avoir été assez bien compris, Paul revient une dernière fois sur les droits des apôtres. Son choix de ne pas en profiter, déjà énoncé au v. 12bc mais repris de façon plus systématique à partir du v. 15, n'en sera que mieux mis en valeur. Au v. 13, deux questions rhétoriques justifient de profiter des fruits d'une activité religieuse, à partir de ce qui se vit dans les temples. L'exemple n'est pas spécifiquement choisi dans le culte juif, mais ce dernier n'est pas non plus exclu. Les termes choisis sont suffisamment généraux pour s'appliquer à tout culte ; ainsi, tant les chrétiens juifs que ceux dont l'origine est païenne peuvent être touchés par l'argument. Les deux questions qui composent ce v. 13 sont construites de la même façon, formant un beau parallèle, ce qui est courant dans la rhétorique sémitique. Il n'est pas clair de savoir si elles sont équivalentes et font effet par redondance, ou s'il y a une progression entre le v. 13a qui concernerait tout personnel attaché à un temple, et le v. 13b qui concernerait les seuls prêtres, plus proches de l'autel que leurs assistants. La progression est possible, ce d'autant plus que, avec le v. 14, Paul apporte un argument encore plus fort, puisqu'il termine la présentation des droits des apôtres en invoquant une consigne émanant de Jésus lui-même, comme si la référence à l'Écriture juive et la référence à la tradition remontant à Jésus avaient une importance comparable (Lee, *Scribe*). Un *logion* dont on trouve trace dans les évangiles synoptiques se réfère à la tradition que Paul invoque, la formulation la plus nette étant en Lc 10, 7. S'appuyant sur un proverbe également cité en 1 Tm 5, 18 et dont il existe une formulation française connue, « toute peine mérite salaire », Jésus invite ceux qu'il envoie en mission à demander l'hospitalité chez les habitants des villes et villages qu'ils visitent, et d'y manger et boire aux frais de leurs hôtes (Harvey). Il est impossible de savoir par quelle voie ni sous quelle forme la tradition remontant à Jésus est parvenue jusqu'à Paul, mais il est clair qu'il en connaît certains éléments et qu'il s'y réfère parfois explicitement (Dungan, *Sayings*). Le verbe qu'il emploie (*diatassein*) pour exprimer la façon dont Jésus s'est exprimé n'évoque pas à proprement parler un ordre auquel il faudrait obéir, plutôt une disposition à respecter. Reste que, vu la qualité de la source, on ne saurait traiter cette disposition à la légère. Paul ne la méprise pas, certes, mais il ne la respecte pas non plus, et il va en développer les raisons à partir du v. 15.

NOTES

1

L'énumération de questions commençant par οὐκ εἰμι est un procédé littéraire familier chez les cyniques. Voir par exemple la citation qu'en fait Épictète, où l'on trouve aussi οὐκ εἰμι ἐλεύθερος; (*Entretiens* 3, 22, 48). La troisième question utilise l'expression « Jésus notre Seigneur » (Ἰησοῦς ὁ κύριος ἡμων); elle est rare chez Paul; on ne la trouve comme ici, sans Χριστός et avec les mots disposés dans cet ordre, qu'une autre fois dans les *homologoumena* (Rm 4, 24), où elle se réfère aussi à la Résurrection. L'emploi du possessif ὑμῶν permet d'exprimer ce que Paul et les croyants de Corinthe ont en commun, et d'atténuer l'aspect polémique de la question.

2

Les autres (ἄλλοι) pour lesquels Paul n'est pas considéré comme un apôtre sont sans doute à identifier à ceux qu'il appelle « ceux qui me jugent » (οἱ ἐμε ἀνακρινόντες) nommés au v. 3. L'image du sceau (ἡ σφράγις) sera reprise deux fois par Paul, avec des utilisations différentes. En Rm 4, 11, elle est utilisée à propos de la circoncision donnée à Abraham comme sceau de sa justice venant de la foi (allusion à Gn 17, 9-14). En 2 Co 1, 22, elle renvoie à une marque d'appartenance du chrétien à Dieu qui, à l'époque patristique, sera identifiée avec le baptême. L'image que Paul utilise pour désigner l'Église en 2 Co est plutôt celle d'une lettre dont Paul se considère comme l'auteur (2 Co 3, 2).

3

Cette courte phrase se termine par le démonstratif αὕτη, qui qualifie l'ἀπολογία et peut renvoyer aussi bien à ce qui précède qu'à ce qui suit. Le v. 3 pourrait être interprété comme une conclusion des vv. 1-2; cela impliquerait alors que l'Église de Corinthe doive être considérée comme un plaidoyer vivant en faveur de l'apostolat de Paul. Mais, vu l'importance des développements qui suivent, il semble plutôt que, αὕτη se rapporte au reste du chapitre 9. On peut cependant laisser jour l'ambiguïté, en estimant que αὕτη a les deux fonctions.

4

Le « nous » (1re personne du pluriel du verbe ἔχω) renvoie vraisemblablement à Paul et Barnabas (cité au v. 6) qui, l'un et l'autre, évitaient de dépendre financièrement des Églises. Le substantif ἡ ἐξουσία est utilisé aux vv. 4.5.6.12[2x].18. Son sens premier désigne le pouvoir de faire quelque chose, d'où, par extension, l'autorité (voir 7, 37 et 8, 9), la liberté, la faculté, les ressources. La traduction par « droit » est ici meilleure : Paul énonce ce que les apôtres font et que lui-même, en tant qu'apôtre, aurait le droit de faire, pour mieux souligner sa liberté de ne pas le faire. À propos du droit de manger et de boire, on peut s'étonner que Paul ne fasse pas déjà allusion aux consignes données par Jésus dans ses discours d'envoi en mission (Lc 10, 7), ce d'autant plus qu'il le fait plus loin au v. 14. C'est sans doute parce qu'il se réfère ici, de façon plus prosaïque, à la vie habituelle des cités gréco-romaines où des philosophes populaires se faisaient entretenir par des notables.

5

Le verbe περιάγω dont l'un des sens possibles est « emmener avec soi » n'est employé qu'ici dans le corpus paulinien. La réalité à laquelle renvoie le syntagme « femme sœur » (ἀδελφὴ γυνή) est débattue. Par analogie avec le terme ἀδελφός qui renvoie à un membre de la communauté chrétienne, il est vraisemblable que ἀδελφή désigne une chrétienne (ainsi en 7, 15). Mais s'agit-il de l'épouse du prédicateur de l'Évangile (Cook) ? Ou s'agit-il d'une chrétienne associée à la mission du prédicateur, que ce dernier ferait profiter des libéralités de l'Église comme il en profitait lui-même (Zimmerman) ? À l'appui de la première hypothèse, on sait que Pierre était marié (cf. Mc 1, 29-31 et parallèles). Le NT connaît par ailleurs des couples dont il semble qu'ils aient travaillé conjointement à la diffusion de l'Évangile : Aquilas et Prisca (Rm 16, 3), Andronicus et Junia (Rm 16, 7). Dans le même sens, on peut argüer que, s'il s'agissait d'une chrétienne autre que l'épouse, le terme γυνή serait superflu (Héring*). La seconde hypothèse est surtout défendue par certains Pères de l'Église, marqués par une valorisation du célibat qui se développa à l'époque postapostolique ; certains, tels Clément d'Alexandrie et Augustin, occupent une position intermédiaire, estimant qu'il s'agissait bien de l'épouse mais que les deux conjoints vivaient la continence lorsqu'ils étaient en mission (Clément, *Stromates* III, 6, 53 ; Augustin, *De opere monachorum* 4). L'hypothèse qu'il s'agit de la conjointe du prédicateur est sans doute la meilleure ; mais reste inconnue la part qu'elle prenait dans le travail de son mari comme évangélisateur.

6

Barnabas n'est nommé dans les *homologoumena* qu'ici et en Ga 2, 1-13. Lors de l'assemblée de Jérusalem où fut débattue la question de circoncire ou non les païens touchés par l'Évangile, Paul et lui représentaient le même courant, celui qui refusa d'imposer à tous la circoncision et les lois alimentaires juives (Ga 2, 9). Il semble pourtant qu'à Antioche, il se soit montré moins ferme que Paul (Ga 2, 13). Les Actes des Apôtres sont également témoins de différends ayant existé entre les deux hommes (Ac 15, 36-40). Ce v. 6 est le seul témoin NT du fait que Barnabas, comme Paul, avait choisi de travailler au cours de ses missions.

7

Le substantif τὸ ὀψώνιον (surtout employé au pluriel) désigne les rations alimentaires fournies aux soldats par l'intendance militaire et, par extension, l'argent donné à ces soldats pour qu'ils se procurent ces rations (autres emplois NT : Rm 6, 23 ; 2 Co 11, 18 ; Lc 3, 14). Paul dénonce ici l'absurdité d'une situation où un militaire devrait se payer à lui-même sa propre solde (Caragounis). Le verbe ἐσθίω (manger, consommer) est employé à deux reprises (à la fin de 7b et de 7c), alors qu'il s'agit plutôt de boire (du vin et du lait) ; comme au v. 4, il maintient le discours dans la thématique des idolothytes. On peut remarquer que les thèmes et les mots employés se trouvent dans plusieurs passages de Luc. Ainsi des consignes données par Jean Baptiste aux soldats en Lc 3, 10-14 : στρατεύομαι (faire le service militaire), ὀψώνιον (solde militaire), διατάσσω (ordonner). Même remarque pour le viticulteur et la parabole des Vignerons homicides en Lc 20, 9-19 : φυτεύω (planter), ἀμπελών (vigne), καρπος (fruit). Paul et Luc font-ils appel à une tradition commune ? Ou est-il inévitable d'utiliser un vocabulaire commun lorsqu'on aborde les mêmes thèmes ? La question reste ouverte (Fjärstedt).

8

L'expression grecque κατὰ ἄνθρωπον est familière à Paul (Rm 3, 5 ; 1 Co 3, 5 ; 9, 8 ; 15, 32 ; Ga 1, 11 ; 3, 15). Il l'utilise lorsque ce dont il parle ou ce qu'il exprime correspond à la logique ou à la manière humaine. Ici, c'est pour que le point de vue simplement humain soit dépassé par celui de la Tora qu'il va présenter aussitôt après. On a dans les vv. 8-9 les deux premiers emplois de ὁ νόμος en 1 Co ; autres emplois en 9, 20[4x] ; 14, 21.34 ; 15, 56. Ils correspondent à un sens assez large du mot, pas toujours spécifique, qui se réfère aussi à des codes légaux autres que la loi juive : ainsi en 14, 34 (Hollander).

9-10

Au v. 9, Dt^{LXX} 25, 4, dont Paul semble s'inspirer, emploie le verbe φιμόω pour dire « museler » ; Paul le remplace par κημόω, plus rare, totalement absent de la LXX et hapax du NT ; en revanche, le substantif ὁ κημός est courant pour désigner une muselière. La raison du changement opéré par Paul n'est pas claire (Heil, *Rhetorical*, 125-143). Peut-être aussi l'Apôtre a-t-il voulu éviter d'employer φιμόω parce que ce verbe a aussi le sens figuré de « faire taire » ; c'est celui que Jésus utilise dans la tradition pour faire taire les démons (Mc 1, 25 ; 4, 39 ; Lc 4, 25). Autres emplois NT de φιμόω en Mt 22, 12.34 ; 1 Tm 5, 18 (autre citation de Dt^{LXX} 25, 4) ; 1 P 2, 15. Au v. 10, l'expression « pour nous » (δι᾿ ἡμᾶς) est formulée deux fois, une fois en 10a, et une en 10b. En 10a, alors quelle est encore dans la question commençant en 9c, elle permet le passage des bovins aux humains, comme le propose la tradition juive. En 10b, elle permet le passage des humains aux apôtres. Les uns et les autres sont peut-être superposés dans la pensée paulinienne, mais l'auteur est impliqué plus personnellement en 10b. Cette question s'articule avec celle posée par la conjonction ὅτι au v. 10b. Spontanément, comme elle est utilisée après ἐγράφη, on est poussé à lui donner une valeur complétive : « Il est écrit que... » Pourtant, comme on ne trouve nulle part dans l'Écriture juive de passage faisant allusion au légitime salaire du laboureur et du fouleur – sauf peut-être Is 28, 24 et Si 6, 19 (Heil, *Rhetorical*) mais l'essai est désespéré –, plusieurs commentateurs ont proposé de lui donner une valeur causale (*e.g.* Barrett* ; Fee* ; Fitzmyer* ; Héring*). Le verbe ἐγράφη renverrait alors uniquement au travail du bœuf évoqué par la citation du v. 9, et Paul donnerait aux vv. 10b et 10c une sorte de loi générale concernant le laboureur et le fouleur. Une telle lecture impose à la grammaire des contorsions peu acceptables. Il est meilleur de conserver à ὅτι sa valeur de conjonction complétive et de comprendre, dans la suite de plusieurs interprétations juives de Dt 25, 4, que ce verset concerne autant les humains que les bœufs, surtout ceux qui travaillent la terre. L'interprétation plus tardive de la Mishna le confirme (MB Mes 7, 2).

11

Paul estime avoir semé des πνευματικά chez les Corinthiens. L'adjectif πνευματικός
a déjà été employé en 1 Co et le sera encore : 2, 13.15 ; 3, 1 ; 9, 11 ; 10, 3.4 ; 12, 1 ;
14, 1.37 ; 15, 43 [2x]. 46. En 12, 1 et 14, 1, c'est un neutre pluriel renvoyant aux dons
spirituels que Paul appelle par ailleurs χαρίσματα (charismes ; 12, 4.9.28.30.31). Ici,
πνευματικός est également au neutre pluriel, mais se réfère à un don moins particulier, sans doute celui de la foi en Christ. L'opposé classique de πνευματικός est
σαρκικός ou σάρκινος, deux adjectifs dérivés de σάρξ (la chair), que l'on peut
traduire par « charnel » ou « matériel » ; σάρκινος a pratiquement toujours une connotation péjorative ; σαρκικός, employé ici, pas forcément.

12

La nature du génitif ὑμῶν devant ἐξουσίας est débattue ; génitif objectif (ce droit sur
vous) ou génitif subjectif (ce droit qui est le vôtre). Le génitif subjectif convient
mieux au sens du verbe μετέχω, déjà employé en 10c, mais il exige de donner au
substantif ἐξουσία un sens autre que celui qu'il a dans le reste du chapitre : le sens de
« ressources ». On traduirait alors : « Si d'autres ont part à vos ressources... » Ce qui
semble une suite logique du propos précédent (*e.g.* Héring* ; Thiselton* ; Zeller*).
Si, au contraire, il s'agit d'un génitif objectif, le terme ἐξουσία conserve le sens de
« droit » qu'il a dans l'ensemble du chapitre : « Si d'autres ont part à ce droit sur
vous... » (notre traduction). Cela dessine un tour de la pensée un peu plus complexe,
et entraîne pour le verbe μετέχω un sens un peu différent ce celui qu'il a en 10c. Avec
la majorité des commentateurs, nous nous rangeons à ce dernier choix. Le syntagme
« l'Évangile du Christ » (τὸ εὐαγγέλιον τοῦ Χριστοῦ) a déjà été employé en 4, 15. Il
le sera à nouveau en 15, 1. Il est employé 4 fois au chapitre 9 : vv. 11. 14. 18. 23.
Cette fréquence inhabituelle montre à quel point le renoncement de Paul à ses droits
de vivre matériellement grâce au soutien de l'Église est cohérent avec le message
dont il est le héraut.

13-14

La formule qui introduit les questions rhétoriques du v. 13, « Ne savez-vous pas
que ? » (οὐκ οἴδατε ὅτι), déjà utilisée en 3, 16, sera reprise en 9, 24. Paul l'utilise
en général, non pas pour introduire un nouveau développement, mais en complément d'une argumentation déjà présentée. L'adjectif substantivé neutre pluriel τὰ
ἱερά peut avoir le sens précis d'offrande pour un sacrifice, mais il désigne aussi
toute chose consacrée et, plus globalement les questions cultuelles ou le culte. Le
verbe utilisé pour ceux qui y travaillent, ἐργαζόμαι, est celui que Paul a déjà
utilisé au v. 6 à propos de son travail rémunéré et de celui de Barnabas. Le terme
utilisé pour l'autel (τὸ θυσιαστήριον) peut renvoyer aussi bien à l'autel du temple
de Jérusalem (nombreuses références LXX) qu'à un autel dressé dans un temple
païen (ainsi en 10, 18). Plusieurs passages de l'AT rappellent que le personnel
attaché au culte juif consomme une part des offrandes sacrificielles : Lv 6, 9-11 ;
Nb 18, 8-24 ; Dt 18, 1-5. Au v. 14, le verbe διατάσσω, formé sur le substantif ἡ
τάξις évoquant l'ordre au sens de l'ordonnancement plutôt qu'au sens de
commandement (voir les autres emplois dans les *homologoumena* en 1 Co 7,
17 ; 11, 34 ; 16, 1 ; Ga 3, 19).

L'exemple de Paul : les raisons d'un renoncement
(9, 15-27)

TRADUCTION

9, 15 Mais moi, je n'ai profité d'aucune de ces choses. Je n'écrivis pas cela pour que cela s'applique à moi ; en effet, mieux (vaut) pour moi mourir plutôt que... Personne ne réduira à rien[a] ma fierté ! 16 Si, en effet, j'évangélise, ce n'est pas pour moi une fierté[b] ; car c'est une nécessité qui s'impose à moi. En effet, malheur à moi si je n'évangélise pas[c] ! 17 Si, en effet, je fais cela volontairement, j'ai un salaire[d] ; si c'est indépendamment de ma volonté, c'est une charge qui m'est confiée. 18 Quel est donc mon salaire[e] ? C'est de proposer l'Évangile en évangélisant gratuitement, et de ne pas tirer profit du droit que me confère l'Évangile. 19 Car étant libre à l'égard de tous, je me fis moi-même esclave pour tous, afin de gagner le plus grand nombre (de gens). 20 Et je devins pour les Juifs comme[f] un Juif afin de gagner les Juifs ; pour ceux qui sont sous la loi comme (quelqu'un qui est) sous la loi, n'étant pas moi-même sous la loi[g], afin de gagner ceux qui sont sous la loi ; 21 pour ceux qui sont sans loi comme (quelqu'un qui est) sans loi – n'étant pas sans loi de Dieu mais sous la loi de Christ[h] – afin de gagner[i] ceux qui sont sans loi. 22 Je devins pour les faibles[j] un faible, afin de gagner les faibles ; je me suis fait tout à tous, afin d'en sauver de toute manière quelques uns[k]. 23 Or, tout cela[n] je le fais à cause de l'Évangile, afin d'y avoir part. 24 Ne savez-vous pas que, sur un stade, les coureurs courent tous, certes, mais qu'un seul reçoit le prix ? Courez donc afin de le remporter. 25 Tout combattant maîtrise tout, certes, eux afin de recevoir une couronne corruptible, mais nous, une incorruptible. 26 Quant à moi, je cours, mais pas sans savoir où ; je boxe, mais pas en frappant dans le vide. 27 Mais je mortifie mon corps et je le traite comme un esclave de peur que, après avoir prêché aux autres, je ne sois moi-même réformé.

[a] Le membre de phrase οὐδεὶς κενώσει se trouve en p⁴⁶ א* B D*·ᶜ 33. 1739. 1881 *pc* b ; Tertullien Ambrosiaster Pélage. On trouve οὐθεὶς μὴ καινώσει avec le verbe καινόω (changer), en A (1175)... Une formulation interrogative : τίς κενώσει en F G... Et une proposition finale : ἵνα τις κενώσῃ en א² C D² Ψ *Byz* lat syʰ. La première formulation est la mieux attestée. Les autres sont des tentatives pour éviter l'anacoluthe qui précède.

[b] Le substantif καύχημα (fierté) est attesté en p⁴⁶ א² A B C D² Ψ 33. 1739. 1881 *Byz* lat sy co ; Ambrosiaster. Il est remplacé par χάρις (grâce) en א* D* F G. On préférera la première leçon, beaucoup mieux attestée.

[c] Le verbe εὐαγγελίζομαι est conjugué au subjonctif aoriste en B C D F G 945 lat ; il est au subjonctif présent en p⁴⁶ א A Ψ 33. 1739 *Byz* b d ; et à l'indicatif présent en L P 6. 104. 614. 1175. 1881 *al*. La deuxième leçon est légèrement mieux attestée que la première ; elle est pourtant vraisemblablement influencée par le subjonctif présent du même verbe employé au début du verset. On lui préférera la première.

d La formulation positive μισθὸν ἔχω est remplacée par la formulation négative μισθὸν οὐκ ἔχω en 1505 *pc*. Cette correction, secondaire, est une tentative pour clarifier la logique compliquée de la pensée paulinienne en cet endroit.

e La question est formulée τίς οὖν μού ἐστιν ὁ μισθός; en א* A B(?) C K 6. 33. 81. 365. 1739. 2464 *al* lat sy[p]. Le génitif μού est remplacé par le datif μοι en p[46] א[2] Ψ 1881 *Byz* (sy[h]); on trouve aussi la leçon τίς οὖν ἔσται μοι ὁ μισθός; en D F G. La première leçon est *difficilior* en raison de la place du génitif μού que l'on attendrait après μισθός. Les autres sont des corrections.

f La majorité des témoins porte : ἐγενόμην τοῖς Ἰουδαίοις ὡς Ἰουδαῖος. La conjonction ὡς est omise par (F) G* 6*. 326. 1739 *pc*; Clément Origène[1739mg]. Omission peu attestée, résultant sans doute d'un homoïoteleuton entre les deux sigmas.

g Le membre de phrase « n'étant pas moi-même sous la loi » est omis en D[2] (L) Ψ 1881 *Byz* sy[p]. Omission sans doute secondaire. Deux explications possibles : un homoïoteleuton involontaire entre deux emplois successifs de νόμον (loi); une correction volontaire de scribe n'admettant pas que Paul ne soit pas sous la loi.

h Les génitifs « de Dieu » (θεοῦ) et « de Christ » (Χριστοῦ) sont remplacés par des datifs (θεῷ et Χριστῷ) en D[2] Ψ *Byz* (sy[p]). L'attestation de cette variante est faible ; elle a toute l'apparence d'une correction volontaire de scribe.

i Tous les autres emplois du verbe κερδαίνω (gagner) dans le passage sont au subjonctif aoriste : κερδήσω. La majorité des témoins porte à cet endroit précis le subjonctif présent : κερδάνω. Quelques-uns le remplacent par le subjonctif aoriste κερδήσω : p[46] א[2] (D) Ψ *Byz*. C'est sans doute sous l'influence involontaire des autres emplois du même verbe ; le subjonctif présent, unique dans le passage, est à préférer.

j On trouve la formulation τοῖς ἀσθενέσιν ἀσθενής en p[46] א* A B 1739 *pc* lat ; Cyprien. Plusieurs témoins rajoutent la conjonction ὡς (comme) devant ἀσθενής : א[2] C D F G Ψ 33. 1881 ; *Byz* vg[ms] sy co. C'est sans doute sous l'influence des formulations voisines (vv. 20a. 20b. 21) qui emploient toutes la conjonction comparative ὡς. La leçon sans la conjonction ὡς est ici à préférer.

k La majorité des témoins porte ἵνα πάντως τινὰς σώσω. L'ambition paulinienne de n'en sauver que quelques-uns a entraîné des corrections de scribes : ἵνα πάντας σώσω (D F G latt ; Didyme[pt]) ; ἵνα τοὺς πάντας σώσω (33 ; Clément).

BIBLIOGRAPHIE

N.J. BARNES, « Women in Philosophy and the Agon Motif of 1 Corinthians 9 », *PRSt* 36, 2009, 49-60. – D.S.M. BREDENKAMP, « 1 Korintiërs 9 : 24-27 – Kerklike lierskap vra'n besondere vorm van selfbeheersing », *VerbEccl* 28, 2007, 19-34. – C.W. CONCANNON, « "Not for an Olive Wreath, but Our Lives" : Gladiators, Athletes, and Early Christian Bodies », *JBL* 133, 2014, 193-214. – T. DEIDUN, « Linford Christi ? », *Month* 29, 1996, 340-344. – R. GARRISON, « Paul's Use of the Athlete Metaphor in 1 Corinthians 9 », *StudRel/SciRel* 22, 1993, 209-217. – C.E. GLAD, *Paul and Philodemus : Adaptibility in Epicurian and Early Christian Psychagogy*, Leiden 1995, 43-45 ; 240-277. – T.E. GREGORY, « Religion and Society in the Roman Eastern Corinthia », in *Corinth in Context*, S.J. FRIEDSEN, D.N. SCHOWALTER, J.C. WALTER (eds), Leiden 2010, 433-476. – M.D. HOOKER, « A Partner in the Gospel : Paul's Understanding of Ministry », *EpworthRev* 25, 1998, 70-78. – S. JOUBERT, « 1 Corinthians 9 : 24-27 : An Agonistic Competi-

tion ? », *Neotest.* 35, 2001, 57-68. – A. Koch, « Paulus und die Wettkampfmeta-
phorik », *TThZ* 117, 2008, 39-55. – R. Metzner, « Paulus und der Wettkampf : Die
Rolle des Sports in Leben und Verkündigung des Apostels (1 Kor 9. 24-7 ; Phil 3.
12-16 », *NTS* 46, 2000, 565-583. – M.D. Nanos, « Was Paul a "Liar" for the
Gospel ? The Case for a New Interpretation of Paul's "Becoming Everything for
Everyone" in 1 Cor 9 : 19-23 », *RExp* 110, 2013, 591-608. – A. Papathomas,
« Das agonistische Motiv 1 Kor 9. 24ff. im Spiegel zeitgenössischer dokumentari-
scher Quellen », *NTS* 43, 1997, 223-241. – G.L. Parsenios, « All Things to All
People (1 Cor 9 : 22) : Hellenism in the New Testament », *StVladTheolQuart* 54,
2010, 303-322. – Á. Pereira Delgado, « El poder del esclavo. La metáfora de la
esclavitud en Flp 2, 7 y 1 Co 9, 19 », *EstB* 69, 2011, 185-215. – J. Peters,
« Crowns in 1 Thessalonians, Philippians and 1 Corinthians », *Bib.* 96, 2015, 67-
84. – P.V. Reid, « Paul as a Model for Evangelization », *Listening* 30, 1995, 83-93.
– D.J. Rudolph, *A Jew to the Jews. Jewish Contours of Pauline Flexibility in 1
Corinthians 9 : 19-23*, Tübingen 2011. – O. Schwankl, « "Lauft so, dass ihr
gewinnt". Zur Wettkampfmetaphorik in 1 Kor 9 », *BZ* 41, 1997, 174-191. – J.L.
Sumney, « The Place of 1 Corinthians 9 : 24-27 in Paul's Argument », *JBL* 119,
2000, 329-333. – M. Theobald, « "Allen bin ich alles geworden..." (1 Kor 9,
22b), Paulus und das Problem der Inkulturation des Glaubens », *ThQ* 176, 1996, 1-
6. – L. Thurén, « Was Paul Sincere ? Questionning the Apostle's Ethos », *Scriptura* 65, 1998, 95-108.

INTERPRÉTATION

Après le temps de l'*apologia* (vv. 3-14), vient le moment de l'*exemplum*
(vv. 15-27) (Pereira Delgado). Au v. 12b, Paul a déjà annoncé qu'il a renoncé
à profiter des droits que lui donne son activité apostolique ; il y revient
maintenant de façon plus nette et plus constante. Il procède en trois étapes.
Les vv. 15-18 rappellent le contenu de son message, à savoir l'Évangile ;
c'est une parole qui n'a rien à voir avec celle des philosophes populaires qui
se faisaient entretenir par des parrains qu'ils éclairaient de leurs conseils. Etre
prédicateur de l'Évangile est pour Paul tout sauf un choix, c'est une nécessité. Avec les vv. 19-23, on passe de la nécessité à la liberté de choix ; le v. 19
s'ouvre par l'adjectif « libre » (*eleutheros*) qui rappelle la première question
posée en 9, 1, et qui retentirait de façon sonore si le texte était lu à haute voix.
Car, si Paul n'a pas choisi d'être prédicateur de l'Évangile, il a choisi les
moyens d'habiter sa charge apostolique, à savoir se faire l'esclave de tous.
Choisir d'être esclave, donc de ne pas être libre, constitue le degré le plus
haut de la liberté ! On est en plein paradoxe, mais l'Apôtre ne craint pas d'y
faire souvent appel. Enfin cette péricope se termine aux vv. 24-27, comme la
précédente, par un court paragraphe introduit par la question rhétorique « Ne
savez-vous pas que ? » (cf. v. 13). Paul entraîne alors ses lecteurs sur les
stades, donnant en exemple les athlètes qui, comme les apôtres et tous les
chrétiens, doivent s'entraîner et pratiquer une certaine ascèse, s'ils veulent
avoir quelque chance de gagner des compétitions. Paul lui-même le fait. Les

chrétiens de Corinthe pour lesquels les idolothytes ne sont jamais que de la nourriture ordinaire peuvent, à partir de là, comprendre tout naturellement qu'ils doivent savoir se priver de ce à quoi ils auraient droit, pour des raisons supérieures.

VV. 15-18 – Ce paragraphe est inclus entre deux emplois de verbes de la même racine : « profiter de » (*chraomai ;* début du v. 15) et « tirer profit de » (*katachraomai ;* fin du v. 18). Le ton du v. 15 est enflammé. Après avoir évoqué tous les avantages auxquels il aurait droit, Paul revendique de n'en avoir aucunement profité. Le lecteur étonné en arrive même à se demander pour quelle raison il les a décrits si longuement ! L'anacoluthe « mieux (vaut) pour moi mourir plutôt que... » pourrait logiquement être complétée par : « ... que de profiter de tous les droits dus aux apôtres. » Mais le fil de la pensée est interrompu par une autre affirmation, toujours à la première personne, concernant la fierté (*kauchèma*) que Paul éprouve d'agir comme il agit. Cela, personne ne peut le lui enlever ! Et pourtant, dès le v. 16, il démonte cette fierté qui pourrait être la sienne, car évangéliser est d'un autre ordre qu'une action dont il aurait des raisons d'être fier. C'est une nécessité dont Paul ne dit pas l'origine, mais elle est évidente ; Paul n'a pas choisi d'être appelé, cela s'est passé sur le chemin de Damas, et il reçut une mission qui lui a été donnée par Dieu ou par le Christ. Ayant été ainsi saisi, il ne peut pas ne pas évangéliser. Si, ne serait-ce qu'en une seule occasion, il manquait à cette mission, il serait infidèle. Ayant affirmé cela, il prolonge son propos aux vv. 17-18 par une réflexion sur le salaire auquel il aurait droit mais qu'il touche sous une forme originale, réflexion dont la logique est complexe. Pour la comprendre, il faut avoir en tête les fonctionnements économiques de l'Antiquité gréco-romaine, où l'esclavage était une institution. Lorsqu'un maître confiait un travail à un esclave, il ne le payait pas, il ne lui devait rien puisque l'esclave n'avait aucun droit. En revanche, un homme libre à qui l'on confiait un travail acceptait les conditions qui lui étaient proposées, il était donc volontaire, et il recevait un salaire en retour. Pour revenir à Paul, le travail qui lui est confié est d'évangéliser. Il n'a pas choisi de le faire ; c'est indépendamment de sa volonté qu'il est devenu évangélisateur, puisqu'il a reçu cette mission de la part de Dieu ou du Christ ; il est soumis à une nécessité – même une contrainte – à laquelle il estime ne pas pouvoir échapper. Et c'est une charge (*oikonomia*) ! Paul étant pourtant un homme libre et non pas un esclave, il a droit à un salaire. Mais ce salaire en espèces sonnantes, qui pourrait se traduire par le soutien financier que lui apporterait l'Église de Corinthe, il le refuse. Que lui reste-t-il alors comme salaire ? – Simplement l'annonce de l'Évangile elle-même, annonce qu'il accomplit gratuitement. Autrement dit, son salaire est de ne pas recevoir de salaire ! Autrement dit encore, Paul revendique le curieux privilège de ne rien avoir ! Un rapprochement peut être fait avec la parabole du serviteur qui n'a fait que son devoir, en Lc 17, 7-10, mais le paradoxe est ici nettement plus fort : l'Apôtre se trouve dans la même situation qu'un esclave, il ne touche aucun argent en paiement de son travail. Pourtant il faut bien parler de salaire puisqu'il est un homme libre, et ce salaire est son propre travail d'évangélisateur. En refusant de vivre financièrement des subsides que lui doivent les fidèles de Corinthe, Paul, homme libre, se met en position d'esclave. Sans encore dire les choses explicitement, ce raisonnement anticipe ce que Paul va ensuite affirmer avec insistance, aux vv. 19-23.

VV. 19-23 – Une dialectique de la liberté et de l'esclavage commande l'ensemble de cette unité. Libre (*eleutheros*), Paul l'est fondamentalement (cf. v. 1), et tout chrétien devrait l'être, comme il le rappelle en Ga 5, 1. Mais c'est au cœur même de cette liberté que l'Apôtre a choisi de se faire esclave, comme il l'exprime au v. 19, cette situation d'infériorité par rapport à l'ensemble des citoyens lui permettant de ne pas prêcher l'Évangile du haut vers le bas. Le rapprochement vaut d'être fait avec le lavement des pieds en Jn 13, où Jésus choisit de se comporter en serviteur – ou plutôt en servante – pour être à la juste place vis-à-vis de ses disciples. Dans plusieurs des adresses des épîtres du corpus paulinien, l'auteur se présente comme « esclave du Christ » (Rm 1, 1 ; Ph 1, 1 ; Tt 1, 1). La soumission à une autorité autre que la sienne est encore plus forte ici, puisque Paul se dit « esclave de tous ». Le rapprochement avec l'hymne christologique de l'épître aux Philippiens vaut d'être fait, qui annonce que Christ a pris la condition d'esclave (Ph 2, 7). Paul se révèle alors parfait imitateur de Christ, ce qu'il revendiquera en conclusion de la section consacrée aux idolothytes (11, 1) (Pereira Delgado). Avant d'être affirmé en conclusion du paragraphe (v. 22), le « tout à tous » est décliné auprès des différentes populations auxquelles Paul s'est configuré. Les différentes catégories de personnes énumérées du v. 20 au v. 22 sont à situer chez les populations non encore chrétiennes, puisqu'il s'agit de les gagner au Christ. Cela commence au v. 20a par les Juifs, puis au v. 20b par d'autres observants de la loi juive dont Paul estime ne plus faire partie. Mais comment peut-il considérer qu'il est devenu comme un Juif pour les Juifs ? Il n'avait pas à le devenir, il l'était ! Et si l'on lit Ga 2, 11-14, on ne le voit pas devenir juif avec les Juifs : lors de l'incident d'Antioche, on le voit au contraire s'opposer à Pierre lorsque ce dernier accorde trop aux judaïsants venus de Jérusalem. Pour répondre à ces questions, peu de choses peut être tiré des épîtres pauliniennes elles-mêmes, sans doute parce que Paul, revendiquant sa qualité d'apôtre des païens, insiste surtout sur les distances qu'il a prises par rapport à la loi. En revanche, pour autant que l'on puisse faire confiance aux Actes des Apôtres au plan historique, on y découvre des comportements qui peuvent être considérés comme des concessions de Paul à la loi juive : la circoncision de Timothée (Ac 16, 1-3), son vœu de naziréat à Cenchrées (Ac 18, 18), les rites de purification qu'il accomplit à Jérusalem (Ac 21, 23-26). Ainsi ses distances par rapport à la loi ne sont-elles pas si constantes qu'il les affirme. Après les Juifs et ceux qui sont soumis à la loi, Paul nomme au v. 21 une troisième catégorie de personnes auxquelles il s'est assimilé pour les gagner au Christ :

ceux qui sont sans loi. Il s'agit sans aucun doute des païens, auprès desquels Paul a prêché l'Évangile de la Résurrection. Une réserve rhétorique est cependant exprimée dans ce verset, car dire qu'il s'est fait sans loi parmi les sans loi peut créer des difficultés à Paul, juif soumis à la Tora pendant de nombreuses années de sa vie, et voulant, y compris après avoir été gagné au Christ, se faire juif avec les Juifs. Il écrit alors qu'il n'est pas tout à fait sans loi puisque, étant soumis à la loi du Christ, il est par là soumis à une loi divine. L'expression « loi du Christ » figure en Ga 6, 2. Elle n'est pas assimilable à un ensemble de commandements analogues à ceux de la Tora juive, mais elle mérite pourtant d'être nommée « loi ». Au v. 22 est nommée une quatrième catégorie de personnes, à savoir les faibles. L'utilisation de cet adjectif en 8, 7-10 pourrait faire penser qu'il s'agit de la même catégorie de personnes, à savoir les païens nouvellement gagnés au Christ, trop incertains dans leurs convictions religieuses pour être témoins sans dommage de situations où des frères chrétiens plus savants consommeraient des idolothytes. Cette hypothèse n'est cependant pas à retenir, car, pour ceux-là aussi, il s'agit de les « gagner », ce qui implique qu'ils ne sont pas encore membres de l'Église. Sans doute est-il alors pertinent d'envisager pour eux une autre forme de faiblesse, soit sociale, soit intellectuelle, soit religieuse, quelque chose de l'ordre de la fragilité dont Paul fait mention en Rm 5, 6. Les quatre catégories de personnes nommées sont reprises à la fin du v. 22 dans la courte phrase « je me suis fait tout à tous », qui conclut cette belle énumération. L'Apôtre n'a cependant pas d'illusions sur le résultat de son activité apostolique, car son but reste modeste : « En sauver de toute manière quelques-uns. » En revenant à l'Évangile, le v. 23 permet de ne pas perdre de vue les raisons pour lesquelles Paul agit. Son objectif est, certes, altruiste, il concerne les personnes à qui il s'adresse. Mais cette activité a aussi des effets sur lui : en prêchant l'Évangile, il y prend pleinement part. L'Apôtre n'est pas seulement celui qui proclame un message, il y est pleinement impliqué (Hooker). Au terme de cette envolée qui ne manque pas de lyrisme, la question vaut d'être posée de l'adaptabilité de Paul affichée avec tant d'emphase. Changer ainsi de façon de faire selon les publics auxquels on s'adresse correspond-il à une conduite fiable et sincère (Thurén) ? Paul a-t-il à ce point épousé le point de vue des personnes auxquelles il s'adressait, ou faut-il voir dans ces versets une habileté rhétorique destinée à convaincre les Corinthiens prétendant avoir la connaissance, pour qu'ils respectent la fragilité de leurs frères plus faibles (Glad ; Nanos) ? En fait, une distinction est à faire dans le domaine de l'adaptabilité. L'adaptabilité était une vertu appréciée chez les philosophes des cités gréco-romaines et chez les rabbis juifs (Parsenios). Si elle relevait simplement de l'habileté ou de la tactique, elle pouvait être un leurre. De même, adapter le message évangélique aux différents publics aurait été inacceptable. Mais l'adaptabilité du prédicateur est d'un autre ordre, surtout si elle a pour motif la charité envers le faible, qui est le moteur dont Paul se réclame et qu'il souhaite voir animer la conduite de

Corinthiens trop sûrs d'eux-mêmes et trop persuadés de leur savoir (Theobald).

VV. 24-27 – Introduits par la question rhétorique « Ne savez-vous pas que...? » (même formule en 9, 13), ces quelques versets concluent le chapitre 9 ; ils en sont la *peroratio*, et ils font en même temps transition avec le chapitre 10 (Sumney). Paul prolonge le témoignage qu'il vient de donner à travers son *exemplum* par un discours métaphorique portant sur le sport et les compétitions du stade. Les vv. 24 et 25 sont rédigés en mode impersonnel. Les vv. 26 et 27 sont formulés à la première personne du singulier ; ils constituent un retour au « je » que Paul a employé depuis le début du chapitre 9. La métaphore de la compétition sportive – souvent proche de celle de l'activité militaire – était couramment utilisée par les grecs dans la diatribe entre philosophes (Schwankl), la recherche de la vertu étant comparée à un combat. Le plus ancien témoignage littéraire que l'on en possède se trouve chez Platon (*Gorgias* 526e). Les stoïciens et les cyniques s'en sont emparés, les premiers parce que la maîtrise que le philosophe essaie d'avoir de ses propres passions pouvait être facilement comparée à l'entraînement physique que s'imposaient les athlètes (Garrison), y compris chez les athlètes femmes (Barnes), les seconds parce que leur renoncement aux biens superflus trouvait un bon correspondant dans la privation de certains plaisirs et de certaines nourritures, privation nécessaire à la bonne conservation de sa forme physique. Le judaïsme hellénistique a lui-même fait usage de cette métaphore (*e.g.* Sg 4, 2 ; *TestJob* 4, 10 ; 27, 3-5), malgré la résistance séculaire des Juifs aux jeux du stade, considérés comme une pratique idolâtrique aggravée par le fait que, pour plusieurs types de compétitions, les athlètes concouraient nus. Le premier stade de Jérusalem fut aménagé par Antiochus Épiphane (1 M 1, 14), entreprise ayant pour intention d'helléniser les populations juives ; elle fut perçue comme une provocation impie par les milieux religieux. La cité de Corinthe était particulièrement bien placée pour qu'un discours sur le sport parlât aux destinataires de Paul. Moins renommés que les jeux olympiques, les jeux isthmiques avaient lieu tous les deux ans à Isthmia, ville toute proche de la capitale de l'Achaïe, la première et la troisième année de chaque olympiade ; ils étaient célébrés en l'honneur de Poséidon et du jeune dieu Palaïmon (Gregory). Nul doute que les chrétiens de Corinthe les avaient fréquentés, c'était une des distractions les plus populaires. La question se pose de savoir si Paul lui-même bénéficiait d'une telle expérience de fréquentation des milieux sportifs. Tarse en Cilicie, où il avait été élevé, ne bénéficiait pas de manifestations sportives de même niveau, et il n'est pas sûr que le jeune Juif qu'il était, même familier de la culture hellénistique, ait été un habitué des stades et des palestres. Certains auteurs estiment cependant qu'il en avait sans doute au moins eu une expérience directe dans ses jeunes années ; la précision des termes qu'il emploie le prouverait (Metzner ; Pfitzner, *Agon*). D'autres, au contraire, pensent qu'il ne connaissait le vocabulaire sportif que par la médiation de la diatribe stoïcienne et de la littérature juive sur le martyre (Koch). On manque d'éléments pour dirimer le débat. Aux vv. 24-25, Paul utilise principalement un ton descriptif, juste interrompu par la brève exhortation du v. 24c, formulée à la deuxième personne du pluriel. Son argumentation repose sur le fait que plusieurs athlètes participent à la compétition et qu'un seul remporte le prix ; il convient donc d'être le meilleur. La récompense la plus classique donnée au vainqueur était une couronne composée de branches d'olivier ou d'autres végétaux. À la différence de celles-ci, éminemment corruptibles, les couronnes que les chrétiens doivent rechercher sont, estime Paul, des couronnes incorruptibles. L'image de la couronne d'incorruptibilité sera reprise par la suite dans la tradition chrétienne, ainsi dans le *Martyre de Polycarpe* (19, 2). Aux vv. 26-27, l'Apôtre cesse de tenir un discours impersonnel et se met lui-même en scène comme athlète. Il se donne deux rôles successifs : d'abord celui du coureur à pied (v. 26a), athlète pratiquant la discipline déjà évoquée au v. 24, puis celui du pugiliste (v. 26b), en précisant chaque fois qu'il pratique ces sports de façon compétente et réfléchie, autrement dit qu'il n'est pas un amateur. Il termine le passage en évoquant les efforts qu'il doit, comme tout athlète, s'imposer pour rester performant (v. 27a), mais en quittant en finale le terrain de la métaphore sportive pour revenir à celui de sa mission d'évangélisateur (v. 27b). Une dernière question mérite d'être posée. Au v. 27a, Paul parle des mortifications qu'il impose à son propre corps. Est-ce à son corps physique ? Il ne semble pas. Certes, il s'est déclaré, en 8, 13, prêt à ne plus jamais manger de viande, mais on ne possède aucun témoignage qu'il soit jamais passé à l'acte. Sans doute faut-il, ici encore, considérer que le «corps» est utilisé au v. 27a de façon métaphorique, et penser qu'il évoque plutôt l'abandon de certaines libertés et de certains droits, son combat pour les Églises (Bredenkamp), ainsi que toutes les épreuves qu'il a dû endurer au cours de ses voyages et qu'il se complaît parfois à décrire, ainsi en 2 Co 4, 7-10 et 11, 23-30 (Deidun). Paul fut un athlète à sa manière, mais pas un champion de l'ascèse physique. Finalement, quel discours ce court paragraphe adresse-t-il aux destinataires de l'épître ? Tout d'abord, il semble que, comme ce qui précède, il est destiné à ceux qui prétendent posséder la connaissance et qui, dans leur désir, qu'ils estiment légitime, de consommer des idolothytes, sont tentés de ne s'imposer aucune restriction. Ensuite, le thème du combat sportif peut être la figure du combat que Paul mène contre certains Corinthiens, précisément les esprits forts (Joubert). Et enfin, l'Apôtre rappelle par là que la vie chrétienne est un combat, non pas un combat analogue à celui que menaient les stoïciens dans la recherche d'une éthique maîtrisée, mais un combat pour que le groupe Église se construise, construction dont l'harmonie entre les membres est une composante majeure (Concannon).

NOTES

15

Le verbe χραόμαι (profiter de), déjà employé au v. 12, fait le lien avec la péricope précédente ; il a fonction de mot-crochet. Il est conjugué au parfait : Paul n'a pas profité des avantages que lui donnerait sa responsabilité apostolique, et il continue de ne pas le faire. Ces avantages sont pluriels (τούτων). Ce pluriel est important ; il nuance l'aspect brutal de la succession du v. 14 et du v. 15 : comme le v. 14 énonce une disposition – presque un ordre – énoncée par Jésus concernant la conduite à tenir par ses disciples (Lc 10, 7), en ne l'observant pas, Paul pourrait donner l'impression qu'il désobéit à son maître ; or, l'injonction de Jésus fait partie d'un ensemble plus vaste que Paul n'observe pas (Horrell, *Social Ethos*). Le thème de la fierté (verbe καυχάομαι, substantif καύχημα), déjà abordé en 1, 29.31 ; 3, 21 ; 4, 7 ; 5, 6, avait jusqu'ici une connotation négative : une fierté mal placée. Il est au contraire ici totalement positif, comme très souvent en 2 Co : Paul est fier de ses faiblesses et de ses souffrances, car elles le configurent au Christ crucifié.

16

Le verbe εὐαγγελίζομαι est employé deux fois, à deux temps différents du subjonctif : au présent en début de verset, ce qui évoque une action suivie ; à l'aoriste en fin de verset, ce qui évoque une action ponctuelle. Dans l'exclamation de la fin du verset, Paul déplore le malheur qui serait le sien si, même une seule fois, il n'exerçait pas sa mission d'évangélisateur. 1 Co a déjà employé le terme ἀνάγκη (nécessité) en 7, 26.37. En 7, 26, il s'agissait de la pression de la situation eschatologique ; en 7, 37, d'une simple contrainte. Le sens est ici beaucoup fort : c'est une nécessité essentielle, qui rejoint le sens religieux grec du destin. L'interjection οὐαί (malheur à), très présente dans les évangiles, n'est employée qu'ici par Paul ; elle n'est pas un appel au malheur, mais la constatation de la situation malheureuse de quelqu'un ; il n'y a qu'ici et en Tb 10, 5, qu'elle est suivie dans la Bible d'un pronom personnel à la première personne du singulier : οὐαὶ μοι.

17-18

Le raisonnement des vv. 17-18 repose sur l'opposition entre deux adjectifs rares, ἑκών et ἄκων. Le premier employé au v. 17, ἑκών (un autre emploi NT en Rm 8, 20), qualifie une personne agissant volontairement, de son plein gré, avec entier consentement. Le second, ἄκων (hapax NT), évoque au contraire quelqu'un agissant sans consentement ou involontairement, allant parfois jusqu'au refus d'obéir. Le substantif ὁ μισθός a pour sens premier le salaire donné en compensation d'un travail fourni ; et, pour sens dérivé, la récompense. L'emploi du terme ἡ οἰκονομία (la charge domestique ou publique) à la fin du v. 17 met sur la voie des réalités économiques sous jacentes. Les charges publiques de la cité étaient en général exercées par des notables qui le faisaient bénévolement. En revanche, de nombreuses charges privées, notamment celle exercée par l'intendant (ὁ οἰκονόμος) d'un domaine, étaient confiées à des esclaves (Goodrich, *Administrator*, 165-197). La conjonction ἵνα, au début du v. 18b, n'a pas son sens final ordinaire ; elle commande la réponse à la question posée au v. 18a ; elle est l'équivalent de ὅτι (autre exemple déjà rencontré chez Paul, en 1, 10). L'adjectif ἀδάπανος (v. 18b, hapax NT) est employé au neutre, de façon adverbiale. Il est formé à partir d'un α privatif et du substantif ἡ δαπάνη (la dépense). Il a un sens passif (non dispendieux, peu coûteux, gratuit), et un sens actif (non dépensier). C'est évidemment le sens passif qui convient ici.

19-22

Le verbe « gagner » (κερδαίνω), employé plusieurs fois dans la péricope (vv. 19.20 [2x].21.22), est aussi employé en Ph 3, 8, avec pour sujet Paul, s'efforçant de « gagner le Christ ». Il est conjugué au subjonctif aoriste (dimension ponctuelle) partout sauf en 9, 21 où il est au subjonctif présent : gagner les sans-loi est pour Paul une préoccupation permanente, celle dont il rappelle en Ga 2, 9 qu'elle lui a été confiée par les colonnes de l'Église que sont Jacques, Céphas et Jean. La question est posée des deux tranches de population auxquelles se réfèrent les deux moitiés du v. 20. Les Juifs et ceux qui sont sous la loi forment-ils une seule catégorie, ou deux catégories différentes ? Dans la mesure où les autres termes de l'énumération ne sont pas doublés, la logique du texte pousse à distinguer d'une part « les Juifs » (v. 20a), d'autre part « ceux qui sont sous la loi » (v. 20b), la première catégorie renvoyant aux Juifs de naissance, la seconde, aux observants de la loi qui n'appartiennent pas au peuple juif proprement dit, à savoir les prosélytes, les craignant-Dieu ou peut-être les Pharisiens, champions de l'observance légale (Rudolph). En affirmant qu'il n'est pas sous la loi (v. 20b), Paul exprime la distance qu'il a globalement prise par rapport aux pratiques de la Tora, qui lui créeront quelques difficultés dans ses rapports avec les Juifs devenus chrétiens. L'emploi du verbe σώζω ayant Paul pour sujet à la fin du v. 22 peut sembler étrange. C'est Dieu qui sauve, non pas Paul, ce dernier ne peut être au mieux qu'un instrument du salut. Le raccourci peut être rapproché de celui que l'on trouve en Ph 2, 12, où les Philippiens sont invités à mettre en œuvre leur salut. On peut aussi faire l'hypothèse que le verbe « sauver » a ici un sens faible ; l'ambition de Paul est de gagner les gens au Christ, autrement dit de les faire entrer dans une Église, communauté eschatologique de salut où tous sont bienvenus (Reid). Quant au salut au sens fort, il demeure évidemment l'œuvre de Dieu et/ou du Christ.

23

L'adjectif συγκοινωνός est employé quatre fois dans le NT dont trois chez Paul : ici, en Rm 11, 17 et Ph 1, 7. Construit avec le génitif, il exprime la participation à quelque chose. Ainsi les branches de l'olivier sauvage ont-elles part à la sève venant de la racine de l'olivier franc (Rm 11, 17) ; et les Philippiens prennent-ils part avec Paul à la défense et à l'affermissement de l'Évangile (Ph 1, 7).

24

La syntaxe des vv. 24-27 ne présente pas de difficulté particulière. Les précisions à apporter concernent le vocabulaire – assez spécialisé et peu employé chez Paul – présent dans la littérature des sages et des philosophes grecs, que l'on a également beaucoup retrouvé dans des papyri et des inscriptions (Papathomas). Le prix donné au vainqueur d'une compétition ou d'un combat (τὸ βραβεῖον) est employé dans le NT au v. 24 ainsi qu'en Ph 3, 14, autre passage où Paul utilise la métaphore sportive ; le terme est à distinguer de ὁ μισθός (vv. 17.18) qui désigne plutôt le salaire d'un travail. Dans la LXX et le reste du NT, le stade (τὸ στάδιον) est une mesure de longueur ; le v. 24 est le seul endroit de la Bible où le terme désigne un terrain de sport.

25

Le verbe ἐγκρατεύομαι peut être compris dans deux acceptions différentes : « se priver » ou « maîtriser ». La thématique des idolothytes, à laquelle sont consacrés les chapitres 8-10, pourrait faire préférer le premier sens ; mais 9, 24-27 a pour dominante la maîtrise dont les athlètes doivent faire preuve, plutôt que les privations qu'ils doivent d'imposer. Paul utilise à trois reprises le terme « couronne » (ὁ στέφανος) dans les *homologoumena* : ici, en 1 Th 2, 19 et en Ph 4, 1. Dans ces deux derniers passages c'est le groupe des personnes qu'il a converties à la foi en Christ que Paul considère comme sa couronne, autrement dit la récompense de ses efforts, et non pas, comme ici en 9, 25, la couronne qu'il espère recevoir de Dieu en récompense de son activité apostolique (Peters).

26-27

Au v. 26, le verbe πυκτεύω (se battre à coups de poing) est un hapax du NT. Au v. 27, le verbe ὑπωπιάζω, employé NT ici et en Lc 18, 5, signifie littéralement « frapper sous les yeux », geste très familier aux pugilistes ; par extension, il peut avoir le sens figuré de « mortifier ». À la fin du v. 27, le sens de l'adjectif ἀδόκιμος est débattu. Le terme est employé plusieurs fois dans le corpus paulinien mais, dans les autres occurrences, jamais dans le contexte d'un passage dont le thème est le sport. Formé à partir d'un α privatif et de la racine δοκιμ- qui évoque l'épreuve, il évoque un homme ou un animal qui n'a pas subi l'épreuve (ainsi un cheval réformé avant le combat), ou quelqu'un qui n'a pas résisté à l'épreuve et qui s'est retrouvé éliminé. Traduire par « éliminé » risque d'orienter vers une élimination eschatologique, ce qui semble un sens trop fort. Traduire par « réformé » fait plutôt penser à une mission d'évangélisation que le Seigneur cesserait de confier à l'Apôtre s'il se révélait inapte à l'exercer par défaut d'entraînement ; moins tragique que le précédent, ce dernier sens semble ici préférable.

Le contre-exemple d'Israël au désert
(10, 1-13)

TRADUCTION

10, 1 En effet, je ne voudrais pas que vous l'ignoriez, frères : nos pères, tous étaient sous la nuée, et tous passèrent à travers la mer, 2 et tous furent baptisés[a] à Moïse au moyen de la nuée et de la mer, 3 et tous mangèrent la même nourriture spirituelle[b], 4 et tous burent la même boisson spirituelle ; car ils buvaient (ce qui sortait) d'un rocher spirituel qui les suivait ; or, le rocher était le Christ. 5 Mais ce n'est pas dans la majorité d'entre eux que Dieu se complut, car ils furent abattus dans le désert. 6 Ces événements devinrent nos exemples, afin que nous ne soyons pas convoiteurs de mauvaises choses, comme ceux-là convoitèrent. 7 Ne devenez pas idolâtres, comme certains d'entre eux, ainsi qu'il est écrit : *Le peuple s'assit pour manger et boire, et ils se levèrent pour se divertir.* 8 Ne nous adonnons pas à la débauche, comme certains d'entre eux s'y adonnèrent, et il en tomba en un seul jour vingt-trois mille[c]. 9 Ne mettons pas le Christ[d] à l'épreuve, comme certains d'entre eux tentèrent[e], et ils périssaient[f] par les serpents. 10 Ne murmurez[g] pas, ainsi que certains d'entre eux murmurèrent, et ils périrent par l'exterminateur. 11 Or, ces événements[h] leur arrivèrent pour faire un exemple[i] ; cela fut écrit pour notre instruction, nous auxquels les fins des siècles ont abouti. 12 En sorte que celui qui pense tenir debout, qu'il prenne garde de ne pas tomber. 13 La tentation ne vous a pas saisis[j] autrement qu'à la mesure humaine ; Dieu est fidèle, il ne permettra pas que vous soyez tentés au-delà de ce que vous pouvez, mais il procurera, avec la tentation, aussi le moyen de sortie pour pouvoir[k] la supporter.

[a] La majorité des mss porte l'aoriste passif : ἐβαπτίθησαν (א A C D F G Ψ 33. 81. 104. 365. 630. 1505. 2464 al lat). Moins attesté est le même verbe à l'aoriste moyen : ἐβαπτίσαντο, rare en grec (p[46c] B 1739. 1881 *Byz ;* Origène). On le trouve aussi à l'imparfait moyen ou passif : ἐβαπτίζοντο (p[46*]). Le mode moyen était retenu par les anciennes éditions critiques du NT, en tant que *lectio difficilior* ; les plus récentes lui ont préféré le passif en raison du nombre des attestations (TCGNT 559).

[b] La majorité des mss porte : τὸ αὐτὸ πνευματικὸν βρῶμα : א[2] B (C[2]) D F G Ψ 33. 1739. 1881 *Byz* latt sy[(p)] co ; Irénée[lat] Origène Épiphane. L'adjectif αὐτό ne figure pas en p[46] A C* *pc*. La forme la plus brève, πνευματικὸν βρῶμα (sans τὸ αὐτό), se trouve en א*. On préférera la première leçon, beaucoup mieux attestée.

[c] Au lieu de « vingt-trois mille », on trouve « vingt-quatre mille » dans quelques mss : 81 *pc* vg[mss] sy[h]. C'est une correction d'après le chiffre donné en Nb 25, 9.

[d] Le titre τὸν Χριστόν se trouve en p[46] D F G Ψ 1739. 1881 *Byz* latt sy co ; Irénée[lat] Origène[1739hmg]. Il est remplacé par τὸν κύριον en א B C P 33. 104. 326. 365. 1775. 2464 *pc* sy[hmg]. Et par τὸν θεόν en A 81 *pc*. Le remplacement de « Christ » par « Seigneur » ou par « Dieu » s'explique mieux que la correction inverse ; il évite l'anachronisme apparent de mentionner le Christ à l'époque de l'Exode.

[e] On trouve ἐπείρασαν en A B D[2] Ψ *Byz*. Le même verbe précédé du préfixe ἐκ- est mieux attesté : ἐξεπείρασαν : (p[46]) C D* F G P 33. 81. 104 ; 365. 630. 1175. 1739. 1881. 2464 *al :* Origène[1739mg]. La seconde leçon est sans doute pourtant une correction, influencée par la présence du verbe composé en début de verset.

[f] Le verbe ἀπόλλυμι est à l'imparfait moyen (ἀπώλλυντο) en p[46] A B 81 *pc ;* Origène[1739mg]. Il est à l'aoriste moyen (ἀπώλοντο) en C D F G Ψ 33. 1739. (1881) *Byz*. La seconde leçon est sans doute une correction : l'aoriste est plus habituel comme temps du récit ; on le trouve d'ailleurs au v. 10.

[g] Au lieu de la 2e personne du pluriel, on trouve la 1re en א D F G 33 *pc* bo. La 1re est moins bien attestée ; elle est sans doute influencée par l'emploi de la même personne aux vv. 8 et 9.

[h] Au lieu de ταῦτα δέ (A B 33. 630. 1175. 1739. 1881. 2464 *pc* sa ; Épiphane), on trouve parfois πάντα δὲ ταῦτα (א D F G 81 *pc* bo ? ; Irénée[armpt]), et également ταῦτα δὲ πάντα (C Ψ *Byz* la sy bo ? ; Irénée[latpt]). La *lectio brevior*, la première, est à préférer.

[i] La formule avec adverbe, τυπικῶς συνέβαινεν, est attestée en p[46vid] א B C K P 33. 81. 104. 630. 1175. 1505. 1739. 1881. 2464 al latt sy[hmg] ; Irénée[lat] Épiphane. On la trouve avec un substantif, τύποι συνέβαινον, en (A) D F G (Ψ) *Byz* sy[h] ; Irénée[arm]. La 1re, mieux attestée, est à préférer ; la seconde est influencée par la formulation du v. 6.

[j] Le parfait du verbe λαμβάνω, οὐκ εἴληφεν, est remplacé par l'aoriste du verbe composé καταλαμβάνω : οὐ καταλάβῃ, en F G lat ; Ambrosiaster. Cette seconde leçon, peu attestée, est secondaire.

ᵏ Les derniers mots du v. 13 sont, dans la majorité des mss : τὴν ἔκβασιν τοῦ δύνασθαι ὑπενεγκεῖν. Quelques mss ajoutent ὑμᾶς avant ὑπενεγκεῖν : א² (D²) Ψ *Byz.* C'est une explicitation secondaire.

BIBLIOGRAPHIE

Sur 10, 1-22

R.B. HAYS, « The Conversion of Imagination : Scripture and Eschatology in 1 Corinthians », *NTS* 45, 1999, 391-412. – W.A. MEEKS, « "...And Rose up to Play", Midrash and Parenesis in 1 Corinthians 10 : 1-22 », *JSNT* 16, 1982, 64-78. – J. SMIT, « "Do Not Be Idolaters". Paul's Rhetoric in First Corinthians 10 : 1-22 », *NT* 39, 1997, 40-53. – C.S. WORKS, *The Church in the Wilderness. Paul's use of Exodus Traditions in 1 Corinthians*, Tübingen 2014, 42-124.

Sur 10, 1-13

W. BAIRD, « 1 Corinthians 10 : 1-13 », *Interp.* 44, 1990, 286-290. – G. BARBAGLIO, « "E tutti in Mosè sono stati battezzati nella nube e nel mare" (1 Co 10, 2) », in *Alle origini del battesimo cristiano*, P. TRAGAN (ed.), Rome 1991, 167-191. – M.M. BOGLE, « *Ta telē tōn aiōnōn*, 1 Corinthians X. 11 : A Suggestion », *ET* 67, 1955-56, 246-247. – I. BROER, « "Darum : Wer da meint zu stehen, der sehe zu, dass er nicht fälle". 1 Kor 10, 12f. im Kontext von 1 Kor 10, 1-10 », in *Neues Testament une Ethik, Fest. Rudolf Schnackenburg*, H. MERKLEIN (ed.), Fribourg 1989, 299-325. – D.M. CIOCCHI, « Understanding Our Ability to Endure Temptation : A Theological Watershed », *JETS* 35, 1992, 463-479. – G.D. COLLIER, « That We Might Not Crave Evil », *JSNT* 55, 1994, 55-75. – É. COTHENET, « Prédication et typologie sacramentaire en 1 Cor 10, 1-13 », in ID., *Exégèse et liturgie*, II, Paris 1999, 107-122. – S. COWAN, « Does 1 Corinthians 10 :13 Imply Libertarian Freedom ? A Reply to Paul A. Himes », *JETS* 55, 2012, 793-800. – P.E. ENNS, « The "Moveable Well" in 1 Cor 10 : 4 : An Extrabiblical tradition in an Apostolic Text », *BBR* 6, 1996, 23-38. – P.A. HIMES, « When a Christian Sins : 1 Corinthians 10 : 13 and the Power of Contrary Choice in Relation to the Compatibilism-Libertarian Debate », *JETS* 54, 2011, 329-344. – J. HWANG, « Turning the Tables of Idol Feasts : Paul's Use of Exodus 32 : 6 in 1 Corinthians 10 : 7 », *JETS* 54, 2011, 573-587. – J.C. INOSTROZA LANAS, *Moisés e Israel en el deserto. El midrás paulino de 1 Cor 10, 1-13*, Salamanque 2000. – R. MODY, « The Case of the Missing Thousand : Paul's use of the Old Testament in 1 Corinthians 10 : 8 – A New Proposal », *Churchman* 121, 2007, 61-79. – B.J. OROPEZA, « Apostasy in the Wilderness : Paul's Message to the Corinthians in State of Eschatological Liminality », *JSNT* 75, 1999, 69-86. – B.J. OROPEZA, *Paul and Apostasy. Eschatology, Perseverance, and Falling Away in the Corinthian Congregation*, Tübingen 2000. – K.H. OSTMEYER, *Taufe und Typos : Elemente und Theologie der Tauftypologien in 1. Korinther 10 und 1. Petrus 3*, Tübingen 2000. – C. PERROT, « Les exemples du désert (1 Co 10, 6-11) », *NTS* 29, 1983, 437-452. – K.G. SANDELIN, « Does Paul Argue Against Sacramentalism and Over-Confidence

in 1 Cor 10, 1-14 ? » in *The New Testament and Hellenistic Judaism*, P. BORGEN,
S. GIVERSEN (eds), Aarhus 1995, 165-182. – B. SCHALLER, « 1 Kor 10, 1-13 und
die jüdischen Vorausetzungen der Schriftauslegung des Paulus », in *Fundamenta
Judaica. Studien zum antiken Judentum und zum Neuen Testament*, B. SCHALLER,
L. DOERING, A. STEUDEL (eds), Göttingen 2001, 167-190. – J. SCHLOSSER, « Le
regard typologique en 1 Cor 10, 1-13 », in *Études bibliques et Proche-Orient
Ancien, Mél. Paul Feghaly*, A. CHEHWAN, A. KASSIS (eds), Beyrouth 2002,
227-245.

INTERPRÉTATION

Après avoir exposé ses choix comme un exemple à suivre, Paul présente
maintenant un contre-exemple : celui d'Israël pendant l'Exode. Son propos
est fondé sur une double analogie. La première repose sur un contraste. Au
chapitre 9, Paul avait d'abord exposé ses droits, puis expliqué son choix de
ne pas en bénéficier et le bien qui en avait résulté pour l'Église. En langage
sémiotique, on pourrait formuler les choses ainsi : tout comme la génération
du désert disposait de la compétence que Dieu lui avait donnée dès la sortie
d'Égypte à travers la présence de la nuée et le passage de la mer (vv. 1-4),
l'Apôtre disposait du droit de manger et de boire aux frais des communautés
chrétiennes (9, 4). Mais l'Apôtre n'avait pas usé de ces droits, et cela avait
valeur d'exemple. En revanche, la génération du désert s'était comportée
comme si les bienfaits de Dieu envers elle la garantissaient contre tout échec,
et elle avait en grande partie connu l'échec (v. 5). Son agir était le type même
de ce qu'il fallait éviter de faire. La seconde analogie, qui constitue l'argument d'une mise en garde, met en parallèle les situations respectives de la
génération du désert et de l'Église de Corinthe. De même que le peuple élu
avait au départ bénéficié de toutes les garanties divines, les fidèles de Corinthe ont reçu le baptême et ils célèbrent l'eucharistie, deux rites porteurs du
salut auquel ils sont destinés (vv. 1-4). Mais si ces garanties les conduisent à
ne pas mieux refréner leurs désirs qu'Israël n'a refréné les siens au désert
(vv. 6-10), ils se perdront comme la plupart des Hébreux se sont perdus
(v. 5). Ils feront échouer la construction de l'Église dont ils devraient être
les artisans.

Le thème de l'idolâtrie, contenu dans le terme même « idolothyte » et resté
en suspens tout au long du chapitre 9, revient à la surface (v. 7) ; il sera même
l'objet principal de la péricope suivante qui commence par une injonction
sans appel : « Fuyez l'idolâtrie » (v. 14). Le ton de 10, 1-13 est nettement plus
restrictif que celui de 8, 1-13 ; c'est l'un des éléments qui a conduit certains
auteurs à penser que l'ensemble 8, 1 – 11, 1 était composite et que, plus
précisément, 10, 1-13 avait existé sous forme de midrash indépendant avant
que Paul ne l'intègre en 1 Corinthiens (Collier ; Meeks) ; avec la plupart des
commentateurs modernes, nous ne retenons pas cette hypothèse. En ce qui
concerne les destinataires du propos, Paul ne distingue plus ici la situation

des faibles et celle des gens qui prétendent avoir la connaissance et savent que les idoles ne sont rien. Lorsque Paul écrit « nous » (vv. 1.6.8-9.11), il parle de l'ensemble des chrétiens, lui compris. Lorsqu'il écrit « vous » (vv. 7.10.13), c'est à l'ensemble des fidèles de l'Église de Corinthe qu'il s'adresse. Et il y a également toute une partie du propos qui est rédigée en style impersonnel, à la troisième personne, soit pour raconter l'épopée d'Israël au désert (vv. 2-5), soit pour citer une sentence proverbiale applicable à toute personne (v. 12). On voit par là que la péricope, qui a pour but de persuader les Corinthiens d'éviter toute pratique idolâtrique – ce qui a conduit certains auteurs à y intégrer le v. 14 (*e.g.* Fitzmyer*) –, fait suivre au lecteur un itinéraire complexe. Un autre élément de complexité est à ajouter, à savoir le jeu de miroirs que Paul instaure entre les actions de la génération juive du désert et les tentations de la jeune Église de Corinthe. La correspondance entre les deux relève d'une typologie particulière : Israël n'est pas exactement le *typos* (voir les vv. 6 et 11) de l'Église, et l'Église n'en est pas l'*antitypos*, dans la mesure où celle-ci n'a pas encore commis les erreurs ou les péchés qui furent ceux d'Israël. Mais l'agir déviant du premier représente ce à quoi elle s'expose si elle se laisse aller à la tentation de la facilité. Les méfaits d'Israël au désert sont le type même de ce que les Corinthiens du Ier siècle ne doivent pas faire, sous peine de connaître un sort analogue à celui de ceux pour qui l'Exode fut une marche vers la mort, et le désert, un tombeau (v. 5).

Une telle présentation de l'épopée de l'Exode révèle que, pour Paul, cette histoire n'a pas seulement construit l'identité du peuple juif ; elle lui a aussi révélé l'identité de son Dieu ; pour dire les choses autrement, l'Exode n'est pas seulement un récit sur Dieu, mais un récit de Dieu. Les traditions qui en constituent la mémoire sont, pour le monde juif, l'équivalent des traditions de la mythologie attachée aux divinités grecques et romaines, traditions auxquelles on initiait les enfants des cités de l'Empire au cours de leur jeunesse ; cela faisait partie de l'éducation. Le Dieu des Juifs s'étant révélé en Jésus Christ par la sagesse de la croix, les Corinthiens peuvent considérer les Israélites du désert comme leurs Pères (10, 1), et cela se fait à travers la foi en Christ. Aussi Paul utilise-t-il les traditions de l'Exode pour enseigner aux Corinthiens comment vivre fidèlement en tant qu'Église de Dieu (Hays). Puisque la majorité des chrétiens de Corinthe sont païens d'origine et non pas juifs, le modèle que construit l'Apôtre concerne au premier chef le lecteur impliqué, à savoir celui qui, indépendamment de son origine réelle, peut se regarder comme héritier des traditions d'Israël du fait de sa foi en Jésus, Messie d'Israël (Works).

VV. 1-5 – Dans la première partie de cette péricope, Paul souligne les avantages dont avait bénéficié Israël au moment de la sortie d'Égypte. Ils forment deux groupes. Le premier est constitué de deux événements vécus au départ par les Hébreux, événements analogues à ce qu'est le baptême pour le chrétien : la protection par la nuée et le passage de la mer (vv. 1-2). Le second groupe concerne les quarante années passées dans le désert : pour que le peuple élu puisse manger et boire, Dieu lui donna la manne et l'eau, qui ont pour analogues dans la vie chrétienne le pain et le vin eucharistiques (vv. 3-4). Paul décrit les événements de l'Exode en utilisant un vocabulaire emprunté aux traditions chrétiennes, réalisant par là une sorte de superposition entre la vie d'Israël au désert et la vie des Églises au Ier siècle. Aux vv. 1-2, à propos de la nuée et de la mer, il parle de baptême, ce qu'aucun texte de l'Écriture ou de la tradition juive ne fait. Il utilise aussi la tournure « être baptisé à Moïse », superposant ainsi la figure de Moïse et celle du Christ dans sa présentation du rite baptismal. Deux éléments du séjour au désert sont nommés pour ce baptême : la nuée et la mer. Pour la mer, il n'y a pas de difficulté, elle est l'analogue de l'eau baptismale. Une question est posée, et fort débattue, à propos de la nuée : est-elle une autre figuration de l'eau, dans la mesure où il est écrit que les Israélites étaient « sous la nuée » comme le catéchumène est plongé sous la surface de l'eau baptismale ? Ou faut-il, au contraire, voir dans la nuée une préfiguration de l'Esprit Saint dont le baptême provoque l'effusion (Conzelmann* ; Manns, *Symbolisme*, 257-262) ? La réponse à cette question doit tenir compte de deux données. La première : en théologie paulinienne, malgré un texte douteux (1 Co 12, 13), il ne semble pas que la plongée dans l'eau baptismale provoque l'effusion de l'Esprit Saint. La seconde : dans la cohérence du discours paulinien, les autres éléments nommés aux vv. 1-4 – la mer (vv. 1-2), la nourriture (v. 3), la boisson (v. 4) – ne figurent pas les effets des événements évoqués, mais les données concrètes qui les permirent. Mieux vaut voir, donc, dans la nuée et dans la mer, deux préfigurations de l'eau baptismale, la nuée complétant la mer car le peuple se trouva sous elle comme le baptisé disparaît sous la surface de l'eau (Baird ; Barbaglio ; Quesnel, *Baptisés*, 166-169). Tout comme les vv. 1-2, les vv. 3-4 christianisent des événements du désert, à savoir le don de la manne et le don de l'eau. Ils ne sont pas nommés comme tels, pour que la superposition avec les espèces eucharistiques soit possible. La manne est appelée « nourriture » (v. 3), et l'eau jaillie du rocher est appelée « boisson » (v. 4). Là, pourtant, où la superposition entre les événements de l'Exode et la vie de l'Église est la plus nette, c'est dans l'affirmation que le rocher était le Christ. On peut estimer qu'elle avait été préparée par la tradition juive, grâce à l'image du Dieu-Rocher que l'on trouve dans le Cantique de Moïse (Dt 32, 4.15.18.30.31) et souvent dans les Psaumes (*e.g.* Ps 18 ; 78 ; 95). Chez Philon, le rocher du désert est identifié à la sagesse de Dieu (*Legum allegoriae* 2, 21, 86). Jamais, pourtant, dans les traditions juives, le rocher du désert n'est identifié avec le Messie ; en outre, le terme *Christos* au v. 4, ne désigne pas seulement le Messie espérance d'Israël, mais bien la personne de Jésus Christ. Paul connaît la tradition juive qui veut que les Juifs de toute génération soient contemporains de la génération du désert (MPesah 10, 5). Il la reprend et la transforme : non seulement les membres de la jeune Église vivent à leur manière les événements de l'Exode et doivent être attentifs à ne pas tomber comme les pères tombèrent (vv. 6-10) ; mais la génération du désert anticipait déjà, sans le savoir, les événements de salut résultant de la mort et de la résurrection du Christ (vv. 1-4). Le v. 5 rappelle alors l'événement qui est la source de la mise en garde prononcée par l'Apôtre. Il est bâti sur le contraste entre le « tous », répété cinq fois dans les vv. 1-4, et « la majorité d'entre eux » qui ne plut pas à Dieu. La grande majorité de la génération sortie d'Égypte périt dans le désert. D'après Nb 14, 24, seul Caleb et son clan firent partie de ceux qui sortirent d'Égypte et terminèrent le voyage. La division qui s'opéra au sein du peuple est connue de Flavius Josèphe, qui lie la désobéissance aux divisions qui s'opérèrent au sein du peuple élu (*AJ* 3, 13 § 295). Cette division n'est pas sans rappeler celle qui s'exprimait dans l'Église de Corinthe entre les partisans de la consommation des idolothytes et ceux que cela pouvait fragiliser, voire scandaliser (Oropeza).

VV. 6-10 – Paul aborde maintenant la raison pour laquelle il a raconté cette histoire des Hébreux au désert. Les pères n'ont pas plu à Dieu, ils en sont morts, cela doit servir de leçon aux Corinthiens qui doivent prendre garde à ne pas tomber dans les mêmes travers. Ces cinq versets sont rédigés à un mode personnel, en « nous » (vv. 6.8-9) et en « vous » (vv. 7.10). Ils énumèrent les péchés des pères : successivement la convoitise (v. 6), l'idolâtrie (v. 7), la débauche (v. 8), la mise du Christ à l'épreuve (v. 9), le murmure (v. 10). La structure littéraire de l'ensemble constitué par les vv. 7-10 forme un chiasme commandé par les personnes auxquelles les verbes sont conjugués : vous, nous, nous, vous. Cela contribue à mettre à part le v. 6 sur la convoitise, qui ne fait pas nombre avec les autres péchés d'Israël au désert mais en constitue comme une présentation générale, la convoitise étant souvent considérée dans le judaïsme ancien comme étant le principe de tous les péchés (Philon, *De Decalogo* 173 ; *Vie grecque d'Adam et Ève* 19, 3). Sauf au v. 7 où il cite explicitement l'Écriture juive, Paul ne dit pas à quel passage de l'épopée d'Israël il fait allusion, ce qui entraîne des désaccords entre les chercheurs. Malgré son caractère général, la mise en garde contre la convoitise peut cependant renvoyer à un épisode précis de la marche au désert, épisode où le récit de la LXX emploie des termes de la même racine que l'adjectif « convoiteur » utilisé par Paul. Il s'agit de l'épisode de Qibrot-ha-Taava, où le peuple se plaint de n'avoir que de la manne pour nourriture, et se met à regretter la qualité des légumes dont il disposait en Égypte (Nb 11, 4-35). La réponse de Dieu est l'envoi des cailles, rapporté également en Ex 16, 12-13. Les Hébreux s'en rassasièrent, mais ce festin improvisé se termina par la colère de Dieu et la mort tragique de deux qui avaient consommé cette viande (Nb 11, 33). La raison de cette mort reste mystérieuse. Une tradition du judaïsme ancien prétend que la faute du peuple n'a pas été de consommer les cailles, mais de ne pas avoir béni cette viande avant de la consommer (TgJ sur Nb 11, 33) (Perrot). Mettant en garde contre l'idolâtrie, le v. 7 fait le lien avec la question des idolothytes à laquelle est consacré 1 Co 8, 1 – 11, 1. C'est aussi le seul à citer explicitement l'Écriture juive, à savoir Ex 32, 6, où la formulation paulinienne est identique mot pour mot à celle de la LXX. L'épisode auquel appartient ce passage est celui du veau d'or (Ex 32) : après avoir fondu la statue, les Israélites lui offrirent des sacrifices et des holocaustes, en consommèrent la part qui revenait aux offrants, puis ils se divertirent. La nature de ce divertissement n'est pas précisée par le texte biblique. Des traditions du judaïsme ancien ont suppléé ce manque, notamment le targum palestinien qui traduit la fin de Ex 32, 6 : « Ils se levèrent ensuite pour se divertir licencieusement dans le culte idolâtrique » (TgN et TgJ sur Ex 32, 6). Cette précision consonne avec les activités sexuelles qui accompagnaient les repas cultuels pris dans les temples gréco-romains, où étaient présentes des danseuses qui s'offraient aux convives (Hwang). Le v. 8 porte sur la débauche. L'Écriture juive n'est pas explicitement citée, mais le chiffre de vingt-trois mille victimes oriente vers un épisode rapporté en Nb 25, 1-9, où le peuple se livra à la prostitution avec les filles de Moab au temple du Baal de Péor. Le châtiment des responsables est violent, mais le sens du terme hébreu qui le désigne est discuté (empaler ? pendre ?). La LXX parle simplement de châtiment public, exemplaire. Le v. 9 porte sur la mise à l'épreuve du Christ, là où l'on attendrait plutôt une mise à l'épreuve de Dieu. L'expression pourrait convenir pour les Corinthiens ; elle étonne pour les pères, qui sont censés avoir eux aussi déjà tenté le Christ au désert, puisque les Corinthiens sont invités à ne pas les imiter. Le même processus exégétique joue ici que dans les vv. 1-4, à savoir la superposition des expériences d'Israël au désert et de celles des jeunes Églises du Iᵉʳ siècle (Schlosser). Là encore, c'est le châtiment infligé au peuple qui permet le mieux de situer l'épisode auquel Paul fait référence. Les serpents venimeux proliférèrent après la prise Horma lorsque, à nouveau, le peuple récrimina en raison de la frugalité de l'ordinaire (Nb 21, 4-9). Le serpent d'airain que Moïse façonna selon les consignes données par Dieu fut un remède ; mais, avant qu'il ait été fabriqué, beaucoup d'Israélites avaient déjà péri de leur morsure. La dernière mise en garde, au v. 10, concerne les murmures du peuple d'Israël ; comme celle du v. 7, elle est adressée aux Corinthiens à la 2ᵉ personne du pluriel. Les murmures du peuple peuvent être liés à la frugalité de la nourriture au cours de la marche au désert (Ex 16, 1-12), mais les motifs peuvent être autres : en Nb 14, 1-38, ils ont pour cause le rapport de ceux qui ont été envoyés en éclaireurs et qui dressent un tableau peu encourageant de la terre où les Hébreux doivent de rendre. En d'autres endroits, les raisons en sont peu précisées (Nb 11, 1-3 ; 17, 6-15). Il est alors difficile de savoir à quoi Paul fait précisément allusion. Le passage que l'on aurait tendance à privilégier est Nb 17, 6-15, car le targum palestinien y fait apparaître la figure de l'exterminateur (TgJ sur Nb 17, 11-12). Mais on peut tout aussi bien se demander si Paul ne récupère pas plutôt la figure de l'exterminateur présente dans la dixième plaie d'Égypte, pour en faire la figure emblématique du punisseur de murmures. Ainsi la mise en garde du v. 10 aurait-elle une fonction récapitulative, tout comme celle du v. 6 avait une fonction introductive. L'Apôtre utilise abondamment les traditions du judaïsme ancien dont on peut trouver des traces chez Philon, chez Josèphe, dans les targums et dans le rabbinisme, mais il peut aussi être créateur de traditions interprétatives, comme le furent d'autres maîtres de son temps (Schaller).

VV. 11-13 – Les trois derniers versets de cette péricope combinent successivement les trois personnes de la conjugaison : « nous » au v. 11, la conjugaison impersonnelle au v. 12, « vous » au v. 13. Le v. 11 reformule le lien entre l'histoire d'Israël au désert et la vie des chrétiens du Ier siècle. Il repose sur la conviction que l'histoire est maîtresse de vie : de ce par quoi passèrent les pères on peut tirer des leçons morales valables pour la vie des Églises, ce d'autant plus que la période marquée par la foi en Christ représente, d'une certaine façon, l'aboutissement de l'histoire antérieure de tous les peuples, juifs et païens de différentes traditions. C'est ce qu'exprime sans doute la formule de la fin du verset, dont l'interprétation a été très débattue. Il semble qu'on peut le lire de la façon suivante : l'unicité de l'événement Christ, pivot de l'histoire, lui donne une dimension universelle ; le groupe qui en émane, à savoir l'ensemble des personnes qui croient en Jésus Christ mort et ressuscité, occupe à son tour une place unique au sein du monde créé (Badiou, *Fondation*). Paul peut alors écrire que c'est « pour nous » que fut écrite la Bible juive et plus particulièrement que furent rédigés les récits de l'Exode, dans le cadre global d'une histoire du salut (Broer ; Cothenet). L'achevé du passé devient inachevé, il a besoin d'être complété par l'histoire ultérieure ; et l'inachevé du présent acquiert une sorte d'achèvement, du fait qu'il est tout entier dans la mouvance du Christ, événement cosmique incomparable (Agamben, *Temps*, 121-124). Après ces hautes envolées, on revient avec le v. 12 à des propos plus terre à terre, essentiellement éthiques. La formulation est impersonnelle, donc générale ; mais chacun peut, comme on dit familièrement, en prendre pour son grade. Selon le point de vue que l'on adopte, « celui qui pense tenir debout » peut être soit le faible face aux idolothytes, qui leur accorde une certaine consistance et qui peut être déstabilisé s'il voit l'un des ses frères dans la foi participer à des repas sacrés dans des temples païens ; soit celui-là même qui estime être ferme sur ses pieds du fait de sa connaissance, mais qui, lui-même, n'est peut-être pas aussi invulnérable qu'il le pense. La péricope se termine, au v. 13, par un propos dont l'interprétation n'est pas simple : est-ce une consolation, bien nécessaire après toutes ces mises en garde ? Ou est-ce, au contraire un appel à ne pas accuser Dieu d'imposer aux fidèles des choix cornéliens (Broer) ? La première hypothèse semble préférable, surtout si l'on rapproche ce verset de Rm 8, 28. Il y est à nouveau question de mise à l'épreuve, comme au v. 8, non plus une épreuve que les humains voudraient imposer au Christ ou à Dieu, mais une épreuve qu'ils subissent et que l'on traduit habituellement en français par « tentation ». Paul honore ici une question que se pose toute personne humaine à propos de ses résistances à l'adversité. Les stoïciens la posaient aussi à propos de la douleur, et y répondaient à leur manière, tel Sénèque : « La Nature, dans sa grande sollicitude à notre égard, nous a conformés de manière que la douleur soit ou supportable ou de courte durée » (*Lettres à Lucillius* 78, 7 ; trad. P. Veyne). La façon dont répond l'Apôtre est plus théologique, mais sa réponse est du même type : nous ne sommes pas tentés au-delà de nos forces. Il vaut la peine de remarquer que Paul ne fait pas de Dieu l'origine de la tentation ; il est en cela en accord avec l'épître de Jacques qui place la source de la tentation dans la convoitise (Jc 1, 13-14). Si Dieu donne quelque chose, au contraire, c'est le moyen de résister.

NOTES

1-2

La formule du v. 1, οὐ θέλω ὑμᾶς ἀγνοεῖν, est une tournure rhétorique que Paul utilise plusieurs fois en début de phrase (Rm 1, 13 ; 11, 25 ; au pluriel en 2 Co 1, 8 ; 1 Th 4, 13), soit pour donner une nouvelle personnelle, soit pour énoncer une vérité qu'il fait découvrir ou rappelle ; sur la traduction de θέλω par « je voudrais », voir 7, 7. Elle est toujours suivie de l'apostrophe ἀδελφοί. L'emploi de l'expression « nos pères » (οἱ πατέρες ἡμῶν) pour désigner les Juifs de la génération du désert peut être rapprochée de l'utilisation du même pluriel en Rm 9, 5 ; 11, 28. Le possessif « nos », alors que la majorité des chrétiens de Corinthe ne sont pas juifs, est porteur d'une signification théologique forte ; les païens qui accèdent à la foi en Christ sont du même coup inscrits dans la tradition qui remonte à Israël. Les traditions juives concernant la nuée et la mer sont particulièrement riches. Pour la nuée, le livre de l'Exode ne permettrait pas d'écrire que la génération du désert se trouvait « sous » (ὑπό) elle : elle les précédait pour leur indiquer la route, devenant même lumineuse la nuit (Ex 13, 21-22) ; lors du passage de la mer, elle vint s'interposer entre Hébreux et Égyptiens pour protéger les premiers contre l'attaque des seconds (Ex 14, 19-21). C'est sans doute à partir de là qu'elle fut considérée comme une protection, et qu'elle devint couverture (Ps 105, 39) ou abri (Sg 10, 17 ; 19, 7) permettant d'éviter l'ardeur du soleil (Pseudo-Philon, *LAB* 15, 5) ; dans les targums et la littérature rabbinique, on trouve même sept nuées, six pour protéger le peuple comme les six faces d'un cube, et une devant, pour leur indiquer la route (TgJ Ex 12, 37 ; MekExode 13, 21) ; chez Philon, la nuée du désert fait pleuvoir la pluie de la sagesse (*Quis rerum divinarum heres sit* 203-204). Pour la mer, la préposition διά n'est pas non plus très adaptée, car elle s'était retirée lorsque les hébreux passèrent (Ex 14, 22) ; mais, là encore la tradition postérieure utilisa l'image de la traversée (Sg 10, 18), et le rabbinisme associa à ce passage de nombreux miracles (MekEx 14, 16). Les prépositions locales étant, au v. 1, respectivement ὑπό et διά, il faut sans doute lire les deux emplois de ἐν, au v. 2, comme instrumentaux. Au v. 2, l'expression « ils furent baptisés à Moïse » (εἰς τὸν Μωϋσῆν ἐβαπτίσθησαν) n'a aucun fondement dans l'Ecriture juive ni dans les traditions juives postérieures (malgré Sandelin). Elle est un décalque de l'expression « être baptisé à Christ (εἰς Χριστόν) » (Rm 6, 3) ou « être baptisé au nom de Christ (εἰς τὸ ὄνομα Χριστοῦ) » (1 Co 1, 13-15 ; 12, 13 ; Ga 3, 27), formulation proprement paulinienne que les Actes des Apôtres reprennent lorsqu'il s'agit du baptême proposé par les Hellénistes (Ac 8, 16 ; 19, 3-5) (Quesnel, *Baptisés*, 79-119) ; elle repose sur une typologie qui établit une correspondance entre Moïse et Christ, et non entre Moïse et Paul (malgré Inostroza Lanas).

3-4

L'adjectif πνευματικός est utilisé trois fois dans ces deux versets : à propos de la nourriture (la manne), de la boisson (l'eau) et du rocher d'où l'eau jaillit. Cet adjectif est d'un emploi courant chez Paul ; on l'a déjà rencontré en 1 Co (2, 13.15 ; 3, 1 ; 9, 11) ; on l'y rencontrera à nouveau dans les chapitres consacrés aux charismes (12, 1 ; 14, 1-37). Il a souvent un sens fort, lié à la vie dans l'Esprit Saint. C'est ce qui a conduit des auteurs à estimer que cette nourriture ou cette eau étaient soit des dons de l'Esprit Saint, soit des raisons de son effusion. La tradition juive oriente pourtant vers une autre interprétation, à savoir souligner l'origine céleste des éléments appelés « spirituels ». À propos de la manne, on en trouve une attestation en Sg 16, 20 et en Jn 6, 31-33. Et on peut lire également dans le *Targum du Pseudo-Jonathan* à propos de la manne : « C'est le pain qui a été mis en réserve pour vous dès l'origine dans les cieux d'en haut » (TgJ sur Ex 16, 15). Cette origine céleste peut s'appliquer à la manne aussi bien qu'à l'eau et au rocher. Quant au rocher, le récit biblique le mentionne à deux reprises : une première fois en Ex 17, 1-7, et une seconde fois en Nb 20, 1-13. C'est sans doute cette double mention qui est à l'origine d'une tradition juive selon laquelle le rocher suivait le peuple dans ses déplacements pour qu'il puisse avoir de l'eau en permanence. On la trouve exprimée dans le TgJ sur Nb 20, 11-13, sur Nb 21, 18-20 (où il est identifié avec les puits creusés par les patriarches), chez le Pseudo-Philon (*LAB* 11, 15), et dans les écrits rabbiniques (TosSukk 3, 11-13, qui est un commentaire de Nb 21, 16-20) (Enns).

5

Un doute existe sur le verset précis auquel Paul se réfère lorsqu'il évoque la mort de la majorité des Israélites ayant pris le chemin du désert, depuis l'Égypte. Nb 11, 33 est une possibilité défendue par quelques chercheurs (*e.g.* Mitchell, *Rhetoric*, 138-139). Le seul texte de la LXX utilisant le verbe καταστρώννυμι qui signifie « joncher, étendre, abattre », est Nb 14, 16, dont c'est le seul emploi dans le Pentateuque LXX. C'est un terme rare. Cela conduit à estimer que Paul fait allusion à la parole de Moïse demandant à Dieu de ne pas le sauver, lui seul, après avoir abattu tout le peuple. Juste après, Dieu décida que la majorité de la génération sortie d'Égypte n'entrerait pas en terre promise (Nb 14, 20-23).

6

Le substantif τύπος est repris au v. 11 en forme adverbiale : τυπικῶς. Le sens premier du terme est un « coup » (il est apparenté au verbe τύπτω : « frapper »). De là on passe au sens de « marque imprimée par un coup, empreinte, trace », d'où sont dérivés tous les sens abstraits : « image, impression, type, modèle, exemple. » Dans le cadre de la typologie biblique, nous proposons la définition suivante, inspirée des travaux de K.H. Ostmeyer (*Taufe*, 9-52) : « Un τύπος est une personne, un groupe, une chose, une action ou un événement dans lequel quelque chose d'autre devient visible ou discernable. » Dans la plupart des emplois du NT, il s'agit d'un modèle, d'un exemple à suivre (ainsi Ph 3, 17 ; 1 Th 1, 7 ; 1 P 5, 3). Ici, au contraire, c'est un exemple à ne pas suivre, comme dans l'expression française « faire exemple ». La conjonction de comparaison employée dans les vv. 6 à 9 est καθώς ; au v. 10, Paul emploie une conjonction plus rare dont le sens est le même, καθάπερ. Elle marque la fin de l'énumération. La mise en garde contre la convoitise est exprimée par l'adjectif ἐπιθυμητής (convoiteur), un terme assez peu courant, hapax du NT et employé seulement deux fois dans la LXX (Nb 11, 34 ; Pr 1, 22). Le verbe correspondant, ἐπιθυμέω est plus fréquent ; il est employé une fois pour parler de la convoitise des

Hébreux au désert (Nb 11, 4) ; l'interdiction de la convoitise est également l'un des préceptes du Décalogue (Ex 20, 17 ; Dt 5, 21).

7

L'épisode du veau d'or (Ex 32) a été largement commenté par la tradition juive. Outre le fait que les targums interprètent le divertissement (παίζειν) dans le sens de la licence, le Pseudo-Philon raconte que Moïse en colère « brisa le veau, le jeta dans l'eau et le fit boire au peuple » (*LAB* 12, 7).

8

Le nombre des victimes fourni par l'AT, tant dans le TM que dans la LXX (Nb 25, 9), est de vingt-quatre mille. Le même nombre est fourni par Philon (*De vita Mosis* I, 304). D'où Paul tire-t-il son chiffre de vingt-trois mille ? Aurait-il confondu avec le chiffre donné pour le recensement des lévites au chapitre suivant (Nb 26, 62) ? Le livre des Nombres mentionne plusieurs fois des chiffres de l'ordre de vingt-mille (Nb 3, 39.43 ; 25, 9 ; 26, 14.62), la confusion est possible. Mais il n'est pas impossible non plus qu'aient existé des traditions dont des traces écrites n'ont pas été conservées (Mody). Flavius Josèphe, par exemple, donne pour le même épisode le chiffre de quatorze mille victimes (*AJ* 4, 6, 12 § 155).

9

Dans sa mise en garde, Paul emploie au début du verset le verbe composé ἐκπειράζω (mettre à l'épreuve), plus fort que le verbe simple πειράζω (tenter). En revanche, il utilise πειράζω à propos de ce que firent les pères au désert. L'épisode de l'AT correspondant à cette tentation (Nb 21, 5-6) ne porte aucun de ces deux verbes, mais utilise l'expression « parler contre » (TM *dibbér* + *be* ; LXX καταλαλέω + πρός + accus.). En revanche, le vocabulaire du πειράσμος intervient dans les épisodes du désert à propos de l'eau dont les Hébreux déplorent la manque (Ex 17, 1-7 ; Dt 6, 16). Le Ps 77, 18 rappelle cet épisode en utilisant le verbe ἐκπειράζω ; c'est sans doute à ce texte que Paul l'emprunte au début du v. 9.

10

Le terme traduit par « exterminateur » (ὁ ὀλοθρευτῆς) est un hapax du NT et ne se trouve pas dans la LXX. Le verbe correspondant, ὀλοθρεύω, est employé en He 11, 28 à propos de l'extermination des premiers-nés égyptiens. Ce verbe existe avec une vocalisation légèrement différente dans la LXX (ὀλεθρεύω), notamment en forme de participe substantivé (ὁ ὀλεθρεύων), où il désigne « l'exterminateur » qui frappa les premiers-nés de l'Égypte (Ex^{LXX} 12, 23).

11

Les premiers mots du verset, ταῦτα δὲ τυπικῶς, font écho à la formule utilisée au début du v. 6, ταῦτα δὲ τύποι, en remplaçant seulement le substantif τύπος par un adverbe formé sur la même racine. Le démonstratif ἐκεινοῖς renvoie aux Israélites de la génération du désert. Le sens de la fin du verset a été très débattu. Paul emploie un « nous » inclusif à propos duquel il écrit εἰς οὕς τὰ τέλη τῶν αἰώνων κατήντηκεν. L'emploi de τὸ τέλος (l'achèvement, le résultat, la fin) au pluriel est rare en grec. Dans les *homologoumena*, Paul n'emploie pas non plus ὁ αἰών au pluriel, sauf dans l'expression εἰς τοὺς αἰῶνας (pour les siècles ; Rm 1, 25 ; 9, 5 ; 11, 36 ; 16, 27 ; 2 Co 11, 31 ; Ga 1, 5 ; Ph 4, 20). Le verbe καταντάω construit avec εἰς + accusatif signifie « aboutir à ». Plusieurs interprétations font comme si τὸ τέλος voulait dire « l'extrémité », aussi bien le commencement que la fin, et pensent que Paul situe l'Église de Corinthe à la fin d'un âge ancien et au début d'un âge nouveau (Héring* ; Weiss*) ; mais τὸ τέλος n'a pas, en grec, le sens de commencement ! Il existe aussi des lectures qui lisent le pluriel de τέλος comme s'il s'agissait d'un singulier : Paul présenterait alors le temps après la résurrection du Christ comme les derniers temps du monde (Conzelmann* ; Fee* ; Ngayihembako, *Temps*, 55-59 ; Senft*), ou encore comme la fin des temps pré-messianiques (Barrett*) ; mais le texte porte un pluriel ! Une troisième piste consiste à utiliser un sens rare de τέλος qui peut signifier « rite sacré » (Platon, *République* 560e) : les chrétiens seraient les héros des Mystères des âges (Bogle) ; mais c'est bien alambiqué ! Il semble préférable de respecter le pluriel τὰ τέλη et de lui conserver son sens le plus courant : Paul voit alors le temps de l'Église comme le terme ultime (au sens de l'aboutissement) de tous les siècles (pas seulement deux) ayant déjà existé, tous les siècles des païens, comme les siècles des Juifs. La superposition des événements de l'Exode et de la vie de la jeune Église de Corinthe (vv. 1-4) va dans ce sens : tous les temps antérieurs aboutissent à ce qui se réalise dans les Églises, à la suite de la mort et de la résurrection du Christ.

12

Ce verset est introduit par la conjonction de subordination ὥστε qui n'est reliée de près à aucun verbe principal. Elle introduit une phrase de type proverbial, composée de deux groupes de trois mots dont les rythmes se correspondent parfaitement : ὁ δοκῶν ἑστάναι / βλεπέτω μὴ πέσῃ ; sans doute un dicton populaire, qui a parfaitement sa place ici (Moule, *Idiom*, 199).

13

L'authenticité paulinienne de ce verset a été contestée ; il constitue vraisemblablement une parenthèse consolante, non nécessaire au développement de la pensée ; l'enchaînement qui va directement du v. 12 au v. 14 est plus logique. Reste que le vocabulaire est bien dans la manière de Paul, notamment la formule non verbale πιστὸς ὁ θεός (13b), déjà rencontrée en 1, 9, et présente également en 2 Co 1, 18. Le substantif πειρασμός et le verbe πειράζω méritent d'être traduits différemment lorsque l'épreuve est imposée par les humains ou par Dieu, et lorsqu'elle est subie par eux : « épreuve » et « éprouver » sont meilleurs dans le premier cas, « tentation » et « tenter » sont meilleurs dans le second ; mais il s'agit des mêmes termes grecs. L'adjectif ἀνθρώπινος (13a), déjà rencontré en 2, 13 et 4, 3, a ici une valeur adverbiale ; la tentation n'est pas humaine, mais elle saisit le sujet en tenant compte du fait qu'il est une personne humaine. En 13c, le syntagme σὺν τῷ πειρασμῷ n'implique pas que la tentation soit donnée par Dieu en même temps que le moyen de sortie (ἡ ἔκβασις) ; elle est simplement l'occasion du soutien divin. Reste que le degré de liberté de la personne humaine vis-à-vis de la tentation a fait l'objet de vifs débats dans le *JETS* dont il convient de donner un bref aperçu. Dans un article de 1992, D. M. Ciocchi oppose l'interprétation du théologien hollandais Arminius, selon laquelle la capacité du sujet pour résister à la tentation est acquise d'emblée, à l'interprétation de Calvin selon laquelle cette capacité est hypothétique ; l'auteur soutient le point de vue calviniste, à savoir que le déterminisme est compatible avec la liberté. P.A. Himes reprend la question en 2011 et, refaisant une lecture globale de l'ensemble 8, 1 – 11, 1, défend le point de vue inverse : la personne possède d'emblée le pouvoir de repousser l'épreuve ; la libre volonté est incompatible avec une conception déterministe de l'univers. En 2012, S. Cowan répond à Himes et soutient une vision de la liberté compatible avec le déterminisme. Le même numéro contient une réponse de Himes à Cowan (801-816). Le débat sur déterminisme et liberté n'est évidemment pas clos ; il dépasse, et de loin, l'interprétation de ce v. 13.

Deux repas inconciliables
(10, 14-22)

TRADUCTION

10, 14 C'est pourquoi, mes bien-aimés, fuyez loin de l'idolâtrie. 15 C'est comme à des (gens) avisés que je parle ; jugez vous-mêmes ce que je dis. 16 La coupe de la bénédiction[a] que nous bénissons, n'est-elle pas communion au sang du Christ[b] ? Le pain que nous rompons n'est-il pas communion au corps du Christ ? 17 Puisqu'il y a un seul pain, nous (qui sommes) nombreux sommes un seul corps, car nous tous avons part à cet unique pain[c]. 18 Regardez l'Israël selon la chair : ceux qui mangent les victimes sacrificielles ne sont-ils pas en communion à l'autel ? 19 Que dis-je ? Qu'un idolothyte est quelque chose ou bien qu'une idole est quelque chose[d] ? 20 Mais que ce qu'ils sacrifient, c'est à des démons et non pas à Dieu qu'ils le sacrifient[e]. Or, je ne veux pas que vous deveniez en communion aux démons. 21 Vous ne pouvez boire la coupe du Seigneur et la coupe des démons. Vous ne pouvez avoir part à la table du Seigneur et à la table des démons. 22 Ou bien rendons-nous le Seigneur jaloux ? Sommes-nous plus forts que lui ?

    [a] La majorité des mss porte τὸ ποτήριον τῆς εὐλογίας. Quelques-uns portent τὸ ποτήριον τῆς εὐχαριστίας (F G 365 *pc ;* Irénée[latpt]). Deux raisons possibles de cette correction secondaire : 1° L'influence d'une pratique liturgique. – 2° La volonté d'éviter ce qui peut sembler un pléonasme : τὸ ποτήριον τῆς εὐλογίας ὃ εὐλογοῦμεν.

    [b] Le verbe ἐστιν peut se trouver soit après le substantif κοινωνία (p[46] A B P 2464 ar), soit à la fin du v. 16a, après Χριστοῦ (ℵ C D F G Ψ 33. 1739. 1881 *Byz* lat ; Irénée[lat]). La deuxième position est plutôt mieux attestée ; mais, étant calquée sur l'ordre des mots du v. 16b, elle est sans doute une correction visant à accentuer le parallélisme entre les vv. 16a et 16b.

    [c] Avant le verbe μετέχομεν (nous avons part), quelques mss ajoutent καὶ τοῦ ἑνὸς ποτηρίου (et à cette unique coupe) : F G (629) it vg[mss] ; Ambrosiaster. Ou encore, καὶ τοῦ ποτηρίου (et à cette coupe) : D. L'influence de la pratique liturgique est à l'origine de ces ajouts.

    [d] Le membre de phrase ἢ ὅτι εἴδωλον τί ἐστιν est omis par plusieurs mss : p[46] ℵ* A C* 6. 945. 1881 *pc* vg[ms]. Cette omission est sans doute le résultat d'un homoïo-teleuton entre les deux emplois successifs de ἐστιν.

    [e] La situation textuelle du v. 20 est extrêmement embrouillée. Nous en faisons une présentation simplifiée (d'après TCGNT 560-561). Cinq leçons principales : 1° ἃ θύουσιν, δαιμονίοις καὶ οὐ θεῷ θύουσιν : B. – 2° ἃ θύουσιν, δαιμονίοις θύουσιν

καὶ οὐ θεῷ: D F G 104 sy; Épiphane. – 3° ἃ θύουσιν, δαιμονίοις θύουσιν: it; Tertullien Ambrosiaster. – 4° ἃ θύουσιν τὰ ἔθνη, δαιμονίοις καὶ οὐ θεῷ θύουσιν: p⁴⁶ᵛⁱᵈ ℵ A C P Ψ 33vid. 91. 104. 365. 630. 1175. 1505. 1739. 2464 al latt co Byz. – 5° ἃ θύει τὰ ἔθνη, δαιμονίοις θύει καὶ οὐ θεῷ: K 88. 326. 436. 614. 629. 1881; Chrysostome. Réflexions critiques : les leçons 1 et 2 sont pratiquement équivalentes, sauf l'ordre des mots ; dans la leçon 3, les démons ne sont pas mis en opposition avec Dieu, mais l'attestation est très faible ; les leçons 4 et 5, avec introduction de τὰ ἔθνη sont sans doute explicitantes, la leçon 5 corrigeant la leçon 4 en mettant le verbe au singulier. Entre les leçons 1 et 2, la première, bien qu'assez peu attestée, semble la meilleure (elle a pour elle le soutien du ms B) ; la leçon 2, plus claire, en dérive sans doute.

BIBLIOGRAPHIE

En plus des titres de 8, 1-11, 1, de 10, 1-22 et de 11, 17-34

N. Baumert, « Κοινωνία τοῦ αἵματος τοῦ Χριστοῦ (1 Kor 10, 14-22) », in The Corinthian Correspondence, R. Bieringer (dir.), Leuven 1996, 617-622. – D. Cohn-Sherbok, « A Jewish Note on τὸ ποτήριον τῆς εὐλογίας », NTS 27, 1981, 704-709. – H.W. Hollander, « The Idea of Fellowship in 1 Corinthians 10. 14-22 », NTS 55, 2009, 456-470. – C. Jochum-Bortfeld, « 'Ergreift die Flucht vor der Anbetung fremder Gottheiten!' (1 Kor 10, 14) : 1 Kor 10-11 im Kontext des Artemis-Kultes von Ephesus », BibKirch 70, 2015, 161-165. – E. Käsemann, « Anliegen und Eigenart der paulinischen Abendmahlslehre », in Id., Exegetische Versuche und Besinnungen, Göttingen 2011, 9-32. – H.-J. Klauck, « 'Leib Christi' – Das Mahl des Herrn in 1 Kor 10-12 », BibKirch 57, 2002, 15-21. – M. Klinghart, « Gemeindeleib und Mahlritual. Sōma in den paulinischen Mahltexten », ZNW 14, 2011, 51-56. – D. Kuske, « Κοινωνία in 1 Corinthians 10, 16 – Participation or Partnership ? », Wisconsin Lutheran Quarterly 101, 2004, 284-286. – B. Maeland, « Unntaksteologi og normal teologi. Relevansen av 1 Kor 10, 20f for religionsteologien », TidsTeolKirk 73, 2002, 19-40. – E. Mazza, « L'eucaristia di 1 Corinzi 10, 16-17 in rapporto a Didachè 9-10 », EphLiturg 100, 1986, 193-223. – M. Quesnel, « Vers une dimension cultuelle du repas du Seigneur ? 1 Co 10, 14-22 », in Nourriture et repas dans les milieux juifs et chrétiens de l'Antiquité, Mél. Charles Perrot, M. Quesnel, Y.-M. Blanchard, Cl. Tassin (eds), Paris 1999, 215-225. – B.S. Rosner, « 'Stronger than He ?' The Strength of 1 Corinthians 10 : 22b », TynB 43, 1992, 171-179. – W. Schrage, « Israel nach dem Fleisch (1 Kor 10, 18) », in « Wenn nicht jetzt, wann dann ? », Fest. H.-J. Kraus, H.-G. Geyer et al. (dirs), Neukirchen-Vluyn 1983, 143-151. – Ph. Sigal, « Another Note to 1 Corinthians 10, 16 », NTS 29, 1983, 134-139. – J. Schröter, « Die Funktion der Herrenmahlsüberlieferungen im 1. Korintherbrief. Zugleich ein Beitrag zur Rolle der "Einsetzungsworte" in frühchristlichen Mahltexten », ZNW 100, 2009, 78-100. – T. Söding, « Eucharistie und Mysterien. Urchristliche Herrenmahlstheologie und antike Mysterienreligosität im Spiegel von 1 Kor 10 », BibKirch 45, 1990, 140-145. – A.J.M. Wedderburn, « The Body of Christ and Related Concepts in 1 Corinthians », SJTh 24, 1971, 74-96. – L.M. Williams-Tinajero, « Christian Unity : The Communal Participation in Christ's Body and Blood », OneChrist 40, 2005, 46-61.

INTERPRÉTATION

Le contre-exemple d'Israël au désert débouche sur une injonction clairement formulée au v. 14, nettement plus catégorique que l'appel à la charité
envers le frère faible que l'on trouvait formulé en 8, 7-13. Ce v. 14 est une
conclusion logique de 10, 1-13, ce qui a conduit certains auteurs à le rattacher à la péricope précédente. Mais en même temps, les vv. 15-22 fondent
cette injonction catégorique, non plus en s'appuyant sur l'histoire passée
comme en 10, 1-13, mais en argumentant à partir de la vie actuelle de
l'Église corinthienne ; on ne saurait les détacher du v. 14. Un autre argument
pour faire du v. 14 le premier de la péricope est l'apostrophe « mes bien-
aimés » ; cette formule ou des apostrophes analogues marquent toujours,
chez Paul, une nouvelle phase du discours. On peut noter que les mises en
garde catégoriques contre l'idolâtrie ne sont pas rares dans le NT, tant chez
Paul (2 Co 6, 14 – 7, 1) que chez Jean ; 1 Jn se termine de façon très abrupte
sur une telle injonction (1 Jn 5, 21). Plusieurs remarques sur le texte peuvent
aider à déterminer la structure de cette péricope. Les pronoms personnels
utilisés ne sont guère significatifs : toutes les personnes sont employées, le
passage de l'une à l'autre ne correspondant pas à une étape nouvelle du
raisonnement. La place des substantifs sur lesquels repose l'argumentation
a parfois conduit à proposer une structure en inclusion (*e.g.* Léon-Dufour,
Partage, 240-241) :

> vv. 14-15 : Fuyez l'idolâtrie
> > vv. 16-17 : Coupe et pain, corps et sang
> > > vv. 18 : Communion avec l'autel
> > > > v. 19 : Idoles et idolothytes sans valeur
> > > vv. 20 : Communion avec les démons
> > v. 21 : Coupe du Seigneur et des démons
> v. 22 : Provoquer la jalousie du Seigneur ?

Ce modèle, qui met en position centrale la non-valeur des idoles et des
idolothytes (v. 19), ne fonctionne pourtant pas parfaitement. Il rend peu
compte de l'interdit formulé au v. 14, qui légitime la suite. Un modèle inspiré
de la rhétorique gréco-romaine paraît ici plus pertinent, partant de la
remarque que l'injonction du v. 14 est une *propositio* que Paul va ensuite
s'ingénier à fonder (Quesnel, 221-224). Après une *captatio benevolentiae*
(v. 15), intervient la *probatio* par alternance de questions et de réponses :
questions au v. 16, réponse au v. 17 ; questions aux vv. 18-19, réponses aux
vv. 20-21. La *peroratio* du v. 22 est, elle aussi, en forme de questions
préparant le v. 23 et la péricope suivante.

VV. 14-17 – L'injonction du v. 14 est catégorique. Elle s'inscrit dans la
suite de la révélation biblique depuis les origines d'Israël. Il est cependant
important d'en mesurer les conséquences : fuir l'idolâtrie était possible dans

un Etat juif où le Dieu d'Israël était la référence, mais ce l'était beaucoup moins dans une ville comme Corinthe, où la vénération des dieux de la cité faisait partie de la vie courante. Pour des chrétiens non-juifs, c'était rompre avec des façons de faire qui avaient été les leurs depuis toujours. Ecrivant depuis Ephèse où le culte d'Artémis était omniprésent, Paul ne pouvait que mesurer la radicalité de ce qu'il demande (Jochum-Bortfeld). Est-ce pour cela que, au v. 15, l'Apôtre semble être plus nuancé ? Il invite ses destinataires à aboutir aux mêmes conclusions en utilisant leur propre jugement et en faisant appel à leur bon sens. Car ce sont des gens avisés ; le même adjectif (*phronimos*) avait été utilisé en 4, 10 avec une tonalité ironique. Il ne semble pas qu'il en soit de même ici. Le propos s'adresse maintenant à ceux qui estiment posséder la connaissance et savoir que les idoles ne sont rien (v. 19), et non pas tous les fidèles de l'Église, car les faibles ne sont pas tentés de consommer des idolothytes. La capacité de raisonnement de ces personnes intellectuellement armées doit les conduire aux mêmes conclusions que celles de Paul. L'exemple d'Israël au désert a pointé des risques à ne pas prendre, la vie liturgique de l'Église souligne les dangers des mêmes risques. Etant dans cette disposition d'esprit, Paul procède au v. 16 par des questionnements auxquels les destinataires ont les moyens de répondre. Ils sont enracinés dans la tradition du Dîner du Seigneur. Ce ne sont pas des questions rhétoriques, mais de vraies questions auxquelles Paul répond ; et il tente d'entraîner ses destinataires à y répondre comme lui. Elles portent sur la coupe et le pain utilisés lors du Dîner du Seigneur, présentés ici successivement dans l'ordre coupe-pain, alors que, en 1 Co 11, 23-25, Paul donne l'ordre pain-coupe que l'on trouve également chez Matthieu (26, 26-28) et Marc (14, 22-24). L'ordre coupe-pain se trouve dans la *Didachè* (9, 2-3) et, selon le témoignage d'Irénée, également chez Papias (*Adv.Haer.* 5, 33, 3-4). Il se peut que certaines traditions, peu représentées dans le NT, aient attesté de cet ordre-là (Mazza). Mais pour Paul ici, plutôt que d'imaginer l'utilisation d'une tradition différente de celle qu'il utilise en 11, 23-25, on peut penser qu'il a choisi cet ordre-là pour les besoins de son argumentation (Käsemann) : au v. 17, en effet, c'est l'image du corps qu'il exploite, et il en tire plus argument que de l'image du sang. Il doit alors présenter les rites en terminant par le pain (v. 16b), dont il dit qu'il est *koinônia* (communion) au corps du Christ comme la coupe est *koinônia* à son sang (v. 16a). On a déjà rencontré le substantif *koinônia* en 1, 9 ; plus loin, aux vv. 18 et 20, on rencontrera l'adjectif de la même racine *koinônos* (en communion). Le terme n'a pas au départ de connotation religieuse, et il n'y a pas lieu d'imaginer que Paul l'emprunte aux religions à mystères (malgré Söding) : il désigne le fait d'avoir quelque chose en commun, d'être en rapport ou en association, d'être partenaire (Kuske), d'échanger des relations, par exemple dans le lien matrimonial. Platon l'utilise cependant à propos de l'union avec les dieux qu'implique le fait d'exister au sein d'un cosmos composé de dieux et d'humains (*Gorgias* 508 ; *Lois* 10, 903). Les emplois sont rares dans la LXX et restent principalement profanes (Lv 5, 21 ; 3 M 4, 6). Un seul emploi, en Sg 8, 18, ouvre à une connotation plus religieuse : il s'agit de Salomon cultivant une *koinônia* avec les paroles de la Sagesse. C'est peut-être à partir de la proximité entre le Christ et la figure de la Sagesse divine que Paul en vient à parler de « communion de son Fils... » (1, 9), « au sang et au corps du Christ... » (10, 16), « à l'autel... » (10, 18), « des démons » (10, 20). Comme on le voit au v. 17, on ne saurait cependant limiter cette union à sa dimension verticale. Là, Paul développe la communion au corps en faisant un commentaire personnel des traditions qu'il a rappelées au v. 16. C'est par un pain unique que le fidèle est en communion au corps du Christ. Cette unité de communion doit déboucher sur une unité entre les membres de l'Église, elle a donc également une dimension horizontale et sociale (Baumert ; Franco, *Communione* ; Hollander ; Klauck ; Panikulam, *Koinōnia*, 17-30). Les fidèles qui partagent le Dîner du Seigneur ne peuvent être en communion avec le sang et le corps du Christ s'ils ne sont pas en relation harmonieuse entre eux. La triple connotation de ce qu'est pour Paul le corps du Christ (corps eucharistique, corps humain et crucifié, corps ecclésial) joue pleinement, encore que l'on peut s'interroger sur celle qui joue le plus grand rôle ici : connotation rituelle (Klinghart), connotation anthropologique, connotation sociétale (Wedderburn) ? Le constant plaidoyer pour l'unité entre frères, qui traverse 1 Co, est sous-jacent au discours que Paul tient ici (Mitchell, *Rhetoric*, 141-142 ; Schröter) ; il marque de bout en bout le propos de l'Apôtre sur la consommation des idolothytes.

VV. 18-22 – Un nouvel impératif ouvre la seconde série de questions : « Regardez. » Il introduit un nouveau paragraphe de la péricope dans laquelle le vocabulaire des sacrifices et les démons va entrer en scène. La première question est posée au v. 18. Filant la thématique de la communion introduite au v. 16, Paul invite ses destinataires à regarder en direction de l'Israël selon la chair, qui offre des sacrifices et consomme la chair des victimes sacrificielles. Le terme grec utilisé, *thusia* (utilisé dans les *homologoumena* en dehors de ce passage, en Rm 12, 1 ; Ph 2, 17 ; 4, 18), a pour sens premier le sacrifice lui-même (les cérémonies, la fête, les rituels) et, par métonymie, les victimes avant et après qu'elles ont été offertes. Les Juifs associés à ces célébrations et qui en consomment les offrandes sont, écrit Paul, « en communion à l'autel ». Il était classique, dans le judaïsme ancien qui répugnait à prononcer le nom divin, de se référer à l'autel, ou au Nom, ou à tout autre attribut de Dieu plutôt qu'à Dieu lui-même (cf. par exemple les reproches adressés par Jésus aux scribes et aux pharisiens en Mt 23, 18-20). En outre, comme, pour Paul, ces sacrifices-là ont été dépassés par l'unique sacrifice du Christ, l'Apôtre se garde bien d'affirmer que la consommation des offrandes sacrifiées crée un lien véritable avec Dieu. Il y a communion, mais pas réellement avec Dieu. La réponse à la question posée par le v. 18 n'est pas explicitée ; la forme interrogative sert essentiellement à provoquer les Corinthiens à juger par eux-mêmes, comme il leur a été demandé (v. 15b).

La deuxième question, au v. 19, réintroduit le sujet abordé depuis le début du chapitre 8, et parfois perdue de vue en raison des contours de la réflexion. Elle utilise le vocabulaire des idolothytes abandonné depuis 8, 10 et donne momentanément raison, via une forme interrogative, aux fidèles qui possèdent la connaissance et savent que ni une idole ni un idolothyte n'ont de réalité (8, 4-6). La réponse à la question posée au v. 19 vient au v. 20. Elle commence étrangement par un « mais » (*alla*) alors que, dans la logique du propos, un « non » serait nécessaire. Apparaissent alors de nouveaux personnages, les démons, dont la présence étonne, et qui obligent à poser le postulat paradoxal suivant : les idoles ne sont rien, mais sacrifier aux idoles est sacrifier à quelque chose ou à quelqu'un. Paul s'inspire ici de l'Ecriture juive, notamment le Cantique de Moïse dénonçant les infidélités d'Israël au désert. L'idée de communion, qui circule depuis le v. 16, réapparaît avec un syllogisme qui se déploie sur plusieurs versets : vous qui participez au Dîner du Seigneur, vous êtes en communion avec le Christ (v. 16) ; or, manger des victimes sacrificielles, c'est être en communion avec la personne à qui le sacrifice est offert (v. 18) ; donc, si vous mangez des produits offerts aux idoles, vous êtes en communion avec elles (v. 20), et ces deux communions sont inconciliables. L'expression « sacrifier aux démons et non à Dieu », empruntée à Dt 32, 17, a facilité le raisonnement. Les conséquences comportementales de ce raisonnement sont clairement exprimées au v. 21 : « Vous ne pouvez pas... » Ce n'est pas un ordre, c'est une sorte d'impossibilité logique. Tout ce que l'on consomme dans les temples païens, le manger et le boire, est sous le signe des démons. L'utilisation du substantif « table », qui s'applique à la fois aux autels païens – donc démoniaques (Is 65, 11) – et à la table sur laquelle est célébré le Dîner du Seigneur, souligne cette impossibilité logique. Les deux références bibliques auxquelles font allusion le v. 20 et le v. 21 apportent une précision supplémentaire. On imagine parfois que Paul demande de ne pas fréquenter la table des idoles pour éviter une sorte de contagion du monde des idoles païennes. Mais ce serait leur donner bien de l'importance ! L'impossibilité ne vient pas d'elles ; elle vient de Dieu, qui est un Dieu jaloux, comme le rappelle Is 65, 11, et qui, depuis des siècles, réclame à ses fidèles un constant monothéisme (Works, 111). Le Dieu de Paul et des chrétiens est bien celui qui s'est révélé dans l'Ecriture juive. Le culte qui lui est rendu est désormais le vrai culte, sans partage, alors que celui rend encore l'Israël selon la chair est disqualifié (v. 18). La péricope se termine au v. 22 à nouveau par deux questions, cette fois-ci à la 1re personne du pluriel. La première (v. 22a) prolonge le thème de la jalousie ébauché dans les versets précédents. Consommer les nourritures offertes dans les temples païens, ce serait ne pas tenir compte du fait que Dieu est jaloux, et avec lui son Fils Jésus Christ. La seconde (v. 22b) va dans le même sens mais introduit la thématique du pouvoir développé dans les targums de Dt 32 : la participation aux cultes idolâtres correspond à la quête d'une force concurrente de celle de Dieu, et plus puissante que la sienne (Rosner). Cela conduit Paul à introduire dans le texte le terme « fort » (*ischuros*) qu'il n'avait pas employé jusqu'à présent... Mais que de nombreux commentateurs de 1 Co 8, 1 – 11, 1 avaient utilisé depuis longtemps !

Au terme de ces analyses, il est possible de réagir à plusieurs questions posées par le texte de façon plus ou moins implicite. La première : la mise en parallèle des bénédictions prononcées dans l'Église de Corinthe à la table du Seigneur d'une part, et des sacrifices païens ou juifs d'autre part, conduit-elle à faire du Dîner du Seigneur un acte cultuel ? La réponse est clairement non. Certes, fréquenter les deux est impossible, mais jamais le vocabulaire sacrificiel n'est employé à propos du Dîner du Seigneur. Le culte chrétien reste, pour Paul, la vie de charité (Rm 12, 1-2) (Quesnel, 224-225). La deuxième : la position de Paul est-elle contraignante en théologie chrétienne ? Là encore, la réponse est non. Le propos de l'Apôtre est daté ; la civilisation gréco-romaine mettait l'Église en difficulté du fait même de l'omniprésence de la religion dans la vie sociétale ; le monde occidental moderne en est très loin ; les propos pauliniens tenus dans cette péricope n'ont pas à former le socle d'une théologie chrétienne des relations interreligieuses (Maeland). Une troisième question reste non éclaircie, mais le sera peut-être en poursuivant la lecture : bien que des rapports entre 8, 1-13 et 10, 1-22 aient pu être repérés au fil de la lecture, la tonalité entre ces deux sections du texte n'est pas la même. Les réserves vis-à-vis des idolothytes exprimées en 8, 1-13 relevaient principalement du registre éthique, à savoir le souci du frère faible ; en 10, 1-22, elles semblent plus dogmatiques. D'où vient cette différence ? Les situations sous-jacentes sont-elles les mêmes dans les deux cas ? Ou Paul serait-il un pasteur tolérant sous lequel se cacherait un dogmaticien rigide ?

NOTES

14-15

Le verbe φεύγω (fuir) est construit avec ἀπό + génitif ; il se construit plus habituellement avec l'accusatif pour indiquer l'objet à fuir (ainsi en 6, 18 à propos de la débauche) ; cela en renforce le caractère impératif ; l'idolâtrie semble encore plus à éviter que la débauche ! Le substantif εἰδωλατρία (idolâtrie) n'est employé que trois fois dans le corpus paulinien, les deux autres emplois se trouvant dans une liste de vices (Ga 5, 20 ; Col 3, 5). Toujours dans le corpus paulinien, l'adjectif correspondant, εἰδωλάτρης (idolâtre), est employé quatre fois en 1 Co (5, 10.11 ; 6, 9 ; 10, 7), et une fois en Ep 5, 5. La principale pratique idolâtrique dénoncée explicitement par Paul est la consommation d'idolothytes. Elle est aussi mentionnée dans le décret apostolique de Ac 15, en même temps que le sang, les viandes étouffées et la débauche, parmi les quatre choses que tous les disciples, juifs ou païens d'origine, doivent éviter (Ac 15, 28-29). Y en avait-il d'autres ? Sans doute. En Ac 15, 20, lorsque Luc mentionne les souillures des idoles (ἀλισγήματων τῶν εἰδώλων), il pense peut-être aussi à la conservation chez soi de divinités domestiques ou à d'autres pratiques. Mais Paul évite en général de se mêler de ce qui se passe dans les maisons privées quand cela n'a pas de conséquences connues.

16

La façon dont est désignée la coupe de vin utilisée au cours du Dîner du Seigneur, « la coupe de bénédiction que nous bénissons » (τὸ ποτήριον τῆς εὐλογίας ὃ εὐλογοῦμεν), ressemble à première vue à un pléonasme. Mais elle n'en est pas un, du fait que l'expression « la coupe de bénédiction » (seul emploi de εὐλογία en 1 Co) est sans doute une expression toute faite venant de la tradition juive du *seder* pascal. Cette expression toute faite est sans doute aussi à l'origine de l'emploi du verbe εὐλογέω (bénir), alors que, en 11, 24, Paul utilise le verbe εὐχαριστέω (rendre grâce). L'ordonnancement du *seder* pascal, encore en vigueur aujourd'hui et dont on trouve la première attestation écrite dans la Mishna (MPesah 10, 1-7), comporte la bénédiction de quatre coupes de vin : la première avant le repas ; la deuxième après la consommation de laitue ou de céleri et la lecture du récit de l'Exode : la troisième après des bénédictions, la manducation des azymes et d'herbes amères ; la quatrième après la lecture du *Hallel* (Ps 113-118). Deux bénédictions portent un nom spécifique : la troisième, *birkat hammazōn* (bénédiction de la nourriture), et la quatrième, *birkat haššīr* (bénédiction du chant). La plupart des commentateurs estime que les paroles prononcées par Jésus sur la coupe eucharistique correspondent à la troisième bénédiction. Un débat lancé dans *NTS* a contesté cette identification au profit de la quatrième coupe (Cohn-Sherbok) ou même de la deuxième (Sigal). Le dossier se complique encore du fait que le récit de Lc 22, 14-19 mentionne deux coupes (vv. 17 et 20), dont la dernière, comme en 1 Co 11, 25, a lieu « après le dîner » (μετὰ τὸ δειπνῆσαι). On ne saurait trancher ; le déroulé précis du repas du Jeudi Saint restera à jamais enfoui dans les arcanes de l'histoire, ainsi que le cheminement de la tradition qui va de Jésus à Paul et aux récits évangéliques. Autre point concernant le v. 16 : l'accusatif τὸν ἄρτον au début de 16b n'est pas fondé ; on attendrait le nominatif ὁ ἄρτος. Deux raisons peuvent être à l'origine de cette anomalie grammaticale : l'attraction du relatif ὅν qui suit immédiatement ; et l'assonance avec τὸ ποτήριον au début de 16a. La question se pose encore de savoir à quel événement de la vie du Christ renvoie le couple sang-corps tel qu'il figure dans ce v. 16. L'opinion courante est qu'il s'agit du corps livré et du sang versé lors de la Passion. Les multiples connotations de σῶμα lorsqu'il s'agit du corps du Christ (corps charnel, corps ecclésial, corps eucharistique) conduisent à se demander s'il faut tout centrer sur la Passion, ou s'il vaut mieux penser à un événement Christ plus global comprenant aussi l'Incarnation, par laquelle le Christ prit corps et sang (Williams-Tinajero). La première hypothèse cadre mieux avec la christologie paulinienne et avec le récit de 11, 23-25 ; mais en 10, 16, alors que le propos porte sur un repas qui a aussi fonction de nourrir matériellement ceux qui y participent, la seconde n'est peut-être pas à exclure.

17

La valeur circonstancielle de la remarque sur le grand nombre de fidèles exprimée par l'incise « nous (qui sommes) nombreux sommes un seul corps » (ἓν σῶμα οἱ πολλοὶ ἐσμεν) mérite d'être interrogée. L'incise peut avoir une valeur concessive, appuyée sur le contraste entre l'un (εἷς ἄρτος, ἓν σῶμα) et les nombreux (οἱ πολλοί) : bien que nous soyons nombreux, nous sommes destinés à devenir un seul corps. Mais elle peut aussi avoir une valeur finale : le pain unique a valeur universelle, et il est fait pour nous constituer en un seul corps (cf. le lien entre unité et universalité développé par Badiou, *Fondation*) ; on rejoindrait alors la perspective du récit de l'Institution eucharistique selon Mc 14, 24, où il est écrit à propos du sang qu'il est répandu pour des nombreux (ὑπὲρ πολλῶν) (Thiselton*), et la théologie de la Rédemption, qui imprègne la pensée paulinienne.

18-19

Unique chez Paul, l'expression du v. 18, « l'Israël selon la chair » (ὁ Ἰσραὴλ κατὰ σάρκα), conduit à se demander ce que Paul invite à regarder. Plusieurs hypothèses : 1° Est-ce l'Israël du désert dont les infidélités à l'alliance ont été rappelées en 10, 1-10 (avec connotation négative) ? – 2° Est-ce l'Israël de la promesse dont les origines remontent à Abraham, « notre ancêtre selon la chair » (Rm 4, 1) (avec connotation positive) ? – 3° Est-ce l'Israël en tant que peuple historique qui, depuis les débuts de son histoire au désert, et encore au Iᵉʳ siècle au Temple de Jérusalem, offre à Dieu des sacrifices (connotation neutre) ? Noter que la deuxième et la troisième hypothèse sont assez proches l'une de l'autre. L'expression « l'Israël selon la chair » mérite d'être confrontée à une autre, « l'Israël de Dieu » (ὁ Ἰσραὴλ τοῦ θεοῦ), que l'on trouve en Ga 6, 16. Les tenants de la première hypothèse soulignent la tonalité de mise en garde parfois contenue dans l'impératif βλέπετε ; ils mettent en avant la connotation souvent négative chez Paul de l'expression κατὰ σάρκα ; et ils rappellent que, lors de l'épisode du veau d'or sur lequel porte la citation du v. 7, il est question de l'autel (θυσιαστήριον) qu'Aaron avait bâti (Ex 32, 5-6). Une telle solution a en outre l'avantage qu'elle accentue la cohérence entre les différentes parties de 10, 1-22. Elle est soutenue par plusieurs chercheurs (outre certains commentateurs : Schrage ; Works, 89-124). Les arguments en faveur de l'Israël vivant au temps de Paul et offrant toujours des sacrifices au Temple de Jérusalem semblent cependant plus convaincants. Tout le verset est au présent ; or, lorsque Paul évoquait le passé de l'Israël idolâtre (10, 1-10), il utilisait des temps du passé. Par ailleurs, les lectures les plus convaincantes de l'expression « l'Israël de Dieu » utilisée en Ga 6, 16, lectures faites à la lumière de Rm 9-11, estiment que Paul désigne par ces mots la partie du peuple juif qui a adhéré à la foi en Jésus Christ, celle-là même dont l'Apôtre fait partie ; par opposition, « l'Israël selon la chair » désigne l'autre partie du peuple juif, celle qui est en dehors de la foi en Christ et qui continue d'offrir des sacrifices au Temple. Paul a d'ailleurs déjà fait allusion à cette activité cultuelle des Juifs non chrétiens en même temps qu'à celle des temples païens, en 9, 13. L'hypothèse n° 3 (proche de l'hypothèse n° 2) semble meilleure que la première.

20

Le substantif utilisé ici pour nommer les démons (toujours au pluriel) est τὰ δαιμόνια (2x au v. 20, 2x au v. 21). On ne le trouve dans le corpus paulinien qu'ici et en 1 Tm 4, 1. Il est en revanche très utilisé (au singulier et au pluriel) dans les exorcismes évangéliques. Lorsqu'il parle des puissances mauvaises, Paul utilise des termes aux sens multiples, comme « domination » (ἀρχή), « autorité » (ἐξουσία), « puissance » (δύναμις) (*e.g.* 1 Co 15, 24), ou encore il appelle les démons par leur nom propre : Satan (déjà rencontré en 5, 5 ; 7, 5), Béliar (2 Co 6, 15). L'emploi ici de δαιμόνια vient sans doute d'une référence implicite au Cantique de Moïse (Dt^LXX 32, 17a) ou à certains Psaumes (*e.g.* Ps^LXX 95, 5).

21

Le texte LXX d'Is 65, 11 est, comme au verset précédent celui de Dt 32, 17, celui qui confirme l'impossibilité des consommer des idolothytes. Le prophète s'élève contre ceux qui ont abandonné Dieu, en préparant une table pour le démon : καὶ ἑτοιμάζοντες τῷ δαίμονι τράπεζαν. Le mot « table » (τράπεζα) est commode, car il peut désigner à la fois l'autel des temples païens et la table sur laquelle est célébré le Dîner du Seigneur. Paul affirme qu'il est impossible de fréquenter ces deux tables, l'une excluant l'autre. Cette impossibilité est confirmée par l'emploi du même verbe,

« avoir part » (μετέχω), à propos du pain eucharistique d'une part (v. 17), et à propos de la table du Seigneur et de la table des démons d'autre part (v. 21).

22

Le présent de l'indicatif du verbe παραζηλόω au début du verset étonne : on attendrait plutôt un subjonctif de type délibératif. Quant au verbe, il est rare, uniquement paulinien dans le NT (ici et en Rm 10, 19 ; 11, 11.14). Dans la cohérence de toute la section, celui qui est désigné par ὁ κύριος à la fin du v. 22a ne peut être que le Christ.

Tout pour la gloire de Dieu
(10, 23 – 11, 1)

TRADUCTION

10, 23 Tout est permis[a], mais tout n'est pas avantageux. Tout est permis[a] mais tout n'édifie pas. 24 Que personne ne cherche son propre (avantage), mais celui de l'autre[b]. 25 Tout ce qui est vendu au marché, mangez-en sans poser de question, par motif de conscience ; 26 Car *Au Seigneur est la terre et ce qui l'emplit.* 27 Si quelqu'un des non-croyants vous invite et que vous vouliez y aller, mangez tout ce qui vous est proposé sans poser aucune question, par motif de conscience. 28 Mais si quelqu'un vous dit « C'est un hiérothyte », n'en mangez pas, à cause de celui qui vous a avertis et de la conscience. 29 Je parle de conscience, non de la vôtre, mais de celle de l'autre. Pourquoi, en effet, ma liberté est-elle jugée par une autre conscience[c] ? 30 Si je prends part (à un repas) en rendant grâce, pourquoi suis-je blâmé pour ce dont je rends grâce ? 31 Soit donc que vous mangiez, soit que vous buviez, soit que vous fassiez quelque chose, faites[d] tout pour la gloire de Dieu. 32 Devenez non scandaleux et pour les Juifs, et pour les Grecs, et pour l'Église de Dieu, 33 comme, moi-même, je plais en tout à tous, en ne cherchant pas ce qui m'est avantageux[e] mais ce (qui l'est) pour beaucoup, afin qu'ils soient sauvés. **11**, 1 Devenez mes imitateurs, comme moi-même (je le suis) du Christ.

[a] La même phrase revient deux fois dans ce verset. La majorité des mss écrit chaque fois πάντα ἔξεστιν (tout est permis) : p46 ℵ* A B C* D F G (33). 81. 1739(c).1881. 2464 *pc* lat co ; Tertullien Clément Cyprien Ambrosiaster. Aux deux endroits, quelques mss ajoutent μοι après πάντα (tout m'est permis) : ℵ2 C3 H (P) Ψ *Byz* t vgcl sy. Cette deuxième leçon reproduit la phrase que l'on trouve en 6, 12 ; moins bien attestée que la première, elle est sans doute influencée par la formulation de 6, 12, et secondaire.

[b] Le v. 24 se termine dans la majorité des mss par ἀλλὰ τὸ τοῦ ἑτέρου (mais celui de l'autre) : p46 ℵ A B C D* F G H P 6. 33. 81. 630. 1175. 1241s. 1739. 1881. 2464 *pc* latt co ; Clément. Quelques mss ajoutent ἕκαστος après ἑτέρου (mais chacun celui

de l'autre) : D² Ψ Byz sy. Plus longue et moins bien attestée, la seconde leçon relève d'une explicitation secondaire.

ᶜ La majorité des mss écrit ὑπὸ ἄλλης συνειδήσεως (par une autre conscience). Quelques mss remplacent ce membre de phrase par ὑπό ἀπίστου συνειδήσεως (par la conscience d'un non-croyant) : F G ar b d vgᵐˢˢ. Cette variante, secondaire, relève d'un essai d'interprétation d'une phrase dont le sens est peu clair.

ᵈ L'impératif ποιεῖτε ne figure pas dans les mss suivants : p⁴⁶ F G ; Speculum. La proposition est compréhensible sans cet impératif ; elle sous-entend alors le verbe « être » (ἐστιν) : « Tout (est) pour la gloire de Dieu. » Plus ramassée mais nettement moins bien attestée, cette formulation est sans doute secondaire.

ᵉ « Ce qui m'est avantageux » traduit le grec τὸ ἐμαυτοῦ σύμφορον, l'adjectif σύμφορος étant attesté par p⁴⁶ ℵ* A B C (on le trouve aussi en 7, 35). Quelques mss écrivent τὸ ἐμαυτοῦ συμφέρον, utilisant le participe neutre substantivé (que l'on trouve aussi en 1 Co 12, 7 ; 2 Co 12, 1) du verbe συμφέρω : ℵ² D F G Ψ 33. 1739. 1881 Byz latt. Les deux mots ne diffèrent que d'une lettre et ont le même sens : « utile, avantageux, profitable. » Il est très difficile de déterminer la leçon la meilleure.

BIBLIOGRAPHIE

En plus des titres proposés pour 8, 1 – 11, 1

D.W. GILL, « The Meat-Market at Corinth (1 Corinthians 10 : 25) », *TynB* 43, 1992, 389-393. – D.A. KOCH, « 'Alles, was ἐν μακελλῳ verkauft wird, esst...' Die *macella* von Pompeji, Gerasa und Korinth und ihre Bedeutung für die Auslegung von 1 Kor 10, 25 », *ZNW* 90, 1999, 194-219. – S.D. MACKIE, « The Two Tables of the Law and Paul's Ethical Methodology in 1 Corinthians 6 : 12-20 and 10 : 23 – 11, 1 », *CBQ* 75, 2013, 315-334. – C.M. MCDONOUGH, « The Christian in the Ancient Meat Market : Neglected Evidence for the Pricing of Idol Meat », *SawaneeTheolRev* 47, 2004, 278-289. – J.F.M. SMIT, « The Function of First Corinthians 10, 23-30 : A Rhetorical Anticipation », *Bib.* 78, 1997, 377-388. – D.F. WATSON, « 1 Corinthians 10 : 23 – 11, 1 in the Light of Greco-Roman Rhetoric : The Role of Rhetorical Questions », *JBL* 108, 1989, 301-318.

INTERPRÉTATION

Lors de la numérotation de la Bible en chapitres, le v. 1 du chapitre 11 a été attribué à la péricope suivante. Cette attribution est indue : le thème de l'imitation est bien présent dans la section composée de trois chapitres qui commence en 8, 1, notamment au chapitre 9. La péricope 10, 23 – 11, 1 conclut ces trois chapitres. Elle est incluse entre le verbe « être avantageux » (*sumphero* au v. 23) et l'adjectif « avantageux » (*sumphoros* au v. 33). Elle est traversée par la logique du « tout » (vv. 23.25.27.31.33) qui se combine avec celle de la plénitude (v. 26) et du « beaucoup » (v. 33), ce qui conforte la thèse de M.M. Mitchell, selon laquelle l'ensemble de 1 Corinthiens est commandé par la *propositio* de 1, 10, dénonçant les factions et plaidant pour l'unité (Mitchell, *Rhetoric*, 142-149). Elle est aussi articulée autour d'impératifs de la 2e ou de la 3e personne, qui indiquent aux destinataires des façons de se comporter. Le premier (10, 24) est une consigne d'ordre général. Les trois suivants, des impératifs du verbe « manger » (10, 25.27.28), concernent des situations que Paul n'a pas encore abordées et qui se posaient aux membres de l'Église de Corinthe : ne risque-t-on pas de pactiser avec l'idolâtrie sans le savoir lorsque l'on achète de la viande au marché (vv. 25-26) ? Et que faire si l'on est invité chez un ami non chrétien ? Ici encore, on risque de consommer sans le savoir des viandes immolées aux idoles et revendues sur les étals des bouchers (vv. 27-28). Il y a là comme des compléments aux développements qui précèdent et qui n'entraient pas autant dans les détails. Quant aux trois derniers impératifs (10, 31.32 ; 11, 1), ils commandent la *peroratio* (10, 31 – 11, 1) de l'ensemble des trois chapitres. Certains commentateurs ont cru discerner une structure globale en inclusion pour l'ensemble de la péricope ; telle celle-ci, empruntée au commentaire de G. Fee*, reprise par J.A. Fitzmyer* et, en termes un peu différents, par J.P. Heil (*Rhetorical*, 163) :

Le bien des autres (10, 23-24)
      Liberté personnelle par rapport à la nourriture (10, 25-27)
            Le critère : la liberté pour le bien de l'autre (10, 28-29a)
      Défense de la liberté personnelle (10, 29b-30)
Le critère généralisé : tous sauvés (10, 31 – 11, 1).

Cette proposition ne s'impose pourtant pas. Une construction comme celle que l'on a relevée, fondée sur la répartition des impératifs dans la péricope, semble plus respectueuse de la logique du texte.

VV. 23-24 – L'affirmation « Tout est permis », par laquelle s'ouvre le v. 23, intervient de façon très abrupte après les questions (10, 22) qui closent la péricope précédente. Comme on a pu le voir en 6, 12, une telle affirmation n'était pas étrangère à la pensée paulinienne prenant ses distances par rapport aux préceptes de la Tora, mais certains Corinthiens l'avaient reprise à leur compte avec une tonalité permissive (Mackie). On notera qu'ici, à la différence de 6, 12 où Paul écrivait « tout m'est permis », la tournure est impersonnelle. Ce qui est en danger, car consommer des idolotyhtes peut scandaliser le frère faible (8, 7-13), c'est l'Église en tant que réalité à construire. Paul tiendra des propos très proches de ceux-ci, toujours à propos de nourriture et de boisson, en Rm 14, 19, où il parlera d'édification les uns des autres. La personne de l'autre est ici mentionnée au v. 24, qui a l'allure d'un aphorisme proverbial à rapprocher de Rm 15, 2, et dont le contenu se retrouve aussi en Ph 2, 4. L'Église ne peut exister si le rapport entre ses membres n'est pas d'abord altruiste.

VV. 25-30 – Dans ce passage où le verbe manger (*esthiô*) est employé trois fois à la 2e personne du pluriel de l'impératif, Paul aborde deux situations particulières qui, d'une certaine façon, échappent à la rigueur de l'interdiction de l'idolâtrie énoncée en 10, 14. La première concerne l'impossibilité dans laquelle on peut se trouver de connaître la provenance des viandes achetées au marché ; elle est traitée aux vv. 25-26. Une partie des viandes offertes aux divinités païennes, celle qui n'était pas consommée par les prêtres officiants ni commercialisée dans les salles de banquet attenantes aux temples, était en effet vendue sur le marché, au bénéfice du clergé. Une question débattue est de savoir si l'on y vendait aussi d'autres viandes et, si tel était le cas, si les viandes en provenance des temples étaient identifiables. Il se peut qu'elles l'aient été, ce qui permettait de les vendre plus cher (McDonough). Dans les cités où existaient d'importantes communautés juives reconnues par l'Empire, il était également possible pour les Juifs d'acheter de la viande provenant d'animaux sûrs, à savoir des animaux affligés d'aucune infirmité, abattus par un boucher juif et n'ayant pas été associés à un culte païen (voir les règles codifiées plus tard dans la Mishna : MHul 1, 1 ; M'Abod Zar 2, 3 ; 5, 5). Il est difficile de savoir si l'Edit de Claude expulsant des Juifs de Rome en 49-50 avait eu pour conséquence la disparition des dispositions relatives aux communautés juives dans d'autres cités de l'Empire, telle Corinthe. Toujours est-il que la situation décrite par Paul laisse entendre que les chrétiens de cette ville, qui ne pouvaient pas se rendre chez des bouchers juifs ou qui, quand bien même ils l'auraient pu, n'avaient aucune raison religieuse de s'y rendre, risquaient d'acheter sur le marché de la viande provenant d'animaux sacrifiés dans les temples, sans le savoir. La réponse de l'Apôtre est claire : ce qui est acheté au marché est indifférent, mangez de tout sans vous encombrer de scrupules. À l'appui de cette consigne, il cite le Ps^{LXX} 23, 1, rappelant que toute la création terrestre appartient à Dieu, donc qu'il n'y a aucune raison de distinguer entre une nourriture et une autre. Si son comportement est cohérent avec sa pensée, on peut en déduire que lui-même, tout juif qu'il était, ne mangeait plus kasher ! Un second cas d'impossibilité de connaître la provenance de ce que l'on mange est présenté aux vv. 27-28 : lorsque l'on est invité chez un païen. Paul évoque comme possible le refus de répondre à cette invitation, cela sans doute à destination des faibles qui préfèrent ne pas risquer de consommer des aliments sacrifiés dans les temples. Cependant, si l'on répond positivement à l'invitation, l'Apôtre donne des consignes analogues à celles qu'il a données pour les viandes vendues au marché. L'invité peut manger sans poser de question sur la provenance des mets qu'on lui sert, ce qui serait d'ailleurs parfaitement impoli. La question peut cependant rebondir si l'invité est prévenu que la nourriture servie à table est le reste d'une offrande sacrificielle. Dans ce cas-là, Paul demande de ne pas la consommer, non pas parce qu'un tel mets est objectivement souillé par l'idolâtrie, mais en raison du scandale possible chez celui qui a donné une telle information. C'est ce qui est développé au v. 29a où Paul se réfère explicitement, comme en 8, 10, à la conscience de l'autre. Tout semble clair jusqu'ici, mais l'interprétation du texte se complique singulièrement aux vv. 29b-30. Il s'agit de deux questions qui se font suite, et qui ont sans doute un lien l'une avec l'autre. La première (v. 29b) semble carrément contredire ce que Paul vient d'affirmer, alors qu'elle est introduite par la conjonction « en effet » (*gar*), qui exprime une continuité entre l'affirmation précédente et la question ici posée. L'Apôtre a décidé d'agir dans le respect de la conscience de l'autre, et il semble soudain contester la légitimité d'un tel comportement. Cela a conduit à se demander si le texte n'exprime pas ici une opinion contraire à celle de Paul : par exemple une glose de scribe (Weiss*)... mais l'attestation manuscrite est très stable. Ou encore la citation de l'opinion d'un fort, dans le cadre d'une diatribe (Lietzmann*)... mais Paul ne répond aucunement à cette opinion qui serait contraire à la sienne. Sans doute faut-il chercher une autre voie. On a également fait l'hypothèse que le terme *suneidèsis* n'aurait pas exactement le même sens qu'au verset précédent et renverrait à l'opinion des païens ne comprenant pas les subtilités de la position chrétienne (Tomson, *Jewish Law*, 213-216) ; mais ce changement de sens d'un même terme à quelques mots d'écart serait étrange ! La meilleure solution semble être de comprendre ce v. 29b comme une question rhétorique (Watson), Paul posant et se posant la question de la raison pour laquelle il restreint sa liberté pour tenir compte d'une autre conscience – ou de la conscience d'un autre. Le v. 30 interviendrait alors comme une réponse. Mais une nouvelle difficulté surgit, à savoir que ce v. 30 est lui-même une question. Pourtant, tout en étant formulé en forme de question, il apporte à l'argumentation une information qui n'a pas encore été donnée, à savoir que, lorsque Paul prend de la nourriture, et une nourriture quelle qu'elle soit, il rend grâce pour elle avant de la consommer : il la bénit et la place sous le regard de Dieu, ce qui, d'une certaine façon, la soustrait à l'appréciation des hommes. Cela n'empêche pas Paul de tenir compte de la conscience du faible ou de celui qui l'a averti (v. 28), mais il estime que quiconque le juge quand il mange n'a aucune légitimité pour s'interposer en censeur. Qui pourrait être ce censeur ? Peut-être le faible qui n'estimait pas Paul assez rigoureux dans la façon dont il se situait par rapport aux idolothytes... Peut-être surtout le chrétien d'origine juive qui le critiquait de ne plus manger kasher. Mais Paul se défend : les préceptes alimentaires de la Tora n'ont plus cours ; il prononce une bénédiction sur les nourritures qu'il prend ; il n'a pas à faire autre chose, quand il prend un repas, pour être fidèle au Christ (voir la portée de la citation du Psaume 23, 1, au v. 26) !

VV. 10, 31-33 et 11, 1 – Prenant des distances par rapport aux critiques qui lui sont adressées sur sa façon de se nourrir, ainsi que par rapport au détail des questions qu'il a abordées depuis 8, 1, l'Apôtre conclut l'ensemble de ces trois chapitres par trois phrases comportant chacune un impératif : « faites » (10, 31), « devenez » (10, 32-33), « devenez » (11, 1). En forme de *peroratio*, ces propos énergiques montrent que Paul ne s'attendait pas à ce que les destinataires acceptent facilement ses décisions (Smit, « Function »).

Le v. 31 ne pose pas de difficulté particulière. La gloire de Dieu, but ultime de toutes les actions, prend le pas sur les lois alimentaires, sur la satisfaction des appétits personnels, et même sur la liberté dont se réclament autant ceux qui prétendent posséder la connaissance, que Paul revendiquant une liberté supérieure en devenant esclave. Viser le service de cette gloire est une façon de dépasser les débats et les dissensions. Les vv. 32-33 forment seule phrase, invitant les destinataires à avoir des égards pour tout frère ; elle reprend, en le généralisant, le propos déjà tenu sur le risque de scandaliser le faible, en 8, 7-13. Remarquable est l'énumération que l'on trouve au v. 32, alignant successivement les Juifs, les Grecs et l'Église de Dieu. Le binôme juif/grec est courant ; l'addition des deux termes permet en général à Paul de parler de l'ensemble des humains dans leur diversité (*e.g.* en 1, 22.24 ; 12, 13). Mais Paul ne se contente pas de ce binôme : il ouvre une troisième catégorie qui fait nombre avec les précédentes et qui désigne ici l'Église universelle, comme si le chrétien n'était plus tout à fait juif ni tout à fait grec, mais appartenait à un troisième groupe. L'exemple qu'il donne d'être juif et de ne plus manger kasher consonne avec cette conception. Cela lève l'ambiguïté du v. 33 où l'on pourrait penser que Paul cherche d'abord à plaire aux gens. Or, il n'en est rien. Son discours et son comportement n'ont rien à voir avec la séduction ; le verbe « plaire » (*areskô ;* déjà utilisé en 7, 32.33.34) évoque un comportement qui donne satisfaction, comme un homme satisfait sa femme ou satisfait Dieu ; il est tourné vers le bien de son objet et non vers les avantages qu'en tire la personne qui plaît. C'est dans cette logique que Paul peut poursuivre, au v. 11, 1, en proposant à ses destinataires de l'imiter. Il n'y a pas gloriole, car l'Apôtre ne peut être un modèle pour les croyants que dans la mesure où il imite lui-même le Christ ; il se propose simplement comme un modèle plus accessible, celui du Christ étant très au-dessus de ce à quoi quiconque peut prétendre. Imiter Paul et imiter le Christ diffère fondamentalement du mimétisme ; à chacun d'en inventer les formes. Sous-jacent à cette invitation se profile tout le chapitre 9, où Paul s'est longuement raconté ; même s'il peut sembler loin de la question des idolothytes, il a tout à fait sa place dans les trois chapitres où l'Apôtre prend cette question à bras le corps. Ils sont un bel exemple d'argumentation éthique, qui prend en compte toutes les données de la question abordée : la diversité des situations existant chez les destinataires ; l'identité et le vécu de l'auteur de la lettre ; la référence au Christ comme Seigneur et modèle ; et enfin l'objectif de toute vie chrétienne, à savoir la gloire de Dieu.

NOTES

23-24

Le slogan corinthien que Paul rappelle au début du v. 23, πάντα ἔξεστιν, consonne avec les nombreux emplois du substantif ἐξουσία depuis 8, 1 (8, 9 ; 9, 4.5.6.12.18), qui indique un droit ou une permission, plus qu'une autorité ou un pouvoir. À cette revendication, l'Apôtre répond par les mêmes mots qu'en 6, 12 : ἀλλ' οὐ πάντα συμφέρει. Mais il ne s'agit pas du même type d'avantage ou de convenance. En 6, 12, c'est le corps de la personne qui risquait de souffrir d'une trop grande permissivité ; ici, c'est le corps ecclésial.

25

On lit assez souvent que le terme grec utilisé ici pour désigner le marché, τὸ μάκελλον, est un décalque grec du terme latin *macellum*, qui désigne dans une ville romaine le marché à la viande ; on parlait de *macellum piscarum* pour le marché aux poissons (Winter, *After*, 287-301). Cette affirmation est à nuancer, car on a retrouvé à Epidaure une inscription datant sans doute du IVᵉ siècle avant notre ère où le terme figure, désignant sans doute une clôture ou un enclos (Wilamowitz-Moellendorff, *Inscriptiones* § 102, 296. 298), probablement en rapport avec le commerce de la viande ; mais il est vrai que le terme est peu attesté avant l'époque romaine (*e.g.* Plutarque, *Questions grecques et romaines* 277d-e). Une inscription latine portant les lettres MACELLV[] a été retrouvée à Corinthe (West, *Inscriptions* § 124). Elle a permis de donner une localisation probable du μάκελλον de Corinthe, non pas sur le côté nord de l'agora, mais à une centaine de mètres de là, sur la route de Lechaïon (Gill). Des inscriptions analogues ont été retrouvées à Pompéi, Rome et Gerasa (Koch). Le substantif συνείδησις (conscience) est employé ici dans l'expression διὰ τὴν συνείδησιν, que l'on retrouve au v. 27, et le même substantif est repris au v. 28 et au v. 29 [2x]. Ici, dans la mesure où il n'est pas question de frère faible qui pourrait être déstabilisé, la conscience en question est vraisemblablement la conscience morale du consommateur ou de l'acheteur, qui peut acheter ou manger toute viande vendue au marché en ayant la conscience tranquille (voir la note sur 8, 7).

26

Ps^LXX 23, 1 est cité littéralement, à l'exception de la conjonction γάρ que Paul a rajoutée parce qu'il utilise cette citation comme argument. Le terme κύριος renvoie à Dieu dans le Psaume. Il est vraisemblable que Paul lui a conservé cette connotation bien que, dans la plupart de ses textes, ὁ κύριος renvoie à la personne de Jésus Christ.

27

Le verbe καλέω (appeler) est le terme technique classique que l'on emploie à propos d'une invitation à un repas. L'expression διὰ τὴν συνείδησιν a encore ici les mêmes connotations qu'au v. 25 : l'hôte reçu chez un païen doit manger ce qu'on lui sert à table, en ayant la conscience tranquille.

28

L'aliment sacrifié est nommé à l'aide de l'adjectif substantivé ἱερόθυτος (sacrifié dans un temple), hapax NT, au lieu de εἰδωλόθυτος (nous l'avons simplement francisé dans la traduction) ; c'est normal dans la mesure où il est placé dans la bouche d'une personne qui n'est pas forcément chrétienne et qui emploie un terme plus neutre. Il existe aussi un autre terme grec, tout aussi neutre : θεόθυτος (sacrifié au dieu). On notera l'emploi de l'indéfini τις (quelqu'un), déjà employé au v. 27 à propos de la puissance invitante. Ce nouvel indéfini laisse entendre que la personne qui prévient de la nature de la nourriture servie à table n'est pas la même que celle qui a invité. Qui peut alors être cette personne ? Un autre invité ? Sans doute pas : les autres convives n'ont pas de raison de connaître la provenance de ce qui est servi à table. La situation la plus vraisemblable est qu'il s'agit d'un esclave ou d'un domestique ayant fait les courses ou ayant préparé les plats. Ce peut être un chrétien...

encore qu'il emploierait plutôt le terme εἰδωλόθυτον. Ce peut être un païen, connaissant la religion de l'invité et voulant lui éviter un geste non conforme à sa foi. À partir de ce v. 28, la συνείδησις (vv. 28 et 29) n'est plus celle de l'invité, mais celle de la personne qui l'a prévenu de la composition des mets présentés à table ; autrement dit « la conscience de l'autre », comme en 8, 7-13.

29-30
Au v. 29, le verbe κρίνεται est à l'indicatif et non au subjonctif délibératif, ce qui laisse entendre que Paul s'interroge sur la raison pour laquelle il est effectivement jugé par une autre συνείδησις. Même chose au v. 31, tous les verbes sont à l'indicatif, la question posée correspond donc à une situation réelle : Paul était certainement vivement critiqué par certains chrétiens de Corinthe sur la façon dont il se nourrissait.

31
L'expression « pour la gloire de Dieu » (εἰς δόξαν θεοῦ), avec ou sans article devant les substantifs, est utilisée 5 fois dans les *homologoumena* : ici et en Rm 15, 7 ; 2 Co 4, 15 ; Ph 1, 11 ; 2, 11. Elle intervient presque toujours en fin de phrase ; comme elle indique le but ultime d'une action du Christ ou d'une action d'un humain, il n'y a plus rien à ajouter une fois qu'elle a été prononcée.

32-33
L'adjectif ἀπρόσκοπος (v. 32) est difficile à traduire. Un πρόσκομμα est un obstacle contre lequel on se heurte, une pierre d'achoppement ; c'est pratiquement un synonyme de σκάνδαλον (voir les 2 emplois du verbe σκανδαλίζω en 8, 13, à propos du scandale du frère faible). Cet adjectif, commençant par un α privatif, est employé trois fois dans le NT (ici et en Ac 24, 16 et Ph 1, 10). Le traduire en français par « irréprochable », comme on le fait parfois, ne rend pas bien compte de l'image sous-jacente. Le syntagme « l'Église de Dieu » sans autre précision (v. 32) est rarement employé dans les premières lettres de Paul ; on y trouve plus souvent le pluriel, comme en 1 Th 2, 14 ; 1 Co 11, 16.22, car le terme renvoie d'abord à une Église locale, ici celle de Corinthe. Elle se trouve cependant en 1 Co 15, 9 avec, comme ici, un sens plus global : ayant persécuté le Christ, Paul a conscience d'avoir persécuté l'Église, qui est son corps. Au v. 33, l'adjectif σύμφορος (avantageux) est formé sur le verbe συμφέρω (employé en 10, 23), avec lequel il forme inclusion ; c'est un terme peu courant (voir la critique textuelle). Toujours au v. 33, la formulation « afin qu'ils soient sauvés » (ἵνα σωθῶσιν), utilisant un passif théologique, est plus adroite que celle que l'on a rencontrée en 9, 22, où la construction faisait de Paul le sujet du verbe « sauver »... comme si le salut n'était pas d'abord l'œuvre de Dieu !

11, 1
L'enchaînement entre 10, 33 et 11, 1 est servi par la répétition de la formule καθὼς κἀγώ (comme moi-même). L'invitation à l'imiter que Paul lance à ses destinataires est un thème récurrent dans ses épîtres (voir 1 Th 1, 6 ; Ph 3, 17) ; elle serait d'une prétention insupportable si les apôtres n'étaient pas eux-mêmes à la dernière place (cf. 4, 9-13), imitant en cela le Christ (Still).

SECTION V

Deux questions touchant l'assemblée ecclésiale
1 Co 11, 2-34

Entre l'ensemble consacré à la nourriture offerte aux idoles (8, 1 – 11, 1) et celui touchant aux charismes et ministères (12-14), Paul aborde deux questions qui n'ont apparemment pas de rapport l'une avec l'autre, si ce n'est qu'elles concernent toutes deux les réunions de l'assemblée ecclésiale : la coiffure dans les assemblées (11, 2-16), et le dîner du Seigneur (11, 17-34). Par souci de cohérence avec le reste du présent commentaire, nous les regroupons dans un ensemble particulier, tout en reconnaissant que ce regroupement est artificiel. Ainsi procèdent plusieurs commentaires consultés (*e.g.* Barrett* ; Collins* ; Fitzmyer* ; Thiselton* ; Zeller*). Nous n'avons cependant pas trouvé ni de monographie ni d'article consacrés à ces trente-trois versets considérés comme un ensemble.

La coiffure dans les assemblées
(11, 2-16)

TRADUCTION

11, 2 Je vous félicite[a] de vous souvenir de moi en tout et de conserver les traditions comme je vous les ai transmises. 3 Je veux que vous le sachiez : le Christ est la tête de tout homme ; l'homme (est) tête de la femme ; Dieu (est) tête du Christ. 4 Tout homme qui prie ou prophétise ayant la tête couverte déshonore sa tête. 5 Toute femme qui prie ou prophétise tête non couverte déshonore sa tête ; c'est une seule et même chose que si elle était tondue. 6 En effet, si une femme n'est pas couverte, eh bien qu'elle se fasse raser ! Mais si c'est honteux pour une femme d'être rasée ou tondue, qu'elle se couvre ! 7 Un homme, en effet, ne doit pas se couvrir la tête : il est image et gloire de Dieu ; mais la femme est gloire de l'homme. 8 En effet, ce n'est pas l'homme qui vient de la femme, mais la femme, de l'homme. 9 Et en effet, l'homme n'a pas été créé à cause de la femme, mais la femme, à cause de l'homme[b]. 10 C'est pourquoi il faut que la femme ait une autorité[c] sur la tête, à cause des anges. 11 Reste qu'il n'y a ni femme sans homme ni homme sans femme dans le Seigneur. 12 De même, en effet, que la femme vient de l'homme, de même aussi l'homme vient à travers la femme, et tout vient de Dieu. 13 Jugez par vous-mêmes : est-il convenable pour une femme de prier Dieu sans être couverte ? 14 La nature elle-même ne vous enseigne-t-elle pas qu'un homme, s'il porte les cheveux longs, c'est un déshonneur pour lui, 15 mais qu'une femme, si elle porte les cheveux longs, c'est une gloire pour elle[d] ? Car la chevelure lui a été donnée en guise de vêtement. 16 Si quelqu'un juge bon d'être contestataire, nous, nous n'avons pas une telle habitude, ni les Églises de Dieu.

[a] Certains mss ajoutent ἀδελφοί après ὑμας (D F G K L Ψ 33 *Byz* latt syr ; Ambrosiaster). Il s'agit d'une addition secondaire inspirée de 10,1 et 12,1.

[b] Au lieu de διὰ τὸν ἄνδρα p[46] écrit : διὰ τὸν ἄνθρωπον. L'insistance est alors sur la femme qui engendre les humains des deux sexes. Cette leçon, qui rompt le parallélisme et est très peu attestée, est secondaire.

[c] Au lieu de ἐξουσίαν on trouve κάλυμμα (vg[mss] bo[pt] ; Irénée Épiphane) ou, plus explicitement, κάλυμμα καὶ ἐξουσίαν (Origène[lat]). Il s'agit de corrections venant des difficultés de compréhension du terme ἐξουσίαν.

[d] Le datif αὐτῇ après δέδοται est omis par p[46] D F G Ψ *Byz* ; Ambrosiaster. Il est retenu par ‎א A B 33. 81. 365. 2464 sy[p]. Il est placé avant δέδοται par les mss C H P 630. 1175. 1241[s]. 1505. 1739. 1881 vg sy[h]. Sa présence ou son absence modifie le sens : la chevelure est un vêtement pour la seule femme (avec αὐτῇ) ou pour la femme et pour l'homme. La situation manuscrite ne permet pas de choisir.

BIBLIOGRAPHIE

A.D. BAUM, « Paul's Conflicting Statements on Female Public Speaking (1 Cor 11 : 5) and Silence (1 Cor 14 : 34-35) : A New Suggestion », *TynB* 65, 2014, 247-274. – J.D. BEDUHN, « 'Because of the Angels' : Unveiling Paul's Anthropology in 1 Co 11 », *JBL* 118, 1999, 295-320. – R. VON BENDEMANN, « Körperkonzeptionen im *Corpus Paulinum* im Licht der hellenistisch-römisch Medizin », in *Paul's Greco-Roman Context*, C. BREYTENBACH (ed.), Leuven 2015, 157-191. – D.E. BLATTENBERGER, *Rethinking 1 Corinthians 11 : 2-16 through Archaelogical and Moral-Rhetorical Analysis*, Lewiston, NY 1997. – M. BÖHM, « 1 Kor 11, 2-16. Beobachtungen zum paulininischen Schriftrezeption und Schriftargumentation im 1. Korintherbrief » ZNW 97, 2006, 207-234. – S. BROWN, « The Dialectic of Relationship : Paul and the Veiling of Women in 1 Corinthians 11 : 2-16 », *Salesianum* 67, 457-477. – A. CALDWELL, *Paul, misogyne ou promoteur de l'émancipation féminine, Etude de 1 Co 11, 2-16*, Leuven 2016. – R.S. CERVIN, « On the Significance of *kephalē* ("Head") : A Study on the Abuse of one Greek Word », *Priscilla Papers* [Minneapolis] 30, 2016, 8-20. – J. ELLUL, « 'Sois belle et tais-toi !' Est-ce vraiment ce que Paul a dit ? À propos de 1 Co 11, 2-16 », *FoiVie* 88, 1989, 49-58. – A. FEUILLET, « L'homme "gloire de Dieu" et la femme "gloire de l'homme" », *RB* 81, 1974, 161-182. – M. FINNEY, « Honour, Head-Coverings and Headship : 1 Corinthians 11. 2-16 in Its Social Context », *JSNT* 33, 2010, 31-58. – M. GIELEN, « Beten und Prophezien mit unverhüllten Kopf ? Die Kontroverse zwischen Paulus und der Korintischen Gemeinde und die Wahrung der Geschlechtsrollensymbolik in 1 Kor 11, 2-16 », *ZNW* 90, 1999, 220-249. –

M. GOODACRE, « Does περιβόλαιον Mean "Testicle" in 1 Corinthians 11 : 15 ? » *JBL* 130, 2011, 391-396. – W. GRUDEM, « The Meaning of κεφαλή ('Head'), An Evaluation of New Evidence, Real and Alleged », *JETS* 44, 2001, 25-65. – V. HASLER, "Die Gleichstellung der Gattin. Situationskritische Reflexionen zu 1 Kor 11, 2-16, *ThZ* 50, 1994, 189-200. – T. JANTSCH, « 'Control over the Head' (1 Cor 11, 10). Prophetic Implication as Background of 1 Cor 11, 2-16 », in *Paul's Greco-Roman Context*, C. BREYTENBACH (ed.), Leuven 2015, 401-413. – T. JANTSCH (ed.), *Frauen, Männer, Engel : Perspektiven zu 1 Kor 11, 2-16*, Neukirchen-Vluyn 2015. – M.J. LAKEY, *Image and Glory of God. 1 Corinthians 11 : 2-16 as a Case Study in Bible. Gender and Hermeneutics*, Londres 2010. – K.R. MACGREGOR, « Is 1 Corinthians 11 : 2-16 a Prohibition of Homosexuality ? » *BS* 166, 2009, 201-216. – T.W. MARTIN, « Paul's Argument from Nature for the Veil in 1 Corinthians 11 : 13-15 : A Testicle Instead of Head Covering », *JBL* 123, 2004, 75-84. – T.W MARTIN, « Performing the Head Role : Man Is the Head of Woman (1 Cor 11 : 3 and Eph 5 : 23) », *BR* 57, 2012, 69-80. – P. T. MASSEY, « The Meaning of καταλύπτω and κατὰ κεφαλῆς ἔχων in 1 Corinthians 11. 2-16 », *NTS* 53, 2007, 502-523. – P.T. MASSEY, « Is there Case for Elite Roman "New Women" Causing Division at Corinth ? », *RB* 118, 2011, 76-93. – P.T. MASSEY, « Long Hair as a Glory *and* as a Covering. Romoving the Ambiguity from 1 Cor 11 : 15 », *NT* 53, 2011, 52-72. – C. MOUNT, « 1 Corinthians 11 : 3-16 : Spirit Possession and Authority in a Non-Pauline Interpolation », *JBL* 124, 2005, 313-340. – R.E. OSTER, « When Men Wore Veils to Worship : The Historical Context of 1 Corinthians 11. 4 », *NTS* 34, 1988, 481-505. – M. QUESNEL, « Le contexte gréco-romain des séjours de Paul à Corinthe. La place des femmes dans l'assemblée », in *Paul's Greco-Roman Context*, C. BREYTENBACH (ed.), Leuven 2015, 193-212. – M.-L. RIGATO, « Una rilettura di 1 Cor 10, 32-33 + 11, 1-16 », *RivBib* 53, 2005, 31-70. – D. RÖTHLISBERGER, « Die *capitis velatio* von Männern und ihre Bedeutung füt 1 Cor. 11, 4 », *JahrbAntChrist*, 55, 2012, 47-71. – T. SCHIRRMACHER, *Paulus im Kampf gegen den Schlier. Eine alternative Auslegung von 1. Korinther 11, 2-16*, Bonn 1993. – G.W. TROMPF, « On Attitudes Toward Women in Paul and Pauline Literature : 1 Cor 11 : 3-16 and its Context », *CBQ* 42, 1980, 196-215. – F. WATSON, « The Authority of the Voice : A Theological Reading of 1 Co 11, 2-16 », *NTS* 46, 2000, 520-536.

INTERPRÉTATION

Avec ce passage commence une nouvelle section de l'épître. Il n'a, en effet, pas de lien apparent avec la question des idolothytes (1 Co 8, 1 – 11, 1), qui concerne la façon de se nourrir en dehors de tout contexte de rassemblement ecclésial. Le lien avec ce qui suit est plus clair : bien qu'aucun mot de la péricope n'exprime que les règles données ici par Paul concernent les réunions de l'Église, le sens général l'impose. S'il s'agissait de la tenue des femmes qui prient ou prophétisent chez elles, il n'y aurait aucune raison que Paul s'en préoccupe. De 11, 2 à 14, 40, c'est des assemblées de la communauté croyante qu'il s'agit. Le premier sujet abordé, celui de la coiffure des participants, peut sembler mineur. Il l'était moins dans l'Antiquité que maintenant; les questions vestimentaires avaient une forte importance symbolique.

Deux questions de cohérence se posent. La première concerne la comparaison de cette péricope avec les propos que Paul tient en 14, 33b-35, où il ordonne que les femmes se taisent dans les assemblées. Ici au contraire, il est clair que les femmes prient et prophétisent (v. 5); or, on priait à haute voix et on prophétisait de même. Cette contradiction à l'intérieur de la même épître a conduit à s'interroger sur l'authenticité paulinienne de l'un ou de l'autre passage (Mount; Trompf). Plus courante est la mise en cause de l'authenticité de 14, 34-36 (voir ce passage). En deuxième lieu se pose la question de la cohérence avec ce que Paul écrit en Ga 3, 28: « Il n'y a pas Juif ni Grec, il n'y a pas esclave ni homme libre, il n'y a pas de mâle et de femelle; car tous vous êtes un en Christ Jésus. » Si la différence sexuelle s'estompe en Christ, pourquoi 1 Co 11, 2-16 établit-il une hiérarchie descendante qui va du Christ à l'homme puis de l'homme à la femme (v. 3), et en tire-t-il pour conséquence qu'homme et femme doivent porter des coiffures différentes? La réponse à cette question est que les deux discours ne se situent pas au même niveau. Certes, homme et femme sont égaux devant Dieu dans l'ordre du salut, mais les codes sociaux n'ont pas pour autant à disparaître.

Bien que le détail de l'argumentation soit embrouillé et que bien des points restent obscurs, ce passage relève sans contexte de la rhétorique délibérative (Hasler). Une architecture en inclusion est facile à discerner (S. Brown):

A. *Captatio benevolentiae* et exposé du principe qui commande l'argumentation (vv. 2-3)
    B. Coiffure de l'homme et de la femme quand ils prient et prophétisent (vv. 4-6)
        C. Argument. Lors de la création, la femme est venue de l'homme (vv. 7-9)
            D. Moyen nécessaire pour que la femme exerce son autorité (v. 10)
        C'. Argument. Lors de la gestation, l'homme naît de la femme (v. 11-12)
    B'. Couvre-chef et longueur des cheveux (vv. 13-15)
A. Invitation à ne pas contester! (v. 16).

Une telle architecture place en position centrale le v. 10, ce qui contribue à faire de la coiffure féminine la pointe du discours, et à minimiser l'importance des versets consacrés à la coiffure masculine, pourtant nombreux (vv. 4. 7. 14). Un autre plan est possible, qui tient compte des décalages successifs de l'énonciation: après une brève introduction (v. 2), Paul exprime sa volonté en forme de principe général au v. 3, et il la développe ensuite en traitant de façon mêlée de la coiffure de l'homme et de la femme, cela jusqu'au v. 12 compris. Le v. 10 n'est alors qu'un complément concernant la seule femme, après ce qui a été écrit de l'homme et de la femme aux vv. 7-9. À partir du v. 13, Paul invite ses destinataires à juger par eux-mêmes de la pertinence des principes qu'il a énoncés. Et il conclut au v. 16 en rappelant qu'il n'est pas coutume d'ergoter sur de telles questions (Böhm).

Avant d'aborder l'analyse du texte, quelques rappels sur la culture ambiante sont à faire. Dans le monde juif, l'homme vit habituellement tête découverte et cheveux courts, sauf s'il est nazir ; la femme ne se coupe pas les cheveux et peut porter un voile. La situation dans le monde gréco-romain est peu codifiée. On connaît le traité du philosophe romain Musonius Rufus, *De la coupe des cheveux*, qui réglemente beaucoup les choses, mais il n'est pas représentatif de la culture ambiante (cité par Perrot, *Marie*, 47). L'homme porte habituellement les cheveux courts ; les porter longs est efféminé ou réservé à certaines fonctions sacrées. La femme ne les coupe pas, sauf si elle est esclave, elle les laisse se déployer librement sur sa nuque ou les noue de façon à rester nuque couverte ; elle peut éventuellement porter un voile, en particulier lorsqu'elle sort dans la rue. Des coquettes ou des prostituées relevaient leur chevelure en dégageant leur nuque, mais cela faisait très mauvais genre (Wire, *Women*, 116-134). Il se peut qu'il y ait eu dans le monde gréco-romain des courants féministes représentés par des femmes dont le style et la tenue tranchait sur ceux des femmes mariées et des veuves : deux noms sont connus des historiens, Iunia Theodora, et Claudia Metrodora, de Chios (Winter, *Wives*). Ce courant était-il représenté dans l'Église de Corinthe, revendiqué par des femmes voulant s'affranchir de leur féminité pour exercer un plus grand pouvoir ? Rien ne permet de le penser, et aucun indice du texte ne va dans ce sens (Massey « Case »). Encore un point qui résulte de nos analyses. Les interprètes de cette péricope se divisent globalement en deux catégories : ceux qui estiment que la couverture demandée par Paul pour les femmes est un voile (interprétation classique) ; ceux pour lesquels il leur demande de porter les cheveux longs et d'avoir la nuque couverte par leur chevelure (interprétation plus récente). Nos conclusions nous conduisent à faire partie de la seconde catégorie, principalement parce que le terme « voile » (*kalumma*) n'est pas présent dans le texte alors que Paul l'utilise ailleurs (ainsi Jantsch, « Control ») ; quand il s'agit des hommes, au contraire, il leur est demandé de porter les cheveux courts, et il leur est aussi demandé de ne pas relever le pan de leur toge sur leur tête, selon une pratique courante dans les sacrifices païens.

VV. 2-3 – Les félicitations par lesquelles Paul aborde au v. 2 le sujet délicat qu'il va traiter sont-elles sincères ou ironiques ? Paul sait manier l'ironie – quelques passages de ses épîtres sont célèbres (Ga 1, 6) – mais ici il n'y a pas de raison de la supposer, même s'il se permet un peu d'exagération en comparant une tête féminine non voilée à une tête rasée ou tondue (vv. 5-6). S'il y a des risques à éviter, que Paul va pointer, le ton n'est pas au reproche. Le contraste est fort entre le début de cette péricope et le début de la suivante, où Paul dira au contraire qu'il ne félicite pas ses destinataires (11, 17.22). L'évocation du souvenir que les Corinthiens ont de lui a une fonction argumentative : le souvenir appelle l'écoute et la docilité. Et, à ce souvenir, Paul ajoute une autre raison de tenir compte de ses avis : ce sont les traditions, un thème également présent en 1 Co à propos du Dîner du Seigneur (11, 23) et de la Résurrection (15, 3) ; mais à la différence de ces deux autres lieux, Paul ne dit pas ici que lui-même les a reçues. Elles paraissent mineures, les enjeux semblent moindres, et il n'est pas écrit qu'elles ont à être transmises. Le v. 3 s'ouvre par une déclaration assez solennelle qui introduit les trois affirmations à partir desquelles vont être élaborées les règles à respecter sur la façon de se coiffer : pour l'homme *vs* pour la femme, cheveux courts *vs* cheveux longs. Elle donne du poids à ces affirmations dont le texte ne suggère pas qu'elles étaient connues des destinataires, au contraire. En les formulant, Paul établit une hiérarchie entre quatre entités : Dieu au sommet, puis le Christ, puis l'homme, puis la femme. La première affirmation, « le Christ est la tête de tout homme », joue sur le double sens du substantif qui signifie à la fois « tête » et « chef ». Elle place le Christ au-dessus de l'homme, ce qui est une quasi-évidence si l'on prend le terme « homme » au sens générique ; mais ici il s'agit du mâle en différence de la femme. Elle se justifie alors à partir de la deuxième affirmation : « L'homme (est) tête de la femme ». Celle-ci peut s'autoriser de Gn^{LXX} 3, 16 : « Vers ton mari ira ton mouvement, et lui te dominera » (trad. M. Harl). Christ est supérieur au mâle humain comme le mâle humain est supérieur à la femelle humaine. La troisième affirmation, « Dieu (est) tête du Christ » établit une autre hiérarchie : le Christ est subordonné à Dieu. Formulée de façon aussi lapidaire, cette thèse est peu fréquente dans la littérature paulinienne. On ne la trouve qu'en 1 Co, à deux reprises, la première fois en 3, 21-23, dans la fameuse énumération : « Tout est vôtre... mais vous, vous êtes à Christ et Christ est à Dieu. » Et une seconde fois lorsque Paul évoque la soumission eschatologique du Fils au Père qui lui a, dans les temps historiques, soumis toute la création (15, 25-28). Ces trois affirmations pauliniennes peuvent choquer des sensibilités modernes, dans au moins deux directions. La soumission du Christ au Père a un certain relent d'arianisme. La soumission de la femme à l'homme peut alimenter l'accusation d'antiféminisme que l'on adresse souvent à Paul. On ne saurait pourtant reprocher à l'Apôtre d'être de son temps. La théologie trinitaire mettra des années à s'élaborer ; la première formule mettant exactement sur le même plan les trois personnes divines se trouve chez Matthieu, rédigé une trentaine d'années plus tard que 1 Co. Quant à la subordination de la femme par rapport à l'homme, bien que Paul la conteste dans l'ordre du salut en Ga 3, 28, elle ne connaissait aucune exception dans les codes sociaux méditerranéens au Ier siècle.

VV. 4-6 – Après avoir énoncé les principes sous-jacents aux règles qu'il va donner, Paul entre dans le vif du sujet. Il parle d'abord, au v. 4, de la tenue des hommes lorsqu'ils prient ou prophétisent. Ils doivent rester tête découverte et porter les cheveux courts (cf. v. 14). Il est possible que l'Apôtre dénonce les hommes efféminés portant les cheveux longs ; il est possible, aussi, qu'il leur demande de prendre leurs distances par rapport aux cultes païens où des danses extatiques étaient pratiquées par des hommes ou par des femmes faisant tournoyer leurs cheveux (Blattenberger ; Gielen ; MacGregor ; Perrot, *Marie*, 45-48 ; Schrage*). Mais une meilleure explication de cette consigne est sans doute que Paul veut éviter la tenue *capite velato* revêtue par des hommes qui relevaient un pan de leur toge sur leur tête pour offrir des libations dans les religions païennes ; ceux qui l'avaient fait avant de devenir chrétiens pouvaient être tentés de poursuivre au cours des réunions ecclésiales. Mais cela, selon Paul, les mettait en valeur, et pouvait porter tort à la déférence due au Christ (Röthlisberger). Quoiqu'il en soit, il revient à chacun, dans la façon de traiter sa tête, de bien se situer par rapport à son chef – Christ pour l'homme, l'homme pour la femme – et d'éviter de le déshonorer. La problématique de l'honneur (voir le terme « gloire » aux vv. 7 et 15) et de la honte, qui jouait un rôle considérable dans toutes les sociétés méditerranéennes antiques, est très présente (Finney) ; un mari déshonoré par la tenue de sa femme subissait un très grave préjudice (v. 5) ; et de même, une femme qui ne respectait pas les convenances vestimentaires se faisait un très grand tort (v. 6). Les deux verbes, « prier » et prophétiser », forment un couple. Au v. 13, seul le verbe « prier » sera repris ; il sera également employé à nouveau au chapitre 14 (vv. 13-15). Quant au verbe « prophétiser », il est plusieurs fois présent sur l'ensemble des chapitres 12-14. La logique déployée tout au long de la péricope est que les personnes ayant pour chef ou pour tête une autre personne humaine, doivent prier ou prophétiser tête couverte, ainsi des femmes ; et que les personnes ayant directement Christ pour chef ou tête, doivent faire les mêmes choses, tête découverte, peut-être pour être en relation plus directe avec lui. Pour la femme, aux vv. 5-6, il faut remarquer tout d'abord qu'elle peut, tout comme l'homme, prier et prophétiser à haute voix ; mais que, si elle le faisait tête découverte, elle déshonorerait son mari. Ici entre en jeu ce que l'on peut connaître de la coiffure des femmes dans l'antiquité méditerranéenne. Ce que Paul demande à toutes les femmes dans le cadre de l'assemblée ecclésiale, surtout lorsqu'elles prennent la parole, c'est de se distinguer des hommes en restant tête et nuque couvertes. Emporté par son argumentation, Paul manie l'hyperbole en envisageant des situations extrêmes : une femme priant ou prophétisant tête découverte, c'est-à-dire montrant sa nuque, est comme une femme tondue (5c) ; peut-être cela renvoie-t-il à des châtiments infligés publiquement a des femmes ayant gravement fauté dans le domaine sexuel ; ce serait alors la honte intégrale. Et le verset 6 poursuit dans le même sens en envisageant le cas où la femme elle-même s'humilierait en sacrifiant sa chevelure, se donnant alors des allures d'esclave ou de femme indigne !

VV. 7-10 – Après avoir, au v. 4, indiqué que l'homme ne doit pas se couvrir la tête lorsqu'il prie ou prophétise, les vv. 7-9 réaffirment la même chose en argumentant. Paul fait pour cela appel aux récits de création (Gn 1-2) et déclare que l'homme mâle est image et gloire de Dieu (v. 7), ce qui réduit au seul humain masculin la portée du texte sur lequel il se fonde. Par ailleurs, c'est à l'intention créatrice qu'il se réfère car, comme il l'écrit lui-même, après le péché les humains ont été privés de cette gloire (Rm 2, 23). Dans ces trois versets, la femme n'est, au départ, mentionnée que comme faire valoir de l'homme (7c) : elle est sa gloire, comme Dieu est la gloire de l'homme. Une deuxième argumentation, qui justifie l'affirmation du v. 7c, est alors introduite aux vv. 8 et 9, qui ont des fonctions parallèles : la femme a été tirée de l'homme (v. 8) ; la femme fut créée à cause de l'homme (v. 9). Son infériorité et sa faiblesse naturelles sont rappelées avec insistance ; elle doit alors faire appel à un apport extérieur pour pouvoir s'exprimer avec autorité. Le v. 10 est à la fois une conséquence de ce qui vient d'être écrit – la femme a besoin d'un signe d'autorité pour compenser sa position inférieure à celle de l'homme – et une reprise résumée des vv. 5-6. Placé au centre de la péricope, il souligne l'impératif du message en direction de la femme. Les difficultés d'interprétation tiennent d'une part au fait qu'on attendrait un terme concret pour désigner ce que la femme doit porter sur la tête, ce que le mot « autorité » n'est pas ; et d'autre part elles portent sur la mention des anges, dont le rôle dans la coiffure de la femme n'est pas clair. Après ce que Paul a écrit aux vv. 8 et 9, la marque d'autorité joue manifestement un rôle d'adjuvant pour que la femme puisse prier et prophétiser en public ; elle vient en aide à sa faiblesse naturelle (Rigato). Quant aux anges, nous ne retenons pas l'hypothèse des puissances hostiles, mais celle de leur présence à l'assemblée en prière, notamment comme gardiens, dans les traditions juives, du culte bien célébré (Jantsch, « Control »).

VV. 11-16 – Après avoir marqué la différence entre l'homme et la femme, l'Apôtre revient, aux vv. 11-12, à des propos plus essentiels. Dans le Seigneur, c'est-à-dire dans la nouvelle création (cf. 2 Co 5, 17) qui est la situation du monde sauvé par Christ, homme et femme sont en position parfaitement égale : l'un n'existe pas sans l'autre, et l'autre n'existe pas sans l'un (v. 11). Le v. 12a rappelle ce qui a été exprimé aux vv. 7-9 dans l'ordre de la création originelle, où l'homme a une supériorité sur la femme. Mais il est aussitôt compensé par le v. 12b qui se situe dans l'ordre de la gestation : c'est par la femme que l'homme est mis au monde ; celle-ci a donc une antériorité par rapport à lui. Et de toute façon, comme tout vient de Dieu, nul ne peut se prévaloir d'une prééminence sur l'autre (v. 12c). Les vv. 11-12 compensent les vv. 3-6 où était affirmée une prééminence de l'homme sur la femme. Ils préparent l'affirmation très ramassée et très égalitariste de Ga 3, 28. Puis, comme si Paul craignait que ce qu'il vient d'exprimer sur l'égalité homme-femme n'annule le centre de son message, à savoir que la femme doit prier et prophétiser tête couverte, il revient en arrière en faisant appel au bon sens de ses destinataires. Cela commence par une question rhétorique posée au v. 13, faisant appel aux convenances sociales, à laquelle la réponse est « non » : non, il n'est pas convenable qu'une femme prie Dieu sans avoir la nuque couverte. En mentionnant Dieu comme objet du verbe « prier », Paul donne de la solennité à cette prière, ce qui implique de la part de la femme une certaine humilité. Une deuxième question est posée aux vv. 14-15, qui implique comme réponse : la nature a donné à l'homme des cheveux courts, ce serait pour lui un déshonneur de les porter longs ; et elle a donné à la femme une chevelure abondante, qui est sa gloire, elle doit donc la conserver telle ; elle est aussi un vêtement naturel. La thématique de l'honneur et de la honte est à nouveau présente. On s'interroge évidemment sur une telle référence à la nature. Paul, juif hellénisé, connaissait certainement le sens fort du terme dans le stoïcisme, tel que Diogène Laërce le présentera plus tard dans ses *Vies, doctrines et sentences des philosophes illustres* (7, 148) ; il ne semble pourtant pas qu'il utilise ici le terme « nature » (*phusis*) avec une telle acception. La longue chevelure des femmes est-elle naturelle ? Il est vrai qu'il y a davantage d'hommes chauves que de femmes, mais Paul, comme certains de ses contemporains, mélange ici nature et culture (von Bendemann). Au v. 16, qui conclut la péricope, l'Apôtre coupe court à tout ce qui pourrait lui être objecté, en refusant d'un revers de main toute contestation. Contester n'est pas, avance-t-il, l'usage dans les Églises. Cette affirmation est peut-être un aveu que son argumentation est bien compliquée. Elle sonne comme un aveu d'impuissance. Dans cette péricope, le propos de Paul est manifestement tendu entre sa conviction qu'homme et femme sont égaux en Christ (Ga 3, 28), et que les conventions sociales relevant de la culture ambiante sont à respecter, notamment peut-être pour que la tenue des dames qui prient et prophétisent dans l'assemblée ecclésiale ne provoque pas l'appétit sexuel des messieurs. L'Apôtre semble avoir conscience que son argumentation, nécessaire pour que tout se passe dans l'ordre, n'est pas forcément convaincante... Ce qu'on ne saurait contredire !

NOTES

2

Le verbe « féliciter » (ἐπαινέω) ne figure que trois fois chez Paul, toujours en 1 Co : ici et dans la péricope suivante (11, 17. 22). La mention du souvenir que les destinataires ont de Paul (verbe μιμνήσκομαι) ne figure jamais ailleurs chez l'Apôtre (le verbe est également employé en 2 Tm 1, 4, mais c'est alors Paul qui se souvient de Timothée). Les traditions que les Corinthiens conservent sont exprimées par le verbe « transmettre » (παραδίδωμι) et par le substantif « tradition » (παράδοσις) au pluriel ; il est difficile de savoir si ce qui suit fait partie des traditions en question ou si ce thème n'est abordé ici que pour souligner une fidélité globale des Corinthiens à ce qu'ils ont reçu.

3

Le substantif κεφαλή, répété trois fois, est une des clefs du passage. Dans ces trois affirmations commandées par le verbe « être » (deux fois sous-entendu), κεφαλή figure deux fois sans article ; il est alors sans doute attribut, et les trois sujets des propositions sont successivement le Christ, l'homme et Dieu. Le passage joue sur tous les sens possibles du terme κεφαλή qui signifie : d'abord la tête comme élément d'un corps humain ou animal ; ensuite le chef, une personne ayant autorité, ou plutôt prééminence (Cervin). Il a été prétendu que le terme pouvait aussi signifier « source » ou « origine » (*e.g.* Barrett* ; Ellul ; Fitzmyer* ; Martin, « Performing ») ; mais la littérature grecque antique n'atteste pas clairement ce sens, fortement contesté (Grudem).

4

Le substantif κάλυμμα qui signifie « voile » (employé par Paul en 2 Co 3, 13-16) n'est pas employé dans ce verset ni ailleurs dans la péricope. La couverture de la tête est indiquée par le verbe κατακαλύπτομαι (vv. 6 et 7) qui signifie littéralement « se couvrir de haut en bas », et par l'adjectif ἀκατακάλυπτος (vv. 5 et 13) qui signifie « non couvert ». Dans ce verset consacré à l'homme mâle, il est demandé que l'homme ne prie pas κατὰ κεφαλῆς ἔχων, littéralement « en ayant (quelque chose) qui lui descende de la tête », soit un voile, soit des cheveux longs, soit plutôt un pan de la toge ramené sur la tête. On a, en effet, retrouvé dans le monde gréco-romain une vingtaine de statues représentant des hommes *capite velato*, en train d'offrir une libation aux dieux. Deux de ces statues ont été découvertes à Corinthe : l'une dans la basilique Julienne de la ville, représentant sans doute Auguste, l'autre représentant Néron (Finney ; Oster).

5-6

Au v. 5, le déshonneur (verbe κατακαισχύνω) d'une femme priant ou prophétisant sans avoir la tête couverte est renforcé par une identification de cette tenue avec le fait d'être tondue. Le verbe employé (ξυρέω) signifie « raser, tondre ». Il a un sens plus radical que celui qui le double au v. 6, κείρω, qui peut avoir le même sens de « raser, tondre », mais signifie aussi « couper les cheveux ou les poils ». Le fait qu'une femme puisse prier et prophétiser, donc s'exprimer à haute voix, est à concilier avec les consignes de silence données plus loin aux femmes, en 14, 34-36. Il est vraisemblable que l'autorisation de son mari est nécessaire pour qu'elle puisse le faire en public (Baum). Le thème du déshonneur, exprimé aux vv. 5 et 6 par le verbe κατακαισχύνω, est repris ici par un adjectif d'une racine différente : αἰσχρός, qui peut avoir un sens intransitif physique ou moral : « laid, vil » ; et un sens transitif : « qui cause de la honte, déshonorant ».

7

Le texte applique au seul mâle (ἀνήρ) des termes que Gn applique à l'humain des deux sexes (ἄνθρωπος). On lit en Gn[LXX] 1, 26 : « Et Dieu dit : "Faisons un homme (ἄνθρωπος) selon notre image (κατ'εἰκόνα ἡμετέραν) et selon notre ressemblance (καθ'ὁμοίωσιν)". » Et Gn[LXX] 1, 27 précise : « Et Dieu fit l'homme (ἄνθρωπος), selon l'image de Dieu il le fit, mâle et femelle (ἄρσεν καὶ θῆλυ) il les fit » (trad. M. Harl). L'application au mâle seul pourrait cependant s'autoriser de Gn[LXX] 5, 1 lu hors contexte, si l'on y interprète Adam comme un nom propre : « Le jour où Dieu fit Adam, selon l'image de Dieu il le fit (κατ'εἰκόνα θεοῦ ἐποίησεν αὐτόν). » Paul ne retient pas le terme « ressemblance » (ὁμοίωσις), il le remplace par δόξα (également présent en 11, 15) qui détermine le rapport de l'homme à Dieu et le rapport de la femme à l'homme (Feuillet). Le terme δόξα n'est pas employé dans les récits Gnᴸˣˣ de la création; il peut cependant s'autoriser du Psᴸˣˣ 8, 6 : « De gloire (δόξα) et d'honneur tu l'as couronné » : et il est cohérent avec la thématique de honte et honneur qui traverse la péricope. C'est pourquoi, parmi les multiples sens possibles du mot δόξα, il faut choisir « honneur », « gloire » (équivalent de l'hébreu *kabōd*) ou « fierté » (Feuillet). Les difficultés pour justifier la présence ici de δόξα ont fait poser l'hypothèse que le terme résultait d'un remplacement fautif de l'original δόγμα qui a le sens de « copie » (Héring*); cette hypothèse n'a aucune attestation textuelle.

8-9

Les deux versets sont deux résumés équivalents du récit de Gn 2, 18-23 ; ils ont fonction de justifier l'affirmation du v. 7c à laquelle ils sont reliés par deux emplois parallèles de la conjonction γάρ (au v. 8 et au v. 9). L'emploi de la préposition ἐκ au v. 8 s'autorise de Gnᴸˣˣ 2, 23 lorsque Adam dit : « C'est maintenant l'os de (ἐκ) mes os et la chair de (ἐκ) ma chair » (trad. M. Harl). En revanche, le verbe κτίζω (v. 9) n'est pas employé en Gnᴸˣˣ 1-3 ; sa présence dans le texte montre que Gn 1-3 était interprété au Iᵉʳ siècle comme un récit de création. Lorsque 1 Tm 2, 13 se réfère aux mêmes événements des origines, l'auteur emploie le verbe πλάσσω (former). Au v. 9, l'homme fut créé « à cause de la femme » (διὰ + accusatif ; même tournure au v. 10 pour « à cause des anges »). La formulation est à distinguer de celle utilisée au v. 11 lorsqu'il est écrit que l'homme vient « à travers la femme » (διὰ + génitif). Bien que le grec de la koinè emploie souvent ces deux tournures l'une pour l'autre (BDR, § 222-223), Paul semble attentif à bien les distinguer.

10

Deux grosses difficultés de compréhension caractérisent ce verset, l'un des plus commentés de toute la Bible. La première concerne le terme « autorité » (ἐξουσία) ; la seconde, la question des anges mentionnés en fin de verset. Des traductions assez récentes (par ex. BiJer, 2ᵉ ed. 1973) traduisaient ἐξουσία par « (signe de) soumission », ce que le terme n'a jamais voulu dire. Il signifie au contraire le pouvoir de faire quelque chose, avec des connotations de liberté, capacité, puissance, autorité. « Soumission » est un contresens, maintenant constamment dénoncé (*e.g.* Ellul). Ἐξουσία peut aussi désigner une puissance surnaturelle (1 Co 15, 24 ; Col 2, 10), ce qui vaut d'être souligné dans un verset où il est question des anges. L'emploi ici de ἐξουσία est surprenant ; on attendrait plutôt un terme concret. L'hypothèse a été avancée que Paul aurait confondu deux termes araméens, l'un venant de la racine *šlṭ* qui signifie « exercer le pouvoir », l'autre apparenté à *šalṭōniyāh* qui signifierait « résille » (KITTEL, *Rabbinica* 17-31). Mais une telle confusion est peu vraisemblable chez Paul, beaucoup plus familier du grec que de l'araméen (Senft*). Avoir la tête couverte comme signe de force, c'est ce que suggère l'image du casque, utilisée par Paul en 1 Th 5, 8. La question des anges est encore plus complexe : διὰ + accusatif ne peut guère être traduit que par « à cause de » ou « au moyen de ». Mais qui sont ces anges ? Le substantif ἄγγελος pourrait avoir le sens de « envoyé ». Il s'agirait alors des ministres de la communauté, ou de messagers (cf. Josᴸˣˣ 2, 25 ; Lc 7, 24 ; 9, 52) venant d'autres Églises, ou d'espions impériaux (Massey, « Case ») : mais le terme n'a jamais ce sens chez Paul. Si l'on retient le sens – incontournable – de puissances surnaturelles, on peut penser à une imitation des anges qui se couvrent une partie du corps selon Is 6, 2 ; ou à un égard envers les anges qui se sont manifestés au moment de la résurrection du Christ (cf. Mt 28, 2 et par.) ; pourtant, dans l'un et l'autre cas, le lien avec le contexte semble faible. Trois explications semblent plus vraisemblables : 1° Dans la suite des vv. 8-9, la tradition juive affirme que les anges jouèrent un rôle dans la création du monde ; c'est ainsi que Philon interprète le « nous » de « Faisons l'homme à notre image » en Gn 1, 26 (*De opificio mundi* 24, 75) ; et des textes du judaïsme ancien affirment que, lors de la création d'Adam, des anges se prosternèrent devant lui (Vie Adam 13-17 ; GnRab 8, 10) ; Paul inviterait alors la communauté en prière à respecter l'ordonnance dont les anges sont en partie les artisans (Beduhn). – 2° À l'inverse, voile ou chevelure longue pourrait avoir une fonction protectrice contre des anges lubriques apparentés aux « fils de Dieu » de Gn 6, 1-4, passage de Gn repris dans 1 Hén 6, 1-4 et chez Josèphe (*AJ* 1, 3, 1 § 73) ; cette lecture d'un voile protecteur contre des anges potentiellement dangereux était celle de Tertullien (*De virginibus velandis* 7, 2 ; *Adv. Marcionem* 5, 8, 2), et elle a été reprise à l'époque moderne (Ellul ; Watson). Mais, si Paul donne parfois des puissances célestes une image négative (1 Co 15, 24 ; voir encore 2 Co 11, 14 ; 12, 7 ; Ga 1, 9 ; Rm 8, 38), le terme précis ἄγγελος n'a jamais chez lui cette connotation. – 3° Une troisième voie est que les anges sont présents à la communauté lorsque celle-ci prie, voire sont médiateurs de la prière, comme l'exprime le Ps[LXX] 137, 1 (ἐναντίον ἀγγελῶν ψαλῶ σου) ainsi que plusieurs textes de Qumrân (1QM 7, 4-6 ; 1QS 2, 3-11) ; Paul lui-même considère que la prophétie est la langue des anges (1 Co 13, 1) ; plusieurs commentateurs récents privilégient cette lecture (Fitzmyer* ; Jantsch, « Control » ; Thiselton*). Entre ces trois dernières explications, la troisième, pour lesquelles les anges sont des témoins plutôt bienveillants et sont associés à la prière, s'autorise d'une tradition juive bien attestée ; c'est celle qui a notre préférence.

11-12

Au v. 11, la conjonction πλήν, peu employée dans les *homologoumena* (ici et Ph 1, 18 ; 3, 16 ; 4, 14) implique une réserve par rapport à ce qui vient d'être exprimé : « Toutefois, reste que... » L'expression ἐν κυρίῳ, courante chez Paul (voir 7, 22), implique que ce qui est exprimé est situé dans le cadre de la foi en Christ. Les vv. 12a et 12b sont corrélés par le couple ὥσπερ... οὕτως (de même que... de même). Le v. 12a cite, à l'article près, le v. 8b : la femme vient de (ἐκ) l'homme (ordre de la création originelle). Le v. 12b exprime le rapport homme-femme par la préposition διά + accusatif (à travers) : l'homme vient à travers la femme (ordre de la gestation). Et la préposition ἐκ est reprise pour exprimer que tous deux viennent de Dieu.

13

La formule introductive indique un décalage de l'énonciation. On passe des traditions invoquées par Paul à une invitation lancée aux destinataires pour qu'ils jugent par eux-mêmes (13a ; à rapprocher de 10, 15b). Le verbe κρίνω (juger), est à l'impératif aoriste, ce qui implique de commencer à exercer sa capacité de jugement. À une première question, posée en 13b, la réponse attendue est « non » ; on, pourrait s'attendre à ce qu'elle soit introduite par μή, pourtant tel n'est pas le cas. L'expression πρέπον ἐστιν (est-il convenable ?) est l'équivalent de l'impersonnel πρέπει, plus courant ; elle évoque une convenance de type social. Le verbe « prophétiser », qui forme couple avec le verbe « prier » aux vv. 4 et 5, n'est pas repris ici. Mais « prier » est complété par le datif τῷ θεῷ qui peut renvoyer, soit à celui que l'on prie (ainsi en Mt 6, 6), soit à celui devant lequel on prie.

14-15

Une deuxième question posée est une question négative : après les convenances, Paul fait appel à l'enseignement de la nature, à laquelle les *homologoumena* se réfèrent ici et en Rm 1, 26 ; 2, 14.27 ; 11, 21.24 ; Ga 2, 15 ; 4, 8. Le terme « nature » (φύσις) dans l'Antiquité comporte aussi une dimension culturelle. La façon dont Paul s'y réfère est à rapprocher de Rm 1, 26, où l'Apôtre oppose les rapports sexuels naturels (φυσικός) aux rapports contre nature (παρὰ φύσιν). Qu'un homme porte les cheveux longs (verbe κομάω) étant selon Paul contre nature, ce serait pour lui un déshonneur (ἀτιμία qui renvoie à la honte de la femme au v. 6). On trouve un parallèle aux propos de Paul sur les poils masculins qui distinguent l'homme de la femme, chez Épictète, à propos non de la chevelure mais de la barbe (*Entretiens* 1, 16, 9-14). Une femme, au contraire, a selon Paul les cheveux naturellement longs, c'est donc sa gloire (repris du v. 7b) de les laisser pousser (v. 15a). Le sens du v. 15b, qui fonctionne comme un fondement des propos précédents sur la chevelure, est débattu : il y est écrit que la chevelure (ἡ κόμη) a été donnée à la femme ἀντὶ περιβολαίου. La préposition ἀντί implique une idée de substitution ou d'équivalence ; elle peut être traduite par « en guise de ». Le substantif τὸ περιβόλαιον, employé NT ici et en He 1, 12 citant Ps[LXX] 101, 27, signifie « manteau, vêtement, couverture ». Les exégètes qui estiment que la femme doit porter un voile par-dessus ses cheveux longs (Massey, « Long Hair ») mettent en valeur que le voile suivait la courbe des cheveux. Mais on peut leur objecter que, si sa longue chevelure sert à la femme de couverture, pourquoi lui faire porter en plus un voile ? La proposition a été faite – prétendant se fonder sur un texte d'Hippocrate – de traduire περιβόλαιον par « testicule » et d'interpréter ἡ κομή comme se référant aux poils du pubis féminin (Martin) : la nature aurait donné à la femme les poils du pubis comme équivalent femelle des testicules masculins ! Cette lecture purement fantaisiste attribue à περιβόλαιον un sens nulle part attesté (Goodacre).

16

L'adjectif φιλόνεικος, traduit par « contestataire », est un hapax du NT ; il s'applique à un esprit disputeur ou querelleur. L'expression « les Églises de Dieu » ne se retrouve dans les *homologoumena* qu'en 1 Th 2, 14 (elle se trouve aussi en 2 Th 1, 4, sans doute inauthentique). Cette situation a été avancée comme un argument contre l'authenticité de la péricope (Trompf).

Le dîner du Seigneur
(11, 17-34)

TRADUCTION

11, 17 En vous prescrivant ceci, je ne (vous) félicite pas[a] : ce n'est pas pour le meilleur mais pour le pire, que vous vous réunissez. 18 Tout d'abord, en effet, lorsque vous vous réunissez en Église, j'entends dire que des divisions existent parmi vous, et je le crois en (grande) partie. 19 Il faut bien, en effet, qu'il y ait des choix parmi vous, afin que ceux-là mêmes[b] qui ont fait leurs preuves deviennent visibles parmi vous. 20 Donc[c], lorsque vous vous réunissez en un même lieu, il n'est pas possible de manger le dîner du Seigneur ;

21 car, pour le manger, chacun se hâte de prendre son propre dîner, et l'un a faim tandis que l'autre est ivre. 22 En effet, n'avez-vous pas de maisons pour manger et boire ? Où bien méprisez-vous l'Église de Dieu et faites-vous honte à ceux qui ne possèdent pas ? Que vous dirai-je ? Vous féliciterai-je[d] ? En cela je ne vous félicite pas. 23 Moi, en effet, je reçus du Seigneur[e] ce que je vous ai aussi transmis : le Seigneur Jésus, dans la nuit où il était livré, prit du pain[f] 24 et, ayant rendu grâce, (le) rompit et dit : « Ceci est mon corps, qui est pour vous[g] ; faites cela en mémoire de moi. » 25 De même aussi (pour) la coupe après le dîner, (en) disant : « Cette coupe est la nouvelle alliance en mon sang ; faites ceci, chaque fois que vous (en) boirez, en mémoire de moi. » 26 Chaque fois, en effet, que vous mangez ce pain et que vous buvez à la coupe[h], vous annoncez la mort du Seigneur, jusqu'à ce qu'il vienne. 27 En conséquence, celui qui mange le pain ou boit à la coupe du Seigneur indignement, sera coupable envers le corps et le sang du Seigneur. 28 Que chacun s'éprouve soi-même et ainsi qu'il mange de ce pain et qu'il boive de cette coupe ; 29 car celui qui mange et boit[i], mange et boit en se jugeant lui-même s'il ne discerne pas le corps[j]. 30 C'est pourquoi parmi vous beaucoup (sont) faibles et malades, et un bon nombre s'est endormi (dans la mort). 31 Si nous nous examinons nous-mêmes, nous ne sommes pas jugés ; 32 mais (si nous sommes) jugés par le Seigneur, nous sommes corrigés pour ne pas être condamnés avec le monde. 33 En conséquence, mes frères, lorsque vous vous réunissez pour manger, attendez-vous les uns les autres. 34 Si quelqu'un a faim, qu'il mange chez lui, afin que vous ne vous réunissiez pas pour un jugement. Quant au reste, je le réglerai lorsque je viendrai.

[a] La leçon la mieux attestée lit un participe présent pour παραγγέλλω (prescrire) et un indicatif présent pour ἐπαινέω (féliciter) ; elle est retenue par א D² F G Ψ *Byz* ar d. Certains mss inversent (A C 6. 33. 104. 326. 365. 1175. 1739 f vg). D'autres ont deux indicatifs (D* 81 b), d'autres deux participes (B).

[b] La conjonction καί est présente en p⁴⁶ B D* 6. 33. 630. 1175. 1739. 1881 vg^mss sa bo^mss ; Origène Ambrosiaster. Elle manque en א A C D² F G Ψ *Byz* b vg^mss sy bo ; Cyprien. Les sens des deux leçons diffèrent peu.

[c] La conjonction οὖν manque dans plusieurs mss (p⁴⁶ D* F G b) mais sa présence est mieux attestée (א A B C D¹ Ψ 1739. 1881 *Byz* lat sy co).

[d] Trois situations textuelles différentes : 1° ἐπαινέσω ὑμᾶς, le verbe étant au subjonctif aoriste ou à l'indicatif futur (א A^vid C D Ψ 33. 1739. 1881 *Byz* vg^mss). – 2° ἐπαινῶ ὑμᾶς (B F G lat). – 3° ἐπαινῶ (p⁴⁶). La première leçon est mieux attestée. De toute façon, la phrase est interrogative.

[e] Le membre de phrase παρέλαβον ἀπὸ τοῦ κυρίου est parfois remplacé par παρέλαβον παρὰ κυρίου (D lat ; Ambrosiaster) ou par παρέλαβον ἀπὸ θεοῦ (G 365 d*). Mais il est attesté par la majorité des mss.

[f] Quelques mss ajoutent l'article τόν devant ἄρτον (D* F G), sans doute sous l'influence de la pratique liturgique.

ᵍ La qualification du corps connaît quatre leçons principales : 1° τὸ σῶμα τὸ ὑπὲρ ὑμῶν, dans p⁴⁶ ℵ* A B C* 33. 1739* ; Origène Athanase Pélage Cyrille Fulgence. – 2° τὸ σῶμα τὸ ὑπὲρ ὑμῶν κλώμενον (brisé), dans ℵᶜ C³ Dᵇᶜ G K P Ψ 81. 88. 104. 181. 326. 330. 436. 451. 614. 629. 630. 1241. 1739ᵐᵍ. 1877. 1881. 1962. 1984. 1985. 2127. 2492. 2495 *Byz* d e g goth ; Ambrosiaster Basile Chrysostome Théodoret. – 3° τὸ σῶμα τὸ ὑπὲρ ὑμῶν θρυπτόμενον (rompu) (Dᵍʳ*). – 4° τὸ σῶμα τὸ ὑπὲρ ὑμῶν διδόμενον (donné) dans vlᵐˢˢ vg eth. Des spécialistes de critique textuelle du NT préfèrent la leçon 2, estimant que la brisure du corps (et non du pain) est originelle (Duplacy, *Études* 329-348 ; suivi par Poulet). D'autres lui préfèrent la leçon 1, soutenue par des témoins moins nombreux mais plus anciens, faisant l'hypothèse que la leçon 2 a été influencée par le geste liturgique de la fraction du pain (N-A²⁷) ; elle est en outre *lectio brevior*.

ʰ La mention de la coupe est précisée par un démonstratif dans quelques mss : τὸ ποτήριον τοῦτο dans p⁴⁶ ℵ² C³ D¹ Ψ 1739ᵐᵍ *Byz* ar t sy bo. Influence probable du parallélisme avec τὸν ἄρτον τοῦτο.

ⁱ Quelques mss ajoutent ἀναξίως après πίνων : ℵ² C³ D G Ψ 1881 *Byz* latt sy. Cet ajout, secondaire, tend à réduire la portée du jugement.

ʲ Après τὸ σῶμα quelques mss ajoutent τοῦ κυρίου : ℵ² C³ D F G Ψ 1241ˢ. 1881ᶜ *Byz* vl vgᶜˡ sy ; Ambrosiaster. Il s'agit d'une explicitation secondaire.

ⁿ Au lieu de εἰ δέ certains mss portent εἰ γάρ (ℵ² C Ψ 1881 *Byz* sy), moins bien attesté.

ᵒ Quelques mss ajoutent δέ après εἰ : ℵ² D² Ψ Byz b vgᵐˢˢ sy ; Clément. La leçon sans cette particule est mieux attestée.

BIBLIOGRAPHIE

R. VON BENDEMANN, « Körperkonzeptionen im *Corpus Paulinum* im Licht der hellenistisch-römischen Medizin », in *Paul's Greco-Roman Context*, C. BREYTENBACH (ed.), Leuven 2015, 157-191. – T.A. BROOKINS, « The Supposed Election of Officers in 1 Cor 11. 19 : A Response to Richard Last », *NTS* 60, 2014, 423-432. – J. CALLOUD, « Le repas du Seigneur. La communauté corps du Christ. Analyses sémiotiques », in A.C.F.E.B., *Le corps et le corps du Christ dans la première épître aux Corinthiens*, Paris 1983, 117-129. – R.A. CAMPBELL, « Does Paul Acquiesce in Divisions at the Lord's Supper ? », *NT* 33, 1991, 61-70. – P. COUTSOUMPOS, *Paul and the Lord's Supper. A Socio-Historical Investigation*, New York 2005. – S. GROBEL MILLER, « A Mosaic Floor from a Roman Villa at Anaploga », *Hesperia* 41/3 1972, 332-354. – O. HOFIUS, « Herrenmahl und Herrenmahlsparadosis. Erwägungen zu 1 Kor 11, 23b-25 », *ZTK* 85, 1988, 371-408. – O. HOFIUS, « Τὸ σῶμα τὸ ὑπὲρ ὑμῶν, 1 Kor 11, 24 », *ZNW* 80, 1989, 80-88. – S.W. HENDERSON, « 'If Anyone Hungers...' An Integrated Reading of 1 Cor 11. 17-34 », *NTS* 48, 2002, 195-208. – D.G. HORRELL, « Domestic Space and Christian Meetings in Corinth : Imagining New Contexts and the Buildings East of the Theater », *NTS* 50, 2004, 349-369. – L. JAMIR, *Exclusion and Judgement in Fellowship Meals. The Socio-Historical Background of 1 Corinthians 11 : 17-34*, Eugene, OR 2016. – J. JEREMIAS, *La dernière Cène. Les paroles de Jésus*, Paris 1972. – E. KÄSEMANN, « Anliegen und Eigenart der paulinischen Abendmahlslehre », *Exegetische Versuche und Besinnungen*, Göttingen 2011, 9-32. – J.S. KLOPPENBORG, « Precedence at the Communal Meal in Corinth », *NT* 58,

2016, 167-203. – P. Lampe, « The Eucharist. Identifying with Christ on the Cross », *Interp.* 48, 1994, 36-49. – R. Last, « The Election of Officers in the Corinthian Christ-Group », *NTS* 59, 2013, 365-381. – X. Léon-Dufour, *Le partage du pain eucharistique selon le Nouveau Testament*, Paris 1982, 236-265. – H. McCoby, « Paul and the Eucharist », *NTS* 37, 1991, 247-267. – A. McGowan, « The Myth of the "Lord's Supper" : Paul's Eucharistic Terminology and Its Ancient Reception », *CBQ* 77, 2015, 503-521. – R.M. McRae, « Eating with Honor. The Corinthian Lord's Supper in Light of Voluntary Association Meal Practices », *JBL* 130, 2011, 165-181. – M. Öhler, « Cultic Meals in Associations and the Early Christian Eucharist », *EarlyChrist* 5, 2014, 475-502. – L. Panier, « Le pain et la coupe : parole donnée pour un temps d'absence. Une lecture de 1 Co 11, 17-34 », *SémBib* 126, 2007, 4-18. – D.C. Passacos, « Eucharist in First Corinthians : A Sociological Study », *RB* 104, 1997, 192-210. – F. Poulet, *Célébrer l'Eucharistie après Auschwitz. Penser la théodicée sur un mode sacramentel*, Paris 2015, 180-196. – I.L.E. Ramelli, « Spiritual Weakness, Illness, and Death in 1 Corinthians 11 : 30 », *JBL* 130, 2011, 145-163. – G.H. Rodríguez, « Discernir el cuerpo. Análisis retórico de 1 Cor 11, 17-34 », *RevBib* 71, 2009, 73-100. – S. Schneider, « Glaubenmängel in Korinth. Eine neue Deutung des "Schwachen, Kranken, Schlafenden" in 1 Kor 11, 30 », *FilolNT* 9, 1996, 3-19. – D.N. Schowalter, « Seeking Shelter in Roman Corinth : Archaeology and the Placement of Paul's Communities », in *Corinth in Context. Comparative Studies on Religion and Society*, S.J. Friesen, D.N. Schowalter, J.C. Walters (eds), Leiden 2010, 327-341. – W. Schrage, « Einige Hauptprobleme des Diskussion des Herrenmahls im 1. Korintherbrief », in *The Corinthian Correspondence,* R. Bieringer (ed.), Leuven 1996, 191-198. – M.A. Seifrid, « Gift of Remembrance : Paul and the Lord's Supper in Corinth », *ConcJourn* 42, 2016, 119-129. – J.C. Walters, « Paul and the Politics of Meals in Roman Corinth », in *Corinth in Context. Comparative Studies on Religion and Society*, S.J. Friesen, D.N. Schowalter, J.C. Walters (eds), Leiden 2010, 343-364.

INTERPRÉTATION

Sans transition, Paul aborde une question à laquelle il semble attacher une grande importance. Le lien avec la péricope qui précède (2-16) est essentiellement thématique : il s'agit dans les deux cas des réunions de l'Église. On ne sait si les consignes données précédemment concernent des réunions au cours desquelles on prenait le dîner du Seigneur, mais c'est de cela maintenant qu'il s'agit. Le NT atteste que cette célébration, où l'on rappelait les gestes et les paroles de Jésus sur le pain et sur la coupe pendant le dernier repas qu'il prit avec ses disciples, rythmait la vie des Églises. Les Actes des Apôtres l'appellent « la fraction du pain » (Ac 2, 42.46 ; 20, 7.11 ; 27, 35). Pline le Jeune en témoigne dans une lettre à Trajan, où il affirme que les chrétiens ont l'habitude de « se réunir à jour fixe avant le lever du soleil » (*soliti stato ante lucem convenire*), pour « prendre leur nourriture qui, quoi qu'on en dise, est ordinaire et innocente » (*coeundi ad capiendum cibum promiscuum tamen et innoxium*) (*Lettres* X, 96). Les mots employés par Paul laissent cependant entendre que la réunion dont il parle avait lieu le soir, au début de la nuit qui séparait le samedi du dimanche, appelé « le jour du Seigneur » (v. 20). Grâce à la tradition citée aux vv. 23-25, 1 Co est l'un des quatre écrits du NT où sont rapportés les gestes et paroles de l'institution eucharistique. Les trois autres se trouvent chez les Synoptiques (Mt 26, 26-29 ; Mc 14, 22-25 ; Lc 22, 15-20 ; Jean ne les reproduit pas) ; il est repérable que, d'une part, Paul et Luc sont proches, et que, d'autre part, Matthieu et Marc le sont.

Dès les premiers mots du texte, le ton de l'Apôtre est celui du reproche. Alors qu'au début de la péricope précédente, il commençait par féliciter ses destinataires (11, 2), il précise ici, au contraire, qu'il ne les félicite pas (v. 17), et il le répète à deux reprises après avoir décrit ce qui ne va pas (v. 22) ; le triple emploi du même verbe « louer » forme une inclusion qui permet de délimiter une première unité dans la péricope (vv. 17-22). Pour conduire les Corinthiens à célébrer plus dignement, Paul cite la tradition des Églises sur les gestes et paroles accomplies par Jésus lors de son dernier repas. Le récit de l'institution eucharistique est reproduit aux vv. 23-25, prolongé par une réflexion dont l'Apôtre est sans doute l'auteur (v. 26), insistant sur la gravité d'un rite qui touche à la mort et, en conséquence, sur les risques encourus lorsqu'on ne le célèbre pas dignement. Les versets 23-26 constituent la seconde unité du texte. Viennent ensuite deux séries de conséquences : la première (vv. 27-32) décrit les effets d'un repas du Seigneur indignement célébré ; la seconde (vv. 33-34) indique la marche à suivre pour que tout se passe dans la dignité.

La péricope obéit alors à une *dispositio* rhétorique assez classique : la *narratio* des vv. 17-22 décrit la situation ; la *probatio* présente une preuve par l'autorité (vv. 23-26) suivie d'une argumentation qui la développe (vv. 27-32) ; la *propositio* est la consigne de comportement donnée en finale (v. 33-34b), avant une très brève annonce (v. 34c) qui clôt la question (Rodríguez).

VV. 17-22 – La première affirmation de la péricope, au v. 17, est une désapprobation. Paul en fournit immédiatement les raisons au v. 17b : les réunions des chrétiens devraient avoir lieu « pour le meilleur », mais elles ont lieu « pour le pire ». C'est aux vv. 18-19 qu'on apprend plus précisément ce dont il s'agit. Comme en 1, 10 et en 5, 1, Paul a appris les choses par ouï-dire (verbe *akouô*). Comme en 1, 10, également, il y a dans l'Église des divisions (*schismata*), et elles sont maintenant d'autant plus graves qu'elles se manifestent au moment où elle se rassemble. On comprend à partir de là que les rites associés au pain et à la coupe étaient intégrés à un repas complet, où l'on mangeait et buvait aussi pour se nourrir. On ne possède aucune source précise sur le rituel. Il est cependant assez vraisemblable qu'il s'inspirait des repas rituels juifs : tout commençait par la bénédiction du pain, puis suivait le repas alimentaire, et l'on terminait par la coupe qui correspondait à la troisième ou à la quatrième coupe du *seder* pascal juif (*e.g.* Fee* ; Hofius ;

Lampe ; Schrage ; Winter, *After*, 142-158 ; Zeller*). Les historiens ont poussé l'enquête sur les lieux de célébration possibles au Ier siècle. Les Églises ne disposaient pas d'édifice spécifique ; les célébrations avaient lieu dans des maisons particulières suffisamment vastes pour accueillir quelques dizaines de fidèles. Les fouilles archéologiques réalisées dans des maisons romaines de Corinthe, notamment une maison patricienne dans le quartier d'Anaploga (Grobel Miller), ont conduit à formuler l'hypothèse que le maître de maison n'avait pas perdu ses habitudes sociales en accueillant le groupe de fidèles. Il recevait d'abord ses amis devenus disciples du Christ dans son triclinium où neuf banquettes pouvaient prendre place, et où il leur servait un repas plantureux ; plus tard arrivaient les fidèles de condition modeste qui s'entassaient dans l'atrium avec des provisions plus maigres ; les divisions que Paul déplore correspondaient aux classes sociales ; les rites accomplis sur le pain et la coupe étaient alors plaqués sur un groupe manquant d'unité (Murphy-O'Connor, *Corinthe*, 237-245). Cette reconstitution est séduisante, mais elle n'est plus aussi largement retenue, car les fouilles archéologiques ne renseignent pas sur les étages supérieurs des maisons. Or, elles possédaient en général au moins un étage, et il semble qu'on célébrait là le dîner du Seigneur, comme le montre Ac 20, 9, sans forcément utiliser le triclinium (Horrell) ; et finalement, il est sans doute vain d'imaginer une maison-type, les communautés s'adaptant, pour la célébration, aux locaux dont elles disposaient (Schowalter). Mieux vaut se fonder sur ce que dit le texte aux vv. 20-21, à savoir que les uns disposaient de provisions plus abondantes que les autres, et qu'il y avait dans l'assemblée des gens que Paul appelle « ceux qui ne possèdent pas » (v. 22) : sans doute des esclaves et de petits employés. Il faut en déduire que chacun apportait ses provisions, sauf peut-être le pain fourni par la maison qui recevait ; les notables arrivaient les premiers et faisaient bonne chère, aucun partage n'avait lieu avec les gens modestes arrivés plus tard, une fois fini le labeur quotidien, et porteurs de nourritures frugales. Dans les codes d'honneur habituels (Walters), les maîtres mangeaient avant les serviteurs (cf. Lc 17, 7-10) ; les Corinthiens se pliaient sans doute spontanément à ces règles (Öhler) ; et il faut ajouter qu'un notable qui invitait largement le faisait le plus souvent pour assurer sa propre promotion (Jamir). En rappelant qu'il s'agit du « dîner du Seigneur » (*kyriakon deipnon*), Paul insiste sur le fait que, là où l'Église se rassemble pour prier, il n'y a plus d'autre Seigneur que le Seigneur Jésus, mort et ressuscité (McGowan), devant lequel le maître de maison doit s'effacer. Il est donc inacceptable pour l'Apôtre que certains se jettent sur la nourriture et n'attendent aucunement qu'une bénédiction quelconque ait été prononcée ; d'où les divisions dénoncées au v. 18. Avant de conclure son évocation des déviances corinthiennes, Paul fait cependant au v. 22 une concession à ceux qui n'attendent pas les autres : après tout, s'ils ont envie de se remplir le ventre, ils peuvent le faire chez eux avant de venir pour le dîner du Seigneur. Ce point est important dans l'éthique paulinienne : l'Apôtre se soucie peu de ce que les gens font chez eux, il ne s'immisce pas dans l'intimité des personnes. Son propos concerne la vie ecclésiale ; se goinfrer avec arrogance dans l'assemblée communautaire revient à mépriser les pauvres et à ne pas respecter leur honneur. Paul n'abolit pas les normes sociales. Mais l'Église n'est pas le lieu où elles ont à s'exprimer !

VV. 23-26 – Au lieu de tenter de rétablir l'ordre en donnant des consignes d'ordre éthique, Paul fait appel à la grande tradition des Églises. Il fait sortir du conflit par le haut, manifestant par là une pédagogie très fine (Eriksson, *Traditions* ; Quesnel, « Pédagogie » 474-477). Il place solennellement ses lecteurs face à la tradition du dernier repas que Jésus prit avec ses apôtres avant sa mort. Cette tradition est d'abord rappelée aux vv. 23-25, puis reprise par Paul au v. 26 en vue d'en souligner la gravité. Le texte des vv. 23-25 est à mettre en dialogue avec 10, 16-17, passage dans lequel l'Apôtre s'est déjà référé au pain rompu et à la coupe de bénédiction. L'origine est un événement de la vie de Jésus situé dans la nuit où il était « livré » (v. 23), ce terme introduisant la thématique de la mort contenue dans ce qui est dit ensuite du corps et du sang, et rappelée dans le commentaire que Paul fait des paroles prononcées par Jésus, au v. 26. Le dernier repas n'est pas décrit ; Jésus n'est pas d'abord traité comme celui qui va mourir mais comme celui qui dit ; Paul s'adresse manifestement à des fidèles qui savent déjà ce dont il s'agit. C'est un rappel de la part de l'Apôtre, qui ne précise pas s'il considérait ce dernier repas comme un *seder* pascal. Les recherches historiques récentes sur Jésus conduisent à penser que ce n'en était pas un ; Jésus aurait dû le célébrer le vendredi 14 nisan à la nuit tombée, et il est mort le même jour vers trois heures de l'après-midi. Les paroles que Paul place dans la bouche de Jésus remontent à une tradition que Paul possède en commun avec Luc, tradition sans doute formulée en milieu antiochien, dont plusieurs termes grecs n'ont pas d'équivalent en hébreu. Du corps, elles disent seulement qu'il est « pour vous » ; il n'a plus d'autre finalité que sa propre disparition au profit d'une population d'abord représentée par les personnes présentes, mais qui doit être étendue à un groupe plus vaste. La coupe est identifiée à la nouvelle alliance annoncée par Jérémie (Jr 31, 31-34) mais le texte du prophète ne fait pas allusion au sang. Il faut alors référer cette nouvelle alliance à une plus ancienne, conclue au désert lorsque Moïse répandit sur le peuple le sang de jeunes taureaux immolés en sacrifice de communion (Ex 24, 1-8). La nouvelle alliance annoncée par Jérémie s'actualise dans une alliance où le sang a à nouveau sa place ; il est celui que Jésus versa lui-même sur le gibet de la croix. Après avoir mentionné à deux reprises l'ordre de renouvellement qu'il met dans la bouche de Jésus lui-même (vv. 24.25), Paul peut alors, au v. 26, revenir aux célébrations auxquelles participaient les fidèles de Corinthe : ils refont les mêmes gestes que Jésus la veille de sa Passion, ils prononcent les mêmes paroles. Par là même, ils annoncent la mort du Seigneur et sont partie prenante de cette annonce. Qu'il soit ou non fait lecture de récits liés à la Passion au cours du repas, le corps-pour et l'alliance-dans-le-sang sont suffisamment explicites pour évoquer cette mort. Aucune allusion n'est faite à la Résurrection dans tout ce passage, mais la proposition «jusqu'à ce qu'il vienne» renvoie à la venue du Ressuscité que Paul évoque en 15, 23 et dont il a décrit le scénario en 1 Th 4, 13-18.

VV. 27-32 – La complexité de la pensée dans ces six versets rend difficile leur étude dans l'ordre du texte ; mieux vaut les traiter comme un bloc pour mieux saisir le jeu entre les différentes acceptions du mot « corps » (*sôma*), et entre les différents termes construits à partir de la racine *krin-* (juger). Après avoir rappelé la tradition de l'institution eucharistique et en avoir souligné la gravité, Paul en tire une première série de conséquences, avec déjà un conseil : s'éprouver soi-même (v. 28) ; autrement dit, voir si l'on est dans les dispositions convenables pour discerner le corps (v. 29). Le texte joue sur la polysémie du mot « corps » et ses différentes connotations, sans qu'aucune des trois ne soit première par rapport à l'autre. Le corps qu'il faut discerner, c'est le corps eucharistique, le pain sur lequel ont été prononcées les paroles dont l'origine remonte à Jésus : « Ceci est mon corps » (v. 24). Ce corps a été annoncé comme étant un corps-pour (v. 24), et il renvoie alors – deuxième connotation – au corps de Jésus crucifié le Vendredi Saint. Et enfin, ceux qui se jettent sur la nourriture en faisant honte à ceux qui ne possèdent pas (v. 22) ne respectent pas le corps ecclésial ; car Paul est convaincu – et il l'affirme souvent en 1 Co 3, 16-17 ; 12, 12-27 – que l'Église est un corps. En se comportant indignement à l'égard du corps ecclésial, on bafoue le corps eucharistique et par là même le corps crucifié ; on devient coupable vis-à-vis de ce dernier (v. 27) ; on n'est alors pas en mesure de recueillir les fruits de la rédemption acquise par le Christ sur la croix, et on risque la condamnation. L'indignité que Paul dénonce au v. 27 est une indignité de comportement liée au non-discernement du corps ecclésial (v. 29) ; quoiqu'on ait pu en dire ou en écrire, elle n'a pas de rapport avec d'autres aspects de la vie morale. La gravité des questions en jeu est soulignée par l'emploi d'un vocabulaire judiciaire, qui couvre les vv. 29-34, et qui fonctionne mieux en grec qu'en français car les termes utilisés appartiennent tous à la racine *krin-*. Il convient de distinguer le «jugement» ou la «sentence» (verbe *krinô* et substantif *krima* : v. 29.31.32.34) ; le «discernement» ou «examen» (verbe *diakrinô* : v. 29.31) ; la «condamnation» (verbe *katakrinô* : v. 32). Puisque le processus judiciaire est engagé par le fait même qu'on mange le corps et qu'on boit le sang du Seigneur (v. 29), mieux vaut s'autoexaminer avant de s'engager dans cette action, voire s'abstenir de participer au repas si l'on n'est pas prêt (v. 31), autrement la sentence peut devenir condamnation ; et condamnation « avec le monde » (v. 32), un monde qui a ici une connotation nettement négative (déjà en 1, 27-28 ; 6, 2 ; et ailleurs chez Paul en 2 Co 1, 12 ; 5, 19 ; Rm 3, 6).

VV. 33-34 – En dehors du v. 34c qui ouvre à ce que Paul pourra régler lui-même lorsqu'il reviendra à Corinthe, ces deux versets donnent les consignes de comportement à respecter lorsque les fidèles se réunissent pour le repas du Seigneur. Des reprises de termes utilisés dans la première unité (17-22) font inclusion et indiquent que l'on parvient à la fin de la péricope : ainsi « se réunir » (vv. 17.18.20 repris en 33.34) ; ainsi « la maison » (v. 22 repris en 34). Paul donne un ordre, qui constitue la *propositio* de la période rhétorique : « attendez-vous » ; c'est nécessaire pour que le corps ecclésial existe, ce corps sans lequel il n'y a pas de célébration en Église possible. Il est toujours possible de combler sa faim chez soi et en mangeant ce que l'on veut avant de venir au dîner du Seigneur, pour lequel aucun jeûne n'est apparemment prescrit. Paul renvoie les personnes à leur conscience pour leur vie privée ; mais lorsque l'Église célèbre son Seigneur crucifié, elle doit adapter sa façon de vivre aux graves enjeux de ce qu'elle célèbre.

NOTES

17

Les premiers mots du texte, τοῦτο δὲ παραγγέλλων, sont parfois interprétés comme un rappel de ce qui précède ; mais le démonstratif utilisé se rapporte plutôt à ce qui suit ; il annonce le point que Paul va aborder. Le verbe ἐπαινέω (féliciter) est à nouveau employé, par deux fois, au v. 22 ; ces emplois, formant inclusion, délimitent l'étendue de la section 17-22. Le rassemblement ecclésial est exprimé par le verbe συνέρχομαι, un terme souvent utilisé pour parler des assemblées chrétiennes (ici et aux vv. 18.20.33.34 ; à nouveau en 14, 23.26 ; également présent dans les Synoptiques et en Ac).

18

Le verset est introduit par πρῶτον μέν qui annonce normalement le corrélatif δεύτερον δέ, absent du texte. Le corrélatif annoncé est peut-être contenu dans la façon dont Paul introduit le v. 34 : τὰ δὲ λοιπά... à moins que les chapitres 12-14 ne constituent le deuxième volet attendu ; le chapitre 12 étant introduit comme un sujet nouveau, la première solution semble la meilleure. Il est précisé que le rassemblement se fait ἐν ἐκκλησίᾳ, terme employé pour la première fois en 1, 2 (voir ce verset), qui désigne la communauté locale. En 1 Co 14, 23, les deux mêmes termes ἡ ἐκκλησία et συνερχόμαι sont également associés. Les informations reçues par Paul lui sont parvenues par ouï-dire, ce qu'exprime le verbe ἀκούω, également employé en 5, 1 à la voix passive : ἀκούεται. La source de l'information n'est pas nommée, mais le passif renvoie à un canal d'information encore moins précis : un bruit, une rumeur. Les divisions dans la communauté sont exprimées par le substantif pluriel σχίσματα déjà employé en 1, 10. Malgré Lietzmann* et Lindemann*, il n'y a pas de raison qu'elles coïncident avec les partis nommés en 1, 10-12. L'adhésion de Paul aux rumeurs entendues est exprimée par le membre de phrase μέρος τι πιστεύω. Est-ce dire que Paul n'en croit pas tout ? S'agit-il plutôt d'une rhétorique de *dissimulatio* par laquelle, quelle que soit la fiabilité de l'information reçue, Paul veut éviter qu'on ne l'accuse d'accorder foi à des racontars (Mitchell, *Rhetoric*, 152-153) ? Le mieux sans doute est de remarquer que la formule est classique, qu'elle existe chez Thucydide (*Histoire* 4, 30) et qu'elle signifie : « Je le crois en (grande) partie. »

19

Ce verset est une parenthèse dans l'exposé des désordres ; son interprétation est très débattue. On aimerait l'entendre oralement pour savoir sur quel ton Paul l'aurait prononcé ! Parmi les principales hypothèses : 1° Un *agraphon* de Jésus, partiellement connu par la *Didascalie syriaque* (6,5) et par Justin (*Dialogue avec Tryphon* 35,3), cité à propos de l'emploi du substantif αἱρέσεις (Héring*). – 2° Une réflexion résignée. – 3° Une remarque ironique (Campbell ; Fitzmyer*). – 4° Une revendication des forts de Corinthe (Thiselton*). – 5° Une nécessité eschatologique (Barrett* ; Fee* ; Lietzmann*). L'examen du vocabulaire employé dans le verset conduit à faire les remarques suivantes : le verbe impersonnel δεῖ exprime une nécessité essentielle, assez souvent eschatologique (ainsi 8, 2 ; 15, 25.53 ; 2 Co 5,10). Le substantif αἱρέσις n'est employé qu'ici en 1 Co. Il peut renvoyer à une faction néfaste (Ga 5,20), mais son sens premier est plus neutre ; il exprime un choix, une prise de parti et, par extension, la doctrine d'un groupe ; Flavius Josèphe l'utilise comme terme générique pour les trois mouvements présents dans le monde juif du Iᵉʳ siècle, Pharisiens, Sadducéens, Esséniens (*AJ* 13, 5, 9 § 171) ; l'hypothèse a été faite que Paul réclamait des élections pour désigner les officiers de l'Église (Last) ; elle est difficile à tenir, dans la mesure où, dans la rhétorique utilisée, αἱρέσεις doit avoir un contenu proche de σχίματα (Brookins) L'adjectif δόκιμος renvoie à une personne éprouvée ou reconnue, principalement par Dieu ; le verbe dérivé, δοκιμάζω, est utilisé en 11, 28, pour indiquer l'examen que chacun doit faire de soi-même avant de fréquenter le repas du Seigneur. Ces réflexions conduisent à formuler une sixième hypothèse : la phrase n'est ni ironique ni résignée, elle renvoie aux choix que chacun doit faire, les personnes décidées à participer dignement aux réunions ecclésiales ayant à se manifester et à servir éventuellement d'exemples pour les autres.

20

Le participe συνερχομένων est précisé par le complément circonstanciel ἐπὶ τὸ αὐτό, qui peut être compris de deux façons différentes : « en commun » ou « en un même lieu ». Les mêmes termes sont associés en 14, 23. L'expression ἐπὶ τὸ αὐτό est aussi employée en Ac 1, 15 ; 2, 1.44. Le premier sens serait pléonastique ; les emplois parallèles conduisent à préférer le sens « en un même lieu ». Se pose aussi difficulté la compréhension de οὐκ ἔστιν κυριακὸν δεῖπνον φαγεῖν. La négation pourrait porter sur la nature de l'acte de manger : « Ce n'est pas le dîner du Seigneur que vous mangez » (Fee* ; Héring* ; Thiselton*). Elle pourrait concerner l'objectif de la réunion, l'infinitif φαγεῖν étant alors un infinitif final : « Ce n'est pas pour manger le dîner du Seigneur » (Barrett* ; Fitzmyer*). La tournure οὐκ ἔστιν + infinitif existe cependant dans la LXX dont la langue est familière à Paul (ainsi Sg 5, 10 ; Si 14, 16 ; 18, 6) ; elle indique une absence de possibilité. D'où notre traduction (avec Senft* ; Zeller*). Le repas en question est appelé κυριακὸν δεῖπνον. Le substantif τὸ δεῖπνον désigne le repas que l'on prenait en fin d'après-midi, le principal repas de la journée ; il est utilisé une quinzaine de fois dans le NT. L'adjectif κυριακός ne se trouve que deux fois dans le NT. L'autre emploi est en Ap 1, 10 dans l'expression ἡ κυριακὴ ἡμέρα, « le jour du Seigneur », qui désigne clairement le dimanche. La *Didachè* (14, 1) lui préfère deux substantifs : ἡ ἡμέρα κυρίου.

21

Ce verset décrit les pratiques que Paul désapprouve. Le verbe composé προλαμβάνω peut avoir une nuance intensive par rapport au verbe sans préfixe et suggérer d'abord une certaine avidité, celle de ceux qui prennent les meilleurs morceaux (Kloppenborg). Mais le préfixe προ- peut également avoir une signification chronologique (ainsi en Mc 14, 8) et suggérer que certains mangent avant les autres. Les deux aspects sont sans doute à retenir. Le membre de phrase ἐν τὸ φαγεῖν, qui termine le v. 21a, qualifie sans doute l'ensemble de ce demi-verset et pas seulement le verbe προλαμβάνει ; on l'attendrait plutôt au début de la phrase. Pour mémoire, il convient de rappeler la position des exégètes qui interprétaient les déviances de Corinthe comme étant le fait de personnes à tendance gnostique (Schmithals, *Gnosis*) ou mystérique (Conzelmann*), pour lesquels le repas rituel introduisait dans la communion de la divinité et permettait de devenir individuellement participant d'une vie surnaturelle, sans aucune dimension ecclésiale ; ces positions ne sont plus guère soutenues.

22

L'invitation lancée au v. 22a à manger dans sa maison (οἰκία) concerne sans doute les riches qui se nourrissent en public de façon arrogante ; elle est reprise plus loin avec le terme οἶκος (v. 34). Elle est lancée en forme de question rhétorique introduite par une double négation : μή... οὐκ. La réponse est donc : « Si fait, vous avez de telles maisons... » L'hypothèse a été faite que, en évoquant ces maisons, Paul ne renvoyait pas aux habitations privées mais à des maisons communautaires spécialement dédiées à y prendre un repas partagé (Henderson) ; mais l'existence de telles maisons n'est aucunement assurée. La seconde question rhétorique (v. 22b) est une accusation : « En agissant ainsi, vous méprisez l'Église et vous faites honte aux pauvres. » Avec la double reprise du verbe ἐπαινέω déjà employé au v. 17 s'achève la première unité de cette péricope, ou *narratio*.

23

Le couple verbal παραλαμβάνω-παρδίδωμι se retrouve en 15, 3 ; les équivalents hébreux, *qibbèl* et *māsar*, sont deux termes importants de la tradition juive pour exprimer le phénomène de réception/transmission. La préposition ἀπό sert à exprimer l'origine de la tradition, qui peut s'être transmise à travers plusieurs intermédiaires. L'hypothèse a été émise que Paul ne se réfère pas à une tradition reçue par l'Église mais à une révélation directe du Seigneur (McCoby), mais elle ne peut être retenue. En effet, l'argument d'autorité porte plus s'il est situé en contexte ecclésial ; et, chaque fois que Paul évoque une transmission directe, il utilise la préposition παρά au lieu de ἀπό (ainsi Ga 1,9.12 ; 1 Th 2, 13 ; 4, 1). Noter le double emploi de παραδίδωμι dans ce verset, la première fois au parfait dans le couple réception/transmission, la seconde fois à l'imparfait passif ou moyen pour évoquer le Seigneur *livré* aux autorités juives et romaines.

24

Comme en Lc 22, 19, la parole prononcée par Jésus sur le pain est résumée par le verbe εὐχαριστέω (Mt et Mc emploient εὐλογέω, équivalent grec de l'hébreu *bārak*) ; ce verbe n'est employé par la LXX que dans des livres deutérocanoniques (Jdt 8, 25 ; Sg 18, 2 ; 2 M 1, 11 ; 10, 7 ; 12, 31 ; 3 M 7, 16), toujours pour une action de grâce rendue à Dieu ; c'est un terme courant chez Philon et Josèphe. La phrase prononcée sur le pain, τοῦτό μού ἐστιν τὸ σῶμα τὸ ὑπὲρ ὑμῶν, vaut d'être comparée à celle que reproduit Lc 22, 19 : τοῦτό ἐστιν τὸ σῶμα μου τὸ ὑπὲρ ὑμῶν διδόμενον. La place du génitif μου est plus normale chez Luc ; et les trois mots τὸ ὑπὲρ ὑμῶν sont plus clairs avec le participe διδόμενον : c'est en étant donné, livré, que le corps de Jésus se révèle être un corps-pour, le geste ayant une dimension rédemptrice. Il n'est pas impossible qu'ici Luc corrige Paul. La question de savoir si la formule de Paul et de Luc peut avoir un original sémitique vaut d'être posée, σῶμα traduisant alors l'hébreu *bāśār*. Des exégètes classiques répondent « non » (ainsi Jeremias, Käsemann) ; d'autres répondent « oui », en se fondant sur la formulation LXX de Lv 5, 8 ; Dt 28, 23, qui traduisent un original hébreu (Hofius, « Σῶμα »). À la fin du verset est reproduit pour la première fois l'ordre donné par Jésus de renouveler son geste (également en Lc 22, 19 ; Paul seul le cite une seconde fois après les paroles sur la coupe au v. 25) : εἰς τὴν ἐμὴν ἀνάμνησιν. Le substantif ἡ ἀνάμνησις est inconnu des LXX ; il est utilisé par Platon pour exprimer l'idée de réminiscence. Le « faire mémoire », en hébreu *ziqqārōn*, est rendu dans la LXX par d'autres mots, par exemple l'adjectif substantivé τὸ μνημόσυνον. Le préfixe ἀνα- suggère un rappel, qui est un faire-mémoire localisé dans la célébration du dîner du Seigneur (Seifrid).

25-26
La fonction grammaticale de μετὰ τὸ δεπνῆσαι est ambiguë. Cette circonstance s'applique-t-elle au moment de l'action décrite : « après le dîner » ? Ou qualifie-t-elle le substantif « coupe », désignée comme « coupe de l'après dîner » ? Dans la deuxième hypothèse, la tournure correcte serait plutôt d'écrire τὸ ποτήριον τὸ μετὰ τὸ δεπνῆσαι, mais Paul ne répète pas forcément l'article dans des tournures analogues (*e.g.* Rm 6, 4 ; 10, 1 ; 1 Co 10, 19 ; 2 Co 9, 13). Dans la seconde hypothèse, le texte ferait allusion à un rituel déterminé, sans doute celui du *seder.* Dans la première, le moment de prononcer les paroles sur la coupe semble moins prédéterminé. Les paroles prononcées sur la coupe sont identiques à celles qui figurent en Lc 22, 20, cependant Luc ajoute au texte de Paul, à propos du sang, qu'il est « répandu pour beaucoup », établissant ainsi un certain parallèle avec ce qu'il écrit du corps. Chez Paul, le sang n'est pas qualifié, seule la coupe l'est ; il est dit d'elle qu'elle est ἡ καινὴ διαθήκη... ἐν τὸ ἐμῷ αἵματι. L'expression « nouvelle alliance » (καινὴ διαθήκη) se trouve dans le NT ici et dans le parallèle de Lc 22, 20, ainsi qu'en 2 Co 3, 6 et He 9, 15. Elle contraste avec l'expression « ancienne alliance » (παλαία διαθήκη) que Paul emploie en 2 Co 3, 14. Elle renvoie à l'annonce de la nouvelle alliance (*berīt ḥadāšāh*) faite par le prophète Jérémie (Jr 31, 31 ou Jr^{LXX} 38, 31), Jésus se présentant alors comme accomplissant, par l'alliance qu'il conclut en versant son sang, l'oracle du prophète d'Anatot. Noter que l'expression « nouvelle alliance » se trouve aussi à Qumrân (CD 6, 19 ; 1QpHab 2, 4-6) ; elle renvoie à l'alliance que Dieu établit avec le Maître de Justice dans le métaphorique pays de Damas. L'ordre de renouvellement est mentionné une nouvelle fois après les paroles prononcées sur la coupe, avec une insistance plus grande qu'au v. 24, marquée par « chaque fois que » (ὁσάκις) ; peut-être cette répétition placée dans la bouche de Jésus a-t-elle pour fonction d'introduire le v. 26 où le terme ὁσάκις joue le rôle de mot crochet.

27
Le verset commence par la conjonction ὥστε qui annonce une première série de conséquences ; une deuxième série introduite par le même adverbe commence au v. 33. La conjonction ἄν suivie du subjonctif indique une éventualité. L'adverbe « indignement » (ἀναξίως) est à interpréter à la lumière de l'emploi de l'adjectif ἀνάξιος en 6, 2 ; il ne concerne pas la dignité de la personne, mais la dignité du comportement. Plus tard, la participation à l'eucharistie sera conditionnée par des dispositions plus essentielles, comme la nécessité d'être baptisé (*Didachè* 9, 5). L'adjectif ἔνοχος signifie « assujetti à, exposé à, coupable de », suivi d'un génitif

du crime commis ou de la personne lésée. Une traduction périphrastique serait : « ... aura à rendre compte d'avoir ainsi traité le corps et le sang du Seigneur » (Thiselton*).

28

Le verbe « s'éprouver » (δοκιμάζω) renvoie aux δόκιμοι du v. 19 : « ceux qui ont fait leurs preuves. » L'adverbe démonstratif οὕτως renvoie à ce qui précède, et fait de l'épreuve que l'on s'impose une condition de possibilité pour participer au repas du Seigneur.

29

L'apparition des mots de la racine κριν- a été préparée par l'emploi d'autres termes qui s'en rapprochent : ἔνοχος (v. 27), δοκιμάζω (v. 28). Le substantif τὸ κρίμα, qui signifie le jugement en tant que résultat de l'action judiciaire, la sentence, se distingue en langue classique du substantif ἡ κρίσις qui désigne le jugement en tant qu'action de juger ; cette distinction est devenue plus floue dans la langue de la *koinè*. L'identité du corps à discerner (διακρίνω) a été diversement interprétée : 1° Le corps du Seigneur présent dans les espèces eucharistiques (Justin ; Augustin ; Weiss*). – 2° Le rassemblement des croyants réunis pour célébrer (Bornkamm, *Gesammelte*, II, 138-176 ; Käsemann ; Lietzmann*). – 3° Le corps comme *pars pro toto* renvoyant à la totalité corps-sang livrée pour le salut du monde par pure grâce (Barrett* ; Schrage* ; Thiselton* ; Wolff*). Il semble qu'aucune de ces interprétations ne soit à exclure, et qu'au contraire le texte joue sur les trois. Le corps étant seul nommé dans ce verset, la logique du texte invite à faire du corps ecclésial le premier objet du discernement à opérer.

30

L'interprétation de ce verset fait difficulté, car il semble faire du malheur des gens une conséquence de leur péché, étant alors en recul par rapport à la position de Jésus décrite en Lc 13, 1-5 et Jn 9, 2-3. On a tenté d'adoucir le propos en interprétant les termes ἀσθενής (faible), ἄρρωστος (malade) et κοιμάομαι (être endormi) au sens métaphorique : ils se référeraient à une faiblesse et une maladie spirituelles, un sommeil de la foi (Ramelli ; Schneider, à la suite de quelques Pères de l'Église). Cette interprétation accommodante ne semble pas à retenir ; elle ne respecte d'ailleurs pas la gradation qui va du premier terme au troisième (von Bendemann). Mieux vaut remarquer que : 1° Ce verset est à la 2e personne du pluriel (entre le v. 29 rédigé en mode impersonnel et le v. 31 rédigé à la 1re personne du pluriel), il part donc d'une constatation faite par Paul chez les chrétiens de Corinthe. – 2° En Lc 13 et en Jn 9, Jésus dénoue le lien entre péché et malheur, mais il fait du malheur une mise en garde (Lc 13) ou le point de départ d'une révélation (Jn 9). – 3° Paul passe du péché de certains au malheur présent dans la communauté, mais pas précisément chez les pécheurs eux-mêmes ; il n'établit donc pas de lien direct entre péché et malheur ; c'est la communauté qui est affectée par l'action de ceux qui créent des divisions dans le corps du Christ ; en 10, 1-6, de façon analogue, Paul lie les morts de l'Exode aux péchés d'Israël au désert. – 4° Et enfin, le v. 32 présente ces malheurs comme une pédagogie, dans des termes assez proches de Lc 13, 1-5. Si les croyants les interprètent comme une mise en garde et agissent en conséquence, ils seront préservés d'un malheur plus grand, à savoir la condamnation.

31-32

Se laisser corriger par les malheurs (passif du verbe παιδεύω) permet d'éviter d'être condamné (passif du verbe κατακρίνω). En 2 Co 6, 9 Paul évoque un contraste proche de celui-là : il constate que les apôtres sont corrigés (même passif du verbe παιδεύω) mais non pas mis à mort (passif du verbe θανατόω).

33

Le deuxième emploi de ὥστε (après celui du v. 27) introduit une deuxième consé-quence de l'argumentation développée aux vv. 23-26 éclairée par les vv. 27-33. Un conseil de comportement était donné au v. 28 par l'impératif de la 3e personne δοκιμαζέτω. Un nouvel impératif est utilisé ici, ἐκδέχεσθε, à la 2e personne du pluriel, sur un ton beaucoup plus injonctif. Le sens précis de ἐκδέχομαι est disputé ; si l'on donne au verbe προλαμβάνω (v. 21) le sens de « prendre pour soi, prendre avec avidité », il pourrait signifier une invitation à accueillir avec délicatesse, de façon hospitalière (e.g. Fee*) ; si προλαμβάνω indique plutôt une précipitation, ἀλλήλους ἐκδέχεσθε est alors mieux rendu par : « Attendez-vous les uns les autres. »

34

Le chez soi où l'on est invité à manger si l'on a faim est rendu par le substantif οἶκος. La différence avec οἰκία utilisé au v. 22 fait-elle sens ? Il n'est pas impossible que ἐν οἴκῳ signifie « en famille », ou « en maisonnée » et s'oppose alors à ἐν ἐκκλησίᾳ (v. 18). Mais ce peut être aussi une simple indication de lieu.

SECTION VI

Charismes et ministères
1 Co 12, 1 – 14, 40

BIBLIOGRAPHIE

Monographies complètes

J.E. AGUILAR CHIU, *1 Cor 12-14. Literary Structure and Theology*, Rome 2007.

Y.J AHN, *Interpretation of Tongues and Prophecy in 1 Corinthians 12-14, With a Pentecostal Hermeneutics*, Blandform Forum, UK 2013.

D.A. CARSON, *Showing the Spirit. A Theological Exposition of 1 Corinthians 12-14*, Grand Rapids 1987.

R. GIESRIEGL, *Die Sprengkraft des Geistes. Charismen und apostolischer Dienst des Paulus nach dem 1. Korintherbrief*, Thaur 1989.

K.S. HEMPHILL, *Spiritual Gifts. Empowering the New Testament Church*, Nashville, TN 1988.

R.P. MARTIN, *The Spirit and the Congregation. Studies in 1 Corinthians 12-15*, Grand Rapids 1984.

R.L. THOMAS, *Understanding Spiritual Gifts. A Verse-by-Verse Study of 1 Corinthians 12-14*, Grand Rapids 1999.

C. TIBBS, *Religious Experience of the Pneuma. Communication with the Spirit World in 1 Corinthians 12 and 14*, Tübingen 2007.

Articles et autres contributions

V. BRANICK, « The Gifts of the Spirit in a Divided Church : 1 Corinthians 12-15 », *BibTod* 48, 2010, 253-259.

M.J. CARTLEDGE, « The Nature and Function of the New Testament Glossolalia », *EvQ* 72, 2000, 135-150.

E.A. ENGELBRECHT, « 'To Speak in a Tongue' : The Old Testament and Early Rabbinic Background of a Pauline Expression », *ConcJourn* 22, 1996, 295-302.

P.F. ESLER, « Glossolalia and the Admission of Gentiles into the Early Christian Community », *BTB* 22, 1992, 136-142.

G.D. Fee, « Toward a Pauline Theology of Glossolalia », *Crux* 31, 1995, 22-23. 26-31.

N. Ferguson, « Separating Speaking in Tongues from *Glossolalia* Using a Sacramental View », *Colloquium* 43, 2011, 39-58.

C. Forbes, « Early Christian Inspired Speech and Hellenistic Popular Religion », *NT* 28, 1986, 257-270.

U. Heckel, « Paulus und die Charismatiker. Zur theologischen Einordnung des Geistesgaben in 1 Kor 12-14 », *ThBeitr* 23, 1992, 117-138.

L.T. Johnson, « Glossolalia and the Embarrasments of Experience », *PrincetonSemBull*, 18, 1997, 113-134.

H.-J. Klauck, « Von Kassandra bis zur Gnosis. Im Umfeld der frühchristlichen Glossolalie », *ThQ* 179, 1999, 289-312.

D.B. Martin, « Tongues of Angels and Other Status Indicators », *JAAR* 59, 1991, 547-589.

N.J. McEleney, « Gifts Serving Christ's Body », *BiTod* 33, 1995, 134-137.

E. Nardoni, « The Concept of Charism in Paul », *CBQ* 55, 1993, 68-80.

J. Patrick, « Insights from Cicero on Paul's Reasoning in 1 Corinthians 12-14. Love Sandwich or Five Course Meal ? », *TynB* 55, 2004, 43-64.

C. Perrot, « Charisme et institution chez saint Paul », *RSR* 71, 1983, 81-92.

R.M. Price, « Concerning Pneumatics : Ecclesiastical Authority vs. Spiritual Power in 1 Corinthians 12-14 », *JournHighCrit* 12, 2006, 132-139.

G. Röhser, « Übernatürliche Gaben ? Zur aktuellen Diskussion um die paulinische Charismen-Lehre », *ThZ* 52, 1996, 243-465.

G.S. Shogren, « The "Ultracharismatics" of Corinth and the Pentecostal of Latin America as Religion of the Disaffected », *TynB* 56, 2005, 91-110.

J. Smit, « Argument and Genre of 1 Corinthians 12-14 », in *Rhetoric and the New Testament, Essays from the 1992 Heidelberg Conference*, S.E. Porter, T.H. Olbricht (eds), Sheffield 1993, 211-230.

B. Standaert, « Analyse rhétorique des chapitres 12 à 14 de 1 Co », in *Charisma und Agape (1 Ko 12-14)*, L. De Lorenzi (ed.), Rome 1983, 23-50.

C. Tibbs, « The Spirit (World) and the (Holy) Spirits among the Earliest Christians : 1 Corinthians 12 and 14 as a Test Case », *CBQ* 70, 2008, 313-330.

J.S. Vos, « Het problem van de onderscheiding der geesten bij Paulus », *NedTheolTijd* 52, 1998, 194-205.

Avec ces trois chapitres, l'épître aborde un nouveau sujet introduit, comme d'autres sections de l'épître, par « au sujet de » (*peri de*) : « Au sujet des (dons) spirituels... » Ces trois chapitres forment un ensemble dont le plan global est évident ; il est de type ABA', la section centrale (B) étant constituée par la célèbre *Hymne à la charité* à laquelle nous donnons cependant un autre titre. La construction du propos est pourtant plus complexe que ces premières remarques ne le suggèrent. Car si le terme « charisme » (*charisma*), souvent présent au chapitre 12 (vv. 4.9.28.30.31), disparaît aux chapitres 13 et 14. Il laisse alors la place prépondérante à un binôme introduit dès le v. 10 du chapitre 12, le binôme langue-prophétie, que l'on retrouve à la fin du chapitre 12 (12, 28-29), à nouveau au chapitre 13 (vv. 1-2.8-9), et de façon beaucoup plus fréquente au chapitre 14. Autrement dit, alors que le propos annoncé porte de façon globale sur les dons spirituels ou charismes qu'il convient d'articuler entre eux, à l'image des membres d'un corps, il se développe à mesure que l'on avance dans le texte : d'abord par la mise en valeur d'un charisme qui ne faisait pas partie des listes présentes au chapitre 12, à savoir la charité (chapitre 13) ; puis par l'exposition d'un jeu concurrentiel entre deux charismes particuliers, la prophétie et les langues (chapitre 14), pour affirmer que la première est supérieure aux secondes. Ces réflexions permettent de percevoir, en contrepoint, les questions qui se posaient dans les réunions ecclésiales de Corinthe et que Paul cherche à résoudre : une forte concurrence entre les fidèles qui prophétisaient et ceux qui parlaient en langues, génératrice d'un désordre auquel Paul cherche à remédier (14, 40).

La question du lien avec ce qui précède n'est pas simple. Dans les deux péricopes précédentes, celle consacrée à la coiffure dans les assemblées (11, 2-16) et celle consacrée au Dîner du Seigneur (11, 17-34), Paul donnait des conseils à l'Église locale ou en corrigeait les comportements, lorsqu'elle se réunissait pour prier. C'est sans doute aussi le cas pour les chapitres 12-14, mais ce cadre y semble moins constant. Il n'est pas certain que plusieurs charismes nommés en 12, 8-10 se soient exercés exclusivement dans le cadre de l'assemblée chrétienne, par exemple les guérisons ou les opérations miraculeuses. Quel type de vie ecclésiale existait en dehors des réunions de prière ? Quelle était la périodicité de ces réunions ? Etaient-elles toutes du même type ? La reconstitution de ce passé nous échappe pour une part.

Des questions se posent aussi concernant l'authenticité paulinienne du passage. Les plus courantes sont formulées à propos du chapitre 13, dont la forme littéraire rythmée, de type hymnique, diffère de celle des chapitres qui l'entourent. Plus globalement, le fait qu'il s'agit d'un discours tendant à canaliser les manifestations de l'Esprit Saint au profit d'un ordre ecclésial (14, 40), voire d'une hiérarchie (12, 28-30), a conduit à émettre l'hypothèse que les trois chapitres étaient post-pauliniens, rédigés à la fin du Ier siècle ou au début du IIe, à une époque où l'Église, qui se structurait, privilégiait l'institution aux dépens des charismes (Price). Pourtant, même si des problèmes de cohérence avec le reste de l'épître se posent parfois (notamment pour 14, 33b-36), le style est nettement paulinien. On ne saurait voir dans ces trois chapitres une œuvre d'imitation.

Au plan de la disposition rhétorique, tous les auteurs s'accordent pour voir dans le chapitre 13 (peut-être à délimiter 12, 31b – 13, 13), une unité assez globalement qualifiée de *digressio*. Le découpage pertinent à l'intérieur des chapitres 12 et 14 est plus complexe, et les opinions divergent, sauf pour les deux extrémités : 12, 1-3 est le plus souvent considéré comme un *exordium* (Mitchell, *Rhetoric* ; Patrick ; Smit ; malgré Standaert qui en fait une *propositio*) ; 14, 37-40 est, la *peroratio* des trois chapitres. Pour le chapitre 12, les vv. 12-26 constituent un ensemble cohérent dans lequel Paul présente et développe la métaphore du corps (16 emplois du substantif *sôma* dans ces quinze versets). Quant au chapitre 14, au ton très exhortatif (la deuxième personne du pluriel domine), l'auteur lui-même y a délimité des unités en utilisant à quatre reprises l'apostrophe « frères », qui marque chaque fois un rebondissement de l'exhortation (vv. 6.20.26.39). On aboutit alors à la disposition suivante :

A. Chapitre 12 : Dons spirituels et charismes
    12, 1-11 : Plusieurs charismes, un seul Esprit
    12, 12-26 : Plusieurs membres, un seul corps
    12, 27-31 : Place des différents charismes dans l'Église
B. Chapitre 13 : L'excellence de *l'agapè*
A'. Chapitre 14 : Langues et prophétie
    14, 1-5 : Pour l'édification de l'Église
    14, 6-19 : Limites du parler en langues
    14, 20-25 : Des signes pour qui ?
    14, 26-40 : Quelques règles pratiques

Plusieurs charismes, un seul Esprit
(12, 1-11)

TRADUCTION

12, 1 Au sujet des (dons) spirituels, frères, je ne voudrais pas que vous soyez dans l'ignorance. 2 Vous savez que, lorsque[a] vous étiez païens, vous étiez entraînés, comme si vous étiez menés, vers les idoles muettes[b]. 3 C'est pourquoi je vous fais connaître que personne, parlant par l'Esprit de Dieu, ne dit « Jésus (est) anathème[c]. » Et personne ne peut dire « Jésus (est) Seigneur[d] », sinon par l'Esprit Saint. 4 Or, il y a des répartitions de charismes, mais (c'est) le même Esprit ; 5 et des répartitions de services, et (c'est) le même Seigneur ; 6 et des répartitions de réalisations, mais[e] (c'est) le même Dieu qui réalise tout en tous. 7 A chacun est donnée la manifestation de l'Esprit pour que ce soit utile. 8 Car à l'un, par l'Esprit, est donnée une parole de sagesse ; à un autre, une parole de connaissance selon le même Esprit ; 9 à un autre la foi, par le même Esprit ; à un autre des charismes de guérisons, par l'unique Esprit[f] ; 10 à un autre, des réalisations de miracles[g] ; à un autre[h], une prophétie ; à un autre[h], des discernements[i] d'esprits ; à l'un, des sortes de langues ; à l'autre, l'interprétation[j] des langues ; 11 tout cela c'est l'unique et même Esprit qui le réalise, répartissant personnellement[k] à chacun comme il (le) veut.

[a] La majorité des mss porte οἴδατε ὅτι ὅτε, avec les deux conjonctions à la suite. On trouve parfois seulement οἴδατε ὅτι (K 2464 pc) ; et parfois seulement οἴδατε ὅτε (F G 629 al ar b d vg[mss] sy[p] ; Ambrosiaster Pelage). La première leçon, sans doute la meilleure parce que de loin la plus attestée, pose une difficulté grammaticale : trois conjonctions de subordination (ὅτι, ὅτε, ὡς ἄν) ne commandent que deux verbes (ἦτε et ἤγεσθε). De multiples hypothèses ont été échafaudées pour parvenir à une phrase cohérente (Héring*). La plus simple est de considérer que ἦτε est sous-entendu en fin de phrase, après ἀπαγόμενοι.

[b] La majorité des mss porte ἄφωνα (muettes). Quelques-uns remplacent l'adjectif par ἄμορφα (informe, laid) : F G (ar b ; Ambrosiaster) ; Pelage. L'adjectif ἄμορφος est absent du reste du NT. La première leçon est certainement préférable.

[c] Trois leçons légèrement différentes existent : 1° λέγει· Ἀνάθεμα Ἰησοῦς : ℵ A B C 6. 33. 81. 1175[c]. 1241[s]. 1881 pc t ; Didyme. – 2° λέγει· Ἀνάθεμα Ἰησοῦν : p[46] D G Ψ ar vg[mss] ; Ambrosiaster. – 3° λέγει· Ἀνάθεμα Ἰησοῦ : F 629 pc lat ; Speculum. En mettant Ἰησοῦς à l'accusatif (leçon 2) ou au génitif (leçon 3), les scribes évitent d'écrire en style direct le blasphème « Jésus (est) anathème. » Il s'agit de corrections volontaires.

[d] Variante du même type que la précédente. On trouve εἰπεῖν Κύριον Ἰησοῦν chez D F G Ψ Byz ar b vg[mss] ; Ambrosiaster Pelage Speculum. Mais la majorité des mss emploie le style direct : εἰπειν· Κύριος Ἰησοῦς (p[46] ℵ A B C 6. 33. 81. 104. 1241[s]. 1739. 1881 pc f t vg). Noter que le passage au style indirect n'est pas ici motivé par la peur de blasphémer : conscient de cette différence, le ms. p[46] rétablit ici le style direct.

[e] De nombreux mss marquent une légère opposition par rapport à l'affirmation précédente : ὁ δὲ αὐτὸς θεός ; ainsi ℵ A (D F G) Ψ 33. 1881 Byz latt sy[(p)] ; Irénée[lat] Épiphane. D'autres préfèrent une simple coordination : καὶ ὁ αὐτὸς θεός ; ainsi p[46] B C 81. 365. 630. 1175. (1241[s]). 1739 pc. La première leçon est légèrement mieux attestée.

[f] On lit ἐν τῷ ἑνὶ πνεύματι en A B 33. 81. 104. 630. 1175. 1739. 1881. 2464 pc latt ; Ambrosiaster. On lit ἐν τῷ αὐτῷ πνεύματι en ℵ C[3] D F G 0201 Byz sy ; Clément. Et ἐν τῷ πνεύματι en p[46]. Très peu attestée, la troisième leçon relève d'une omission volontaire ou involontaire. La deuxième est influencée par les formulations du v. 9a. La 1re est la meilleure (TCGNT 563).

[g] La leçon la mieux attestée est ἐνεργήματα δυνάμεων (ℵ A B C Ψ 33. 1739. 1881 Byz sy[h] ; Clément). On trouve aussi ἐνεργήματα δυνάμεως (p[46]) et ἐνεργεία δυνά-μεως (D F G b). La première leçon est meilleure. Ces hésitations attestent que les appellations des charismes à l'époque patristique sont assez flottantes.

[h] A deux reprises, les mss hésitent entre ἄλλῳ δέ, avec une nuance d'opposition (ℵ A C Ψ 33[vid] Byz sy), et ἄλλῳ seul, sans cette nuance d'opposition, dont l'attestation est de qualité comparable : p[46] B D F G 0201. 6. 630. 1739. (1881) pc latt ; Clément.

On ne saurait choisir; l'enjeu est de savoir si les charismes nommés s'opposent ou non.

ⁱ Le substantif διακρίσις peut se trouver au pluriel (p⁴⁶ A B D² Ψ 1739. 1881 *Byz* syʰ bo) ou au singulier (א C D* F G P 0201. 33. 1175 *pc* latt syᵖ sa; Clément). Le singulier est plutôt mieux attesté, mais le pluriel est *lectio difficilior;* ce dernier est à privilégier.

ʲ Au lieu de ἑρμηνεία attesté par la majorité des mss, deux témoins portent διερμηνεία (A D*), terme rare en grec. L'ajout du préfixe subit sans doute l'influence d'autres termes pauliniens : διερμηνευτής (employé en 1 Co 14, 28) et de διερμηνεύω (employé en 1 Co 12, 30; 14, 5.13.27).

ᵏ Deux leçons sont attestées : 1° διαιροῦν ἰδίᾳ ἑκάστῳ (א A B C D¹ Ψ 33. 1739. 1881 *Byz* syʰ; Clément). – 2° διαιροῦν ἑκάστῳ (p⁴⁶ D*·ᶜ F G 0201ᵛⁱᵈ. 1175 latt syᵖ). La présence de ἰδίᾳ (personnellement) n'est pas nécessaire au sens, et est même pléonastique. Sa suppression est sans doute une correction de scribe. La leçon 1 est meilleure.

BIBLIOGRAPHIE

En plus des titres de 12-14

N. BOOKIDIS, « Religion in Corinth : 146 B.C.E. to 100 C.E. », in *Urban Religion in Roman Corinth. Interdisciplinary Approaches*, D.N. SCHOWALTER, S.J. FRIESEN (eds), Cambridge, MA 2005, 141-164. – J.N. COLLINS, « God's Gifts to Congregations », *Worship* 68, 1994, 242-249. – J.N. COLLINS, « Ministry as a Distinct Category among Charismata (1 Corinthians 12 : 4-7) », *Neotest.* 27, 1993, 79-91. – J.D. EKEM, « 'Spiritual Gifts' or "Spiritual Persons" ? 1 Corinthians 12 : 1a Revisited », *Neotest.* 38, 2004, 54-74. – KEI EUN CHANG, *The Community, the Individual, and the Common Good : "To Idion" and "to Sympheron" in the Greco-Roman World and Paul*, Londres 2013. – J.E.T. KUWORDNU-ADJAOTTOR, « Spiritual Gifts, Spiritual Persons, or Spiritually-Gifted Persons ? A Creative Translation of τῶν πνευματικῶν in 1 Corinthians 12 : 1a », *Neotest.* 46, 2012, 260-273. – M.M. MITCHELL, « Paul's Letters to Corinth : The Interpretative Intertwining of Literary and Historical Reconstruction », in *Urban Religion in Roman Corinth. Interdisciplinary Approaches*, D.N. SCHOWALTER, S.J. FRIESEN (eds), Cambridge, MA 2005, 307-338. – P.K. NJIRU, *Charisms and the Holy Spirit's Activity in the Body of Christ. An Exegetical-Theological Study of 1 Corinthians 12, 4-11 and Romans 12, 6-8*, Rome 2002. – R. OMARA, Spiritual Gifts in the Church. A Study of 1 Cor 12 : 1-11, Rome 1997. – T. PAIGE, « 1 Corinthians 12. 2 : A Pagan Pompe ? », *JSNT* 44, 1991, 57-65. – S.S. SCHATZMANN, *A Pauline Theology of Charismata*, Peabody, MA 1987. – H. SCHERER, « Pumpe und Bekenntnis. Zum Hintergrund von 1 Kor 12, 1-3 », *BZ* 55, 2011, 103-114. – J.S. VOS, « Das Rätsel von I Kor 12 : 1-3 », *NT* 35, 1993, 251-269.

INTERPRÉTATION

Le ton général de la péricope laisse entendre que Paul va donner des informations que ses destinataires ignorent. On ne possède cependant aucun indice pour savoir s'il a été ou non interrogé sur les questions qu'il y aborde. À aucun moment, il ne se réfère à ce qu'il aurait antérieurement eu l'occasion de dire, ou à une tradition qu'il aurait transmise. Son but est de faire cesser une ignorance (v. 1) et d'apporter un nouveau savoir (v. 3). Les Corinthiens ont apparemment une pratique des dons spirituels ou charismes qui mérite d'être corrigée. Etait-elle déjà en vigueur lorsque Paul était présent à Corinthe ou, au contraire, est-elle apparue après son départ ? Le texte ne permet pas de le savoir. Il est difficile d'imaginer qu'elle n'ait pas du tout existé avant le départ de l'Apôtre. Ce qui semble clair, c'est qu'elle s'est considérablement développée une fois Paul parti, et de façon assez anarchique. Ce qui n'est pas exprimé non plus dans cette péricope, c'est le cadre dans lequel les Corinthiens faisaient usage des charismes dont ils bénéficiaient. Il faut attendre 12, 28 et, plus loin 14, 4, pour qu'apparaisse le terme « assemblée » (*ekklèsia*). Le lien se fait alors avec l'emploi du même terme en 11, 18 et les questions touchant le Dîner du Seigneur (11, 17-34). C'est lorsque l'Église locale est réunie en assemblée, qu'il y ait ou non bénédiction du pain et de la coupe, que les fidèles mettent en œuvre leurs charismes, et que la manière dont ils le font mérite d'être ajustée. Reste que certains des charismes nommés aux vv. 8-10 – les guérisons par exemple – pouvaient vraisemblablement s'exercer hors du cadre de l'assemblée ecclésiale. L'ensemble de la péricope est rédigée sur le mode impersonnel, à l'exception des vv. 1 et 3 qui sont écrits à la 1re personne du singulier. Ils délimitent l'*exordium* par lequel s'ouvrent les chapitres 12-14. À partir du v. 4, on entre dans le détail des charismes et de leur répartition, ce qui donne un tour plus concret au propos.

VV. 1-3 – Ces trois versets qui constituent l'*exordium* des chapitres 12-14 sont disposés en inclusion. L'hypothèse de faire du v. 3 la *propositio* des chapitres 12-14 ne semble pas à retenir (malgré Vos). L'auteur se nomme à la 1re personne du singulier aux vv. 1 et 3 (*thelô*, *gnôrizô*), alors qu'au v. 2 il s'adresse à ses destinataires à la 2e personne du pluriel (*oidate*, *ête*, *ègesthe*). Au v. 1, le propos reste très général : Paul veut combler une ignorance de ses destinataires à propos des dons spirituels. Dès le v. 2, alors qu'il se réfère à leur passé, apparaît la thématique du dire, à travers le mutisme des idoles que les Corinthiens vénéraient avant leur accès à la foi en Christ. L'incapacité pour les idoles de prendre la parole est fortement soulignée dans l'Ecriture, elles qui « ont une bouche et ne parlent pas » (1 R 18, 26-29 ; Ps 115, 4-8 ; Is 46, 7), à la différence du Dieu d'Israël qui parlait aux patriarches et aux prophètes. En dehors du monde biblique, le syntagme « idoles muettes » évoquait aussi des réalités précises pour les Corinthiens, dont la ville comportait une bonne dizaine de grands sanctuaires, sans compter les autels aux petites divinités, ainsi que les temples de Cenchrées et Isthmia (Mitchell, 309-310). Pour compenser le mutisme de leurs dieux, les citoyens des villes grecques participaient à des processions et à des cultes organisés dans leurs temples, au cours desquels ils pouvaient se laisser prendre par

l'extase et émettre des cris plus ou moins articulés. En évoquant ces pratiques qui font partie du passé récent des Corinthiens, Paul pose une pierre
d'attente à la réserve qu'il exprimera sur le parler en langues, dans la suite
des chapitres 12-14. Au v. 3 est explicitement nommé l'Esprit de Dieu (ou
Esprit Saint), déjà implicite dans la terminologie du v. 1, pour préciser là où
il intervient et là où il n'intervient pas. Ce verset est construit littérairement
en forme de chiasme bien frappé : Esprit de Dieu / Jésus / Jésus / Esprit Saint.
Dieu est nommé dans le premier syntagme, ce qui fait de ce verset l'un des
plus trinitaires du Nouveau Testament. La formule « Jésus (est) Seigneur » ne
pose pas de difficulté. Elle est une confession classique de la Résurrection,
plusieurs fois citée par Paul (Rm 10, 9 ; Ph 2, 11) ; la reconnaissance et la
proclamation de la Résurrection est, selon Paul, l'œuvre de l'Esprit ; pouvoir
la confesser est même le critère ultime de l'activité de l'Esprit. En revanche,
on s'est beaucoup interrogé sur les circonstances dans lesquelles quelqu'un
pouvait être conduit à dire « Jésus (est) anathème ». Un premier groupe
d'hypothèses suppose que le locuteur est chrétien. Serait-il conduit à prononcer un tel anathème sous la pression des tribunaux civils ? Ou du tribunal
d'une synagogue ? Ou dans le cadre de cultes chrétiens extatiques où le
démon pouvait prendre possession de l'exalté ? Ou encore, toujours dans le
cadre d'assemblées chrétiennes, ne serait-ce pas le cri de défense d'un fidèle
se sentant gagné par l'extase et essayant de s'en préserver en prononçant un
blasphème ? Un second groupe d'hypothèses imagine, au contraire, que le
locuteur n'est pas chrétien. Paul, par exemple, n'aurait-il pas lancé de tels
anathèmes à l'époque où il était persécuteur ? Ou peut-on plutôt imaginer
que, la foi en Jésus commençant à être connu à Corinthe, des personnes
restées païennes se mettaient à maudire des proches ayant accédé à cette foi ?
Cette hypothèse s'autorise du fait que, dans le temple de Déméter et Korè
construit sur les pentes de l'Acrocorinthe, les fouilles ont permis de découvrir d'anciennes salles à manger emplies de tablettes de malédiction sans
doute entreposées là après le séisme survenu en 70 de notre ère ; ce fait
atteste que les appels à la malédiction étaient une pratique courante dans la
Corinthe du Ier siècle (Bookidis). Une troisième hypothèse consiste à ne pas
rechercher, pour une telle exclamation, un cadre réel. Enoncer un tel blasphème peut relever d'un procédé rhétorique destiné à mettre en valeur, par
effet de contraste, la confession « Jésus (est) Seigneur ». De toute façon, elle
produit cet effet-là. Nous hésitons entre la deuxième et la troisième hypothèse (exposé plus complet des hypothèses dans Thiselton*, 917-924). Parmi
les charismes que Paul va citer aux vv. 8-10 figurent les discernements
d'esprits. Dès cet *exordium*, l'Apôtre en fournit un bel exemple : confesser
la Résurrection relève de l'Esprit Saint ; en revanche, toute forme de blasphème contre Jésus relève d'autres esprits qui, s'ils ne sont pas nommés, ne
peuvent guère être que des forces spirituelles mauvaises. Ce n'est pas la
manière, mais le contenu du discours inspiré, qui détermine son authenticité.

VV. 4-11 – Après l'*exordium* des vv. 1-3, Paul aborde de façon plus précise le sujet auquel il consacre les chapitres 12-14. Les vv. 4-6 par lesquels il commence son développement sont construits de façon parallèle, avec une chute plus développée au v. 6, ce qui contribue à l'emphase de la rhétorique utilisée. Il convient aussi de remarquer que, comme pour le v. 3 qui utilisait un vocabulaire trinitaire, ces trois versets mettent en avant successivement l'action de l'Esprit (v. 4), du Seigneur (v. 5), et de Dieu (v. 6). Il serait vain de chercher une correspondance terme à terme des mots employés, comme si les charismes étaient le propre de l'Esprit ; les services, le propre du Seigneur Jésus ; et les réalisations, le propre de Dieu. C'est plutôt l'accumulation qui fait sens. La pointe porte sur le contraste entre une répartition des charismes qui témoigne d'une réelle diversité – tous ne possèdent pas les mêmes – et l'unicité de celui qui est la source, qu'il s'agisse de Dieu, du Seigneur ou de l'Esprit : répartition diversifiée mais unité de provenance, on pourrait résumer en ces termes la pensée de l'Apôtre. Au v. 7 et dans les versets suivants, il n'est plus question que de l'Esprit ; le Seigneur et Dieu ont disparu du propos explicite, mais ce n'est pas grave car tout ce qui précède construit aussi une unicité de la source, qu'elle s'appelle Dieu, Seigneur ou Esprit. La diversité des termes employés aux vv. 4-6 s'efface devant une appellation globale : la manifestation (*phanerôsis*) de l'Esprit. Elle dit bien le danger. Puisque les dons se manifestent, ils se voient, et chacun pourrait en tirer orgueil. Or, cet orgueil serait mal placé car il ne correspondrait pas à l'objectif pour lequel l'Esprit agit, à savoir « l'utile » (*to sumpheron*), que l'on peut identifier au bien commun. Finalement, c'est à chaque bout de la chaîne qu'existe l'unité : elle figure dans l'unicité de la source divine ; et elle est une unité à construire. Toute personne qui se réclamerait de son propre charisme pour se faire valoir, aux dépens de ce qui est utile pour tous, ferait fausse route.

Jusque-là, le texte en était encore resté au niveau des principes et des généralités. Aux vv. 8-10, l'Apôtre entre dans le détail. Il nomme successivement neuf charismes. Pour les quatre premiers (vv. 8-9), il rappelle qu'ils relèvent du même Esprit. Pour les cinq derniers (vv. 10) il ne prend plus la peine de le faire, mais c'est implicite. Deux remarques globales valent d'être faites avant que l'on examine chaque charisme en particulier. La première remarque est que l'ordre dans lequel ils sont nommés est porteur de signification. Sans doute est-il difficile d'établir une hiérarchie entre les premiers, car ils ne sont pas repris dans la suite des chapitres 12-14. Mais il est clair que l'ordre dans lequel apparaissent ceux qui sont nommés au v. 10 n'est pas indifférent. La prophétie est nommée avant les langues, cela implique sur ces dernières une certaine supériorité qui sera reprise au chapitre 14 ; quant aux langues, elles ne servent à rien si personne n'a sur place le charisme d'interpréter les langues. En terminant par les langues et l'interprétation qui leur est associée, Paul clôt sa liste sur les charismes qui ont à ses yeux le moins de valeur, ce qui permet de valoriser d'autant mieux le charisme de l'amour (*agapè*) auquel il va consacrer le chapitre 13. Une autre remarque concerne la liste de neuf termes elle-même. Elle est longue. Il n'est pas sûr qu'elle corresponde exactement aux charismes dont se réclamaient les Corinthiens. Mais produire une liste d'une telle ampleur correspond à une stratégie de l'auteur, celle de nommer le plus de charismes possible afin de noyer dans la masse le parler en langues, que les Corinthiens mettaient en vedette et que Paul tient à remettre à sa juste place. Cela dit, chacun des neuf syntagmes employés dans le passage vaut d'être examiné pour lui-même.

1 – « Une parole de sagesse » (*logos sophias* ; non repris dans la suite de 12-14). Le terme « sagesse » peut avoir un sens très général et indiquer tout discours ayant des implications pratiques, comme dans la tradition juive et les traditions orientales. Il est cependant intéressant de le rapprocher de ce que Paul écrit sur la sagesse en 1, 17 – 2, 16, où il dénonce la sagesse des sages (1, 19) pour la remplacer par une vraie sagesse, cachée en Dieu depuis toujours, et dont fait partie la folie de la croix (2, 6-13). Ainsi le détenteur du charisme « parole de sagesse », en tenant compte de la globalité du terme *logos*, pourrait être une personne ayant le don de dire au mieux les originalités de la foi christique et de vivre en conséquence.

2 – « Une parole de connaissance » (*logos gnôseôs* ; repris en 14, 6). La différence entre la parole de sagesse et la parole de connaissance est spontanément peu perceptible. Pour comprendre cette dernière, il faut tenir compte du fait que Paul la maîtrise, tout comme la révélation et la prophétie (14, 6), et qu'il donne à ces charismes plus de valeur qu'aux langues. Mais la connaissance est aussi une réalité qui enfle ; Paul s'en méfie si elle conduit à mépriser les faibles (8, 1-11). Et la connaissance est une réalité moins pragmatique que la sagesse. Ceux qui possèdent le charisme « parole de connaissance » sont vraisemblablement des gens capables d'évaluer la valeur relative des choses, ainsi les savants visés au chapitre 8, persuadés avec raison que les idoles ne sont rien. Mais ils n'en tirent le meilleur que si, au lieu d'en faire usage pour eux-mêmes, ils la mettent au service de toute l'Église.

3 – « Une foi » (*pistis* ; repris en 13, 2.13). L'emploi du terme dans cette liste de neuf charismes montre la difficulté de les cerner. Car s'il est une notion clé de la théologie paulinienne, c'est bien celle de la foi. Et il n'y pas d'autre lieu où l'Apôtre la présente comme un charisme, sauf au chapitre 13. Comme pour les autres charismes, il s'agit ici d'une foi qui s'exprime. Comment ? En ayant le pouvoir de déplacer les montagnes (Mt 17, 20 ; Mc 11, 23) ou les mûriers (Lc 17, 6) ? Sans aller jusque là, puisque les réalisations de miracles sont nommées plus loin (v. 10), il s'agit sans doute d'une foi particulièrement active et opérante, voire contagieuse.

4 – « Des charismes de guérisons » (*charismata iamatôn* ; repris en 12, 28. 30). Dans la liste hiérarchisée de 12, 28, les charismes de guérisons viennent en cinquième position. Ici, ils occupent la quatrième. À la différence des charismes précédents, le sens est clair. L'une des questions qui se pose est de

savoir si ce pouvoir s'exerçait exclusivement dans le cadre des réunions de prière, ou si la personne qui le possédait pouvait aller de maison en maison pour visiter les malades et prier pour eux en leur imposant les mains. Selon les Actes des Apôtres, c'est un pouvoir que Pierre (Ac 9, 32-35) et Paul (Ac 20, 7-12) possédaient.

5 – « Des réalisations de miracles » (*energèmata dunameôn ;* repris en 12, 28.29). Les miracles viennent en quatrième position dans la liste hiérarchisée de 12, 28. Ici, ils occupent la cinquième. La question se pose de la nature du génitif : subjectif (la capacité d'accomplir des miracles) ou objectif (un pouvoir résultant de miracles ; ainsi Calvin). Le génitif subjectif est plus vraisemblable. Là encore, les Actes des Apôtres attribuent un tel pouvoir à Pierre qui provoque la mort d'Ananias et de Saphira (Ac 5, 1-11), et à Paul qui rend aveugle le magicien Elymas (Ac 13, 11).

6 – « Une prophétie » (*prophèteia ;* très souvent repris dans la suite de 12-14). Il a déjà été question de ce charisme en 11, 4-5, à propos de l'homme et de la femme qui prophétisent dans l'assemblée. Il est curieux que ce charisme soit ici relégué en sixième position, alors qu'il occupe la deuxième dans la liste hiérarchisée de 12, 28. Cette différence est sans doute due au fait que le phénomène était complexe. Il existait dans les Églises des personnes exerçant de façon permanente un ministère prophétique. Mais la prise de parole spontanée pour prophétiser était également possible, et semble ne pas avoir été réservée aux prophètes dûment identifiés. C'est sans doute plutôt à cette dernière catégorie que pense Paul, lorsqu'il nomme ce charisme en sixième position, peu avant les langues (voir excursus).

7 – « Des discernements d'esprits » (*diakriseis pneumatôn ;* repris en 14, 29). Il s'agit d'un charisme complémentaire de la prophétie, celle-ci risquant toujours de ne pas être inspirée par Dieu mais par un esprit mauvais ou par la fantaisie d'un prétendu prophète. Ce type de discernement a toujours été nécessaire. Les sectaires de Qumrân se donnaient l'interprétation (*péšèr*) des prophéties comme une de leurs tâches. Jésus avait mis en garde contre les faux prophètes, et annoncé qu'il en surgirait à la fin des temps (Mt 7, 15 ; 24, 11.24 ; Mc 13, 22 ; Lc 6, 26). La *Didachè* (11, 3-12 ; 16, 3) témoigne que le phénomène était encore présent en Syrie à la fin du Ier siècle, et que discerner les esprits restait d'actualité.

8 – « Des sortes de langues » (*genè glôssôn ;* très souvent repris dans la suite de 12-14). Le charisme des langues figure également dans la liste hiérarchisée de 12, 28, où il occupe la huitième et dernière position. Le phénomène du parler en langues est plusieurs fois attesté dans le NT. Il consiste presque toujours en l'utilisation de langues inconnues, voire inarticulées, non compréhensibles sans un interprète, phénomène communément appelé glossolalie. Un cas fait exception, à savoir le phénomène décrit dans les Actes, le jour de la Pentecôte, où il semble bien que des auditeurs comprennent sans qu'il soit fait appel à des interprètes, comme si les langues parlées sous l'action de l'Esprit étaient des langues étrangères existantes :

phénomène de xénoglossie (Ac 2, 4.11). Il semble bien que l'auteur des Actes ait transformé en miracle exceptionnel un phénomène de glossolalie qu'il connaît par ailleurs (Ac 10, 46 ; 19, 6).

9 – « Une interprétation de langues » (*hermèneia glôssôn ;* repris en 14, 26). Tout comme les discernements d'esprits étaient un charisme complémentaire de la prophétie, l'interprétation des langues est nécessaire, puisqu'elles-mêmes ne sont pas spontanément compréhensibles. On pourrait presque parler de traduction, bien que la parole de base n'appartienne pas à une langue identifiée.

Le v. 11 vient en conclusion de l'énumération des charismes, pour insister sur la réalisation de l'unique Esprit, déclinée en charismes divers et diversement répartis. Les formulations qui y sont utilisées non seulement reprennent celles des versets précédents et contribuent à les conclure, mais ils tracent de l'Esprit une image très personnalisée. Il y est écrit que c'est le même Esprit qui réalise, alors que, plus haut au v. 6, c'était le même Dieu qui réalisait (verbe *energeô*). Et il est aussi attribué à cet unique esprit une volonté (verbe *boulomai*), capacité qui est le propre des personnes. Ces constatations complètent ce qui a été remarqué plus haut sur la dimension trinitaire du v. 3 et du groupe formé par les vv. 4-6. L'Esprit Saint à l'œuvre à travers les charismes est, tout au long de cette péricope, placé au même rang que le Dieu unique et le Seigneur Jésus. Paul est ici témoin d'une théologie haute de l'Esprit Saint, qu'il reçoit de la tradition ou dont il est lui-même l'auteur.

NOTES

1

Le génitif pluriel τῶν πνευματικῶν est ambigu. Il peut être masculin et désigner des personnes spirituelles, inspirées. Il peut être neutre et désigner des dons spirituels. La suite des chapitres 12-14 conduit à préférer le neutre (malgré Ekem ; Kuwordnu-Adjaotor ; Schrage*) : en effet, en 14, 1, après l'hymne à la charité, Paul reprend la 2e personne du pluriel qu'il avait abandonnée en 13, 1, en utilisant le neutre : ζηλοῦτε δὲ τὰ πνευματικά. Et dès 12, 4, rebondissant sur ce qu'il vient d'écrire aux vv. 1-3, il utilise le terme neutre pluriel χαρίσματα. Certes, Paul utilise ailleurs l'adjectif substantivé ὁ πνευματικός au masculin (1 Co 2, 13.15 ; 3, 1 ; 14, 37), mais c'est pour décrire des situations personnelles moins liées aux manifestations physiques de l'Esprit. Les substantifs τὸ πνευματικόν (le don spirituel) et τὸ χάρισμα (le charisme) renvoient fondamentalement aux mêmes choses, à savoir ces manifestations de l'Esprit Saint sur les personnes, dont neuf vont être énumérées aux vv. 8-10. Ils ne sont pourtant pas tout à fait synonymes : le premier insiste sur le fait que les dons spirituels proviennent de l'Esprit ; le second met en valeur le caractère de don gracieux des charismes (Omara). Sur la traduction de θέλω par un conditionnel, voir la note sur 7, 6-7, p. 158.

2

La construction grammaticale de ce verset fait difficulté. Le verbe principal οἴδατε commande une proposition complétive introduite par ὅτι, elle-même interrompue par deux propositions circonstancielles : ὅτε ἔθνη ἦτε (lorsque vous étiez païens) ; et ὡς ἂν ἤγεσθε (comme si vous étiez menés). Mais ὅτι ne commande aucun verbe conjugué à un mode personnel. Cette anomalie entraîna des essais de correction par des scribes (voir note textuelle ᵃ). La meilleure explication de cette anomalie est qu'il faut sous-entendre ἦτε après ἀπαγόμενοι (exposé plus complet des hypothèses dans Héring*). Le verbe composé ἀπάγω (entraîner) évoque une contrainte plus forte que le verbe simple ἄγω (mener). Peut-être faut-il lire, dans l'emploi de ce verbe, une allusion au fait que, au temps de leur paganisme, non seulement les Corinthiens fréquentaient les sanctuaires, mais ils participaient à des processions comportant des expériences extatiques peu contrôlables. Le verbe ἀπάγω se trouve en effet chez Lucien de Samosate pour décrire de telles pratiques (*Dialogues des morts* 27, 1) (Paige ; Scherer).

3

Le substantif πνεῦμα est deux fois employé sans article. Faut-il alors traduire « un esprit de Dieu », et « un esprit saint » ? Une telle proposition (Tibbs, « Spirit ») aurait mieux sa place dans les controverses du IVᵉ siècle que sous la plume de Paul. Dans la suite des chapitres 12 et 14, Paul emploie indifféremment le terme πνεῦμα avec ou sans article. Le substantif neutre τὸ ἀνάθεμα désigne en grec classique une offrande votive ou une inscription commémorative ; dans la LXX, il traduit l'hébreu *hérèm*, qui désigne la part de butin consacrée à Dieu, donc maudit est l'homme qui s'en empare (Lv^LXX 27, 28 ; Dt 7, 26) ; cette connotation négative est constante dans le NT lorsque le thème est employé au singulier (Ac 23, 14 ; Rm 9, 3 ; 1 Co 12, 3 ; 16, 22 ; Ga 1, 8.9) ; il retrouve son sens originel au pluriel (Lc 21, 5). Sous-entendre le verbe « être » dans l'expression ἀνάθεμα Ἰησοῦς et traduire « Jésus (est) anathème » est la façon la plus spontanée de comprendre ce couple de mots. Elle est analogue à celle qui se trouve dans le stique suivant : « Jésus (est) Seigneur » (κύριος Ἰησοῦς). Une hypothèse, que nous ne retenons pas, propose plutôt de donner à ἀνάθεμα un rôle actif : « Jésus porte l'anathème », ou « Jésus anathématise » (Winter, *After*, 164-183). L'impératif ἔστω doit être sous-entendu ; Paul emploie d'ailleurs toujours le verbe « être » chaque autre fois que, dans ses épîtres, il utilise le terme ἀνάθεμα (1 Co 16, 22 ; Ga 1, 8.9).

4-6

Le substantif διαίρεσις, qui figure au début de chacun des ces versets, n'est employé qu'ici dans le NT ; sa répétition crée un effet rhétorique ; il désigne une répartition et non pas une diversité, malgré les traductions fréquentes. Chacun des trois versets met en valeur un aspect des dons reçus, à l'aide d'un mot spécifique. Au v. 6, c'est le terme χάρισμα, déjà employé en 1, 7 et 7, 7. C'est le terme le plus générique ; on le retrouve cinq fois dans ce chapitre 12 (vv. 4.9.28.30.31). Le terme n'a pas toujours chez Paul le sens d'un charisme ayant des conséquences comportementales. Sont aussi des « charismes », c'est-à-dire des œuvres de la grâce : l'arrachement à la mort (2 Co 1, 11) ; la justification (Rm 5, 15-16) ; la vie éternelle (Rm 6, 23) ; des dons tel que l'appel de Dieu (Rm 11, 29) (Njiru). Au v. 5, sont mises en valeur des διακονίαι (ministères ou services), liées à des fonctions dans l'Église. Et, au v. 6, des ἐνεργήματα (réalisations) qui sont les applications des dons reçus ; Paul distingue moins que nous le faisons aujourd'hui les manifestations extraordinaires telles que les miracles, des manifestations ordinaires telles que les ministères (Schatzmann). Un χάρισμα ne débouche pas forcément sur une διακονία ; l'Église serait en danger si tous ses membres estimaient être détenteurs d'un ministère (Collins, « God's Gifts » ; Id., « Ministry »). À la fin du v. 6, le datif pluriel ἐν πᾶσιν pourrait être masculin ou neutre : « tous » ou « toutes choses ». Cependant chez Paul, ἐνεργεῖν ἐν + datif s'applique toujours à des personnes. « Tous » est donc la meilleure traduction.

7

Le participe substantivé τὸ συμφέρον a pratiquement le même sens que l'adjectif σύμφορος, plus courant (1 Co 7, 35 ; 10, 33). Il renvoie à ce qui est utile, avantageux ou profitable, profitable ici pour le groupe (Kei Eun Chang). Cette affirmation prépare celle de 14, 12 et 26, où Paul insistera sur la construction ou l'édification (οἰκοδομή) de l'Église. Chaque fois c'est une invitation lancée au détenteur d'un charisme à ne pas se l'approprier mais à le mettre au service de tous ; ensemble ils constituent une unité.

8-10

Sur ces trois versets, les pronoms au datif par lesquels sont introduits les neuf charismes varient. On trouve le relatif ᾧ (v. 8a), l'indéfini ἄλλῳ (vv. 8b. 9b. 10 [x4]), l'indéfini ἑτέρῳ (vv. 9a. 10 [x1]). Il ne faut pas y chercher une nuance de sens, mais un effet de style visant à éviter une énumération trop stéréotypée. De façon analogue, aux vv. 8-9, les prépositions reliant les charismes à l'Esprit varient : on trouve διά + génitif (v. 8a), que l'on peut traduire par « par » et qui indique une cause instrumentale ; κατά + accusatif (v. 8b), dont la traduction la plus courante est « selon » ; ἐν + datif (2x au v. 9), qui indique une localisation ou une instrumentalité. Ces nuances sont difficiles à rendre et, comme pour les pronoms utilisés sur les trois versets, il faut éviter de les survaloriser : l'énumération prend une plus grande vigueur rhétorique si ce n'est pas toujours la même préposition qui intervient. Les deux premiers charismes nommés (v. 8) sont liés à un λόγος dont la traduction par « parole » ne rend pas toute la richesse. Dans la mesure où les charismes sont en partie classés par ordre d'importance décroissante, le λόγος σοφίας et le λόγος γνώσεως sont valorisés ; ils comportent une part de parole mais aussi, comme toujours chez Paul, une part de comportement conforme à cette parole. Le terme δύναμις utilisé (v. 10) pour les « réalisations de miracles » (ἐνεργήματα δυνάμεων) a déjà été souvent employé en 1 Co, mais au singulier, où il se traduit par « puissance » ; le pluriel (ici et en 12, 28-29) a le sens technique de « miracles », sens très courant dans le NT (*e.g.* Mt 7, 22 ; 11, 20-23 ; 13, 54.58 ; Ac 2, 22 ; 13, 3 ; 2 Co 12, 12 ; He 2, 4). Pour les langues (v. 10), la même expression « des sortes de langues » (γένη γλωσσῶν) est utilisée en 12, 28, mais on trouve souvent, dans la suite de 12-14, le substantif γλῶσσα seul, sans qu'il soit complément de γένος (14, 5.6.22.23.39).

11

Le verbe « réaliser » (ἐνεργέω) a déjà été employé au v. 6 à propos de ce que Dieu réalise dans les personnes dotées de charismes. Il reprend aussi les « réalisations » (ἐνεργήματα) nommées aux vv. 6 et 10. De façon analogue, le verbe « répartir » (διαιρέω) reprend les « répartitions » (διαιρέσεις) des vv. 4.5.6. Ces reprises du vocabulaire précédent identifient clairement le v. 11 comme une conclusion des vv. 4-11.

Excursus : La prophétie dans le NT

D.E. AUNE, *Prophecy in Early Christianity and the Ancient Mediterranean World*, Grand Rapids 1983. – G. BONNEAU, *Prophétisme et institution dans le christianisme primitif*, Paris 1998. – É. COTHENET, « Prophétisme dans le Nouveau Testament », *DBS*, VIII, 1972, col. 1287-1303. – G. DAUTZENBERG, *Urchristliche Prophetie. Ihre Erforschung, ihre Voraussetzungen im Judentum und ihre Struktur im ersten Korintherbrief*, Stuttgart 1975. – C. FORBES, *Prophecy and inspired Speech in Early Christianity and Its Hellenistic Environment*, Tübingen 1995. – W.A. GRUDEM, *The Gift of Prophecy in 1 Corinthians*, Washington 1982. – L.S. NASRALLAH, *« An Ectasy of Folly » : Prophecy and Authority in Early Christianity*, Cambridge, MA 2003.

Références sur la prophétie en 1 Co : substantif « prophétie » (*prophèteia*) : 12, 10 ; 13, 2.8 ; 14, 6.22 ; verbe « prophétiser » (*prophèteuô*) : 11, 4.5 ; 13, 9 ; 14, 1.3.4.5.24.31.39 ; substantif « prophète » (*prophètès*) : 12, 28.29 ; 14, 29.32.37.

La prophétie est un mode de communication intuitive ne recourant à aucune manipulation d'objet. Elle existait dans le Proche-Orient ancien. Elle est très attestée dans la Bible juive. Au Ier siècle de notre ère, le judaïsme ancien considérait cependant que l'ère prophétique s'était arrêtée avec la prédication de Malachie et que, lorsque Dieu voulait faire connaître sa volonté en passant par une personne humaine, il le faisait en utilisant une voix céleste, appelée « fille de voix » (hébreu *bat qōl*) ; il en est plusieurs fois question dans le Talmud : TBYoma 9b ; TBSota 48b ; TBSanh 11a (Grudem). Le mouvement chrétien renoua avec le courant prophétique. La prophétie est très présente dans le NT. Comme dans l'AT, certains prophètes sont des femmes (Lc 2, 36 ; Ap 2, 20). C'est dans les Actes des Apôtres et en 1 Co que le phénomène est le plus attesté. Il est souvent associé au parler en langues, les deux phénomènes étant présentés comme une manifestation privilégiée de la présence de l'Esprit sur une personne (Ac 19, 6). Les Actes permettent de connaître certains prophètes du NT par leurs noms : ainsi Agabus, qui se manifeste deux fois (Ac 11, 27-28 ; 21, 10) ; Jude et Silas (Ac 15, 32) ; et les quatre filles de Philippe, membre du groupe des Sept (Ac 21, 9). Une liste qui figure en Ac 13, 1 présente cinq noms de personnes faisant partie de l'Église d'Antioche, données comme « prophètes et enseignants » : Barnabas, Simon, Lucius le Cyrénéen, Manaen et Saul. Paul en faisait donc partie, ce qui est cohérent avec la façon dont il se présente dans ses lettres ; la façon dont il décrit sa vocation, en Ga 1, 11-17, rappelle par plusieurs traits les passages analogues d'Isaïe (Is 6) et de Jérémie (Jr 1). C'est 1 Co 12-14 le passage du NT où le prophétisme chrétien est le plus attesté. Les mêmes termes dérivés du verbe *prophèmi* (« parler d'avance » ou « parler devant ») semblent cependant recouvrir des réalités quelque peu différentes, à savoir une fonction assez clairement repérée dans l'organisation de l'Église (ainsi en 12, 28), et des prises de parole inspirées non liées à des responsabilités précises (fin du chapitre 14). Dans l'histoire chrétienne, le prophétisme fut un phénomène transitoire. Il n'est pratiquement plus attesté au IIe siècle de notre ère ; et ce qui en demeurait était même considéré avec une certaine méfiance.

Plusieurs membres, un seul corps
(12, 12-26)

TRADUCTION

12, 12 De même, en effet, que le corps est un et qu'il a plusieurs membres – tous les membres du corps[a] étant nombreux, le corps est un –, de même aussi le Christ. 13 Et en effet, par un unique Esprit nous tous fûmes baptisés pour un seul corps, soit juifs, soit grecs, soit esclaves, soit (hommes) libres, et tous nous fûmes abreuvés d'un unique Esprit[bc]. 14 Et en effet, le corps n'est pas un seul membre, mais plusieurs. 15 Si le pied disait « Puisque je ne suis pas une main, je ne fais pas partie du corps », ce n'est pas pour cette raison qu'il ne ferait pas partie du corps. 16 Et si l'oreille disait « Puisque je ne suis pas un œil, je ne fais pas partie du corps », ce n'est pas pour cette raison qu'elle ne ferait pas partie du corps. 17 Si l'entièreté du corps (était) œil, où (serait) l'ouïe ? Si l'entièreté (était) ouïe, où (serait) l'odorat ? 18 En réalité[d] c'est Dieu qui disposa les membres, et chacun d'eux dans le corps, comme il le voulut. 19 Si le tout était un seul membre, où serait le corps ? 20 En fait, (il y a) certes plusieurs membres, mais un seul corps. 21 L'œil ne peut pas dire à la main : « Je n'ai pas besoin de toi. » Ni, à son tour, la tête (dire) aux pieds : « Je n'ai pas besoin de vous. » 22 Mais bien plus, les membres du corps qui paraissent (les) plus faibles se trouvent être (les plus) nécessaires, 23 et ceux que nous estimons (les) moins honorables du corps, c'est ceux-là que nous revêtons du plus surabondant honneur ; et ceux que nous avons d'indécents sont considérés avec (la) plus surabondante décence ; 24 tandis que ceux que nous avons de décents n'en ont pas besoin[e]. Mais Dieu disposa le corps en ayant donné le plus surabondant honneur à ce qui est inférieur[f], 25 afin qu'il n'y ait pas de division dans le corps mais qu'ensemble les membres aient souci les uns des autres. 26 Et si un seul membre souffre, tous les membres souffrent avec lui. Si un seul[g] membre est glorifié, tous les membres se réjouissent avec lui.

[a] La leçon la mieux attestée est τοῦ σώματος : p[46vid] ℵ* A B C F G L P 33[vid]. 81. 104. 365. 1175. 1241s. 1505. 1739. 1881. 2464 al lat sy sa[mss] bo. Il existe une leçon plus longue et moins bien attestée, insistant sur l'unicité du corps : τοῦ σώματος τοῦ ἑνός (ℵ² D Ψ *Byz* b sa[ms] ; Ambrosiaster). La *lectio brevior* est à préférer, la leçon longue étant explicitante.

[b] La majorité des mss porte : καὶ πάντες ἓν πνεῦμα. Quelques mss introduisent la mention de l'Esprit par la préposition εἰς : καὶ πάντες εἰς ἓν πνεῦμα (D² L. 326. 614. 945. 2464 *pm* f vg[cl]). Cette leçon, secondaire, est influencée par la tournure εἰς ἓν σῶμα, qui figure plus haut dans le verset.

[c] Au lieu de ἓν πνεῦμα ἐποτίσθημεν, l'oncial A écrit : ἓν σῶμα ἔσμεν. C'est une faute de copiste, entraînée par la logique du texte.

^d Les mss hésitent entre νυνὶ δέ (p⁴⁶ ℵ C D¹ Ψ 33. 1739. 1881 *Byz*) et νῦν δέ (A B D* F G 1505 *pc*). L'adverbe νῦν est plus courant en grec, mais νυνί est plus paulinien. On préférera la première leçon.

^e Quelques mss écrivent «n'ont pas besoin d'honneur (τιμῆς)» : D F G sy^p. C'est une explicitation secondaire.

^f La tradition manuscrite hésite entre – 1° le participe moyen ou passif du verbe ὑστερέω (manquer de) : τῷ ὑστερουμένῳ, attesté par ℵ* A B C 048. 6. 33. 630. 1241^s. 1739^c. 1881 *pc* ; et – 2° le participe actif du même verbe : τῷ ὑστεροῦντι, attesté en p⁴⁶ ℵ² D F G Ψ 1739* *Byz*. Le moyen, tout en étant moins courant que l'actif, suggère un sentiment d'infériorité plutôt qu'un manque objectif. Il convient mieux à l'argumentation.

^g L'adjectif numéral ἕν (un seul) est omis par p⁴⁶ ℵ* A B 1739. Or, il est bien attesté à propos du membre qui souffre. On peut hésiter entre le maintenir, qui favorise le parallélisme, et le supprimer, qui est *lectio difficilior*, bien que moins bien attestée.

BIBLIOGRAPHIE

En plus des titres de 12-14

R. VON BENDEMANN, «Körperkonzeptionen in *Corpus paulinum* im Licht der helle-nistisch-römischen Medizin», in *Paul's Greco-Roman Context*, C. BREYTENBACH (ed.), Leuven 2015, 157-191. – M. BOUTTIER, «Complexio Oppositorum : sur les formules de I Co XII, 13 ; Ga III, 26-28 ; Col III, 10-11», *NTS* 23, 1976-1977, 1-19. – W. BOREK, *Unità e reciprocità delle membra della Chiesa. Studio esegetico-teologico di 1 Cor 12, 21-26 ; Rom 12, 3-8 ; Ef 4, 25 – 5, 2*, Rome 2004, 1-145. – A. BYERS, «The One Body of the Shema in 1 Corinthians : An Ecclesiology of Christological Monotheism», *NTS* 62, 2016, 517-532. – A. DESCAMPS, «Le baptême, fondement de l'unité chrétienne», in *Battesimo e giustizia in Rom 6 e 8*, L. DE LORENZI (ed.), Rome 1974, 219-225. – B. FIELD, «The Discourses Behind the Metaphor "The Church Is the Body of Christ" as Used by St Paul and the Post-Paulines», *AsiaJournTheol* 6, 1992, 88-107. – J. HANIMANN, «'Nous avons été abreuvés d'un seul Esprit', Note sur 1 Co 12, 13b», *NRTh* 94, 1972, 400-405. – B. HANSEN, *«All of you Are One». The Social Vision of Galatians 3. 28, 1 Corinthians 12. 13 and Colossians 3. 11*, Londres 2010. – C.-W. JUNG, «Transla-tion of Double Negatives in 1 Corinthians 12. 15-16», *BibTrans* 58, 2007, 147-152. – J.-P. LEMONON, «L'Esprit Saint dans le corpus paulinien», *DBS* XI, 1986, 232-235. – D.S. MABEN, «Pauline Ecclesiology : A Paradigm of Unity, Recipro-city and Universality : The Image of Body in the Corinthian *ekklēsia*», *Bangal-TheolFor* 42, 2010, 59-73. – B. MACIAS, «1 Cor 12, 13 : Una conjetura renacentista... καὶ πάντες εἰς ἓν πνεῦμα ἐποτίσθημεν», *FiloNT* 7, 1994, 209-214. – M.B. O'DONNELL, «Two Opposite Views on Baptism with/by the Holy Spirit and of 1 Corinthians 12 : 13. Can grammatical Investigation Bring Clarity ?», in *Baptism, the NT and the Church, Mél. R.E.O. White*, S.E. PORTER, A.R. CROSS (eds), Sheffield 1999, 311-336. – J. SCHLOSSER, «Le Corps en 1 Co 12, 12-31», in *Le corps et le corps du Christ dans la première épître aux Corinthiens*, V. GUÉNEL (ed.), Paris 1983, 97-110.

INTERPRÉTATION

L'apparition de deux mots nouveaux, « le corps » et « les membres », introduit une nouvelle thématique. Paul avait déjà écrit précédemment que les corps des fidèles étaient membres du Christ (6, 15). La terminologie ici utilisée est la même, mais « corps » est au singulier, il s'agit d'un corps unique et universel (Maben), le Christ (v. 12), composé de membres divers. Le propos est progressif. Il faut attendre le v. 27 pour que l'Apôtre écrive : « Vous êtes corps du Christ », affirmation qui est à la fois la conclusion des développements qui la précèdent et l'introduction de la péricope suivante ; les vv. 12-26, fondés sur l'analogie entre un corps social et un corps humain, sont comme une approche de cette formulation synthétique à laquelle le texte aboutira. L'analogie entre un corps social et un corps humain est une image courante, déjà connue de l'Antiquité (von Bendemann). On la trouve en forme littéraire chez Cicéron, où elle soutient un plaidoyer contre le vol : tirer tout ce que l'on peut du bien d'autrui est un fléau social (*De officiis* 2, 5, 2). Elle est reprise par Sénèque, contemporain de Paul, qui écrit : « Nous sommes les membres d'un grand corps » (*Lettres à Lucilius* 95, 52). Cette analogie prend une forme particulière, que Paul semble connaître, lorsqu'elle insiste sur le rôle indispensable d'un membre faible et caché que d'autres méprisent, à savoir l'estomac (pour Paul il semble s'agir plutôt des organes sexuels). La forme littéraire connue la plus ancienne est la fable d'Esope, « L'estomac et les pieds », dans laquelle celui-là rappelle à ceux-ci qu'ils seraient sans force s'il ne leur fournissait la nourriture. Elle est reprise en forme d'apologue par Denys d'Halicarnasse (*Antiquités romaines* III, 11, 5). À la même époque, l'historien Tite Live rapporte un épisode connu de l'histoire de la république romaine qui remonte à 493 avant notre ère : la plèbe, accablée de dettes et privée de droits, s'était révoltée et refusait de faire la guerre ; le sénat délègue le consul Menenius Agrippa pour la haranguer, et celui-ci parvient à calmer la révolte en appuyant son plaidoyer sur le même apologue : si les patriciens (l'estomac) refusaient d'alimenter les plébéiens (les membres), ils dépériraient (*Histoire romaine* II, 32). Dernier en date, La Fontaine s'inspira d'Esope pour écrire sa fable « Les membres et l'estomac » (*Fables* 3, 2). Et c'est bien une fable que Paul écrit à son tour dans ces vv. 12-26. La question peut se poser de savoir si, en exploitant dans cette péricope l'image des membres, Paul n'a pas été influencé par la présence, dans l'Asclépéion de Corinthe, de nombreux ex-voto d'argile, de bois ou de pierre, représentant les membres de patients qui s'estimaient avoir été guéris grâce à l'intervention du dieu et qui le remerciaient (Thiselton*). Cela n'est, certes, pas impossible ; mais l'apologue du corps et des membres est suffisamment présent dans la culture gréco-romaine pour que la présence d'ex-votos dans les temples n'ait pas eu à jouer. En plus de la répétition du mot « corps » (17 emplois dans la péricope), on doit noter celle du numéral « un » (10 emplois). Cette insistance sur l'unité n'est pas sans rappeler l'affirmation du Dieu unique par laquelle s'ouvre la confession juive du *Shema Israel* (Dt 6, 4) : à la christologie monothéiste de Paul correspondent une ecclésiologie et une pneumatologie du même type (Byers).

L'ensemble de la péricope est rédigé en mode impersonnel, à la 3e personne, à l'exception du v. 13 et des vv. 23-24a, qui utilisent la 1re personne du pluriel. Une sorte de refrain rythme le développement, rappelant en forme condensée la pluralité des membres et l'unicité du corps (vv. 12.14.20.26). En dehors de ces éléments structurants, les étapes du discours sont peu discernables. On pourra distinguer successivement une argumentation sacramentelle (v. 13), un dialogue imaginaire entre les différents membres (vv. 15-21), et des réflexions sur la dignité des membres les plus faibles (vv. 22-25).

VV. 12-14 – Ces versets sont littérairement structurés en forme de chiasme, encadré par le refrain sur l'unicité du corps et la pluralité des membres : A) Un corps, des membres (v. 12) – B) Un Esprit par lequel on est baptisé (v. 12ab) – B') Un Esprit dont on est abreuvé (v. 12c) – A') Un corps, des membres (v. 14). L'unicité du corps est ce par quoi s'ouvre le v. 12, la pluralité des membres en étant un corollaire. Ces formulations prolongent celles des vv. 4-11, dans lesquels l'unicité concernait principalement l'Esprit, alors que la pluralité concernait les charismes. La fonction rhétorique du v. 13, introduit par « et en effet » (*kai gar*) est de type *probatio*. Les destinataires sont censés savoir, au nom d'une théologie baptismale dont Paul a déjà tiré argumentation en 1, 13-17 et en 6, 11, qu'ils ont été baptisés à un Christ unique, relié au baptême par la préposition *eis ;* le nom du Christ n'est cependant pas repris, il est nommé par son corps, un terme aux connotations multiples (corps crucifié, corps ressuscité, corps ecclésial). Il serait excessif de réduire la richesse de cette formulation à la formation du corps ecclésial qui deviendrait le seul but du baptême ; elle n'en est qu'un des trois aspects. Dans la théologie baptismale paulinienne, le baptisé est baptisé au corps du Christ crucifié dans sa mort (Rm 6, 3), au corps du Christ ressuscité parce qu'il est destiné à vivre avec lui (Rm 6, 8), et au corps ecclésial du Christ pour former l'Église (Ga 3, 27-28) ; les trois connotations du corps christique interviennent. La référence à l'unique Esprit introduite par la préposition *en* doit se comprendre dans la continuité de ce que Paul écrivait aux vv. 3 et 9 : la préposition *en* a un sens instrumental et non local. Quant à la diversité, qui contraste avec l'unicité du corps et de l'Esprit, elle n'est plus, comme en 4-11, celle des charismes, mais celle des personnes qui composent l'Église, nommées en deux couples antinomiques : juifs *vs* grecs ; esclaves *vs* hommes libres. C'est dire que l'Église admet en son sein des personnes appartenant à des catégories extrêmes, toute tentative pour l'annexer au service d'un groupe donné étant en soi irrecevable ; une énumération du même type existe en Ga 3, 28. La fin du v. 13 recourt à une métaphore peu familière chez Paul, l'Esprit étant présenté comme une réalité dont on est abreuvé. L'association eau-Esprit relève plutôt d'une perspective johannique.

Il nous semble infondé de lire en 13c une allusion trop précise au baptême ou à l'eucharistie ; c'est plutôt à l'ensemble de l'initiation chrétienne qu'il est fait allusion. Le v. 14 reprend en termes très proches le présupposé exprimé au v. 12a. Avec les vv. 12-14, Paul a établi une base solide sur l'unicité du corps et la pluralité des membres. Il va pouvoir l'illustrer ensuite sans avoir besoin de se référer à l'Esprit, qui ne sera plus nommé avant 14, 2.

VV. 15-21 – Au v. 15 commence une véritable prosopopée des membres du corps, à qui Paul donne fictivement la parole : le pied commence en s'adressant à la main (v. 15), l'oreille suit en s'adressant à l'œil (v. 16), puis vient le tour de l'œil s'adressant à la main (v. 21a), et de la tête qui s'adresse aux pieds, fermant ainsi la boucle (v. 21b). Chacun de ces organes se trouve affecté d'une capacité à parler et à entendre. Ces versets dessinent l'image d'un corps peu unifié, présenté au contraire comme un terrain chaotique de forces en présence, sans centre ni cohérence. Aux v. 15-16, c'est d'abord le pied qui prend hypothétiquement la parole ; il parle à la première personne, sans s'adresser à personne de précis, et il nomme la main avec laquelle il ne se confond pas ; puis intervient l'oreille qui, en des termes semblables, affirme qu'elle n'est pas un œil. Cela ne l'empêche évidemment pas de faire partie du corps : simple bon sens ! Dans la mesure où, à partir du v. 22 et dans la suite des chapitres 12-14, le texte établit une hiérarchie entre les charismes, on peut se poser la question de savoir si, dans les relations entre le pied et la main, puis entre l'oreille et l'œil, une hiérarchie serait déjà sous-jacente : dans le domaine de l'utilité, il peut en effet sembler que la main est plus utile que le pied, et que l'œil est plus utile que l'oreille ; pied et oreille tireraient alors leur épingle du jeu pour se désolidariser de membres prétendus supérieurs. Rien dans le texte n'oblige à faire cette lecture ; il semble beaucoup plus mettre en valeur une différence, plutôt qu'une supériorité ou une infériorité. Au v. 17, une remarque impersonnelle revient sur les prises de parole du pied et de l'oreille, en mettant en valeur la complémentarité des sens, et en en introduisant un troisième en plus de la vue et de l'ouïe, à savoir l'odorat ; là, une hiérarchie entre les sens nommés commence peut-être à se dessiner, dans la mesure où l'on suppose que la vue et supérieure à l'ouïe, et cette dernière, supérieure à l'odorat. Les vv. 18-20 laissent momentanément de côté les membres ou les organes particuliers pour revenir à des propos généraux sur la pluralité des membres et l'unité du corps. Ils sont disposés en inclusion autour du v. 19 qui est construit comme les vv. 17a et 17b : une proposition conditionnelle introduit une question posée grâce à l'adverbe interrogatif « où ? ». Les deux versets qui l'encadrent (respectivement v. 18 et v. 20) sont des affirmations dont la première (v. 18) fait intervenir un acteur nouveau, Dieu, qui n'avait plus été nommé depuis 12, 6. Le nommer ici donne du poids au propos dans son ensemble. Si le corps est ainsi fait, unique et composé de membres divers dont chacun est important, cela relève de la volonté divine. Un corps qui ne serait composé que d'un membre unique ou de membres semblables ne serait pas un corps.

Quant au v. 20, il reprend le contenu du v. 12a, mais en forme plus ramassée. L'hypothèse a été faite que Paul cite ici un proverbe (Fitzmyer*). Avec le v. 21, le texte reprend la prosopopée momentanément interrompue par les formulations synthétiques des vv. 18-20, en présentant comme une absurdité la revendication de l'œil qui rappellerait, non seulement qu'il n'est pas la main, mais qu'il n'a pas besoin d'elle; même chose pour la tête, si elle déclarait ne pas avoir besoin des pieds (au pluriel ici, alors que le pied était au singulier au v. 15). À cet endroit-là du texte, il y a bien hiérarchisation entre les membres. Un membre qui déclarerait ne pas avoir besoin d'un autre s'estimerait supérieur. Le texte implique donc une supériorité non exprimée de l'œil sur la main et de la tête sur les pieds : mieux vaut être manchot qu'aveugle, et cul-de-jatte que décapité; la deuxième implication, du moins, tombe sous le sens !

VV. 22-26 – À partir du v. 22, le texte détaille les relations entre les membres d'un corps et précise leur importance relative. Certains membres ou organes sont dits « plus faibles », ce qui rappelle le propos sur les faibles en 8, 7-10, bien que la faiblesse concerne ici les membres d'un corps physique et non pas d'un corps social; de ces membres ou organes plus faibles, il est rappelé qu'ils sont nécessaires. Alors que cette faiblesse est exprimée en termes très généraux au v. 22, elle se précise aux vv. 23-24a, par l'introduction de la thématique de l'honneur (adjectif *atimos*, « peu honorable, méprisé »; substantif *timè*, « honneur »), une dimension de la vie sociale très importante dans l'Antiquité gréco-romaine. Quels sont ces membres ou organes les moins honorables que nous revêtons du plus grand honneur ? Esope et les apologues du Ier siècle avaient en tête l'estomac. Ici, le verbe « revêtir » (*peritithèmi*) employé en 23b permet de supposer qu'il s'agit dans doute des organes sexuels; et la thématique de la décence, présente en 23c-24a, le confirme. Ce sont eux que, en toute circonstance de la vie sociale ordinaire sauf au stade, on couvrait systématiquement d'un vêtement : ce vêtement les rend honorables, alors que la nudité est considérée, principalement dans le monde juif, comme une honte; on peut rappeler à ce propos que l'un des premiers gestes de Dieu après le péché du premier homme et de la première femme fut de leur fournir un vêtement (Gn 3, 7. 21). Aux vv. 24b-25, comme plus haut au v. 18, Paul annonce que Dieu lui-même a donné le plus surabondant honneur à ce qui se sent inférieur, réflexion qui se fonde peut-être sur le geste de Dieu vis-à-vis d'Adam et d'Eve que l'on vient de rappeler. La façon dont le corps humain est conçu est tout entière l'œuvre de Dieu. Donner de l'honneur à ce qui n'en a pas correspond, de la part de Dieu, à une intention compensatoire. S'il n'était pas intervenu dans ce sens, les organes faibles ou indécents seraient tenus dans le mépris. L'action de Dieu évite la division (*schisma*), un terme occupant une place stratégique (Mitchell, *Rhetoric*) dans l'ensemble de 1 Co (voir 1, 10 et 11, 18) : en veillant à ce qu'il n'y ait pas de déchirure dans le corps, Paul est au service de l'intention divine. Quant au v. 26, il apporte une idée nouvelle, celle de la solidarité entre les membres, tant dans la souffrance que dans les honneurs. Depuis le début du v. 22, on est passé insensiblement du corps physique au corps social et ici, plus précisément, au corps ecclésial (Borek). Dans un organisme physique, quand on a mal quelque part, c'est le corps tout entier qui est malade ; le v. 26 est alors de l'ordre de la constatation. Dans le corps ecclésial, la solidarité entre les membres n'est pas tant une constatation qu'une invitation à un faire ou, comme l'écrit P.-M. Beaude, « un rôle à investir » (Beaude, *Métamorphose*, 135-170) ; le v. 26 est alors de l'ordre de la parénèse : il s'agit de constituer en un tout cohérent l'Église toujours tentée de s'éparpiller ou de se déchirer (Field). Et cela prépare l'affirmation métaphorique du v. 27 : « Vous êtes corps de Christ. » Cette phrase en forme affirmative n'est cependant pas, dans la stratégie du discours, une simple affirmation. L'affirmation augustinienne que l'Église est le corps mystique du Christ n'est pas à proprement parler présente dans le texte de Paul. Nous sommes dans une stratégie de persuasion, et Paul veut persuader les membres de l'Église de se comporter comme les membres d'un même corps. Il faut donc distinguer deux choses : l'Église, qui est une réalité existante, un lieu, constitué de tous ses membres ; et le corps du Christ qui est une réalité à faire, à construire. On se demande pourtant si l'on ne pourrait pas renverser la proposition de P.-M. Beaude, dans la mesure où le verbe « construire » est employé par Paul avec le substantif « Église » comme complément d'objet (1 Co 14, 4) ; ou, autre tournure avec un substantif : « pour la construction de l'Église » (1 Co 14, 12). Ce serait alors l'Église qui serait à construire, et le corps qui serait un donné de départ. Quel que soit le choix retenu entre ces deux options, il est clair que « corps » et « Église » ne se superposent pas. Lorsque l'un existe, l'autre est à construire, et vice versa.

NOTES

12

D'autres passages du corpus paulinien mettent en valeur l'opposition entre l'unicité du corps et la diversité des membres : Rm 12, 4-5 et Ep 4, 25. Les termes communs à 1 Co 12, 12 et à Rm 12, 4-5 sont nombreux. Rm et Ep utilisent cependant une formulation intéressante inconnue de 1 Co : « Nous sommes membres les uns des autres » (ἐσμεν... ἀλλήλων μέλη). La référence au Christ, introduite par οὕτως καί, est de type analogique : analogie assez floue, dans la mesure où Christ ne sera pas nommé à nouveau dans la suite de la péricope. Comme on l'a remarqué, il faut attendre le v. 27 pour que soit exprimée une identité entre le « vous » qu'est l'Église locale et le corps du Christ.

13-14

Le verbe ποτίζω, à la fin du verset, est évidemment employé au sens figuré (l'Esprit ne se boit pas). Quelques auteurs en ont déduit qu'il fallait également donner un sens figuré au verbe βαπτίζω (*e.g.* Dunn, *Baptism*, 129 ; Fee*). Nous ne les suivons pas : chez Paul, ce terme se réfère toujours au rite baptismal. La théologie baptismale sous-jacente aux formulations pauliniennes du v. 13a est cependant débattue. Le verbe βαπτίζω est bien, comme habituellement chez Paul, conjugué au passif; et il commande un complément introduit par εἰς + accusatif, formulation déjà rencontrée en 1, 13.15; 10, 2; et reprise en Ga 3, 27 et Rm 6, 3. Puisque l'unique σῶμα renvoie au Christ, la formulation de ce v. 13 est bien analogue aux autres formulations baptismales pauliniennes. La mention ici de l'Esprit (ἐν ἑνὶ πνεύματι) a fait poser l'hypothèse que le baptême paulinien était dispensateur de l'Esprit Saint, comme dans la théologie lucanienne exprimée en Ac 2, 38 (Barrett*; Bouttier; Chevallier, *Souffle*, I, 195-204; Fitzmyer*; Hanimann; Senft*); cette conclusion est cependant infondée: la préposition ἐν, dans l'expression ἐν ἑνὶ πνεύματι, a un sens instrumental; l'expression elle-même est séparée par plusieurs mots du verbe βαπτίζω; rien dans la formulation ici employée par Paul ne suggère que l'effusion de l'Esprit Saint est un résultat du baptême (Descamps; O'Donnell; Quesnel, *Baptisés*, 167-169; Schlosser; Schnackenburg, *Heilsgeschechen*, 23-25). Au v. 13c, ce à quoi renvoie ἐποτίσθημεν n'est pas clair. Plusieurs hypothèses ont été proposées: 1º Une deuxième allusion au baptême dont il est question en début de verset (Fitzmyer*); c'est la proposition également faite par un helléniste de la Renaissance, W. Canter (1542-1575), qui proposait de remplacer ἐποτίσθημεν (nous avons été abreuvés) par ἐφωτίσθημεν (nous avons été illuminés) (Macias); mais aucun ms. n'appuie cette proposition de remplacement. – 2º Une allusion à la Cène (Conzelmann*; Feuillet, *Sagesse*, 101-102). – 3º Un rite post-baptismal d'imposition des mains (Chevallier, *Souffle*, I, 195-204; Hanimann). – 4º Pas d'allusion à un rite précis, mais un renvoi à l'ensemble de l'initiation chrétienne (Lémonon). Discussion: contre l'hypothèse 1, on ne voit pas pourquoi Paul mentionnerait l'Esprit une deuxième fois, alors qu'il l'a fait au v. 13a; par ailleurs, le rapport entre ποτίζω et le baptême ne s'impose pas. Contre l'hypothèse 2, s'il est vrai que « boire » fait penser à l'eucharistie et que l'allusion à la Cène vient assez facilement à l'idée au nom d'une théologie postérieure qui a fait du couple baptême-eucharistie la base de la vie sacramentelle chrétienne, on se doit de remarquer, à l'inverse, qu'on ne trouve jamais dans le NT l'expression ποτίζειν τὸ πμεῦμα à propos de l'eucharistie; en l'absence d'attestation claire, l'hypothèse eucharistique reste incertaine. Contre l'hypothèse 3, voir plus haut sur le fait que Paul ne fait jamais mention d'un rite d'imposition complémentaire du baptême d'eau pour provoquer l'effusion de l'Esprit. L'hypothèse 4, celle du renvoi à l'ensemble de l'initiation chrétienne, nous semble la meilleure.

15-17

Les vv. 17-18 sont construits de façon parallèle. Introduits par ἐάν + subjonctif, ils indiquent une éventualité; il n'est pas sûr que le pied ou l'oreille tienne un tel langage. La traduction des apodoses (vv. 15b et 16b), qui comprennent deux particules négatives (οὐ suivi de οὐκ) n'est pas assurée. Soit l'on estime que les deux particules se renforcent et correspondent à une seule négation (ce qui est possible en grec), et cela conduirait à les traduire comme des phrases interrogatives, bien qu'aucune particule interrogative ne se trouve dans le texte: « N'en fait-il pas pour autant partie du corps? » (Jung; Thiselton*; Zeller*). Soit il y a véritablement double négation, et les phrases sont affirmatives: « Ce *n*'est *pas* pour cette raison (παρὰ τοῦτο) qu'il *ne* ferait *pas* partie du corps »; et même chose ensuite pour l'oreille. Malgré la lourdeur de la formulation, cette dernière solution semble plus fidèle au texte. En revanche, aux vv. 17a et 17b, les deux emplois de l'adverbe ποῦ (où?) indiquent clairement que les deux phrases sont interrogatives.

18-21

Le v. 18 et le v. 20 commencent par νυνὶ δέ (v. 18) ou par νῦν δέ (v. 20) (mais voir l'incertitude textuelle, note ᵈ), qui peuvent avoir une valeur temporelle, « mais maintenant », mais qui ont aussi une connotation factuelle dans un raisonnement logique : « en fait, en réalité ». Avec l'intervention de la tête au v. 21b, on passe de membres utiles mais non nécessaires (pied, main, oreille, œil, nez [*via* l'odorat]) à une partie du corps dont on ne peut se passer pour que la vie soit possible ; la supériorité de la tête sur les autres membres ou organes s'impose.

22-24a

Aux vv. 22 et 23, le jeu des comparatifs et des superlatifs, lié à la hiérarchie que le propos met en valeur, est marqué par les habitudes du grec de la *koinè :* les adjectifs sont soit au comparatif soit à l'état absolu, alors qu'ils ont valeur de superlatif (BDR, §§ 60.1 ; 244). Tel est le cas de ἀσθενέστερα (v. 22a, « plus faibles » : comparatif) ; ἀναγκαῖα (v. 22b, « nécessaires » : état absolu) ; ἀτιμότερα (v. 23a, « moins honorables » : comparatif) ; περισσοτέραν (v. 23b, « plus surabondant » : comparatif) ; ἀσχήμονα (v. 23c, « indécents » : état absolu) ; περισσοτέραν (v. 23c, « plus surabondante » : comparatif). Les vv. 23c et 24b introduisent un vocabulaire nouveau, le vocabulaire de la décence, qui confirme que les organes considérés comme les moins honorables sont les organes sexuels : adjectif ἀσχήμων (« indécent », hapax NT), substantif εὐσχημοσύνη (« décence », également hapax NT), adjectif εὐσχήμων (« décent, de bonne tenue », également en 7, 35).

24b-25

Au v. 24b, même utilisation qu'aux versets précédents du comparatif περισσοτέρα au lieu d'un superlatif. Au v. 25, le datif τῷ ὑστερουμένῳ est d'une traduction difficile. C'est un participe moyen du verbe ὑστερέω (le passif n'existe pas) qui signifie à l'actif « être en arrière », d'où « manquer de ». Le moyen, rare, a pour connotation une dimension subjective du manque, d'où la traduction que nous proposons : « se sentir inférieur ». Au v. 25, l'utilisation du participe aoriste δούς (au lieu du participe présent διδούς) montre bien que Paul se réfère au geste originaire de Dieu dont il est question en Gn 3.

26

Les deux parties de ce verset sont construites de façon parallèle. Noter cependant que souffrance et joie ne sont pas traitées exactement de la même façon. Pour la souffrance, la disposition de l'individu et celle des autres membres utilisent des verbes de la même racine : πάσχω (souffrir) et συμπάσχω (souffrir avec) ; pour la joie δοξάζομαι (être glorifié) et συγχαίρω (se réjouir avec). Le thème de la gloire est cohérent avec celui de l'honneur, traité aux vv. 23 et 23. Ce n'est pas la joie personnelle de l'individu qui est en cause, mais la considération que des regards extérieurs lui portent.

Place des différents charismes dans l'Église
(12, 27-31)

TRADUCTION

12, 27 Quant à vous, vous êtes corps de Christ, et membres pour (votre) part[a]. 28 Et ceux que Dieu plaça dans l'Église (sont) en premier des apôtres, en deuxième des prophètes, en troisième des enseignants, ensuite des miracles, ensuite des charismes de guérisons, des entraides, des gouvernances, des sortes de langues. 29 Tous (seraient-ils) apôtres ? Tous prophètes ? Tous enseignants ? Tous (feraient-ils) des miracles ? 30 Tous auraient-ils des charismes de guérisons ? Tous parleraient-ils en langues ? Tous traduiraient-ils ? 31 Aspirez aux charismes (les) plus grands[b]. Et je vous montre encore un chemin hors classe.

[a] La majorité des mss porte ἐκ μέρους (pour votre part). Quelques mss portent à la place ἐκ μέλους (tirés d'un membre) : D* Ψ t vg sy[h]. Cette variante, qui n'a pas grand sens, relève apparemment d'une erreur de copie, ou de dictée.

[b] Deux leçons présentes dans les mss : 1° « plus grands » (τὰ μείζονα, comparatif de μέγας) : p[46] ℵ A B C 6. 33. 81. 104. 326. 365. 630. 1175. 1241[s]. 1739. 1881 1846 *pc* vg[st] co ; Eusèbe. – 2° « meilleurs » (τὰ κρείττονα, comparatif de ἀγαθός) : D F G Ψ *Byz* vg[cl] bo[mss] ; Origène Ambrosiaster Pélage Speculum. La première leçon, nettement mieux attestée, est à préférer. La seconde relève sans doute d'une correction volontaire.

BIBLIOGRAPHIE

En plus des titres de 12-14

D. BILLY, « The Eucharist and the Body of Christ : A Rereading of 1 Cor 12 : 12-31 », *Emmanuel* 109, 2003, 68-78. – M. CRÜSEMANN, « Die Gemeinde ist Körper des Messias : Soziale Realität und Selbstbewusstsein bei Paulus und seiner Korinthischen Gemeinde nach Luise Schottroff », *BibKirch* 70, 2015, 142-147. – Y.S. KIM, « Reclaiming Christ's Body (*soma Christou*) : Embodiment of God's Gospel in Paul's Letters », *Interp.* 67, 2013, 20-29. – A. LINDEMANN, « Die Kirche als Leib. Beobachtungen sur "demokratischen" Ekklesiologie bei Paulus », *ZThK* 92, 1995, 140-165. – J.P. LOUW, « The Function of Discourse in a Sociosemiotic Theory of Translation Illustrated by the Translation of *zeloûte* in 1 Corinthians », *BibTrans* 39, 1998, 329-335. – P. ROBERTS, « Seers or Overseers ? », *ET* 108, 1997, 301-305. – J. SCHLOSSER, « Le corps en 1 Co 12, 12-31 », in *Le corps et le corps du Christ dans la première épître aux Corinthiens*, V. GUÉNEL (ed.), Paris 1983, 109. – J.F.M. SMIT, « Two Puzzles : 1 Corinthians 12. 31 and 13. 3. A Rhetorical Solution », *NTS* 39, 1993, 246-264. – T. SÖDING, « 'Ihr aber seid der Leib Christi' (1 Kor 12, 27). Exegetische Beobachtungen an einem zentralen Motiv paulinischer Ekklesiologie », *Catholica* 45, 1991, 135-162. – S.M. SWARTZ, « Praising or Prophesying. What Were the Corinthians Doing ? », *NotesTrans* 6, 1992, 25-36.

– W.C. VAN UNNIK, « The Meaning of 1 Corinthians 12 : 31 », *NT* 35, 1993, 142-159. – G.L.O.R. YORKE, *The Church as the Body of Christ in the Pauline Corpus. A Reexamination*, Lanham 1991.

INTERPRÉTATION

Cette péricope tranche sur les propos précédents en passant soudain, au v. 27, à la 2e personne du pluriel tandis que, depuis les vv. 1-3, le ton était impersonnel. Le verset qui le conclut, le v. 31, est également rédigé à la 2e personne du pluriel, alors que les versets intermédiaires (vv. 28-30) sont formulés à la 3e personne du singulier. La stratégie littéraire est assez subtile : Paul commence par une affirmation massive et ramassée sur le rapport entre les Corinthiens et l'Église (v. 27), il poursuit en indiquant une classification des charismes et/ou fonctions ecclésiales (vv. 28-30), en précisant que ceux qui sont le plus haut placés dans la hiérarchie sont ceux qui sont le plus à rechercher (ou les plus recherchés ; voir la note sur le v. 31a). Comme l'apostolat a été nommé en premier, la logique du texte devrait normalement conduire à désirer être apôtre... à condition que ce soit possible car n'est pas apôtre qui veut ! Le v. 31b vient casser cette logique et annonce l'existence d'un charisme encore plus élevé (on peut, bien évidemment, considérer qu'il fait plutôt partie de la péricope suivante). Le lecteur est alors en attente d'une suite.

Le v. 27 est une sorte d'aboutissement des réflexions qui viennent d'être menées sur les membres et le corps (12, 13-26). C'est le dernier passage de la section 12-14 dans lequel est employé le mot « corps » (*sôma*), mis à part un emploi d'un tout autre type dans l'hymne à la charité (13, 3). Mais dans la métaphore « vous êtes corps de Christ », quel sens faut-il donner au terme « corps » ? Dans la péricope précédente, le corps dont il était question était essentiellement un corps social composé de personnes ; Paul reprenait l'analogie, classique dans le monde gréco-romain, entre un corps social et un organisme humain. Paul se contenterait-il alors de conclure la péricope précédente en appliquant ses propos à ses destinataires, sans rien ajouter ? Il faut sans doute aller plus loin, car l'Apôtre, tant dans la péricope précédente que dans celle-ci et dans celle qui suit, fait appel à la solidarité entre les membres du corps social (12, 25), à la compassion (12, 26a) et au partage de l'honneur rendu aux autres (12, 26b). Faire partie de ce corps comporte donc une exigence éthique, qui n'est pas sans rappeler l'itinéraire vécu par le Christ et le message qui fut le sien : il fut « crucifié-pour » (1, 13), il est durablement un « corps-pour » (11, 24), et il fut réveillé d'entre les morts ; le récit de l'institution eucharistique le rappelle (Billy). Dire aux destinataires « vous êtes corps de Christ » n'est alors pas seulement leur dire : « Vous êtes Église », ou « Vous êtes peuple de Dieu » (Crüsemann) ; mais bien plutôt : « Vous êtes un certain type d'Église », un corps s'imposant un mode de vie nourri d'Évangile : corps crucifié devenant, par l'action de Dieu, corps ressuscité (Kim). La solidarité ecclésiale s'enracine dans le Christ lui-même ; les chrétiens sont incorporés dans un corps qui existe déjà et qui n'attend pas qu'ils en fassent partie pour exister (Schlosser ; Söding). Avec le v. 28, on retrouve un procédé argumentatif déjà utilisé en 12, 18 et 12, 24b, rappelant que ce qui va être exposé est l'œuvre de Dieu, ce qui lui donne une autorité incontestable. Cependant, ce que Dieu a disposé ne concerne plus le corps mais l'Église (*ekklèsia*), terme qui n'avait pas encore été employé au chapitre 12 et qui va prendre désormais la place du corps, puisque le propos revient sur les charismes dont il était question en 12, 4-11. Comme dans les autres emplois du terme *ekklèsia* en 1 Co (premier emploi en 1, 2), il s'agit de l'Église locale. À l'intérieur de celle-ci sont nommés huit charismes et/ou fonctions présentés dans un ordre hiérarchique. Les trois premiers ont un numéro d'ordre : apôtres, prophètes, enseignants. Le quatrième et le cinquième sont introduits par l'adverbe « ensuite » (*epeita*). Les trois derniers sont simplement énumérés sans aucune introduction. La question se pose de savoir si la hiérarchisation concerne simplement les trois premiers et que, pour les numéros quatre à huit, l'ordre est indifférent ; ou si, au contraire, la hiérarchisation affecte les huit charismes présentés. Pour y répondre, il est utile de comparer les listes de 12, 28 et de 12, 8-10 :

1 Co 12, 8-10 (neuf charismes)	1 Co 12, 28 (huit charismes)
Parole de sagesse	Apôtres
Parole de connaissance	PROPHÈTES
Foi	Enseignants
Charismes de guérison	Miracles
Réalisations de miracles	*Charismes de guérisons*
PROPHÉTIE	Entraides
Discernements d'esprits	Gouvernances
Sortes de langues	*Sortes de langues*
Interprétation des langues	

On remarque que, entre les neuf charismes de 12, 8-10 et les huit charismes de 12, 28, quatre seulement sont communs : prophètes, miracles, guérisons et langues. Les langues sont toujours en huitième position ; la prophétie, qui est en sixième position aux vv. 8-10, occupe la seconde au v. 28. Cela tient sans doute aux multiples connotations de la prophétie (voir excursus p. 295) ; le prophète remplit une véritable fonction d'autorité dans certaines Églises au moins, d'où sa position au deuxième rang au v. 28 ; mais il peut aussi s'agir d'une activité plus occasionnelle, exercée éventuellement par une femme (11, 5), consistant essentiellement à louer Dieu (Swartz). Quant à la fonction d'apôtre, nommée en premier lieu au v. 28, ce n'est pas un charisme lié à une Église locale, mais tout ce que Paul en écrit manifeste qu'un apôtre jouit d'une autorité de premier plan dans l'ensemble des Églises. L'ensemble de ces remarques conduit alors à conclure que la hiérarchisation fonctionne pour les huit charismes nommés au v. 28. Les apôtres sont nommés les premiers parce que leur autorité dépasse l'Église locale ; il existe des signes distinctifs de l'apôtre, que Paul développe en 2 Co 12, 12, dont font aussi partie les prodiges et les miracles. Les prophètes, après eux, jouissent d'une véritable autorité institutionnelle dans une Église donnée. Les enseignants viennent ensuite ; ce sont sans doute eux qui, dans la liste de 12, 8-10, ont la capacité de prononcer des paroles de sagesse et de connaissance. Les deux charismes suivants, miracles et charismes de guérisons, sont encore en bonne place parce qu'ils disposent de pouvoirs de type surnaturel. Le charisme d'entraides correspond sans doute à un don caritatif, peut-être liée à une certaine fortune personnelle. Le charisme de gouvernances est sans doute une capacité assez mineure, de type organisationnel. Et les langues viennent en dernier, c'est constant dans le discours paulinien, le chapitre 14 en donnera les raisons. Les vv. 29-30 reprennent en forme de questions rhétoriques les propos précédents. Tous n'ont pas tous les charismes ni toutes les fonctions. Deux charismes de la liste du v. 28 ne sont pas repris dans ces questions : entraides et gouvernances. Et un est ajouté, déjà présent, en dernière place, dans la liste de 12, 8-10 : l'interprétation des langues, car les langues sont inutiles si personne n'est en mesure de les traduire en langage compréhensible (14, 4-9). Au v. 31, puisque Paul vient de fournir une liste hiérarchisée des charismes, il est alors en mesure d'inviter les Corinthiens à faire porter leur choix sur les plus grands. Car il faut aspirer aux charismes ; ils sont utiles à l'Église. Le v. 31a pourrait normalement déboucher sur 14, 1, mais le fil du discours est interrompu au v. 31b par l'annonce d'un autre chemin, apparemment plus grand encore que le premier des charismes nommés en 12, 28, dont le nom sera prononcé en 13, 1. Et la péricope se termine sur ce suspense...

L'une des questions importantes posées par cette péricope est le statut des charismes qui y sont nommés. Que tous correspondent à une grâce (nous dirions « une prédisposition » ou « un talent »), c'est incontestable. Mais pour certains, au moins les trois premiers, les charismes débouchent sur des fonctions, que Paul ne craint pas de présenter selon un ordre d'importance. On aurait ici la description la plus ancienne d'une organisation ecclésiale. Il n'y a cependant pas de raison de l'officialiser, ce d'autant plus que certains des termes employés ne sont pas repris dans le NT. En incluant des détenteurs de l'autorité parmi ceux qui jouissent d'un charisme, Paul manifeste que le concept de charisme n'est pas opposé au fonctionnement institutionnel (Nardoni ; Perrot).

NOTES

27

Le syntagme σῶμα Χριστοῦ apparaît ici pour la première fois dans la littérature chrétienne sous une forme aussi ramassée. On l'a déjà rencontré sous une forme plus développée (τὸ σῶμα τοῦ Χριστοῦ) en 10, 16, dans une question rhétorique se référant à l'institution eucharistique. L'absence d'article devant σῶμα et devant Χριστοῦ est à noter. Lorsque ce syntagme est employé ailleurs dans les *homologoumena*, on le trouve plutôt avec l'article défini devant σῶμα (en plus de 1 Co 10, 16 : Rm 7, 4). La tournure est explicable du fait que ce substantif est ici attribut, et que cette fonction se passe en général de l'article (BDR, § 273). Même construction en 3, 16, où Paul écrivait, également sans article : οὐκ οἴδατε ὅτι ναὸς θεοῦ ἐστε ; reste que cela rend aussi la phrase plus concise, et favorise le parallélisme entre σῶμα et μέλη. La nature du génitif Χριστοῦ se rapportant à σῶμα est difficile à préciser : génitif épexégétique (un corps-Christ) ? génitif d'appartenance (un corps qui appartient au Christ) ? génitif de provenance (un corps constitué par Christ) ? L'identification entre le corps du Christ et l'Église, que des siècles de théologie postérieure ont consacrée, n'aide pas à percevoir la nouveauté et les spécificités de ce syntagme (Lindemann ; Yorke). Ἐκ μέρους est une expression toute faite que l'on retrouve plusieurs fois dans la suite de la section (1 Co 13, 9[2x].10.12), indiquant le caractère partiel, incomplet, voire transitoire de quelque chose. Chaque membre n'est qu'une partie du corps, ce qui implique de la considération pour les autres membres.

28

Le groupe sujet-verbe ὁ θεὸς ἔθετο se trouvait déjà, dans l'ordre inverse, en 12, 18. Dieu était aussi sujet en 12, 24b, avec un autre verbe (συνεκέρασεν). Les charismes d'entraides et de gouvernances sont entièrement nouveaux par rapport à la liste donnée en 12, 8-10. Le terme « entraide » (ἀντίλημψις) est un hapax du NT. Il est présent dans la LXX, où il peut se rapporter à la protection apportée par Dieu ou par le ciel (1 Esd 8, 27 ; Ps 21, 20 ; 88, 19 ; 2 M 8, 19 ; 15, 7), ou encore par un groupe humain (Ps 107, 9 ; 2 M 11, 26 ; 3 M 2, 33 ; 3, 10) ; en Si, il s'agit surtout d'une aide attendue par la personne en difficulté, que cette aide vienne de Dieu ou d'un autre (Si 11, 12 ; 51, 7) ; il est formé sur le verbe ἀντιλαμβάνω qui, au sens figuré, signifie « venir en aide, porter secours » ; on peut penser qu'il s'agit d'une assistance principalement financière. Le terme « gouvernance » (κυβέρνησις) est également un hapax du NT. Il a d'abord le sens très concret du pilotage d'un navire, mais déjà dans la LXX comme dans l'ensemble de la culture hellénistique, il peut concerner l'art du gouvernement ou de la guidance (Pr 1, 5 ; 11, 14 ; 24, 6). Comme il n'est pas nommé dans les premiers charismes, il ne peut désigner une haute fonction hiérarchique, mais plutôt l'art de conseiller, de planifier ou d'organiser, au sens général (Roberts).

29-30

La façon dont sont nommés les sept charismes dans les questions rhétoriques de ces deux versets est peu cohérente : les trois premiers termes désignent des personnes ; le quatrième, une activité ; les trois suivants sont construits avec des verbes. Toutes introduites par la particule interrogative μή, ces sept questions appellent une réponse négative.

31

Au v. 31a, τὰ μείζονα est un comparatif à sens superlatif ; phénomène que l'on a beaucoup rencontré dans la péricope précédente. Le mode verbal de ζηλοῦτε peut être un impératif ou un indicatif (Louw). Plus loin, en 14, 1, il s'agit clairement d'un impératif, Paul invitant à aspirer aux dons spirituels. Ici, c'est plus ambigu. S'il s'agit d'un indicatif, ce demi-verset est ironique : « Vous recherchez les charismes les plus grands et, en fait, vous ne vous intéressez qu'au don des langues ! » Le ton général du propos n'est pourtant pas marqué par l'ironie, c'est la raison pour laquelle nous préférons l'impératif (contre Smit). Ainsi compris, il introduit mieux le v. 31b qui annonce un discours montrant une voie d'excellence. Le substantif ὑπερβολή, dans l'expression καθ' ὑπερβολήν, désigne au sens propre un lancer au-delà, un franchissement, et, au sens figuré, un excès, une surabondance. On retrouve la même expression en 2 Co 1, 8 ; 4, 17 ; Ga 1, 13 ; Rm 7, 13. Elle est ici utilisée au sens adjectival pour qualifier ὁδόν. On pourrait aussi en faire un adverbe portant sur l'ensemble du verset, en ne marquant pas la coupure entre τὰ μείζονα et καὶ ἔτι (van Unnik), mais cela donne une phrase compliquée ; le Vaticanus intercale en cet endroit un signe diacritique qui conduit, au contraire, à bien marquer la césure entre 31a et 31b.

L'excellence de l'agapè
(13, 1-13)

TRADUCTION

13, 1 Quand je parlerais dans les langues des hommes et des anges, si je n'ai pas d'amour, je suis devenu bronze résonnant ou cymbale retentissante. 2 Et quand j'aurais (le don de) prophétie et que je saurais tous les mystères et toute la connaissance, et quand j'aurais toute la foi en sorte de transporter[a] des montagnes, si je n'ai pas d'amour, je ne suis rien. 3 Et quand je distribuerais tous mes biens et que je livrerais mon corps pour faire le fier[b], si je n'ai pas d'amour, je n'en profite en rien. 4 L'amour est patient, est bienveillant l'amour[c] ; il ne jalouse pas, l'amour[c] ne se vante pas, il ne s'enfle pas, 5 il ne manque pas aux convenances[d], il ne cherche pas ses avantages[e], il ne s'irrite pas, il n'impute pas le mal, 6 il ne se réjouit pas de l'injustice, mais il trouve sa joie avec la vérité ; 7 il couvre tout, il croit tout, il espère tout, il supporte tout. 8 L'amour ne tombe[f] jamais. Qu'il s'agisse de prophéties, elles disparaîtront ; qu'il s'agisse de langues, elles cesseront ; qu'il s'agisse de connaissance, elle disparaîtra[g] ; 9 car nous connaissons partiellement et nous prophétisons partiellement ; 10 lorsque viendra la perfection, ce qui est partiel disparaîtra. 11 Quand j'étais enfant, je parlais comme un enfant, je pensais comme un enfant, je raisonnais comme un enfant ; quand je suis devenu un homme, j'ai fait disparaître ce qui est propre à l'enfant. 12 Nous voyons présentement, en effet, à travers un miroir, en énigme[h], mais alors (ce sera) face à face ; présentement je connais partiellement, mais alors je connaîtrai pleinement, de la même façon que j'ai été pleinement connu. 13 Maintenant, demeurent la foi, l'espérance, l'amour, ces trois choses-là. Or, la plus grande d'entre elles, c'est l'amour.

ᵃ Le verbe μεθίστημι est à l'infinitif moyen (μεθιστάναι) dans la majorité des mss : p⁴⁶ ℵ¹ B D F G 048. 33. 81. 104. 326. 1175. 1241ˢ ; 1739 *pc* ; Clément. L'infinitif actif (μεθιστάνειν) est présent chez un plus petit nombre de témoins : A C Ψ 1881 *Byz*. Le moyen, étant le plus souvent intransitif, est *lectio difficilior* ; il est à préférer.

ᵇ Une des difficultés textuelles les plus fameuses du NT. Deux formes verbales différant d'une ou deux lettres sont en concurrence : 1° καυθήσομαι, indicatif futur passif du verbe καίω (brûler) : C D F G L. 6. 81. 104. 630. 945. 1175. 1881* *al* latt syʰᵐᵍ ; Tertullien Ambrosiaster Jérômeᵐˢˢ. – 1° bis. Une forme proche mais moins bien attestée au subjonctif, καυθήσωμαι : Ψ 1739ᶜ. 1881ᶜ *Byz*. – 2° καυχήσωμαι, subjonctif présent du verbe καυχάομαι qui n'existe qu'à la forme moyenne (se glorifier, faire le fier) : p⁴⁶ ℵ A B 048. 33. 1739* *pc* co ; Jérômeᵐˢˢ. Pour le contenu de ces deux leçons, voir le commentaire du v. 3. La leçon 1 (ἵνα suivi de l'indicatif) est peu correcte ; pour cette raison elle a pu être naguère préférée. Sa traduction liturgique est dans toutes les têtes francophones qui l'ont entendue lors de célébrations de mariages : « J'aurais beau me faire brûler vif... » ; ou, dans une version plus ancienne : « Quand je livrerais mon corps aux flammes... ». La leçon 1bis, peu attestée, en est une correction. Cependant, Paul n'emploie jamais ailleurs le verbe καίω, alors que καυχάομαι fait partie de son vocabulaire courant (déjà en 1 Co 1, 29.31 ; 3, 21 ; 4, 7 ; 2 Co [17x]). La leçon 2 possède moins de témoins mais elle en possède trois très anciens : p⁴⁶ ℵ B. Elle a la faveur des critiques les plus récents. C'est elle que nous retenons (avec Malone ; Perera ; Petzer ; Smit, « Two Puzzles » ; et la plupart des commentateurs modernes ; contre Caragounis ; Chevallier ; Kieffer).

ᶜ Les témoins hésitent dans les répétitions ou non de ἡ ἀγάπη. Ce substantif est bien attesté entre χρηστεύεται (est bienveillant) et οὐ ζηλοῖ (ne jalouse pas), mais il peut être le sujet de l'un ou de l'autre. Il est attesté comme sujet de οὐ περπερεύεται (ne se vante pas) en ℵ A C D F G Ψ 048. 0243. 1739. 1881 *Byz* sy. Mais il est absent en B 33. 104. 629. 1175. 2464 *pc* lat sa boᵐˢ ; Clément Ambrosiaster. Et p⁴⁶ inverse l'ordre : οὐ περπερεύεται ἡ ἀγάπη. Nous le conservons avant ce dernier verbe, avec un doute.

ᵈ La proposition οὐκ ἀσχημονεῖ (il ne manque pas aux convenances), très bien attestée, est remplacée par οὐκ εὐσχημονεῖ en p⁴⁶ (il n'a pas l'apparence convenable), et par οὐκ αὐσχημονεῖ en 1241ˢ. La leçon de p⁴⁶ est sans doute une correction volontaire pour mettre en valeur l'intériorité de l'ἀγάπη. La leçon de 1241ˢ est un barbarisme !

ᵉ La majorité des mss lit : οὐ ζητεῖ τὰ ἑαυτῆς. On trouve l'article au singulier en p⁴⁶* : οὐ ζητεῖ τὸ ἑαυτῆς ; le sens est le même. Et, en p⁴⁶ᶜ : οὐ ζητεῖ τὸ μὴ ἑαυτῆς (il ne cherche pas ce qui n'est pas à lui) ; correction volontaire à tonalité moralisante.

ᶠ Deux leçons existent : 1° Le verbe simple πίπτει : p⁴⁶ ℵ* A B C* 048. 0243. 33. 1241ˢ. 1739 *pc* (g) ; Clémentᵖᵗ. – 2° Le verbe composé ἐπιπίπτει : ℵ² C³ D F G Ψ 1881 *Byz* lat ; Clémentᵖᵗ. Le verbe composé, qui peut avoir aussi le sens concret de « tomber », a plus facilement que le verbe simple le sens figuré de « perdre sa valeur » ; ainsi en Rm 9, 6 ; la leçon 2 est sans doute une correction de scribe.

ᵍ La majorité des mss porte γνῶσις καταργηθήσεται. On trouve dans quelques mss le pluriel γνῶσεις καταργηθήσονται : (א) A D¹ F G (33). 365 *pc* ar vgᵐˢ saᵐˢ boᵐˢ. Correction secondaire, sans doute volontaire.

ʰ La majorité des mss porte δι᾽ ἐσόπτρου ἐν αἰνίγματι. Ces quatre mots sont précédés par ὡς dans les mss D 0243. 81. 670. 1175. 1739. 1881. 2464 *al* syᵖ·ʰ** ; Clémentᵖᵗ. Le ms. 33 introduit ὡς avant ἐν αἰνίγματι. Une quatrième leçon existe, δι᾽ ἐσόπτρου καὶ αἰνίγματος, en L P *pc* ar ; (Irénéeˡᵃᵗ) Origène. La première leçon est la meilleure ; les deux suivantes explicitent le fait qu'il s'agit d'une analogie, soit pour l'ensemble de l'expression (leçon 2), soit pour l'énigme (leçon 3). La quatrième, peu attestée, met le terme concret « miroir » sur le même plan que le terme abstrait « énigme ».

BIBLIOGRAPHIE

C.-B. AMPHOUX, « 'Toute la foi jusqu'à transporter les montagnes' (1 Co 13, 2). Une parole de Jésus citée par Paul ? », in *L'Évangile exploré, Mél. Simon Légasse*, A. MARCHADOUR (dir.), Paris 1996, 333-355. – J.B. BAUER, « Corpus suum tradere (Dan 3, 28 [95] ; 2 Makk 7, 37 ; 1 Kor 13, 3) », *NT* 49, 2007, 149-151. – H. BOERS, « Ἀγάπη and χάρις in Paul's Thought », *CBQ* 59, 1997, 693-713. – E.R. CAMPBELL-REED, « The Healing Power of Love in the "Tragic Gap" (1 Corinthians 13 : 1-13) », *WordWorld* 30, 2010, 91-97. – CC. CARAGOUNIS, « 'To Boast' or "to Be Burned" ? The Crux of 1 Cor 13 : 3 », *SvengExegÅrs* 60, 1995, 115-127. – M.-A. CHEVALLIER, *L'exégèse du Nouveau Testament. Initiation à la méthode*, Genève 1984. – R.B. COMPTON, « 1 Corinthians 13 : 8-13 and the Cessation of Miraculous Gifts », *Detroit Baptist Seminary Journal* 9, 2004, 97-144. – J. CORLEY, « The Pauline Authorship of 1 Corinthians 13 », *CBQ* 66, 2004, 256-274. – É. CUVILLIER, « Entre théologie de la Croix et éthique de l'excès : Une lecture de 1 Corinthiens 13 », *ETR* 75, 2000, 349-362. – H. FINZE-MICHAELSEN, *Ohne Liebe – nichts. Roter Faden für das Leben (1. Korinther 13)*, Zürich 2011. – C. FOCANT, « 1 Corinthians 13. Analyse rhétorique et analyse des structures », in *The Corinthian Correspondence*, R. BIERINGER (ed.), Leuven 1996, 199-245. – C. FOCANT, « Die Funktion des Lobs auf die Liebe (1 Kor 13) im Kontext », *Jahrbuch für Biblische Theologie* 29, 2014, 171-185. – J.-C. GIROUD, L. PANIER, « Sémiotique, Une pratique de lecture et d'analyse des textes bibliques », *CEv* 59, 1987, 32-45. – F. GENUYT, « 1 Co 13, 1-13 : L'hymne à la charité », *SémBib* 109, 2003, 27-42. – G.L. GREEN, « 'As for Prophecies, They Will Come to an End' : 2 Peter, Paul and Plutarch on "The Obsolescence of Oracles" », *JSNT* 82, 2001, 107-122. – H.W. HOLLANDER, « Seeing God "in a Riddle" or "Face to Face" : An Analysis of 1 Corinthians 13. 12 », *JSNT* 32, 2010, 395-403. – M.J. HOUGHTON, « A Reexamination of 1 Corinthians 13 : 8-13 », *BS* 153, 1996, 344-356. – R. KIEFFER, *Le primat de l'amour. Commentaire épistémologique de 1 Corinthiens 13*, Paris 1975. – P.G. KIRCHSCHLÄGER, « Die eschatologische Dimension von Liebe. 1 Kor 13 und der "andere Weg" », *BibLiturg* 85, 2012, 61-72. – W.W. KLEIN, « Noisy Gong or Acoustic Vase ? A Note on 1 Corinthians 13. 1 », *NTS* 32, 1986, 286-289. – R.E. KRITZER, « Zum Wechsel von Simplex und Kompositum in 1 Kor 13, 12 », *BN* 124, 2005, 103-104. – A.S. MALONE, « Burn or Boast ? Keeping the 1 Corinthians 13, 3 Debate in Balance », *Bib.* 90, 2009, 400-406. – M.P. MARTENS, « First Corinthians 13 : 10 : "When That Which is

Perfect Comes"», *NotesTrans* 10, 1996, 36-40. – D.G. McDougall, «Cessationism in 1 Cor 13 : 8-12», *MasterSemJourn* 14, 2003, 177-213. – K.A. McElhanon, « 1 Corinthians 13 : 8-12 : Neglected Meanings of ἐκ μέρους and τὸ τέλειον», *NotesTrans* 11, 1997, 43-53. – R. Morton, « Gifts in the Context of Love : Reflections on 1 Corinthians 13», *AshTheolJourn* 31, 1999, 11-24. – J. Murphy-O'Connor, «Corinthian Bronze», *RB* 90, 1983, 80-93. – S.J. Patterson, «A Rhetorical Gem in a Rhetorical Treasure : The Origin and Signification of 1 Corintians 13 : 4-7», *BTB* 39, 2009, 87-94. – C. Perera, « Burn or Boast ? A Text Critical Analysis of 1 Cor 13 : 3», *FiloNT* 18, 2005, 11-128. – J.H. Petzer, « Contextual Evidence in Favour of ΚΑΥΧΗΣΩΜΑΙ in 1 Corinthians 13. 3», *NTS* 35, 1989, 229-253. – M. Philonenko, «Rhétorique paulinienne et terminologie qumrânienne», *RHPhR* 84, 2004, 149-161. – J.J. Pilch, «Mirrors and Glass», *BiTod* 36, 1998, 382-386. – A. Portier-Young, «Tongues and Cymbals : Contextualizing 1 Corinthians 13 : 1», *BTB* 35, 2005, 99-105. – T.K. Sanders, «A New Approach to 1 Corinthians 13. 1», *NTS* 36, 1990, 614-618. – J.W. Scott, « The Time When Revelatory Gifts Cease (1 Cor 13 : 8-12)», *WestTheolJourn* 72, 2010, 267-289. – G.S. Shogren, «How Did They Suppose "the Perfect" Would Come ? 1 Corinthians 13. 8-12 in Patristic Exegesis», *JournPentTheol* 15, 1999, 99-121. – J.G. Sigountos, « The Genre of 1 Co 13», *NTS* 40, 1994, 246-260. – J. Smit, «The Genre of 1 Corinthians 13 in the Light of the Classical Rhetoric», *NT* 33, 1991, 193-216. – J.F.M. Smit, «Two Puzzles : 1 Corinthians 12. 31 and 13. 3. A Rhetorical Solution», *NTS* 39, 1993, 246-264. – E. Stuart, «Love Is... Paul», *ET* 102, 1991, 264-266. – C. Spicq, *Agapè*, II, Paris 1966, 53-120. – R.L. Thomas, « 1 Cor 13 : 11 Revisited. An Exegetical Update», *MasterSemJourn* 4, 1993, 187-201. – W.O. Walker, «Is First Corinthians 13 à Non-Pauline Interpolation ?», *CBQ* 60, 1998, 484-499. – C.J. Waters, «Love Is... Paul – A Response», *ET* 103, 1991, 75. – R.F. White, «Richard Gaffin and Wayne Grudem on 1 Cor 13 : 10 : A Comparison of Cessationist and Noncessationist Argumentation», *JETS* 35, 1992, 173-181. – E. Wong, « 1 Corinthians 13 : 7 and Christian Hope», *LouvSt* 17, 1992, 232-242.

INTERPRÉTATION

On hésite parfois sur les limites précises à donner à cette péricope – – certains exégètes la font commencer en 12, 31b – mais, à ce détail près, le chapitre 13 forme une belle unité : par son style, qui tranche sur la prose ordinaire et sur celui des chapitres environnants ; par sa thématique, le mot « amour » (*agapè*) y étant employé une dizaine de fois, ne l'ayant pas été au chapitre 12 et n'étant repris qu'une seule fois en 14, 1 pour faire transition avec la suite du propos ; par sa construction, les trois parties qui le composent étant faciles à délimiter, avec une hésitation pour le v. 8a ; par le fait que ni Dieu, ni Christ ni l'Esprit n'y sont nommés, ce qui est une exception pour un aussi long passage de la littérature paulinienne. Lorsqu'elle sera citée par Clément, il y introduira les noms de Dieu et du Christ en s'inspirant de la littérature johannique (*1 Clément* 49) ! Une telle unité, associée au fait qu'il y a relativement peu de vocabulaire commun avec les chapitres 12 et 14 et que l'on pourrait passer directement de 12, 31a (aspirez aux charismes les plus grands) à 14, 1b (désirez ardemment les charismes), a inévitablement fait se poser la question de savoir si ce passage n'avait pas eu une existence indépendante et s'il était de la main de Paul. Dans ce domaine, l'éventail d'opinions est très ouvert ; certains chercheurs estiment qu'il n'est pas paulinien et qu'il a été intégré ici soit par Paul (Patterson) soit par une main postérieure (Walker) ; d'autres l'estiment paulinien mais ayant eu une existence indépendante (e.g. Barrett* ; Conzelmann* ; Fee* ; Héring* ; Schmithals, Gnosis ; Senft* ; Weiss*) ; d'autres enfin, sensibles à la façon dont il s'intègre dans les chapitres 12 à 14, estiment qu'il a été composé par Paul au moment où il rédigea l'épître (e.g. Corley ; Cuvillier ; Fitzmyer* ; Focant, « Analyse » ; Mitchell, Rhetoric ; Schrage* ; Thiselton* ; Zeller*). L'opinion la plus courante actuellement est que ce passage a bien été composé par Paul, et l'a été pour faire partie de l'ensemble 12-14. Parmi les arguments forts qui vont dans ce sens, existe celui-ci : au chapitre 16 qui conclut la lettre, l'exhortation à vivre l'agapè figure au v. 14 ; et Paul invoque encore son agapè pour ses destinataires dans le tout dernier verset (16, 24), belle conclusion à laquelle conduit naturellement le lyrisme du chapitre 13 !

Il est assez classique d'appeler ce chapitre 13 « hymne à l'amour » ou « hymne à la charité ». Il ne semble pourtant pas que le terme « hymne » soit pertinent, car on y chercherait en vain les critères qui permettent de parler d'œuvre poétique. Certes, le ton est lyrique, les répétitions de mots et de tournures donnent à l'ensemble une tonalité emphatique, mais il s'agit bel et bien de prose, une prose rythmée comme il convient souvent à un morceau de rhétorique démonstrative ou épidéictique (Smit, « Genre »). On trouve des formes d'expression proches de celle-ci dans les panégyriques (ou éloges ; ou, en anglais, encomiums). On trouve chez Platon un panégyrique de l'eros (Banquet 177d) ; il existe aussi des éloges dans la littérature juive hellénistique, tel l'éloge de la sagesse dans le livre de la Sagesse de Salomon (Sg 7, 22 – 8, 1), ou l'éloge de la vérité dans la version grecque d'Esdras (1Esd^{LXX} 4, 34-40) (Sigountos).

La construction du passage est en partie commandée par les personnes verbales employées : 1re personne du singulier aux vv. 1-3 ; ton impersonnel aux vv. 4-8. Les choses se compliquent ensuite : 1re personne du pluriel aux vv. 9-10 et 12a ; 1re personne du singulier aux vv. 11 et 12b ; retour au ton impersonnel au v. 13. Cela conduit certains exégètes à distinguer quatre paragraphes : 1-3 / 4-7 / 8-10 / 11-13 (e.g. Héring*), ou même cinq en isolant le v. 13 (Finze-Michaelsen). La plupart se limitent cependant à trois parties : 1-3 / 4-7 / 8-13, en intégrant le v. 8a à la troisième partie (e.g. Barrett* ; Chevallier ; Fee* ; Giroud, Pannier ; Genuyt ; Kieffer ; Morton ; Senft* ; Thiselton* ; Zeller*). On peut cependant s'interroger sur la place de ce v. 8a, qui est le dernier verset à utiliser le terme agapè avant qu'il ne revienne en finale au v. 13 et que l'on pourrait donc considérer comme une conclusion de l'ensemble 4-8a ; stylistiquement parlant, c'est là sa meilleure place (ainsi

Fitzmyer* ; Focant, « Analyse »). Mais, comme il introduit de la temporalité avec l'adverbe « jamais » (*oudepote*) et que celle-ci est abondamment reprise dans les versets suivants, la plupart des commentateurs préfèrent le placer en introduction de l'ensemble 8-13. Tenant compte du fait que la rhétorique joue pour une grande part dans la rédaction de cette péricope, nous nous rangeons plutôt au modèle qui fait du v. 8a la conclusion d'une période.

Se pose encore la question du statut de cette péricope dans l'ensemble composé des chapitres 12-14. Comme on l'a remarqué, son style tranche sur celui des versets environnants, et le thème de l'*agapè* n'est pas repris ensuite, sauf au tout début du chapitre 14. S'agit-il d'une parenthèse, d'une digression, d'un excursus ? A-t-il un véritable rôle dans l'argumentation ? Et à quelle figure cet *agapè* renvoie-t-il ? Estimer que cette péricope est un simple excursus, et qu'elle ne joue pas de véritable rôle dans l'argumentation, ne tient pas compte de son influence sur la rédaction du chapitre 14. L'hypothèse a été émise que Paul se donnait lui-même en exemple, comme il le fait au chapitre 9, et que ce panégyrique de l'amour renverrait à son propre comportement (Stuart ; contesté par Waters) ; rien dans le texte ne permet cependant d'affirmer cela. Le statut à retenir est sans doute celui de *digressio*, non au sens simplement ornemental, mais comme un passage particulier faisant partie de la *dispositio* rhétorique, et nécessaire à l'avancée du discours. On remarque, en effet, que, si le terme *agapè* n'est pas repris ensuite, le chapitre 14 introduit une notion qui n'apparaît pas au chapitre 12, à savoir le verbe « construire » (*oikodomeô* ; 14, 4.17) et le substantif « construction » (*oikodomè* ; 14, 3.5.12.26), qui conduisent le lecteur à considérer les charismes comme devant être utiles aux autres, donc animés par l'amour. Sans la présence du chapitre 13, le chapitre 14 ne pourrait pas être ce qu'il est. L'*agapè* ne fait pas nombre avec les autres charismes, mais il doit les animer tous. Et Paul invite fortement à ne pas rechercher ceux qui mettent le plus en valeur la personne qui les possède, comme les langues, la prophétie, la connaissance et les miracles résultant de la foi (vv. 1-3).

VV. 1-3 – Le chapitre sur l'excellence de l'amour commence par une période hyperbolique de trois phrases, dans laquelle l'auteur envisage des situations invraisemblables ou des décisions impossibles à prendre. Le « je » est à la fois personnel et rhétorique ; il renvoie à Paul, dont on peut penser qu'il a de l'*agapè* ; et également à toute personne, dont les Corinthiens qui sont avides de parler les langues extraordinaires. C'est d'ailleurs par les langues que Paul commence, au v. 1, en dévaluant une glossolalie qui ne serait pas habitée par l'amour : l'Apôtre, pourtant, possède ce charisme (14, 8). Comme la tonalité de l'ensemble est emphatique, on pourrait penser que parler dans les langues des anges est une simple anaphore, Paul visant les fidèles qui, pratiquant la glossolalie, estimaient parler une langue céleste. Plusieurs textes du judaïsme ancien témoignent cependant de la croyance que les anges disposaient d'une langue propre ; parmi les filles de Job, Héméra chantait dans la langue angélique, Corne d'Almathée parlait dans la langue des chérubins (*TestJob* 48, 3 – 50, 2). Certains rabbins prétendaient que Yohanan ben Zakkaï (décédé en 73) la comprenait. Deux métaphores commentent la conduite de celui qui pratique la glossolalie sans amour. La cymbale (*kumbalon*) est un instrument de musique proche des cymbales actuelles ; ailleurs dans la Bible, le terme est décliné au pluriel (*kumbala ; e.g.* Ps 150, 5) ; Paul nomme l'instrument de façon générique, sans article. On utilisait des cymbales dans les orchestres, dans les temples ou les bois sacrés ; elles pouvaient servir à appeler l'attention, expulser les démons, exciter les fidèles (Portier-Young). Le terme « bronze » (*chalchos*) est plus ambigu. Ce peut être aussi un terme générique pour désigner plusieurs autres instruments à percussion que l'on utilisait, par exemple dans les cultes de Déméter et de Cybèle. Mais il a également été remarqué que Corinthe était connue pour la qualité des bronzes qu'on y fabriquait (Murphy-O'Connor), et que ce métal était utilisé pour fabriquer les vases acoustiques destinés à amplifier la voix dans les théâtres (Klein) ; Rome aurait découvert ces instruments lors du sac de Corinthe en 146 av. J.-C. et en aurait emprunté l'usage. L'allusion à ce type d'ustensile est possible. Paul se référerait alors à deux objets assez différents, un instrument de musique et un amplificateur de voix ; la proposition serait moins pléonastique. Quoi qu'il en soit, on comparait volontiers les orateurs dont les propos étaient creux à des objets de métal qui résonnent. Après le don des langues sous-jacent au v. 1 et classé en neuvième position en 12, 28, le v. 2 mentionne trois autres charismes, à savoir la prophétie (classée en deuxième position 12, 28. 29), la connaissance (dans la liste de 12, 8-9), et la foi (dans la liste de 12, 8-9). Déjà présentée comme un charisme dans la liste de 12, 8-9, la foi telle qu'elle est mentionnée ici est capable de transporter des montagnes, donc de provoquer des miracles (quatrième position en 12, 29). La parenté avec un *logion* de Jésus présent dans les évangiles synoptiques (Mt 17, 20 ; Mc 11, 23) fait se poser la question de savoir d'où Paul tient cette expression (Amphoux). Elle n'est pas attestée dans la littérature grecque en dehors des Synoptiques, ni dans l'AT, ni ailleurs dans le judaïsme. Paul se réfère-t-il à une parole de Jésus transmise par la tradition orale ? Aurait-il eu accès un document pré-évangélique (une certaine parenté existe entre Paul et Marc) ? Sans qu'il soit possible de préciser, l'utilisation d'une tradition remontant à Jésus est quasi certaine. Ce verset et le suivant sont bâtis sur l'antithèse tout/rien, mais le « rien » est plus fort au v. 2 qu'au v. 3. Au v. 3, il est question de ne profiter de rien. Au v. 2, il est écrit que celui qui n'a pas d'amour n'est rien, formule connue aussi chez Épictète (*Entretiens* 3, 9, 14 ; 4, 8, 25) ; il est inexistant. Rien, c'est ce que Paul prétend être en 2 Co 12, 11, et pourtant il a de l'amour. Ici, n'être rien est simplement un risque, mais un risque particulièrement grave, donc à éviter à tout prix. Au v. 3, ce que le locuteur prétend faire ne relève plus des charismes. Ce sont des actions héroïques par lesquelles il risque tout ce qu'il a, à savoir ses biens, ainsi que tout ce qu'il est, à savoir sa propre vie. Et là encore, s'il n'a pas d'amour, tous ces sacrifices ne lui sont d'aucune utilité.

VV. 4-8a – Seize petites propositions ont le terme *agapè* pour sujet, bien que ce substantif ne soit exprimé que trois ou quatre fois (vv. 4[x3 ?].8a). Les deux premières propositions sont positives (début du v. 4), les sept suivantes sont négatives (fin du 4 et v. 5) ; le v. 6, qui est position centrale, combine un verbe négatif et un verbe positif ; viennent ensuite quatre propositions à nouveau positives où le verbe commande le complément d'objet « tout » (*panta*) (v. 7) ; et le paragraphe se termine par une proposition négative où le sujet est à nouveau exprimé (v. 8a). L'ensemble constitue une prosopopée anaphorique de l'amour, trompette en bouche ! La diversité de ce que l'amour fait et ne fait pas est impressionnante, et on a parfois bien du mal à savoir à quelles qualités précises de l'amour renvoient tous ces verbes. L'architecture littéraire de ce paragraphe est en inclusion : A) Les deux propositions positives du v. 4. / B) Les sept propositions négatives des vv. 4-5. / C) Le v. 6, en position centrale. / B') Les quatre propositions avec « tout » (*panta*) au v. 7. / A') La reprise de ce que fait l'amour au v. 8a.

VV. 8b-13 – Après la prosopopée du paragraphe précédent qui a peu de rapport avec les charismes courants, le texte revient avec le v. 8b aux trois charismes nommés aux vv. 1 et 2a, à savoir les langues, la prophétie et la connaissance, pour dénoncer leur obsolescence. À la différence de l'amour, ces trois charismes sont voués à disparaître. L'*agapè* qui, elle, n'est pas touchée par cette obsolescence, est absente des premiers versets du paragraphe pour ne réapparaître qu'au v. 13. Le « jamais » du v. 8a annonçait déjà que le propos allait intégrer la temporalité : est opposée une situation présente dans laquelle les charismes jouent un rôle réel dans la vie de l'Église, à une situation future où ils n'auront plus de raison d'être. On peut, ici encore, discerner une structure littéraire en inclusion, autour du v. 11 opposant la situation de l'enfant à celle de l'homme adulte. Ce v. 11 est entouré par les vv. 9-10 d'une part et le v. 12 d'autre part, évoquant le fait que nous n'avons aujourd'hui qu'une connaissance partielle des choses (cf. « partiellement » : *ek merous*). Eux-mêmes sont enveloppés dans deux triades : la triade prophéties / langues / connaissance (au v. 8b), et la triade foi / espérance / amour au v. 13. Lui-même construit en inclusion, le v. 8b évoque la disparition ou la cessation de trois charismes que les Corinthiens revendiquent : la prophétie, les langues, la connaissance. Cette affirmation pose la question du moment futur où cette fin aura lieu. Aux vv. 9-10, ce futur est nommé ; il est appelé « la perfection » (*teleion*). Ce qui laisse penser qu'il s'agit d'une situation eschatologique, la perfection, comme on dit, n'étant pas de ce monde. Paul n'est cependant pas le seul à annoncer la fin de l'époque au cours de laquelle Dieu se révèle par des moyens extraordinaires. Le monde grec et le monde latin, sauf le courant épicurien, acceptaient la divination (Xénophon, *Symposium* 1, 71 ; Cicéron, *De divinatione* 1, 5, 9), mais rhéteurs et philosophes éprouvaient envers elle un certain scepticisme

(Euripide, *Hélène* 744-745 ; Cicéron, *De divinatione* 1, 3, 5 ; 2, 3, 9) et constataient que son défaut de fiabilité entraînait chez les citoyens un réel manque de confiance en elle (Plutarque, *De defectu oraculorum*, 343d ; *De pythiae oraculis* 397d ; Juvénal, *Satyres* 6, 555-556). La perte d'influence de la divination était donc prévisible et, dès l'époque d'Auguste, on interdit aux voyants de prophétiser sur des personnes (Dion Cassius, *Histoire romaine* 56, 25, 5-6). Paul est-il influencé par ce scepticisme et prévoit-il, lui-même, que les décennies à venir connaîtront une baisse des charismes les plus spectaculaires ? De fait, le parler en langues et la prophétie disparaîtront dans l'Église au IIe siècle, et ne referont leur apparition dans l'histoire du christianisme qu'au XIXe siècle dans les courants pentecôtistes (Green ; Houghton ; McDougall). On ne peut exclure que ce donné culturel ait en partie influencé le discours paulinien, ce d'autant plus que l'Apôtre exprime, au chapitre 14, une certaine réticence vis-à-vis des charismes les plus spectaculaires. Reste que, lorsqu'il évoque la fin desdits charismes, c'est sans doute aux temps eschatologiques qu'il pense, et non à une période de l'histoire proche ou lointaine (Scott). Le v. 11 a une fonction parabolique ; il utilise des temps du passé. La différence existant entre l'enfance et l'âge adulte est analogue à celle qui existe entre la situation présente et la situation eschatologique. Le « je » du locuteur peut être à la fois celui de Paul en tant qu'auteur, et un « je » rhétorique. Toute analogie est cependant imparfaite : c'est le sujet qui fait disparaître ce qui relève de son jeune âge lorsqu'il s'agit du passage de l'enfance à l'âge adulte, tandis que, lorsqu'il s'agit de la venue de l'*eschaton*, le sujet opérateur est Dieu lui-même. Le v. 12 n'est pas directement parabolique, mais il instaure une comparaison (v. 12a), celle de la vision dans un miroir, formulée à la 1re personne du pluriel. Au v. 12b, il quitte le terrain de la comparaison pour revenir à la situation réelle ; la phrase est alors à la 1re personne du singulier qui, comme au v. 11, peut correspondre aussi bien à un « je » rhétorique qu'à un « je » paulinien. Les commentaires anciens estimaient souvent que les miroirs de l'Antiquité étaient de mauvaise qualité et que Paul opposait une image floue à une vision plus claire. Une meilleure connaissance de l'artisanat corinthien et de la littérature antique conduit à une autre lecture. On savait fabriquer des miroirs métalliques d'excellente qualité (Pilch) ; le miroir est symbole de clarté (Cicéron, *De finibus* 5, 22, 61) ; c'est un bon instrument de la connaissance du réel (Philon, *De Iosepho* 16) ; et, en 2 Co 3, 18, Paul émet l'idée que le croyant est un miroir reflétant la gloire du Seigneur. Les défauts du miroir, c'est qu'il trompe les sens (image inversée), et qu'il ne donne qu'une connaissance indirecte de l'objet, dérivée du réel (Philon, *De specialibus legibus* 1, 2). L'énigme évoque aussi une situation provisoire (cf. Nb 12, 8), destinée à être remplacée par une vision face à face. Le contraste, deux fois exprimé par « maintenant » (*arti*) *vs* « alors » (*tote*), est encore accentué par la différence entre les verbes exprimant la connaissance : maintenant nous sommes dans la connaissance simple (verbe simple *ginôskô*) ; alors, c'est-à-dire dans le futur eschatologique, nous accéderons à une connaissance pleine (verbe composé *epiginôskô*), du même type que la connaissance que Dieu possède des humains (Kritzer). Avec le v. 13, réapparaît l'*agapè* qui n'avait plus été nommée depuis le v. 8a. Elle est intégrée à une triade foi / espérance / *agapé*. Dans une forme aussi ramassée, elle est inconnue ailleurs chez Paul, bien que l'Apôtre l'utilise dans des passages où elle est plus diluée dans la phrase (1 Th 1, 3 ; 5, 8 ; Ga 5, 5-6 ; Rm 5, 1-5). On ne sait d'où elle provient, car elle n'est pas attestée ailleurs dans la culture hellénistique ; la meilleure hypothèse est que Paul en serait le créateur. Cette triade semble mettre les trois termes sur le même plan, alors qu'une différence importante les sépare : alors que la foi et l'espérance sont des dispositions purement humaines, l'amour est aussi une disposition de Dieu envers les humains. À ce titre, il est disposé à « demeurer » (*menô*) plus que les autres et à franchir la rupture qui sépare le monde présent du monde eschatologique. C'est sans doute en cela qu'il peut être qualifié de « plus grand ». Finalement, l'amour est une disposition plus grande que toutes les autres. Il est plus grand que la foi et que l'espérance, car ces dernières ne concernant que la vie dans ce monde-ci ; il atteint, en effet, l'au-delà de la mort, et constitue un pont vers l'existence eschatologique (Kirchschläger). Il est plus grand que les autres charismes car il ne fait pas nombre avec eux mais doit les imprégner tous, et conduire les disciples du Christ à vivre sereinement les déficits de pouvoir qui peuvent les frustrer dans le cadre de la communauté chrétienne (Campbell-Reed) ; plusieurs passages de 1 Corinthiens sont alors concernés (1, 10 – 4, 21 ; 6, 1-8 ; 8, 1 – 11, 1 ; 11, 17-34) (Focant, « Funktion »). À la différence de 1 Jn 4, 8, Paul n'écrit pas que « Dieu est *agapè* », mais son propos, très antérieur à celui de l'auteur johannique, prépare peut-être une affirmation aussi globale.

NOTES

1

Les vv. 1-3 comportent des propositions conditionnelles introduites par ἐάν + subjonctif, exprimant une condition éventuelle (λαλῶ et ἔχω sont ambigus, mais l'emploi de la conjonction μή au lieu de οὐ lève l'ambigüité). La langue grecque possède quatre substantifs pour parler de l'amour entre les personnes. L'un des plus employés est ἔρως (verbe associé ἐράω), qui a même donné son nom à une divinité ; c'est l'amour de désir, provoqué par la beauté de l'objet, en particulier l'amour entre un homme et une femme ; il est employé deux fois dans la LXX, jamais dans le NT. Egalement assez courante est la φιλία (verbe associé φιλέω), l'amour d'amitié, entre égaux et membres de la même famille ; la LXX l'emploie souvent dans les livres de sagesse (Pr, Sg, Si) et dans les livres des Maccabées ; elle est rare dans le NT. L'amour de tendresse, par exemple entre parents et enfants, se dit στοργή (verbe correspondant στέργω) ; c'est un terme peu courant, y compris dans le grec profane ; il est employé trois fois dans la LXX (3 M et 4 M), jamais dans le NT. Le substantif ici employé, ἀγάπη (verbe correspondant ἀγαπάω) est rare en grec non biblique ; c'est l'amour gratuit, celui que Dieu porte aux humains et que les humains portent à

Dieu, également l'amour charité entre personnes humaines, que l'on se contente souvent de translittérer en français, pour éviter toute ambiguïté ; il est employé dix-huit fois dans la LXX, et environ cent vingt fois dans le NT, notamment dans les écrits johanniques (deux emplois seulement du substantif dans les synoptiques : Mt 24, 12 ; Lc 11, 42) ; à la différence des trois autres, il n'a pas de dimension affective ; c'est de cet amour-là qu'on doit aimer ses ennemis (Mt 5, 43 ; Lc 6, 27). Aimer d'*agapè*, c'est vouloir du bien à quelqu'un et faire ce que l'on peut pour que ce bien advienne ; chez Paul, c'est une grâce (Boers). L'hypothèse a été faite que la conjonction ἤ entre ἠχῶν et κύμβαλον était comparative (Sanders) : « Je suis bronze plus que cymbale. » C'est grammaticalement possible ; le sens plaide plutôt en faveur d'une accumulation.

2

Associés à la connaissance, sont mentionnés les mystères, qui ne sont pas seulement l'intention divine cachée du salut mais aussi des points particuliers du plan de salut (cf. 2, 7). « Tous les mystères » (τὰ μυστήρια πάντα) est une expression que l'on trouve à Qumrân (1QpHab 7, 4-5). L'opinion a été avancée que la formulation paulinienne en est un décalque (Philonenko) ; mais construire une telle parenté à partir de seulement quelques mots est aventureux.

3

Le verbe utilisé pour le don volontaire des biens matériels (τὰ ὑπάρχοντα) est ψωμίζω, qui signifie « donner par morceaux », comme on donne la becquée. L'insistance est ici sur le fait que les biens ne sont pas donnés ou vendus d'un seul coup comme Jésus peut le suggérer en Mt 19, 21 ou Lc 12, 33, mais petit à petit, progressivement, ce qui peut représenter un sacrifice plus fort que l'abandon en une seule fois ; chaque fois, c'est un nouvel arrachement. Quant à « livrer son corps » (παραδίδωμι τὸ σῶμα αὐτοῦ), cela relèverait d'une sorte de martyre volontaire, risque qu'ont pris les trois enfants acceptant la fournaise en Dn 3, 28 (LXX 3, 95), et action qu'a accomplie le septième frère de 2 M 7, 37 (Bauer). Dans les évangiles, Jésus utilise une expression proche pour parler de sa proche Passion : δίδωμι τὴν ψυχὴν αὐτοῦ (Mt 20, 28 ; Mc 10, 45). Dans la note [b] de critique textuelle, nous avons retenu καυχήσωμαι (du verbe καυχάομαι : faire le fier) plutôt que καυθήσωμαι ou καυθήσομαι (du verbe καίω : brûler). La plupart des éditions critiques anciennes du NT retenaient plutôt le verbe « brûler » et ont poussé l'enquête sur le martyre et le suicide par le feu dans la culture antique (Spicq, II, 72-76). Le monde juif possède quelques exemples de martyres acceptés, à commencer par celui des trois enfants déjà cités, mais que le feu épargna. Le premier des sept frères martyrs de 2 M meurt ainsi (2 M 7, 3-6 ; voir aussi 4 M 5, 32 ; 6, 24 ; 9, 19 etc.). Philon est également témoin de ce supplice (*Legum allegoriae* 3, 202). Le suicide par le feu est cependant inconnu du judaïsme. Chez les grecs, au contraire, le suicide d'Empédocle se précipitant dans le cratère de l'Etna est universellement connu. Le cas d'un Indien nommé Calanos est également cité par Josèphe (*CAp* 1, 179) et par Plutarque (*Alexandre* 69, 6-7), ainsi que celui d'un autre indien qui accompagnait César, plus tard, à Athènes (Plutarque, *Alexandre* 69, 8) ; Strabon précise que ce dernier s'appelait Zarmanochégas (15, 1, 73). L'hypothèse a été émise que l'éventualité dont parle Paul n'était pas le martyre, mais l'acceptation d'être marqué au fer rouge comme esclave, pourtant ce serait affaiblir le sens du verbe παραδίδωμι. En résumé, l'acceptation d'un martyre ou d'un suicide par le feu s'intégrerait assez bien dans la culture juive ou gréco-romaine ; reste que ce n'est sans doute pas de cela que Paul fait mention !

4

« Etre patient » traduit le grec μακροθυμέω ; cela renvoie à une patience qui sait supporter les injustices sans colère ni désespoir ; Paul emploie une autre fois le verbe (1 Th 5, 14), et plusieurs fois le substantif correspondant, μακροθυμία (2 Co 6, 6 ; Ga 5, 22). En Rm, c'est une qualité divine (Rm 2, 4 ; 9, 22) reprise de l'AT (Ex 34, 6 ; Nb 14, 18 ; Jon 4, 2). Selon l'expression consacrée, Dieu est « lent à la colère ». Une personne qui pratique la μακροθυμία imite Dieu. « Etre bienveillant » traduit le verbe grec χρηστεύομαι, hapax du NT, qui n'existe en grec que dans le vocabulaire chrétien ; le verbe est formé sur l'adjectif χρήστος, beaucoup plus courant (appliqué à Dieu en Rm 2, 4) ; le substantif abstrait χρηστότης l'est également (qualité divine en Rm 2, 4 ; 11, 22 [x2] ; qualité humaine en Rm 3, 12 ; 2 Co 6, 6 ; Ga 5, 22). Les références le montrent : μακροθυμία et χρηστότης sont plusieurs fois associées chez Paul. Ces deux actions positives disposées en chiasme au début du v. 4 (sujet-verbe / verbe-sujet), qui correspondent à la fois à des dispositions divines et à des dispositions humaines, commandent sans doute toutes les suivantes. Le verbe ζηλόω (jalou-ser), qui peut avoir le sens positif « avoir du zèle » (*e.g.* 1 Co 12, 31 ; 14, 1.39), est ici pris dans son sens négatif ; le substantif correspondant est le ζῆλος (au sens négatif de jalousie en Ga 5, 20), et l'adjectif correspondant est ζηλωτής ; Paul se définit comme ζηλοτής à l'époque où il était persécuteur (Ga 1, 14). Chacun connaît les difficultés de traduction du Dieu « jaloux » (hébreu *qannā'*, grec ζηλωτής) dans l'AT. Le verbe περπερεύομαι (se vanter) est un verbe rare en grec ; hapax du NT et de la Bible, il n'est connu en grec profane que par un seul emploi, chez Marc-Aurèle (*Pensées* 5, 5) ; son sens se déduit de celui de l'adjectif πέρπερος qui signifie « léger, frivole, étourdi, indiscret ». Il renvoie sans doute à une vantardise vaniteuse. On peut supposer que le « tout est permis » manié avec légèreté (6, 12 ; 10, 23) est ici concerné. Plus clairement encore, en employant le verbe « s'enfler » (φυσιόω), Paul reprend clairement des reproches qu'il a précédemment adressés à ses destina-taires (4, 6 ; 8, 1).

5-6

Les quatre propositions du v. 5 sont négatives. Elles indiquent ce que l'amour ne fait pas. « Manquer aux convenances » (ἀσχημονέω), commençant par un alpha privatif, a déjà été employé en 7, 36 ; plus loin en 14, 40, Paul emploiera l'adverbe εὐσχημόνως (convenablement) qui indique l'attitude opposée. La proposition suivante, οὐ ζητεῖ τὰ ἑαυτῆς, pourrait se traduire « il ne cherche pas ce qui est à lui » : il s'agit sans doute de tirer des avantages de ce que l'on est ou de ce que l'on possède ; refuser ces avantages s'appelle en langage moderne le désintéressement. Le verbe παροξύνομαι (s'irriter) a rapport avec l'agacement ; on le trouve en Ac 17, 16, à propos de Paul s'irritant contre les idoles dont l'agora d'Athènes était remplie ; le substantif correspondant, παροξυσμός, est utilisé en Ac 15, 39, pour le conflit qui éclata entre Paul et Barnabas, et aboutit à la séparation entre les deux missionnaires. La proposition traduite par « il n'impute pas le mal » emploie le verbe λογίζομαι, repris plus loin en 13, 11 avec le sens de « raisonner », mais qui peut aussi signifier « imputer (une dette) » (ainsi Za^{LXX} 8, 17) ; c'est son sens ici. Deux aspects sont sans doute à prendre en compte : l'amour veut ignorer le mal, il ne juge pas ; l'amour permet aussi à une personne lésée de ne pas tenir compte du mal qu'on lui a fait, c'est dire que l'amour pardonne (Spicq). Le v. 6, qui est en position centrale dans l'ensemble 4-8a, fait se succéder une proposition négative utilisant le verbe simple χαίρω, et une proposition positive avec le verbe composé συγχαίρω ; deux substantifs sont en opposition, l'injustice (ἀδικία) dont c'est le seul emploi en 1 Co, et la vérité (ἀλήθεια), déjà employée en 5, 8.

7-8a

Le v. 7 comporte quatre propositions positives, chaque verbe ayant πάντα (neutre pluriel) comme complément d'objet direct. Le verbe στέγω, traduit ici par « couvrir », signifie aussi « endurer, supporter ou soutenir » ; c'est le sens qu'il a en 9, 12. Le premier sens semble ici à préférer, pour éviter que ce verbe ne fasse double emploi avec le quatrième verbe du verset, ὑπομένω ; il s'agit sans doute ici de couvrir les fautes d'autrui, de ne pas les dénoncer. L'idée a été émise d'interpréter cette première proposition à partir des propos de Simon le Juste affirmant que le monde est soutenu par trois choses : la loi (*tōrāh*), le culte (*'ăbōdāh*), les actes de bienfaisance (*gemīlōt ḥasādīm*) (Pirqé Abot 1, 2) (Barrett*) ; cette proposition aurait alors une dimension cosmique, qui ne semble pourtant pas présente dans le discours. Pour la troisième proposition du v. 7 (πάντα ἐλπίζει), l'idée a été émise qu'il s'agissait d'espérer dans le futur de Dieu plutôt que dans celui de l'homme (Wong) ; mais on a ici la succession de « croire » (πιστεύω) et « espérer » (ἐλπίζω) que l'on retrouve en 13, 1 ; il n'y a pas de raison de donner à ἐλπίζω une autre connotation que celle qu'il a habituellement. Au v. 8a, le verbe πίπτω (tomber) a le sens métaphorique de « mourir », comme en 10, 8.

8b-9

La fin de la prophétie, des langues et de la connaissance est formulée à partir de deux verbes : καταργέω (faire disparaître) et παύομαι (cesser). Le premier (vv. 8b[x2]. 9.11) évoque une disparition définitive ; en 15, 24.26, cette disparition concerne les puissances mauvaises à la fin des temps ; elle est eschatologique. Le second (v. 8b) est rare chez Paul (seul emploi dans les *homologoumena*) ; il ne permet pas de préciser le moment de cette cessation. Au v. 9 apparaît l'expression ἐκ μέρους (partiellement), plusieurs fois reprise par la suite (vv. 9.10[x2].12). Plutôt qu'une connotation quantitative (une connaissance fragmentaire), l'expression a sans doute un caractère qualitatif (une connaissance à distance de la réalité). Cette option est renforcée par ce que Paul exprime de la vision future, face à face, au v. 12 (McElhanon).

10-11

Au v. 10, le moment de la disparition de ce qui est partiel est nommé τὸ τέλειον. L'adjectif avait déjà été employé en 2, 6, pour désigner certains fidèles à qui Paul prêche une sagesse. On le retrouve en 14, 20, comme un objectif à atteindre. Ici, le neutre indique qu'il s'agit d'une situation et non de personnes. Parmi les sens proposés, on trouve : 1° La clôture du canon des Ecritures (Compton). – 2° La maturité chrétienne ou l'âge adulte, comme en 2, 6 (Thomas). – 3° La fin de l'ère présente, ou l'*eschaton* (Shogren, White). – 4° L'état du chrétien après la parousie (Martens). La proposition 1 est étrange ; on n'imagine pas que Paul ait eu ce concept à l'esprit. La proposition 2 a été soutenue par certains courants gnostiques ; elle est influencée par le v. 11 qui suit immédiatement et qui parle du passage de l'enfance à l'âge adulte ; mais le propos de ce v. 11 est analogique, pour faire comprendre ; il n'y a pas de raison d'en transférer le sens sur l'interprétation du v. 10. Les propositions 3 et 4 ont toutes deux un rapport avec l'*eschaton*, la troisième se référant à un état général du monde, la quatrième à la condition de la personne humaine à ce moment-là. Si l'on fait le rapprochement avec le substantif d'où vient cet adjectif, τὸ τέλος (la fin), on se ralliera plutôt à la proposition n° 3 (*e.g.* 15, 24). Le v. 11 emploie le verbe καταργέω à l'actif, alors que les emplois précédents (vv. 8[x2].10) étaient au passif ; le locuteur est un acteur de la disparition de ses dispositions enfantines. S'y opposent également l'imparfait des verbes concernant l'enfance (un état durable passé) et le parfait des verbes concernant l'âge adulte (commencé dans le passé mais encore présent).

12

L'hébreu permet de jouer sur le double sens de *mar^e 'āh* (pluriel *mar^e 'ōt*), qui signifie à la fois « vision » envoyée par Dieu (Ez 1, 1) et « miroir » (Ex 38, 8). L'énigme (αἴνιγμα ; hapax NT) renvoie sans doute à Nb^LXX 12, 8, où Dieu annonce qu'il cessera de parler à Moïse « par énigmes », pour lui parler désormais « bouche contre bouche » ; elle est destinée à être remplacée par une vision directe. Ces différents indices ont conduit des auteurs à penser que le v. 12a est un commentaire midrashique de Nb 12, 8 (Hollander). Dans le monde gréco-romain, des magiciens pouvaient utiliser des miroirs, soit pour faire apparaître des personnes ou des scènes éloignées dans l'espace et dans le passé, soit pour prédire l'avenir (Héring*) ; il n'y a pas de raison de penser que cet usage a ici un rôle.

13

Ce verset commence par νυνὶ δέ, qui peut avoir une double connotation : une connotation temporelle, indiquant une situation présente et reprenant les deux emplois de ἄρτι (maintenant) du v. 12 ; ou une connotation de type logique ou conclusif, dépassant ce qui vient d'être dit par une affirmation complémentaire. « Maintenant » a aussi en français ce sens conclusif ; cette traduction permet de conserver l'ambiguïté. Le verbe μένει est un présent porteur de la même ambiguïté : il peut énoncer une réalité présente opposée à une réalité future ; ou une réalité universelle, intemporelle. Le substantif πίστις délaisse le sens restreint de « foi permettant des miracles » qu'il avait en 12, 9 et 13, 2, pour reprendre son sens de foi-fidélité qu'il a habituellement chez Paul.

Pour la construction de l'Église
(14, 1-5)

TRADUCTION

14, 1 Recherchez l'amour, aspirez aux (dons) spirituels, mais surtout que vous prophétisiez. 2 Car celui qui parle en langue ne parle pas aux hommes, mais à Dieu ; en effet, personne ne comprend, il énonce en esprit[a] des mystères. 3 Mais celui qui prophétise parle aux hommes de construction, et de consolation, et de réconfort. 4 Celui qui parle en langue se construit lui-même ; celui qui prophétise construit une Église[b]. 5 Je voudrais que vous tous parliez en langues, mais surtout que vous prophétisiez ; celui qui prophétise est plus grand que celui qui parle en langues, à moins qu'on ne traduise[c] afin que l'Église en reçoive construction.

[a] La majorité des mss porte le datif πνεύματι. Quelques-uns portent le nominatif πνεῦμα, ce qui change le sens de la phrase : « L'Esprit énonce des mystères » (F G b

vg^(mss)). Il s'agit dans doute d'une correction volontaire pour attribuer l'énoncé des mystères à l'Esprit avec un grand E.

    [b] Quelques mss ajoutent θεοῦ après ἐκκλησίαν : « l'Église de Dieu » (F G vg^(cl)). Il s'agit d'une explicitation secondaire. On peut en effet s'étonner de ne pas trouver l'article devant ἐκκλησίαν.

    [c] La leçon la mieux attestée est ἐκτὸς εἰ μὴ διερμηνεύῃ (verbe au subjonctif présent) : p^(46) ℵ A B D² K P 048. 0289^(vid). 33. 365. 629 al lat. Mais on trouve cinq autres leçons : 1° ἐκτὸς εἰ μὴ διερμηνεύει, avec l'indicatif présent (Ψ Byz). – 2° ἐκτὸς εἰ μὴ τις διερμηνεύῃ (0243. 1739). – 3° ἐκτὸς εἰ μὴ τις διερμηνεύει (1505. 1881 pc). – 4° ἐκτὸς εἰ μὴ διερμηνεύων (D*). – 5° ἐκτὸς εἰ μὴ ᾖ ὁ διερμηνεύων (F G). Toutes ces variantes ont pour but de préciser l'identité de l'interprète, la leçon majoritaire étant ambiguë. Si l'on suit les leçons 2, 3, 5, l'interprète est une autre personne que le glossolale. Au contraire, pour la leçon 4, l'interprète est la même personne que le glossolale. Textuellement parlant, la leçon majoritaire qui conserve l'ambiguïté est la meilleure, en tant que *lectio difficilior*.

BIBLIOGRAPHIE

Sur l'ensemble du chapitre 14.
En plus de la bibliographie pour les chapitres 12-14

S.B. CHOI, *Geist und Christliche Existenz. Das Glossolalie Verständnis des Paulus im Ersten Korintherbrief (1 Kor 14)*, Neukirchen-Vluyn 2007. – F. FABBRO, « Prospettive d'interpretazione della glossolalia paolina sotto il profilo della neurolinguistica », *RivBib* 46, 1998, 157-178. – H.-J. KLAUCK, « Mit Engelszungen ? Von Charisma der Verständlichen Rede in 1 Kor 14 », *ZThK* 97, 2000, 276-299. – T. MINARD, « L'inspiration de la prophétie dans l'Église : les données de la 1^(re) aux Corinthiens », *Théologie évangélique* 10, 2011, 115-132. – R. ZERHUSEN, « The Problem Tongues in 1 Cor 14 : A Reexamination », *BTB* 27, 1997, 139-152.

INTERPRÉTATION

La place du chapitre 14 dans l'ensemble 12-14 est claire. C'est le troisième volet de la section 12-14, par delà l'éloge de l'*agapè* qui figure au chapitre 13, dans une structure littéraire de type A B A'. Paul revient de façon plus explicite sur la question des charismes, en se limitant principalement à deux, la glossolalie et la prophétie, pour exprimer la supériorité de la seconde sur la première bien qu'elle ait besoin, elle aussi, d'être contrôlée (Minard). La structure de ce chapitre 14 lui-même est complexe. Le texte passe d'une personne grammaticale à l'autre sans cohérence apparente. La construction de certaines phrases est presque incorrecte. L'apôtre donne l'impression de mener un combat contre le goût démesuré de certains Corinthiens pour le charisme le plus spectaculaire, la glossolalie, qui n'est pas sans rappeler certaines pratiques païennes que les fidèles avaient pu connaître avant d'accéder à la foi en Christ (Choi), mais dont l'utilité pour l'assemblée ecclésiale est réduite, pour ne pas dire nulle, et qui fait en outre courir le risque d'une extase religieuse collective (Fabbro). Ce goût ne relève peut-être pas simplement du désir de briller ; il est sans doute en partie explicable par le fait que l'assemblée ecclésiale était composée de membres d'origines diverses, qui n'avaient pas tous une bonne connaissance du grec et qui s'exprimaient chacun en son patois ; alors, tant qu'à faire parler des langues étrangères, autant en parler une qui n'est celle de personne et qui risque d'être la langue de Dieu (Zerhusen) ! Dans le combat qu'il mène contre cette cacophonie, Paul hésite, insiste, revient en arrière, lance des questions rhétoriques, diverge parfois, au point qu'on peut se demander si certains passages n'ont pas été intégrés après coup dans le texte de l'épître (voir plus loin 33b-36). D'un commentateur à l'autre, d'ailleurs, les limites des péricopes qui composent le chapitre 14 varient considérablement. L'un des repères que le lecteur possède pour structurer le texte est la répétition de l'apostrophe « frères » (vv. 6.20.26), sur laquelle l'Apôtre semble s'appuyer pour prendre un nouvel élan ou pour conclure (v. 39). C'est ce repère-là que nous retenons dans notre découpage (proche de celui de Klauck, en moins détaillé).

L'ensemble de la péricope est inclus entre deux propositions finales qui se reprennent et forment inclusion, respectivement au v. 1 et au v. 5 : « ... mais surtout que vous prophétisiez. » Le v. 1 est le seul qui comporte encore le substantif *agapè*, non repris ensuite. Après l'avoir rappelé comme devant colorer tous les charismes, Paul revient sur d'autres dons spirituels pour en privilégier un, à savoir la prophétie, nommée en deuxième position en 12, 28. C'est au v. 2 seulement que l'on découvre pourquoi la prophétie est privilégiée. C'est parce que, en dehors de la fonction institutionnelle qu'elle a dans la vie du groupe chrétien (cf. 12, 28), elle se manifeste à travers des prises de parole spontanées et qu'elle a cela de commun avec la glossolalie, le charisme apparemment le plus prisé par certains fidèles. Le v. 2a est peut-être une concession faite aux glossolales : ils prétendent parler à Dieu ou parler des langues célestes (cf. 13, 1), Paul le leur accorde. Mais dès le v. 2b il corrige : puisque personne ne comprend, ce n'est pas d'une grande utilité à l'assemblée ecclésiale. Au v. 3 apparaît l'un des termes clefs de tout le chapitre 14, la « construction » (*oikodomè*) au sens abstrait du terme, que l'on pourrait aussi traduire pas « édification » en ôtant à cette deuxième traduction sa connotation moralisatrice. D'une certaine façon, l'*oikodomè* joue en aval le rôle qu'occupait en amont l'*agapè* au chapitre 13. L'*agapè* doit colorer tous les charismes. L'*oikodomè* est l'effet qu'ils doivent produire pour qu'ils méritent d'avoir une place dans la vie de l'assemblée ecclésiale ; et elle est présentée comme le fruit par excellence de l'activité prophétique. Comme c'est un terme assez général, Paul la décline à l'aide de deux autres résultats, la consolation et le réconfort, sur lesquels il ne reviendra pas. Le v. 4 est le premier à établir un contraste serré, en forme d'affirmation générale, entre la personne qui parle en langue et la personne qui prophétise ; la première ne fait que se construire elle-même tandis que la seconde construit une Église. L'avantage de la première action sur la seconde est clair. Après les affirmations impersonnelles des vv. 2-4, Paul en vient, au v. 5, à employer la première personne du singulier pour envisager concrètement la façon dont les choses doivent se passer à Corinthe. Le parler en langues y a sa place, Paul ne veut pas – et ne peut sans doute pas – l'exclure. Et, comme il ne craint pas l'exagération ni l'ironie, il souhaite même que *tous* parlent en langues. Mais la préférence est à donner à la prophétie, sauf si le parler en langues est complété par l'intervention d'un autre charisme, à savoir l'interprétation des langues (Fee, *God's*, 215-221), déjà évoqué en 12, 10 et 30. On peut s'étonner qu'en nommant ce qui est plus grand et ce qui l'est moins, Paul parle des personnes (qui prophétisent ou parlent en langues) et non des phénomènes ; mais c'est de la bonne diatribe. L'Apôtre pique les gens au vif ; c'est un procédé rhétorique qui peut convaincre les fidèles ayant le goût du spectaculaire de calmer leur ardeur et de laisser une plus grande place aux prophètes. Pour conclure sur ces cinq versets, le discours paulinien pourrait s'arrêter là. La suite ne sera que des variations sur le même thème. Si le propos rebondit plusieurs fois ensuite, c'est que la situation à Corinthe est si complexe qu'on ne peut se contenter des principes. De façon cahoteuse, l'argumentation et les exhortations vont se poursuivre.

NOTES

1

Bonne illustration d'une phrase mal construite. Les deux premières invitations sont lancées avec des impératifs, la troisième l'est avec ἵνα + subjonctif : μᾶλλον δὲ ἵνα προφητεύετε. Le verbe διώκω a le sens global de « poursuivre » ; soit avec la connotation de « persécuter », comme en 4, 12 et 15, 9 ; soit avec celle de « rechercher », comme ici ; dans ce second cas, il est pratiquement synonyme du deuxième verbe employé, ζηλόω. Avec l'adjectif substantivé πνευματικά, les « (dons spirituels) », on retrouve un terme utilisé en 12, 1 et délaissé depuis au profit des χαρίσματα (12, 4.9.28.30.31).

2

L'ambiguïté du substantif πνεῦμα est totale : le terme peut désigner l'Esprit de Dieu, mais aussi l'esprit de l'homme. Une ambiguïté analogue joue pour le substantif μυστήρια : il peut s'agir de vérités secrètes que celui qui les énonce révèle ; ou simplement de choses mystérieuses parce qu'incompréhensibles. Deux interprétations s'opposent alors pour ce v. 2. Une interprétation haute : le glossolale énonce des vérités secrètes que lui inspire l'Esprit divin. Et une interprétation basse : parler en langues, c'est faire fonctionner son esprit mais non son intelligence (cf. plus loin en 14,15), et ne proférer que des mystères ! Les présupposés des commentateurs commandent en partie l'interprétation qu'ils retiennent : haute pour ceux qui sont proches des courants charismatiques (*e.g.* Barrett* ; Senft*) ; basse pour les autres (*e. g.* Héring* ; Fitzmyer*). La logique du texte, qui cherche à rabaisser la glossolalie par rapport à la prophétie, fait préférer l'interprétation basse.

3

Le substantif οἰκοδομή, « construction » (employé antérieurement en 3, 9), est réutilisé comme un leitmotiv dans la suite du chapitre 14 (vv. 3.5.12.26). Lui est associé le verbe οἰκοδομέω, « construire » (employé antérieurement en 8, 1.10 ; 10, 23), repris aux vv. 4[x2] et 17. La « consolation » (παράκλησις, seul emploi en 1 Co) et le réconfort (παραθυμία, hapax NT) ont ici des fonctions analogues : ce sont des composantes de la « construction », le motif essentiel.

4

Comme au v. 2, le terme γλῶσσα est employé au singulier. Ce sera encore le cas aux vv. 9.13.14.19.26.27, avec parfois des incertitudes textuelles. Il s'agit sans doute du charisme de glossolalie en général, tandis que le pluriel s'applique plutôt à la façon dont il se manifeste au cours d'une assemblée. De la même façon, on peut s'étonner de l'absence d'article défini devant ἐκκλησία ; Paul dépasse ici le cas particulier de l'assemblée corinthienne pour affirmer que cela se passe de la même façon dans toutes les Églises.

5

Comme la suivante (14, 6-19), la péricope se termine par une première personne du singulier qui correspond à un « je » personnel, pas rhétorique. Paul revient plus spécialement sur ce qu'il souhaite pour l'Église de Corinthe : il emploie γλῶσσα au pluriel, et le substantif ἐκκλησία est précédé de l'article. Pour le sens du verbe θέλω, voir la note sur 7, 7. La construction de la phrase où se trouve ἐκτὸς εἰ μὴ διερμηνεύῃ, traduit ici « à moins qu'on n'interprète », demanderait que l'on traduise plutôt « à moins qu'il interprète », l'interprète étant la même personne que le glossolale. C'est ainsi que le comprennent plusieurs commentateurs. Mais, tant en 12, 10 et 30 que plus loin en 14, 27, l'interprétation des langues est présentée comme un charisme distinct de la glossolalie. Dans la cohérence du propos paulinien, mieux vaut conserver cette distinction. Donner au verbe διερμηνεύω un sujet impersonnel n'est pas spontané, mais c'est grammaticalement possible (Fitzmyer*).

Excursus : Le parler en langues dans le Nouveau Testament

Bibliographie

M.J. CARTLEDGE, « The Nature and Function of the New Testament Glossolalia », *EvQ* 72, 2000, 135-150. – E.A. ENGELBRECHT, « 'To Speak in a Tongue' : The Old Testament and Early Rabbinic Background of a Pauline Expression », *ConcJourn* 22, 1996, 295-302. – P.F. ESLER, « Glossolalia and the Admission of Gentiles into the Early Christian Community », *BTB* 22, 1992, 136-142. – G.D. FEE, « Toward a Pauline Theology of Glossolalia », *Crux* 31, 1995, 22-23. 26-31. – N. FERGUSON, « Separating Speaking in Tongues from *Glossolalia* Using a Sacramental View », *Colloquium* 43, 2011, 39-58. – C. FORBES, « Early Christian Inspired Speech and Hellenistic Popular Religion », *NT* 28, 1986, 257-270. – L.T. JOHNSON, « Glossolalia and the Embarrasments of Experience », *PrincetonSemBull*, 18, 1997, 113-134. – E.B. McGINNIS, « Delphi's Influence on the World of the New Testament. Part 3 : Faults, Fumes and Vision », *Bible and Spade* [Akron, PA] 21, 2008, 65-69.

– D.B. Martin, « Tongues of Angels and Other Status Indicators », *JAAR* 59, 1991, 547-589.

En langue française, on emploie le terme « glossolalie » à propos de parler des langues inconnues, non compréhensibles s'il n'y a pas d'interprète. La « xénoglossie » ou « xénolalie » est différente ; c'est la faculté de parler une langue étrangère existante sans l'avoir apprise. Les deux termes sont des termes récents, forgés sur le grec, mais les équivalents grecs n'existent pas en grec ancien. L'expression néotestamentaire renvoyant à ces réalités est « parler (*laleô*) en langue(s) (*glôssa* au singulier ou au pluriel) ». Le phénomène est assez circonscrit dans le NT. Il est mentionné en Mc 16, 17, qui est de facture lucanienne. Il en est question à trois reprises dans les Actes : 2, 4-13 ; 10, 46 ; 19, 6. C'est en 1 Co 12-14 qu'il apparaît le plus fréquemment, comme un charisme qui peut se manifester dans l'assemblée ecclésiale ou ailleurs.

Les attestations dans la littérature grecque et dans le monde sémitique antiques sont débattues. Certes, il existait dans ces deux mondes des phénomènes extatiques où la personne prise par l'extase pouvait prononcer des paroles inarticulées et incompréhensibles. C'était le cas à Delphes (McGinnis). Des phénomènes analogues existaient dans des confréries de prophètes connues de l'AT (1 S 10, 5-13 ; 19, 18-24). Mais, dans ces deux cas, cette glossolalie faisait partie d'un phénomène plus global où la personne perdait le contrôle d'elle-même (Engelbrecht ; Forbes). En 1 Co 12-14 de même qu'en Ac 10, 46 et 19, 6, c'est de glossolalie qu'il s'agit ; l'inspiré prononce sous l'action de l'Esprit saint des paroles que l'on ne peut comprendre si personne ne les interprète, et qui sont un signe de la bénédiction de Dieu. Il ne s'agit pas de langues existantes, même si Paul peut parfois les qualifier de « langues des anges » (1 Co 13, 1) (Martin). L'identité sociale des glossolales n'est jamais précisée, mais la question se pose. Serait-ce un phénomène particulièrement développé chez les nouveaux croyants d'origine païenne qui manifesteraient par là qu'ils sont effectivement habités par l'Esprit (Esler) ? Ou les glossolales appartenaient-ils principalement à des milieux sociaux populaires où la composition d'un discours construit n'était pas enseignée, et trouvaient-ils dans le parler en langues un moyen de se valoriser (Martin) ?

Le cas de la Pentecôte (Ac 2) est différent. Les auditeurs déclarent comprendre ce que disent les premiers disciples parlant sous l'action de l'Esprit, sans qu'un interprète soit nécessaire. Le texte ne précise cependant pas à quel niveau a lieu cette compréhension : chez les locuteurs qui parlent distinctement des langues non apprises (xénoglossie ou xénolalie) ; ou chez les auditeurs qui comprennent, bien que les sons prononcés n'appartiennent à aucune langue connue (glossolalie n'ayant pas besoin d'interprète). Pour l'auteur des Actes, ce phénomène miraculeux est un signe que l'Esprit de la fin des temps se manifeste déjà au jour de la Pentecôte, qui reste un événement unique dans l'histoire (Cartledge).

Limites du parler en langues
(14, 6-19)

TRADUCTION

14, 6 Mais maintenant, frères, si je viens vers vous et que je parle en langues, quel sera le profit pour vous si je ne vous parle pas en (forme de) révélation, ou de connaissance, ou de prophétie, ou d'enseignement[a] ? 7 De même les (objets) sans vie qui donnent un son, qu'il s'agisse de flûte ou de cithare, s'ils ne donnent pas de différence entre les notes, comment sera connu ce qui est joué à la flûte ou à la cithare ? 8 Et en effet, si une trompette donne un son confus, qui se préparera au combat ? 9 De même, vous aussi, pour la langue : si vous ne donnez pas une parole intelligible, comment sera connu ce qui est parlé ? Vous serez comme si vous parliez dans le vide. 10 Il y a des quantités – si c'est le cas – de sortes de sons dans le monde, et rien (ne se fait) sans son[b]. 11 Si donc je ne connais pas la puissance du son, je serai un barbare pour celui qui parle, et celui qui parle, un barbare pour moi[c]. 12 De même, vous aussi, puisque vous aspirez aux esprits[d], recherchez-les pour la construction de l'Église, en sorte que vous soyez comblés[e]. 13 C'est pourquoi, celui qui parle en langue, qu'il prie pour qu'on traduise. 14 Si, en effet[f], je prie en langue, mon esprit prie, mais ma pensée est stérile. 15 Qu'en est-il donc ? Je prierai[g] par l'esprit, mais je prierai[g] aussi par la pensée. Je psalmodierai par l'esprit, mais[h] je psalmodierai aussi par la pensée, 16 puisque, si tu bénis en esprit[i], comment celui qui occupe la place du non-initié dira-t-il l'Amen à ton action de grâce, puisqu'il ne sait pas ce que tu dis ? 17 Car toi, tu rends grâce comme il convient, mais l'autre n'est pas construit. 18 Je rends grâce à Dieu[j], je parle[k] en langues plus que vous tous ; 19 mais en Église, je préfère prononcer cinq paroles avec ma pensée[l] afin d'instruire aussi les autres, que des myriades de paroles en langue.

   [a] Deux leçons principales pour le dernier membre de phrase : 1° ἢ ἐν διδαχῇ, attestée par ℵ² A B D¹ Ψ 048. 33 *Byz* lat ; Clément Ambrosiaster. – 2° ἢ διδαχῇ, attesté par p⁴⁶ ℵ* D* F G 0243. 630. 1739. 1881 *pc* vg^mss ; Pélage. La leçon 1 construit de façon parallèle, avec la préposition ἐν, tous les termes de l'énumération. La leçon 2, qui ne répète pas la préposition ἐν devant διδαχῇ, renforce le lien entre prophétie et enseignement. Les attestations étant de qualité équivalente, on retient la leçon favorisant le parallélisme.
   [b] Au lieu de οὐδέν (rien), quelques témoins portent οὐδὲν αὐτῶν (aucun d'eux) : ℵ² D² Ψ *Byz* ar g vg^mss sy. L'ajout du pronom personnel corrige une formule concise et peu claire ; il est secondaire.
   [c] Deux leçons en présence : 1° καὶ ὁ λαλῶν ἐν ἐμοὶ βάρβαρος : ℵ A B Ψ 0289 *Byz* ; la préposition ἐν figure hors-texte en 1241. 1505. – 2° On a le datif seul ἐμοί en p⁴⁶ D F G 0243. 6. 81. 945. 1175. 1739. 1881 *pc* latt co ; Clément. La leçon 2 est abondamment attestée, et elle est *lectio brevior*. Mais les témoins de la leçon 1

sont meilleurs ; en outre, ἐν + datif étant ici moins idiomatique, son remplacement par le datif seul est sans doute une correction.

ᵈ La plupart des mss portent πνευμάτων (esprits). Quelques-uns portent πνευματικῶν, (dons spirituels) : P 1175 *pc* ar r vg^mss sy^p co ; Pélage Speculum. Peu attestée, cette dernière leçon corrige selon le sens.

ᵉ Au lieu de ἵνα περισσεύητε, quelques mss portent ἵνα προφητεύητε (en sorte que vous prophétisiez) : A I *pc*. Cette leçon, peu attestée et secondaire, est influencée par le contexte de promotion de la prophétie contre les langues.

ᶠ Le verset commence par ἐὰν γάρ dans les mss ℵ A Dˢ Ψ 048 *Byz* lat sy bo. La conjonction γάρ est supprimée en p⁴⁶ B F G 0243. 1739. 1881 *pc* b sa ; Ambrosiaster. L'attestation textuelle de la première leçon est un peu meilleure. Nous la retenons avec hésitation.

ᵍ On trouve deux fois προσεύξομαι (indicatif futur) en B Ψ 0243. 1739. 1881 *Byz* latt. La première occurrence est remplacée par προσεύξωμαι (subjonctif aoriste) en ℵ A Dᶜ F G P 33. 1241ˢ. 2464. La seconde est remplacée par le même subjonctif aoriste en A Dˢ F G P 33. (1175). 2464 *al*. Le subjonctif a valeur de volonté, de souhait : « que je prie ». On retient la première leçon, du fait qu'au v. 15 b, de construction très parallèle à 15a, le verbe ψαλῶ est deux fois à l'indicatif futur.

ʰ La particule adversative δέ est supprimée en B F G *pc* latt ; Epiphane^pt. Mieux vaut la conserver, toujours en raison de la construction symétrique entre 15a et 15b.

ⁱ Trois leçons différentes : 1° ἐν πνεύματι, en ℵ² B Dˢ P 81. 365. 1175 *pc*. – 2° τῷ πνεύματι, en 1739 *Byz*. – 3° πνεύματι, en p⁴⁶ ℵ* A F G 0243. 33. 629. 1241s. 1881 *al*. La leçon 2 centre le propos sur l'Esprit saint ; c'est sans doute une correction volontaire à visée théologique. Les leçons 1 et 3 centrent l'une et l'autre sur l'esprit humain ; les attestations sont de qualité comparable, le sens est le même. On retiendra plutôt la leçon 1.

ʲ La majorité des mss porte εὐχαρίστω τῷ θεῷ, πάντων... trois variantes existent : 1° εὐχαρίστω τῷ θεῷ μου, πάντων... en K L. 326. 614. 629. 945 *al* (vg^cl) sa. – 2° εὐχαρίστω τῷ θεῷ ὅτι πάντων... en F G lat ; Pélage. – 3° εὐχαρίστω τῷ θεῷ ὑπὲρ πάντων... en p⁴⁶ *pc*. L'absence de ὅτι dans la leçon le mieux attestée explique les variantes, toutes secondaires. Le sens est le même dans les quatre cas.

ᵏ Le présent de l'indicatif λαλῶ, attesté par la majorité des mss, est remplacé par le participe λαλῶν en *Byz* ; par l'infinitif λαλεῖν en p⁴⁶ ; et il est omis par le ms. A. Les deux premières variantes, peu attestées et secondaires, sont grammaticalement compréhensibles. Le dernière est une omission de copiste.

ˡ Quatre leçons pour ce passage : 1° τῷ νοΐ μου λαλῆσαι, en ℵ A B Dˢ (F G) P Ψ 0243. (33). 81. 104. 630. 1175. 1241ˢ. 1739. 1881. 2464 *pc* lat ; Épiphane. – 2° ἐν τῷ νοΐ μου λαλῆσαι, en p⁴⁶. – 3° διὰ τοῦ νοός μου λαλῆσαι en 048^vid *Byz* d sy^h. – 4° διὰ τὸν νόμον λαλῆσαι en (ar) b ; Marcion^E Ambrosiaster. La deuxième leçon, secondaire, est une variante de la première, l'introduction de la préposition ἐν explicitant un datif instrumental. La troisième fait de la pensée un intermédiaire plutôt qu'un instrument. La quatrième, influencée par le courant marcionite, introduit la thématique de la loi. La première, de loin la mieux attestée, est la meilleure.

BIBLIOGRAPHIE

En plus de la bibliographie sur les chapitres 12-14 et sur 14, 1-5 :

F. AMANECER, « La poésie contemporaine au crible de saint Paul », *Études* 405, 2006, 57-66. – V. MASALLES, *La profecía en la asemblea cristiana. Análisis retórico-literario de 1 Cor 14, 1-25*, Rome 2001.

INTERPRÉTATION

Après avoir exprimé sa faveur pour la prophétie plutôt que pour le parler en langues, Paul revient longuement sur ce dernier charisme, dont le goût prononcé de la part des Corinthiens lui pose apparemment problème. Le substantif « prophétie » est encore présent au v. 6c dans une liste de quatre dons spirituels, puis le thème de la prophétie disparaît, et il ne réapparaîtra pas avant le v. 22 ; c'est un indice fort du centrage du propos sur le parler en langues. La succession des personnes verbales dominantes dans les versets successifs est aléatoire. En voici la liste : « je » rhétorique (v. 6) ; tournure impersonnelle (vv. 7-8) ; 2e personne du pluriel (v. 9) ; tournure impersonnelle (v. 10) ; « je » rhétorique (v. 11) ; 2e personne du pluriel (vv. 12) ; tournure impersonnelle (v. 13) ; « je » rhétorique (vv. 14-15) ; 2e personne du singulier (vv. 16-17) ; enfin, aux vv. 18-19, Paul prend personnellement la parole pour conclure la péricope, comme il l'avait fait au v. 5 pour conclure la péricope précédente. Une telle succession manifeste un style négligé, peu maîtrisé, proche de l'oralité, comme si l'auteur écrivait au fil du stylet à mesure que les idées lui viennent, pour défendre son point de vue. Quant à l'argumentation elle-même, elle s'appuie en grande partie sur des comparaisons (vv. 7-8 et 11) après lesquelles le propos revient en direct sur ce qui se passe ou devrait se passer à Corinthe, introduit par le membre de phrase récurrent : « De même, vous aussi... » (vv. 9 et 12) (Masalles).

VV. 6-12 – Cette péricope sur les limites du parler en langues est introduite au v. 6 par l'apostrophe « frères » que l'on retrouvera par la suite, comme si elle permettait périodiquement à l'auteur de reprendre souffle (vv. 20.26.39). Dans ce verset, Paul émet l'hypothèse que quelqu'un pourrait faire irruption au milieu d'une assemblée ecclésiale, en s'exprimant en langues. Ce quelqu'un pourrait être lui-même, puis qu'il possède ce charisme (v. 18), mais il se trouve à Ephèse lorsqu'il écrit 1 Co, autrement dit des centaines de kilomètres de la capitale de l'Achaïe ; le « je » exprimé est alors plus rhétorique que personnel. À supposer qu'une telle irruption se produise, le profit pour l'assemblée réunie serait nul. Au v. 6b, Paul oppose au parler en langues quatre formes d'expression orale qui sont, elles aussi, des dons de l'Esprit, mais qui ont l'avantage d'être compréhensibles : une révélation (*apokalupsis*), phénomène qui se rattache sans doute à la prophétie mais qui n'a pas encore été nommée comme charisme ; une connaissance (*gnôsis*), citée comme charisme en 12, 8 ; une prophétie (*prophèteia*) ; un enseignement (*didachè*), qui est le charisme des didascales nommés plus haut en 12, 28 et 29. Face à ces charismes qui édifient la communauté au sens fort, le parler en langues souffre d'une réelle inutilité. Aux vv. 7-8, Paul utilise une comparaison pour se faire bien comprendre, un procédé pédagogique qu'il utilise volontiers (Dale, *Use*) ; par analogie avec les fidèles s'offrant à l'inspiration de l'Esprit, il prend le cas d'objets inanimés, les instruments de musique. Deux situations successives sont abordées. Au v. 7, l'Apôtre nomme d'abord la flûte et la cithare, instruments faisant partie d'un orchestre, pouvant être utilisés à l'odéon, au théâtre, ou dans les activités cultuelles ; si les notes produites sont indistinctes, il n'y a pas de mélodie et l'auditeur n'en profite aucunement ; eh bien, les paroles confuses émises par celui qui parle en langues produisent le même résultat, sous-entend Paul ! Au v. 8, l'effet de la confusion est encore plus tragique : l'instrument de musique nommé est la trompette, censée sonner pour engager le combat. Si le trompettiste joue une sonnerie non identifiable, l'armée ne comprendra rien et la bataille sera perdue. Ces analogies ne sont pas très flatteuses pour le glossolale et les sons incompréhensibles qu'il émet, mais l'auteur ne craint pas de prendre des images fortes pour frapper les imaginations. Au v. 9 introduit par « de même, vous aussi... », on revient au problème tel qu'il se pose dans l'Église corinthienne ; ce verset 9 est la suite logique du v. 6. Celui qui parle en langue, quand il n'y a pas d'interprète, n'est pas plus utile au groupe qu'un instrumentiste qui ne saurait pas jouer, ou qui utiliserait un instrument de musique désaccordé. Aux vv. 10-11, le propos prend à nouveau ses distances par rapport à la situation de Corinthe, pour argumenter, non plus à partir d'une analogie, mais en s'appuyant sur deux vérités générales (v. 10), dont les conséquences sont tirées ensuite (v. 11) à l'aide d'un « je » rhétorique. La première, portant sur la pluralité des langues dans le vaste monde, est évidente. Si l'on en croit la tradition juive, c'est une conséquence de Babel (Gn 11, 1-9) et un effet de l'orgueil de l'humanité. Il n'est pas sûr que Paul ait cet aspect négatif en tête, car il ne qualifie aucunement cette pluralité. La seconde vérité générale est plus difficile à comprendre, ce d'autant plus que la courte phrase de la fin du v. 10 ne comporte pas de verbe ; il faut sous-entendre le verbe « être » ou le verbe « se faire ». Mais comment peut-on dire que rien ne se fait ou ne s'est fait sans son ou sans voix (*phônè*) ? Peut-être y a-t-il une allusion au premier récit de la création (Gn 1, 1 – 2, 4a), où il est dit que Dieu créa par la parole, mais le terme *logos* n'est pas présent dans ce passage de 1 Corinthiens. Peut-être est-il fait implicitement référence aux êtres vivants qui tous ou presque, selon les connaissances scientifiques de l'époque, possèdent au moins un cri. Quoi qu'il en soit, la pointe du propos est que la voix ou le son est plus répandu que les paroles compréhensibles, et Paul va l'illustrer ensuite par ce qu'il écrit au v. 11 ; en utilisant un « je » rhétorique, il évoque une situation où deux personnes essaient de communiquer sans connaître la langue de l'autre, ce qui est vraisemblable tant est grande la pluralité des langages parlés. Elles sont alors « barbares » l'une pour l'autre. Quelque cinquante ans avant que Paul n'écrive 1 Co, Ovide en exil se plaignait de ne pas comprendre la langue du pays où il se trouvait, et se plaignait d'y être un *barbarus* malgré lui (*Les tristes* 5, 10, 37-38). La même chose se produit dans l'assemblée chrétienne si un glossolale prend la parole sans que ce qu'il dit soit traduit en langue compréhensible par un interprète. Après ce détour, Paul revient au v. 12 à la situation de Corinthe pour lancer à ses destinataires, à la 2ᵉ personne du pluriel, une invitation à prendre les moyens les meilleurs pour construire l'Église, invitation qui renouvelle celle des vv. 1-5, dont il reprend plusieurs des termes : « rechercher », « la construction », « l'Église ». Agir ainsi est nécessaire, ne pas le faire est nuisible pour le groupe.

VV. 13-19 – Le v. 13 introduit un thème nouveau, celui de la prière (vv. 13-15), prière que celui qui parle en langue se doit d'adresser à Dieu pour que ses paroles soient interprétées, autrement dit pour que son charisme soit utile. Ce verset est aussi le seul de toute la péricope à utiliser un jussif (impératif de la 3ᵉ personne), ce qui donne au propos un ton plus impersonnel : bien des formes de parole sont possibles – récit historique ou édifiant, lois comportementales, homélie, poésie, fictions, etc. – mais tout phénomène de langage est communication entre un locuteur et un destinataire ; il doit pouvoir être interprété (Amanecer). Le v. 14 reprend le thème de la prière, mais il le déplace, en utilisant un « je » à dominante rhétorique, qui peut cependant aussi avoir une certaine dimension personnelle, puisque Paul reconnaît bénéficier lui-même du charisme des langues (v. 18) : il n'est plus question ici que le glossolale prie pour que son langage soit interprété, mais c'est son parler en langues qui est lui-même qualifié de prière ; une prière qui n'est pas sans valeur mais qui est, d'une certaine façon, incomplète, car elle ne concerne que l'esprit du glossolale priant en langue. Une faculté du glossolale reste alors inutilisée et stérile, à savoir sa pensée (*nous*). L'introduction ici du thème de la pensée est à souligner. Paul reprendra le terme au v. 15 puis au v. 19. C'est, en effet, toute la personne humaine qui est invitée à s'investir dans la prière, comme le souligne le v. 15. Et, pour être plus concret puisque la notion de prière est trop large, Paul mentionne une forme de prière particulière, à savoir la psalmodie (verbe *psallô*), qui ne se limite pas aux psaumes bibliques mais peut comporter toute forme de prière chantée, éventuellement accompagnée d'instruments de musique. Le NT, notamment le corpus paulinien, contient d'ailleurs quelques unes de ces prières (*e.g.* Ph 2, 6-11 ; Ep 5, 14 ; Col 1, 15-20 ; 2 Tm 2, 11-13). Le v. 16 est à rattacher grammaticalement au v. 15, et il présente encore un type de prière qui peut être prononcée par le glossolale : une bénédiction (verbe *eulogeô*), reprise un peu plus loin par le substantif « eucharistie » (*eucharistia*), normalement prononcée à haute voix puisque les personnes présentes sont censées répondre « Amen », acclamation liturgique par laquelle l'assemblée approuve ce qui vient d'être dit. Mais cet « Amen », le non-initié ne pourra pas le prononcer, puisqu'il n'aura pas compris les mots prononcés. C'est un argument *ad hominem* que Paul utilise ici, pour bien montrer l'inutilité pour les autres des prières dites par un glossolale, toujours dans le cas où il n'y a pas d'interprète. Continuant à s'adresser à un destinataire désigné par la 2ᵉ personne du singulier, l'Apôtre précise au v. 17 que l'action de grâce prononcée par un glossolale n'est pas sans valeur, c'est même quelque chose de bon (*kalos*), mais elle n'a pas d'utilité dans la mesure où elle ne contribue pas à la construction de l'autre. La thématique de la construction-édification change ici légèrement par rapport à la façon dont il en était question antérieurement ; il ne s'agit plus seulement de construire l'Église comme aux vv. 4 et 5, mais de construire l'autre en tant que personne. L'Apôtre manifeste par là une attention particulière à tout frère qui occupe une position quelconque dans l'assemblée ecclésiale, comme il l'avait fait en 8, 11-13 à propos des viandes immolées aux idoles, dont la consommation pouvait faire tomber le frère faible. La péricope se termine enfin par les vv. 18-19, où Paul emploie, comme au v. 5, un « je » personnel. À la différence du v. 5, pourtant, plutôt que d'indiquer des consignes à respecter, il fait le choix de se donner en exemple. C'est là (v. 18) que l'on apprend qu'il possède lui-même le charisme du parler en langues – nulle part ailleurs dans le NT cela n'est attesté – et qu'il peut l'exercer parfois ; il s'en félicite et en rend même grâce, ce qui montre qu'il n'y est pas hostile, à moins qu'il ne parle d'action de grâce avec une certaine ironie. Quoi qu'il en soit, il se garde de faire usage de ce charisme lors des réunions de l'assemblée ecclésiale. Dans quel cadre le faisait-il, alors ? – On ne sait. Quant à la raison de cette réserve, il la donne au v. 19 en reprenant le terme « pensée » (*nous*) déjà utilisé aux vv. 14-15 : celle-ci doit avoir sa place dans les paroles prononcées dans le cadre communautaire. À la différence des vv. 14-15, la pensée n'est pas ici opposée à l'esprit de l'homme, perméable à des inspirations de toutes sortes, mais aux langues ; le sujet principal du propos est repris, puisque Paul est en train de conclure. La forme littéraire de ce v. 19 est très ampoulée et manifestement ironique : la préférence de Paul, dans les assemblées ecclésiales, est en faveur de la pensée plutôt que du parler en langues. Aux lecteurs d'en tirer la leçon pour eux-mêmes !

NOTES

1

Ce verset commence par νῦν δέ, un couple de mots déjà plusieurs fois rencontré (5, 11 ; 7, 14 ; 12, 18.20), où la valeur temporelle de νῦν et la valeur adversative de δέ sont très faibles ; c'est une transition commode, indiquant un léger changement de sujet par rapport aux phrases précédentes. La ligne de démarcation entre ἀποκάλυψις (révélation) et προφητεία (prophétie) n'est pas nette. Plus loin, aux vv. 29-30, Paul parlera de prophètes ayant une révélation. Peut-être y a-t-il une différence de point de vue : la révélation est ce que le prophète reçoit de l'Esprit, la prophétie est ce que le prophète en exprime.

7-8

Le sens de ομως, le premier mot du v. 7, dépend de son accentuation. Accentué ὅμως, l'adverbe a un sens concessif et peut se traduire par « cependant, pourtant, désormais » ; il est rare dans le NT (peut-être ici, et en Ga 3, 15 ; Jn 12, 42). Accentué ὁμῶς, c'est un adverbe de comparaison signifiant « également, de la même façon, de même » ; il est totalement inconnu du NT sinon peut-être ici. Les mss anciens, qui ne comportent pas d'accents, ne permettent pas de choisir ; les vv. 7-8 introduisant clairement une comparaison, on préférera donner à ομως le sens comparatif, et l'accentuer ὁμῶς. Les objets dont Paul parle ici sont nommés τὰ ἄψυχα, hapax du NT qui signifie littéralement « les inanimés » ; lorsque leurs noms sont fournis ensuite, à savoir flûte et la cithare, on comprend qu'il s'agit d'instruments de musique ; ils ont en commun avec les êtres humains de produire du son, de donner de la voix (φωνή), mais il faut qu'un instrumentiste les anime par le souffle ou par les doigts pour que le phénomène se produise.

9

L'introduction de ce verset, οὕτως καὶ ὑμεῖς, qui permet de revenir à la situation réelle de la communauté de Corinthe, a déjà été rencontrée en 2, 11 ; 9, 14 ; 12, 12 ; et on la retrouvera en 14, 12 ; 15, 42. Le membre de phrase διὰ τῆς γλώσσης placé avant la conjonction conditionnelle ἐάν, occupe une position emphatique. C'est bien sur le phénomène du parler en langue que Paul veut revenir. Pour l'emploi de γλῶσσα au singulier, voir la note sur le v. 4. À la fin du verset, εἰς ἀέρα λαλεῖν, ne signifie pas « parler en l'air », mais « parler *dans le vide* », comme en 9, 26 : « frapper *dans le vide.* »

10

Le v. 10a comprend une expression rare et difficile à traduire, εἰ τύχοι : elle est composée de la conjonction conditionnelle εἰ suivie de l'optatif aoriste 2 du verbe τυγχάνω, dont l'un des sens est « se trouver par hasard, subvenir, arriver ». On retrouve la même expression en 15, 37. L'expression renvoie à un cas particulier à l'intérieur d'une multiplicité de possibles ; ici, Paul semble se référer à une situation étonnante mais bien réelle, à savoir l'immense pluralité des sons, des cris, peut-être des langues. Le pluriel γένη φωνῶν (des sortes de sons) est calqué sur l'expression γένη γλωσσῶν (des sortes de langues) que l'on trouve en 12, 10.

11

Le terme δύναμις, dans le syntagme ἡ δύναμις τῆς φωνῆς, évoque non pas la puissance au sens des décibels, mais la puissance de communiquer, le pouvoir de se faire comprendre et d'être compris. Pour un Grec à l'époque romaine, le βάρβαρος est celui qui habite en dehors de l'empire romain et dont la langue est en général incompréhensible. Pour un Juif à la même époque, le βάρβαρος est celui qui n'est ni juif ni gréco-romain.

12

Alors que le v. 1 utilisait pour les charismes le terme πνευματικά que l'on attendrait ici, le terme le mieux attesté est πνεύματα, pluriel de πνεῦμα (voir critique textuelle, note [d]). On retrouve un pluriel analogue au v. 32, dans l'expression πνεύματα προφητῶν (les esprits des prophètes). Il y a sans doute une nuance entre les deux termes : si πνευματικά est pratiquement synonyme de χαρίσματα et se situe au niveau de la manifestation perceptible ou du résultat, πνεύματα renvoie plutôt à la source desdits charismes (Fee, *Empowering*, 227). C'est bien le sens qu'a πνεύματα dans l'expression ἡ διακρίσις πνευμάτων (le discernement des esprits ; 12, 10), les esprits qui animent les croyants pouvant être bons ou mauvais.

13-14

Au v. 13, pour le sujet de διερμηνεύῃ, voir la note sur le v. 5. Au v. 14, l'expression τὸ πνεῦμα μου peut donner lieu à trois interprétations possibles : 1° La partie de ma psychologie ouverte à l'irrationnel, opposée au νοῦς. – 2° L'esprit qui est à la source de mon charisme, comme au v. 12. – 3° L'Esprit saint qui m'est donné. La troisième interprétation, que privilégient des chercheurs proches des courants charismatiques, n'est sans doute pas à retenir, car l'Esprit saint n'a plus été nommé depuis 12, 13, et on imagine mal Paul se l'approprier en l'appelant « mon Esprit » ! La première interprétation est celle qui vient le plus spontanément à l'idée, puisque l'ensemble des vv. 14-15 oppose le πνεῦμα au νοῦς ; elle est classique chez Platon et dans le courant platonicien, pour lesquels, lorsqu'un poète est inspiré par Dieu, son νοῦς n'est plus en lui (*Phèdre* 244b ; *Ion* 533d-534d) ; elle a pourtant comme inconvénient que cette opposition ne se trouve jamais ailleurs chez Paul. On hésitera alors entre la première interprétation et la seconde, avec une préférence pour la première.

15

La phrase interrogative qui ouvre le v. 15, τί οὖν ἐστιν (qu'en est-il donc ?), n'est pas facile à interpréter. Certains auteurs lui donnent valeur de conclusion et traduisent par « Que conclure ? » (*e.g.* Héring* ; Senft*), mais c'est sans doute lui prêter un sens trop global. Elle sert plutôt à faire passer de l'hypothèse d'un comportement incomplet dans lequel le νοῦς n'a pas sa place (v. 14), au lancement d'une invitation plus utile pour le groupe : invitation à avoir une prière plus complète que la seule prière en langue (v. 15).

16

Ce verset commence par ἐπεί, qui est une conjonction de subordination dont le sens le plus courant est « puisque » ; comme il n'y a pas de verbe principal dans ce verset, il faut alors le rattacher au v. 15 qui précède (malgré N-A²⁷), avec changement de personne entre προσεύξομαι (1ʳᵉ personne au v. 15) et εὐλογῇς (2ᵉ personne au v. 16). La fin du verset emploie d'ailleurs une conjonction de subordination synonyme de la précédente, ἐπειδή. On est vraiment dans le langage parlé ! « Bénir » (εὐλογέω, traduction de l'hébreu *bārak*) est une forme de prière traditionnelle dans la religion biblique ; on a déjà rencontré le verbe en 10, 16, dans la formule « la coupe de bénédiction que nous bénissons » ; « bénir » n'est cependant pas limité au Dîner du Seigneur. À ce verbe fait écho, quelques mots plus loin, le substantif εὐχαριστία, qui fonctionne ici comme un synonyme de la bénédiction ; son emploi est unique en 1 Co, mais on a déjà rencontré le verbe d'action correspondant, εὐχαριστέω, en dehors de toute forme liturgique (1, 4.14 ; 10, 30), et également dans le cadre du Dîner du Seigneur (11, 24). Le non-initié (ὁ ἰδιώτης) incapable de répondre « Amen », vu les conditions dans lesquelles la prière de bénédiction ou d'action de grâce est prononcée, est apparemment déjà présent dans l'assemblée et entend, sans pouvoir réagir, les mots incompréhensibles de cette prière ; c'est une personne que l'on pourrait qualifier trivialement de chrétien lambda ! Plus loin aux vv. 23-24, le même substantif ἰδιώτης sera repris pour désigner un non-croyant qui ferait irruption presque par hasard dans l'assemblée en prière. Là encore, on se rend compte que Paul soigne peu son style. Quant à Ἀμήν, c'est une translittération grecque d'un terme hébreu de la racine *'āman* qui signifie « être ferme, être stable ». Le terme est présent une vingtaine de fois dans la Bible hébraïque, particulièrement dans les Psaumes (TM 41, 14 ; 72, 19 ; 89, 53 ; 106, 48). S'il n'est pas attesté en 1 Th 3, 13 (il y a une hésitation textuelle), c'est ici son premier emploi historique dans les écrits du NT.

18-19

L'emploi du verbe εὐχαριστῶ au début du v. 18, renvoie à une action de grâce personnelle de Paul, comme en 1, 4.14 ; le terme ne reprend pas la prière du glosso-lale dont il est question, à la 2ᵉ personne, aux vv. 16-17 (malgré Fee, *Empowering*, 234). Faut-il y voir une certaine ironie comme en 1, 14 à propos du baptême ? Au v. 17, le contraste entre les nombres cinq et dix mille montre bien que l'on est dans l'exagération. Cinq est un chiffre rond pour exprimer un nombre modeste (voir Lc 12, 6 et 14, 19). Dix mille est une expression toute faite pour désigner une très grande quantité. On l'a déjà rencontrée en 4, 15 à propos de dix mille pédagogues que les Corinthiens pourraient avoir. Elle se trouve aussi en Mt 18, 24, à propos de dix mille talents que le texte de l'évangile oppose à cent deniers, une somme d'argent infiniment moindre.

Des signes pour qui ?
(14, 20-25)

TRADUCTION

14, 20 Frères, ne devenez pas des enfants pour les raisonnements mais, pour le vice soyez des petits enfants ; pour les raisonnements soyez parfaits. 21 Dans la loi il a été écrit : *C'est par des hommes parlant une autre langue et par des lèvres d'étrangersᵃ que je parlerai à ce peuple, et même ainsi ils ne m'entendront pas*, dit le Seigneur. 22 En sorte que les langues servent de signe, non pour les croyants, mais pour les non-croyants ; la prophétie, non pour les non-croyants, mais pour les croyants. 23 Si donc l'Église se réunit en un même lieu et que tous parlent en langues, qu'entrent des non-initiés ou des non-croyants, ne diront-ils pas que vous êtes fous ? 24 Mais si tous prophétisent, qu'entre un non-croyant ou un non-initié, il est convaincu par tous, il est jugé par tous ; 25 les secretsᵇ de son cœurᶜ deviennent visibles et ainsi, tombant face contre terre, il se prosternera devant Dieu en proclamant : *Vraiment Dieu est parmi vous*.

ᵃ La leçon la mieux attestée est ἐν χείλισιν ἑτέρων (par des lèvres d'étrangers) : א A B Ψ 0201. 0243. 6. 33. 104. 326. 1241ˢ. 1739. 2464 *pc*. On trouve aussi, tout aussi éloigné du texte LXX que la leçon précédente, ἐν χείλεσιν ἑτέροις (par des lèvres étrangères) : p⁴⁶ Dˢ F G 1881 *Byz* lat sy⁽ᵖ⁾ co ; Marcionᴱ. Il faut préférer la première leçon en raison de sa meilleure attestation.
ᵇ Dans la plupart des mss, le v. 25 commence directement par τὰ κρυπτά : p⁴⁶ א A B D* F G 048. 0201. 0243. 6. 33. 81. 104. 365. 1175. 1241ˢ. 1739. 2464 *al* latt co.

Une leçon plus longue fait précéder ce syntagme de καὶ οὕτω (et ainsi) : D² Ψ 1881 *Byz* sy(p). Elle est moins attestée, et explicite la logique du raisonnement. Il faut lui préférer la *lectio brevior.*

c Au lieu de τῆς καρδίας (de son cœur), on trouve en p46 τῆς διανοίας (de sa pensée). Très peu attestée, cette variante est sans doute volontaire ; elle exprime mieux la pensée du scribe.

BIBLIOGRAPHIE

En plus de celle donnée pour les chapitres 12-14 et pour 14, 6-19

B.S. BILLINGS, « The *apistoi* and *idiotes* in 1 Corinthians 14 : The Ancient Context and Missiological Meaning », *ET* 127, 2016, 277-285. – S.J. CHESTER, « Divine Madness ? Speaking in Tongues in 1 Corinthians 14. 23 », *JSNT* 27, 2005, 417-446. – R.J. GLADSTONE, « Sign Language in the Assembly : How Are Tongues a Sign to the Unbeliever in 1 Cor 14 : 20-25 ? », *Asian Journal of Pentecostal Studies* [Bagnio City, Philippines] 2, 1999, 177-193. – M. HIETANEN, « Profetian är *primärt* inte för de otrogna – en argumentationsanalysis av 1 Kor 14 : 22b », *SvenskExegÅrs* 67, 20002, 89-104. – D.E. LANIER, « With Stammering Lips and Another Tongue : 1 Cor 14 : 20-22 and Isa 28 : 11-12 », *CriswellTheolRev* 5, 1991, 259-285. – P. NAGEL, « 1 Corinthians 14 : 21 – Paul's Reflection on γλώσσα », *JournEarlyChristHist* 3, 2013, 33-49. – W. REBELL, « Gemeinde als Missionsfaktor im Urchristentum. I Kor 14, 24f. als Schlüsselsituation », *ThLZ* 44, 1988, 117-134. – K.O. SANDNES, « Prophecy – A Sign for Believers (1 Cor 14, 20-25) », *Bib.* 77, 1996, 1-15. – J.F.M. SMIT, « Tongues and Prophecy : Deciphering 1 Kor 12, 22 », *Bib.* 75, 1994, 175-190.

INTERPRÉTATION

L'argumentation de Paul pour calmer l'ardeur des glossolales, lorsque l'Église est réunie et qu'il n'y a pas d'interprète, rebondit. L'argumentation de la péricope précédente faisait principalement appel à des arguments de bon sens, en utilisant même des comparaisons empruntées à la vie courante : les concerts, l'activité militaire, la difficulté de comprendre et de se faire comprendre lorsqu'on se trouve dans un pays étranger... Etait-ce convaincant ? Le rédacteur estime sans doute que non, car il éprouve le besoin d'employer un argument plus fort, l'argument scripturaire. C'est le seul passage des chapitres 12-14 dans lequel Paul cite explicitement l'Ecriture et y fait appel pour étayer son argumentation. Comme il l'a fait au chapitre 12, l'Apôtre souligne à nouveau le contraste entre les langues et la prophétie (vv. 22-23), contraste auquel il n'avait plus fait appel depuis le v. 6. Tous les éléments sont donc présents pour que l'on aboutisse maintenant à une argumentation convaincante. Cependant, le lien logique entre la citation biblique et l'application qu'en fait Paul est loin d'être simple. L'interprétation de cette courte péricope – et en particulier des vv. 22-23 – est l'une des plus débattues de toute la littérature paulinienne.

Paul reprend au v. 20 le ton de l'apostrophe, en utilisant le terme « frères » et en s'adressant à ses destinataires à la 2ᵉ personne du pluriel. Il les invite à ne pas être des enfants – nous utiliserions plutôt l'expression « faire l'enfant ». C'est la troisième fois en 1 Co qu'il oppose ce qui relève de l'enfance ou de l'immaturité, à ce qui relève de l'âge adulte ou de la perfection ; les fois précédentes, c'était en 2, 6 et en 13, 11. Le ton reste très libre : au milieu de ce verset, une incise indique que, en ce qui concerne le vice ou le désir de briller, mieux vaut être un gamin qu'un expert, et cela n'a sans doute pas de rapport direct avec le sujet ! Après cette apostrophe par laquelle l'Apôtre reprend contact avec ses destinataires, il continue dans les versets suivants son plaidoyer contre la glossolalie lorsqu'elle s'exerce dans le cadre de l'assemblée ecclésiale. L'argument autour duquel la suite de la péricope va s'organiser est la citation scripturaire du v. 21. Comme plus haut en 9, 8-9, l'Écriture est désignée par le substantif « la loi » (*nomos*). Le passage cité est assez difficile à identifier ; celui qui se rapproche le plus de la phrase paulinienne est Is 28, 11-12, bien qu'aucune traduction grecque connue ne coïncide avec la formulation ici employée ; Origène y trouvait cependant une ressemblance avec la traduction d'Aquila (*Philocalie* 9, 2). On peut aussi faire des rapprochements avec Dt 28, 45-49 et Jr 5, 13-15, autres passages où il est écrit que Dieu envoie vers Israël une nation étrangère dont le peuple ne comprend pas la langue (Heil, *Rhetorical*). En plus des différences dans les formulations, une autre différence importante existe entre le contenu du passage d'Isaïe cité et l'utilisation que Paul en fait. Chez Isaïe, l'envoi des étrangers est une menace – comme Israël n'écoute pas le prophète, Dieu les menace d'une invasion par des étrangers dont ils ne comprendront pas non plus la langue –, alors que chez Paul, c'est une simple constatation ; de fait, les langues étrangères (celles dont se réclament les glossolales) ne sont pas comprises de l'assemblée chrétienne. La cohérence de cette citation et des propos qui suivent est cependant loin d'être claire. Le v. 22 est en effet une célèbre *crux interpretum*, déjà identifiée comme telle par Jean Chrysostome. Sa traduction ne présente pas de difficulté, mais se posent des problèmes de cohérence avec les versets qui l'entourent. Regroupons-les sous trois chefs : 1° La citation d'Isaïe concerne le peuple juif ; c'est à eux que Dieu parle un langage inédit, celui des troupes assyriennes envahissant la Judée ; c'est d'eux qu'il est dit qu'ils n'entendent pas. Or, les langues parlées par les glossolales, qui sont pour la circonstance assimilées à des langues étrangères, sont dites servir de signe pour les non-croyants (v. 22a), et non pour les croyants. Comme on ne saurait, au temps d'Isaïe, assimiler Israël à des non-croyants, on change de destinataire. – 2° La question des langues est reprise au v. 23 ; Paul fait même l'hypothèse que tous parlent en langues – pure hypothèse puisque tous n'ont pas ce charisme –, mais les effets sur les non-initiés et les non-croyants sont loin d'être positifs, puisqu'ils vont se mettre à penser que les fidèles rassemblés sont fous. Le moins que l'on puisse dire, c'est que le résultat est catastrophique. Est-ce là le signe annoncé ? – 3° Alors que la prophétie est dite au v. 22b ne pas être un signe pour les non-croyants, lorsque la question est reprise aux vv. 24-25, la description des effets de la prophétie sur les non-croyants sont au contraire réels et positifs, puisqu'ils se mettent à se prosterner devant Dieu (Sandnes)! Si l'on additionne ces trois difficultés, on peut légitimement se demander où est la logique d'une telle argumentation. Plusieurs propositions ont été faites pour cerner la cohérence du propos de l'Apôtre. Elles mettent en jeu deux éléments : en premier lieu, le sens du terme signe (*sèmeion*) ; en second lieu, l'identité des locuteurs des différentes parties du discours. Voici celle que nous proposons. Les glosso-lales, au moins ceux qui revendiquaient l'utilisation de leur charisme au sein de l'assemblée, avançaient sans doute comme argument que ces phénomènes extraordinaires pouvaient impressionner des non-croyants et les faire accé-der, sinon à la foi évangélique, au moins à une réelle admiration pour ce groupe chrétien en train de prier. La formulation du v. 22a est vraisembla-blement au départ la leur. Explicitons ainsi leur pensée : « Paul prétend que les langues ne sont pas un signe pour les croyants si elles ne sont pas interprétées, puisqu'ils ne peuvent les comprendre ; c'est peut-être vrai pour les croyants, mais pas pour les non-croyants. Les phénomènes extra-ordinaires tels que les miracles et la maîtrise de langues étrangères non apprises peuvent, sinon provoquer directement la foi en Christ, au moins conduire les gens à se poser des questions » (Chester). Paul reprend leur propre formulation, mais, en la complétant par le v. 22b selon lequel le vrai signe pour les croyants, c'est la prophétie, le signe que donne le parler en langues aux non-croyants n'est pas un signe positif ; c'est un signe négatif, dont les effets sont décrits au v. 23 : imaginons des non-croyants faisant irruption dans une ou plusieurs assemblées dont tous les membres pratique-raient la glossolalie, ils se mettraient inévitablement à penser qu'ils sont dans une maison de fous. Autrement dit, Paul conserve, au v. 22a, la formulation des Corinthiens partisans de la glossolalie, mais il inverse la signification du terme « signe », ce que l'Ecriture juive rend possible : le signe devient un signe négatif, un signe de jugement (voir la note sur le v. 22). Quant à la prophétie, si elle est un signe pour les croyants, ce que personne ne conteste ; et si, au départ, elle n'a pas sur les non-croyants des effets aussi spectacu-laires que ceux que les partisans de la glossolalie attribuent à la glossolalie (v. 22b), elle peut avoir d'autres effets sur les non-croyants, effets qui sont développés aux vv. 24-25 : le non-croyant entendant un prophète s'exprimer se trouve interrogé par ce qu'il entend, les secrets de son cœur sont dévoilés, et cela peut déboucher pour lui sur une adoration du Dieu véritable. La conviction de Paul, opposée à celle des partisans du parler en langues, est que le spectaculaire ne produit de bons effets sur personne : les croyants n'y comprennent rien et les non-croyants ont l'impression d'avoir affaire à des fous. En revanche, l'authenticité d'un langage prophétique parle spontané-ment aux croyants et, s'il peut sembler inopérant sur des non-croyants au premier abord, il est possible qu'il finisse par toucher leur cœur, et les conduire ainsi à la conversion. Les effets positifs de la prophétie sur un ou des membres venus de l'extérieur indiquent que l'une des missions de l'Église rassemblée est effectivement de toucher le cœur de gens venus de l'extérieur ; elle a fonction évangélisatrice (Gladstone). Cette fonction est possible parce que, au moins lorsque l'Église se réunit dans une maison du centre-ville, les voisins en sont informés par le mouvement que cela produit, et que des curieux peuvent venir voir, entrer, et finalement adhérer (Billings). C'est cohérent avec l'atmosphère générale de 1 Co, qui montre que les difficultés que Paul cherche à réduire étaient internes à la communauté ; il ne semble pas y avoir de difficulté relationnelle avec le monde gréco-romain ambiant (Rebell).

NOTES

20

Le substantif ἡ φρήν, utilisé deux fois dans ce verset, ne l'est jamais ailleurs dans le NT. Au singulier, il désigne le diaphragme du corps humain et, par extension, toute sorte de membrane. Au pluriel, αἱ φρέναι désigne le siège de l'intelligence et exprime ce qui est de l'ordre de l'esprit, de la raison, du jugement. Comme ὁ νοῦς dans la péricope précédente, αἱ φρέναι appartient au domaine de la rationalité. On peut se demander à quoi renvoie ἡ κακία qui est placé en opposition aux φρέναι : le terme peut avoir un sens actif (le vice, la méchanceté) ou passif (la souffrance). C'est ici certainement le sens actif qui est en jeu. Mais faut-il l'entendre dans un sens très général, ou doit-on penser qu'il fait précisément allusion aux envies mauvaises de glossolales corinthiens qui désirent briller en public ? Nous avons retenu le sens général, sans rapport direct avec le sujet traité, au nom de la façon qu'a Paul de s'exprimer dans l'ensemble du chapitre 14, son style improvisé, proche de l'oralité, autorisant de courtes digressions.

21

Notons les principales différences entre les formulations de Is^{LXX} 28, 11-12, et les termes dans lesquels Paul cite le passage : 1° Paul inverse l'ordre dans lequel Isaïe fait se succéder « les lèvres » et « les langues » ; c'est sans doute pour mettre les langues en première position. – 2° Au lieu du mauvais état des lèvres (φαυλισμός χειλέων), Paul parle de « lèvres d'étrangers » (ἐν χείλεσιν ἑτέρων). – 3° Dans la LXX, le Seigneur donne l'ordre au prophète d'annoncer cette menace ; dans le TM, le prophète parle au nom du Seigneur ; chez Paul, c'est le Seigneur qui parle à la 1re personne, ce que l'Apôtre rappelle en ajoutant en finale : λέγει κύριος. – 4° Enfin, Paul ne conserve que la fin de Is 28, 12, afin de limiter le propos à la question des langues. Tout cela est à la fois cohérent et étonnant : le texte d'Isaïe n'intéresse ici Paul que pour étayer son propos que les prétendues langues étrangères parlées par les glossolales ne peuvent être d'aucune utilité aux croyants (Nagel).

22

Le substantif σημεῖον n'est employé qu'en cinq passages dans les *homologoumena*. On l'a déjà rencontré en 1, 22, au pluriel, où, comme en Rm 15, 19, il désigne des miracles. En 2 Co 12, 12, Paul emploie deux fois le terme, déclarant aux Corinthiens qu'il leur a fourni les signes de l'apôtre (σημεῖα τοῦ ἀποστόλου), parmi lesquels existent des σημεῖα au sens de « miracles ». Enfin, en Rm 4, 11, il est écrit qu'Abraham a reçu le σημεῖον de la circoncision. Le terme σημεῖον a donc le plus souvent chez Paul une connotation de persuasion positive : c'est un signe destiné à convaincre. Le terme peut cependant avoir, dans la LXX, une connotation nettement négative : par exemple en Nb^LXX 26, 10, où la mort de 250 hommes du clan de Coré qui s'étaient révoltés est présentée comme un σημεῖον pour le peuple. En utilisant le terme dans ce verset, Paul joue sur sa double connotation : ses destinataires estiment que la glossolalie peut convaincre des non-croyants, puisque c'est une manifestation spectaculaire de l'Esprit ; Paul répond que c'est un signe qui, au contraire, va éloigner les non-croyants de la foi, car ils penseront que tous ces gens sont fous (v. 23). L'opinion a été émise que le datif τοῖς πιστεύουσιν, au v. 22, renvoyait, non pas aux croyants en Christ actuels, mais à ceux qui pourraient rejoindre le groupe grâce au signe des langues ou de la prophétie (Hietanen). Intéressante, cette opinion ne semble pourtant pas devoir être retenue ; s'il s'agissait de croyants à venir, on n'aurait pas l'article devant πιστεύουσιν. On ne retient pas non plus l'opinion émise par plusieurs chercheurs (Lanier ; Martin, *Spirit*, 72 ; Smit), à savoir que Paul interprèterait Is 28, 10-12 selon le procédé du midrash pesher : il ferait du parler en langues une capacité à réserver aux non-croyants, tandis que la prophétie serait un vrai charisme, digne de l'Église du Christ.

23-25

Au v. 23, il y a une double insistance sur la totalité : ἡ ἐκκλησία ὅλη... καὶ πάντες λαλῶσιν. Peut-être faut-il comprendre que Paul imagine un cas – presque absurde – où tous les membres de tous les rassemblements ecclésiaux de la ville parleraient en langues ; nous serions alors en pleine exagération. Les ἰδιῶται nommés au v. 23 (le terme est repris au singulier au v. 24) sont manifestement des personnes venant de l'extérieur, qui n'appartiennent pas à l'Église locale. Le substantif a déjà été utilisé plus haut, mais au singulier (v. 16) ; il se référait alors à un membre de l'Église ne faisant pas partie des cadres. Aux vv. 24-25, la façon dont est décrite la conversion de cette personne, non-croyante au départ, venant de l'extérieur et touchée par la prophétie, rappelle le langage biblique familier de gestes de révérence envers Dieu (Gn 17, 3.17 ; Lv 9, 24 ; Nb 16, 22 ; Ez 11, 13) et de paroles exprimant l'adhésion à la foi juive (1 R 18, 39 ; Is 45, 14 ; Dn 2, 46-47 ; Za 8, 23) (Heil, *Rhetorical*, 194-196). Le rôle du Dieu biblique qui scrute le cœur et sonde les reins est aussi sous-jacent aux formulations pauliniennes (*e.g.* Jr 17, 10). ·

De l'ordre dans les assemblées
(1 Co 14, 26-40)

TRADUCTION

14, 26 Qu'en est-il donc, frères ? Lorsque vous vous réunissez, chacun a un psaume, a un enseignement, a une révélation, a une (parole en) langue, a une interprétation ; que tout se fasse à fin de construction. 27 Si quelqu'un parle en langue, (qu'il y en ait) deux ou trois au maximum, et chacun à son tour, et qu'une personne traduise. 28 Mais s'il n'y a pas de traducteur[a], qu'il se taise en Église, qu'il se parle à lui-même et à Dieu. 29 Quant aux prophètes, que deux ou trois parlent, et que les autres discernent ; 30 mais si une autre personne de l'assistance reçoit une révélation, que le premier se taise. 31 Car vous pouvez tous prophétiser l'un après l'autre[b], afin que tous apprennent et que tous soient encouragés. 32 Et les esprits[c] des prophètes sont soumis aux prophètes, 33 en effet, Dieu n'est pas (un dieu) de désordre, mais de paix, comme dans toutes les Églises des saints. 34 Que[d] les femmes[e] se taisent dans les Églises ; en effet, il ne leur est pas permis de parler, mais qu'elles soient soumises[f], comme le dit la loi. 35 Si elles veulent apprendre[g] quelque chose, qu'elles interrogent leurs propres maris à la maison ; car il est honteux pour une femme de parler en Église[d]. 36 Ou bien la parole de Dieu provient-elle de chez vous ? Ou bien n'est-elle parvenue qu'à vous seuls ? 37 Si quelqu'un pense être prophète ou spirituel, qu'il reconnaisse que ce que j'écris est un commandement du Seigneur[h]. 38 Si quelqu'un ignore, il est ignoré[i]. 39 De la sorte, frères, aspirez à prophétiser, et n'empêchez pas le parler[j] en langues[k] ; 40 mais que tout se fasse décemment et en ordre.

   [a] Le terme διερμηνευτής, « traducteur, exégète », se trouve dans la majorité des mss. Il est remplacé par ἑρμηνευτής, « interprète » au sens plus général, dans les mss B 365 pc ; et par ὁ ἑρμηνευτής avec article, dans les mss D* F G. Tous deux sont des hapax NT, ce qui peut expliquer cette hésitation. Préférer la première leçon, beaucoup mieux attestée.

   [b] La majorité des mss porte : καθ'ἕνα πάντες προφητεύειν. On trouve ἕκαστοι à la place de πάντες en 6 pc ; ἕκαστοι ajouté avant πάντες en 0243. 630. 1739. (1881) pc ; et simplement καθ'ἕνα προφητεύειν en 33. 2464 vg[mss]. La dernière leçon, qui est lectio brevior, n'est pas assez attestée pour être retenue. On retiendra la première, la mieux attestée.

   [c] Au lieu de « les esprits des prophètes », attesté par la majorité des mss, on trouve « l'esprit des prophètes » en D F G Ψ* 1241[s] pc ar b vg[mss] sy[p]. Le singulier correspond à une interprétation plus forte du terme « esprit » : l'Esprit qui vient sur les prophètes. Mais c'est le pluriel, beaucoup mieux attesté, qu'il convient de retenir.

   [dd] Sur le déplacement des vv. 34-35 après le v. 40, voir l'excursus.

   [e] Après γυναῖκες, certains témoins ajoutent ὑμῶν (vos femmes) : (D F G) Byz (ar b) sy ; Cyprien (Ambrosiaster). Les témoins de cette variante coïncident principalement avec ceux qui déplacent les vv. 34-35 après le v. 40. Cette modification centre le propos sur les femmes mariées ; secondaire, elle a pour intention de réduire l'étendue de l'interdiction.

   [f] Deux leçons pour le passif du verbe ὑποτάσσω (soumettre). 1° Le subjonctif passif ὑποτασσέσθωσαν : א A B 33. 81. 365. (1175). 1241[s]. 2464 pc ; Épiphane. – 2° L'infinitif passif ὑποτασσέσθαι : (D F G) Ψ 0243. 1739. 1881 Byz lat(t) sy. La seconde fait dépendre ce verbe de ἐπιτρέπω et conduit à traduire : « Il ne leur est pas permis de parler, mais d'être soumises. » Moins bien attestée que la première, elle est secondaire.

   [g] Deux leçons pour ce verbe. 1° L'infinitif aoriste μαθεῖν : p[46] א[2] (A*) B (D F G) Ψ 0243. 1739. 1881 Byz. – 2° L'infinitif présent μανθάνειν : א* A[c] 33. 81. 104. 365. 1241[s]. 1505. 2464 pc. La première suggère un apprentissage au coup par coup, la

seconde, un apprentissage plus habituel ; la meilleure qualité des attestations conduit à retenir la première.

[h] Cinq situations manuscrites existent : 1° κυρίου ἐστιν ἐντολή, attesté par p[46] ℵ[2] B 048. 0243. 33. 1241[s]. 1739* *pc* vg[ms]. – 2° κυρίου ἐντολὴ ἐστιν, attesté par ℵ* 81[vid]. – 3° κυρίου ἐστιν, attesté par D* F G (*pc*) b ; Ambrosiaster. – 4° κυρίου εἰσιν ἐντολαί, attesté par D[2] Ψ *Byz* lat sy sa. – 5° θεοῦ ἐστιν ἐντολή, attesté par A (1739[c]. 1881). Ces variantes sont mineures, mais certaines correspondent à des corrections volontaires : la variante 3 supprime la notion de commandement ; la variante 4 fait de chaque consigne donnée par Paul (référence à ἃ avant γράφω) un commandement. La leçon 1, la mieux attestée, est à retenir.

[i] Le présent de l'indicatif ἀγνοεῖται est attesté par les mss ℵ* A*[vid] D(*) (F G) 048. 0243. 6. 33. 1739 *pc* b co. Certains mss portent le jussif ἀγνοείτω : p[46] ℵ[2] Ac B D[2] Ψ 1881 *Byz* sy. La seconde leçon transforme l'affirmation en imprécation ; son attestation est un peu meilleure que celle de la première, mais l'imprécation par le jussif est moins forte que l'affirmation à l'indicatif. Tenant compte de la vigueur du propos paulinien, on préférera la première leçon, avec verbe à l'indicatif.

[j] On trouve τὸ λαλεῖν, infinitif substantivé, en ℵ A D F G Ψ 048. 33 *Byz ;* et λαλεῖν sans article en p[46] B 0243. 630. 1739. 1881 *pc*. Les attestations sont de qualité comparable. On privilégie la leçon avec article, en parallèle avec τὸ προφητεύειν, juste avant dans le texte.

[k] Quatre leçons différentes : 1° μὴ κωλύετε γλώσσαις, attesté par ℵ A P 048. 0243. 6. 33. 81. 630. 1241[s]. 1739. 1881 *pc*. – 2° γλώσσαις μὴ κωλύετε, attesté par D[2] Ψ *Byz* lat. – 3° ἐν γλώσσαις μὴ κωλύετε, attesté par D* F G (sy). – 4° μὴ κωλύετε ἐν γλώσσαις, attesté par p[46] B. La leçon 1, mieux attestée, est à retenir. La leçon 2 et la leçon 3 rapprochent γλώσσαις de λαλεῖν ; ce sont peut-être des corrections volontaires destinées à faciliter la compréhension. La leçon 4, très peu attestée mais par de très bons témoins, reste peu explicable.

BIBLIOGRAPHIE

Pour les vv. 34-36, voir l'excursus. Autres titres

H.W. HOLLANDER, « Prophecy and Glossolalia in Paul's Concern for Order in the Christian Assembly (1 Cor 14. 26-33a) », *ET* 124, 2013, 166-173. – E. HIU, *Regulations Conψerning Tongues and Prophecy in 1 Corinthians 14. 26-40. Relevance Beyond the Christian Church*, Londres 2010. – Ch. STETTLER, « The "Command of the Lord" in 1 Cor 14, 37 – A Saying of Jesus ? », *Bib.* 87, 2006, 42-51.

INTERPRÉTATION

Les dernières lignes de la section portant sur les charismes et ministères sont consacrées à des questions diverses, sur lesquelles Paul est déjà parfois intervenu, parfois non. Elles sont incluses entre deux utilisations de l'apostrophe « frères » (*adelphoi*) qui permettent de la délimiter (vv. 26 et 39). L'auteur n'a plus pour seul objectif d'instruire ses destinataires ; il cherche à corriger des comportements qu'il considère comme déviants lorsque l'Église est réunie. Deux mots qui encadrent également la péricope sont caractéristiques de cette perspective : au début (v. 26), le rappel du thème de la construction (*oikodomè*) qu'il a déjà abondamment utilisé ; à la fin l'évocation de l'ordre (*taxis ;* v. 40) nécessaire dans les assemblées, qui montre bien que Paul déplore son contraire, le désordre (*akatastasia* ; v. 33).

Un passage célèbre sur le silence demandé aux femmes a été très abondamment commenté et a donné lieu à de nombreux débats. Nous lui donnons pour limites les vv. 34-36, mais ces limites elles-mêmes sont débattues. Ces quelques versets posent un problème spécifique du fait même qu'ils semblent contredire 1 Co 11, 2-16, où il est affirmé que, dans l'assemblée, une femme peut prier et prophétiser (11, 5), ce qui implique inévitablement une prise de parole publique. La place de ces versets dans le texte pose également question, dans la mesure où ils interrompent un développement sur le charisme prophétique commencé au v. 29, qui se poursuit jusqu'au v. 34 et qui reprend au v. 37.

Comme les questions textuelles sur les vv. 34-36 sont très imbriquées dans les questions d'ordre littéraire, historique et théologique, plutôt que de traiter ce passage au fil du texte, nous lui consacrons un excursus à part pour les questions touchant l'interprétation ; en revanche, les notes particulières sur les mots du texte sont traitées à leur place dans les notes concernant la péricope.

VV. 26-28 – Après le verset introductif (v. 26), les vv. 27-28 reviennent principalement sur le parler en langue. Le v. 26 rappelle clairement que les propos qui suivent concernent l'assemblée ecclésiale lorsqu'elle se réunit, et non pas la vie de l'Église en général ; c'est bien de cela qu'il s'agit depuis le début du chapitre 14. Et il est rappelé également que toute intervention de charisme doit, dans ce cadre, avoir la construction (*oikodomè*) de l'Église comme objectif. Le v. 27 envisage les cas où des glossolales peuvent s'exprimer dans le cadre de l'assemblée. Trois conditions sont requises : deux ou trois personnes, pas plus ; l'une après l'autre, autrement la cacophonie n'en est que plus grande ; et surtout que ce soit en présence d'une personne bénéficiant du charisme d'interprétation, et que cette personne l'exerce ! Le v. 28 poursuit en indiquant la conduite à tenir lorsqu'il n'y a pas de traducteur ou d'interprète. C'est alors le silence qui est demandé au glossolale ; il peut se parler à lui-même ou à Dieu, ce qui est sans doute à comprendre au sens d'un langage intérieur, non exprimé, pas à voix haute. Avec ce v. 28, apparaît pour la première fois dans le texte le verbe « se taire » (*sigaô*), que Paul va reprendre deux fois dans les versets suivants (vv. 30 et 34 ; il l'utilise une seule autre fois, en Rm 16, 25). Le silence apparaît donc comme un élément de régulation de la prière en assemblée ; pas forcément un silence prolongé de type méditatif, mais un silence préférable à la prise de parole lorsque celle-ci risque de nuire au groupe et à l'ordre qui doit y régner.

VV. 29-33 – Après la régulation de la glossolalie vient à son tour la régulation de la prophétie. Il faut en conclure que les phénomènes prophétiques, tout comme le parler en langues, peuvent aussi être pratiqués dans l'assemblée de façon anarchique et créer du désordre. Comme plus haut dans l'ensemble des chapitres 12-14, il faut tenir compte de la richesse et de la diversité de la fonction prophétique : il existe un ministère de prophète ayant une certaine dimension hiérarchique, nommé en deuxième position derrière celui d'apôtre (12, 28-30) ; et il existe aussi des phénomènes prophétiques plus spontanés, pouvant être produits par des prophètes n'ayant pas de fonction ministérielle aussi repérable, puisque Paul peut désirer que tous prophétisent (14, 1-5). C'est de ce dernier type de prophète qu'il est ici question ; cela est d'ailleurs confirmé par l'emploi de l'indéfini « tous » (*pantes*), au v. 31 : le charisme de prophétie peut toucher un nombre très étendu de personnes. Des facteurs de régulation sont alors précisés les uns après les autres. Au v. 29, deux sont nommés : comme pour la glossolalie, deux ou trois personnes sont autorisées à prendre la parole, pas davantage. La formulation employée laisse cependant une part d'incertitude : deux ou trois simultanément ? deux ou trois dans un court laps de temps ? deux ou trois au maximum pendant toute la réunion de prière ? Simultanément, sans doute pas ; pour les glossolales déjà, Paul désirait qu'ils s'expriment les uns après les autres (v. 27). Au cours de toute la réunion de prière, cela semble trop restrictif... Encore que nous ignorions totalement comment se déroulaient lesdites réunions de prière et comment elles étaient structurées. Le plus vraisemblable est que la demande de Paul porte sur un assez court laps de temps, ce qui n'exclut pas d'autres interventions de prophètes plus tard. La lecture la plus spontanée du v. 30 va dans ce sens : lorsqu'un prophète est en train de prononcer une révélation, si un autre reçoit une inspiration pendant que le premier parle, que le premier se taise ; il convient d'éviter les révélations simultanées. À nouveau, Paul réclame alors le silence ; non pas, comme pour la glossolalie, en raison de l'absence d'une personne qualifiée pour interpréter ou traduire, mais parce que l'inspiration d'un autre doit conduire le premier à se taire ; les prophètes doivent s'exprimer un par un. L'intervention de l'Esprit chez l'un signe la fin de son intervention chez l'autre. Et le v. 31 rappelle que l'objectif de la prophétie est l'instruction et l'encouragement au bénéfice de tous les membres de l'assemblée. C'est dans la suite des consignes précédentes qu'il convient, nous semble-t-il, d'interpréter le v. 32. Il s'agit d'une remarque en forme de maxime, dont le verbe est à l'indicatif. La plupart des exégètes interprètent cette remarque dans le sens d'un auto-contrôle que chaque prophète exercerait sur lui-même, certains allant jusqu'à proposer des traductions paraphrasées telle que celle-ci : « Le prophète est maître de l'esprit prophétique qui l'anime » (*TOB*, éd. 2010). Or, une telle lecture ne semble pas cohérente avec ce que le texte a exprimé précédemment, le contrôle se faisant, non pas par la personne elle-même qui prophétise, mais par l'intervention d'autres qui, recevant à leur tour une inspiration, obligent le premier à se taire. Le terme « prophètes » utilisé deux fois dans la phrase renvoie à deux groupes de personnes différentes, comme cela est suggéré aux vv. 30 et 31, où il s'agit de l'intervention d'un autre. Contre cette lecture, on pourrait objecter que le verbe passif « être soumis » est à l'indicatif et non au jussif, qui conviendrait mieux si Paul demandait aux prophètes qu'ils se soumettent les uns aux autres. L'objection ne manque pas de pertinence, mais on peut aussi la retourner : l'emploi de l'indicatif a plus de force que le jussif ; Paul écrit ce verset comme une évidence ; plus qu'une injonction, elle ne se discute pas ! Le v. 33 qui suit est d'ailleurs, lui aussi, à l'indicatif : Dieu n'est pas un Dieu de désordre, mais de paix. C'est le cas dans toutes les Églises, et la révélation en témoigne depuis toujours ! En Rm 15, 33, Paul saluera ses destinataires en utilisant le syntagme « le Dieu de la paix ».

VV. 37-40 – Par-dessus le paragraphe très débattu sur le silence des femmes (voir l'excursus), le texte revient en finale sur l'ensemble des charismes, toujours en insistant sur le contraste entre prophétie et glossolalie. Ces quatre versets constituent la *peroratio* de toute une section de l'épître (chapitres 12-14). Au v. 37, Paul invite ses destinataires à considérer tout ce qu'il a écrit comme un commandement du Seigneur. Le verbe est au jussif ; il indique ce qu'il convient de faire, et non pas ce qui est ; cela se comprend, car il est bien difficile de trouver un commandement de Jésus sur lequel l'Apôtre pourrait appuyer l'ensemble des chapitres 12-14, ou même une phrase proche de ce v. 37. Le v. 38 a une formulation de type proverbial. Le premier emploi du verbe « ignorer » (*agnoeô*) est sans complément d'objet direct. Spontanément, il doit alors être compris comme se référant à une ignorance générale, et être traduit par « être ignorant ». Mais on ne voit pas ce qu'une telle affirmation aurait à faire dans le contexte. Sans doute faut-il sous-entendre comme complément d'objet direct le contenu du v. 37 : quelqu'un qui ne donnerait pas aux propos de Paul la même autorité qu'à un commandement de Jésus serait ignoré. De qui ? De Dieu peut-être. À la fin du verset, pourtant, le passif « est ignoré » est un présent, non un futur. Il ne s'agit pas d'une ignorance éternelle par Dieu ; peut-être plus simplement d'une ignorance par l'Église, qui ne reconnaîtrait pas le charisme d'un tel ignorant. Avec le v. 39, Paul reprend le ton de l'exhortation, en utilisant des impératifs de la 2ᵉ personne du pluriel. L'apostrophe « frères » est reprise une dernière fois dans le chapitre 14, montrant que, maintenant, on arrive véritablement aux conclusions synthétiques de ce chapitre et de l'ensemble des chapitres 12-14. L'Apôtre invite à rechercher la prophétie, tout en n'empêchant pas la glossolalie. Une telle sagesse ne vaut-elle pas d'être observée par les assemblées ecclésiales de tous les temps (Hiu) ? On peut cependant s'interroger sur le ton de la phrase. Peut-être est-elle ironique ; après tout ce qui a été exprimé de négatif sur le parler en langues, comment pourrait-on inviter encore à ne pas l'exclure. Mais peut-être est-elle plutôt une forme de *captatio benevolentiae*. La glossolalie est très recherchée de nombreux Corinthiens ; Paul a émis de nombreuses réserves vis-à-vis d'elle ; en disant qu'il ne faut cependant pas l'exclure, il se concilie ceux que ses propos auraient pu blesser au point de ne plus lui faire confiance. Le v. 40, qui conclut l'ensemble, comporte un verbe au jussif. La tournure employée est calquée sur celle du v. 26d. Ce que Paul veut éviter lorsque l'Église se réunit, c'est l'indécence et le désordre. Il a consacré trois chapitres à cette question, commençant par des propos assez construits mais terminant par un style beaucoup plus décousu, comme s'il voulait insister sur des quantités de détail pour ne rien oublier. Les Corinthiens ont-ils tiré parti de ses exhortations et de ses reproches ? La suite de la correspondance entre l'Apôtre et l'Église de Corinthe (2 Co) ne revient pas sur ces questions. C'est peut-être un indice qu'il aurait été entendu.

NOTES

26

Déjà rencontrée en 14, 15, la phrase interrogative τί οὖν ἐστιν indique que l'on aborde maintenant des conclusions, mais pas forcément une synthèse. Un ψαλμός n'est pas forcément un Psaume biblique, bien que, dans la LXX, le terme soit principalement utilisé pour l'un des 151 Psaumes du recueil davidique ; c'est plutôt un chant spirituel (cf. le verbe ψάλλω en 14, 15) ; on retrouve le substantif dans le corpus paulinien en Ep 5, 19 et Col 3, 16. Dans la liste des quatre derniers charismes du verset, le substantif ἀποκάλυψις (révélation), repris par le verbe correspondant ἀποκαλύπτω (révéler) en 14, 29, peut surprendre, bien qu'il ait déjà été utilisé en 14, 6. On attendrait προφητεία qui n'est pas dans cette liste ; il s'agit sans doute du même phénomène, la προφητεία renvoyant à la prophétie en général, et l'ἀποκάλυψις, à un message particulier délivré par un prophète. L'expression « que tout se fasse » (πάντα... γινέσθω), sur laquelle se termine le verset, se retrouve mot pour mot au v. 40, formant inclusion.

27-28

Comme au v. 26, le terme γλῶσσα est employé au v. 27 au singulier ; on le retrouvera au pluriel au v. 39. Alors que, aux chapitres 12 et 13, Paul parlait constamment de « langues » au pluriel, depuis le début du chapitre 14, le texte hésite entre le singulier (vv. 2.4.9.13.14.19.26.27) et le pluriel (vv. 5.6.18.22.23.31). Faut-il établir une distinction de point de vue entre les deux nombres ? Si oui, il semble que le singulier représente plutôt le point de vue du locuteur qui valorise sa pratique, et le pluriel, le point de vue de l'observateur qui dénonce un risque de confusion. Le verbe « traduire » (διερμηνεύω) existe ailleurs dans le NT (on l'a déjà rencontré en 12, 30 ; 14, 5.13), mais le substantif « traducteur » (διερμηνευτής) est un hapax NT. Comme plus haut (v. 13), il faut sans doute comprendre que le traducteur est une autre personne que le glossolale, dans la mesure où il s'agit de charismes différents (cf. les listes de charismes qui figurent en 12, 8-10 et 28-30).

29-31

Au v. 29, l'identité des οἱ ἄλλοι qui sont chargés de discerner le bien-fondé des paroles émises par les prophètes est débattue. Trois hypothèses sont possibles : 1° D'autres prophètes. – 2° d'autres membres de l'assemblée, non précisés (Grudem, *Gift*, 60-67). – 3° Des personnes jouissant du charisme de discernement des esprits. Le verbe utilisé pour ce discernement est ici διακρίνω ; or, dans la liste des charismes donnée en 12, 10, ont été nommés les διακρίσεις πνευμάτων (discernements d'esprits). Cela correspond à une capacité particulière, différente de celle des prophètes. Comme pour les glossolales et leurs interprètes ou traducteurs, la régulation de la prophétie doit sans doute se faire par quelqu'un d'autre qu'un prophète. La troisième hypothèse est donc sans doute à retenir. Il est à noter que la *Didachè* est sur ce point moins régulatrice que Paul : elle interdit de mettre à l'épreuve un prophète ou d'opérer un discernement sur ce qu'il dit, pendant qu'il parle (11, 7).

32

L'expression πνεύματα προφητῶν est délicate, sa compréhension est controversée (en plus des commentaires, voir Grudem, *Gift*, 120-129). Trois interprétations courantes existent, dont la deuxième peut encore se subdiviser. 1° Le terme πνεύματα se réfère aux esprits angéliques, comme en Ps[LXX] 103, 4, repris en He 1, 7.14 : c'est par l'intermédiaire des anges que Dieu communique son inspiration aux prophètes. – 2° Le terme πνεύματα renvoie aux esprits individuels des prophètes, a) soit parce qu'ils parviennent à se maîtriser eux-mêmes, b) soit parce qu'ils acceptent de s'effacer lorsqu'un autre prophète prend la parole. – 3° Le terme πνεύματα se réfère à l'action du Saint-Esprit dans les différents prophètes : l'Esprit parle à la mesure de la bouche qu'il emprunte. La première interprétation semble étrangère à la perspective paulinienne, l'Apôtre n'écrivant jamais que l'inspiration des prophètes se fait par la médiation des anges. La troisième ne semble pas non plus à retenir, le pluriel πνεύματα pouvant difficilement renvoyer à l'Esprit saint. C'est la deuxième qui semble la meilleure : le pluriel de πνεῦμα renvoie à l'esprit de chaque prophète, lui-même parlant sous l'inspiration de l'Esprit unique. Pour le choix entre 2a) et 2b), voir l'interprétation.

33

Un terme peu fréquent se trouve au v. 33a : ἀκαταστασία. Paul l'utilise encore en 2 Co 6, 5 et 12, 20. Il peut renvoyer à l'instabilité ou à la mobilité du caractère ; ou, de façon plus visible, à de l'agitation, du bouleversement, voire de l'émeute. C'est ce second sens qu'il a en 2 Co. Les deux connotations peuvent ici se superposer. La paix est une disposition divine, l'instabilité n'en est pas une. Par ailleurs, cette ἀκαταστασία fait contraste avec la τάξις (l'ordre) qui sera réclamée dans le dernier verset de la péricope. Au v. 33b, le texte porte l'expression « les Églises des saints » (αἱ ἐκκλησίαι τῶν ἁγίων) ; elle est inhabituelle. On ne la trouve pas ailleurs dans le NT ni chez les Pères apostoliques, bien que le terme « les saints » (οἱ ἅγιοι) pour désigner les membres des Églises soit courante (ainsi 1 Co 1, 2 : 6, 1-2, etc.). Elle renvoie aux Églises particulières du monde méditerranéen, aux dimensions d'une ville donnée. Le terme ἐκκλησία se retrouve au pluriel au v. 34, avec une connotation différente : il s'agit alors des assemblées réunies pour la prière. Cette différence de sens est une des raisons qui conduisent à marquer une coupure entre le v. 33 et le v. 34, et à rattacher le v. 33b à ce qui précède, non à ce qui suit (malgré N-A[27]).

34-36

L'allusion à la loi (ὁ νόμος) pour soutenir le propos est problématique : si la soumission de la femme par rapport à l'homme fait partie du fond culturel commun au judaïsme et à la culture gréco-romaine, aucun passage précis de l'AT n'emploie le verbe ὑποτάσσω pour exprimer le rapport de la femme à l'homme. Sans doute Paul se réfère-t-il à Gn^{LXX} 3, 16, où le verbe κυριεύω exprime le rapport de l'homme à la femme. Le deutéro-paulinisme ne se privera pas de reprendre le propos (Ep 5, 22 ; Col 3, 18).

37-38

Au v. 37, l'adjectif substantivé πνευματικός (spirituel) est ici au masculin (à la différence de 12, 1 et 14, 1 où c'est plutôt un neutre). Il n'est pas seulement un synonyme de προφήτης mais désigne, de façon plus générale, toute personne bénéficiant d'un charisme. Le syntagme κυρίου ἐντολή renvoie en général, chez Paul, à un commandement de Jésus. Mais lequel ? Si l'on considère que la phrase concerne l'ensemble de ce que l'Apôtre a écrit depuis le début du chapitre 12, Paul fait peut-être allusion à des propos très généraux de Jésus sur la charité, tels ceux que Matthieu reproduit en Mt 7, 21-23 (Stettler). Si l'on considère plutôt que cette remarque concerne la question plus précise du rôle des prophètes dans la communauté, on pourra peut-être évoquer Lc 11, 49 et Mt 23, 34. En 7, 25a, Paul s'était référé à l'absence d'une prescription du Seigneur (ἐπιταγὴ κυρίου) ; ici, au contraire, il s'appuie sur l'autorité du Maître. Au v. 38, le verbe ἀγνοέω est employé deux fois dans la courte phrase. On l'a déjà rencontré en 10, 1 et 12, 1 avec un sens beaucoup plus faible, pour introduire un savoir dont Paul ne veut pas que ses destinataires l'ignorent. Le ton est ici beaucoup plus grave. L'ignorance a ici une connotation de rejet.

39-40

Au v. 39, l'impératif ζηλοῦτε (aspirez à) a déjà été utilisé en 14, 1 ; l'ensemble du chapitre 14 est inclus entre ces deux demandes. Au v. 40, l'adverbe εὐσχημόνως (décemment) est un terme que Paul affectionne ; lui seul l'utilise dans le NT (ici et en Rm 13, 13 ; 1 Th 4, 12) ; il évoque ce qui a de la tenue et de la décence ; voir aussi l'adjectif εὐσχήμων en 12, 24. En revanche, τάξις (ordre), qui est un terme grec courant, n'est pas employé ailleurs par Paul.

Excursus : Note sur 1 Co 14, 34-36

Bibliographie

• Problème textuel

A. LAVRINOVIČA, « 1 Cor 14. 34-35 without "in All the Churches of the Saints" : External Evidence », *NTS* 63, 2017, 370-389. – J.E. MILLER, « Some Observations on the Text-Critical Function of the Umlauts in Vaticanus, with Special Attention to 1 Corinthians 14. 34-35 », *JSNT* 26, 2003, 217-236. – C. NUCCUM, « The Voice of the Manuscripts on the Silence of Women : The External Evidence for 1 Cor 14. 34-5 », *NTS* 43, 1997, 242-255. – D.W. ODELL-SCOTT, « Editorial Dilemma : The Interpolation of 1 Cor 14 : 34-35 in the Western Manuscripts of D, G and 88 », *BTB*, 30, 2000, 68-74. – P.B. PAYNE, « Fuldensis, Sigla for Variants in Vaticanus, and in 1 Cor 14. 34-5 », *NTS* 41, 1995, 240-262. – P.B. PAYNE, « MS. 88 as Evidence for a Text without 1 Cor 14. 34-5 », *NTS* 44, 1998, 152-158. – P. B. PAYNE, « The Text-Critical Function of the Umlauts in Vaticanus, with Special Attention to 1 Corinthians : A Response to J. Edward Miller », *JSNT* 27,

2004, 105-112. – J. SCHACK, «A Text Without 1 Corinthians 14. 34-35? Not according to the Manuscript Evidence», *JournGrecoRomChristJud* 10, 2014, 90-112.

• Autres questions

R.W. ALLISON, «Let Women Be Silent in the Churches (1 Cor 14. 33b-36): What Did Paul Really Say and What Did it Mean?», *JSNT* 32, 1988, 27-60. – D.C. ARICHEA, «The Silence of Women in the Church: Theology and Translation in 1 Corinthians 14. 33b-36», *BibTrans* 46, 1995, 101-112. – S.C. BARTON, «Paul's Sense of Place: An Anthropological Approach to Community Formation in Corinth», *NTS* 32, 1986, 225-246. – A.D. BAUM, «Paul's Conflicting Statements on Female Public Speaking (1 Cor. 11 : 5) and Silence (1 Cor. 14 : 34-35): A New Suggestion», *TynB* 65, 2014, 247-274. – B.J. CAPPER, «To Keep Silent, Ask Husbands at Home, and Not Have Authority over Men. Part II (1 Corinthians 14 : 33-36 and 1 Timothy 2 : 11-12). The Transition from Gathering in Private to Meeting in Second Generation Christianity and the Exclusion of Women from Leadership of the Public Assembly», *ThZ* 61, 2005, 301-319. – M. CRÜSEMANN, «Irredeemably Hostile to Women: Anti-Jewish Elements in the Exegesis of the Dispute about Women's Right to Speak (1 Cor. 14. 34-35)», *JSNT* 79, 2000, 19-36. – A. DUTOIT, «Die swyggebod van 1 Korintiërs 14 : 34-35 weer eens onder die loep», *HervTeolStud* 57, 2001, 172-186. – A. ERIKSSON, «'Women Tongue Speakers, Be Silent': A Reconstruction through Paul's Rhetoric», *BibInt* 6, 1998, 80-104. – M. GOURGUES, «¿ Quién es misógino: Pablo o algunos Corintios?», *Anámnesis* 12, 2002, 17-24. – M. HASITSCHKA, «"Die Frauen in den Gemeinden sollen schweigen". 1 Kor 14, 33b-36 – Anweisung des Paulus zur rechter Ordnung im Gottesdienst», *StudNTUmwelt* 22, 1997, 47-56. – A.D. HENSLEY, «Σιγαω, λαλεω, and υποτασσω in 1 Corinthians 14. 34 in their Literary and Rhetorical Context», *JETS* 55, 2012, 343-364. – M. JANZEN, «Orderly Participation or Silenced Women? Clashing Views on Decent Worship in 1 Corinthians 14», *Direction* 42, 2013, 55-70. – L.A. JERVIS, «1 Corinthians 14. 34-35: A Reconsideration of Paul's Limitation of the Free Speech of Some Corinthian Women», *JSNT* 58, 1995, 51-74. – H. KLEIN, «Die Frauen sollen in der Gemeinde still sein (1 Kor 14, 34): Was ist gemeint?», *BN* 163, 2014, 75-81. – N. KONTZI-NÉRESSE, «Le silence des femmes dans l'assemblée. Réflexion autour de 1 Corinthiens 14, 34-35», *ETR* 80, 2005, 273-278. – P.F. LOCKWOOD, «Does I Corinthians 14: 34-35 Exclude Women from the Pastoral Office?», *LuthTheolJourn* 30, 1997, 30-38. – D.J. NADEAU, «Le problème des femmes en 1 Co 14/33b-35», *ETR* 69, 1994, 63-65. – T. PAIGE, «The Social Matrix of Women's Speech at Corinth. The Context and Meaning of the Command to Silence in 1 Corinthians 14 : 33b-36», *BullBibRes* 12, 2002, 217-242. – M. QUESNEL, «Le contexte gréco-romain des séjours de Paul à Corinthe. La place des femmes dans l'Assemblée», in *Paul's Greco-Roman Context*, C. BREYTENBACH (ed.), Leuven 2015, 193-212. – A.B. SPURGEON, «Pauline Commands and Women in 1 Corinthians 14», *BS* 168, 2011, 317-333. – C. VANDER STICHELE, «Is Silence Golden? Paul and Women's Speech in Corinth», *LouvSt* 20, 1995, 241-253.

Problème textuel et délimitation de l'unité

Tous les mss du NT connaissent le contenu des vv. 34-35, mais plusieurs les reproduisent après le v. 40 : ainsi les témoins D F G ar b vg^{ms} ; Ambrosiaster. Un cas particulier de cette situation textuelle est posé par le codex latin de Fulda (F, du XIIe siècle), qui introduit ces versets dans la marge après le v. 33 sans pourtant les avoir enlevés de leur place dans le texte après le v. 40 (Payne). Ces faits conduisent inévitablement à se poser la question de savoir si ces vv. 34-35 appartiennent au texte authentique de 1 Co, ou s'ils sont une glose plus tardive – antiféministe – dont on trouve un équivalent en 1 Tm 2, 11-12 (Capper ; duToit ; Klein ; Lockwood ; Odell-Scott ; Payne, « Fuldensis » ; Payne, « MS. 88 »). Si un nombre non négligeable de mss déplace les vv. 34-35, il ne faut cependant pas oublier que la très grande majorité des témoins, et parmi ceux dont la qualité est très reconnue, place ces vv. 34-35 entre le v. 33 et le v. 36 : ℵ A B Ψ 0243. 33. 81. 104. 365. 1175. 1241^s. 1739. 1881. 2464 *al* lat co. La conclusion à laquelle il faut se ranger, avec la majorité des spécialistes de critique textuelle, est que ces deux versets font partie du texte authentique de 1 Co et que leur place la plus vraisemblable est celle qu'ils occupent dans le Canon, entre les vv. 33 et 36 (Nuccum ; Wire, *Women*, 149-152). Si quelques copistes ont cru bon de les déplacer à un autre endroit du texte, c'est sans doute parce qu'ils les ont estimés peu conciliables avec l'opinion paulinienne que les femmes peuvent prendre la parole en public dans l'assemblée ecclésiale (11, 2-16). Une question proche de celle-là, qui permettrait de dédouaner Paul de propos antiféministes, reviendrait à dire qu'il cite ici une position présente à Corinthe, et qu'il la corrigerait à partir du v. 36 par des questions commençant par la conjonction « ou bien » (Allison). Mais le texte ne porte aucun indice de décalage de l'énonciation entre les vv. 34-35 et les phrases environnantes (Janzen). La meilleure solution est de faire des vv. 34-35 un point de vue paulinien. Reste à voir comment l'interpréter et comment il est conciliable avec ce que Paul écrit en 1 Co 11, 2-16.

A cette question textuelle sont liées deux questions sur la délimitation de l'unité. Première question : le v. 33b en fait-il partie, ou constitue-t-il la fin du développement sur le charisme prophétique commencé au v. 29 ? Deuxième question : le v. 36, qui est une question rhétorique, conclut-il l'unité sur le silence des femmes ou faut-il le rattacher aux vv. 37-40 ? Attachons-nous d'abord à la première. Deux possibilités existent pour le rattachement du v. 33b. 1° Il introduit le passage sur le silence des femmes, qui se poursuit aux vv. 34-36. – 2° Il conclut le développement précédent sur le charisme prophétique (vv. 29-33a) (Arichea ; Fee*). En faveur de la première solution, on fait souvent remarquer que l'enchaînement des idées est complexe si l'on choisit la seconde, et que le v. 33b introduit le développement des vv. 34-35 de façon très adéquate (solution retenue par N-A^{27} et la plupart des éditions critiques récentes du NT). Mais les arguments interprétatifs en faveur de la seconde solution sont également forts. Chez Paul, les remarques sur l'usage général des Églises viennent souvent en conclusion d'un développement ; tel est le cas pour 11, 16, qui conclut la péricope 11, 2-16 ; il est vrai cependant que la situation est inverse en 7, 17, qui introduit l'invitation donnée par Paul à ne pas changer de condition sociale lorsque l'on accède à la foi en Christ. À cela il faut ajouter l'argument avancé dans la note sur le v. 33 (p. 349) que, si l'on faisait du v. 34 la suite logique du v. 33b, le terme « Églises » changerait de connotation dans un même développement, à quelques mots de distance. Cependant, plus encore que les arguments exégétiques, il convient de tenir compte des critères de critique textuelle externe, soulignés par A. Lavrinoviča : plusieurs mss parmi les plus anciens marquent une coupure nette entre le v. 33 et le v. 34 (א A B D F G 88*, moins lisibles p[46] et p[123]) ; il y là un indice sérieux que les interprètes des IIIe et IVe siècles rattachaient le v. 33b au v. 33a qui le précède, et non au v. 34 qui le suit.

La deuxième question sur la délimitation de l'unité concerne le v. 36 : il est composé de deux questions rhétoriques parallèles introduites par la conjonction alternative « ou bien » ; si sa position dans les mss est stable, son rattachement le plus naturel est bien aux versets 34-35 qui le précèdent. Ces deux questions préviennent des contestations que les destinataires pourraient apporter aux injonctions de Paul sur le silence des femmes ; dans les deux cas, ils estimeraient qu'ils n'auraient rien à recevoir de Paul, soit parce qu'ils seraient eux-mêmes source de ce qu'il faut penser et croire (v. 36a), soit parce qu'ils auraient directement reçu la parole de Dieu sans passer par Paul (v. 36b). Ce verset est beaucoup mieux positionné comme conclusion du passage sur le silence des femmes (vv. 34-35), que comme introduction du nouveau développement qui commence au v. 37.

Contexte culturel

Pour être compris, les propos de Paul sur le silence des femmes doivent être éclairés par la culture environnante. Dans la littérature gréco-romaine, les affirmations que les femmes doivent se taire en public sont nombreuses. Plusieurs auteurs méritent ici d'être cités. Ainsi Sophocle (*Ajax* 293) : « La parure des femmes, femme, c'est le silence. » Démocrite (*Proverbes*) : « Parler peu, c'est une vraie parure pour la femme ; la simplicité dans la parure a de la beauté. » Aristote (*Politique* 1, 1260a, 30) : « Pour la femme le silence est une parure, mais pour l'homme, ce n'est plus cela. » On trouve aussi de nombreux propos misogynes dans les *Monostiques* de Ménandre (cité par Paul en 1 Co 15, 33) (*Monostiques* passim). L'un des propos les plus développés dans ce sens est ce passage de Plutarque (*Préceptes sur le mariage* 31-33) : « Une femme honnête doit cacher non seulement ses bras, mais encore ses discours, et n'être pas moins réservée à parler devant des étrangers, que modeste dans son habillement ; car son langage fait connaître ses goûts, ses dispositions et ses mœurs. La Vénus d'Elide, par Phidias, foulait au pied une tortue, pour signifier qu'une femme doit se tenir dans sa maison et y garder le silence. Il faut qu'elle ne parle qu'à son mari, ou par son mari, et qu'elle ne trouve pas mauvais si, comme un joueur de flûte, elle ne se fait entendre que par un organe étranger » (trad. D. Delaunay). Ces propos sur la nécessité que, dans la bonne société, les femmes observent une attitude réservée devant les hommes sont également éclairés par les excès de certains cultes païens où des femmes prenaient des attitudes extatiques, avec des gestes indécents. Dans le culte de Dionysos, bien attesté à Corinthe, les bacchantes (ou ménades) pratiquaient des danses faites de mouvements violents au son d'une musique forte. Le culte de Déméter n'était pas en reste, notamment lors des Thesmophories célébrées chaque année en novembre ; des banquets entre femmes mariées y existaient, plus ou moins orgiaques. La question est débattue de savoir s'il existait à Corinthe de la prostitution sacrée au temps de saint Paul – la réponse est plutôt négative – mais il est certain que, dans le culte d'Aphrodite célébré sur l'Acrocorinthe, les prêtresses célébraient des cultes de fécondité.

La situation n'était pas la même dans le monde juif. Il existe des prophétesses dans l'AT et le NT : ainsi Myriam, sœur de Moïse (Ex 15, 20), Déborah (Jg 4, 4), Houlda (2 R 22, 14 ; 2 Ch 34, 22), Noadya (Ne 6, 14), Anne (Lc 2, 36), Jézabel (Ap 2, 20). Il n'existe dans le judaïsme aucune attestation d'un ordre de silence aux femmes (Crüsemann), mais l'infériorité de la femme par rapport à l'homme et sa soumission nécessaires sont affirmées par le judaïsme hellénistique (*e.g.* Josèphe, *Contre Appion* 2, 200-201) ; et le monde juif ne produit aucun témoignage de femme chargée de prendre la parole dans une assemblée synagogale ou dans une réunion de prière publique. En résumé, que Paul demande aux femmes de se taire lors d'une assemblée de prière n'a rien d'étonnant si l'on tient compte de la culture environnante, tant juive que gréco-romaine.

Interprétation de 1 Co 14, 34-36

Tenant compte de tous ces éléments et des propos que Paul tient ailleurs en 11, 2-16, comment interpréter les injonctions de silence que Paul veut imposer aux femmes en 1 Co 14 ? On ne retient pas une proposition, pourtant stimulante, que Paul, au lieu de donner un ordre, accorderait une permission : celle que les femmes, marquées par le climat social et désireuses de rester silencieuses, pouvaient continuer de ne pas prendre la parole en public (Spurgeon) ; le ton général de 14, 26-40 est impératif, non permissif. On tentera de répondre à la question posée en formulant une remarque et en posant trois sous-questions. La remarque : l'imposition du silence aux femmes ne doit pas être isolée d'autres consignes de silence formulées en amont avec le même verbe (*sigaô*), à savoir le silence demandé aux glossolales s'il n'y a pas de traducteur (v. 28), et le silence demandé aux prophètes si un autre prophète prend la parole (v. 30) ; il n'y a pas, dans le texte, plus d'antiféminisme que d'anti-prophétisme ou d'opposition à la glossolalie (Hensley ; Kontzi-Neresse). Les trois sous-questions : 1° Le propos concerne-t-il toutes les femmes ou seulement certaines d'entre elles ? De fait, le v. 35 fait référence au questionnement du mari à la maison, ce qui laisse entendre que seules sont concernées les femmes mariées, pour lesquelles Paul exprime par ailleurs qu'elles cherchent à plaire à leur mari et non au Seigneur (7, 34). Les femmes qui peuvent prier et prophétiser en public sont sans doute plutôt des femmes célibataires ou des veuves (7, 8), alors qu'il est demandé aux femmes mariées de ne pas prendre la parole en public. La difficulté que Paul veut lever est peut-être que, si une femme mariée prend la parole en public en présence de son mari, elle peut exprimer un point de vue différent du sien et faire du tort au couple (Arichea). Le silence imposé à la femme pendant l'assemblée de prière aurait alors pour objectif d'éviter un conflit hiérarchique (Baum) ; car l'Apôtre, comme tous ses contemporains, considère que le mari est son chef (1 Co 11, 3), qu'elle doit lui être soumise (v. 34), et qu'en conséquence elle ne doit jamais le contredire en public. Cela conduit peut-être à penser que les femmes mariées (à la différence des veuves et des célibataires) sont les principales (ou les seules) concernées (voir plus haut ce qui a été dit à propos des banquets entre femmes dans le culte de Déméter). – 2° Paul interdit-il à ces femmes toute parole ou seulement certaines paroles ? Le verbe « parler » (*laleô*), plusieurs fois utilisé dans la péricope 14, 26-40, veut dire « parler », mais aussi « bavarder ». Il est possible que Paul combatte un certain type de discours féminin : soit le simple bavardage ; soit le parler en langues surabondant, débridé, auto-valorisant, non constructif (Eriksson ; Hasitschka ; Jervis ; Paige ; Quesnel ; Vander Stichele). Car la nécessité de vivre les assemblées dans l'ordre est un de ses principaux soucis (1 Co 14, 40) (Nadeau). Peut-être est-ce principalement ce type de parole mal contrôlé que Paul fustige. – 3° L'interdiction concerne-t-il toutes les Églises ou seulement celle de Corinthe ? La position que nous avons prise sur la place du v. 33b dans la péricope permet de répondre clairement. L'interdiction ne concerne pas toutes les Églises, mais seulement celle de Corinthe, où les désordres dans les assemblées de prière étaient apparemment plus importants qu'ailleurs.

La conclusion de l'unité tient en deux questions rhétoriques par lesquelles Paul nomme des attitudes de ses destinataires contestant son propos. L'Apôtre a donc conscience de ne pas être spontanément compris (Gourgues). Mais pourquoi cela, dans la mesure où il demande simplement de respecter des normes sociales ambiantes ? Sans doute, justement, parce qu'il ne prendrait pas suffisamment de distances par rapport à ces normes, et que certains Corinthiens gagnés au Christ voudraient en prendre (Barton). Le désordre que Paul craint dans l'assemblée réunie par la prière est vraisemblablement double : le désordre d'un parler débridé, peut-être plus difficile à réduire chez les dames que chez les messieurs ; et la violation de certains standards de la société (voir ce qu'il a écrit en 14, 23 sur la surprise de quelqu'un qui entrerait à l'improviste dans l'assemblée réunie) (Hasitschka). Le silence imposé aux femmes n'est pas absolu (cf. 11, 2-16) ; mais leur prise de parole est conditionnée par le respect d'un certain nombre de bonnes mœurs, afin que l'Église ne soit pas considérée comme un groupe d'illuminés méprisant les normes sociétales.

SECTION VII

La résurrection des morts
1 Co 15, 1-58

BIBLIOGRAPHIE

Monographies complètes

K. BARTH, *Die Auferstehung der Toten, Eine akademische Vorlesung über 1. Kor. 15*, Munich 1924.

M.-E. BOISMARD, *Faut-il encore parler de résurrection ?* Paris 1995.

P.J. BROWN, *Bodily Resurrection and Ethics in 1 Cor 15*, Tübingen 2014.

H.C.C. CAVALLIN, *Life after Death. Paul's Argument for the Resurrection of the Dead in 1 Corinthians 15*, Lund 1974.

M.C. DE BOER, *The Defeat of Death. Apocalyptic Eschatology in 1 Cor 15 and Rom 5*, Sheffield 1988.

L. DE LORENZI (ed.), *Résurrection du Christ et des chrétiens*, Rome 1985.

J.M. GARCÍA PÉREZ, *La catéquesis más consoladora de San Pablo. Las luminoses obscuridades de 1 Cor 15*, Madrid 2002.

J. HOLLEMAN, *Resurrection and Parousie. A Traditio-historical Study of Paul's Eschatology in 1 Co 15*, Leiden 1996.

M.D. LITWA, *We Are Being Transformed. Deification in Paul's Soteriology*, Berlin 2012.

A. PAUL, *Croire aujourd'hui dans la résurrection*, Paris 2016.

M. ROSIK, *« In Christ All Will Be Made Alive » (1 Cor 15 : 12-58). The Role of Old Testament Quotations in the Pauline Argumentation for the Resurrection*, Francfort 2013.

I. SAW, *Paul's Rhetoric in 1 Corinthians 15. An Analysis Utilizing the Theories of Classical Rhetoric*, New York 1995.

S. SCHNEIDER, *Auferstehen. Eine neue Deutung von 1 Kor 15*, Würzburg 2005.

G. SELLIN, *Die Streit um die Auferstehung der Töten. Eine religionsgeschichtliche und exegetische Untersuchung von 1. Kor 15*, Göttingen 1986.

W. VERBURG, *Endzeit und Entschlagene. Syntaktisch-sygmatische, semantische und pragmatische Analyse von 1 Kor 15*, Würzburg 1996.

Articles et autres contributions

J.-N. ALETTI, « W. Schrage, *Des erste Brief an die Korinther (1 Kor 15, 1 – 16, 24)*, Neukirchen 2001 », *Bib.* 83, 2002, 422-426.

G. ANTIER, « Entre résurrection de croix : nommer l'événement selon Paul (1 Corinthiens 15) », *ETR* 79, 2004, 477-492.

G. BARTH, « Zur Frage nach der in 1 Korinther 15 bekämpften Auferstehungsleugnung », *ZNW* 83, 1992, 187-201.

M. BERDER, « Didier Franck, lecteur de saint Paul », *Transversalités* 83, 2002, 113-117.

D.Ø. ENDSJØ, « Immortal Bodies, before Christ : Bodily Continuity in Ancient Greece and 1 Corinthians », *JSNT* 30, 2008, 417-439.

D. GERBER, « A propos de l'usage de citations diverses en 1 Co 15 », in *Usages et mésusages de l'Ecriture*, D. FREY, C. GRAPPE, M. WIEGER (eds), Strasbourg 2014, 69-81.

R.B. HAYS, « The Conversion of Imagination : Scripture and Eschatology in 1 Corinthians », *NTS* 45, 1999, 391-412.

C. JANSSEN, « Bodily Resurrection (1 Co 15) ? The Discussion of the Resurrection in Karl Barth, Rudolf Bultmann, Dorothee Sölle and Contemporary Feminist Theology », *JSNT* 79, 2000, 61-78.

C. JANSSEN, « Mit welchem Körper werden wir auferstehen ? Auferstehung und Neuschöpfung in 1 Kor 15 », *BibKirch* 64, 2009, 93-98.

A. JOHNSON, « Turning the World Upside Down in 1 Corinthians 15 : Apocalyptic Epistemology, the Resurrected Body and the New Creation », *EvQ* 75, 2003, 291-309.

J. LAMBRECHT, « Three Brief Notes on 1 Corinthians 15 », *Bijdragen* 62, 2001, 28-41.

A. LINDEMANN, « Paulus und die korintische Eschatologie. Zur These einer "Entwicklung" in paulinischen Denken », *NTS* 37, 1991, 373-399.

B.F. MEYER, « Did Paul's View of the Resurrection of the Dead Undergo Development ? », *TheolStud* 47, 1986, 363-387.

K.J. O'MAHONY, « The Rhetoric of Resurrection (1 Cor 15) : An Illustration of a Rhetorical Method », *MilltownStud* 43, 1999, 112-144.

A. PÉREZ GORDO, « ¿ Es 1 Co 15 una homilia ? », *Burgense* 27, 1986, 9-98.

N. Perrin, « On Raising Osiris in 1 Corinthians 15 », *TynB* 58, 2007, 117-128.

F.S. Tapenden, *Resurrection in Paul : Cognition, Metaphor, and Transformation*, Atlanta 2016, 87-134.

M. Theobald, « "Wenn die Toten gar nicht auferstehen". 1 Korinther 15 », *Erbe und Auftrag* 86, 2010, 427-431.

Ch. Tuckett, « The Corinthians Who Say "There Is no Resurrection of the Dead" (1 Cor 15, 12) », in *The Corinthian Correspondence*, R. Bieringer (ed.), Leuven 1996, 247-275.

J.N. Vorster, « Resurrection Faith in 1 Corinthians 15 », *Neotest.* 23, 1989, 287-307.

J.S. Vos, « Argumentation and Situation in 1 Kor. 15 », *NovTest* 41, 1999, 313-333.

J.L.P. Wolmarans, « 1 Corinthians 15 : The Argument », *Ekklesiasticos Pharos* 80, 1998, 28-38.

D. Zeller, « Die angebliche enthusiastische oder spiritualistische Front in 1 Kor 15 », *StudPhilonAnn* 13, 2001, 176-189.

Dernier grand sujet abordé en 1 Co, la résurrection des morts. Le propos est introduit de façon abrupte, sans que la raison en soit donnée et, d'une certaine façon par un biais. Car les onze premiers versets sont un rappel de la résurrection du Christ, alors que Paul a principalement le souci de convaincre ses destinataires de la résurrection des humains. C'est au v. 12 seulement que l'on découvre l'occasion d'un tel discours, à savoir que quelques (*tines*) Corinthiens prétendent qu'une résurrection de morts ne peut exister. Les onze premiers versets trouvent alors leur raison d'être : la résurrection du Christ prouve qu'une résurrection de morts peut exister. Donc, à sa suite, pourquoi pas celle d'autres personnes humaines ? Dans l'ouvrage fameux qu'il publia en 1924, Karl Barth estimait que ce chapitre était la clef de toute l'épître. Comme toute opinion, celle-là mérite débat ; on peut cependant lui accorder un certain crédit. Le v. 58, en effet, qui clôt le chapitre, a été parfois perçu comme une exhortation éthique qui s'applique à tout ce que Paul a écrit depuis les premières lignes de 1 Co (Mitchell, *Rhetoric*, 283-291). La conviction chrétienne qu'après la mort existe une résurrection corporelle, et non une simple survie de l'âme, a rapport avec cette dimension éthique, car c'est toute la personne qui est appelée à vivre éternellement (Berder ; Brown) ; la vie dans l'au-delà sera une vie active dans la sphère de Dieu, qui n'est plus déterminée par les frontières de la mort (Janssen ; Schneider). Cela a inévitablement des effets rétroactifs : dès maintenant, nous avons à vivre quelque chose de ce qui nous attend après la mort. Ce que l'on exprime souvent en une phrase : la vie éternelle est déjà commencée. Mis à part les exégètes qui estiment que 1 Co est composite et que le chapitre 15 n'a pas de lien avec ce qui précède, on découvre que bien des passages précédents de l'épître prennent une couleur nouvelle à la lumière de 1 Co 15. Par exemple, des attributs divins nommés au chapitre 2 comme « le mystère de Dieu » (2, 1), « la puissance de Dieu » (2, 3), « la sagesse de Dieu » (2, 7), « l'Esprit de Dieu » (2, 11.14), prennent toute leur force dans l'évocation de la vie pleine que Dieu destine aux humains au terme de leur existence terrestre (Johnson).

Plusieurs constructions de ce chapitre ont été proposées. À titre d'exemple, nous reproduisons une architecture littéraire en forme de parallélisme inversé qui peut être séduisante (Wolmarans) :

    A. Prologue (vv. 1-2)
          B. Première *narratio* (vv. 3-11)
               C. *Probatio* (vv. 12-34)
               C'. *Refutatio* (vv. 35-49)
          B'. Deuxième *narratio* (vv. 50-57)
    A'. Épilogue (v. 58)

Autant ce modèle fonctionne assez bien jusqu'au v. 34, autant le deuxième volet du parallélisme est discutable ; s'il y a bien de la *narratio* dans les vv. 50-57, ce passage contient aussi tout autre chose ; quant au développement qui commence au v. 35, il n'y a guère de raison de l'appeler *refutatio*. Il semble plutôt ouvrir une question complémentaire mais autre que celle traitée dans le premier volet. Après avoir argumenté sur le fait de la résurrection des humains (vv. 12-34), Paul aborde la question du comment (vv. 35-57), qui fait également difficulté aux destinataires. C'est précisément parce qu'on ne parvient pas à se représenter comment les choses peuvent se passer que l'on peut être conduit à nier la résurrection. On peut d'ailleurs remarquer que la conjonction interrogative « comment » (*pôs*) introduit aussi le passage sur le fait lui-même, autrement dit sur le « quoi ». On la trouve au v. 12 : « Comment certains parmi vous... ? » et au v. 35 : « Comment les morts ressuscitent-ils ? ». D'où la construction possible, tenant compte au plus près des mots du texte :

    1. Rappel du kérygme et *narratio* (vv. 1-11)
    2. Le fait de la résurrection (vv. 12-34)
          A. Question de départ : « Comment ? » (v. 12)
               B. Tournures conditionnelles (vv. 13-19)
                    C. Nouveau rappel du kérygme (vv. 20-28)
               B'. Tournures conditionnelles (vv. 29-32)
          A'. Première exhortation conclusive (vv. 33-34)
    3. Le comment de la résurrection (vv. 35-58)
          A. Question de départ : « Comment ? » (v. 35)
               B. Corruption-incorruptibilité (v. 42-49)

C. Scénario eschatologique en forme de *narratio*
(vv. 50-52)
B'. Corruption-incorruptibilité (vv. 53-56)
A'. Action de grâces et deuxième exhortation conclusive
(vv. 57-58)

Cette construction complexe est au service d'une rhétorique délibérative (Pérez Gordo ; Saw ; Vorster), à laquelle l'auteur fait appel pour se battre sur deux fronts : le front logique et le front imaginatif (O'Mahony). Paul a manifestement l'intention de convaincre. Les vv. 1-11 sont un rappel du kérygme, et, en même temps, puisque l'Apôtre se présente comme un des témoins de la résurrection du Christ, cela l'autorise à prendre la parole ; il dispose du pouvoir et du savoir. Le découpage en péricopes ici retenu pour 1 Co 15 ne peut cependant pas traiter isolément des passages aussi courts ou aussi longs que ceux indiqués dans la structure ci-dessus ; il respecte les grandes césures entre les vv. 11 et 12 et entre les vv. 34 et 35 ; il marque aussi les coupures entre les vv. 19 et 20, les vv. 28 et 29, les vv. 49 et 50.

L'une des grandes questions que pose ce discours est de savoir contre quoi Paul se bat. En d'autres termes, quelle est la position des fidèles de Corinthe qui prétendent que des humains ne peuvent pas ressusciter (v. 12) ? Les opinions sur la vie après la mort – si elle existe – sont tellement nombreuses, que c'est très difficile à déterminer. Le mythe égyptien de la résurrection d'Osiris était connu de toute l'Antiquité (Perrin). Le monde gréco-romain connaissait un processus de divinisation des héros ; mais, pour les personnes ordinaires, la croyance dominante était celle de l'immortalité de l'âme, inspirée d'un platonisme populaire. La révélation biblique elle-même n'est pas univoque, et la pensée juive contemporaine de Paul ne l'est pas davantage (Cavallin). Chaque courant y allait de sa conviction : résurrection pour les Pharisiens mais pas pour les Sadducéens (Ac 23, 6-8), sans doute survie de l'esprit chez les Esséniens (A. Paul, 71-86), immortalité de l'âme chez Philon (A. Paul, 55-69). Chaque commentateur de 1 Corinthiens 15 y est donc allé de son hypothèse sur les croyances des fidèles de Corinthe qui niaient la résurrection des humains tout en admettant en général celle du Christ (Aletti). On peut les regrouper sous trois chefs (bibliographie complète chez Tuckett ; et Thiselton*, 1172-1177). 1° Premier chef : la mort est la fin de tout pour les gens ordinaires. À l'intérieur de cette position existent deux sous-positions : soit, toute forme de vie après la mort est niée, comme chez les Sadducéens et chez Épicure (*e.g.* Hays ; Lambrecht ; Vos) ; soit la vie après la mort n'existera que pour les personnes qui seront encore vivantes au moment de la Parousie (Schlatter, *Bote*). – 2° Deuxième chef : croyance en l'immortalité de l'âme ou de l'esprit, et refus d'une résurrection corporelle ; la majorité des commentateurs va dans ce sens (*e.g.* Horsley* ; Lietzmann* ; Robertson, Plummer* ; Schrage* ; Sellin, *Streit*). Il existe une variante de cette position : l'idée que, la résurrection des humains étant eschatologique, les corps se seront détériorés et ne seront plus en état de ressusciter (Endsjø). – 3° Troisième chef : les croyants en Christ sont des spirituels (*pneumatikoi*), ils vivent déjà la résurrection qui a déjà eu lieu (cf. 2 Tm 2, 18) ; cette position est surtout répandue chez les chercheurs qui · estiment que les Corinthiens dissidents sont des gnostiques enthousiastes (*e. g.* Barrett* ; Fee* ; Schmithals, *Gnosis ;* Theobald ; Thiselton*). – Devant une telle quantité de possibles, il arrive que les chercheurs baissent les bras et préfèrent ne pas trop chercher à connaître la position des Corinthiens qui nient la résurrection des humains, car cela n'aide guère à la compréhension du texte (*e.g.* Senft*). Une autre façon de dépasser le débat pourrait être celle-ci : les points de vue sur l'au-delà sont tellement divers et incertains qu'il y avait sans doute à Corinthe des croyants de différentes opinions qui peut-être, déjà, disputaient vivement entre eux de ces questions (Mitchell, *Rhetoric*, 175-177 ; malgré Fee*) ; Paul n'aurait pas eu en face de lui une seule catégorie d'incrédules. Dans une métropole aussi étendue et diverse que Corinthe, c'est à nos yeux la situation la plus vraisemblable.

Si connaître la situation sous-jacente au texte est quasiment impossible, il semble moins difficile de connaître le contenu de la résurrection des humains selon Paul. Le texte en parle plus directement. Il convient de répondre à quatre questions : la résurrection, quoi ? qui ? quand ? comment ? 1° La résurrection, quoi ? La position de Paul s'inspire de ce que l'on peut savoir de la résurrection de Jésus, qu'il rappelle au début de ce chapitre et plus haut en 9, 1. L'Apôtre l'a vu, donc le Seigneur Jésus possède une forme corporelle. On ne sait ce que Paul connaissait des récits du tombeau ouvert ou des manifestations du Ressuscité rapportées en forme narrative par les évangiles de Matthieu, Luc et Jean ; tous ces récits témoignent du fait que sa corporéité était autre qu'une corporéité terrestre ordinaire. Paul crée alors une notion originale, tentant de rendre compte de cette nouvelle corporéité, celle de « corps spirituel » (*sôma pneumatikon*) (voir le commentaire sur 15, 44). – 2° La résurrection, qui ? Autrement dit, qui ressuscitera ? Uniquement les chrétiens (*e.g.* Héring*), ou l'ensemble de l'humanité ? Certains auteurs estiment que 1 Co 15 ne permet pas de le préciser (Aletti). À la différence de ces derniers, on remarquera que l'ensemble du chapitre est construit sur un contraste entre « quelques-uns » (*tines*, v. 12) d'une part, et « tous » (*pantes*) ou « tout » (*panta*) d'autre part, et que le langage de la totalité est principalement employé dans les vv. 22-28, lorsque Paul décrit la victoire finale du Christ et la destruction définitive des puissances du mal. Il est clair que le salut final concerne tous les humains (cf. la mention d'Adam au v. 22) : « tous seront vivifiés en Christ » ; et, au v. 28 : « ... afin que Dieu soit tout en tous. » Une telle universalité du salut laisse même entendre que personne n'en sera exclu, ce qui met en cause la conception traditionnelle de l'enfer. – 3° La résurrection, quand ? Immédiatement après la mort ou à la fin des temps ? La question est peut-être dépourvue de sens, car peut-on parler de temporalité dans l'au-delà ? Paul, d'ailleurs, n'y répond pas directement ;

il est clair cependant que, pour lui, la résurrection est liée aux événements eschatologiques. – 4° La résurrection, comment? La question était sans doute posée par les fidèles de Corinthe, l'impossibilité de se représenter les choses était vraisemblablement en partie à l'origine de leurs doutes. Paul la repose lui-même au v. 35. Il y répond d'une double façon: par un langage métaphorique utilisant la notion de « corps spirituel » (vv. 36-46); et par un récit des événements de la fin présenté comme un mystère qu'il porte à la connaissance de ses destinataires (vv. 51-52); l'une des notions clefs de cette description est celle de « transformation ».

Une dernière question vaut d'être posée dans ce chapitre de synthèse sur 1 Co 15. Nous disposons là du discours le plus construit de Paul sur la résurrection des personnes humaines, régulièrement ponctué de citations scripturaires pour soutenir l'argumentation: Ps 109^{LXX}, 1b cité au v. 25; Ps 8, 7b cité au v. 27; Is 22, 13b cité au v. 32; Gn 2, 7b cité au v. 45; Is 25, 8a cité au v. 54; Os 13, 14b cité au v. 55 (Gerber; Rosik). Son discours a-t-il évolué par rapport à ce qu'il en disait antérieurement? et les propos qu'il tiendra par la suite sont-ils proches de ceux qu'il tient ici ou sont-ils différents? En amont, on peut citer le récit des événements de la fin qu'il a donné en 1 Th 4, 13-18. Le scénario de 1 Thessaloniciens est plus imagé; celui de 1 Co 15, 51-52 est plus conceptuel. Il est possible que Paul ait été conduit à ce changement de vocabulaire parce qu'il y avait à Corinthe, parmi ses destinataires, davantage d'intellectuels; mais le message est substantiellement le même. Plus complexe est la comparaison avec ce que Paul écrit de la résurrection des personnes humaines en 2 Corinthiens et en Philippiens. En Ph 1, 23, Paul emploie, pour la vie qui sera la sienne après sa mort, l'expression « être avec Christ »; la préposition « avec » (*syn*) est présente avec la même fonction en 1 Th 4, 17; elle ne l'est pas en 1 Co 15; mais aucun élément du texte de 1 Co 15 ne la contredit. En 2 Co 5, 1-10, le langage de changement utilisé pour le passage d'une vie dans l'autre n'est pas celui de la transformation, mais celui d'un *nouveau vêtement* (v. 4), lui-même déjà utilisé en 1 Co 15, 54; ce qui peut sembler superficiel pour une mentalité moderne ne l'est pas dans le langage de l'Antiquité, où le vêtement est constitutif de l'identité (cf. Ga 3, 27). En conséquence, il ne semble pas qu'il y ait des différences fondamentales sur la conception de la résurrection lorsque l'on compare l'ensemble des passages des *homologoumena* où Paul en parle; les langages différents sont principalement dus au contexte littéraire et aux situations des destinataires (Lindemann; Meyer). Il vaut la peine de remarquer, par exemple, que le verbe « se lever » (*anistèmi*), employé en 1 Th 4, 14.16 pour nommer la résurrection du Christ et des chrétiens, n'est pas repris en 1 Co 15; Paul lui préfère alors le verbe « être réveillé » (*egeiromai*), employé plus de 15 fois dans ce chapitre. Dans tout discours de ce type, trois éléments sont inévitablement à articuler: l'événement de référence, le sujet abordé, et le type de langage employé (Antier). Cela contribue à la complexité du texte.

Rappel du kérygme : Christ a été réveillé
(15, 1-11)

TRADUCTION

15, 1 Je vous fais connaître, frères, l'Évangile dont je vous évangélisai, qu'aussi vous reçûtes, dans lequel aussi vous vous êtes tenus, 2 par lequel aussi vous êtes sauvés si vous le retenez[a] avec la teneur dans laquelle je vous évangélisai, à moins que vous n'ayez cru en vain. 3 Car je vous ai livré en premier lieu ce que je reçus aussi[b] : que Christ mourut pour nos péchés selon les Écritures 4 et qu'il fut inhumé, et qu'il a été réveillé le troisième jour selon les Écritures 5 et qu'il se fit voir à Céphas puis[c] aux Douze[d] ; 6 ensuite il se fit voir à plus de cinq cents frères à la fois, parmi lesquels la plupart demeurent jusqu'à présent, mais quelques-uns s'endormirent (dans la mort)[e] ; 7 ensuite il se fit voir à Jacques puis[f] à tous les apôtres ; 8 en dernier de tous, pour ainsi dire à l'avorton, il se fit voir aussi à moi. 9 Car je suis le moindre des apôtres, moi qui ne suis pas qualifié pour être appelé apôtre, parce que je persécutai l'Église de Dieu. 10 C'est par grâce de Dieu que je suis ce que je suis, et sa grâce pour moi ne devint pas vide[g], mais je peinai plus qu'eux tous, non pas moi mais la grâce de Dieu (qui est) avec moi[h]. 11 Donc, qu'il s'agisse de moi, qu'il s'agisse d'eux, c'est ainsi que nous prêchons et c'est ainsi que vous crûtes.

    [a] La majorité des témoins porte εἰ κατέχετε (si vous le retenez). On trouve εἰ ὀφείλετε κατέχειν (si vous devez le retenir) en D*.c F G ar bt vgms ; Ambrosiaster. Correction sans doute volontaire, mais peu compréhensible (*e.g.* Héring*, 132-133).

    [b] Le membre de phrase ὃ καὶ παρέλαβον (ce que je reçus aussi) est omis par b ; Irénéelat Ambrosiaster. Il s'agit sans doute d'une omission volontaire, de tendance marcionite, voulant dissimuler que Paul dépend d'une tradition antérieure à lui.

    [c] Dans notre traduction, nous marquons la différence entre εἶτα (puis) et ἔπειτα (ensuite). Le second adverbe est plus courant dans une énumération. Ici, εἶτα est attesté par p46 B D2 Ψ 0243. 1739. 1881 *Byz* ; Origène. Il est remplacé par ἔπειτα en ℵ A 33. 81. 614. 1175 *pc* ; et par καὶ μετὰ ταῦτα en D* F G lat. La troisième leçon est sans doute une correction volontaire, pour marquer la distance chronologique entre l'apparition à Pierre et l'apparition aux Douze. La deuxième est sans doute influencée par les emplois de ἔπειτα qui suivent.

    [d] Au lieu de τοῖς δώδεκα (les Douze), on trouve τοῖς ἕνδεκα (les Onze) en D* F G latt syhmg : correction volontaire par volonté d'exactitude historique, car Judas n'est pas du nombre (voir Mt 28, 16).

    [e] La majorité des mss porte τινὲς δὲ ἐκοιμήθησαν. Ainsi p46 ℵ* A*vid B D* F G 0243. 6. 630. 1739. 1881 *pc* latt syh ; Origène. On trouve τινὲς δὲ καὶ ἐκοιμήθησαν en ℵ2 Ac D2 Ψ 048. 33 *Byz*. Moins bien attestée, la leçon avec καί est sans doute une correction volontaire, tendant à rappeler que d'autres témoins sont également morts lorsque Paul écrit, par exemple Jacques frère de Jean (Ac 12, 2).

ᶠ Remplacement de εἶτα par ἔπειτα en p⁴⁶ ℵ* A F G K 048. 0243. 33. 81. 614. 630. 1175. 1739. 1881 *al*. Remplacement sans doute secondaire (cf. note ᶜ).

ᵍ L'adjectif κενή (vide) est remplacé par πτωχή (pauvre) en D* (FG) b ; Ambrosiaster. Sans doute correction volontaire, la métaphore du vide étant plus difficile à comprendre.

ʰ Trois leçons différentes, avec une faible variation de sens. 1° ἡ σὺν ἐμοί (ℵ² A D¹ K P Ψ 33. 81. 88. 1241. 1881 *Byz* syᵖ coˢᵃ·ᵇᵒ arm eth ; Origèneˡᵃᵗ Basile Chrysostome). – 2° ἡ εἰς ἐμέ (p⁴⁶ syʰᵐᵍ ; Théodoret). - 3° σὺν ἐμοί sans article (ℵ* B D* F G 0243. 0270*. 6. 1739 *pc* latt). La variante 2, secondaire, est influencée par la formulation du début du verset. La suppression de l'article (variante 3) est sans doute également involontaire.

BIBLIOGRAPHIE

En plus des titres indiqués pour 1 Co 15, 1-58

J.J. Bartolomé Lafuente, « "Soy lo que soy por gracia de Dios" (1 Cor 15, 10). La experiencia de la gracia come clave para la comprensión de Pablo », *EstB* 57, 1999, 125-146. – C. Breytenbach, « "Christus starb für uns". Zur Tradition und paulinischen Rezeption der sogenannten "Sterbeformeln" », *NTS* 48, 2003, 447-475. – J. Christensen, « And that He Rose on the Third Day according to the Scriptures », *ScandJournOT* 4, 1990, 101-113. – C. Combet-Galland, « Un héritage en travail : Paul et la confession de foi », *FoiVie* 34, 1995, 15-25. – J.G. Cook, « Resurrection in Paganism and the Question of an Empty Tomb in 1 Corinthians 15 », *NTS* 63, 2017, 56-75. – W. Coppins, « Doing Justice to the Two Perspectives of 1 Corinthians 15 : 1-11 », *Neotest*. 44, 2010, 282-291. – N.C. Croy, « A Note on 1 Corinthians 15. 1-2 », *BibTrans* 55, 2004, 243-246. – J.D.M. Derrett, « "Over Five Hundred at one Time" (1 Cor. 15 : 6) », *JournHighCrit* 11, 2005, 50-54. – L. De Saeger, « "Für unsere Sünden" : 1 Kor 15, 3b und Gal 1, 4a im exegetischen Vergleich », *EThL* 77, 2001, 169-191. – C. Eschner, *Gestorben und hingegeben "für" die Sünden. Die griechische Konzeption des Unheil abwendenden Sterbens und deren paulinische Aufnahme für die Deutung des Todes Jesu Christi*, 2 vol., Neukirchen-Vluyn 2010. – B. Gerhardsson, « 1 Kor 15 än en gång », *SvenskExegÅrs* 68, 2003, 187-188. – A. Gieniusz, « "As a Miscarriage". The Meaning and the Function of the Metaphor in 1 Cor 15 : 1-11 in Light of Num 12 : 12 (LXX) », *Biblical Annals* [Lublin] 3, 2013, 93-107. – D.R.A. Hare, « When Did "Messiah" Became a Proper Name ? », *ET* 121, 2009, 70-73. – H.W. Hollander, G.E. van der Hout, « The Apostle Paul Calling Himself an Abortion : 1 Cor. 15, 8 within the Context of 1 Cor. 15 : 8-10 », *NT* 38, 1996, 224-236. – S. Joubert, « "Seeing the Error of My Ways". Revisiting Paul's Paradigmatic, Self-Critical Remarks in 1 Corinthians 15 : 8-10 », *ActaTheol* 33, 2013, 74-89. – J. Kremer, *Das älteste Zeugnis von der Auferstehung Christi. Eine bibeltheologische Studie zur Aussage und Bedeutung von 1 Kor 15, 1-11*, Stuttgart 1966. – J. Lambrecht, « Line of Thought in 1 Cor 15, 1-11 », *Gregorianum* 72, 1991, 655-670. – K. Lehmann, *Auferweckt am dritten Tag nach der Schrift. Früheste Christologie, Bekenntnisbildung und Schriftauslegung im Lichte von 1 Kor. 15, 3-5*, Fribourg 1968. – X. Léon-Dufour, *Résurrection de Jésus et message pascal*, Paris 1971. – G. Lüdemann, « Peter's Mourning and his Easter

Vision », *FourthR* 27, 2014, 9-12, 16-18, 24. – K.R. MACGREGOR, « 1 Corinthians 15 : 3b-6a, 7 and the Bodily Resurrection of Jesus », *JETS* 49, 2006, 225-234. – B. DE MARGERIE, « Le troisième jour, selon les Écritures, il est ressuscité. Importance théologique d'une recherche exégétique », *RevSR* 60, 1986, 158-188. – M.W. MITCHELL, *Abortion and the Apostolate. A Study in Pauline Conversion, Rhetoric, and Scholarship*, Piscataway, NJ 2009. – M.W. MITCHELL, « Reexamining the "Aborted Apostle" : An Exploration of Paul's Self-Description in 1 Corinthians 15. 8 », *JSNT* 25, 2003, 469-485. – D.M. MOFFITT, « Affirming the "Creed" : The Extent of Paul's Citation of an Early Christian Formula in 1 Cor 15, 3b-7 », *ZNW* 99, 2008, 49-73. – A. PASTOR RAMOS, « Murió por nuestros pecados (1 Cor 15, 3 ; Ga 1, 4). Observaciones sobre el origen de esta fórmula en Is 53 », *EstEcl* 61, 1986, 385-393. – M. PICKUP, « "On the Third Day" : The Time Frame of Jesus' Death and Resurrection », *JETS* 56, 2013, 511-542. – J. PLEVNIK, « Paul's Appeals to His Damascus Experience and 1 Cor. 15 : 5-7 : Are They Legitimations ? », *TorontoJournTheol* 4, 1988, 101-111. – J.C. POIRIER, « Psalm 16 : 10 and the Resurrection of Jesus "on the Third Day" (1 Corinthians 15 : 4) », *JournStudPaulLett* 4, 2014, 149-167. – R.M. PRICE, « Apocryphal Apparitions : 1 Corinthians 15 : 3-11 as a Post-Pauline Interpolation », *JournHighCrit* 2, 1995, 69-99. – M. QUESNEL, « Histoire de l'attribution à Jésus des titres Messie et Fils de Dieu », in *Penser la foi, Mél. Joseph Moingt*, J. DORÉ, C. THEOBALD (dirs), Paris 1993, 81-94. – A. SATAKE, « 1 Kor 15, 3 und das Verhalten von Paulus den Jerusalemern gegenüber », *AnnJapanBibInst* 16, 1990, 100-111. – M. SCHAEFER, « Paulus, "Fehlgeburt" oder "unvernünftiges Kind" ? Ein Interpretationsvorschlag zu 1 Kor 15, 8 », *ZNW* 85, 1994, 207-217. – J. THIESSEN, « First Fruits and the Day of Christ's Resurrection : An Examination of the Relationship between the "Third Day" in 1 Cor 15 : 4 and the "Firstfruit" in 1 Cor 15 : 20 », *Neotest.* 46, 2012, 379-393. – J. WARE, « The Resurrection of Jesus in the Pre-Pauline Formula of 1 Cor 15. 3-5 », *NTS* 60, 2014, 475-498. – J.R. WHITE, « "He Was raised on the Third Day according to the Scriptures" (1 Corinthians 15 : 4) : A Typological Interpretation Based on the Cultic Calendar in Leviticus 23 », *TynB* 66, 2015, 103-119.

INTERPRÉTATION

Paul aborde de but en blanc la question de la résurrection du Christ sans en donner la raison. Cette dernière ne sera exprimée qu'au v. 12 : il rédige le chapitre 15 parce que certains Corinthiens estiment que les morts ne ressuscitent pas. Une telle position est pour Paul intenable : la résurrection du Christ, sur laquelle se fonde la foi chrétienne (15, 14), est elle-même la preuve qu'une résurrection peut exister. Paul se considérant lui-même comme bénéficiaire des manifestations du Christ ressuscité après sa Passion, ce passage a également pour fonction de confirmer son autorité auprès de ses destinataires. Comme tous les apôtres, il est bien placé pour aborder cette question. C'est la deuxième fois dans l'épître que Paul se réfère à une tradition dont il rappelle qu'elle a déjà été enseignée aux Corinthiens ; la première, c'était en 11, 17-34 à propos du Dîner du Seigneur. Ici, la référence est explicitement faite à l'Évangile dont Paul semble écrire, au v. 3, qu'il le reçut. Ce fait a conduit des auteurs à émettre l'opinion que les vv. 3-11 sont une interpolation non paulinienne, puisque, dans l'épître aux Galates, l'Apôtre écrit à ses destinataires qu'il reçut directement son Évangile par une révélation de Jésus Christ (Ga 1, 1.11-12), et donc qu'il ne peut le tenir de la tradition (Price). L'argument n'est pourtant pas prégnant; à partir du v. 3b, Paul cite effectivement une sorte de *credo* qu'il tient de la tradition, mais ce n'est pas incompatible avec le fait qu'il a « vu Jésus notre Seigneur » (9, 1), et que là est la source de son Évangile.

Les pronoms personnels employés mettent en valeur la structure de la péricope et le cheminement de la pensée. Du v. 1a au v. 3a, existe une alternance de « je » et de « vous » : Paul rappelle ce qu'il a fait auprès des Corinthiens et la façon dont ils ont réagi à son action. Du v. 3b au v. 8, les verbes des propositions principales sont formulés à la 3e personne, le sujet étant « Christ », nommé en 3b. Aux vv. 9-10, Paul parle de lui en disant « je », le pronom de la 1re personne (*egô*) étant employé pas moins de trois fois. Le v. 11 est conclusif, rappelant ce que les apôtres prêchent (1re personne du pluriel) et comment les Corinthiens réagirent (2e personne du pluriel). Au plan de la structure littéraire, le v. 5 commande les vv. 6-8. On trouve en effet au v. 5 deux termes importants de la révélation du Ressuscité : le verbe « voir » (il s'est fait voir : *ôphthè*) et l'adverbe de temps « puis » (*eita*). Ces deux mots sont repris dans les vv. 6-8, pour énoncer la liste de tous ceux qui, après Céphas et les Douze, ont été bénéficiaires d'apparitions analogues : plus de cinq cents frères, Jacques, tous les apôtres, et Paul lui-même. Pour le verbe *ôphthè*, c'est une fois au v. 6 et deux fois au v. 7. Pour les indications temporelles, le texte les aligne également dans ces mêmes vv. 6-8 : « ensuite » (*epeita ;* vv. 6 et 7a); « puis » (*eita ;* v. 7b); et « en dernier » (*eschaton*) pour qualifier l'apparition à Paul (v. 8). Cette succession chronologique d'événements pose la question de savoir où s'arrête la formule que Paul cite et qu'il dit emprunter à la tradition. Il est clair qu'elle commence en 3b : Christ mourut selon les Écritures et fut inhumé. Puis vient l'affirmation de la Résurrection, toujours selon les Écritures, et l'apparition à Céphas. Quelques auteurs estiment que la citation s'arrête là et que, à partir du v. 5b avec la mention des Douze, Paul reprend personnellement la parole pour nommer les témoins de la Résurrection postérieurs à Céphas (*e.g.* Fitzmyer*). Cette position est cependant peu suivie. Deux arguments s'y opposent : le premier est que le verbe « il s'est fait voir » (*ôphthè*) n'est pas repris pour indiquer l'apparition aux Douze, donc que le v. 5b fait corps avec le v. 5a; le second, plus fort encore, est que l'expression « les Douze » n'est pas du tout paulinienne – on ne la trouve nulle part ailleurs dans le corpus paulinien – et donc que Paul l'emprunte presque certainement à la tradition. À l'inverse, il existe des auteurs qui estiment que le *credo* cité par Paul va plus loin que le v. 5 et comporte les vv. 6a et 7 (Moffitt); ou même que le nom de Paul (v. 8) y figurait déjà (Satake); si tel était le cas, la formulation dudit *credo* perdrait son rythme. Le faire arrêter à la fin du v. 5 semble la meilleure hypothèse.

Une dernière question qu'il faut évoquer à propos de cette évocation de la résurrection du Christ est celle de son authenticité. S'agit-il d'un événement historique ou non ? Cette question dépasse évidemment les limites du présent commentaire : des livres entiers lui sont consacrés, dont plusieurs sont cités dans la présente bibliographie (Eschner ; Kremer ; Léon-Dufour). Certains auteurs nient complètement que la résurrection du Christ eut lieu, et estiment que Pierre puis d'autres, déçus par la fin tragique de Jésus et désirant qu'il ne soit pas mort définitivement, eurent l'illusion de le « voir » vivant, sans que cela fût réel (Lüdemann). Un détour par la langue allemande permet d'orienter vers une réponse plus fine que la simple affirmation ou la simple négation de la résurrection de Jésus comme événement historique. L'allemand distingue, en effet, deux réalités à l'intérieur de ce que nous qualifions en français d'historique : l'adjectif *geschichtlich* se réfère à un événement qui s'est réellement produit ; l'adjectif *historisch* qualifie un événement dont il est possible d'établir la réalité par des méthodes relevant de l'*Historie*, c'est-à-dire la science historique (ou historienne !). En appliquant cette distinction à la résurrection de Jésus, les textes du NT ne la présentent jamais comme un événement constaté par des témoins neutres ; le Ressuscité n'est allé se montrer ni à Caïphe ni à Pilate ! En ce sens, il ne s'agit pas d'un événement *historisch*. En revanche, ce fut peut-être un événement réel qui s'imposa aux personnes que les textes présentent comme en ayant été témoins, donc tout autre chose que la simple projection de leurs désirs. En ce sens, elle serait *geschichtlich*. Des exégètes francophones ont tenté de rendre l'adjectif allemand *geschichtlich* par le néologisme « historial » ou « historiel », mais ce vocabulaire ne s'est pas imposé ; on utilise plutôt « événementiel ». Quoi qu'il en soit, croire ou non en la réalité de la résurrection du Christ dépasse le commentaire du texte ; cela relève de la foi ou de la non-foi.

VV. 1-3a – Aucune transition ne fait le lien entre la fin du chapitre 14 et le début du chapitre 15, qui commence brutalement par une information : « Je vous fais connaître. » Si lien il y a avec ce qui précède, ce pourrait être avec 14, 38, où Paul énonce une maxime sur l'ignorance. Il pourrait alors y avoir de l'ironie dans le v. 1 (Fee*) : certains des Corinthiens auraient oublié quelque chose d'aussi essentiel que l'Évangile ! L'ironie n'est pourtant pas certaine. Car, si l'Évangile ici annoncé par Paul ne peut avoir auprès de ses destinataires un caractère de nouveauté, il peut y avoir de la nouveauté pour eux dans le petit *credo* des vv. 3b-5, que Paul n'a peut-être jamais encore enseigné avec cette formulation-là, très facile à mémoriser. Quant à l'Évangile lui-même, ils le reçurent déjà (verbe *paralambanô* repris au v. 3) ; l'essentiel est pour eux de s'y tenir (verbe *histèmi*) et d'en conserver la teneur (sens possible du terme *logos*), car le risque existe toujours de ne le conserver que de façon formelle. La répartition des pronoms personnels aux vv. 1-2 met en valeur, en alternance, le rôle de Paul, qui évangélisa, et le rôle des Corinthiens dans les trois dimensions de la temporalité : ils reçurent l'Évangile (passé), ils s'y sont tenus et s'y tiennent (dimension passée et présente du parfait), ils seront sauvés (salut futur bien que le verbe soit conjugué au présent). Le v. 3a est l'annonce du résumé traditionnel de la foi qui va être reproduit aux vv. 3b-5. Comme en 11, 23 où Paul annonce un autre élément de la tradition, il contient les deux verbes clefs de la réception (*paralambanô*) et de la transmission (*paradidômi*).

VV 3b-5 – Ces versets en forme rythmée, que Paul présente comme les ayant transmis après les avoir reçus, sont sans aucune doute la citation d'une formule traditionnelle que l'on a pu appeler « le premier *credo* chrétien ». Deux volets de longueur équivalente le constituent, le premier (vv. 3b.3c.4a) sur la mort de Christ et son inhumation, le second (vv. 4b.4c.5) sur sa résurrection et les « visions » qui s'ensuivirent, avec le refrain « selon les Écritures » au cœur de chacun de ces deux volets. Des quatre verbes qui figurent dans ce passage, trois sont à l'aoriste (mourir, être inhumé, être vu) ; un est au parfait (être réveillé). Cette particularité pour le réveil est significative : elle rappelle que si trois de ces événements correspondent à des passés ponctuels, la quatrième, le réveil, a des conséquences qui demeurent : Christ est toujours éveillé, ce jusqu'à la fin des temps. Chacune des quatre propositions est introduite par la conjonction « que » (*hoti*), qui fait de chacune d'elle une complétive de « je vous ai livré » au v. 3a. Paul reprend chacune des affirmations à son compte. Pourtant il n'en est pas l'auteur ; la composition du passage est antérieure à celle de 1 Co ; elle pourrait remonter aux années 50 ou même un peu avant. Le sujet de l'ensemble, au v. 3b, est *Christos*, sans article. Cela pose la question de la façon dont cet adjectif verbal, qui signifie « oint » et traduit l'hébreu *māšiaḥ*, a été utilisé comme nom propre. Il est vraisemblable que la question de la messianité de Jésus s'est posée pour ses disciples avant même la Passion ; la confession de foi de Pierre, rapportée en Mc 8, 29 et parallèles, a sans doute des bases historiques. Mais l'exécution de Jésus par les Romains signait l'échec de sa mission ; les disciples furent alors persuadés qu'ils s'étaient trompés sur sa messianité. La résurrection changea intégralement les choses. Réveillé et relevé par l'action de Dieu, Jésus reçut rapidement trois titres exprimant sa condition nouvelle. Il était Seigneur (*kurios*) comme l'empereur ; il était Fils de Dieu (le juste que Dieu protège est « fils de Dieu » selon Sg 2, 18) ; et on lui attribuait à nouveau le titre de Messie (*christos*) que sa mort honteuse avait mis en doute. 1 Co 15, 3b est la première attestation littéraire connue de l'emploi de *Christos* seul, comme équivalent d'un nom propre (Hare ; Quesnel). La mort de Jésus prend alors un sens théologique et non simplement factuel : elle eut lieu « pour nos péchés », syntagme que l'on retrouve en Ga 1, 4, avec la préposition *peri* au lieu de *huper*. On peut l'interpréter d'une double façon : il peut avoir un sens causal (à cause de nos péchés) ou un sens final, à condition d'ajouter un verbe sous-entendu (afin de *nous sauver de nos péchés*) (Breytenbach ; De Saeger ; Eschner ; voir aussi la Note théolo-

gique sur 1 Co 1, 10-17, p. 72-73). Le premier volet s'achève sur la mention
de la sépulture de Christ ; elle n'a sans doute pas d'autre but que d'insister
sur la réalité de sa mort, cela contre des conceptions docétistes ou gnostiques ; Paul l'exploitera plus loin en 15, 35-44, lorsqu'il s'attachera
au comment de la résurrection des humains ; eux aussi sont généralement
inhumés.

Le deuxième volet, constitué par les vv. 4b, 4c et 5, traite de la résurrection du même *Christos*. Deux verbes, dans le NT, sont utilisés pour décrire
cet événement : « être réveillé » (passif de *egeirô*), employé ici ; et « se lever »
(*anistèmi*), que l'on trouve chez Paul en 1 Th 4, 14. On a remarqué plus haut
que « être réveillé » était conjugué au parfait, ce qui indique la permanence
de cet état d'éveil. De même que la mention de la mort était complétée par
une formule en indiquant la portée théologique, « pour nos péchés », celle de
la résurrection reçoit aussi un complément, à savoir l'indication du troisième
jour, et elle est suivie du même refrain, « selon les Écritures ». Cette indication chronologique concorde avec ce que l'on connaît des événements par
ailleurs : Jésus étant mort un vendredi, le dimanche, premier jour où il se fit
voir vivant après sa mort, est, selon la façon de compter dans l'Antiquité, le
troisième jour après le vendredi (Héring*). Mais l'indication a également une
valeur théologique, le troisième jour étant, dans la tradition juive, le jour où
Dieu relève après une difficulté. Le texte le plus souvent allégué dans ce sens
est Os 6, 1-2. Au v. 5 sont nommés les premiers bénéficiaires des apparitions
du Ressuscité, en commençant par Pierre, dans une suite présentée comme
chronologique. Les évangiles ne racontent pas cette apparition, mais une
allusion y est faite en Lc 24, 34. Le fait qu'il est le premier bénéficiaire de
ces apparitions confirme son rôle comme chef du groupe des Douze, ce
qu'attestent toutes les listes du NT (Mt 10, 2-4 ; Mc 3, 16-18 ; Lc 6, 14-
16 ; Ac 1, 13). En deuxième lieu sont nommés les Douze en tant que groupe.
Plusieurs récits d'apparition aux Douze sont fournis par les évangiles. Certaines ont eu lieu le dimanche qui suivit la mort de Jésus (Lc 24, 33-51 ; Jn 20,
19-23) ; une au moins, huit jours plus tard (Jn 20, 26-29) ; une autre nettement plus tard puisque le groupe a fait le déplacement de Jérusalem en
Galilée (Mt 28, 16-20). Chaque fois ils ne sont pas douze mais onze, puisque
Judas n'est pas du nombre ; le chiffre est d'ailleurs précisé en Mt 28, 16 et
Lc 24, 33. En écrivant « les Douze », le texte cité par Paul donne au groupe
son nom traditionnel, sans tenir compte de cette précision.

VV. 6-8 – C'est à partir du v. 6 que Paul cesse de citer un formulaire reçu
de la tradition pour nommer d'autres témoins dont il dresse lui-même la
liste : dans l'ordre, un groupe de plus de cinq cents frères, Jacques, tous les
apôtres, et lui-même en dernier. Il se peut que les noms nommés avant le sien
(jusqu'au v. 7) aient constitué une liste existante qu'il se contenterait de
reproduire (MacGregor). Chacune de ces mentions pose des problèmes
spécifiques. Il faut également noter que d'autres événements liés à la résurrection de Jésus, comme les apparitions à des femmes (Mt 28, 9-10 ; Jn 20,

14-17) ou les récits du tombeau ouvert (Mt 28, 1-8 ; Mc 16, 1-8 ; Lc 24, 1-12 ; Jn 20, 1-13), ne figurent pas dans cette liste (Gerhardsson). Paul les connaît-il ? On ne saurait l'affirmer, mais il est certain qu'aucun des termes employés dans le *credo* des vv. 3b-5 ni par Paul aux vv. 6-8 ne contredit ces récits élaborés postérieurement (Ware) ; en outre, pour toute personne juive ou païenne vivant au Ier siècle, le concept même de résurrection implique que le cadavre soit sorti du tombeau (Cook). Pour l'apparition à un groupe de plus de cinq cents frères (v. 6), inconnue par ailleurs, on s'interroge sur le nombre et même sur la vraisemblance d'un tel événement. Sans doute faut-il imaginer un groupe de pèlerins juifs en route vers Jérusalem, ou encore un rassemblement dans le Temple. Paul les appelle « frères », il les traite donc comme des chrétiens. En mentionnant que quelques-uns ne sont plus de ce monde mais que la plupart vivent encore, il a sans doute l'intention de faire connaître à ses destinataires qu'ils peuvent encore être consultés et témoigner de ce qu'ils ont vu. L'apparition à Jacques (v. 7) est également inconnue par le reste du NT ; il s'agit certainement de « Jacques, le frère du Seigneur », que Paul nomme en Ga 1, 19 ; 2, 9.12. L'expression « tous les apôtres » (v. 7) n'est pas spontanément claire. Le texte ne précisant pas, à la différence du v. 6, que cela s'est fait en une seule fois, il faut sans doute penser à des apparitions individuelles ou par groupes de quelques-uns, ce qui pose une nouvelle fois la question de ceux que Paul appelle « apôtres » (voir p. 206-207 sur 9, 1). Il semble que, pour Paul, sont apôtres des personnes répondant à deux critères : avoir bénéficié d'une expérience pascale et avoir une activité missionnaire. Jacques et Paul lui-même, bien que nommés séparément dans cette liste, sont évidemment du nombre. Enfin, au v. 8, Paul mentionne indirectement l'apparition dont il a été lui-même bénéficiaire lors de sa vocation (malgré Plevnik). L'événement eut lieu plusieurs années après la crucifixion ; avec lui quelque chose se clôt ; ce fut la dernière fois que le Ressuscité se manifesta à quelqu'un pour en faire un apôtre. Dès ce verset, l'Apôtre utilise un terme très dépréciatif pour se qualifier : « avorton » (*ektrôma*). Il le fait précéder de l'article ; ce qui fait poser l'hypothèse que Paul était considéré par certains disciples du Christ comme l'*ektrôma* des apôtres. Peut-être même lui avait-on lancé ce terme à la tête, comme une insulte.

VV. 9-11 – Après avoir rappelé sa vocation qui fait de lui un apôtre, vocation qui est une initiative du Christ, Paul se lance dans une digression apologétique à la première personne du singulier (vv. 9-10) pour donner du contenu à ce titre, qu'il ne mérite pas mais qu'il revendique (Lambrecht). Déjà au v. 8 il rappelait qu'il avait été appelé en dernier. Il avoue maintenant qu'il est le moindre de tous et qu'il n'est pas digne de ce titre en raison de son passé de persécuteur (v. 9), mais que la grâce de Dieu a réalisé en lui et par lui de grandes choses (v. 10, où le terme *charis* est employé trois fois) ; cette grâce remédie à la blessure, au trauma dont le terme *ektrôma* est porteur (Combet-Galland). Il a déjà fait allusion à cette grâce en 3, 10. Dans d'autres épîtres, il la rappelle, ainsi en Ga 1, 15. En 2 Co 11, 23-29, il dresse même une liste d'épreuves subies auxquelles il n'aurait pas résisté s'il n'avait dû compter que sur ses propres forces. L'expérience de la grâce est en effet une clef de compréhension importante de ses épîtres (Bartolomé Lafuente ; Joubert). La péricope se conclut par le v. 11 où s'articulent quatre personnes : le « je » paulinien, le « ils » des autres témoins de la Résurrection, le « nous » de la prédication de l'Évangile et le « vous » des destinataires. Un contraste mérite d'être souligné en conclusion de ces réflexions : ce que Paul avait établi parmi les Corinthiens lors de son premier séjour parmi eux risquait d'être oublié, ou abandonné, ou déformé ; l'Apôtre veut alors substituer une perspective d'approbation à la perspective d'incertitude dans laquelle se trouvent ses destinataires (Coppins).

NOTES

1

Une formule très proche du début du v. 1 se trouve en Ga 1, 11, lorsque Paul informe ses destinataires qu'il a reçu son Évangile directement, par une révélation de Jésus Christ. Le verbe utilisé en Ga 1, 11 et ici, γνωρίζω, signifie « faire connaître, porter à la connaissance » ; Paul l'a déjà utilisé en 12, 3 ; il n'a pas la nuance de rappel d'une chose communiquée antérieurement, qui s'exprimerait plutôt par le verbe ἀναμιμνῄσκω. L'apostrophe ἀδελφοί est reprise dans le chapitre aux vv. 31.50.58 (où elle forme inclusion avec le v. 1). Le vocabulaire de l'évangélisation (substantif εὐαγγέλιον et verbe εὐαγγλιζόμαι) a déjà été utilisé, notamment de façon très abondante au chapitre 9 (vv. 12-23) ; la première fois dans l'épître, c'était en 1, 17, où Paul désigne l'évangélisation comme la tâche principale qui lui a été confiée par Christ.

2

La façon dont le v. 2b s'intègre dans la phrase est étrange. La phrase commencée au début du v. 1 enchaîne des propositions relatives qui qualifient τὸ εὐαγγέλιον, puis vient un membre de phrase commençant par le datif τίνι λόγῳ qui ne se rapporte à rien. Plusieurs essais ont été tentés pour rendre cette construction compréhensible : 1° Compléter la phrase en répétant γνωρίζω δὲ ὑμῖν repris du début du v. 1, qui serait ici sous-entendu (e.g. Barrett* ; Croy). On pourrait alors traduire : « [Je vous fais connaître] la teneur dans laquelle je vous évangélisai... » – 2° Comprendre τίνι λόγῳ comme si, au lieu de l'interrogatif τίνι, le texte portait le relatif ᾧ. Il arrive, en effet, dans les papyri, que le pronom interrogatif soit employé avec le sens d'un relatif. On pourrait alors traduire : « ... l'Évangile... par la parole duquel je vous évangélisai... » (e. g. Fitzmyer*). Mais ces deux essais ont l'inconvénient de laisser εἰ κατέχετε sans complément à la fin du v. 2b. – 3° Faire de τίνι λόγῳ εὐηγγελισάμην ὑμῖν une parenthèse, et traduire : « ... par lequel aussi vous êtes sauvés – en quels termes je vous évangélisai – si vous le retenez... » (e.g. Senft*). Mais cette mise entre parenthèses ne rend guère la phrase plus compréhensible. – 4° La proposition la plus courante consiste alors à inverser l'ordre des mots et à placer εἰ κατέχετε avant τίνι λόγῳ (notre traduction avec Héring* ; Thiselton* ; et al.). La raison pour laquelle εἰ κατέχετε se trouve à la fin du v. 2b reste cependant non éclaircie. Au v. 2c, les trois mots ἐκτὸς εἰ μή doivent être compris comme en 14, 4 où on les rencontre déjà. Ils signifient « à moins que... » plutôt que « autrement ».

3a

L'expression adverbiale ἐν πρώτοις peut être comprise de deux façons différentes. Il pourrait s'agir d'une priorité d'ordre temporel : Paul aurait alors commencé sa prédication à Corinthe par l'annonce de la Passion et de la Résurrection. Mais comme on l'a remarqué, l'utilisation au v. 1 du verbe γνωρίζω implique que les Corinthiens ne connaissent pas encore le résumé de la foi dans la forme précise qu'il a aux vv. 3b-5. S'il s'agissait d'une priorité temporelle, Paul emploierait sans doute plutôt l'expression ἐν ἀρχῇ (qu'il utilise en Ph 4, 15). Une deuxième compréhension, sans doute meilleure, est qu'il s'agit d'une priorité d'importance : la mort et la résurrection du Christ constituent l'essentiel de la foi chrétienne.

3b

Le premier refrain « selon les Écritures » (κατὰ τὰς γραφάς) pose une double question. La première, qui vient spontanément à l'esprit : cet accomplissement des Écritures porte-t-il sur le fait de la mort de *Christos*, ou sur sa signification, à savoir qu'elle se produisit « pour nos péchés » ? La deuxième, une fois que l'on a répondu à la première : à quel(s) texte(s) de l'Écriture juive est-il alors fait référence ? La première est sans doute mal posée : si les Églises primitives font référence à la mort de Christ, c'est devenu pour elles un événement global ; on ne peut séparer le fait brut de sa signification. Ce qui est certain, c'est qu'aucun texte de l'Écriture juive n'annonce la mort du Messie, inévitablement attachée à son échec. Un targum du quatrième chant du Serviteur (Is 52, 13 – 53, 12), où ledit Serviteur est présenté comme souffrant, commence par « Voici que mon Serviteur, *le Messie*, prospérera », mais il est très postérieur au Ier siècle et sans doute influencé par une main chrétienne (Pastor Ramos). Le texte le plus souvent allégué comme référence à l'expression « selon les Écritures » est précisément ce quatrième chant du Serviteur, où il est précisé qu'il portait non pas « nos péchés » (un terme que Paul emploie beaucoup plus au singulier qu'au pluriel), mais « nos douleurs » et « nos souffrances » (Is 53, 4). On trouve en 1 P 2, 22-25 une citation d'extraits de Is 52, 13 – 53, 12, où l'auteur écrit précisément que le Serviteur « a porté nos péchés (τὰς ἁμαρτίας ἡμῶν) sur le bois ». Cela dit, d'autres textes où il est fait allusion aux souffrances du juste peuvent aussi être allégués, ainsi dans les Psaumes (*e.g.* Ps 3, 2-3 ; 69, 10), ou ceux qui rapportent les meurtres d'Abel (Gn 4, 8) et du prophète Zacharie (2 Ch 24, 20-22). Sans doute alors est-il vain de chercher derrière la formule « selon les Écritures » une (ou des) référence(s) précise(s). Relue par les premières générations chrétiennes, la mort de Christ était un acte qui devait avoir été prédit, parce que c'était une manifestation de la volonté éternelle de Dieu (*e.g.* Barrett*).

4

Le texte d'Os[LXX] 6, 2 écrit précisément : « Il nous guérira après trois jours, au troisième jour (ἐν τῇ ἡμέρᾳ τῇ τρίτῃ) nous serons relevés (ἀνασθησόμεθα) et nous vivrons en sa présence. » D'autres mentions du troisième jour comme jour où se manifeste la bienveillance de Dieu existent dans l'AT (*e.g.* Gn 22, 4 ; 42, 18 ; Ex 19, 10-11 ; 2 R 20, 5 ; Jon 2, 1). Une réflexion importante sur cette expression a été développée dans les targums et midrashim (Lehmann), qui s'est d'ailleurs poursuivie dans la théologie patristique (de Margerie). En dehors de ces textes, on peut aussi tenir compte du fait que, dans la conception juive de la mort au Ier siècle, on estimait qu'un cadavre se décomposait à partir du troisième jour après la mort (Pickup) et que, dans la croyance en l'immortalité de l'âme, celle-ci mettait trois jours avant de connaître son sort final (Dola). Pour revenir au domaine biblique, c'est le troisième jour de la création que Dieu crée les arbres (Gn 1, 11-13) ; et c'est donc le jour où, dans la tradition juive, fut planté l'arbre de vie (Gn 2, 9), typos de la résurrection du Christ le troisième jour (Christensen). On a aussi remarqué que l'offrande de la première gerbe devait se faire le lendemain du sabbat (Lv 23, 11), donc le dimanche, troisième jour après le vendredi (Thiessen ; White). Quoi qu'il en soit, la mention du troisième jour semble bien faire partie de la référence aux Écritures, donnée au v. 4 pour la résurrection, comme pour la mort au v. 3a (Poirier). Peut-on considérer que la résurrection elle-même était, elle aussi, annoncée par les Écritures ? Le jour du relèvement, oui (cf. Os 6, 2) ; la résurrection du Messie, c'est moins sûr. On sait que les écoles de pensée juive étaient divisées sur la question de la résurrection au Ier siècle. Il en est explicitement question en 2 M 7, 9 ; 12, 38-45 ; Dn 12, 2-3. Cette croyance sera reprise par les pharisiens ; mais elle concerne la résurrection des justes en général, sans lien précis avec la personne du Messie. Comme pour le v. 3b, il ne faut sans doute pas trop chercher à quel passage de l'AT il faut référer la mention des Écritures au v. 4 ; la vie que Dieu accorde à Christ après sa mort fait partie de son plan éternel, dont les Écritures juives sont une expression privilégiée.

5

La forme verbale ὤφτη est l'aoriste passif du verbe ὁράω qui signifie « voir ». Dans la LXX, elle est employée pour les théophanies, par exemple lors des multiples fois où Dieu se fait voir à Abraham (Gn 12, 7 ; 17, 1 ; 18, 1 ; 26, 2). L'emploi de ce passif montre que la vision du Ressuscité par des témoins n'appartient pas au genre littéraire apocalyptique ; dans les apocalypses, le voyant emploie la voix active du verbe pour décrire ce qu'il voit. L'agent du passif se construit en général avec ὑπό + génitif. Les noms de ceux qui ont vu sont construits ici avec le datif. La forme est alors causative : Christ n'a pas été vu par... Il s'est fait voir à... On retrouve la même construction (aoriste passif de ὁράω + datif) en Lc 24, 34 ; Ac 9, 17 ; 26, 16. Κηφᾶς est le nom araméen de Pierre, déjà nommé en 1, 12 et 9, 5. Paul l'appelle toujours comme cela, sauf en Ga 2, 7-8. L'appellation οἱ δώδεκα est un hapax paulinien. Pour Paul, les apôtres forment un groupe plus vaste que les Douze.

6-7

Au v. 6, le chiffre cinq cents est, paraît-il, un cliché dans les récits bouddhistes, symbolique du grand nombre. De là à estimer que Paul est redevable à une source bouddhiste (Derrett), il y a de la marge ! La question des grands nombres pose toujours question : quelle est la vraisemblance des milliers d'hommes présents lors des Multiplications des pains (Mc 6, 44 ; 8, 9 et par.), ou des trois mille personnes qui se joignirent aux disciples (Ac 2, 41) au soir de la Pentecôte ? La mort de quelques-uns des cinq cents frères est indiquée par la métaphore du sommeil (verbe κοιμάο-μαι), déjà utilisée en 7, 39 et 11, 30. Une mention de l'apparition du Ressuscité à Jacques (v. 7) figure dans l'*Évangile des Hébreux*, un apocryphe en partie perdu, dont des extraits sont cités notamment par Jérôme dans son *De viris illustribus*, 2.

8

Dans l'expression ἔσχατον δὲ πάντων, ἔσχατον est sans doute un neutre et non un masculin ; l'événement est le dernier d'une liste, mais ce n'est pas Paul qui est qualifié de dernier. S'il s'agissait de lui, on aurait le datif : ἐσχάτῳ δὲ πάντων. La traduction du terme ἔκτρωμα que Paul emploie pour se qualifier, est fort débattue. C'est un hapax du NT. Le terme est utilisé par d'autres auteurs grecs (*e.g.* Aristote, *Génération des animaux* 4, 5, 4 ; Philon, *Legum allegoriae* 1, 76), où il désigne un être né avant terme ou avorté. On le trouve trois fois dans la LXX : Nb 12, 12 (où il traduit l'hébreu *mét* : mort) ; Jb 3, 16 ; Qo 6, 3 (où il traduit l'hébreu *néphèl* : avorton) ; le contexte permet de savoir qu'il s'agit chaque fois d'un enfant non viable. En cohérence avec les emplois de la LXX, la Bible de Paul, la traduction par le français « avorton », s'impose. La difficulté, c'est que Paul n'est pas un apôtre mort-né mais qu'il est un apôtre bien vivant. La proposition a été faite qu'il vaudrait mieux traduire par « enfant posthume », à savoir l'enfant né viable d'une mère morte en couches (Carrez, *CEv* 46-47). L'image serait ainsi plus cohérente, puisque Paul estime que sa vocation est le dernier appel de quelqu'un comme apôtre ; mais ce sens n'est attesté nulle part. Sans doute vaut-il mieux retenir l'image du fœtus mort, Paul ne se privant pas d'évoquer les formes de mort qui existent en lui, par exemple en 2 Co 4, 11-12 (Hollander, van der Hout) ; ou rappelant son passé de persécuteur comme plus loin au v. 9 (Gieniusz ; Schaefer) ; ou avouant à quel point il est rejeté par d'autres chrétiens (Mitchell, « Reexaminig » ; Id, *Abortion*), au point que le terme lui était peut-être parfois adressé comme une insulte.

9
L'adjectif ἱκανός se réfère à une qualification de type humain : une capacité, une dignité, une convenance, un mérite, un talent. Cette qualification-là, Paul ne la possède pas. Le verbe διώκω ayant pour complément d'objet un nom abstrait signifie « rechercher, poursuivre » ; on l'a rencontré avec ce sens en 14, 1 : « Recherchez l'amour. » Lorsqu'il commande des noms de personnes, il signifie « persécuter ». Paul l'utilise notamment pour rappeler son passé de persécuteur (Ga 1, 13 ; Ph 3, 6). Dans l'expression « l'Église de Dieu » (plus haut en 10, 32), le terme ἐκκλησία renvoie à l'ensemble des disciples du Christ ; il est plus souvent utilisé dans les premières épîtres pour désigner l'Église réunie en assemblée (*e.g.* 1 Co 14) ou une Église particulière (*e.g.* 1 Co 1, 2 ; 4, 17 ; 6, 4).

10-11
Au v. 10, l'adjectif κενός (vide, vain, sans contenu), pour dire ce que la grâce de Dieu n'a pas été en Paul, peut étonner ; d'où l'hésitation textuelle. Paul l'emploie ici pour la première fois en 1 Co. Il annonce d'autres emplois dans le même chapitre (vv. 14 [x2]. 58). Le dernier mot du passage est ἐπιστεύσατε (vous crûtes) ; il forme inclusion avec le même verbe conjugué à la même personne dans les premiers versets de la péricope (vous n'ayez cru ; v. 2).

Du réveil du Christ au réveil des humains
(15, 12-19)

TRADUCTION

15, 12 Or, si l'on prêche que Christ a été réveillé des morts, comment quelques-uns parmi vous disent-ils qu'il n'y a pas de résurrection des morts ? 13 S'il n'y a pas de résurrection des morts, Christ non plus n'a pas été réveillé. 14 Mais si Christ n'a pas été réveillé, alors vide est notre prédication[a], et vide aussi votre[b] foi ; 15 nous sommes aussi trouvés faux témoins de Dieu, puisque nous témoignâmes contre Dieu qu'il réveilla le Christ, qu'il ne réveilla pas puisque donc des morts, ça ne se réveille pas[c]. 16 En effet, si des morts, ça ne se réveille pas, Christ non plus n'a pas été réveillé. 17 Si Christ n'a pas été réveillé, vaine (est) votre foi, vous êtes encore dans vos péchés, 18 donc aussi ceux qui s'endormirent ont péri en Christ. 19 Si c'est seulement pour cette vie que nous avons mis notre espérance en Christ, nous sommes les plus pitoyables de tous les humains.

[a] Deux leçons pour ce passage : κενὸν ἄρα τὸ κήρυγμα ἡμῶν (p[46] ℵ[2] B Ψ 0243. 1779. 1881 *Byz* ar b d sy ; Irénée[lat] Ambrosiaster) ; même texte avec ajout de καί devant τὸ κήρυγμα (ℵ* A D F G K P 33. 81. 326. 1241[s] *al* ; Épiphane). Le choix est difficile ; cette seconde leçon est *difficilior* ; nous avons pourtant retenu la première, estimant que cet ajout est influencé par un autre καί devant ἡ πίστις à la fin du verset.

[b] Deux leçons différentes : ἡ πίστις ὑμῶν, très bien attesté ; ἡ πίστις ἡμῶν dans B D* 0243. 0270*. 6. 33. 81. 1241[s]. 1739. 1881 *al* ar vg[mss] sa[mss] ; Épiphane. La première leçon est sans doute meilleure. On retrouve d'ailleurs le syntagme ἡ πίστις ὑμῶν au v. 17. La seconde est sans doute influencée par τὸ κήρυγμα ἡμῶν, plus haut dans le texte.

[c] Le membre de phrase « puisque donc des morts ça ne se réveille pas » est omis par D *pc* ar b r vg[mss] syr[p] ; Irénée[lat] Ambrosiaster. Cette omission est sans doute due à un *homoïoteleuton* entre εἴπερ, qui commence ce membre de phrase, et εἰ au début du v. 16.

BIBLIOGRAPHIE

M. BACHMANN, « Zum "argumentum resurrectionis" von 1 Kor 15, 12ff nach Christoph Zimmer, Augustin und Paulus », *LingBib* 67, 1992, 29-39. – M. BACHMANN, « 1 Kor 15, 12f : "Resurrection of the Dead (= Christians)" ? », *ZNW* 92, 2001, 295-299. – H. BINDER, « Zum geschichtlichen Hintergrund von 1 Kor 15, 12 », *ThZ* 46, 1990, 193-201. – T.G. BUCHER, « Die logische Argumentation in 1. Korinther 15, 12-20 », *Bib* 55, 1974, 465-486. – J. LAMBRECHT, « Just a Possibility ? A Reply to Johan S. Vos on 1 Cor 15, 12-20 », *ZNW* 91, 2000, 143-145. – R. TREVIJANO ETCHEVERRÍA, « Los que dicen que no hay resurrección (1 Cor 15, 12) », *Salmanticensis* 33, 1986, 275-302. – J.S. VOS, « Die Logik des Paulus in 1 Kor 15, 12-20 », *ZNW* 90, 1999, 78-97. – C. ZIMMER, « Das argumentum resurrectionis 1 Kor 15, 12-20 », *LingBibl* 65, 1991, 25-36.

INTERPRÉTATION

Après le rappel du kérygme de la résurrection du Christ auquel Paul vient de consacrer les onze premiers versets du chapitre 15, on découvre enfin la raison pour laquelle il aborde cette question dans sa lettre. Elle est exprimée au v. 12. Elle ne concerne pas tant la résurrection du Christ lui-même que la résurrection des autres humains, mise en doute par une partie des chrétiens de Corinthe. La façon dont ils sont désignés, quelques-uns (*tines*), ne permet pas de se prononcer sur la proportion de gens concernés ; étaient-ils nombreux ou peu nombreux ? Elle ne permet pas non plus de connaître les raisons pour lesquelles ils doutaient de la résurrection des humains ; des hypothèses ont été émises à ce propos (cf. le commentaire de 1 Co 15, 1-58), aucune n'emporte pleinement l'adhésion ; il est d'ailleurs vraisemblable que ces gens ne formaient pas un groupe de pensée unique et que les raisons de leur mise en doute étaient diverses. Connaître leur position répond à une curiosité du lecteur, ce n'est cependant pas vraiment utile à la compréhension de l'argumentation que Paul développe sur les vv. 13-19 ; l'Apôtre n'entre pas dans le détail de leurs raisons.

L'argument principal de Paul consiste en ceci : une résurrection de morts existe, puisque Christ est ressuscité. L'une ne va pas sans l'autre. L'Apôtre fonde son eschatologie sur sa christologie (Binder ; Trevijano Etcheverría). La résurrection du Christ est, dans cette péricope, traitée comme un cas particulier de résurrection d'un mort (il en sera autrement à partir du v. 20). Si, donc, des morts, ça ne ressuscite pas, Christ non plus ne peut pas être ressuscité. Une question majeure est de savoir si cette démonstration est convaincante ou non. Paul procède par *reductio ad absurdum* : si les quelques-uns qui prétendent qu'il n'y a pas de résurrection de morts avaient raison, Christ ne pourrait pas être ressuscité ; mais Christ est ressuscité (c'est ce qui a été rappelé avec force aux vv. 1-11) ; ceux qui prétendent qu'il n'y a pas de résurrection de morts ne peuvent qu'avoir tort ; il y en a donc une. Ce syllogisme utilise un argument de type *modus tollens* : une règle de déduction selon laquelle, si une proposition A implique une proposition B, on peut déduire que, si la proposition B n'est pas vraie, la proposition A ne l'est pas non plus. Cela donne, pour le passage en question : le fait que Christ est ressuscité (A) implique qu'une résurrection de morts existe (B) ; si une résurrection de morts n'existait pas (-B), Christ non plus ne serait pas ressuscité (-A). La logique de Paul sous-jacente à cette argumentation, qui a été reprise par saint Augustin (*De doctrina christiana*, 2, 117-135) et d'autres théologiens à sa suite, a été largement débattue. Deux courants se dessinent parmi les chercheurs. Certains suivent Paul et approuvent sa logique qui convient en tant qu'*argumentatio ad hominem*, adaptée à la diversité des positions existant à Corinthe (Bucher ; Lambrecht). D'autres dénoncent une faille, et estiment que l'argumentation paulinienne aboutit à la possibilité d'une résurrection de personnes humaines autres que Jésus, mais n'en prouve pas la réalité (Vos ; Zimmer) ; en particulier, Paul ne démontre rien d'une résurrection générale ; on pourrait, dans la logique qu'il déploie, se contenter de la résurrection de quelques-uns, notamment ceux qui croyaient en Christ avant leur mort, auxquels il est fait allusion au v. 18 (Bachmann).

La tonalité générale du texte est répétitive ; elle laisse au lecteur une impression de martèlement. Les six phrases qui le composent commencent toutes par une proposition conditionnelle : six emplois de la conjonction « si » (*ei*), aux vv. 12.13.14.16.17.19. Quant à la façon de construire la péricope, on peut hésiter entre deux modèles possibles. Le premier part du fait que les vv. 12-13 forment un chiasme et pourraient constituer une sorte d'introduction à l'ensemble : A) « Si... Christ a été réveillé des morts » (v. 12a) – B) « Il n'y a pas de résurrection des morts » (v. 12b) – B') « S'il n'y a pas de résurrection des morts » (v. 13a) – A') « Christ... n'a pas été réveillé » (v. 13b). Commencerait alors une argumentation constituée par les vv. 14-18, où Paul développerait les conséquences de l'hypothèse absurde que Christ n'aurait pas été réveillé. Mais faire de l'hypothèse évoquée au v. 14 celle qui commande la suite est étrange : cela reviendrait à vouloir démontrer que Christ est ressuscité, alors que cette réalité a déjà été largement établie aux vv. 1-11.

Un autre découpage est alors sans doute plus pertinent : il part de la remarque que les vv. 13-14a d'une part, et 16-17a d'autre part, ont des formulations presque identiques et que ces deux passages sont rédigés à la troisième personne. Le premier passage commence par *ei de* (v. 13a), le second par *ei gar* (v. 16a). Chacun commande une partie de la démonstration ; elle est en « nous » et « vous » aux vv. 14b-15, et en « vous et « ils » aux vv. 17b-18. On aboutit alors à la construction parallèle suivante :

vv. 13-15	vv. 16-18
S'il (*ei de*) n'y a pas de résurrection de morts... (13a) Si Christ n'a pas été réveillé... (14a)	Si (*ei gar*) des morts ça ne se réveille pas... (16a) Si Christ n'a pas été réveillé... (17a)
Notre prédication... votre foi... (v. 14b) Nous sommes trouvés... (v. 15)	Votre foi... (17bc) Ceux qui s'endormirent... (18)

Quant au v. 19, il reprend l'ensemble de la démonstration en utilisant un « nous » inclusif ; il a une tonalité affective dont Paul s'est jusque-là gardé : si Christ n'est pas ressuscité et si les morts ne ressuscitent pas – les deux sont liés – c'est l'ensemble des croyants en Christ qui auront fait un mauvais pari ; ils auront misé leur vie sur une chimère ! Certains commentateurs rattachent le v. 20 à cette péricope (*e.g.* Lietzmann* ; Bucher), mais deux arguments plaident fortement contre ce découpage : le premier est que ce v. 20 commence par « mais en réalité » (*nuni de*), qui marque toujours chez Paul le début d'un nouveau développement (*e.g.* Rm 3, 21) ; le deuxième est que le v. 21 est introduit par « en effet » (*gar*), qui le rattache directement au v. 20.

La question posée au v. 12 fait le lien entre la proclamation kérygmatique des vv. 1-11 et la démonstration que Paul va entreprendre à partir du v. 13 ; elle constitue une sorte de *propositio* en creux de l'ensemble du chapitre 15, que l'on pourrait formuler ainsi : « Il y a une résurrection des morts » (Jacon, *Sagesse*, 300). Les vv. 13-15 constituent le premier volet de la démonstration de Paul, adoptant par hypothèse la position des Corinthiens qui prétendent qu'il n'y a pas de résurrection des morts et en tirant les conséquences (v. 13a) ; la conséquence la plus évidente est que Christ ne peut pas être ressuscité (v. 13b). Mais si Christ n'est pas ressuscité (14a reprenant 13b), d'autres conséquences en résultent : mise à part la fin du v. 14 qui utilise la 2e personne du pluriel, ces conséquences sont formulées à la 1re personne du pluriel et mettent en cause la personne des évangélisateurs : les prédicateurs (nous) sont dans le vide, et les fidèles (vous) également (v. 14b). Le v. 15 développe les effets de la vacuité de la prédication des apôtres et de la foi des destinataires, en utilisant le vocabulaire du témoignage (verbe *martureô*, témoigner ; et substantif *pseudomartus*, faux témoin). Le second volet de la démonstration de Paul, aux vv. 16-18, est introduit par « si en effet » (*ei gar*), alors que, les trois fois précédentes, la conjonction « si » (*ei*) était suivie de la particule *de*. La logique est la même qu'aux vv. 13-15 ; les conséquences d'une non-résurrection des morts seraient que Christ non plus ne serait pas ressuscité. Mais les effets de cette non-résurrection de Christ sont différents ; il n'est plus question des prédicateurs, mais uniquement des fidèles, vivants (2e personne du pluriel ; v. 17) et morts (3e personne du pluriel ; v. 18). La vraie nouveauté du verset 17 tient dans les conséquences énoncées sur l'état des Corinthiens qui seraient alors – si Christ n'est pas ressuscité – encore dans leurs péchés (v. 17c). Plus haut, dans la formule kérygmatique des vv. 3b-5, le pardon des péchés est donné comme un effet de la mort de Christ, non pas de sa résurrection. Ici, Paul en fait un effet de la résurrection de Christ ; c'est elle qui fonde la dimension rédemptrice de la mort. Au plan événementiel, la mort de Christ précède sa résurrection ; mais au plan de la signification, la résurrection de Christ donne toute sa dimension à sa mort. C'est cohérent avec ce que Paul écrivait en 6, 11, lorsque celui au nom de qui les Corinthiens avaient été lavés, sanctifiés, justifiés, était appelé « le Seigneur Jésus Christ ». Comme les versets précédents, le v. 19, qui conclut le passage, est construit avec une protase conditionnelle suivie d'une apodose. La 1re personne du pluriel (le « nous » est alors inclusif) apporte une dimension pathétique aux arguments qui la précèdent : la non-résurrection des humains entraînerait la non-résurrection de Christ et une situation lamentable pour tous les croyants, évangélisateurs et évangélisés.

NOTES

12

La construction de la phrase est étrange : après l'apodose (v. 12a) introduite par εἰ δέ, on attendrait une proposition principale ; or, la protase (v. 12b) est une question portant sur le dire de quelques Corinthiens, introduite par l'adverbe πῶς (comment ?). Cela montre dès le départ que l'opinion de ces personnes a pour l'Apôtre quelque chose d'invraisemblable. Le verbe que Paul emploie dans cette péricope pour parler de la résurrection des morts est ἐγείρω (réveiller), et, lorsqu'il s'agit du Christ, il le conjugue au parfait passif : « Christ a été réveillé » (Χριστὸς ἐγήγερται), le parfait indiquant clairement que cet événement passé se prolonge dans le présent. En 1 Th il utilisait le verbe ἀνίστημι (se lever) pour le Christ et pour les humains, mais il l'abandonna ensuite. La phrase « il n'y a pas de résurrection des morts » (ἀνάστασις νεκρῶν οὐκ ἔστιν) peut avoir été prononcée comme telle par ceux des Corinthiens qui niaient la résurrection des humains. On doit remarquer à ce propos que Paul n'a jamais employé le substantif ἀνάστασις avant de se mettre à écrire 1 Corinthiens (il ne se trouve ni en 1 Th ni en Ga), et que c'est un terme rare chez lui (on le retrouve en 15, 13.21.42 ; et ailleurs dans les *homologoumena* en Rm 1, 4 ; 6, 5 ; Ph 3, 10). Dans la littérature grecque antique, la possibilité d'une résurrection de morts est exclue (Eschyle, *Eumenides* 647-648 ; Id., *Agamemnon* 1360 ; Hérodote, *Histoires* 3, 62 ; Sophocle, *Électre* 137-142) ; en revanche, elle est affirmée dans le monde juif en Dn 12, 2, TM et LXX (verbe ἀνίστημι), ainsi que dans la littérature juive de langue grecque : 2 M 7, 14 (verbe ἀνίστημι et substantif ἀνάστασις) ; 12, 43 (substantif ἀνάστασις).

13-15

Déjà utilisé en 15, 10 au sens figuré à propos des effets de la grâce de Dieu sur Paul, l'adjectif κενός (vide) qualifie d'abord la prédication (κήρυγμα) des évangélisateurs ; cette prédication renvoie à ce que les évangélisateurs ont prêché (κηρύσσω, v. 11), à savoir précisément la résurrection de Christ. Le substantif ψευδομάρτυς est rare dans le NT (ici et en Mt 26, 60), mais Paul écrit souvent « je ne mens pas » (οὐ ψεύδομαι, Rm 9, 1 ; 2 Co 11, 31 ; Ga 1, 20) pour légitimer la vérité de sa parole. On peut s'interroger sur la nature du génitif « faux témoins de Dieu » (ψευδομάρτυρες τοῦ θεοῦ ; v. 15a) : génitif subjectif (faux témoins appartenant à Dieu) ou génitif objectif (personnes témoignant faussement sur Dieu) ? L'explication introduite au v. 15b par la conjonction ὅτι montre qu'il s'agit d'un génitif objectif : si Christ n'est pas ressuscité, les évangélisateurs prononcent sur Dieu des déclarations mensongères ; ils témoignent contre Dieu.

16-18

Au v. 17, la foi des fidèles n'est plus dite vide (κενός) mais vaine (μάταιος), terme déjà employé en 3, 20 à propos des pensées des sages (citation du Ps^{LXX} 93, 11). Au v. 18, après avoir abordé les conséquences sur les vivants de l'hypothétique non-résurrection de Jésus, Paul les envisage ensuite sur les morts ; ils sont appelés « ceux qui s'endormirent » (οἱ κοιμηθέντες), métaphore courante de la mort dans le vocabulaire chrétien (déjà en 7, 39 ; 11, 30 ; 15, 6). Si Christ n'est pas ressuscité, leur sommeil est définitif. Placée où elle est dans la phrase, l'expression « en Christ » (ἐν Χριστῷ) ne renvoie pas aux seuls « morts en Christ », à savoir les morts chrétiens (Paul aurait alors écrit οἱ ἐν Χριστῷ κοιμηθέντες) ; mais au fait que les morts ont péri (aoriste moyen du verbe ἀπόλλυμι) en Christ au lieu d'être sauvés par lui ; leur entrée dans le sommeil a été une mort définitive et irréversible.

19

On peut se poser la question de ce que modifie l'adverbe μόνον (seulement) à la fin du v. 19b. 1° Le verbe « espérer » ? Mais ἐλπίζω n'a jamais chez Paul un sens négatif. – 2° La formule « en Christ » ? Mais n'espérer qu'en Christ n'aurait pas de contenu théologique. – 3° Le syntagme « en cette vie » ? Mais l'adverbe est trop loin dans la phrase. – 4° C'est sans doute finalement l'ensemble de la proposition qui est concernée : il s'agit de « n'espérer en Christ que pour cette vie-ci. » L'adjectif ἐλεεινότεροι est un comparatif à valeur de superlatif, comme souvent dans la koinè.

De la résurrection du Christ à la fin des temps
(15, 20-28)

TRADUCTION

15, 20 Mais en réalité, Christ a été réveillé des morts, prémices de ceux qui se sont endormis[a]. 21 En effet, puisque (c'est) par un homme (qu'existe) la mort, (c'est) par un homme aussi (qu'existe) la résurrection des morts. 22 En effet, de même que tous meurent en Adam, de même aussi tous seront vivifiés en Christ. 23 Mais chacun à son rang particulier : Christ (comme) prémices, ensuite, ceux (qui seront) du Christ lors de sa venue, 24 puis (ce sera) la fin, lorsqu'il livre[b] le règne au Dieu et Père, lorsqu'il a fait disparaître toute domination et toute autorité et puissance. 25 Il faut en effet qu'il règne jusqu'à ce qu'*il ait mis tous les ennemis[c] sous ses pieds*. 26 Dernier ennemi, disparaît la mort. 27 En effet, *il soumit tout sous ses pieds*. Lorsqu'il dit « Tout a été soumis », (c'est) clairement en dehors de celui qui lui soumit tout. 28 Lorsque tout lui aura été soumis, alors lui aussi[d], le Fils[e], se soumettra à celui qui lui soumit tout, afin que Dieu soit tout en tout.

[a] Quelques mss ajoutent ἐγένετο à la fin du verset : D² Ψ *Byz* sy. Le substantif ἀπαρχή devient alors attribut de Χριστός au lieu d'apposition. C'est une correction explicative, secondaire.

[b] Au lieu du subjonctif présent παραδιδῷ, quelques mss portent le subjonctif aoriste παραδῷ : 1881 *Byz* latt. Cela harmonise les temps des deux verbes de la phrase, παραδίδωμι et καταργέω. Le présent est également *lectio difficilior*, puisqu'il s'agit d'événements futurs. Très peu attesté, d'ailleurs, l'aoriste est une correction secondaire.

[c] Certains mss ajoutent αὐτοῦ après πάντας τοὺς ἐχτρούς : A F G 33. 104. 629 *pc* ar r vg^mss sy^p ; Marcion^T Epiphane. On traduirait alors « tous ses ennemis ». Cette formulation est influencée par la formulation du Ps^LXX 109, 1 cité, qui comporte le possessif.

[d] La conjonction καί après τότε est attestée dansℵ A D² Ψ *Byz* ar f r vg^cl sy^h bo ; Tertullien Ambrosiaster Épiphane. Elle est omise dans B D* F G 0243. 33. 1175. 1739 *pc* b vg^st sy^p sa bo^ms ; Irénée^lat. La seconde leçon est *lectio brevior*, mais la première est un peu mieux attestée. On peut hésiter entre les deux. Nous avons conservé la première.

BIBLIOGRAPHIE

M.E. Boring, « The Language of Universal Salvation in Paul », *JBL* 105, 1986, 269-292. – T. Braşoveanu, « Πᾶσαν ἀρχὴν καὶ πᾶσαν ἐξουσίαν καὶ δύναμιν (1 Cor 15, 24), and Its Anti-Imperial Interpretation. A Philological Approach », in *Paul in Greco-Roman Context*, C. Breytenbach (ed.), Leuven 2015, 412-442. – M. Carrez, « Résurrection et seigneurie du Christ, 1 Co 15, 23-28 », in *Résurrection du Christ et des chrétiens*, L. De Lorenzi (ed.), Rome 1985, 127-169. – É. Cothenet, art. « Règne de Dieu », *DBS* X, 1981, col. 173-180.

– D. FREDRICKSON, «God, Christ, and All Things in 1 Corinthians 15 : 28»,
WordWorld 18, 1998, 254-263. – D.E. FREDRICKSON, «Paul Playfully on Time
and Eternity», *Dialog* 39, 2000, 21-26. – J.M. GARCÍA, «Acontecimientos
después de la venida gloriosa (1 Cor 15, 23-28)», *EstB* 58, 2000, 527-559. –
M. GIELEN, «Universale Totenauferweckung und Universales Heil ? 1 Kor 15,
20-28 im Kontext paulinischer Theologie», *BZ* 47, 2003, 86-104. – U. HEIL,
«Theo-logische Interpretation von 1 Kor 15, 23-28», *ZNW* 84, 1993, 27-35. –
C.E. HILL, «Paul's understanding of Christ's Kingdom in I Corinthians 15 : 20-
28», *NT* 30, 1988, 297-320. – J.F. JANSEN, «1 Cor 15. 24-28 and the Future of
Jesus Christ», *SJTh* 40, 1987, 543-570. – A. JOHNSON, «Firstfruits and Death's
Defeat : Metaphor in Paul's Rhetorical Strategy in 1 Cor 15 : 20-28», *WordWorld*
16, 1996, 456-464. – L. KREITZER, «Adam as Analogy : Help or Hindrance ?»,
NewBlackfr 70, 1989, 278-284. – L. KREITZER, «Christ and Second Adam in
Paul», *CommViat* 32, 1989, 55-101. – D. DE LEGARETTA-CASTILLO, *The Figure
of Adam in Romans 5 and 1 Corinthians 15. The New Creation and Its Ethical and
Social Reconfiguration*, Minneapolis 2015. – S. LÉGASSE, «Saint Paul croyait-il à
l'enfer ?», *BLE* 98, 1997, 181-184. – A. LINDEMANN, «Parusie Christi und Herr-
schaft Gottes. Zur Exegese von 1 Kor 15, 23-28», *WortDienst* 19, 1987, 87-107. –
J. VAN MAAREN, «The Adam-Christ Typology and Its Development in the Early
Church Fathers», *TynB* 2013, 275-297. – M.-T. NADEAU, «Qu'adviendra-t-il de la
souveraineté du Christ à la fin des temps ?», *ScEs* 55, 2005, 61-74. – P. POKORNÝ,
«1 Kor 15, 20-28 : Weltgeschichte und persönliche Hoffnung im Licht des paulinischen Evangeliums», in *2 Thessalonians and Pauline Eschatology*,
CH. TUCKETT (ed.), Leuven 2013, 139-164. – S.E. PORTER, «The Pauline Concept
of the Original Sin, in Light of Rabbinic Background», *TynB* 41, 1990, 3-30. –
W. SCHMITHALS, «The Pre-Pauline Tradition in 1 Corinthians 15 : 20-28», *PRSt*
20, 1993, 357-380. – A.E. STEWART, «The Temporary Messianic Kingdom in
Second Temple Judaism and the Delay of the Parousia : Psalm 110 : 1 and the
Development of Early Christian Inaugurated Eschatology», *JETS* 59, 2016, 255-
270. – S. TURNER, «The Interim, Early Messianic Kingdom in Paul», *JSNT* 25,
2003, 323-342. – A. WILSON, «The Strongest Argument for Universalism in
1 Corinthians 15 : 20-28», *JETS* 59, 2016, 805-812. – D. ZELLER, «Die Formel
εἶναι τὰ πάντα ἐν πᾶσιν (1 Kor 15, 28)», *ZNW* 101, 2010, 148-152.

INTERPRÉTATION

Après avoir argumenté pour montrer que la résurrection de Christ avait
pour conséquence la résurrection des humains, Paul confirme ses dires en
décrivant les événements de la fin des temps. Le passage est introduit par une
particule adversative, *nuni de*, qui indique que les hypothèses de non-résurrection des humains émises tout au long de la péricope précédente n'ont pas
de raison d'être. Le texte est complexe, et a donné lieu à plusieurs interprétations. La plupart des interprètes essaient de concilier la lecture de cette
péricope avec ce que Paul a pu exprimer par ailleurs à propos de la fin des
temps, notamment dans la même épître. En 1, 18, par exemple, l'Apôtre
avait évoqué «ceux qui se perdent» ; c'est la figure du jugement qui se

profile derrière ce syntagme (cf. aussi 5, 13 ; 11, 34). Ils en déduisent que, lorsque Paul décrit les événements eschatologiques, le jugement doit trouver sa place. Cela conditionne la lecture faite des vv. 22-23. Au v. 22, Paul affirme que, de même que tous (*pantes*) meurent en Adam, tous (*pantes*) seront vivifiés en Christ. Mais comme, dans la perspective du jugement, certains ne bénéficieraient pas de cette vivification, le second « tous » est interprété comme n'étant pas équivalent du premier : il ne désignerait que les chrétiens ; les pécheurs et les non-chrétiens ne seraient pas du nombre (*e.g.* Carrez ; Cothenet) ! Cette lecture est étrange, pour plusieurs raisons. Tout d'abord, la tradition juive témoigne d'une foi en la résurrection des pécheurs (ainsi en 2 M 12, 43-44) ; il n'y a pas de raison que Paul n'en soit pas l'héritier (Légasse). Ensuite, la phrase est construite sur un parallèle parfait, il n'est pas légitime de donner aux deux emplois du mot « tous » (*pantes*) un contenu différent ; l'auteur ne se laisse pas seulement emporter par l'emphase rhétorique de la totalité (malgré Wilson). Certes, au v. 23, après le rappel de la résurrection du Christ qui est « prémices de ceux qui se sont endormis » (v. 20), est évoquée la vivification de « ceux (qui seront) du Christ lors de sa venue », et cela pourrait confirmer la lecture précédente, à savoir que ceux qui sont morts sans avoir été « du Christ » n'en bénéficie-raient pas ! Mais cette lecture de ceux qui seront « du Christ » est-elle perti-nente (cf. plus loin le commentaire du v. 23) ? Lorsqu'on lit les vv. 20-22 à la suite, il semble bien, au contraire, que tous les humains vivront éternellement à la suite du Christ ; et les vv. 24-28 annoncent la disparition de toutes les forces célestes contraires à la vie. À la fin de la péricope, le v. 28c, « afin que Dieu soit tout en tout », va dans le même sens : il n'y aura pas de déchets, donc pas de gens échappant à la résurrection ni de personnes définitivement damnées. Le vocabulaire de la totalité est omniprésent dans toute la péricope (vv. 22.24.25.27.28) ; nulle discrimination n'est évoquée. Il faut donc sans doute lire la péricope à la lumière de cette tonalité d'ensemble, sans y introduire ni les pécheurs ni le jugement, qui sont étrangers à la thématique développée (Boring ; Gielen ; Johnson ; Pokorný ; Schrage*). Un autre passage auquel on peut se référer pour lire celui-ci est 1 Th 4, 13-18, en particulier le v. 14, qui fait également le lien entre la résurrection de Jésus et celle des humains ; certes, la description de la fin des temps n'est pas iden-tique à celle que l'on trouve en 1 Co (ici et en 15, 51-52), mais il y a des parentés ; en particulier, 1 Th 4, 13-18 ne parle non plus ni de jugement ni de damnation.

La structure du passage n'est pas facile à déterminer. Ce qui semble le plus clair, c'est que l'on passe d'affirmations (vv. 20-22) à un scénario narratif marqué par des particules temporelles, qui commence au v. 23 : « ensuite » (*epeita* ; v. 23) ; « puis » (*eita* ; v. 24) ; « lorsque » (*hotan* ; vv. 24.27.28) ; « jusqu'à ce que » (*achri hou* ; v. 25). Le meilleur découpage que l'on peut faire à l'intérieur de la péricope semble alors être de distinguer les vv. 20-22 d'une part, et les vv. 23-28 d'autre part. Notons encore que certains chercheurs pour lesquels 1 Co est composite, et qui estiment que le chapitre 15 suivi de 16, 13-24 constituait une épître ancienne sans introduction épistolaire, font des vv. 24b.25.28 des formulations traditionnelles pré-pauliniennes (*e.g.* Schmitals); nous ne retenons pas cette hypothèse (cf. l'Introduction p. 37-38).

VV. 20-22 – Dès le départ, Paul rappelle au v. 20 la résurrection du Christ, et il commente le nom de Christ par une apposition: il est «prémices» de ceux qui se sont endormis. Autrement dit, sa résurrection est un événement premier qui sera suivi d'autres, analogues, à savoir les résurrections des humains. Le terme «prémices» (*aparchè*) désigne en effet le premier objet d'une liste; il a toujours chez Paul un sens figuré. Il est repris par Clément de Rome, également pour affirmer que Christ constitue les prémices d'autres personnes destinées à ressusciter (*1 Clément* 24, 1); le texte de Clément s'inspire ici directement de celui de Paul en 1 Co. Les vv. 21-22 forment un ensemble, construit sur le parallèle entre mort et vie. Au v. 21, qui ne comporte pas de verbe, ce sont les substantifs qui sont utilisés, «mort» et «résurrection»; et chaque fois il est question d'un homme, qui n'est pas nommé. Au v. 22, Paul utilise des verbes, «mourir» et «être vivifié», ce qui permet d'introduire une différence temporelle que les substantifs ne peuvent rendre, à savoir que la mort appartient à l'âge présent et que la résurrection des humains est future; les deux concernent «tous» les membres de l'espèce humaine (*pantes* est répété). Et les hommes par lesquels existent la mort en ce monde et la vie dans l'autre sont nommés: Adam d'une part, Christ d'autre part. L'emploi du verbe «être vivifié» eu lieu de «être réveillé» est à souligner. Car, à la fin des temps, il y aura encore des vivants sur cette terre; ceux-là n'auront pas à être réveillés puisqu'ils ne feront pas partie de «ceux qui se sont endormis»; ils auront simplement à recevoir une vie nouvelle, celle dans laquelle la mort n'existera plus. Le parallèle entre Adam et Jésus Christ est repris plus loin en 15, 45, où est cité Gn 2, 7; et il fera l'objet d'un développement nettement plus long en Rm 5, 12-21 (van Maaren). La façon dont le premier humain est traité montre que Paul le considère, de même que tous les Juifs ses contemporains, comme un personnage historique; Adam et Jésus font partie de l'histoire. Dieu avait annoncé à Adam qu'il mourrait s'il transgressait son commandement (Gn 2, 17); comme cette transgression eut lieu, il mourut bel et bien (Gn 5, 4-5), et tous les humains après lui. Les conséquences de sa désobéissance ont été beaucoup réfléchies dans la tradition juive (de Legaretta-Castillo; Porter): c'est toute la création qui en fut bouleversée, comme l'exprime 4 Esd: «Les voies de ce monde devinrent étroites, pénibles, difficiles, peu nombreuses, mauvaises, pleines de dangers et accompagnées de grandes peines» (4 Esd 7, 11-12, trad. Geoltrain; cf. aussi 7, 118; 2 Ba 48, 2). Pour que l'argument de Paul porte, le fait que les hommes meurent en Adam devait être admis au départ par ses destinataires; la transmission de la mort se fait par génération. De façon analogue, Paul affirme que la vie indestructible du Christ se transmet aussi aux humains ; mais l'analogie est en partie inadéquate, car le mode de transmission est autre (Kreitzer, « Adam » ; Id, « Christ »). On aimerait que Paul précise ce mode de transmission mais il ne le fait pas en 1 Co. La façon dont les humains sont sauvés par Christ sera précisée en Ga (2, 16-17 ; 3, 13-14) et Rm (5, 12-21) : ce salut est alors présenté comme un résultat de la mort rédemptrice de Christ, et non comme une suite de sa résurrection.

VV. 23-28 – Avec les vv. 23-24, commence le récit du scénario de la fin des temps, marqué par des adverbes et des conjonctions temporelles qui indiquent une succession d'événements. Les exégètes qui estiment que seuls ressusciteront certains humains estiment que le syntagme « ceux (qui seront) du Christ » (*hoi tou Christou*) désigne des défunts qui ont été disciples du Christ au cours de leur vie terrestre ; ils estiment également que la « parousie » nommée à la fin du v. 23 désigne le même événement que la « fin » au début du v. 24 ; et ils doivent pour légitimer leur scénario, enlever à « puis » (*eita* ; début du v. 24) sa connotation temporelle pour lui donner une valeur consécutive : en conséquence de ce qui s'est produit, ce sera la fin (Plevnik, *Parousia*, 122-144). Comme nous l'avons écrit plus haut, une autre lecture est possible et sans doute meilleure. En 1 Th 4, 15-18, Paul distingue deux étapes dans les événements de la fin : d'abord le relèvement de ceux qui seront déjà morts, puis l'enlèvement de ceux qui seront encore vivants sur cette terre. Ici, il semble bien que les emplois successifs de « ensuite » (*epeita* ; v. 23) et « puis » (*eita* ; v. 24) commandent aussi deux étapes, bien que non identiques à celles que présente 1 Th. La première de ces deux étapes concerne « ceux (qui seront) du Christ », mais rien ne dit qu'ils seront morts ; au contraire, Paul emploie une expression analogue en 1, 12, où celui qui est « du Christ » est bien vivant. La parousie du Christ est alors sans doute sa venue sur cette terre, pour vivifier d'une vie sans fin ces chrétiens encore vivants. La seconde étape est plus globale, elle est évoquée au v. 24 : c'est la « fin » (*telos*), elle a lieu ensuite ; les morts qui en bénéficieront ne sont pas nommés, mais la globalité du règne du Christ et l'anéantissement par lui de toutes les puissances mauvaises laissent entendre que tous les défunts seront entraînés dans sa victoire. Le v. 25 développe le thème du règne du Christ en utilisant le verbe « régner » (*basileuô*) et en le présentant comme une nécessité essentielle. Ce règne est en cours. Il a été dit au v. 24 que, au moment de la fin, le Christ le remettra au Dieu et Père. Il doit encore se prolonger jusqu'à ce que tous les ennemis du Christ soient « mis sous ses pieds » ; l'expression, figure d'une soumission qui ne sera nommée qu'au v. 27, est empruntée au Ps[LXX] 109, 1. Cette affirmation, associée à la tonalité apocalyptique du passage, a posé la question de savoir si Paul avait en tête un règne terrestre du Christ, intermédiaire entre sa seconde venue et la fin des temps, règne dont il est question en Ap 20, 4-6 et qui y est présenté comme devant durer mille ans. Cette question a été très débattue entre les chercheurs (*e.g.* Allo* ; Garcia ; Lindemann ; Stewart ; Turner). Il est vrai que, selon notre lecture, Paul distingue le moment de la parousie (v. 23) où le Christ viendra chercher les vivants appartenant au Christ sur la terre, et le moment de la fin où il remettra son règne au Dieu et Père (v. 24) ; mais cela n'exige pas de donner une consistance à l'intervalle compris entre les deux (Hill). Les formulations employées semblent plutôt traduire un souci que personne ne soit oublié, et les encore-vivants sur la terre (v. 23) et les « endormis » (v. 24), en sorte que, dans le Christ, tous soient vivifiés (v. 22). Le v. 26 a une formulation très ramassée. Il reprend le vocabulaire de la mort (*thanatos*) déjà utilisé au v. 21 ; mais, considérée comme l'ennemi ultime, elle est ici personnalisée. Il reprend aussi le vocabulaire de la disparition (*katargeô*) déjà utilisé au v. 24. Quelque chose de définitif se produira alors dans le monde terrestre et céleste, annonciateur de ce qui est exprimé à la fin de la péricope, à savoir que Dieu sera tout en tout et en tous (v. 28c), ce qui exclut visiblement la possibilité de peines éternelles. Aux vv. 27-28, domine le vocabulaire de la soumission, le verbe « soumettre » (*hupotassô*) étant employé six fois. Domine aussi le vocabulaire de la totalité (7 emplois de l'indéfini *pas* au pluriel). Ces deux versets évoquent la récapitulation finale du monde créé. Le v. 27a est un commentaire du v. 26 ; il donne les raisons pour lesquelles la mort ne pourra échapper à la disparition, en utilisant le Ps^{LXX} 8, 7, dans lequel se trouve « sous ses pieds » qui se lit au v. 25. Ce verset et Ps^{LXX} 109, 1 sont rapprochés l'un de l'autre en utilisant la méthode d'exégèse juive appelée *gezera shawa*, grâce à laquelle deux textes apparentés sont expliqués l'un par l'autre (Heil). Le Psaume 8 se référant à la création de l'homme, le verbe « soumettre » (*hupotassô*) s'y trouve à l'aoriste ; Paul conserve ce temps par fidélité au texte qu'il cite, alors que, dans le contexte de la description des événements de la fin, on s'attendrait plutôt à un futur : « Il soumettra tout sous ses pieds ». Au v. 27bc, une déclaration solennelle retentit, anticipant ce qui se passera à la fin des temps ; elle annonce que tout a été soumis ; le locuteur n'en est pas précisé, mais celui qui correspond le mieux au contexte est sans doute le Christ annonçant sa victoire définitive sur tout, sauf sur son Père, évidemment, puisque ledit Père a été l'opérateur de cette victoire. Bien loin de soumettre le Père, le Christ se soumettra au contraire à lui (v. 28). Il est alors appelé « le Fils », nom que Paul ne lui avait donné jusqu'ici qu'une seule fois en 1 Co (1, 9). Et cette soumission du Fils au Père permettra que Dieu soit tout en tout, expression très synthétique de la récapitulation de tout le monde créé sous l'autorité du Créateur. Ce passage a posé plusieurs difficultés aux théologiens postérieurs. Si le Christ se soumet au Père, est-il légitime de penser qu'il régnera éternellement ? Et par ailleurs, ne faut-il pas en déduire à la suite des ariens qu'il lui est inférieur, position qui fut condamnée par le Concile de Nicée en 325 (Cothenet ; Fredrickson, « God ») ? Le passage sera, en effet, très commenté à l'époque patristique. Marcel d'Ancyre (285-374), adversaire vigoureux de l'arianisme, estimait qu'à la toute fin des temps l'incarnation serait terminée et que le Verbe n'existerait plus qu'en Dieu. Il fut condamné au Concile de Constantinople en 381 qui, pour éviter cette lecture, ajouta au *Credo* à propos du Fils, « dont le règne n'aura pas de fin » (Jansen ; Nadeau).

NOTES

20

Le terme ἀπαρχή (prémices) est présent dans la LXX, où il désigne les premiers fruits des récoltes, qui sont offerts à Dieu lors de la fête annuelle des Prémices, ou des Semaines. Il traduit alors l'hébreu *réšīt* (Ex 23, 16-19 ; Lv 23, 9-14 ; Nb 18, 12-13 ; Dt 18, 4 ; 2 Ch 31, 5 ; Neh 10, 37). Paul réutilisera le mot dans un contexte différent en Rm 8, 23 ; 11, 16. En 1 Co 16, 15 et Rm 16, 5, il désigne les premiers convertis d'une jeune Église. On notera que Paul ne fait pas de distinction parmi « ceux qui se sont endormis ». S'il avait envisagé la résurrection des seuls justes ou des seuls chrétiens, il aurait écrit : τῶν ἐν Χριστῷ κεκοιμήμενῶν.

21-22

Dans ces deux versets, à la différence du vocabulaire utilisé au v. 20, la mort n'est plus évoquée à l'aide de la métaphore du sommeil : « la mort » est exprimée à l'aide du substantif ὁ θάνατος ; le verbe « mourir » traduit le grec ἀποθνήσκω ; et « les morts » sont désignés à l'aide de l'adjectif substantivé νεκρός. Le premier des trois mots évoque la mort et sa puissance, celle qui règne sur l'humanité. Le dernier n'a pas la même force symbolique : un νεκρός est simplement un défunt, quelqu'un qui est passé par le trépas. Au v. 21, la conjonction de subordination ἐπειδή est synonyme de ἐπεί et signifie « puisque » ; elle introduit la protase, l'apodose étant introduite par καί ; dans cette dernière, le syntagme ἀνάστασις νεκρῶν évoque une réalité qui répond à l'affirmation des Corinthiens formulée en 15, 12-13 : ἀνάστασις νεκρῶν οὐκ ἔστιν. Dans les expressions « mourir en (ἐν) Adam » et « être vivifié en (ἐν) Christ », il faut donner la même valeur aux deux emplois de la préposition ἐν ; elle ne peut avoir un sens instrumental ; elle indique une incorporation, une participation au sort de la personne nommée (*e.g.* Fitzmyer*).

23

Le début du v. 23, « mais chacun à son rang particulier », commence un nouveau développement (malgré Wilcke, *Problem*, 56-108, qui en fait la conclusion de ce qui précède). Le sens du mot τάγμα (rang), hapax du NT, est débattu ; il est très proche de celui de τάξις, mais il est moins fréquent. Il peut désigner soit un rang hiérarchique soit un rang chronologique. Du fait qu'il est suivi d'adverbes de temps (ἔπειτα, εἶτα) et de conjonctions de subordination également temporelles (ὅταν, x2), la connotation chronologique semble la meilleure (Fredrickson, « Paul Playfully »). Le terme παρουσία (venue) a déjà été employé par Paul en 1 Th (2, 19 ; 3, 13 ; 4, 15 ; 5, 23) ; on ne le trouve en 1 Co qu'ici et en 16, 17.

24

Le syntagme τὸ τέλος a été diversement interprété. On a parfois voulu donner à τέλος le sens de « reste », en suggérant qu'il renvoie aux humains qui n'ont pas été vivifiés lors de la παρουσία, mais ce sens n'est pas attesté. On a également parfois donné au syntagme une valeur adverbiale, qui conduirait à le traduire « par finalement », sans autre précision. Son interprétation la plus immédiate est cependant qu'il renvoie aux événements de la fin des temps dans leur globalité. Toujours au v. 24, on remarque que παραδιδῷ est un subjonctif présent, ce qui fait de la première proposition commençant par ὅταν une sorte de commentaire intemporel du mot τέλος. Le verbe καταργήσῃ (a fait disparaître) est un subjonctif aoriste ; il indique une antériorité de l'anéantissement des puissances mauvaises, par rapport à la remise du règne au Père. Les puissances elles-mêmes sont désignées par trois substantifs déclinés au singulier : ἀρχή (domination), que l'on retrouve avec ce sens en Rm 8, 38 ; Ep 1, 21 ; 3, 10 ; 6, 12 ; Col 1, 16 ; 2, 10.15 ; ἐξουσία (autorité), également en Col 2, 10.15 ; δύναμις (puissance), également en Rm 8, 38 ; Ep 1, 21 ; 1 P 3, 22. Ce dernier terme a déjà ce sens dans le judaïsme ancien (4 M 5, 13). On a pu imaginer que, en nommant ces trois puissances mauvaises, Paul composait un couplet anti-impérialiste (*e.g.* Horsley*), mais cela n'est aucunement prouvé (Braşoveanu).

25

Le verbe δεῖ (il faut) exprime qu'une chose doit se produire en raison d'une nécessité supérieure, parce qu'elle correspond au dessein divin. On le retrouve au v. 53 ; il a une consonance apocalyptique (cf. aussi Mc 13, 7.10 ; Ap 1, 1 ; 4, 1 ; 10, 11, etc.). Le verbe βασιλεύω (régner) est au présent ; il a pour sujet le Christ, ce qui est un cas unique chez Paul pour lequel la notion de règne du Christ n'est pas courante (on la trouve en Lc 23, 42 et en Ap, notamment Ap 20, 4-6) ; il renvoie à un règne plus global que le verbe κυριεύω (dominer), qui suggère un pouvoir moins absolu (Carrez). En utilisant βασιλεύω, Paul annonce le triomphe définitif du Christ sur la mort, marqué par l'élimination de celle-ci. Il n'est pas impossible que l'Apôtre reprenne ce verbe au vocabulaire de Corinthiens qui prétendaient disposer d'une certaine forme de royauté de par leur attachement au Christ (4, 8) (Carrez, 143-145). Le vocabulaire des ennemis (οἱ ἐχθροί) et l'expression « sous ses pieds » (ὑπὸ τοὺς πόδας αὐτοῦ) est emprunté au Ps[LXX] 109, 1, où Dieu parle au roi en lui disant : « ... Jusqu'à ce que je mette tes ennemis (comme) marchepied de tes pieds » (ἕως ἂν θῶ τοὺς ἐχθρούς σου ὑποπόδιον τῶν ποδῶν σου) ; mais ici, comme on est dans le narratif et non dans le déclaratif, et que Christ règne encore, c'est lui le sujet du verbe « mettre » (τίθημι) (Heil), et il est question de « ses pieds » au lieu de « tes pieds ». Grammaticalement parlant, le texte devrait porter le génitif ἑαυτοῦ au lieu de αὐτοῦ ; mais la citation implicite du Psaume nécessite de conserver la formulation de la LXX.

26

La construction de la phrase est délicate. Le verbe καταργέω (faire disparaître) est au présent passif, et aucune particule de liaison ne relie ce verset au précédent. Cette situation a conduit à proposer que ce verset soit directement rattaché au v. 24, par-dessus le v. 25. Effectivement, ce présent étonne ; il semble affirmer que la mort est en train d'être détruite au moment où le texte est rédigé. En même temps, on a déjà pu repérer un présent tout aussi étonnant au v. 24, παραδίδῳ ; il a une valeur intemporelle, la temporalité étant exprimée par le fait que c'est la disparition du dernier ennemi. De même, on peut se demander quel est l'agent du passif καταργεῖται : Dieu ou Christ. Il semble que Christ soit meilleur, puisque c'est lui qui, au v. 25, met tous les ennemis sous ses pieds, mort comprise. Ce verset à la formulation très ramassée met le point final au règne des ennemis.

27-28

Deux questions délicates se posent dans ces deux versets : les nuances marquées par les différents temps auxquels est conjugué le verbe ὑποτάσσω (soumettre) ; et les sujets des verbes. Précisons d'abord les temps du verbe ὑποτάσσω au fil du texte. Au

v. 27 : ὑπέταξεν, indicatif aoriste actif (soumit) ; ὑποτέτακται, indicatif parfait passif (a été soumis) ; ὑποτάξαντος, participe aoriste actif (celui qui soumit). Au v. 28 : ὑποταγῇ, subjonctif aoriste[2] passif (aura été soumis) ; ὑποταγήσεται, indicatif futur[2] moyen (se soumettra) ; ὑποτάξαντι, participe aoriste actif (celui qui soumit). Quant aux sujets des verbes, au v. 27, dans la logique de la continuité avec le v. 25, de même que c'est Christ qui mit les ennemis sous ses pieds, c'est sans doute lui qui soumit tout sous ses pieds au v. 27 ; il est sujet de ὑπέταξεν. La même difficulté se pose qu'au v. 25, car on devrait avoir grammaticalement ὑπὸ τοὺς πόδας ἑαυτοῦ (au lieu de αὐτοῦ) ; mais ici encore joue l'influence de la citation du Psaume (ici Ps[LXX] 8,7) qui utilise le pronom non réfléchi. Plus complexe est la question du sujet de εἴπῃ, toujours au v. 27. Qui déclare que « tout a été soumis » ? Trois possibilités existent : 1° Est-ce Christ qui vient d'accomplir l'action et qui rend compte au Père (e.g. Fee*) ? – 2° Est-ce le Père à qui revient le rôle d'énoncer cette déclaration finale (e.g. Heinrici* ; Heil) ? – 3° Est-ce un dire impersonnel, qui être attribué à l'Ecriture, puisque deux Psaumes viennent d'être cités (e.g. Barrett* ; Collins* ; Conzelmann*) ? Dans la mesure où le sujet des verbes précédents est Christ et où il n'y a pas eu d'indicateur de changement de sujet, la première option peut sembler la meilleure, mais un doute subsiste, et il n'est pas sûr qu'il faille chercher à lever l'ambiguïté. En revanche, toujours au v. 27, celui qui soumit tout au Christ est évidemment le Dieu et Père nommé au v. 24. Au v. 28a, c'est τὰ πάντα le sujet du passif ὑποταγῇ : au terme, tout aura été soumis au Christ, et c'est lui, qui est alors appelé le Fils (ὁ υἱός), qui se soumettra à celui qui lui a tout soumis, à savoir le Père. Deux questions se posent également au v. 28c. La première : quelle est la fonction de τὰ πάντα ? Ce syntagme peut être le sujet du verbe ᾖ (afin que tout soit Dieu) ; on serait alors en plein panthéisme ! Il peut avoir une fonction adverbiale (afin que Dieu soit totalement). Ou encore une fonction d'attribut (afin que Dieu soit tout). La troisième solution est sans doute la meilleure ; elle est d'ailleurs celle qui respecte le mieux l'ordre des mots (Zeller). Seconde question, à la toute fin du v. 28 : le datif ἐν πᾶσιν est-il un masculin (en tous) ou un neutre (en tout) ? Là encore, les opinions des commentateurs divergent. Dans la mesure où, depuis le v. 27, l'indéfini πᾶς est employé au neutre pluriel, on choisira plutôt le neutre. Le neutre est d'ailleurs plus global que le masculin, il le comprend, puisque les personnes humaines font partie de la totalité du monde créé. La reprise d'une formulation proche, en Rm 11, 36, favorise aussi le neutre.

Vivre comme de futurs ressuscités
(15, 29-34)

TRADUCTION

15, 29 Ou alors... pourquoi (le) feraient-ils, ceux qui sont baptisés pour les morts ? Si au total, des morts, ça ne se réveille pas, pourquoi aussi sont-ils baptisés pour eux[a] ? 30 Pourquoi nous aussi, sommes-nous en danger à toute heure ? 31 Chaque jour je meurs, je l'atteste par la fierté que j'ai de vous[b], frères[c], celle que j'ai en Christ Jésus notre Seigneur[d]. 32 Si c'est avec des vues humaines que je combattis des bêtes sauvages à Ephèse, quel avantage pour moi ? Si des morts, ça ne se réveille pas, *Mangeons et buvons, car* *demain nous mourrons.* 33 Ne vous y trompez plus : les mauvaises compagnies corrompent les bonnes mœurs. 34 Dégrisez-vous sérieusement et ne péchez pas ; certains ont la méconnaissance de Dieu ; je parle[e] pour vous faire honte.

[a] La majorité des mss porte ὑπὲρ αὐτῶν. Quelques-uns reprennent les trois derniers mots du v. 29a : ὑπὲρ τῶν νεκρῶν (D² *Byz* sy[p] bo[ms]). Un ms. porte même une formule plus développée : ὑπὲρ αὐτῶν τῶν νεκρῶν (69). Très peu attestées ces deux variantes secondaires répondent à une volonté d'expliciter la phrase paulinienne.

[b] La majorité des mss porte τὴν ὑμετέραν καύχησιν. On trouve cependant τὴν ἡμετέραν καύχησιν en A 6. 365. 614. 629. 1241[s]. 1505. 1881 *al ;* minoritaire, cette variante est sans doute influencée par l'emploi de la 1re personne dans la suite de la phrase : ἣν ἔχω... (Deer ; TCGNT 568).

[c] L'apostrophe ἀδελφοί est présente en ℵ A B K P 33. 81. 104. (326). 365. 1175. 1241[s]. 2464 *pc* lat sy co. Elle est absente en p[46] D F G Ψ 075. 0243. 1739. 1881 *Byz* b ; Ambrosiaster Pélage. L'attestation de la première leçon est un peu meilleure.

[d] L'immense majorité des mss porte cette titulature développée : ἐν Χριστῷ Ἰησοῦ τῷ κυρίῳ ἡμῶν. On trouve cependant une titulature beaucoup plus brève, ἐν κυρίῳ, en D* b ; Ambrosiaster Pélage. La raison de cette abréviation, très peu attestée, n'apparaît pas clairement.

[e] Au lieu λαλῶ, attesté en p[46] ℵ B D P Ψ 0243. 33. 81. 365. 630. 1175. 1241[s]. 1505. 1739. 2464 *pc* lat, on trouve λέγω en A F G 075. 1881 *Byz* ar. La première leçon est bien davantage attestée ; la seconde peut sembler plus appropriée pour une déclaration solennelle, on la trouve déjà mot pour mot en 6, 5. Elle résulte soit d'une correction volontaire de scribe, soit d'une correction involontaire influencée par la mémoire.

BIBLIOGRAPHIE

R.A. Campbell, « Baptism and Resurrection (1 Cor 15 : 29) », *ABR* 47, 1999, 43-52. – D.S. Deer, « Whose Pride / Rejoicing / Glory(ing) in 1 Corinthians 15. 31 ? », *BibTrans* 38, 1987, 126-128. – R.E. Demaris, « Corinthian Religion and Baptism for the Dead (1 Co 15 : 29) », *JBL* 114, 1995, 661-682. – R.E. Demaris, « Demeter in Roman Corinth : Local Development in a Mediterranean Religion », *Numen* 42, 1995, 105-117. – B. Dunsch, « Menander bei Paulus. Oralität, Performanz und Zitationstechnik in Corpus Paulinum », *JahrbAntChrist* 53, 2010, 5-19. – A.C. English, « Mediated, Mediation, Unmediated : 1 Corinthians 15 : 29. The History of Interpretation and the Current State of Biblical Studies », *RExp* 99, 2002, 419-428. – A. Eriksson, « Elaboration of Argument in 1 Cor 15 : 20-34 », *SvenskExegÅrs* 64, 1999, 101-114. – B.M. Foschini, *Those Who Are Baptized for the Dead*, Worcester 1951. – D. Frayer-Griggs, « The Beasts at Ephesus and the Cult or Artemis », *HThR* 106, 2013, 459-477. – M.D. Hooker, « Artemis of Ephesus », *JournTheolStud* 64, 2013, 37-46. – M.F. Hull, *Baptism on Account of the Dead (1 Cor 15 : 29) : An Act of Faith in the Resurrection*, Atlanta 2005. – S.M. Lewis, *« So that God May Be All in All ». The Apocalyptic Message of 1 Corinthians 15, 12-34*, Rome 1998. – S.M. Lewis, « "So that God May Be All in

All" : 1 Corinthians 15 : 12-34 », *SBFLA* 49, 1999, 195-210. – J. MURPHY-O'CON-
NOR, « "Baptized for the Dead" (1 Cor. XV, 29). A Corinthian Slogan ? », *RB* 88,
1981, 532-543. – J.E. PATRICK, « Living Rewards for Dead Apostles : "Baptized
for the Dead" in 1 Corinthians 15. 29 », *NTS* 52, 2006, 71-85. – J.D. REAUME,
« Another Look at 1 Corinthians 15 : 29, "Baptized for the Dead" », *BS* 152, 1995,
457-475. – M. RISSI, *Die Taufe für die Toten. Ein Beitrag zur paulinischen
Tauflehre*, Stuttgart 1962. – N.H. TAYLOR, « Baptism for the Dead (1 Cor 15 :
29) ? », *Neotest.* 36, 2002, 111-120. – W.O. WALKER, « 1 Corinthians 15 : 29-34
as a Non-Pauline Interpolation », *CBQ* 69, 2007, 84-103. – J.R. WHITE, « "Baptized on Account of the Dead" : The Meaning of 1 Corinthians 15 : 29 in its
Context », *JBL* 116, 1997, 487-499. – J.R. WHITE, « Recent Challenges to the
communis opinio on 1 Corinthians 15. 29 », *CurrBibRes* 10, 2012, 375-395. –
G. WILLIAMS, « An Apocalyptic and Magical Interpretation of Paul's "Beast
Fight" in Ephesus (1 Corinthians 15 : 32) », *JThS* 57, 2006, 42-56. – D. ZELLER,
« Gibt es religionsgeschichtliche Parallelen zur Taufe für die Toten (1 Kor 15,
29) ? », *ZNW* 98, 2007, 68-76.

INTERPRÉTATION

Certains auteurs font une seule péricope des vv. 20-34 (Eriksson ; Lewis).
Il nous semble plus normal de faire des vv. 29-34 une conclusion de la
première moitié du chapitre 15, qui poursuit d'abord (vv. 29-32) l'argumentation initiée en 12-19, et clôt cette première moitié par deux versets exhor-
tatifs (vv. 33-34). Vu son caractère hybride et le fait qu'elle utilise un
vocabulaire assez rare chez Paul, il a pu être estimé que cette péricope était
non paulinienne et quelle avait été intégrée dans le texte après-coup, vraisemblablement par des Marcionites (Walker) ; les raisons invoquées à l'appui
de cette thèse n'emportent cependant pas forcément l'adhésion.

VV. 29-32 – La ressemblance de ces quatre versets avec les vv. 12-19 est
frappante. On y trouve également des tournures conditionnelles posant
l'hypothèse – absurde pour l'auteur – que des morts, ça ne ressuscite pas.
La proposition circonstancielle « si des morts, ça ne se réveille pas »
employée deux fois (vv. 29b et 32b), forme inclusion au début et au terme
de l'unité. Le jeu des pronoms personnels est complexe : on a successivement « ils », se référant à la pratique de certains membres de l'Église de
Corinthe (v. 29) ; puis un « nous » se rapportant visiblement aux apôtres
(v. 30) ; puis un « je » par lequel Paul évoque sa propre expérience (vv. 31-
32a) ; et enfin un « nous » inclusif concernant tous les chrétiens (v. 32b). Au
v. 29, Paul appuie la foi en la résurrection des morts sur une pratique dont
il n'est pas précisé s'il l'approuve ou non : le fait que certains au moins des
membres de l'Église de Corinthe reçoivent un baptême (ou se baptisent)
« pour les morts ». Cette pratique, dont on ne trouve aucune autre attestation
dans le NT est obscure. Elle a donné lieu à de multiples conjonctures ; des
thèses et des livres entiers ont été consacrés à ce verset (*e.g.* Foschini ; Hull ;
Rissi). Si l'on entre dans le détail, on a compté jusqu'à une quarantaine

d'hypothèses (Foschini). Nous les classons en 6 catégories principales empruntées aux analyses de Fitzmyer* (578-580), avec des variantes possibles à l'intérieur de chacune d'elles. 1° Il pourrait s'agir d'un baptême que des personnes vivantes se feraient administrer au bénéfice de gens étant morts sans être baptisés. La préposition *huper* aurait alors valeur substitutive. On parlerait d'un « baptême vicaire », expression qui a souvent été employée par les interprètes (Demaris, « Corinthian Religion » ; Rissi). Cette hypothèse s'autorise principalement du fait que des Pères de l'Église ont dénoncé une telle pratique dans des mouvements considérés comme hérétiques : Tertullien la dénonce chez les Marcionites (*De resurrectione mortuorum* 48, 11 ; *Adv. Marcionem* 5, 10, 1-2) ; Épiphane la dénonce chez les Cérinthiens (*Panarion* 28, 6, 4) ; et Jean Chrysostome procède à une dénonciation analogue (*Hom. in Ep. ad Corinthios* 40, 1). – 2° Il pourrait également s'agir d'un baptême donné en hâte à des personnes en danger de mort, ou même venant de trépasser, dans l'espoir qu'elles bénéficient du salut ; là encore existent plusieurs témoignages patristiques dont celui de Jean Chrysostome (*Ibid.* 40, 2) (Taylor) ; dans le cas d'un rite accompli sur un cadavre, il s'agirait d'une pratique syncrétique mêlant la foi chrétienne à des rites funéraires locaux (Zeller). – 3° On a également pensé qu'il pourrait s'agir d'un baptême « à cause de morts », que les gens recevraient dans l'espoir de retrouver dans l'au-delà des personnes dont on a été proche sur cette terre (*e. g.* Thiselton*). – 4° Dernière hypothèse conservant au baptême son sens rituel : les Corinthiens se font baptiser alors que leurs propres corps seront bientôt morts (Campbell), et ce simple fait témoigne de leur foi implicite en la résurrection (Hull) ; on pourrait aussi penser à des gens qui reçoivent le baptême à cause de défunts chrétiens qu'ils ont connus dans la vie présente, dont ils ont trouvé la conduite exemplaire et qui auraient envie de leur ressembler (Reaume), voire à des baptêmes administrés sur les tombes des morts, pour bénéficier de leur influence. – 5° Cette hypothèse et la suivante interprètent le verbe « baptiser » au sens métaphorique : il existe au moins deux passages des évangiles où le verbe « être baptisé » est employé par Jésus pour évoquer sa proche mise en croix (Mc 10, 38 ; Lc 12, 50). On pourrait alors être baptisé rituellement pour être en communion avec les martyrs de la foi ; au moment de la rédaction de 1 Co, a déjà eu lieu le martyre d'Étienne et celui de Jacques, fils de Zébédée (Ac 7, 57-60 et 12, 1-2) (Patrick ; White, « Baptized » ; Id, « Recent Challenges »). Une deuxième possibilité, toujours en référence au martyre, serait l'attirance de certains chrétiens pour subir le martyre. – 6° Une dernière hypothèse est attachée au nom de J. Murphy-O'Connor (« Baptized »), qui se demande si l'on ne pourrait interpréter le verbe « baptiser » au sens de « plonger dans la mort, détruire ». Certains Corinthiens, se considérant comme une élite spirituelle, auraient alors accusé les apôtres vivant les souffrances de leur ministère apostolique d'être des « baptisés pour les morts », c'est-à-dire pour des gens indignes que l'on s'intéresse à eux. Le départage entre ces différentes hypothèses est délicat. Nommons les critères qui pourraient orienter le choix : A) L'allusion à un baptême vicaire (n° 1), qui fut dominante pendant des décennies, est actuellement en perte de vitesse, car on n'en trouve aucune attestation sûre avant la fin du IIe siècle dans des courants hérétiques (English). – B) Pour porter, l'argument du v. 29 doit être du même type que celui avancé aux vv. 30-32a, à savoir les souffrances des apôtres ; il ne saurait alors s'agir d'une pratique marginale plus ou moins condamnable. – C) En même temps, la formulation employée montre que tous les fidèles ne vivent pas ce baptême pour les morts ; c'est le fait d'un nombre limité de personnes dont on ignore l'étendue. – D) Enfin, Paul n'utilise jamais le verbe « baptiser » au sens métaphorique en dehors du rite qu'il a nommé tel (ce qui évacue les hypothèses n° 5 et n° 6). L'ensemble de ces arguments conduit à penser que Paul fait allusion à un baptême rituel, administré dans des conditions régulières, reçu par des chrétiens soucieux d'accomplir pour eux-mêmes un geste dont des défunts seraient en même temps bénéficiaires. Les fouilles archéologiques effectuées à Corinthe révèlent en effet un souci des non-chrétiens de la ville pour leurs défunts ; ce souci n'a pas eu raison de diminuer chez ceux qui sont devenus croyants (Demaris, « Demeter »). Non pas un baptême vicaire, mais plutôt un baptême corporatif, le nouveau baptisé entraînant avec lui des personnes mortes depuis plusieurs années qui n'ont pas eu la chance de recevoir l'Évangile ; autrement dit, quelque chose d'assez proche de l'hypothèse n° 3 avec, à l'intérieur de cette catégorie, des positions personnelles assez variées. Cela dit, nul n'oserait prétendre prononcer le dernier mot sur la question. Les vv. 30-31, introduits par un nouveau « pourquoi ? », donnent un nouvel argument en faveur de la résurrection des défunts, tiré, cette fois, de l'expérience des apôtres. S'ils ne croyaient pas en la résurrection, ils n'auraient aucune raison de se dépenser comme ils le font. Tous sont exposés à des dangers à toute heure (v. 30) ; et Paul lui-même subit mille morts, au figuré évidemment, car il est toujours bien vivant (v. 31). La formulation de ces deux versets est hyperbolique ! L'évocation de la « mort » que subit l'Apôtre est habile, rhétoriquement parlant, car elle fait spontanément contraste avec la résurrection à laquelle il se sait promis. Le v. 32a poursuit dans la même logique, reprenant une formulation conditionnelle analogue à celles que l'on trouvait plus haut aux vv. 12 et 19, auxquelles s'ajoute un « pourquoi ? » repris des vv. 29-31 ; il est centré, comme le v. 31, sur l'expérience personnelle de Paul, qui se trouve à Ephèse lorsqu'il écrit 1 Corinthiens et qui rappelle une « mort », à savoir le combat contre les bêtes du cirque auquel, sauf miracle, on ne survit généralement pas. C'est à nouveau une proposition conditionnelle reprise du v. 29 qui introduit le v. 32b ; elle débouche sur une exhortation dissuasive utilisant un « nous » inclusif », à tonalité épicurienne, qui montre à quelle aberration on serait conduit si les morts ne ressuscitaient pas. Elle est empruntée, au mot près, à Is^{LXX} 22, 13b. Mais on la trouve aussi sous des formes proches en Qo 8, 15 ; Sg 2, 5-6. Des tombes gréco-romaines sont également porteuses d'épigrammes ayant la même tonalité, exprimant le néant dans lequel le défunt estime se trouver après sa mort, et lançant aux vivants une invitation à profiter de la vie terrestre tant qu'ils peuvent en jouir, telle celle-ci : « Je n'ai rien été, je ne suis rien. Et toi qui vis, mange, bois, joue, viens ! » (Klauck, *L'environnement*, 100).

VV. 33-34 – Cette petite unité est constituée de deux phrases impératives à la deuxième personne du pluriel, la première (v. 33) étant un impératif négatif, la seconde (v. 34), un impératif positif. Elle conclut en forme de *peroratio* l'ensemble des vv. 12-34 introduits au v. 12 par un premier « comment ? » (*pôs*). Le vocabulaire employé a des connotations très éthiques : les mœurs, la corruption, l'ivrognerie, le péché... Et la dernière phrase prononcée au v. 34 dit clairement que les Corinthiens ont un comportement honteux, comme Paul l'exprimait déjà en 6, 5. Ces deux versets opèrent alors un glissement de la croyance à l'éthique. Ne pas croire que l'on ressuscitera conduit à avoir une existence déréglée. On comprend alors l'insistance de l'Apôtre sur la nécessité de croire que nous ressusciterons à la fin des temps. Ne pas y croire n'est pas conforme aux contenus de la foi ; cela tue également l'espérance (cf. v. 19) ; et finalement, c'est la charité elle-même qui n'y trouve plus son compte. La triade qui conclut le chapitre 13, foi-espérance-charité, est implicitement présente dans ces vv. 12-34. Tout est lié. Le message déployé du v. 12 au v. 34 est avant tout sotériologique (Lewis).

NOTES

29

La conjonction ἐπεί est difficile à traduire ; dans les deux emplois précédents (5, 10 et 7, 14), elle introduisait une proposition circonstancielle, mais ce n'est pas le cas ici. On retrouve une tournure analogue en Rm 3, 6, où elle a une valeur adversative au début d'une phrase interrogative ; cet emploi, rare, existe dans la langue classique (*e. g.* Aristote, *Éthique à Nicomaque* 2, 2). Le pronom interrogatif τί peut signifier « quoi ? » ou « pourquoi ? » ; comme il est employé deux fois dans ce verset, et à nouveau au début du v. 30, mieux vaut lui donner la même valeur dans les trois cas ; l'emploi en 29b et 30a fait plutôt préférer la traduction « pourquoi ? » (malgré Allo* ; Barrett* ; Brookins, Longenecker ; Lémonon). Le futur ποιήσουσιν, dans une phrase interrogative, a valeur de conditionnel. Le participe βαπτιζόμενοι peut être passif ou moyen. La réflexion sur le baptême pour les morts (ὑπὲρ τῶν νεκρῶν) est d'autant plus délicate que la préposition ὑπέρ + génitif peut avoir à peu près les trois mêmes sens figurés que la préposition « pour » en français : elle peut avoir valeur finale (en faveur de), valeur substitutive (à la place de) et valeur causale (à cause de) (voir la discussion dans l'interprétation).

30-31

Au v. 30, le verbe κινδυνεύω (courir un danger) est peu fréquent dans le NT. On ne le trouve qu'ici et en Lc 8, 23 ; Ac 19, 27.40. En revanche, le substantif sur lequel il est formé, ὁ κίνδυνος (le danger) est très paulinien : un emploi en Rm 8, 35 ; et 8 fois dans un même verset, en 2 Co 11, 26. Au v. 31, l'emploi métaphorique du verbe ἀποθνῄσκω (mourir) entre en résonance avec un emploi précédent du même verbe en

15, 22, et avec celui du substantif ὁ θάνατος (la mort) en 15, 21.26 ; il s'agissait alors d'une mort bien réelle. La traduction « je l'atteste par » est un équivalent français de la particule grecque νή, qui est une formule d'imprécation, et qui, le plus souvent, est suivie en grec classique de l'invocation d'une divinité garante de la vérité de ce qui est énoncé par le locuteur. On ne la trouve qu'ici dans le NT ; elle est parfois présente aussi dans la LXX (*e.g.* Gn 42, 15-16).

32

Paul évoque à l'aide d'un verbe rare, θηριομαχέω (combattre les bêtes), une action qu'il mena à Ephèse. Les Actes des Apôtres décrivent les ennuis auxquels il fut confronté, notamment lors de l'émeute des orfèvres (Ac 19, 23-41), mais ne font aucunement mention d'un danger tel que celui du combat contre les bêtes du cirque, qui se termine en général par la mort du condamné. La tonalité hyperbolique employée depuis le v. 31 favorise un sens métaphorique. L'image pourrait renvoyer à deux réalités non exclusives l'une de l'autre. Les bêtes pourraient se référer aux esprits mauvais à l'œuvre chez les possédés, les sorciers et les idolâtres qui sévissaient à Ephèse ; voir par exemple les multiples emplois de θηρίον dans l'Apocalypse (6, 8 ; 11, 7 ; 13 ; 17 ; 19) (Williams). Plus précisément encore, la déesse Artémis, vénérée à Ephèse, était considérée comme la maîtresse des bêtes sauvages ; Paul peut estimer qu'il a métaphoriquement combattu contre elles en se battant contre ses fidèles et les orfèvres qui en tiraient profit (Frayer-Griggs ; Hooker).

33-34

Au v. 33, l'impératif négatif μὴ πλανᾶσθε est conjugué au subjonctif présent (et non l'aoriste) ; il invite à cesser un comportement ou une action commencée ; c'est cohérent avec le premier impératif du v. 34 qui indique clairement qu'il faut abandonner l'ivrognerie (sans doute au sens métaphorique). Le substantif τὸ ἦθος (au pluriel : les mœurs) est un hapax du NT ; même chose pour ἡ ὁμιλία (la compagnie). Le vocabulaire non paulinien indique que Paul cite un dicton, sans dire explicitement qu'il fait une citation. On trouve effectivement ce dicton chez plusieurs Grecs : Ménandre, *Thaïs*, fragment 218 ; Euripide, *Fragments* 1, 013 ; Diodore de Sicile, *Bibliothèque historique* 16, 54, 4 ; Philon, *Quod deterius potiori insidiari soleat* 38. Une telle fréquence d'emplois indique qu'il est devenu une maxime populaire (Dunsch). Au v. 34, les derniers mots de la péricope, πρὸς ἐντροπὴν ὑμῖν λαλῶ reprennent une formule presque identique à celle déjà employée en 6, 5 (avec λέγω au lieu de λαλῶ).

Le corps des ressuscités
(15, 35-49)

TRADUCTION

15, 35 Mais, dira-t-on, comment les morts se réveillent-ils ? Avec quel corps viennent-ils ? 36 Mécréant ! Toi, ce que tu sèmes n'est pas vivifié s'il ne meurt pas ; 37 et ce que tu sèmes, ce n'est pas le corps qui adviendra[a] que tu sèmes, mais un grain nu de blé – si c'est le cas – ou de quelque chose d'autre ; 38 or, Dieu lui donne un corps comme il le voulut et, à chacune des semences, un corps qui lui est propre. 39 Aucune chair (n'est) la même chair, mais autre (est celle) des humains, autre (est) la chair des bêtes de somme, autre encore la chair des (animaux) volants, autre encore (celle) des poissons. 40 Et (il y a) des corps célestes et des corps terrestres ; mais autre (est) la clarté des célestes, autre (est) celle des terrestres. 41 Autre (est) la clarté du soleil, et autre la clarté de la lune, et autre la clarté des étoiles ; une étoile, en effet, diffère en clarté d'une (autre) étoile. 42 Ainsi aussi (est) la résurrection des morts. On est semé dans la corruptibilité, on est réveillé dans l'incorruptibilité ; 43 on est semé dans la misère, on est réveillé dans la clarté ; on est semé dans la faiblesse, on est réveillé dans la force ; 44 on est semé corps animal, on est réveillé corps spirituel. S'il y a un corps animal, il y en a aussi un spirituel. 45 Ainsi aussi a été écrit : « *Le* premier *homme,* Adam[b], *fut fait âme vivante.* » Le dernier Adam[c], esprit vivifiant. 46 Mais pas en premier le spirituel, mais l'animal ; ensuite, le spirituel. 47 Le premier homme (est) de terre, glaiseux ; le deuxième homme[d] (est) de ciel. 48 Tel (est) le glaiseux, tels (sont) aussi les glaiseux ; et tel (est) le céleste, tels (sont) aussi les célestes ; 49 et comme nous portâmes l'image du glaiseux, nous porterons[e] aussi l'image du céleste.

[a] La majorité des mss porte τὸ σῶμα τὸ γενησόμενον, avec le participe futur du verbe γίνομαι. On trouve cependant τὸ σῶμα τὸ γεννησόμενον en p[46] F G (b) d ; une seule lettre de différence, mais γεννησόμενον est le participe futur moyen du verbe γεννάω qui, au mode moyen, signifie « faire naître en soi, créer ». Cette seconde leçon est sans doute une simple faute d'orthographe favorisée par le thème de l'engendrement présent dans ce verset.

[b] La majorité des mss porte ὁ πρῶτος ἄνθρωπος Ἀδάμ. Mais ἄνθρωπος ne figure pas en B K 326. 365 *pc* ; Irénée[lat]. Cette deuxième leçon est secondaire. Elle a sans doute pour objectif de supprimer le pléonasme constitué par la juxtaposition de ἄνθρωπος et de Ἀδάμ.

[c] Le ms. p[46] ne porte pas le nom propre Ἀδάμ. Il s'agit sans doute d'une correction volontaire pour des raisons théologiques : refuser d'attribuer à Jésus Christ le nom Ἀδάμ.

[d] Quatre situations textuelles différentes : 1° ὁ δεύτερος ἄνθρωπος, que l'on trouve en ℵ* B C D* F G 0243. 6. 33. 1175. 1739* *pc* latt bo. – 2° ὁ δεύτερος ὁ κύριος attesté en 630 et Marcion[A]. – 3° ὁ δεύτερος ἄνθρωπος ὁ κύριος attesté en ℵ2 A D[1] Ψ 075. 1739[mg]. 1881 *Byz* sy. – 4° ὁ δεύτερος ἄνθρωπος πνευματικός que l'on trouve en p[46]. La première leçon, la mieux attestée, est la meilleure. Les leçons n° 2, 3 et 4 résultent toutes d'une répugnance théologique à attribuer à Jésus Christ ressuscité le seul titre ἄνθρωπος, qui le font trop ressembler à Adam. La leçon n° 4 est en outre influencée par la formulation du v. 46 (TCGNT 568).

[e] La majorité des mss porte ici le subjonctif aoriste φορέσωμεν : p[46] ℵ A C D G K P Ψ 075. 0243. 33. 1739 *Byz* latt bo ; Irénée[lat] Clément. La leçon avec le futur de l'indicatif, φορεσόμεν, retenue ici, est nettement moins bien attestée : B I 6. 630. 945[v.1] 1881 *al* sa. Certains spécialistes préfèrent la première, en argüant notamment du fait que Paul termine souvent ses développements par des exhortations (Botha ;

Szymik). Les partisans de la seconde argüent du fait que Paul n'a pas terminé de donner de l'information et que le ton n'est pas encore celui de l'exhortation.

BIBLIOGRAPHIE

D. ABERNATHY, « Christ as Life-Giving Spirit in 1 Corinthians 15. 45 », *IBSt* 24, 2002, 2-13. – J.R. ASHER, « Σπείρεται : Paul's Anthropogenic Metaphor in 1 Corinthians 15 : 42-44 », *JBL* 120, 2001, 101-122. – N. BONNEAU, « The Logic of Paul's Argument on the Resurrection Body in 1 Cor 15 : 35-44 », *ScEs* 45, 1993, 79-92. – S.P. BOTHA, « 1 Korintiërs 15 : 49b : 'n Hortatief- of futurumlesing » *HervTeolStud* 49, 1993, 760-774. – S. BRODEUR, *The Holy Spirit's Agency in the Resurrection of the Dead. An Exegetico-Theological Study of 1 Corinthians 15, 44b-49 and Romans 8, 9-13*, Rome 1996. – R.B. GAFFIN, « "Life-Giving-Spirit" : Probing the Center of Paul's Pneumatology », *JETS* 41, 1998, 573-589. – B.L. GLADD, « The Last Adam as the "Life-Giving" Spirit Revisited : A Possible Old Testament Background of Paul's Most Perplexing Phrases », *WestTheolJourn* 71, 2009, 297-309. – S. HULTGREN, « The Origin of Paul's Doctrine of the Two Adams in 1 Corinthians 15. 45-49 », *JSNT* 25, 2003, 243-370. – P. JONES, « Paul Confronts Paganism in the Church : A Case Study on First Corinthians 15 : 45 », *JETS* 49, 2006, 713-737. – S. JÖRIS, « The Pauline Reception of Creation in the Adam-Christ Typology of 1 Corinthians 15 », *StudNTUmwelt* 41, 2016, 27-39. – M. KLINGHARDT, « Himliche Körper : Hintergrund und argumentative Funktion von 1 Ko 15, 40f », *ZNW* 106, 2015, 216-244. – J MASTON, « Anthropological Crisis and Solution in the *Hodayot* and 1 Corinthians 15 », *NTS* 62, 2016, 533-5478. – J.B. MATAND BULEMBAT, *Noyau et enjeux de l'eschatologie paulinienne*, Berlin 1997, 23-75. – R. MORISETTE, « La condition de ressuscité. 1 Corinthiens 15, 35-49 : structure littéraire de la péricope », *Bib.* 53, 1972, 208-228. – S. NORDGAARD, « Paul's Appropriation of Philo's Theory of "Two Men" in 1 Corinthians 15. 45-49 », *NTS* 57, 2001, 348-365. – N.D. O'DONOGHUE « The Awakening of the Dead », *IrTheolQuart* 56, 1990, 49-59. – A.G. PADGETT, « The Body in Resurrection : Science and Scripture on the "Spiritual Body" (1 Cor 15 : 35-58) », *WordWorld* 22, 2002, 155-163. – B. SCHMISEK, « The "Spiritual Body" as Oxymoron in 1 Corinthians 15 : 44 », *BTB* 45, 2015, 230-238. – S. SZYMIK, « Textkritische und exegetisch- theologische Untersuchung zu 1 Kor 15, 49 », *RoczTeol* 52, 2005, 117-133. – M. TEANI, *Corporeità e risurrezione. L'interpretazione di 1 Corinzi 15, 35-49 nel Novecento*, Rome 1994. – M. TEANI, « L'argumentazione paolina in *1Cor* 15, 35-49 », *RassTeol* 41, 2000, 537-550. – J.-M. VINCENT, « "Avec quel corps les morts reviennent-ils ?" L'usage des Écritures dans 1 Corinthiens 15, 36-45 », *FoiVie* 100, 2001, 63-70.

INTERPRÉTATION

Il est clair qu'un nouveau développement commence avec le v. 35, où est posée une nouvelle question introduite par « comment ? » (*pôs*). Une question analogue avait été posée plus haut au v. 12 ; les vv. 13-34 ont été consacrés à y répondre. Cependant, toujours au v. 35, après la question introduite par « comment ? », le texte en pose une seconde : « Avec quel corps ? ». La fin du chapitre 15 va être consacrée à répondre à ces deux questions. Les auteurs diffèrent sur la façon de découper la section 35-58. Certains n'y voient qu'une péricope (*e.g.* Allo* ; Thiselton*). D'autres en voient trois, le plus souvent découpées ainsi : 35-41 / 42-49 / 50-58 (*e.g.* Fee* ; Fitzmyer* ; Héring*). Mais plusieurs marquent une séparation importante entre 44a et 44b, ce dernier demi-verset introduisant le commentaire de l'Écriture qui commence au v. 45 (*e.g.* Collins* ; Senft*). Le choix ici retenu, de couper les vv. 35-58 en deux péricopes (35-49 et 50-58) repose sur les considérations suivantes. Le substantif « corps » (*sôma*), sur lequel porte la deuxième question posée au v. 35, n'a pas été employé depuis le début du chapitre 15 ; il l'est 9 fois entre les vv. 35 et 44 ; et les vv. 45-49, commençant par « ainsi » (*houtôs*), prouvent par l'Écriture la légitimité de distinguer le corps animé du corps spirituel. « Corps » n'est plus utilisé à partir du v. 50. Ainsi les vv. 50-58 sont-ils globalement consacrés à répondre à la première question posée au v. 35 : « Comment les morts se réveillent-ils ? ». Et les vv. 36-49 répondent à la deuxième : « Avec quel corps viennent-ils ? » Le texte reprend les deux questions posées au v. 35 dans l'ordre inverse de celui dans lequel il les a posées, utilisant ici la disposition littéraire classique du chiasme : A (1re question du v. 35), B (2e question du v. 35), B' (vv. 36-49 : réponse à la 2e question), A' (vv. 50-58 : réponse à la 1re question). L'unité de la péricope constituée par les vv. 35-49 est encore marquée par le jeu des pronoms personnels. La première personne du singulier n'est pas du tout présente ; Paul ne dit jamais « je ». Il dit « tu » sur les vv. 36-38, réagissant aux questions posées au v. 35 sur le ton de la diatribe. Du v. 39 au v. 48, le ton est entièrement impersonnel. Le dernier verset, le v. 49, est formulé à la 1re personne du pluriel, avec un « nous » inclusif, tirant des conséquences éthiques de tout ce qui vient d'être écrit.

Mis à part le v. 35 qui pose les deux questions de départ, il semble que les vv. 36-49 peuvent être découpés en deux unités. La première couvre globalement les vv. 36-41, au cours desquels l'Apôtre va éclairer la question du corps des ressuscités par des comparaisons : comparaisons empruntées au monde de l'agriculture (vv. 36-38), puis au monde de la biologie animale (v. 39), puis aux réalités astronomiques (vv. 40-41) ; ces comparaisons mettent en valeur une diversité entre les graines, les chairs, les astres. La seconde reprend de front la résurrection des humains en tentant de lui donner une preuve scripturaire, et couvre les vv. 42-49 ; ce qui est mis en valeur n'est alors plus une diversité, mais un parallélisme fondé sur des contrastes, contraste entre l'animé et le spirituel, entre le terrestre et le céleste (Morisette). Cependant, la coupure marquée entre les vv. 41 et 42 n'est pas très nette, car il existe entre les unités des chevauchements : des thématiques de la première comme l'ensemencement (vv. 36-38) se retrouvent dans la seconde (vv. 42b-44a) ; et, à l'inverse, le contraste entre les réalités terrestres et les réalités célestes (vv. 44-49) est anticipé dès les vv. 40-41. Cette technique de l'entrelacement, décrite par le rhéteur Lucien de Samosate (*De la manière d'écrire l'histoire*, 55), a été utilisée plusieurs fois dans la construction du livre des Actes (Dupont, « Question ») et l'a déjà été au chapitre 9. On peut la figurer par le schéma suivant :

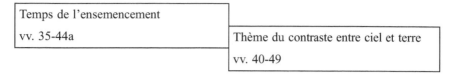

Temps de l'ensemencement	
vv. 35-44a	
	Thème du contraste entre ciel et terre
	vv. 40-49

VV. 35-41 – Les questions posées au v. 35 peuvent être mises à part, car toute la fin du chapitre 15 va être consacrée à y répondre. Il est difficile de savoir qui les pose. Paul reprend-il une interrogation des Corinthiens incapables d'imaginer une autre résurrection que celle des corps terrestres ? Ou sont-ce des questions rhétoriques imaginées par l'Apôtre pour introduire de façon habile les réponses qu'il va donner ? L'un et l'autre est possible. Le « comment ? » par lequel s'ouvre la première question (v. 35a) peut aussi avoir une double signification. Il peut exprimer une interrogation sur la possibilité : « Comment est-il possible que ? » ; question qui serait alors plutôt mise dans la bouche des personnes tendant à nier la résurrection des humains. Il peut aussi exprimer une interrogation sur la manière : « De quelle façon cela se fera-t-il ? » Quant à la seconde question (v. 35b), elle interroge directement sur la nature du corps qu'auront les ressuscités. Une question analogue à cette dernière est posée à Dieu par le voyant en 2 Ba 49, 1-3 ; le Puissant lui répond en décrivant un scénario comportant des changements et des transformations que l'on peut rapprocher de ce que Paul écrit aux vv. 51-53, en soulignant similitudes et différences. À partir du v. 36, le texte décrit trois types de réalités physiques qui présentent des analogies avec la résurrection. C'est d'abord celle de l'ensemencement suivi de la germination, aux vv. 36-38. Le changement se fait dans la durée, avec un avant (l'ensemencement) et un après (la production de la plante) (Bonneau). Le ton est celui de la diatribe, il est également sévère : pour poser des questions telles que celles du v. 35, il faut être insensé, voire mécréant (voir note sur le v. 36). Paul fait alors appel à l'expérience courante de tout cultivateur qui constate que la semence mise en terre doit mourir pour porter du fruit (v. 36). L'image de la graine qui meurt pour figurer le passage de cette vie dans l'autre est courante dans la tradition juive et chrétienne ; on ne saurait en préciser l'inventeur. Le parallèle du NT le plus connu se trouve chez Jean (Jn 12, 24) ; on la trouve également en *1 Clément* 24, 4-5, qui la reprend sans doute de saint Paul ; elle est également présente dans la littérature rabbinique, où il est rappelé que le cadavre est inhumé en étant vêtu (TBSanh 90b) ; il semblerait aussi qu'elle existe dans les écrits mazdéens (Zeller*). L'Apôtre précise que cette graine est nue ; l'analogie avec l'inhumation d'un corps humain n'est pas parfaite car, dans la tradition juive, les cadavres étaient revêtus d'un linceul blanc

avant d'être inhumés. La semence à laquelle on pense le plus spontanément est celle du blé, mais le texte rappelle que ce peut en être une autre, ouvrant ainsi à la diversité des graines reprise à la fin du v. 38, et à la diversité des chairs et des corps, développée ensuite aux vv. 39-41. Quant à la germination qui rend possible l'existence de la plante issue de la graine, elle est claire-ment présentée comme l'œuvre de Dieu : c'est lui qui donne corps (présent), comme il le voulut (un aoriste évoquant l'intention créatrice initiale). Par cette évocation de l'œuvre divine, le texte renvoie à la création telle que décrite en Gn 1 (notamment les vv. 11-13 : l'œuvre du 3e jour). Paul ne présente pas le phénomène de germination comme un procédé naturel, mais comme un acte de création dont Dieu est l'agent. Avec le v. 39, on quitte le ton de la diatribe pour entrer dans un discours impersonnel qui se prolonge jusqu'au v. 48 inclus. Paul insiste maintenant sur les différences entre les espèces animales, parmi lesquelles il faut compter l'espèce humaine. Il évoque la matière dont elles sont composées, qui varient d'une espèce à l'autre, non plus en utilisant le terme « corps » (*sôma*), mais le terme « chair » (*sarx*) : la chair d'une espèce n'est pas la même que celle d'une autre (4 emplois de l'adjectif *allos*). Il part de l'homme (6e jour de la création ; Gn 1, 26-27), puis remonte dans le texte de la Genèse pour nommer les animaux, en allant de ceux qui lui ressemblent le plus et qui vivent sur le sol (également 6e jour de la création ; Gn 1, 24-25), vers ceux qui lui ressemblent le moins : dans le ciel et sous les eaux (5e jour de la création ; Gn 1, 20-23). Avec les vv. 40-41, on revient au vocabulaire du corps, pour distinguer les corps (au pluriel) vivant dans les cieux (adjectif *epourania*) des corps vivant sur la terre (adjectif *epigeia*) ; dans la première catégorie, il ne s'agit plus d'animaux, mais d'astres : le soleil, la lune et les étoiles. L'insistance est ici pleinement mise sur la diversité, en utilisant un terme très polysémique, la *doxa* (apparenté au verbe *dokeô :* paraître), qui désigne tout ce qui se donne à voir au sens euphorique : ici « la clarté ». Entre les êtres terrestres et les astres, la clarté n'est évidemment pas la même (v. 40). La clarté des astres diffère également de l'un à l'autre ; certaines étoiles sont en effet plus brillantes que d'autres (v. 41). Il est vraisemblable que, dans ce type de discours, l'Apôtre partage une conception courante dans la littérature juive, à savoir que les astres étaient considérés comme animés (1 Hénoch 18, 13-16 ; Philon, *De plantatione* 3, 12). Ainsi, du v. 36 au v. 41, toutes les comparaisons que Paul utilise pour argumenter en faveur de la résurrection des humains mettent-elles en scène des êtres vivants (Klinghardt).

VV. 42-49 – Au v. 42a, le texte annonce clairement que l'on quitte le monde des comparaisons et des analogies pour aborder de front la question de la résurrection des morts (seul emploi du terme *anastasis* dans la péricope, et dernier emploi en 1 Co) ; les analogies des vv. 36-41 ont préparé ce nouveau type de discours. Quatre phrases construites sur le même modèle composent les vv. 42b-44a. On n'est cependant pas complètement pas sorti du monde de la métaphore, car il y est à nouveau question d'ensemencement (repris des vv. 36-38) et de réveil (repris du v. 35). Le réveil est évidemment une figure de la résurrection. Pour l'ensemencement, on peut hésiter entre la mise en terre du cadavre ou la première naissance. L'ambiguïté demeure, elle est peut-être intentionnelle chez l'auteur, qui met surtout en valeur le contraste entre la vie présente, terrestre, tendue entre une naissance et une mort, et la vie de ressuscité. Le premier binôme de termes contraires (v. 42b) est constitué par la corruption (*phthora*) et l'incorruptibilité (*aphtharsia*) ; il sera repris plus loin aux vv. 50-54. Le deuxième (v. 43a) oppose le déshonneur, ou plutôt le manque d'honneur (*atimia* ; terme propre à Paul dans le NT), à la clarté (*doxa*) déjà rencontrée aux vv. 40-41 (pourtant il existait une clarté des êtres terrestres au v. 40b). Le troisième binôme (v. 43b) oppose, en utilisant des termes plus banals, la faiblesse (*astheneia*) et la force (*dunamis*). Quant au quatrième binôme (v. 44a), il met en contraste deux syntagmes originaux qui vont commander le propos jusqu'à la fin du v. 49 : corps animé (*sôma psuchikon*) *vs* corps spirituel (*sôma pneumatikon*). Sur le premier syntagme, voir la note au v. 44. Le second syntagme est un oxymoron (Schmisek) dont Paul semble être l'inventeur. Il a été longuement discuté depuis l'époque patristique, notamment par Jérôme et Augustin. Il est tellement problématique que Paul va exprimer le besoin d'affirmer la réalité d'un corps spirituel au v. 44b, qui est présenté comme une thèse dont l'argumentation scripturaire développée à partir du v. 45 va constituer une preuve. Dans ce verset qui commence par une proposition conditionnelle, la pensée fonctionne par a fortiori, type de raisonnement qui sera théorisé par les rabbins sous le nom de *qal wahomer :* puisqu'il existe un corps animal, à plus forte raison existe un corps spirituel, étant donné le projet créateur que l'homme soit parfaitement image de Dieu (Cothenet ; Teani, « L'argomentazione »). Dans la conception paulinienne, ce corps spirituel est un corps à part entière, il n'est pas composé seulement d'esprit ; il est cependant tout entier animé par l'Esprit auquel il convient alors de mettre un grand E. Mais, toujours dans la conception paulinienne, il ne semble pas composé de chair (*sarx*), cette dernière étant réservée aux organismes terrestres (v. 39) ; car il est d'essence céleste, comme les astres nommés aux vv. 40-41 (Padgett). L'une des meilleures façons d'en saisir les contours dans la pensée paulinienne est sans doute de lui attribuer les qualités de la plante telles qu'exprimées aux vv. 42b-43 : ce corps spirituel possède l'incorruptibilité, la clarté (ou la gloire) et la puissance ; toutes qualités que, à l'évidence, un corps humain terrestre ne possède pas (O'Donoghue). Cela dit, il serait illusoire de prétendre prononcer le dernier mot sur une réalité débattue depuis des siècles et vraisemblablement pour de nombreux siècles encore.

Au v. 45 commence l'argumentation scripturaire à partir de laquelle Paul fonde la thèse exprimée au v. 44b, qu'il existe un corps animal et un corps spirituel. Cette argumentation en forme de *probatio* se prolonge jusqu'à la fin

de la péricope, ou au moins jusqu'au v. 48 (Matand Bulembat, 57). Le v. 45
lui-même est composé de trois parties : la formule d'introduction d'une
citation (45a) ; la citation proprement dite centrée sur le premier Adam, qui
comporte le terme « âme » (*psuchè*) dont c'est le seul emploi en 1 Corinthiens (45b) ; puis une phrase additionnelle sur le dernier Adam, qui est
visiblement Jésus Christ, bien que le nom de ce dernier ne figure pas dans
le passage (v. 45c). Plus haut dans le texte, Paul a déjà mis en parallèle la
figure d'Adam en qui tous meurent, et celle de Christ en qui tous seront
vivifiés (15, 22). Ici, Adam n'intervient pas en tant que personnalité corpo-
rative liée à la mort, mais en tant que premier homme, « âme vivante ». Quant
au dernier Adam, Paul affirme qu'il fut fait « esprit vivifiant » (*pneuma
zôopoioun*) ; c'est le troisième et dernier emploi du verbe « vivifier »
(*zôopoieô*) en 1 Co 15 (les deux précédents se trouvent aux vv. 22 et 36),
expression paulinienne qui a sans doute une double origine : d'une part le
syntagme « souffle de vie » (*pnoè zôès*) qui figure en Gn 2, 7, d'autre part le
passage d'Ez 37 où l'esprit vient sur les ossements déjà recouverts de chair et
d'os pour leur donner la vie (37, 9-10) (Maston). On retrouve l'idée que
l'Esprit vivifie chez Paul en 2 Co 3, 6 ; Rm 8, 11, et ailleurs dans le NT en 1 P
3, 18 ; Jn 6, 63 (Matand Bulembat, 66-67). Ce passage est l'un des rares,
dans les écrits pauliniens, où christologie et pneumatologie sont à ce point
imbriquées (Gaffin) ; ce que Dieu réalisa dans le premier Adam en le faisant
âme vivante, il le réalisa également dans le dernier Adam en le faisant esprit
vivifiant. Le premier Adam reçoit la vie, le dernier la donne ; par la vertu de
la résurrection, il a le pouvoir, en tant qu'esprit donnant la vie, de garantir
aux humains une vie éternelle dans un corps spirituel (Abernathy) ; la résurrection, celle de Christ suivie de celle des humains, est un acte créateur de
Dieu (Jones) ; à la différence de l'eschatologie sous-jacente à 2 Ba 50, 1-4,
elle n'est pas un retour à l'ancien état, mais une arrivée à destination
(Vincent). Les vv. 46-47 prolongent ces réflexions. Ils sont un midrash sur
Gn 2, 7 (Brodeur), que l'on peut rapprocher de celui que l'on trouve en
1 Co 10, 1-13 (Jöris). Paul y affine la différence entre les deux Adam, en
remarquant bien que le dernier, l'Adam spirituel, est postérieur au premier,
l'Adam animal ; et, pour éviter toute confusion, il remplace l'adjectif
« dernier » (*eschatos*) par l'adjectif « deuxième » (*deuteros* ; v. 47). On s'est
interrogé sur les raisons pour lesquelles l'Apôtre insiste à ce point sur la
chronologie. Trois positions ont cours. 1° Certains auteurs estiment qu'il le
fait pour se différencier de Philon qui, influencé par le platonisme, distingue
également deux Adam successifs. Mais pour Philon, c'est le premier le plus
parfait, dont la création est décrite en Gn 1 ; il est l'archétype céleste et
incorruptible du second, créé en Gn 2, qui est terrestre et corruptible. D'où
la nécessité pour Paul de se différencier de ce modèle platonicien (Cothenet),
ce d'autant plus que la théorie philonienne pourrait avoir influencé les Corinthiens sceptiques (Nordgaard). – 2° D'autres estiment que Paul ne connaît
pas Philon, qu'il est lui-même le créateur du concept de dernier ou deuxième

Adam, et que son insistance a pour objectif principal de situer les deux Adam l'un par rapport à l'autre (*e.g.* Fitzmyer* ; Hultgren ; Teani, *Corporeità*). – 3° D'autres enfin estiment que Paul n'a sans doute pas directement lu Philon mais que ce type d'exégèse de Gn 1-3 devait traîner dans les cercles alexandrins ou dans les milieux du judaïsme en contact avec le platonisme (*e.g.* Barrett*). On ne saurait choisir avec certitude entre ces différentes positions. Le contact de Paul avec le judaïsme alexandrin est cependant assuré, du fait même que la Bible qu'il utilise est la LXX, bien que son eschatologie en diffère. C'est aux vv. 48-49 que le texte fait le passage entre le premier et le dernier ou deuxième Adam, et les humains ordinaires. Au v. 48, on passe du glaiseux au singulier aux glaiseux au pluriel, et du céleste au singulier aux célestes au pluriel. Le passage se fait aussi au v. 49 à travers une notion nouvellement introduite dans le passage, celle d'image (*eikôn*). Puisque Paul s'est beaucoup appuyé sur les premiers chapitres de la Genèse dans l'ensemble de la péricope, l'idée a été émise que, en évoquant le fait que les humains portent en eux l'image de l'Adam glaiseux, Paul s'inspirerait de Gn 5, 3, où il est affirmé qu'Adam engendra Seth « selon sa forme (*idea*) et selon son image (*eikôn*) » : c'est une reprise des formulations de Gn 1, 26 (Gladd) ; cette idée est intéressante, mais on ne saurait en dire davantage. Quant à la forme grammaticale de ce verset, elle tranche sur celle des vv. 39-48, car on passe maintenant, en manière de conclusion, à la 1re personne du pluriel avec un « nous » inclusif. Selon le texte retenu par N-A[27], c'est une affirmation ; mais les témoins qui conjuguent le verbe « porter » (*pherô*) au subjonctif en 49b sont nombreux (voir la note textuelle [e]). S'il s'agissait d'une exhortation, la rupture par rapport aux affirmations qui précèdent serait plus grande. La conclusion de la péricope s'en trouverait alors plus énergique, et la tonalité parénétique en serait renforcée.

NOTES

35

L'introduction par une particule adversative (ἀλλά) ne marque pas une opposition par rapport à ce qui a été exprimé dans la péricope précédente, mais le fait que l'auteur admet que tout ce qu'il a pu écrire depuis le v. 12 ne répond pas complètement aux interrogations des Corinthiens ; il faut des compléments. Le verbe introduisant les deux questions, ἐρεῖ (futur de λέγω) est un futur délibératif. Le verbe ἐγείρονται peut être à la voix passive (comment les morts sont-ils réveillés ?) ou à la voix moyenne (comment les morts se réveillent-ils ?) ; il est clair, dans la réponse que donne Paul, que ce réveil est l'œuvre de Dieu (les morts sont passifs, Dieu est l'agent), mais il faut conserver l'ambiguïté pour la question. Le verbe utilisé dans la deuxième question est ἔρχομαι (venir) ; lui aussi est ambigu. Il peut signifier une venue sur la terre ; il est d'ailleurs utilisé en Jn 20 et 21 à propos de Jésus ressuscité venant se montrer à ses disciples (Jn 20, 19.24.26 ; 21, 13). Il peut aussi signifier une venue à la réalité, quel qu'en soit le lieu.

36-38

L'apostrophe sur laquelle s'ouvre le v. 36, ἄφρων, pourrait être traduite par son sens habituel : « insensé ». Mais, pour des personnes connaissant les Ecritures juives, le terme est encore plus péjoratif. Dans les Psaumes, l'ἄφρων est celui qui dit dans son cœur : « Il n'y a pas de Dieu » (οὐκ ἔστιν θεός ; Ps^{LXX} 13, 1 et 52, 1) ; c'est l'athée, le mécréant. Déjà, au v. 34, Paul dénonçait la position de certains qui sont dans la méconnaissance de Dieu. Au v. 37, la graine est désignée par le terme κόκκος, hapax paulinien, cependant utilisé dans la tradition synoptique pour la parabole de la graine de moutarde (Mt 13, 31 et par.). L'expression εἰ τύχοι (si c'est le cas) est une expression toute faite formée à partir du verbe τυγχάνω (atteindre, obtenir), qui renvoie à un cas parmi d'autres possibles ; on l'a déjà rencontrée en 14, 10. Le terme σῶμα (corps) est utilisé 3 fois dans ces trois versets. Il peut sembler étrange pour désigner un être végétal (le mot « plante » n'est pas dans le texte) ; il met spontanément en dialogue l'imagerie agricole et la réalité à laquelle elle renvoie, à savoir le corps ressuscité que Dieu donnera aux êtres humains après leur mort.

39

Le terme σάρξ (chair) est très polysémique chez Paul. Il a au moins quatre sens en 1 Co : 1° La parenté charnelle au sens ethnique (ainsi 1 Co 10, 18). – 2° La créature au sens biologique (ainsi 1 Co 1, 29). – 3° La chair en tant que réalité sociale (ainsi 1 Co 7, 28). – 4° Et enfin la matière physico-chimique dont un être vivant est composé (ici). Un cinquième sens, courant dans d'autres écrits pauliniens, n'est pas présent en 1 Co, à savoir la chair au sens moral négatif, opposée à l'esprit : κατὰ σάρκα vs κατὰ πνεῦμα (e.g. Rm 8, 4). Pour désigner les animaux, Paul emprunte la terminologie de Gn 1 pour les bêtes domestiques (τὸ κτῆνος ; cf. Gn 1, 25.26.28) et pour les poissons (ὁ ἰχθύς ; cf. Gn 1, 26.28) ; en revanche, il utilise un terme global absent de Gn^{LXX} pour les animaux volants, sans doute pour éviter le terme « oiseau » (τὸ πετεινόν), lui préférant un terme formé sur l'adjectif verbal πτηνός (volant ; hapax du NT) ; cela crée une catégorie générale pour tout ce qui vit dans le ciel, qui prépare l'opposition entre le terrestre et le céleste qui va être développée aux vv. 40-41.

40-41

Le substantif σῶμα est ici employé au pluriel, car il ne s'agit plus, comme aux vv. 37-38, d'un seul corps sortant d'une seule graine, mais de la différence entre les corps terrestres et les corps célestes (v. 40), et même des corps célestes entre eux (v. 41). L'adjectif exprimant l'altérité n'est pas le même au v. 40 (ἕτερος) et au v. 41 (ἄλλος) : au v. 40 il s'agit d'une différence à deux termes (le céleste et le terrestre) ; au v. 41, d'une différence à plusieurs termes (entre les différents astres célestes). La δόξα est ce qui marque les différences. La traduction la plus courante de ce terme dans le NT est « gloire », notamment pour exprimer la gloire de Dieu (hébreu kābōd), mais le terme peut aussi évoquer un rayonnement moins vif (e.g. Mt 4, 8 ; 1 P 1, 24 ; Ap 21, 24).

42-44

Ces versets posent un redoutable problème grammatical. Quatre énumérations sont construites sur l'opposition entre les deux verbes σπείρεται et ἐγείρεται, qui peuvent être à la voix passive ou à la voix moyenne ; le sujet de ces verbes n'est pas exprimé ; et, s'il s'agit de voix passives, le complément d'agent ne l'est pas davantage. Tirons le fil à partir de ἐγείρεται. Dans la suite logique de ce qui a été exprimé au v. 38, à savoir que c'est Dieu qui, en faisant naître la plante, donne corps à la graine semée en terre, ἐγείρεται est sans doute un passif théologique : c'est Dieu qui réveille. Pour σπείρεται, le passif s'impose également, car une graine ne se sème pas elle-même. Mais l'agent est beaucoup plus difficile à déterminer, car on ne sait pas bien à quoi correspond cet ensemencement : s'il s'agit de la mort naturelle, le semeur est sans doute celui qui inhume le cadavre ; mais s'il s'agit de la naissance terrestre, le semeur est sans doute Dieu lui-même. Nous ne retenons pas l'hypothèse, pourtant ingénieuse, qu'il s'agirait de la création initiale d'Adam nommé plus loin au v. 45 (Asher). Quant au sujet de ces deux verbes passifs, il n'est pas plus clair. Faisons trois propositions : 1° Des commentateurs estiment qu'il s'agit du corps, deux fois nommé au v. 44a (e.g. Zeller*). Mais, si σῶμα était sujet des quatre phrases, pourquoi ne pas le nommer plus tôt ? En outre, au v. 44a, σῶμα est plus vraisemblablement attribut que sujet. – 2° On peut aussi penser qu'il s'agit implicitement du mort, repris au singulier du syntagme ἡ ἀνάστασις τῶν νεκρῶν qui termine le v. 42a. L'ensemencement correspondrait alors à la mise en terre du cadavre. Mais aucun mot du texte ne donne d'indication significative dans ce sens. – 3° La solution la meilleure semble alors être d'opter pour un sujet impersonnel, rendu en français par l'indéfini « on ». La pointe de ces quatre phrases est le contraste entre ce qui se passe sur terre (lors de la naissance terrestre ou lors de la mort) et ce qui se passe dans l'au-delà, sans que le phénomène qui se passe soit plus précisément désigné. Au v. 44, nous traduisons par « corps animal » le syntagme σῶμα ψυχικόν, de même que nous avons traduit par « homme animal » le syntagme ψυχικὸς ἄνθρωπος en 1 Co 2, 14, l'adjectif ayant clairement une connotation dysphorique, opposée à ce qui se passe dans l'ordre spirituel (πνευματικῶς). En effet si, en grec classique, l'âme (ψυχή) est la part divine de l'homme, le principe supérieur opposé au corps, son union avec le corps est ressentie à l'époque hellénistique comme la conséquence d'une chute. L'âme est alors pervertie. En 1 Th 5, 23, Paul propose une formulation anthropologique originale, l'homme terrestre étant alors composé d'esprit (πνεῦμα), d'âme (ψυχή) et de corps (σῶμα).

45

Au v. 45b, Paul cite explicitement d'après la LXX la fin de Gn 2, 7. Voici le texte de Paul : Ἐγένετο ὁ πρῶτος ἄνθρωπος Ἀδὰμ εἰς ψυχὴν ζῶσαν. Et voici le texte complet de Gn^LXX 2, 7 : Καὶ ἔπλασεν ὁ θεὸς τὸν ἄνθρωπον χοῦν ἀπὸ τῆς γῆς καὶ ἐνεφύσησεν εἰς τὸ πρόσωπον αὐτοῦ πνοὴν ζωῆς, καὶ ἐγένετο ὁ ἄνθρωπος εἰς ψυχὴν ζῶσαν (Et Dieu façonna l'homme, glaise à partir du sol, et il souffla sur sa face un souffle de vie et l'homme fut fait âme vivante). On a souligné les mots que Paul rajoute au texte de la LXX : πρῶτος et Ἀδάμ ; ces ajouts sont d'ailleurs à l'origine de variantes textuelles (voir notes textuelles b et c). L'ajout de πρῶτος (premier) est certainement une addition volontaire de Paul, qui va le mettre en contraste avec ἔσχατος (dernier ; v. 45c) et δεύτερος (deuxième ; v. 47) ; il n'est pas certain que l'ajout de Ἀδάμ le soit également, car on trouve le mot à cette place dans les versions grecques de Symmaque et Théodotion (Heil, *Rhetorical*, 231-245). On a mis en italiques les mots sur lesquels Paul va s'appuyer dans la suite de son développement. En premier lieu le substantif χοῦς (glaise, poussière), qui intervient plus haut dans le texte de Gn^LXX 2, 7 ; il ne fait pas partie des mots cités par Paul, mais il lui sert à former le néologisme χοϊκός (glaiseux) utilisé à quatre reprises dans les vv. 47-49. En second lieu le syntagme πνοὴ ζωῆς (souffle de vie), qui semble avoir inspiré ce qui est dit du dernier Adam en 45c, à savoir qu'il est fait « esprit vivifiant » (πνεῦμα ζωοποιοῦν). On voit par là que, si la citation de Gn 2, 7 est limitée au v. 45b, c'est sur l'ensemble de Gn^LXX 2, 7 que s'appuie l'argumentation. Les formulations du v. 45c sont calquées sur celles de la citation de Gn 2, 7 et 45b : le verbe ἐγένετο est sous-entendu ; son complément d'objet est introduit par la préposition εἰς, ce qui est un « septantisme » copié sur celui de la citation : εἰς ψυχὴν ζῶσαν.

46-47

Parmi les sources possibles de la pensée paulinienne, il convient de citer les *Hodayôt* de Qumrân. Gn 2, 7 y est interprété comme décrivant une crise anthropologique : le corps humain est formé à partir de la glaise ou de la poussière du sol, c'est la raison pour laquelle il est fragile et il dépérit : *e.g.* 1QHª 5, 32-33 ; 18, 4-9 ; 20, 27-31 (Maston). Plus souvent que Qumrân, Philon est abondamment cité. Le philosophe alexandrin avait tiré de Gn 1-2 l'existence de deux espèces d'hommes : l'homme selon l'image, archétypal, dont la création est décrite en Gn 1, 1 – 2, 4a ; et l'homme pétri de la glaise, dont la création est décrite en Gn 2, 4b-25. Principales références : *Legum allegoriae* 1, 31-42 ; *De opificio* 13 ; 67 (Cothenet). En troisième lieu, du fait que le propos paulinien est de type midrashique, on cite aussi parfois des écrits rabbiniques : GnRabbah 12, 2-5 sur Gn 2, 7 ; 8, 1 sur Gn 1, 26 ; PsTehillah sur Ps 139, 5-6 (Morisette). À ce propos, si les types de raisonnement peuvent être rapprochés, les écrits rabbiniques sont trop tardifs pour avoir directement influencé Paul.

48-49

L'adjectif χοϊκός (glaiseux, poussiéreux) est formé sur le substantif ὁ χοῦς (la glaise, la poussière). Paul l'utilise 4 fois sur les vv. 47-49. Très peu attesté dans la langue grecque, sauf en milieu chrétien, il a été repris par Clément d'Alexandrie. Il n'est pas impossible que Paul en soit le créateur. Au(x) glaiseux, Paul oppose le(s) céleste(s) (ἐπουράνιος), adjectif qu'il a déjà utilisé au v. 40 à propos des astres (3 emplois dans ces deux versets).

Dieu nous donne la victoire
(15, 50-58)

TRADUCTION

15, 50 J'affirme ceci, frères : chair et sang ne peuvent recevoir en héritage[a] le royaume de Dieu, ni la corruptibilité ne reçoit en héritage l'incorruptibilité. 51 Voici. Je vous dis un mystère : tous nous ne nous endormirons pas, mais tous nous serons transformés[b], 52 en un instant, en un clin d'œil[c], à la dernière trompette ; car elle trompettera et les morts seront réveillés, incorruptibles, et nous, nous serons transformés. 53 Il faut en effet que cet (être) corruptible soit revêtu d'incorruptibilité, et que cet (être) mortel soit revêtu d'immortalité. 54 Or, lorsque cet (être) corruptible sera revêtu d'incorruptibilité et que cet (être) mortel sera revêtu d'immortalité[d], alors se réalisera la parole qui a été écrite : *La mort fut engloutie dans la victoire*[e]. 55 *Où (est-elle), mort, ta victoire ? Où (est-il), mort, ton aiguillon*[f] ? 56 L'aiguillon de la mort, (c'est) le péché, et la force du péché, (c'est) la loi.

57 Grâce (soit) à Dieu qui nous donne la victoire par notre Seigneur Jésus Christ. 58 De la sorte, mes frères bien-aimés, soyez fermes, inébranlables, comblés dans l'œuvre du Seigneur toujours, sachant que votre peine n'est pas vide dans le Seigneur.

[a] On trouve κληρονομῆσαι οὐ δύναται (avec le verbe δύναμαι au singulier) en א B 365 *pc* sy[h] sa ; Clément[pt] Origène. Le verbe δύναμαι est au pluriel (δύνανται) en A C D Ψ 075. 0243. 33. 1739. 1881 *Byz* lat sy[p] ; Irénée[gr, latpt] Clément[pt]. L'attestation est plutôt meilleure, mais ce pluriel est sans doute une correction due à la volonté de mettre le verbe au pluriel puisqu'il a deux sujets : σάρξ et αἷμα. On trouve également οὐ κληρονομῆσουσιν sans le verbe δύναμαι en F G ar vg[ms] bo ; Marcion[T] Irénée[latpt], leçon avec également le verbe au pluriel, mais peu attestée. La leçon avec δύναμαι au singulier est certainement la meilleure.

[b] La situation textuelle de la fin du v. 52 est très complexe. Six cas de figure : 1° οὐ κοιμηθησόμεθα, πάντες δὲ ἀλλαγησόμεθα (B D[2] Ψ 075. 0243[c]. 1881 *Byz* sy co ; Jérôme[mss]). – 2° οὐ κοιμηθησόμεθα, οὐ πάντες δὲ ἀλλαγησόμεθα (p[46] A[c]). – 3° οὖν κοιμηθησόμεθα, οὐ πάντες δὲ ἀλλαγησόμεθα (F G). – 4° κοιμηθησόμεθα, οὐ πάντες δὲ ἀλλαγησόμεθα (א C 0243*. 33. 1241[s]. 1739 *pc* ; Jérôme[mss]). – 5° κοιμηθησόμεθα, οἱ πάντες δὲ ἀλλαγησόμεθα (A*). – 6° ἀναστησόμεθα, οὐ πάντες δὲ ἀλλαγησόμεθα (D* lat ; Tertullien Ambrosiaster Speculum). Évaluation : la leçon 1, bien attestée, rend compte de toutes les autres (TCGNT 569). Puisque, à l'époque de la copie, Paul et ses correspondants sont morts, des scribes ont déplacé la négation sur le 2e membre de phrase, et ont abouti à la leçon 4 (dont la leçon 5 n'est qu'une variante). La leçon 2 avec deux négations (retenue par Schneider, 152-159), illustre ce déplacement, tout en oubliant de supprimer la négation dans le 1er membre de phrase. La leçon 3 illustre le même processus, mais avec une fausse lecture de οὐ qui devient οὖν. La leçon 6 représente l'altération la plus radicale, insistant sur la résurrection plus forte que la transformation, peut-être pour contrer des courants gnostiques du II[e] siècle.

[c] L'expression ἐν ῥιπῇ ὀφθαλμοῦ est bien attestée : A B C D[2] Ψ (33) *Byz*. Le substantif ἡ ῥιπή (jet, impulsion, émanation) est rare et est un hapax NT. On trouve ἐν ῥοπῇ ὀφθαλμοῦ en p[46] D* F G 0243. 6. 1739 *pc*. Le substantif ἡ ῥοπή (mouvement de haut en bas, moment, instant), ne figure pas ailleurs dans le NT mais est plus courant. La leçon avec ῥοπή est sans doute secondaire.

[d] La situation textuelle de ce passage est complexe. Quatre leçons principales (en français) : 1° « Lorsque cet être corruptible sera revêtu d'incorruptibilité et que cet être mortel sera revêtu d'immortalité, alors... » : א[2] B C[2vid] D Ψ 075. 1739[c.(mg)]. 1881 *Byz* vg[mss] sy. – 2° « Lorsque cet être mortel sera revêtu d'immortalité, alors... » : p[46] א* C* 088. 0121. 0243. 1175. 1739[c] *pc* lat sa[ms] bo ; Irénée[lat], Ambrosiaster. – 3° « Lorsque cet être mortel sera revêtu d'immortalité et que cet être corruptible sera revêtu d'incorruptibilité, alors... » : A 326 (F G 365. 614*. 629* : ajouté hors texte). – 4° Omission de tout le début du v. 54. On, passe directement de « ... et que cet être mortel soit revêtu d'immortalité » à « alors... » : F G 614*. 1877* bo[ms]. La leçon 1, la mieux attestée, est préférable (TCGNT 569). Bien que préférée par certains critiques comme *lectio brevior* (Schneider, 27-29), la leçon 2 est explicable par homoïoteleuton entre ἀθανασίαν (immortalité ; v. 53) et ἀφθαρσίαν (incorruptibilité ; v. 54a). La leçon 3 inverse l'ordre corruptible / mortel ; elle est très peu attestée. La leçon 4 est

également explicable par homoïoteleuton entre les deux emplois d'ἀθανασίαν (au v. 53 et au v. 54b).

ᵉ Le substantif νῖκος (victoire), bien attesté, est remplacé deux fois par νεῖκος (querelle, combat) en p⁴⁶ B D* 088 *pc.* C'est sans doute dû au fait que τὸ νῖκος est un terme assez rare, hellénistique, alors que « la victoire » se dit plutôt ἡ νίκη en grec classique.

ᶠ Le texte retenu est attesté par p⁴⁶ ℵ* C 088. 1739* *pc* lat co ; Irénée^latpt Eusèbe^pt. Quelques mss inversent l'ordre de « aiguillon » (κέντρον) et « victoire » (νῖκος) : D(*) F G ; Irénée^latpt Tertullien Cyprien Eusèbe^pt Ambrosiaster. On trouve aussi, au v. 55b, « Hadès » au lieu de « mort », leçon plus proche du texte de la LXX. Ainsi : « Où est-il, mort, ton aiguillon ? Où est-elle, Hadès, ta victoire ? » (ℵ² Aᶜ Ψ 075. 1881 *Byz* sy^(p)). Ou encore : « Où est-elle, mort, ta victoire ? Où est-il, Hadès, ton aiguillon ? » (0121. 0243. 33. 81. 326. 1175. 1241ˢ. 1739ᶜ. 2464 *pc*). Ces alignements sur le texte de la LXX sont évidemment secondaires.

BIBLIOGRAPHIE

J.R. Asher, *Polarity and Change in 1 Corinthians 15. A Study on Metaphysics, Rhetoric, and Resurrection*, Tübingen 2000. – J.D.G. Dunn, « How Are the Dead Raised ? With What Body Do They Come ? Reflections on 1 Cor 15 », *SWJournTheol* 45, 2002, 4-18. – J.M. García Pérez, « 1 Co 15, 56 : ¿ Una polémica contra la ley judía ? », *EstB* 60, 2002, 405-414. – J. Gillman, « A Thematic Comparison : 1 Cor 15 : 50-57 and 2 Cor 5 : 1-5 » ; *JBL* 107, 1988, 439-454. – H.W. Hollander, J. Hollemann, « The Relationship of Death, Sin, and Law in 1 Cor 15 : 56 », *NT* 35, 1993, 270-291. – F.W. Horn, « 1 Korinther 15, 56 – ein exegetischer Stachel », *ZNW* 82, 1991, 88-105. – A. Johnson, « On Removing a Trump Card : Flesh and Blood and the Reign of God », *BBR* 13, 2003, 175-192. – J.B. Matand Bulembat, *Noyau et enjeux de l'eschatologie paulinienne*, Berlin 1997, 77-130. – A.C. Perriman, « Paul and the Parousia : 1 Corinthians 15. 50-57 and 2 Corinthians 5. 1-5 », *NTS* 35, 1989, 512-521. – M. Quesnel, « Deux scénarios des événements de la fin : 1 Th 4, 13-18 et 1 Co 15, 50-53 », in *Le jugement dans l'un et l'autre Testament, II, Mél. J. Schlosser*, C. Coulot (dir.), Paris 2004, 265-279. – S. Schneider, *Vollendung des Auferstehens, Eine exegetische Untersuchung von 1 Kor 15, 51-53 und 1 Thess 4, 13-18*, Würzburg 2000. – T. Söding, « "Die Kraft der Sünde ist das Gesetz" (1 Kor 15, 56). Anmerkungen zum Hintergrund und zur Pointe einer gesetzeskritischen Sentenz des Apostels Paulus », *ZNW* 83, 1992, 74-84. – M. Vicuña, « 1 Corintios 15 : 54b-57, un canto anticipado de victoria sobre la muerte – un midrash en el NT », *Theologika* [Lima] 3, 1988, 2-19. – C.A. Vlachos, « Law, Sin, and Death : An Endemic Triad ? An Examination with Reference to 1 Corinthians 15 : 56 », *JETS* 47, 2004, 277-298. – J. Ware, « Paul's Understanding of the Resurrection in 1 Corinthians 15 : 36-54 », *JBL* 133, 2014, 809-835. – M.D. Williams, « Encouragement to Persevere. An Exposition of 1 Corinthians 15 : 58 », *EvangRevTheol* 32, 2008, 74-81.

INTERPRÉTATION

Déterminer où commence cette péricope n'est pas simple. Le v. 50 est un verset de transition. Il reprend le thème du contraste corruptibilité *vs* incorruptibilité déjà évoqué au v. 42, lui-même repris dans le courant de la péricope aux vv. 53-54. Le véritable apport du passage est la description du scénario des vv. 51b-52 qui utilise un « nous » inclusif, solennellement introduit au v. 51a par l'annonce personnelle de la divulgation d'un « mystère » ; on pourrait donc faire commencer la péricope au v. 51. Ce qui pousse à considérer qu'il existe un véritable commencement au v. 50, c'est la forme grammaticale de ce verset et du demi-verset suivant (50-51a) : l'auteur y utilise la 1re personne du singulier, ce qu'il n'a pas fait depuis les vv. 31-32. Il y utilise aussi l'apostrophe « frères » (non employée depuis le v. 31) reprise de façon beaucoup plus développée au v. 58, « mes frères bien-aimés », et formant inclusion avec cette reprise. On voit par là qu'il va mettre un point final au long développement commencé au début du chapitre 15 sur la résurrection des humains. La question du point final fait inévitablement se poser la question de la *peroratio*. M.M. Mitchell la fait se limiter au v. 58, formulé en « vous » ; et elle considère même que ce verset est la *peroratio* (ou, en grec, *epilogos*), du corps de toute la lettre, dont la *propositio* (ou *prothèsis*) se trouve en 1, 10, invitant les destinataires à réagir contre le factionnalisme (Mitchell, *Rhetoric*, 177. 290-291 ; *idem* Schrage*). Cela ferait cependant une bien courte *peroratio* pour conclure une quinzaine de chapitres. Il peut sembler plus pertinent de considérer que Paul a terminé de donner de l'information à la fin du v. 52 et que la *peroratio* du chapitre 15 commence au v. 53 (Zeller*). À partir de là, en effet, le texte reprend successivement les pronoms personnels utilisés depuis le début du chapitre : discours impersonnel aux vv. 53-55 ; « nous » inclusif au v. 57 ; exhortation à la 2e personne du pluriel au v. 58. Et plusieurs des thématiques présentes depuis le début du chapitre 15 s'y retrouvent également, notamment les deux binômes corruptible *vs* incorruptible, et mortel *vs* immortel. C'est aux vv. 50-51 que Paul répond principalement à la première question qu'il a posée au v. 35. Les vv. 53-58 concluent l'ensemble et se terminent sur une exhortation éthique, d'autant plus nécessaire que, selon l'auteur, la non-foi en la résurrection des humains peut entraîner un total relâchement des mœurs (vv. 32-34).

En plus du parallèle avec 1 Th 4, 15-17 (voir ci-dessous), il convient de souligner un autre passage de la correspondance paulinienne où l'Apôtre évoque le contraste entre la vie présente et la vie future des humains : 2 Co 5, 1-5 (Gillman ; Perriman). Le contexte est différent : en 2 Co la question est abordée à partir des fatigues dues au ministère apostolique et de la tentation de découragement qui pourrait gagner les apôtres. Paul fait alors appel à l'espérance d'une demeure céleste où nous serons introduits après avoir habité notre demeure terrestre. Ce passage de 2 Co a en commun avec notre péricope la thématique du vêtement (1 Co 15, 53-54 et 2 Co 5, 3-4) : ce qu'il y a de mortel en nous sera recouvert par la vie.

VV. 50-52 – Après la phrase introductive indiquant l'importance de ce qui va suivre, le v. 50 fournit deux informations formulées en deux phrases négatives parallèles : l'impossibilité pour une humanité fragile d'hériter du Règne de Dieu (50b) ; et l'impossibilité pour la corruptibilité d'hériter de l'incorruptibilité (50c). La question se pose de savoir s'il s'agit d'un parallélisme synonymique, les deux phrases étant à peu près équivalentes, ou si la seconde donne un autre type d'information. Dans la mesure où les termes employés au v. 50b utilisent un vocabulaire juif et où le v. 50c utilise un vocabulaire plus grec, le parallélisme synonymique semble plus vraisemblable (Collins*). Il est courant, dans la rhétorique sémitique, de dire deux fois de suite la même chose en employant des mots différents (on rencontrera une question analogue sur la nature du parallélisme aux vv. 53-54b). Paul s'inspire sans doute d'un logion reçu de la tradition au v. 50b, et il le reprend avec ses propres termes en 50c (Senft* ; Weiss* ; contre Barrett*). À partir du v. 51, l'Apôtre délivre son information principale sur le « comment » de la résurrection, information qui mérite d'être mise en parallèle avec le scénario apocalyptique qu'il a présenté précédemment en 1 Th 4, 15-17 (Baumgarten, *Apokalyptik*, 60 ; Quesnel ; Schneider). Chaque fois, il précise le statut de ce qu'il écrit. En 1 Th 4, 15, cela lui vient d'une « parole du Seigneur » (peut-être reproduite en Mt 16, 27 ou 24, 40) ; en 1 Co 15, il s'appuie sur un « mystère » dont il est informé on ne sait comment. L'information tient en quatre phrases (respectivement 51b. 52a. 52b. 52c), dont la première est la plus difficile. On peut, en effet, faire de la proposition « tous nous ne nous endormirons pas » trois lectures possibles, qui conditionnent son lien avec la seconde, « tous nous serons transformés » : 1° Aucun d'entre nous ne s'endormira, *mais* tous nous serons transformés ; autrement dit nous serons tous encore vivants au moment de la fin des temps. – 2° Aucun d'entre nous ne s'endormira (définitivement), *car* tous nous serons transformés. – 3° Nous ne nous endormirons pas tous mais quelques-uns le feront, *et* tous nous serons transformés ; donc certains seront morts, d'autres non. – La première de ces lectures ne peut être retenue, car il y a déjà eu des morts dans la communauté depuis la prédication de l'Évangile, comme l'atteste 1 Th. La deuxième aurait l'avantage de réserver une évolution possible de la pensée paulinienne depuis l'écriture de 1 Th (Thisselton*), mais elle a l'inconvénient de donner au verbe « s'endormir » le sens d'un sommeil définitif. Pour intéressante qu'elle soit, elle ne semble cependant pas à retenir en raison de ce que Paul écrit au verset suivant, le v. 52. Mieux vaut retenir la troisième : elle correspond à la situation envisagée en 1 Th 4, 16-17 et a la faveur de la majorité des exégètes. Mais Paul pense-t-il encore cela lorsqu'il écrit 1 Co, environ cinq ans après 1 Th ? Oui pour l'essentiel, mais avec quelques différences. En 1 Co, deux circonstances sont indiquées. La première est exprimée par un hendiadys, en deux mots : un instant, un clin d'œil ; ce sera bref. La deuxième fait appel à un instrument à vent, la trompette (déjà nommée en 1 Th 4, 16), qu'on retrouvera plus tard dans le NT (Mt 24, 31 ; Ap 8, 2.6.13 ; 11, 15) ; elle remplace, en contexte gréco-romain, le shofar utilisé dans le scénario eschatologique de l'Écriture juive (Is 27, 13 ; Jl 2, 15 ; Za 9, 14) et des écrits du judaïsme ancien (1QM 7, 13-14). Au moment de la sonnerie de trompette deux événements se produiront, présentés comme simultanés : les morts seront réveillés, incorruptibles ; et « nous serons transformés ». Le verbe « être transformé » concerne tout le monde, comme au v. 51b : les morts, car ils passeront de la corruptibilité à l'incorruptibilité ; et les personnes encore vivantes, car leur corps de chair et de sang ne pourrait recevoir en héritage le Règne de Dieu (v. 50) (Dunn). Le verbe « transformer » (*allassô*) situe ce discours dans un vocabulaire conceptuel familier aux philosophes grecs (Asher), très différent de celui qui était employé en 1 Th 4, 15-17, où il s'agissait essentiellement d'un scénario spatiotemporel : un premier déplacement avait lieu du ciel vers la terre : la descente du Seigneur (v. 16) ; il était suivi de deux mouvements allant du bas vers le haut, d'abord le relèvement de ceux qui sont morts en Christ (v. 16), puis l'enlèvement de ceux qui seront encore vivants (v. 17). En 1 Th, ces deux levées se faisaient l'une après l'autre, alors que, en 1 Co 15, ce qui arrive aux vivants et ce qui arrive aux morts se produit de façon simultanée. On remarque également que 1 Th 4, 16 ne parlait du relèvement que de ceux qui sont morts en Christ (les chrétiens), alors que, en 1 Co 15, les chrétiens ne semblent pas être traités autrement que les autres humains ; cela vient sans doute du fait que les chrétiens de Thessalonique s'interrogeaient sur le devenir des défunts de leur Église (1 Th 4, 13-14). Une autre différence entre ces deux textes est que celui de 1 Th met le Seigneur en scène ; c'est même lui le principal acteur des actions décrites ; sa venue du ciel sur la terre est une parousie. Rien de tel en 1 Co 15, où le Christ est absent de la scène et où toutes les actions sont décrites par des verbes conjugués au passif théologique. C'est Dieu l'acteur : la résurrection de la personne humaine est comprise comme la reconstitution miraculeuse du corps mortel composé de chair et de sang, et comme sa transformation en sorte qu'il devienne impérissable (Ware). Déjà en ce monde, les croyants peuvent expérimenter ce que l'Esprit du Christ peut changer dans notre être corporel. Ce qui se produira à la résurrection est un prolongement de cette expérience dans une tout autre dimension.

VV. 53-58 – Avec le v. 52, tout ce que Paul voulait délivrer comme information pour contrer les Corinthiens qui niaient la résurrection des humains a été énoncé. À partir du v. 53, on est dans les compléments ; des thèmes précédemment développés y sont repris. C'est aux vv. 53-54b qu'apparaît l'image du vêtement, par l'emploi à quatre reprises du verbe « revêtir » (*enduô*). Sinon, ces quatre demi-versets sont construits sur un parallélisme vraisemblablement synonymique, le couple corruptible/incorruptibilité utilisant des termes déjà employés et connus dans la culture sémitique (ainsi Lv 22, 25 ; Is 54, 17), le couple mortel/immortalité utilisant des mots nouveaux dans le chapitre 15 et plus spécifiquement grecs ou hellénistiques (Matand Bulembat). Cette lecture semble plus pertinente que celles pour lesquelles l'adjectif « corruptible » désignerait des personnes déjà mortes, et l'adjectif « mortel », des personnes encore vivantes mais destinées à mourir (on a rencontré la même question sur la nature du parallélisme au v. 50). Aux vv. 54b-55, Paul appelle l'Écriture à l'appui de son propos ; sa façon de procéder est inhabituelle (voir la note). Sous une même formule d'introduction (v. 54c) il cite deux passages des prophètes, comme s'ils appartenaient au même texte : quelques mots d'Is 25, 8 au v. 54d ; un passage plus long d'Os 13, 14 aux v. 55. Le mot « mort » (*thanatos*) est employé à trois reprises, d'abord comme sujet d'un verbe au passif théologique ; puis deux fois au vocatif, la parole prophétique s'adressant à la mort pour l'interroger sur le lieu où l'on pourrait trouver sa victoire ou son aiguillon venimeux. On ne pourra plus les trouver nulle part, en conséquence de quoi la mort ennemie aura été totalement détruite ; on retrouve là ce que Paul a déjà exprimé avec d'autre mots en 15, 26. À la différence des autres citations du chapitre (vv. 25-26.32.45), celle-ci n'est pas utilisée pour appuyer une argumentation. Elle exprime une vision d'avenir, introduite par le futur de la formule introductive, « alors se réalisera... », ce qui convient bien à la fonction rhétorique de *peroratio* de l'unité 53-58. Le v. 56 ressemble à une épigramme. Il est relié à la fin du v. 55 par deux mots-crochets : aiguillon et mort. En même temps, il introduit une notion entièrement nouvelle dans le chapitre, celle de loi (*nomos*) ; et il mentionne le péché (*hamartia*) dont il a été question aux vv. 3 et 17, mais pas depuis. Ce verset apparaît comme un commentaire des derniers mots de la citation d'Osée, très paulinien de tonalité mais placé là de façon étrange. Il a sans doute été rédigé par Paul et situé en cet endroit dès le premier jet de l'épître ou peu après : Paul veut rappeler le lien entre mort et péché, et énonce une autre conviction qu'il développera ailleurs (Ga ; Rm), à savoir que la loi entraîne le péché (Ga ; Rm). Quant au v. 57, il utilise une nouvelle personne verbale (1re personne du pluriel) et débouche sur l'action de grâce qui fait passer de l'action entreprise par Dieu à ses bénéfices pour les humains. Le « nous », sans doute inclusif, est cependant limité au rédacteur et à ses destinataires. Le propos est ici illocutoire : le texte ne se contente pas d'inviter à l'action de grâce, il est lui-même une action de grâce et la fait exister ; il reprend le thème de la victoire extrait des citations scripturaires des vv. 54-55. Avec le v. 58, exprimé en « vous », le chapitre reçoit une conclusion conforme à ce qui été exprimé en amont, à savoir que la non-foi en la résurrection des humains entraîne un dérèglement des mœurs (15, 32-34). Le vocabulaire est assez nouveau par rapport à ce qui précède, mais la tonalité n'est guère originale. Paul tient manifestement à faire déboucher sur une exhortation éthique les longs développements qu'il a rédigés sur la résurrection des humains. Croire n'est pas seulement une affaire de croyance, c'est une façon d'être. Si ressusciter ne fait pas partie du programme des fidèles, c'est leur existence en Christ tout entière qui s'en trouve déstructurée (Williams).

NOTES

50

Les quatre premiers mots du texte, τοῦτο δὲ φημι, ἀδελφοί, se trouvaient déjà dans cet ordre en 7, 29. C'est un appel lancé à l'attention du lecteur auquel l'auteur va délivrer une information importante. Le binôme « chair et sang » (σάρξ καὶ αἷμα) est une expression courante dans le judaïsme ancien pour désigner l'humanité dans sa faiblesse et sa vulnérabilité. On la trouve en Si 14, 18 ; 17, 31, ainsi que chez Philon (*Quis divinarum rerum heres sit* 12, 57). Elle est aussi reprise chez Paul (Ga 1, 16) et chez Matthieu (16, 17), parfois aussi dans l'ordre « sang et chair » (Ep 6, 12 ; He 2, 14), ainsi que dans le rabbinisme (TBSanh 91a ; TBBer 28b). L'expression « recevoir en héritage le royaume de Dieu » (βασιλείαν θεοῦ κληρονομέω) figure plus haut dans le texte en 6, 9-10 ; il y est alors précisé que ce ne sera pas possible pour les impies ; cela pose la question, qui reste ouverte, de savoir si « chair et sang » sont inaptes à hériter du royaume en raison de leur fragilité ou en raison de leur péché (Johnson) : le terme ἁμαρτία n'est pas dans le texte, mais on le trouve plus bas au v. 56.

51-52

Au v. 51, le substantif μυστήριον est employé au singulier comme il l'était en 2, 1 où il renvoyait à une sagesse cachée en Dieu qui s'exprime dans la croix. C'est un dérivé du verbe μύω (se fermer, se clore, demeurer bouche close). Par l'intermédiaire du latin *mutus* il a donné le français « muet ». Son emploi en 1 Co 15 est à rapprocher de celui qui est fait du terme en Dn^{LXX} 2, 18-47, où Daniel interprète le songe de Nabuchodonosor (il traduit alors l'araméen *raz*, qui vient du persan, et désigne un secret d'État, une réalité tenue secrète) : le μυστήριον est alors la réalité, cachée en Dieu, des événements de la fin des temps. Le sens est le même à Qumrân où c'est le Maître de Justice qui est chargé de le faire connaître (1QH 4, 47-48) et dans les paraboles d'Hénoch (1 Hén 53, 3). Le verbe ἀλλάσσω, employé aux vv. 51 et 52, n'est employé que là en 1 Co ; dérivé de l'indéfini ἄλλος (autre), il exprime un changement radical, nécessaire pour le passage du corps animal au corps spirituel. Au v. 52, l'expression ἐν τῇ ἐσχάτῃ σάλπιγγι (à la dernière trompette) ne renvoie pas à la dernière sonnerie d'une série de plusieurs, mais à la trompette de la fin, l'ultime trompette. Nous ne suivons pas l'interprétation qui ferait de ἡμεῖς un pronom inclusif, Paul écrivant « nous » au nom de tous les humains ou de tous les fidèles (*e.g.* Allo*) ; si Paul prend la peine de nommer successivement οἱ νεκροί et ἡμεῖς, c'est qu'il s'agit de deux catégories de personnes différentes.

53-54b

Au v. 53, le verbe impersonnel δεῖ, déjà employé au v. 25, indique une nécessité de type essentiel, relevant du plan divin sur le monde créé ; la nécessité pour le Christ de régner s'accompagne d'une nécessité que le monde n'en reste pas au périssable et au mortel. Comme plus haut le verbe « transformer » (ἀλλάσσω), le verbe « revêtir » (ἐνδύω) n'est employé en 1 Co qu'aux vv. 53-54. Les termes utilisés pour les binômes contraires sont déjà utilisés pour les uns, nouveaux pour les autres : l'adjectif φθαρτός (corruptible) est nouveau en 15, 53-54, mais a déjà été employé en 9, 25, à propos d'une couronne corruptible ; le substantif ἀφθαρσία (incorruptibilité) a déjà été employé en 15, 42 et 50 ; l'adjectif θνητός (mortel) est nouveau en 15, 53-54 ; il en est de même pour le substantif ἀθανασία (immortalité). La problématique mortalité *vs* immortalité appartient en effet à la culture grecque : dans la LXX, on ne trouve ἀθανασία qu'en Sg 3, 4 ; 4, 1 ; 8, 13.17 ; 15, 3 et en 4 M 14, 5 ; 16, 13. À mesure que l'on approche de la fin du chapitre 15, Paul utilise du vocabulaire moins juif et plus hellénistique, pour faire pièce aux négateurs de la résurrection des humains. Le pronom démonstratif neutre τοῦτο (4x) ne renvoie pas seulement au corps ; c'est l'ensemble de ce qui est corruptible en ce monde qui est destiné à l'incorruptibilité, et l'ensemble de ce qui est mortel qui est destiné à l'immortalité.

54c-55

Sous une même formule d'introduction au futur, Paul cite deux passages de l'Écriture juive comme s'ils appartenaient au même texte. Les deux passages contiennent le mot « mort », ce qui permet de les rapprocher, selon le procédé exégétique connu dans le rabbinisme sous le nom de *gezera shawa*, au nom duquel deux passages de l'Écriture contenant les mêmes termes peuvent être interprétés l'un par l'autre. Cependant la question reste ouverte de savoir si c'est l'Apôtre le créateur de ce rapprochement, ou s'il l'emprunte à une tradition juive ou chrétienne antérieure à lui. En effet, 1 Co utilise des termes différents de ceux des textes de l'AT qui y sont cités. Pour Is 25, 8, l'Apôtre écrit : Κατεπόθη ὁ θάνατος εἰς νῖκος (la mort fut engloutie dans la victoire). Le texte hébreu se traduit : « Il engloutit (ou : il engloutira) la mort à perpétuité ». On trouve dans la LXX : κατέπιεν ὁ θάνατος ἰσχύσας (la mort, ayant été forte, a englouti). C'est dans la traduction juive de Théodotion (oncial Q ; IIᵉ siècle de notre ère) que l'on trouve un texte identique à celui de Paul. Pour Os 13, 14, Paul écrit : Ποῦ σου, θάνατε, τὸ νῖκος ; Ποῦ σου, θάνατε, τὸ κέντρον ; Le texte hébreu se traduit : « Où (sont) tes pestes, mort ? Où (est) ta destruction, shéol ? » Et l'on trouve dans la LXX : Ποῦ ἡ δίκη σου, θάνατε ; Ποῦ τὸ κέντρον σου, ᾅδη ; (où [est] ta punition, mort ? Où [est] ton aiguillon, shéol ?). On remarquera également que, s'il conserve certains mots d'Os 13, 14, Paul interprète ce verset à l'inverse du contexte originel. Chez Osée, c'est Dieu qui interpelle la mort pour qu'elle fasse usage de sa puissance de destruction sur Israël impie. Chez Paul, c'est une question posée à la mort pour qu'elle constate à regret la disparition de son efficacité. Le substantif κέντρον (aiguillon) peut désigner, soit un aiguillon de bouvier, soit le dard venimeux d'un animal dangereux, le scorpion par exemple ; ce dernier sens est le plus vraisemblable ; il donne de la mort l'image d'une bête nuisible.

56

L'étrangeté de la présence de ce verset dans le propos paulinien a conduit à émettre plusieurs hypothèses sur son statut. Il pourrait être : 1° Une glose tardive non paulinienne (*e.g.* Heinrici* ; Horn ; Weiss*), bien que témoin d'une pensée paulinienne déjà très élaborée. – 2° Une maxime juive émise dans le milieu des rabbis, que l'on retrouverait en TBBer 61a, et que Paul transforme à la manière des rabbis de son temps (*e.g.* Allo* ; Lietzmann* ; Matand Bulembat ; Vicuña). – 3° Un verset paulinien rajouté par la suite, par Paul lui-même ou l'un de ses disciples, au texte originel de 1 Co, ayant le statut d'une parenthèse et préparant les développements postérieurs de Ga et Rm (*e.g.* Lindemann* ; Zeller*). – 4° Les exégètes les plus sensibles à la nécessité d'interpréter le texte tel qu'il se présente dans les plus anciens mss considèrent qu'il est nécessaire au raisonnement : Paul est convaincu que la mort est une conséquence du péché (cf. Rm 5, 12) ; il faut bien qu'il l'évoque à propos de la mort de façon très condensée, en forme d'épigramme ; il développera sa pensée par la suite en Rm et Ga (Söding ; Vlachos). – 5° Une variante de cette 4ᵉ position est que le mot

« loi » (νόμος) ne désigne pas forcément la loi juive, mais serait un terme générique désignant toutes les lois humaines, toutes promues par une humanité dégénérée (*e.g.* Collins* ; Hollander, Hollemann), ou tout simplement une faute, comme c'est souvent le cas en LXX (García Pérez). Choisir entre ces différentes hypothèses n'est pas simple. L'attestation textuelle est très ferme, ce qui exclut l'hypothèse 1 d'une glose tardive. L'hypothèse 5 que νόμος ne désigne pas la loi juive ne semble pas non plus à retenir, les autres emplois du mot en 1 Co renvoyant sans équivoque à celle-là. Nous serions également tentés d'évacuer l'hypothèse 2, la pensée paulinienne correspondant rarement à celle des rabbis de son temps. Nous laissons ouvertes les hypothèses 3 et 4, chacune ayant de bons arguments pour la soutenir.

57-58

Au v. 57, la titulature très développée de Jésus, « notre Seigneur Jésus Christ », est un indice que nous sommes à la fin d'une période. De même au v. 58, l'ampleur de l'apostrophe lancée aux frères, ἀδελφοί μου ἀγάπητοί (mes frères bien-aimés) tranche sur la sobriété des apostrophes et porte les traits caractéristiques d'une finale. L'adjectif ἑδραῖος (ferme, solide, constant) a déjà été utilisé en 7, 37, comme indicatif de la conduite convenable d'un père vis-à-vis de sa fille vierge. L'adjectif ἀμετακίνετος (inébranlable) est un hapax NT ; il évoque de façon synthétique des comportements évoqués plusieurs fois dans l'épître. L'expression « l'œuvre du Seigneur » (τὸ ἔργον τοῦ κυρίου) est nouvelle aussi sous la plume de Paul, mais elle a également un aspect synthétique ; elle est d'ailleurs reprise en 16, 10 pour évoquer le travail conjoint de Paul et de Timothée. La conviction que la peine des destinataires n'est pas vide (κενός) rappelle les effets de la grâce de Dieu sur Paul (15, 10), et met en garde sur les conséquences que pourrait produire sur la prédication des apôtres et la foi des Corinthiens l'absence de foi en la résurrection du Christ.

La collecte pour l'Église de Jérusalem (16, 1-4)

TRADUCTION

16, 1 Au sujet de la collecte pour les saints, comme je l'ordonnai aux Églises de la Galatie, faites ainsi vous aussi. 2 Pendant le premier (jour) du sabbat[a], que chacun de vous dispose chez lui ce qu'il aura réussi[b] à mettre en réserve, afin que les collectes n'aient pas lieu seulement lorsque je viendrai. 3 Lorsque je serai là, ceux que vous désignerez[c], je les enverrai munis de lettres porter votre grâce à Jérusalem ; 4 s'il est pertinent[d] que moi aussi je m'y rende, ils s'y rendront avec moi.

[a] Dans la majorité des mss, σάββατον est au singulier : א[(*).1] A B C D F G I[vid] P Ψ 088. 33 *pc* latt sy[p] sa. Mais on trouve aussi la formule κατὰ μίαν σαββάτων avec σάββατον au pluriel : א[2] 075. 0121. 0243. 1739. 1881 *Byz* sy[h] bo. Cette 2[e] leçon est sans doute influencée par une formulation analogue que l'on trouve en Lc 24, 1 ; Jn 20, 1.

[b] On retient ici une leçon minoritaire, bien qu'attestée par de bons témoins, avec le verbe εὐοδόω au subjonctif présent, εὐοδῶται : א* B D F G 075. 33 *Byz*. Cette forme verbale peut être aussi bien un moyen qu'un passif. Des mss plus nombreux conjuguent au subjonctif aoriste passif, εὐοδώθη : א[2] A C K Ψ 088. 0121. 0243. 6. 81. 104. 365. 630. 1175. 1241[s]. 1739. 1881 *al*. Cette dernière forme résulte sans doute d'une correction volontaire destinée à lever l'ambiguïté.

[c] Au lieu de οὓς ἐὰν δοκιμάσητε au subjonctif aoriste, un mss porte οὓς δοκιμάζετε, à l'indicatif présent : p[46]. La première leçon possède une connotation d'éventualité ; la seconde est une affirmation : « ceux que vous désignez ». Elle résulte sans doute d'une correction volontaire.

[d] L'ordre des mots varie d'un mss à l'autre. On trouve ἐὰν δὲ ἄξιον ἦ en p[46] א[2] A B C P 088. 0121. 0243. 33. 81. 630. 1175. 1241s. 1739. 1881. 2464 *al* lat ; et ἐὰν δὲ ἦ ἄξιον en א* D F G 075 *Byz*. La seconde leçon, moins bien attestée, correspond à une formulation plus courante, mais le sens est le même ; elle est sans doute secondaire.

BIBLIOGRAPHIE

B. BECKHEUER, *Paulus und Jerusalem. Kollekte und Mission im theologischen Denken des Heidensapostels*, Francfort 1997. – R. BIERINGER, « The Jerusalem Collection and Paul's Missionary Project : Collection and Mission in Romans 15.

14-32 », in *The Last Years of Paul*, A. Puig i Tàrrech, J.M.G. Barclay, J. Frey (eds), Tübingen 2015, 15-31. – S.J. Joubert, « Shifting Styles of Church Leadership : Paul's Pragmatic Leadership Style in 1 and 2 Corinthians during the Organization of the Collection for Jerusalem », *VerbEccl* 23, 2002, 678-688. – S.R. Llewelyn, « The Use of Sunday for Meetings of Believers in the New Testament », *NT* 43, 2001, 205-223. – M. Quesnel, « The Collection for Jerusalem in the Context of Paul's Missionary Project : Theological Perspectives », in *The Last Years of Paul*, A. Puig i Tàrrech, J.M.G. Barclay, J. Frey (eds), Tübingen 2015, 33-48.

INTERPRÉTATION

Avec ce court paragraphe sur la collecte en faveur de l'Église de Jérusalem, il est difficile de savoir si l'on est encore dans le corps de la lettre ou déjà dans les suppléments et conclusions. La façon dont est la question est introduite, avec l'expression « au sujet de » (*peri de*) pourrait faire penser que Paul continue de répondre à des questions que les Corinthiens lui ont posées par écrit. C'est ainsi, en effet, qu'il a introduit ses réponses sur mariage, virginité, célibat (7, 1), sur la nourriture offerte aux idoles (8, 1) et sur charismes et ministères (12, 1) (*e.g.* Allo* ; Barrett* ; Senft*). En même temps, la fin du chapitre 15 avait déjà une tonalité de *peroratio* et, à partir de 16, 5, Paul donne des informations purement matérielles, ce qui tendrait à placer le chapitre 16 tout entier en dehors du corps de la lettre. Peut-être cette introduction par « au sujet de » (*peri de*) indique-t-elle simplement que les Corinthiens possédaient déjà de l'information sur ce sujet (Mitchell, *Rhetoric*, 293) ; on imagine mal, en effet, que Paul soit si bref sur cette demande financière, s'il n'a pas eu l'occasion d'expliquer les raisons pour lesquelles il quête en faveur de l'Église-mère de Jérusalem. De cette collecte, il est aussi question ailleurs. Le plus long développement est constitué par les chapitres 8 et 9 de 2 Co. Paul en reparlera en Rm 15, 25-33 (Bieringer). Par Ga 2, 10, on apprend qu'elle correspond à une demande adressée à Barnabas et à lui par Jacques, Céphas et Jean, à l'issue de l'Assemblée de Jérusalem. Il en est aussi plusieurs fois question dans les Actes (11, 29 ; 12, 25 ; 24, 17).

Les quatre versets de 1 Co 16 sont trop brefs pour que l'on puisse saisir toutes les raisons qui sont à l'origine de cette collecte. C'est dans l'ensemble de l'univers biblique qu'il faut puiser pour les percevoir, y compris dans d'autres textes du NT, tout en se gardant d'anachronisme. Notre péricope est, en effet, chronologiquement parlant, le premier texte rédigé sur la collecte ; l'Apôtre, qui a certainement continué à réfléchir sur sa portée à mesure que les années passaient, n'avait pas forcément déjà en tête ce qu'il en exprimera plus tard, et son ton pour en parler diffère d'une épître à l'autre ; en particulier, il est nettement moins directif en 2 Co – où il devra faire appel à l'honneur de ses destinataires – qu'ici (Joubert). On a pu se demander si Paul n'avait pas voulu reproduire, dans les rapports entre les Églises, l'équivalent de ce qu'était l'impôt du didrachme dans le judaïsme : tout Juif de vingt ans et plus était censé verser annuellement un impôt de la valeur de deux drachmes pour subvenir aux frais du culte célébré dans le Temple (cf. Ex 30, 13 ; 38, 26 ; Mt 17, 24-27). La collecte organisée par Paul en diffère sur plusieurs points ; elle n'est pas annuelle, et le montant de la contribution est volontaire (v. 2). Mais, étant entendu que les Juifs de Corinthe étaient tenus de le payer, il n'est pas impossible que l'Apôtre ait eu l'idée de le remplacer par une collecte en faveur de l'Église-mère, pour ceux d'entre eux qui étaient devenus disciples du Christ. Quant aux chrétiens d'origine païenne, on trouve suffisamment de textes bibliques annonçant que les trésors des nations afflueront dans la Ville sainte (Ps 72, 9-11), notamment en II Isaïe (49, 22-23) et en III Isaïe (66, 20) (Beckheuer). Les motivations de Paul étaient sans doute multiples. En Ga 2, 10, il rappelle qu'il lui a été demandé se soutenir « les pauvres » (*hoi ptôchoi*) de cette Église. Lui-même ne reprend pas ce terme en 1 Co, ni en 2 Co ; il le fait cependant en Rm 15, 26. S'agit-il alors des pauvres à l'intérieur du groupe des chrétiens de Jérusalem ? Ou le terme « les pauvres » est-il pour lui, lorsqu'il l'utilise, un terme générique pour désigner toute cette Église ? Plus prosaïquement, son geste n'était sans doute pas dépourvu d'opportunité politique : l'Apôtre avait dû se battre pour que les Douze acceptent de ne pas imposer la circoncision aux chrétiens mâles venus du paganisme ; sa pratique différait pour une part de la leur (Ga 2, 1-10). Il importait alors de manifester par un geste visible l'unité des Églises ; plus tard, lorsqu'il écrira Rm, il semble même se demander s'il n'est pas allé trop loin dans les distances prises par rapport aux observances de la Tora et si l'Église de Jérusalem ne boudera pas l'argent qu'il lui apportera (Rm 15, 30-33) : suprême insulte, qu'il tient à éviter !

Au fil du texte, on peut remarquer, au v. 1, que les chrétiens de Jérusalem sont appelés « les saints » (la ville elle-même n'est nommée qu'au v. 3). C'est une façon courante de désigner les disciples de Jésus ; on la retrouve 14, 33 où le syntagme « les Églises des saints » désigne vraisemblablement les Églises chrétiennes tout court, ainsi qu'en 16, 15 (cf. aussi 2 Co 8, 4). Pour les Corinthiens, Paul écrit qu'ils sont « appelés (à être) saints » (1, 2) ; et que leurs enfants sont saints (7, 14). Mais il apparaît qu'une petite distance existe encore entre leur état de disciple du Christ et leur sainteté. N'oublions pas que de nombreuses choses sont à redresser dans leur façon de vivre l'Évangile ! Dans ce verset, L'Apôtre invite à suivre les consignes qu'il a données aux Églises de Galatie, mais on n'en trouve aucune trace ni dans l'épître aux Galates ni ailleurs dans le NT ; le moyen par lequel l'Église de Corinthe pouvait en avoir été informée reste inconnu. Le v. 2 est consacré à la marche à suivre pour rassembler les fonds : il convient de le faire le premier jour de la semaine, compté selon la façon juive. Il semble que, dans un premier temps, l'Apôtre invite à rassembler dans les maisons les sommes que chaque famille destine à la collecte plutôt que de les apporter en un lieu donné (Bacchiocchi, *Sabbat*, 77-86) ; ce lieu n'existait apparemment pas, et rien n'indique que l'Église ait alors possédé une administration ou un trésorier (Conzelmann*). Pourquoi alors faire cela dimanche ou le samedi soir ? Sans doute parce que c'était le moment où l'Église se rassemblait pour le Dîner du Seigneur (11, 17-34) et que cela donnait à l'offrande une dimension ecclésiale plus forte (Llewelyn). Par les vv. 3-4, on apprend que l'argent de la collecte devra être rassemblé lorsque Paul reviendra à Corinthe. Il précise qu'il revient à l'Église – peut-être à la famille de Stéphanas (16, 15) – de désigner les émissaires chargés de convoyer les fonds jusqu'à Jérusalem. Sans doute par égard pour les Corinthiens, il ne veut pas les désigner lui-même. Il leur fournira simplement les documents dont ils auront besoin pour être bien accueillis sur place. Il envisage cependant aussi la possibilité de faire le voyage avec eux. Le terme « grâce » (*charis ;* v. 3) est à souligner pour désigner les sommes d'argent qui seront portées à l'Église-mère. Certes, il peut avoir le sens profane de « générosité, libéralité », mais son emploi sous la plume de Paul est essentiellement religieux. En même temps que l'Église de Corinthe fera un don gratuit à celle de Jérusalem, elle sera elle-même bénéficiaire d'une grâce venant d'en haut. C'est une grâce que de donner ; l'Apôtre soulignera abondamment cet aspect de la collecte dans les chapitres qu'il lui consacrera en 2 Co (8, 1.4.6.7.9.16.19 ; 9, 8.14) (Quesnel).

NOTES

1

Le substantif utilisé pour parler de la collecte, ici et au v. 2, ἡ λογεία, est un terme rare ; on n'en trouve aucune attestation littéraire, mais il apparaît dans certains papyrus (Fitzmyer* ; Wilkens, *Grundzüge*, ostraca 412. 414. 415) ; il est formé sur le verbe λέγω dont l'un des sens est « rassembler, recueillir, cueillir ». C'est par 2 Co 9, 1 que l'on peut savoir de quoi il s'agit ; le début en est très proche de celui de 16, 1 : Περὶ... τῆς διακονίας τῆς εἰς τοὺς ἁγίους. Plus tard dans ses lettres, Paul utilisera plutôt les substantifs διακονία (2 Co 9, 1. 12. 13), κοινωνία (2 Co 8, 4 ; 9, 13 ; Rm 15, 25), et même λειτουργία (2 Co 9, 12). Le verbe invitant à entreprendre cette collecte est un impératif aoriste : ποιήσατε ; il suggère qu'il faut lancer une action non encore commencée, et non pas de poursuivre une action en cours.

2

L'indication du jour pour ramasser les fonds est indiqué par l'expression κατὰ μίαν σαββάτου : littéralement « pendant un de sabbat ». Le substantif ἡμέρα est sous-entendu après l'adjectif numéral féminin μία. Au lieu de l'adjectif cardinal μία, on attendrait l'ordinal πρώτη (premier). Mais cette façon de numériser les jours est courante dans le NT pour désigner le 1er jour de la semaine : le dimanche est le « jour un » (voir Lc 24, 1 ; Jn 20, 1). Plus tard, on utilisera dans les Églises le syntagme « le jour du Seigneur » (ἡ κυριακὴ ἡμέρα en Ap 1, 10 ; ἡ ἡμέρα τοῦ κυρίου en *Didachè* 14, 1). Le verbe εὐοδόω, formé à partir de l'adverbe εὖ (bien) et du substantif ὁδός (chemin), est un terme rare. Il se conjugue à l'actif et au moyen avec le sens de « bien diriger », et au passif où il signifie « être bien dirigé », d'où

« réussir ». La plupart de ses emplois en grec se trouvent dans des textes bibliques (nombreux emplois LXX ; dans le NT, ici et en Rm 1, 10 ; 3 Jn 2).

3-4

Au début du v. 4, l'adjectif ἄξιος (seul emploi en 1 Co) a un sens assez faible ; il n'indique pas une dignité, mais une pertinence, que Paul fasse le voyage avec ceux que l'Église aura désignés. L'Apôtre ne dit cependant pas quel sera le critère de cette pertinence. L'importance de la somme ? – Peut-être (*e.g.* Robertson, Plummer* ; Wolff* ; malgré Senft*). Ou peut-être parce que les Corinthiens l'estimeront souhaitable (Thiselton*). Ou peut-être encore parce que Paul projettera de retourner en Judée à ce moment-là.

Dans les mois qui viennent
(16, 5-12)

TRADUCTION

16, 5 Je viendrai chez vous lorsque j'aurai traversé la Macédoine ; en effet, je traverse la Macédoine, 6 peut-être resterai-je[a] chez vous ou même y passerai-je l'hiver, afin que vous vous m'accompagniez là où je me rendrai. 7 En effet je ne veux pas vous voir juste en passant ; j'espère, en effet, rester un certain temps chez vous si le Seigneur le permet. 8 Je resterai[b] à Ephèse jusqu'à la Pentecôte, 9 car une porte s'est ouverte pour moi, large et efficace, et les adversaires (sont) nombreux. 10 Si Timothée vient, veillez à ce qu'il soit sans crainte chez vous ; car il œuvre à l'œuvre du Seigneur comme moi-même[c] ; 11 donc, que personne ne le méprise. Accompagnez-le en paix pour qu'il vienne chez moi ; car je l'attends avec les frères. 12 Au sujet d'Apollos le frère[c], je l'exhortai abondamment pour qu'il vienne chez vous avec les frères ; et venir maintenant n'était pas du tout la volonté ; mais il viendra quand il en aura l'occasion.

[a] Le verbe « rester » au futur est παραμενῶ dans p[46] ℵ A C D (F G) Ψ 075. 088. 1739*. 1881 *Byz.* Mais on trouve son synonyme καταμενῶ dans p[34] B 021. 0243. 6. 1739[c] *pc.* Le 1er est plus fréquent en grec, en sorte que le 2[e] est *lectio difficilior.* Mais l'attestation de παραμενῶ est bien meilleure ; mieux vaut le conserver.

[b] Les mss hésitent entre le présent et le futur. Les onciaux p[46] A B* C D* F G P 088 rendent possibles les deux lectures : ΕΠΙΜΕΝΩ. On lit clairement le futur ἐπιμενῶ en Ψ 0121. 0243 *Byz* latt ; et clairement le présent ἐπιμένω en B[2] D[2] 075. 6. 33. 81. 365. 629. 1241[s]. 1739. 1881. 2464 *al.* Le présent peut exprimer une intention forte, comme à la fin du v. 5 ; mais le futur correspond au sens, et est possible si l'on suit les grands onciaux.

[c] Après Περὶ δὲ Ἀπολλῶ τοῦ ἀδελφοῦ, on trouve δηλῶ ὑμῖν ὅτι (je vous déclare que) dans ℵ* D* F G ar vg[cl] ; Ambrosiaster. Cet ajout, volontaire, amplifie l'insistance qu'a mise Paul pour convaincre Apollos de se rendre à Corinthe ; la bonne entente entre les deux hommes s'en trouve renforcée.

BIBLIOGRAPHIE

C.R. Hutson, « Was Timothy Timid ? On the Rhetoric of Fearlessness (1 Corinthians 16 : 10-11 and Cowardice (2 Timothy 1 : 7) », *BR* 42, 1997, 58-73.

INTERPRÉTATION

À partir de 16, 5, le texte manque d'indices littéraires pour délimiter les péricopes. On doit se contenter de délimitations thématiques. Les vv. 5-12 concernent des événements projetés ou simplement envisagés. À partir de 16, 13, on est plutôt dans les dernières recommandations et les salutations. La présente péricope peut elle-même être divisée en deux unités : les vv. 5-9, qui concernent les projets de Paul, et les vv. 10-12, qui concernent l'un de ses collaborateurs, Timothée, et une autre personne qui joua un grand rôle dans l'Église de Corinthe, Apollos. C'est par cette péricope que l'on apprend d'où Paul rédige 1 Co : Ephèse est nommée au v. 8 (elle a déjà été mentionnée en 15, 32). Pour bien comprendre le texte, on est obligé de faire jouer l'inter-textualité. Les Actes et 2 Co doivent être sollicités, car ils fournissent des renseignements qui confirment ou infirment les indications fournies ici par Paul.

VV. 5-9 – L'unité qui commence au v. 5 comporte de nombreux futurs : Paul y expose ses projets. Il passera, écrit-il, par la Macédoine, une province romaine dont la capitale est Thessalonique et où, si l'on s'appuie sur les Actes, Paul a fondé trois Églises au cours de son premier voyage en Europe : Philippes (Ac 16, 1-40), Thessalonique (Ac 17, 1-9) et Bérée (Ac 17, 10-14) ; c'est en venant de là que, après être passé par Athènes (Ac 17, 15-34), il était arrivé pour la première fois à Corinthe (Ac 18, 1). Lorsqu'il avait énoncé des projets de voyage au chapitre 4, ce n'était pas ceux-là : il voulait au contraire aller directement d'Ephèse à Corinthe et, de là, se rendre ensuite en Macédoine (4, 19-21) ; il évoquera à nouveau ce premier projet en 2 Co 1, 15-16. Il est clair qu'il a changé d'avis entre l'écriture du chapitre 4 et celle du chapitre 16, ce qui suppose un certain intervalle de temps entre ces deux moments d'écriture (voir l'Introduction, p. 38-39). Ne pas se rendre tout de suite à Corinthe est sans doute une mesure prudentielle ; elle laisse le temps à cette Église de tirer parti de tous ce que Paul lui écrit, sans la pression de la présence de l'Apôtre. Il précise cependant aux vv. 6-7 qu'il prévoit de rester longtemps sur place... si le Seigneur le permet, évidemment ! Et il repartira de là, escorté par des chrétiens de Corinthe, soit pour porter la collecte à Jérusalem – éventualité qu'il a évoquée en 16, 4 – soit pour une autre destination non encore précisée. Le v. 8 est celui qui fournit une indication chronologique précise concernant la date de composition de 1 Co. La Pente-côte, ou fête des Semaines, est une des trois fêtes juives de pèlerinage, qui tombe sept semaines après la Pâque (Ex 23, 16 ; Lv 23, 15-22). Si l'on compte quelques semaines entre le moment où Paul rédige 1 Co 16 et celui auquel il prévoit son départ d'Ephèse, on peut estimer qu'il rédige 1 Co 16 vers la fin de l'hiver ou au début du printemps. De quelle année ? Ici, les estimations des exégètes divergent, allant de la Pentecôte 53 à la Pentecôte 57. Au v. 9, l'Apôtre explique qu'il lui faudra encore quelque temps pour achever sa mission à Ephèse, où le climat semble favorable à l'implantation de l'Évangile, mais où il y a encore, apparemment, quelques difficultés à régler.

VV. 10-12 – Après avoir évoqué ses projets personnels, Paul met le sujet sur deux personnes connues des Corinthiens et de lui : Timothée et Apollos. Les vv. 10-11 ressemblent à une lettre de recommandation (Collins*) au bénéfice de Timothée, déjà nommé en 4, 17. Paul l'a envoyé à Corinthe, sans doute peu avant d'entreprendre l'écriture de 1 Co, pour rappeler aux membres de l'Église les enseignements qu'il leur a donnés. Cet envoi est aussi rapporté en Ac 19, 22, où il est précisé que Timothée, encore jeune (cf. aussi 1 Tm 4, 12), est accompagné par un homme d'âge plus mûr, Éraste, dont on sait par Rm 16, 23 qu'il est trésorier de la ville de Corinthe. Les recommandations que l'Apôtre écrit ici aux Corinthiens à propos de Timothée laissent entendre qu'il craint qu'on ne lui réserve un mauvais accueil ; comme l'Apôtre n'a pas mâché ses mots, surtout dans les derniers chapitres de sa lettre, l'ire des Corinthiens contre lui a des chances d'être importante et de se reporter sur Timothée, son proche disciple. Non que Timothée soit forcément timide, mais il risque d'être plongé au cœur d'une situation délicate pour lui. Paul ne tient d'ailleurs pas à ce qu'il s'éternise à Corinthe. Il souhaite, au contraire, le retrouver bientôt, porteur de nouvelles espérées bonnes. Au v. 12, nous retrouvons Apollos, dont il a été longuement question aux chapitres 1-4. C'est principalement entre ses partisans et ceux de Paul qu'ont eu lieu les débats évoqués au début de la lettre. La distance théologique entre les deux hommes était forte. Paul, cependant, veut être en paix avec l'Alexandrin. Le faire venir à Corinthe aurait été une façon de montrer de la bienveillance envers lui et de manifester publiquement qu'ils sont frères. Cela ne s'est cependant pas fait, soit parce qu'Apollos ne l'a pas souhaité de peur que sa présence ne ravive les querelles, soit pour une tout autre raison. La dernière phrase peut être lue d'au moins deux façons. Soit elle est un euphémisme destiné à cacher qu'Apollos ne retournera sans doute jamais en Achaïe... ou au mieux la semaine des quatre jeudis ! Soit elle est à prendre au premier degré, et Apollos a bien l'intention de retourner à Corinthe lorsque des circonstances favorables se présenteront.

NOTES

5-6

Au v. 5, le verbe διέρχομαι est employé deux fois, la première, au subjonctif aoriste, la seconde, au présent. Ce présent désigne cependant un événement futur, car Paul est encore à Ephèse lorsqu'il écrit. Il faut voir là, soit un présent épistolaire (là où Paul se trouvera lorsque les Corinthiens recevront la lettre), soit une ferme intention. Au v. 6, τυχόν (peut-être) est le participe neutre aoriste de τυγχάνω qui signifie « atteindre, obtenir » quand il est transitif, et « survenir, arriver » quand il est intransitif. On a déjà rencontré, en 14, 10 et 15, 37, εἰ τύχοι (si c'est le cas).

7

L'adverbe ἄρτι (juste) est un adverbe de temps indiquant une durée brève ou un moment précis. On l'a déjà rencontré deux fois en 13, 12, pour évoquer la vie actuelle opposée à la vie future ; et dans l'expression ἕως ἄρτι (jusqu'à présent ; 4, 11.13 ; 8, 7 ; 15, 6). La phrase n'implique pas que Paul veuille rester plus longtemps que lors de sa visite précédente, qui dura, si l'on en croit les Actes, plus de dix-huit mois (Ac 18, 11). Il est difficile de dire si ὁ κύριος, ici et au v. 10, renvoie au Christ ou à Dieu. En appeler à la volonté divine avant d'entreprendre quoi que ce soit est une attitude religieuse de base. Un passage de l'épître de Jacques porte sur cette question (Jc 4, 13-17). Dans les Actes, c'est plutôt l'esprit de Jésus qui donne ou ne donne pas ce type de permission (Ac 16, 7).

8-9

Nommée au v. 8, la Pentecôte n'est pas encore une fête chrétienne ; elle appartient au calendrier juif. Elle est pourtant suffisamment connue dans une Église comme celle de Corinthe pour pouvoir servir de référence chronologique. Au v. 9, la métaphore « car une porte s'est ouverte pour moi » (θύρα γὰρ μοι ἀνέῳγεν) vaut d'être relevée. Le substantif θύρα et le verbe ἀνοίγω sont combinés dans plusieurs textes du NT pour évoquer que l'Évangile a pu s'implanter quelque part. C'est le cas à nouveau chez Paul en 2 Co 2, 12 ; dans les deutéro-pauliniennes en Col 4, 3 ; également en Ac 14, 27.

10-12

C'est sans doute le jeune âge de Timothée et son intimité avec Paul qui le mettent en danger à Corinthe. 2 Tm 1, 7 met en garde contre l'esprit de peur ; c'est une remarque générale et non une allusion à une faiblesse de Timothée lui-même (Hutson). Aux v. 11 et 12, il est précisé que, pour Timothée comme pour Apollos, les voyages se font « avec les frères ». Dans l'Antiquité, on ne fait jamais de longs voyages, seul ; ce serait trop dangereux. Il n'est pas précisé de qui est la « volonté » (θέλημα) dont il est question au v. 12. Si c'était celle d'Apollos, le texte porterait un possessif. Mieux vaut sans doute penser à la Volonté avec un grand V de Dieu lui-même (cf. une expression proche en 1 M 3, 60).

Derniers messages
(16, 13-24)

TRADUCTION

16, 13 Veillez, tenez bon dans la foi, soyez des hommes, soyez forts. 14 Que tout ce que vous faites se fasse par amour. 15 Je vous exhorte, frères : vous connaissez la maison de Stéphanas[a] ; elle est prémices de l'Achaïe, et ils se dévouèrent pour le service en faveur des saints ; 16 que vous soyez soumis, vous aussi, à de telles personnes, et à toute personne qui travaille et peine avec elles. 17 Je me réjouis de la présence de Stéphanas, de Fortunatus et d'Achaïcus, parce que ceux-là suppléèrent à votre manque[b] ; 18 en effet, ils tranquillisèrent mon esprit et le vôtre. Reconnaissez donc de telles gens. 19[c] Vous saluent[d] les Églises d'Asie. Vous saluent[d] très fort, dans le Seigneur, Aquilas et Prisca[e], avec l'Église de chez eux[f]. 20 Vous saluent tous les frères. Saluez-vous les uns les autres d'un saint baiser. 21 La salutation (est due) à ma propre main, (celle) de Paul. 22 Si quelqu'un n'a pas d'amitié pour le Seigneur, qu'il soit anathème. Maranatha[g]. 23 La grâce du Seigneur Jésus[h] (soit) avec vous. 24 Mon amour (soit) avec vous tous, en Christ Jésus[ij].

[a] Après « la maison de Stéphanas », certains témoins ajoutent « et de Fortunatus » : ℵ² D 104. 629. 1175. 1241ˢ. 2464 *pc* b vgˢᵗ bo. D'autres ont un ajout plus long, « et de Fortunatus et d'Achaïcus » : C*ᵛⁱᵈ F G 365. 1505 *pc* ar vgᶜˡ syʰ** ; Pélage. Les manuscrits n'ajoutant rien à « la maison de Stéphanas » présentent cependant une meilleure attestation : p⁴⁶ ℵ* A B C² Ψ 075. 0121. 0243. 33. 1739. 1881 *Byz* r syᵖ sa ; Ambrosiaster. Les ajouts sont secondaires ; ils sont influencés par la liste du v. 17.

[b] Le substantif ὑστέρημα (manque) est qualifié par le possessif ὑμέτερον dans les mss B C D F G P 012. 0243. 33. 630. 1739. (1881) *pc*. Il est remplacé par le pronom personnel génitif ὑμῶν dans p⁴⁶ ℵ A Ψ 075 *Byz* co. La seconde leçon est soutenue par d'excellents témoins, mais elle emploie une tournure plus fréquente que le possessif, peu utilisé dans la langue de la koinè ; elle est sans doute secondaire. Le sens est inchangé.

[c] Le v. 19 est entièrement omis par l'Alexandrinus. Le copiste est passé par inadvertance au « vous saluent » (ἀσπάζονται) du v. 20.

[d] Les mots « les Églises d'Asie. Vous saluent » sont omis par p⁴⁶ 69 *pc*. Même type d'erreur de copiste que pour la variante précédente ; il est passé d'un « vous saluent » au suivant !

[e] L'épouse d'Aquilas, Prisca (Πρίσκα ; majorité des mss), est appelée Πρεισκας dans p[46]. Elle est appelée Priscille (Πρίσκιλλα) dans C D F G Ψ 075. 1881[c] *Byz* it vg[cl] sy bo[pt] ; Ambrosiaster Pélage. C'est un diminutif, utilisé pour parler de la même personne en Ac 18, 2.18.26 ; il a sans doute influencé les copistes. Lui préférer ici la forme Prisca.

[f] Quelques mss insèrent ici « chez qui aussi je suis hébergé » (παρ'οἷς καὶ ξενίζομαι) : D* F G it vg[cl]. L'attestation est faible ; on ne peut retenir cet ajout ; il est sans doute dû à des bonnes intentions de scribes voulant préciser les circonstances d'écriture ou honorer Aquilas et Prisca.

[g] Le terme araméen Maranatha est écrit selon des graphies qui varient. Dans les grands onciaux qui ne marquent pas les écarts entre les lettres, on trouve ΜΑΡΑΝΑΘΑ, qui peut être coupé μαράνα θά ou μαράν ἀθά (cette dernière forme est lisible en B[2] D[2] G*[vid] K L Ψ 323. 365. 1505 *al* vg[cl] sy). Mais certains mss qui marquent ordinairement les séparations entre les lettres écrivent μαραναθα tout attaché : F G[c] 0212. 0243. 1739. 1881 *Byz*. Impossible de choisir une graphie qui s'imposerait. Pour le sens de ce mot, voir la note sur le v. 22.

[h] Les mss qui portent τοῦ κυρίου Ἰησοῦ sont anciens mais peu nombreux : ℵ* B 33 *pc* sa. Plus nombreux sont ceux qui portent une titulature plus complète, τοῦ κυρίου Ἰησοῦ Χριστοῦ : ℵ[2] A C D F G Ψ 075. 0121. 0243. 1739. 1881 *Byz* it vg[cl] sy bo ; Ambrosiaster. On préférera la première leçon, qui est *lectio brevior*, l'utilisation liturgique ayant conduit à rajouter des titres à Jésus.

[i] Sous l'influence de la liturgie, quelques mss ajoutent « Amen » : ℵ A C D Ψ 075. 1739[c] *Byz* lat sy[h] bo ; Pélage.

[j] Sous le texte qui se termine ici, des copistes ont rajouté une *subscriptio* servant à identifier l'œuvre. Parmi les plus courantes, on trouve Πρὸς Κορινθίους α' : ℵ B* C (D* F G Ψ) 33. 81 *pc*. Πρὸς Κορινθίους α' ἐγράφη ἀπὸ Ἐφέσου : B[1] P (945) *pc*. D'autres nomment Paul ; ou Paul et Sosthène ; certaines, plus complètes encore, précisent des circonstances de composition (TCGNT 571).

BIBLIOGRAPHIE

G. BIGUZZI, « Paolo e la strategia apostolia della primizia », *EuntDoc* 62, 2002, 75-100. – J. FOTOPOULOS, « Paul's Curse of Corinthians. Restraining Rivals with Fear and *Voces Mysticae* », *NT* 56, 2014, 275-309. – M. GIELEN, « Zur Interpretation der paulinischen Formel *hē kat'oikon ekklēsiā* », *ZNW* 77, 1986, 109-125. – C.S. KEENER, « Note on Athens : Do 1 Corinthians 16. 15 and Acts 17. 34 Conflict ? », *JournGrecoRomChristJud* 7, 2010, 137-139. – C. KEITH, « "In My Own Hand" : Grapho-Literary and the Apostle Paul », *Bib.* 89, 2008, 39-58. – D.A. KUREK-CHOMYCZ, « Is there an "Anti-Priscan" Tendency in the Manuscripts ? Some Textual Problems with Prisca and Aquila », *JBL* 125, 2006, 107-128. – M. MAYORDOMO, « "Act Like Men !" (1 Cor 16 : 13). Paul's Exhortation in Different Historical Context », *CrossCurr* 61, 2011, 515-521. – J.C. MOREAU, « Maranatha », *RB* 118, 2011, 51-75. – C.G. MÜLLER, « Priska and Aquila. Der Weg eines Ehepaares und die paulinische Mission », *MünchTheolZeit* 54, 2003, 195-210. – J. MURPHY-O'CONNOR, « Prisca and Aquila », *BibRev* 8, 1992, 40-51. 62. – J.A.D. WEIMA, *Neglected Endings. The Significance of the Paulilne Letter Closings*, Sheffield 1994.

INTERPRÉTATION

En 1, 1-3, Paul avait pris la forme classique d'une adresse épistolaire d'époque hellénistique en la développant et en la christianisant. On peut en dire autant pour cette conclusion, mais les amplifications sont plus considérables encore. On y trouve de tout : des injonctions à l'impératif (vv. 13-14) ; une exhortation en forme de lettre de recommandation (Collins* ; Thiselton*) pour Stéphanas et sa maisonnée (vv. 15-18), des salutations (vv. 19-20), et une finale écrite de la main même de Paul (vv. 21-24). À la suite de nombreux commentaires, nous traitons ces douze versets comme une seule péricope, mais d'autres exégètes en distinguent plusieurs. Un élément qui permet de la traiter comme une péricope unique est l'inclusion de l'ensemble entre deux emplois du terme « amour » (*agapè*), au v. 14 et au v. 24. Plusieurs éléments d'une *peroratio* s'y retrouvent, d'une part la reprise de certains éléments du corps de l'épître, d'autre part l'émotion, surtout perceptible dans les derniers versets (Weima). On peut aussi repérer le vocabulaire de la totalité (vv. 14.16.20.24), qui convient bien aux conclusions. M.M. Mitchell, qui identifie en 1, 10 la *propositio* de toute l'épître appelant les Corinthiens divisés à la réconciliation, identifie ici de tels appels à la concorde en plusieurs passages (Mitchell, *Rhetoric*, 177-179. 294-295).

VV. 13-17 – Le v. 13 commence de façon très abrupte, en forme d'asyndète, sans transition avec ce qui précède. Il est composé de quatre impératifs de type parénétique, dont le deuxième fait référence à la foi. Le premier est un appel à la vigilance ; Paul a déjà adressé un tel appel aux Thessaloniciens en utilisant le même verbe *grègoreô* (veiller), en 1 Th 5, 6 ; on retrouve de tels appels dans le NT, principalement dans des textes à tonalité apocalyptique (*e.g.* Mc 13, 33-37 ; 1 P 5, 8 ; Ap 3, 2-3) ; le fidèle doit lutter contre les tentations du Malin (Mc 14, 38 et par.) ou des pervers (Ap 20, 30). La référence à la foi, dans le deuxième impératif, implique une double dimension de celle-ci : un contenu de croyance, et l'attitude qui en résulte ; c'est le seul mot de ce verset qui possède explicitement une tonalité spirituelle. Les deux derniers impératifs suivants ont rapport avec la force, des qualités de mâle et d'adulte. D'autres textes bibliques les combinent déjà (2 R[LXX] 10, 12 ; Ps[LXX] 26, 14 ; Ps[LXX] 30, 25) ; c'est sans doute cette référence scripturaire qui conduit Paul à les employer. Avec un impératif de la 3e personne, le v. 14 fait suite au v. 13 ; son insistance sur le « tout dans l'amour » rappelle à l'évidence le chapitre 13, aucune attitude, aucune vertu ne surpassant celle-ci. Avec le v. 15, où l'apostrophe « frères » montre qu'on aborde un nouveau sujet, le texte quitte la tonalité de parénèse générale pour s'attacher à un cas particulier, la maisonnée de Stéphanas, déjà nommé en 1, 16 : Paul l'a baptisé, lui, ainsi que sa maisonnée (sa famille au sens large) ; son nom est repris plus loin au v. 17. On apprend maintenant que l'homme et ses proches ont été les premiers Corinthiens à se reconnaître comme disciples du Christ, ce qui leur donne un rang particulier ; c'est sans toute la raison pour laquelle Paul les a baptisés lui-même. Inconnu en dehors de 1 Co, Stéphanas recevait sans doute dans sa propre maison pour la célébration hebdomadaire du Dîner du Seigneur, un peu comme des patrons recevaient leurs clients dans les cités grecques. En mettant en avant la relation de fraternité, Paul déconstruit cependant ce type de relation sociétale (Winter, *After*, 184-205). Au v. 16, l'Apôtre demande d'ailleurs à ses destinataires qu'ils se soumettent à plusieurs personnes, donc pas à Stéphanas seul mais aussi à ses collaborateurs, parmi lesquels il faut sans doute compter Fortunatus et Achaïcus nommés plus loin au v. 17 ; c'est la seule fois où Paul parle de soumission (verbe *hupotassô*) pour définir la relation entre des membres d'une Église et ses responsables ; c'est sans doute un indice supplémentaire des désordres et de la désunion qui régnaient à Corinthe. Le v. 17 continue de parler de Stéphanas pour une tout autre raison. Au moment où Paul écrit, il est près de lui, à Ephèse, en compagnie de deux autres hommes connus des Corinthiens, Fortunatus et Achaïcus ; tous deux appartiennent sans doute à la maisonnée du premier. Ils portent d'ailleurs des noms d'esclaves ou d'affranchis. Fortunatus vient de *fortuna*, latin, qui signifie « chance » ; c'est donc « le chanceux ». Achaïcus signifie, en latin ou en grec, celui qui vient d'Achaïe. Comme il habite maintenant Corinthe, chef-lieu de la province d'Achaïe, c'est sans doute ailleurs qu'il a été acheté ou affranchi. Ces trois hommes sont vraisemblablement ceux qui ont porté à Paul la lettre que les Corinthiens lui ont écrite et dont il est question en 7, 1. Et ils sont sans doute également ceux qui porteront à Corinthe la lettre dont l'Apôtre est en train de dicter les dernières lignes. Au v. 18, il présente le fait que ces trois hommes se trouvent actuellement à ses côtés comme un réconfort : une façon de souligner à quel point les Corinthiens lui manquent, qui a une forte tonalité de *captatio benevolentiae*. À nouveau, Paul les recommande ; il compte apparemment sur eux pour faire le commentaire de la lettre dont ils seront porteurs et qui risque de provoquer quelques remous dans l'Église de Corinthe.

VV. 19-24 – Le verbe « saluer » (*aspazô*) est utilisé quatre fois dans les vv. 19-20. Le thème de la salutation se prolonge au v. 21, cette fois, avec le substantif *aspasmos*, pour introduire les lignes que Paul écrit lui-même matériellement sans utiliser les services d'un scribe. Ce sont d'abord, aux vv. 19-20a, les saluts qu'adressent aux destinataires des gens qui se trouvent en Asie : à Ephèse ou à proximité. Le syntagme « les églises d'Asie » désigne un ensemble d'Églises chrétiennes dont la liste est difficile à établir à l'époque où Paul écrit. L'Asie était une province romaine fondée en 133 av. J.-C., lorsque le roi de Pergame remit son royaume entre les mains des Romains. Parmi ces Églises, il y a Ephèse, très certainement, mais on ignore si la ville abrite une ou plusieurs communautés chrétiennes. Il est vraisemblable que Colosses, Laodicée et Hiérapolis existent déjà, bien que ce ne soit pas des Églises fondées par Paul ; pour la première, on possède une épître aux Colossiens, vraisemblablement écrite par un disciple de l'Apôtre ;

pour la deuxième, on sait par l'épître aux Colossiens qu'il a existé une épître aux Laodicéens, aujourd'hui perdue (Col 2, 1 ; 4, 13-16 ; voir également Ap 3, 14) ; pour la troisième, une Église est aussi mentionnée en Col 4, 13. Outre ces villes, les lettres aux Églises d'Asie qui constituent les chapitres 2-3 de l'Apocalypse en nomment cinq autres : Smyrne, Pergame, Thyatire, Sardes et Philadelphie, dont on ignore tout de la date de fondation. Après celles des Églises d'Asie sont mentionnées les salutations d'Aquilas et de sa femme Prisca, ainsi que de « l'Église de chez eux ». Le couple constitué d'Aquilas et de Prisca est bien connu du NT. Ils sont à Ephèse avec Paul lorsqu'il rédige 1 Co. Plus tard, ils seront également avec Paul à Corinthe, lorsqu'il rédigera Rm (Rm 16, 3). 2 Tm demande au destinataire de les saluer (2 Tm 4, 19). Le livre des Actes permet de connaître de plus près leur itinéraire : ce sont des Juifs originaires du Pont (au moins Aquilas), ils sont venus travailler à Rome, ils ont dû quitter la Ville autour de l'année 50, à la suite de l'édit de Claude. Comme Paul, ils étaient de leur métier fabricants de tentes ; c'est chez eux que le Tarsiote s'installa et travailla (Ac 18, 2-4). À la fin du premier séjour de Paul en Achaïe, ils partirent avec lui pour la Syrie (Ac 18, 18). Ils sont à Ephèse avant que Paul n'y arrive après être passé par Jérusalem et Antioche (Ac 18, 22), et là, ils complètent la formation d'Apollos (Ac 18, 26). C'est sans doute chez eux également que Paul demeurait à Ephèse, comme il l'avait fait à Corinthe. Ils sont un exemple de couple missionnaire, excellant dans la mobilité et la flexibilité au service de la foi (Müller). Le v. 20b reste dans le domaine de la salutation, non plus en transmettant des saluts venant d'Asie, mais en invitant les frères de Corinthe à se saluer les uns les autres avec cordialité. L'expression « saint baiser » avait été utilisée pour une invitation semblable en 1 Th 5, 26 ; elle le sera à nouveau en 2 Co 13, 12 et Rm 16, 16. L'adjectif « saint » (*hagios*) ôte au geste toute ambiguïté d'ordre sexuel. Dans les écrits patristiques, le geste est liturgique (*e.g.* Justin, *1re Apologie* 65, 2 ; Hippolyte, *Tradition apostolique* 4, 1 ; 22, 3 ; Tertullien, *Orationes* 18). Il est difficile de savoir si c'est déjà le cas en 1 Co, encore que des accents liturgiques soient perceptibles dans les derniers versets de l'épître.

Au v. 21, Paul prend le stylet à la place du scribe à qui il dictait sa lettre. L'écriture devait être repérable, car un homme dont la graphie n'était pas le métier ne maniait sans doute pas aussi bien le stylet qu'un scribe professionnel ; à son époque, peu de gens savaient lire, moins encore savaient écrire. Une mention analogue existe dans le corpus paulinien en Ga 6, 11 ; Col 4, 18 ; 2 Th 3, 17 ; Phm 19 (en Ga 6, 11, il précise que son écriture est moins professionnelle que celle d'un scribe attitré). L'intérêt de prendre lui-même le stylet est sans doute double : il montre que l'auteur est capable de le faire ; il authentifie l'écrit (Keith). Curieusement, pourtant, une telle mention existe pour deux épîtres dont l'authenticité paulinienne est vivement débattue, Col et 2 Th (voir la note sur le v. 21). C'est sans doute encore la main de Paul qui opère jusqu'à la fin de la lettre. Le v. 22 pose de multiples questions. Il commence par un anathème conditionnel. Alors que la tonalité générale du passage est celle de la conciliation, cette phrase introduit un élément de dureté. Cela peut étonner, mais ce n'est pas un cas unique : d'abord, les appels à la malédiction sont courants dans le monde gréco-romain (Fotopoulos) ; et ensuite, on trouve également des mises en garde de ce type dans le NT, par exemple dans les derniers versets de Rm (16, 17-18) et de 2 Th (3, 8). Dans le cas de 1 Co, il ne faut pas oublier que des avertissements sévères ont déjà été proférés dans le corps de l'épître, notamment aux chapitres 5 et 6 ainsi qu'en 11, 27-29. Ce qui peut en atténuer la sévérité, c'est qu'il s'agit sans doute d'une formule toute faite, peut-être empruntée à la liturgie. On peut le déduire du fait que la relation au Seigneur est exprimée par le verbe grec *phileô* (avoir de l'amitié pour), que Paul n'emploie jamais ailleurs ; on ne le trouve que dans l'épître à Tite (Tt 3, 15), très généralement reconnue comme deutéro-paulinienne. Il exprime un amour d'amitié, et non l'amour évangélique de l'*agapè* exalté en 1 Co 13 et utilisé encore au v. 24. On reste dans les formules liturgiques avec le dernier mot du v. 22, « Maranatha » (voir la note). Privés de verbes, les vv. 23-24 reprennent une tonalité positive. Il faut sans doute, pour l'un et l'autre, sous-entendre le verbe « être » en forme optative (Brookins, Longenecker*), plutôt que de faire un souhait du v. 23 et une affirmation du v. 24. Grammaticalement parlant, on peut difficilement sous-entendre deux formes différentes du même verbe dans deux phrases successives. Et, pour le fond, si l'amour de Paul pour les Corinthiens exprimé au v. 24 est acquis de sa part, il ne sera opérant que si les destinataires le reçoivent. Un dernier mot : c'est sur le nom de Jésus que se termine l'épître ; il rappelle la dimension hautement christologique de l'ensemble.

NOTES

13-14

Une lettre antique, grecque ou romaine, se termine en général par un souhait exprimé par un impératif. On connaît le latin *Vale* (porte-toi bien !), encore utilisé par les lettrés. Les termes grecs équivalents sont ἔρρωσο (porte-toi bien !), du verbe ῥώννυμι (fortifier) ; ou encore εὐτύχει (prospère ! sois heureux !), pluriel εὐτυχεῖτε, du verbe εὐτυχέω (prospérer). Au v. 13, le 2e impératif, στήκετε (tenez bon), vient du verbe στήκω, régulier, plus facile à conjuguer que son équivalent ἵστημι. Le 3e impératif, ἀνδρίζεσθε, est l'impératif moyen du verbe ἀνδρίζω (rendre mâle, rendre viril) ; c'est un hapax NT, mais il est utilisé une vingtaine de fois dans la LXX. La virilité (ἀνδρεία) distingue la personne à la fois de la féminité et de l'enfance (Mayordomo) ; c'est une vertu civique cardinale dans le monde grec. Plus haut dans l'épître, Paul a rappelé aux Corinthiens qu'il avait dû les traiter comme des enfants, ce n'est pas une raison pour qu'ils le restent. Le 4e impératif, κραταιοῦσθε, est l'impératif moyen de κραταιόω (rendre fort) ; il est courant dans le NT, et très présent dans la LXX.

15-16

La construction grammaticale de ces deux versets est étrange. Le verbe παρακαλῶ (j'exhorte), au début du v. 15, commande la proposition commençant par ἵνα (équivalent de ὅτι) qui commence au v. 16 ; mais la matière de cette exhortation est présentée en forme d'incise commençant par le verbe οἴδατε (vous connaissez). Παρακαλῶ est employé à la 1ʳᵉ personne pour la 3ᵉ fois dans l'épître : la première fois, c'était en 1, 10, accompagné d'exactement les mêmes termes ; la deuxième, c'était en 4, 16, avec une formulation légèrement différente. Le terme ἀπαρχή (prémices), a déjà été employé en 15, 20 et 23 à propos du Christ ressuscité, « prémices de ceux qui se sont endormis » ; il suggère un premier rang chronologique (en Rm 16, 15, Épénète sera également qualifié de « prémices ») (Biguzzi). Quelques chercheurs ont remarqué que, si l'on se réfère à Ac 17, 34, Paul avait déjà converti des personnes à Athènes, donc en Achaïe, et que le terme « prémices » convenait mal pour Stéphanas et sa famille ; administrativement parlant, Athènes était effectivement située dans la province romaine d'Achaïe, mais son importance historique particulière en faisait une ville à part (Keener). La formulation employée pour « le service aux saints » (διακονία τοῖς ἁγίοις) est proche de celle que l'on trouve en 2 Co 9, 1, où il s'agit de la collecte en faveur des fidèles de Jérusalem ; on a pu se demander si Stéphanas n'avait pas joué un rôle particulier dans cette collecte, mais il n'est pas question de lui en 16, 1-4. L'expression doit alors plutôt être interprétée dans un sens général : le service des fidèles de Corinthe.

17-18

Fortunatus et Achaïcus ne sont pas nommés ailleurs dans le NT. Le nom de Fortunatus se trouve également chez Clément de Rome (*1 Clément* 65, 1), mais il y a peu de chances qu'il s'agisse de la même personne, car *1 Clément* date des années 95-98, environ 40 ans après la rédaction de 1 Corinthiens. Au v. 17, « votre manque » (τὸ ὑμέτερον ὑστέρημα) est un génitif objectif : le manque que moi, Paul, j'ai de vous.

19-20

Au v. 19, le texte ne permet pas de savoir à qui renvoie précisément l'expression ἐν κυρίῳ : Jésus ou Dieu le Père. Le terme κύριος est cependant repris au v. 23, où il est clair qu'il désigne Jésus. C'est donc sans doute également le cas au v. 19. L'expression « l'Église de chez eux » (ἡ κατ'οἶκον αὐτοῦ ἐκκλησία) est ambiguë : elle peut désigner leur maisonnée, et également le groupe de disciples qui se réunit habituellement chez eux pour la célébration du Dîner du Seigneur. La seconde solution est sans doute meilleure, car, dans cette section, les groupes nommés ont tous une certaine importance. Il n'y a aucune raison de penser que ce serait une Église autre que l'Église locale d'Ephèse. À l'époque, toutes les réunions ecclésiales avaient lieu dans des maisons particulières. Paul la cite sans doute parce que c'est là qu'il réside à Ephèse au moment où il rédige 1 Co (Gielen). « Tous les frères » qui sont nommés au v. 20a sont vraisemblablement les autres chrétiens que Paul est conduit à rencontrer, soit parce qu'ils vivent à Ephèse soit parce qu'ils y passent. Aquilas et Prisca ne sont pas nommés « prémices de l'Achaïe » (ce titre revient à Stéphanas et à sa maison ; v. 15) ; c'est donc sans doute pendant leur séjour à Rome, avant de venir à Corinthe, qu'ils ont découvert le Christ et ont été baptisés (Murphy-O'Connor, *Critical*, 262-264). Lorsque le couple est mentionné dans le NT, c'est parfois Prisca qui est nommée la première (Ac 18, 18.26 ; 2 Tm 4, 19) ; elle était peut-être devenue chrétienne avant son mari, et jouait sans doute un rôle plus important dans l'Église (Murphy-O'Connor, « Prisca »). En Ac 18, 26, les mss appartenant à la famille occidentale nomment Aquilas en premier. Est-ce déjà l'expression d'une réserve envers les ministères féminins (Kurek-Chomycz) ?

21-22a

La phrase indiquant la main de Paul en Col 4, 18 et 2 Th 3, 17 est identique mot pour mot à celle que l'on trouve au v. 21 ; plus qu'une preuve d'authenticité pour Col et 2 Th, ce peut être un indice de plagiat. Pour le terme ἀνάθημα, voir la note sur 12, 3. Au v. 22a, le verbe ἤτω est le dernier verbe grec de l'épître. C'est une forme rare de l'impératif 3ᵉ personne de εἰμί (être) – la forme la plus courante étant ἔστω – que l'on trouve surtout dans les formules d'imprécation ou de malédiction (Brookins, Longenecker*).

22b-24

Μαραναθα, au v. 22b, est la translittération d'une phrase araméenne, l'une des rares traces de l'araméen dans le NT (pour la bibliographie, voir Fitzmyer*, 632-633). *Mār* signifie « Seigneur » (ici, le Christ) ; il est suivi du suffixe de la 1ʳᵉ personne du pluriel, *nā'*, bien attesté dans des textes bibliques en araméen (Esd 5, 12 et Dn 3, 17) ainsi qu'à Qumrân (4Q202 III, 14). Le verbe *ătā'* signifie « venir ». « Maranatha » est manifestement un emprunt à la liturgie des Églises chrétiennes palestiniennes, mais sa signification est fortement débattue ; les mss grecs les plus anciens ne séparent pas les mots ; et, pour tout compliquer, la consonne *aleph* peut être soit élidée, soit soutenue par une voyelle support. Les premières lettres de μαραναθα ne prêtent guère à confusion : *māran* ou *māranā* signifie « notre Seigneur ». Mais le mot dans son entier est ambigu, car on peut le couper de deux façons différentes : *māran 'ătā'* ; ou *māranā tā'*. Dans le premier cas, le verbe est soit au parfait, « notre Seigneur est venu », soit au participe (avec une légère modification vocalique : *'ătē'*), « notre Seigneur (est) venant » ou « notre Seigneur vient », c'est-à-dire qu'il est en train de venir. Dans le deuxième cas, c'est un impératif, et la phrase est un appel : « Notre Seigneur, viens ! » Trois lectures sont alors possibles : 1° La lecture « notre Seigneur vient » pourrait se référer à la venue sacramentelle du Seigneur au cours d'une liturgie eucharistique ; c'est peut-être son sens en *Didachè* 10, 6, où Μαραναθα est employé. – 2° La lecture « notre Seigneur, viens ! » a pour elle deux arguments principaux. En premier lieu, le contexte global : le verbe grec précédent, ἤτω, est un impératif, et la tonalité des derniers versets de la lettre est optative. En second lieu, on trouve en Ap 22, 20, un appel clair à la venue de Jésus, formulé en grec : ἔρχου, κύριε Ἰησοῦ (viens, Seigneur Jésus !). – 3° La lecture « notre Seigneur est venu » a pour elle également de bons arguments. En premier lieu, le contexte proche : être anathème si l'on n'a pas d'amitié pour le Seigneur est d'autant plus opérant si le Seigneur Jésus est effectivement présent puisqu'il est déjà venu. En second lieu, la graphie que l'on trouve dans certains mss grecs minuscules qui détachent les mots, où Μαραν αθα est écrit en deux mots (Moreau). Le choix entre ces trois options est éminemment difficile. Tenant compte de la tonalité optative de la fin de l'épître, le souhait que le Seigneur vienne aurait notre préférence, mais nous ne saurions être affirmatif.

INDEX DES AUTEURS MODERNES

D

E

F

G

INDEX DE LA BIBLE
ET DE LA LITTÉRATURE ANCIENNE

Ancien Testament

Nouveau Testament

1. Les références aux pages consacrées à une partie ou à une péricope sont en caractères gras. Les références à un verset ne sont pas données lorsque ce verset appartient à la péricope commentée.

12, 6 : 300
12, 7 : 248
12, 8-10 : 283, 307, 309, 348
12, 8-9 : 316
12, 8 : 45, 196, 332
12, 9 : 214, 283, 293, 323, 326
12, 10 : 283, 295, 326, 327, 395, 336, 348
12, 12-31 : 297, 305
12, 12-27 : 44, 274
12, 12-26 : 284, **296-304**
12, 12 : 308, 335
12, 13-26 : 306
12, 13 : 44, 71, 138, 230, 234, 252, 297, 336
12, 15-16 : 297
12, 18 : 307, 309, 334
12, 20 : 334
12, 21-26 : 294
12, 22 : 338
12, 24 : 307, 309, 350
12, 25 : 70, 306
12, 26 : 306
12, 27-31 : 284, **305-310**
12, 27 : 45, 99, 147, 298, 302, 305
12, 28-31 : 90
12, 28-30 : 283, 346, 348
12, 28-29 : 283, 294
12, 28 : 51, 207, 214, 283, 287, 290, 291, 293, 295, 316, 325, 326, 332
12, 29 : 291, 295, 316, 332
12, 30 : 214, 283, 286, 290, 293, 326, 327, 348
12, 31 – 13, 13 : 284
12, 31 : 45, 214, 283, 293, 305, 306, 313, 314, 321, 326
13 : 70, 196, 283, 284, 290, **310-323**, 324, 325, 348, 394, 429, 432

13, 1-2 : 283
13, 1 : 266, 292, 308, 312, 313, 325, 328, 339
13, 2 : 84, 196, 290, 295, 312
13, 3 : 305, 306, 312, 313
13, 4-7 : 200, 313
13, 4 : 45, 118
13, 5 : 45, 184
13, 7 : 45, 313
13, 8-13 : 312
13, 8-12 : 313
13, 8-9 : 283
13, 8 : 196, 295
13, 9 : 45, 295, 309
13, 10 : 45, 309, 313
13, 11 : 45, 70, 313
13, 12 : 45, 309, 312, 426
13, 13 : 290
14 : 43, 282, 283, 284, 289, 293, 295, 308, 313, 315, 318, 324, 324, 338, 341, 345, 347, 350, 351, 354, 368, 375
14, 1-37 : 235
14, 1-25 : 331
14, 1-5 : 284, **323-327**, 333, 346
14, 1 : 45, 214, 292, 295, 308, 310, 313, 314, 321, 335, 375
14, 2 : 84, 90, 300, 348
14, 3 : 295, 315, 327
14, 4-9 : 308
14, 4 : 287, 295, 315, 334, 348, 372
14, 5 : 45, 286, 294, 295, 315, 327, 334, 348
14, 6-19 : 284, 327, **329-337**
14, 6 : 58, 196, 284, 290, 294, 295, 338, 348
14, 8 : 286, 315
14, 9 : 45, 327, 348
14, 10 : 404, 425
14, 12 : 294, 315, 327

14, 13 : 286, 327, 348
14, 14 : 327
14, 15 : 41, 326, 348
14, 16-40 : 354
14, 16-19 : 327
14, 16 : 342
14, 17 : 315, 327
14, 18 : 348
14, 19 : 45, 327, 348
14, 20-25 : 284, **337-342**
14, 20-22 : 338
14, 20 : 90, 284, 322, 325, 331
14, 21 : 43, 44, 213, 338
14, 22 : 137, 165, 294, 295, 331, 338, 348
14, 23-24 : 336
14, 23 : 137, 165, 275, 276, 294, 338, 348, 355
14, 24-25 : 338
14, 24 : 45, 137, 165, 295
14, 25 : 43, 45
14, 26-40 : 284, **342-355**
14, 26-33 : 344
14, 26 : 58, 275, 284, 294, 315, 325, 327, 331
14, 27 : 286, 298, 327
14, 28 : 286
14, 29-30 : 334
14, 29 : 45, 291, 295
14, 31 : 295
14, 32 : 295, 335
14, 33-36 : 283, 325, 351
14, 33-35 : 168, 258
14, 33 : 163, 419
14, 34-36 : 258, 264, 344, **350-355**
14, 34-35 : 350, 351
14, 34 : 213, 351
14, 36 : 45
14, 37-40 : 284
14, 37 : 45, 172, 214, 292, 344
14, 38 : 368
14, 39 : 284, 294, 295, 321, 325, 331

Pseudepigraphes AT

Apocalypse d'Esdras

2, 30 : 137
5, 26 : 137

2 Baruch

48, 2 : 384
49, 1-3 : 399
50, 1-4 : 402

4 Esdras

7, 11-12 : 284
7, 118 : 384
16, 41-47 : 178

1 Hénoch

1, 9 : 136
6, 1-4 : 266
18, 13-16 : 400
22, 14 : 89
25, 3 : 89
27, 3 : 89
36, 4 : 89
40, 3 : 89
50 : 95
53, 3 : 413
67-69 : 137

90, 20-27 : 136
95, 3 : 136

Joseph et Aséneth

4, 7 : 181
8, 1 : 181
54, 12-13 : 166

3 Maccabées

2, 33 : 309
3, 10 : 309
4, 6 : 242
7, 16 : 277

4 Maccabées

5, 2 : 200
5, 13 : 288
5, 32 : 320
6, 24 : 320
9, 19 : 320
14, 5 : 414
16, 13 : 414

Oracles sibyllins

2, 96 : 200

Testament d'Abraham

9, 23 : 137
10, 2 : 137
12, 1 : 137

Testament de Job

4, 10 : 221
27, 3-5 : 221
48, 3 – 50, 2 : 316

Testament de Moïse

8, 3 : 172

Testament de Nephtali

8, 8 : 156

Testament de Ruben

5, 5 : 142, 145

Vie grecque d'Adam et Eve

13-17 : 266
19, 3 : 231

Écrits qumrâniens

CD

4, 20-21 : 164
6, 19 : 278

1QH

4, 47-48 : 413
5, 32-33 : 406
6, 15-16 : 97
8, 4-11 : 97
18, 4-9 : 406

20, 27-31 : 406

1QM

7, 4-6 : 266
7, 13-14 : 411

1QpHab

2, 4-6 : 278
5, 4 : 136
7, 4-5 : 320

1QS

2, 3-11 : 266
6, 24 – 7, 18 : 128
8, 5 : 97
11, 8-9 : 97

4Q202

3, 14 : 434

4 Q416

2, iii : 194

4QEnoch^c

1, vi, 14-15 : 137

4QEnoch^g

1, iv, 22-23 : 137

4QpNa

3-4, i : 78

11QRT

52, 12-13 : 206
57, 17-19 : 164
64, 6-13 : 78

Targums

TgJ Ex 12, 37 : 234
TgJ Ex 16, 15 : 235
TgJ Ex 32, 6 : 232

TgJ Nb 11, 33 : 231
TgJ Nb 17, 11-12 : 232
TgJ Nb 20, 11-13 : 235

TgJ Nb 21, 18-20 : 235
TgN Ex 32, 6 : 232

Écrits rabbiniques

GnRabbah

8, 1 : 406
8, 10 : 266
12, 2-5 : 406

MekExode

13, 21 : 234
14, 16 : 234
21, 1 : 136

M'Abodah Zara

2, 3 : 250
5, 5 : 250

MHul

1, 1 : 250

MB Mes

7, 2 : 213

MKeritot

1, 1 : 128

MPesah

10, 1-7 : 245
10, 5 : 230

MSanh

7, 4 : 128

Pirqé Abot

1, 2 : 282

PsTehillah

139, 5-6 : 406

TBBerakot

19a : 148
28b : 413
61a : 414

TBGittin

88b : 136

TBRosh-hashana

16b : 148

TBSanh

11a : 295
19b : 117
90b : 399
91a : 413

TBSota

48b : 295

TBYoma

9b : 295

TosSukk

3, 11-13 : 235

Auteurs grecs et latins

Aelius Aristide

Discours 1, 330 : 77

Aristophane

Fragments 133 : 32
Av. 1125 : 103

Aristote

G.A. 4, 5, 4 : 374
Nic. 2, 2 : 394
Nic. 6, 7 : 77

Litterature chrétienne ancienne

INDEX DES THÈMES

Cet index n'est pas une concordance. Il n'indique pas toutes les pages où un terme est employé dans le texte de 1 Co et dans le commentaire (sauf pour les noms propres), mais les pages les plus significatives.

Pour les auteurs anciens dont les œuvres sont nommées, voir aussi l'Index de la Bible et de la littérature ancienne.

LISTE DES EXCURSUS

TABLE DES MATIÈRES

Composition : Le vent se lève...

Dépôt légal : février 2018

Achevé d'imprimer chez SoBook le 19-10-2021

Linselles - France

N° impression : 729 834